DE NEDERLANDSE
POËZIE VAN DE
TWAALFDE
TOT EN MET
DE ZESTIENDE
EEUW IN
DUIZEND
EN ENIGE
BLADZIJDEN

BERT BAKKER BLOEMLEZING

GERRIT KOMRIJ

DE
NEDERLANDSE
POËZIE VAN DE
TWAALFDE
TOT EN MET
DE ZESTIENDE
EEUW IN
DUIZEND
EN ENIGE
BLADZIJDEN

1994
UITGEVERIJ BERT BAKKER
AMSTERDAM

© 1994 Gerrit Komrij, Vila Pouca da Beira, Portugal
© 1994 vertalingen NLCM, Leiden
Omslag en typografie Rudo Hartman, Den Haag
Druk Rotatie Boekendruk, Krommenie
ISBN 90 351 1388 8 (paperback)
ISBN 90 351 1408 6 (gebonden)

Eerste druk november 1994
Tweede druk december 1994

Deze uitgave is mede tot stand gekomen met steun van het
Nederlands Literair Produktie- en Vertalingenfonds en het
Prins Bernhard Fonds.

VOORAF

De *revival* die de middeleeuwen al zo'n jaar of tien ten deel valt is opmerkelijk. Muziek en schilderijen uit die tijd hebben een nieuwe kracht en een nieuw licht gekregen, zonder enige stoffigheid. Ze lijken onze zintuigen direct te raken. Moeiteloos vinden allerlei elementen eruit hun weg in onze stijl en mode. Het verste lijkt ineens het dichtstbij.

Met de taal en de dichtkunst ligt het wat moeilijker dan met het aanbod voor oog en oor. Of liever: we moeten er ons wat meer moeite voor getroosten. Dat onze sensibiliteit evenwel ook de middeleeuwse teksten voor springlevend weet te houden moge blijken uit het feit dat deze bloemlezing, waarmee na precies vijftien jaar met enige trots een trilogie wordt voltooid, waarschijnlijk de grootste bloemlezing is uit de middeleeuwse poëzie die ooit ter wereld verscheen. Ik zeg *waarschijnlijk*, want ik ken de Oekraïense literatuur niet.

Het beeld van de 'donkere' middeleeuwen is al lang afgeschaft. Maar er is ook meer aan de hand dan vroomheid enerzijds, uitbundigheid anderzijds, met *Heer Halewijn* er zo ongeveer tussenin. Talrijke studies hebben het sociale en politieke leven van die tijd uitgediept, met een grote aandacht voor aspecten van sociologische en economische aard. De wereld van het kloosterleven en de stadscultuur – van zondenspiegel en spotsermoen – werd voor ons opgeroepen. Mystici, vagebonden, ondergangsprofeten, monniken en nonnen, ridders en marktkooplieden trokken voorbij en houden niet op ons te verbazen. De wereld van de criminaliteit en de prostitutie, de syfilis en de pest, de vrouwenheerschappij en de misogynie, ze wordt nog altijd voor ons ontvouwd. Al die aspecten komen ook in deze bloemlezing aan bod, in teksten met meer dan lyrisch en poëticaal belang alleen.

Niettemin hoop ik, wat de poëtica betreft, dat de aanwezigheid van een groot aantal rederijkersgedichten nu eens *echt* aan een eerherstel voor de rederijkers zal bijdragen. Het meeste wat er over hen aan halfslachtigs is geschreven kunnen we maar het beste vergeten. In de landen om ons heen is men met de serieuze benadering van de rhetorica heel wat verder gevorderd. Ik droom van een CD-ROM met alle rederijkersteksten.

Tot het zover is kan de belangstellende lezer zich alleen maar de haren uit het hoofd trekken over de allerbelabberdste staat waarin de verzorging van ons literaire erfgoed zich bevindt. Het materiaal voor deze bloemlezing moest uit de meest obscure hoeken worden opgediept, en dan was het vaak nog gepresenteerd volgens redactionele en editoriale principes uit de negentiende eeuw. Wat we van de rederijkers beschikbaar hebben, is op enkele uitzonderingen na, een puinhoop. Zo is er van Anna Bijns, veruit onze grootste dichteres, nooit één verzamelde editie verschenen, van haar dood tot op heden niet. Ik adviseer het ministerie van Cultuur (dat we niet bezitten) met klem eens aan iets anders te denken dan aan straattheater, dat zichzelf wel redt, en aan zakloopwedstrijden voor achtergestelden.

Bij wijze van verantwoording enkel dit. Er is zo min mogelijk ingegrepen in de bestaande teksten. Het zou neerkomen op een revisie van revisors, en de verwarring eerder vergroten dan verkleinen. Een bloemlezer zou over honderd levens moeten beschikken om het werk van zoveel tekstbezorgers uit zoveel perioden, met steeds weer andere editie-beginselen, over te doen. Hier en daar werd alleen in de interpunctie ingegrepen of een onmiskenbare zetfout verbeterd. Dvs en dvvr werd dus en duur, dat soort dingen. Van fragmenten uit langere gedichten is afgezien, op de schaarse keren na dat het de bloemlezer om

compositorische redenen – of gewoon uit
bloemlezersbaldadigheid – gewenst leek.

Zonder de nodige hulp was dit boek er nooit gekomen.
Nina van Rossem heeft, in overleg met Herman Pleij, een
eerste inventaris gemaakt en ook daarna veel omgewoeld
waaruit ik naar hartelust kon rapen. Naar haar gaat hier
mijn grote dank uit.

Ik koesterde nog een droom en dat was om deze
bloemlezing te voorzien van een doorlopende proza-
vertaling, een soort ondertiteling als het ware, die op elk
moment voor de lezer gereed zou staan. Voetnoten en
woordverklaringen bederven de poëzie en bovendien: de
een heeft meer nodig dan de ander. Dat deze droom
werkelijkheid kon worden dank ik aan de groep mensen
die voor deze vertalingen wilde zorgen, en dat ook met
grote inzet en merkbaar plezier deed; niet zomaar een
groep mensen, maar elk op zijn of haar gebied van de
middeleeuwse poëzie de deskundige bij uitstek en het puik
van de Nederlandse en Belgische mediëvistiek, verenigd
rondom het Leidse onderzoeksprogramma Nederlandse
literatuur en cultuur in de Middeleeuwen (NLCM). Ik ben
Frits van Oostrom en Frank Willaert (die ook het initiatief
aanzwengelden), Werner Waterschoot, Dirk Coigneau, Jo
Reynaert, Herman Pleij, Nina van Rossem, Johan
Oosterman, Thom Mertens en Fons van Buuren zeer
erkentelijk dat ze elk een deel van de ontsluiting op zich
hebben willen nemen. Vooral dankzij hen kreeg dit boek
een uniek en onvervangbaar karakter en kan het voor de
lezer een waardevolle goudmijn zijn.

Dat alle feilen die in deze bloemlezing mogen worden
aangetroffen geheel en al mijn verantwoordelijkheid zijn
spreekt vanzelf.

Ik heb er enige registers aan toegevoegd om de toegang
tot het geheel te vergemakkelijken.

In Liefde Bloeyende.   GERRIT KOMRIJ

◆

[UIT DE ABDIJ VAN ROCHESTER IN KENT]

> quid expectamus nunc
> abent omnes volucres nidos inceptos nisi ego et tu
> hebban olla vogala nestas hagunnan hinase hic
> enda thu wat unbidan we nu

HENDRIK VAN VELDEKE

[EZ SINT GUOTIU NIUWE MAERE]

Ez sint guotiu niuwe maere,
Daz die vogel offenbaere
 Singent, dâ man bluomen siht.
Zen zîten in dem jâre
Stüende wol, daz man vrô waere,
 Leider des enbin ich niht:
 Mîn tumbez herze mich verriet,
Daz muoz unsanfte unde swaere
 Tragen daz leit, daz mir beschiht.

Diu schoenest und diu beste vrowe
Zwischen dem Roten und der Sowe

Hebben alle vogels nesten begonnen behalve ik en jij; wat wachten wij nu?

•

Het is goed nieuws dat de vogels luidkeels zingen waar men bloemen ziet. Bij deze tijd van het jaar zou men blij moeten zijn, maar helaas, dat ben ik niet: mijn dwaze hart heeft mij verraden, en moet nu, treurig en somber, het leed verdragen dat mij ten deel valt. ¶ De schoonste en de beste vrouwe tussen de Rhône en de Save

9

Gap mir blîdeschaft hie bevorn.
Daz ist mir komen al ze riuwen
Durch tumpheit, niht von untriuwen,
Daz ich ir hulde hân verlorn,
Die ich zer besten hete erkorn
Oder in der welte mohte schowen.
Noch sêre vürhte ich ir zorn.

Al ze hôhe minne
Brâhten mich ûz dem sinne.
Dô ich ir ougen unde munt
Sach wol stên und ir kinne,
Dô wart mir daz herze enbinne
Von sô süezer tumpheit wunt,
Daz mir wîsheit wart unkunt.
Des bin ich wol worden inne
Mit schaden sît ze maniger stunt.

Daz übel wort sî verwâten,
Daz ich nie kunde verlâten,
Dô mich betrouc mîn tumber wân,
Der ich was gerende ûz der mâten,
Ich bat sî in der kartâten,
Daz sî mich müese al umbevân.

schonk mij blijdschap, vroeger. Dat is voor mij nu helemaal in het verdriet
verkeerd. Door dwaasheid, niet door ontrouw heb ik de genegenheid verloren
van haar die ik als de beste had uitverkoren of op aarde ook maar kon vinden.
Ik vrees haar boosheid nog zeer. ¶ Al te hooggestemde minne bracht mij van
mijn zinnen. Toen ik haar ogen en haar mond zo mooi zag staan, en haar kin,
toen werd mijn hart van binnen door zo'n zoete dwaasheid gewond, dat ik de
wijsheid uit het oog verloor. Dat ben ik sindsdien dikwijls tot mijn schande
gaan inzien. ¶ Vervloekt weze het rampzalige woord, dat ik niet kon onderdrukken, toen mijn dwaze hoop mij bedroog. Haar, die ik uitermate begeerde,
vroeg ik om godswil dat zij mij geheel zou omarmen.

Sô vil het ich niht getân,
  Daz sî ein wênic ûz strâten
  Durch mich ze unrehte wolte stân.

[ICH BIN VRÔ]

'Ich bin vrô, sît uns die tage
  Liehtent unde werdent lanc',
Sô sprach ein vrowe al sunder clage
  Vrîlîch und ân al getwanc.
  'Des segg ich mînen glücke danc
Daz ich ein sulhe herze trage,
  Daz ich dur heinen boesen tranc
An mîner blîschaft nie mê verzage.

Hie hete wîlent zeiner stunde
  Vil gedienet och ein man,
Sô daz ich nu wol guotes gunde;
  Des ich ime nu niene gan,
  Sît dat hê den muot gewan,
Dat hê nu eischen begunde,
  Dat ich im baz entseggen kan,
  Danne hê'z an mir gewerben kunde.

Zoveel had ik nog in de minnedienst niet verricht, dat zij om mijnentwil een weinig van het rechte pad wilde afwijken.

•

'Ik ben blij, sinds de dagen helder geworden zijn en lang,' sprak een vrouwe vrolijk, vrij en frank. 'Daarvoor dank ik mijn gesternte dat het met mij zo is gesteld, dat ik door geen boze toverdrank mijn blijdschap ooit zal opgeven. ¶ Mij had een man ooit zozeer gediend, dat ik hem veel goeds gunde; dat gun ik hem nu helemaal niet meer, sedert hij het lef had om van mij te eisen wat ik hem beter kan ontzeggen dan dat hij het van mij zou kunnen krijgen.

Ez kam von tumbes herzen râte,
   Ez sal ze tumpheit och ergân.
Ich warnite in alze spâte,
   Daz hê hete missetân.
   Wie mohte ich dat vür guot entstân,
Dat hê mich dorpelîche baete,
   Dat hê muoste al umbevân?
⟨ . . . . ⟩

Ich wânde, dat hê hovesch waere,
   Des was ime ich von herzen holt.
Daz segg ich ûch wol offenbaere:
   Des ist hê gar âne schult.
   Des trage ich mir ein guot gedolt.
Mir ist schade vil unmaere:
   Hê iesch an mir ze rîchen solt,
Des ich vil wol an ime enbaere.

Hê iesch an mich te lôse minnen,
   Dî ne vant hê an mir niht.
Dat quam von sînen kranken sinnen,
   Wan ez ime sîn tumpheit riet.
   Waz obe ime ein schade dar an geschît?
Des bringe ich in vil wel inne,

Het kwam door de raad van een dwaas hart, en het zal ook in dwaasheid eindigen. Ik waarschuwde hem al te laat, dat hij verkeerd gehandeld had. Hoe kon ik het goed opnemen, dat hij me op een dorpsere wijze vroeg me innig te omarmen? (...) ¶ Ik dacht dat hij hoofs was, daarom was ik hem van ganser harte genegen. Dat zeg ik u heel duidelijk. Op dat punt heeft hij niets te vorderen. Ik heb me daarover niets te verwijten. Ik verafschuw het zeer verlies te lijden: hij verlangde van mij een al te rijke beloning, daarom kan ik het zeer goed stellen zonder het. ¶ Hij eiste van mij een al te bandeloze minne; die vond hij niet bij mij. Dat werd hem door zijn zwakke zinnen ingegeven, want zijn dwaasheid ried het hem. Wat kan het mij schelen of hij daardoor schade lijdt? Dit maak ik hem heel duidelijk,

12

Dat hê sîn spil ze unreht ersiht:
Das herze brichet, êr hê't gewinne.'

[SWER MIR SCHADE AN MÎNER VROWEN]

Swer mir schade an mîner vrowen,
   Dem wünsche ich des rîses,
      Dar an die diebe nement ir ende.
Swer mîn dar an schône mit trouwen,
   Dem wünsche ich des paradîses
      Unde valte ime mîne hende.
      Vrâge iemen, wer si sî,
      Der bekenne sî dâ bî:
      Ez ist diu wolgetâne.
      Gnâde, vrowe, mir,
      Der sunnen gan ich dir,
      Sô schîne mir der mâne.

Swie mîn nôt gevüeger waere,
   Sô gewunne ich liep nâch leide
   Unde vröide manicvalde,
Wan ich weiz vil liebiu maere:
   Die bluomen springent an der heide,

---

dat hij zijn spel verkeerd inschat: eerder dan dat hij het wint, breekt zijn hart.'

•

Wie mij schade berokkent bij mijn vrouwe, hem wens ik de galg toe waaraan
dieven hun einde vinden. Wie mij oprecht bij haar ophemelt, hem wens ik het
paradijs toe en vouw voor hem mijn handen. Vraagt iemand, wie zij is, dan kan
hij haar hieraan herkennen: zij is de schone. Wees mij, vrouwe, genadig, u gun
ik de zon, opdat voor mij de maan schijne. ¶ Als mijn leed beter te verdragen
zou zijn, dan zou ik nu lief na leed hebben en ook veel vreugde, want ik weet
veel goed nieuws: de bloemen ontluiken op de heide,

Die vogel singent in dem walde.
Dâ wîlent lac der snê,
Dâ stât nu grüener klê,
Er touwet an dem morgen.
Swer nu welle, der vröwe sich,
Niemen noet es mich:
Ich bin unledic von sorgen.

[TRISTRAN MUOSE SUNDER SÎNEN DANC]

Tristran muose sunder sînen danc
Staete sîn der küneginne,
Wan in daz poisûn dar zuo twanc
Mêre danne diu kraft der minne.
Des sol mir diu guote danc
Wizzen, daz ich sölhen tranc
Nie genam und ich sî doch minne
Baz danne er, und mac daz sîn.
Wol getâne,
Valsches âne,
Lâ mich wesen dîn
Unde wis dû mîn.

---

de vogels zingen in het woud. Waar vroeger sneeuw lag, daar staat nu groene
klaver, bedauwd in de morgen. Wie nu wil, die mag blij wezen; niemand echter
nodige mij daartoe uit: ik ben vol van zorgen.

•

Tristan moest tegen wil en dank de koningin trouw zijn, want de toverdrank
dwong hem daartoe, meer dan de macht van de minne. Mijn nobele dame mag
mij daar wel dankbaar voor zijn, dat ik zo'n drank nooit tot mij nam en ik haar
toch beter bemin dan hij, als dat mogelijk is. Schone vrouwe, zonder bedrog,
laat mij de jouwe zijn, en wees jij de mijne.

Sît diu sunne ir liehten schîn
   Gegen der kelte hât geneiget
Und diu kleinen vogellîn
   Ir sanges sint gesweiget,
Trûric ist daz herze mîn.
Ich waene, ez wil winter sîn,
   Der uns sîne kraft erzeiget
      An den bluomen, die man siht
      In liehter varwe
      Erblîchen garwe;
     Dâ von mir beschiht
     Leit und anders niht.

[IN DEN ZÎTEN VON DEM JÂRE]

In den zîten von dem jâre,
   Daz die tage sint lanc
Und daz weter wider klâre,
   Sô verniuwet offenbâre
   Diu merlichen ir sanc,
Diu uns bringent liebiu maere.
   Got mac er sîn wizzen danc,
     Swer hât rehte minne
     Sunder riuwe and âne twanc.

Sinds de zon haar klare stralen voor de koude heeft doen wijken en de kleine vogeltjes opgehouden zijn met zingen, is mijn hart treurig. Ik denk dat het winter zal worden, die ons zijn macht toont aan de bloemen, waarvan men de heldere kleuren helemaal verbleken ziet. Daardoor valt mij niets anders dan leed te beurt.

·

In het jaargetijde dat de dagen lang zijn en het weer opnieuw opklaart, vernieuwen de mereltjes duidelijk hoorbaar hun zang, die ons aangename tijdingen brengt. God mag hij daarvoor wel dank weten, hij die de ware minne ervaart zonder verdriet en zonder zorg.

15

Die mich darumbe wellen nîden,
   Daz mir leides iht beschiht,
Daz mac ich vil sanfte lîden,
   Und wil darumbe niht
   Mîne blîtschaft vermîden
Noch gevolgen den unblîden
   Dâ nâch, daz sî mich gerne siht,
      Diu mich dur die rehten minne
   Lange pîne dolen liet.

Ich wil vrô sîn durch ir êre,
   Diu mir daz hât getân,
Daz ich von der riuwe kêre,
Diu mich wîlent irte sêre.
   Daz ist mich nû sô vergân,
Daz ich bin rîch und grôz hêre,
   Sît ich si muoste al umbevân,
      Diu mir gap rehte minne
   Sunder wîch unde wân.

[DER BLÎDESCHAFT SUNDER RIUWE HÂT]

Der blîdeschaft sunder riuwe hât
   Mit êren hie, der ist rîche.

Die mij erom willen benijden dat mij geen leed te beurt valt, dat kan ik makkelijk verdragen en ik wil daarom niet mijn blijdschap opgeven noch de vreugdelozen navolgen — en wel omdat zij mij gaarne ziet, die mij omwille van de
ware minne lange tijd pijn heeft doen verdragen. ¶ Ik wil blij zijn ter ere van
haar, die bij mij bewerkt heeft dat ik mij van het verdriet afwend, dat mij
eertijds zeer in de war bracht. Het is mij nu zo vergaan, dat ik een rijk en groot
heer ben, sinds ik haar geheel mocht omhelzen, die mij de ware minne gaf,
zonder aarzeling of twijfel.

•

Wie hier op aarde in eer en deugd blij is zonder verdriet, die is rijk.

Daz herze, dâ diu riuwe inne stât,
Daz lebet jâmerlîche.
Er ist edel unde vruot,
Swer mit êren
Kan gemêren
Sîne blîtschaft, daz ist guot.

Diu schoene, diu mich singen tuot,
Si sol mich sprechen lêren,
Dar abe, daz ich mînen muot
Niht wol kan gekêren.
Sî ist edel under vruot.
Swer mit êren
Kan gemêren
Sîne blîdeschaft, daz ist guot.

[IN DEN ZÎTEN, DAZ DIE RÔSEN]

In den zîten, daz die rôsen
Erzeigent manic schoene blat,
Sô vluochet man den vröidelôsen,
Die rüegaere sint an maniger stat
Durch daz, wan sî der minne sint gehaz

Het hart waar verdriet in woont, dat leeft in kommer. Edel en wijs is hij, die op
een eervolle wijze zijn blijdschap kan vermeerderen; dat is goed. ¶ De schone,
die mij zingen doet, zij zou mij moeten leren spreken over datgene waar ik mijn
hart niet van kan afkeren. Zij is edel en wijs. Wie op eervolle wijze zijn blijdschap kan vermeerderen, dat is goed.

·

In het seizoen dat de rozen vele mooie blaadjes tonen, dan vervloekt men de
vreugdelozen, die op vele plaatsen aan het vitten zijn, en wel daarom, omdat zij
de minne haten

17

Und die minne gerne noesen.
Got müez uns von den boesen loesen.

Man darf den boesen niht suochen,
  In wirt dicke unsanfte wê,
Wan si warten unde luochen,
  Alse der springet in dem snê:
  Des sint sî vil deste mê gevê,
Des darf doch niemen ruochen,
Wan si suochen birn ûf den buochen.

[DÔ MAN DER REHTEN MINNE PFLAC]

Dô man der rehten minne pflac,
  Dô pflac man ouch der êren.
Nu mac man naht unde tac
  Die boesen site lêren.
Swer diz nu siht und jenez dô sach,
Owê, waz der nu klagen mac!
  Tugende welnt sich nû verkêren.

en de minne graag schade toebrengen. Moge God ons van de bozen bevrijden. ¶ Men hoeft tegen de bozen niet uit te varen, ze hebben het dikwijls heel erg kwaad, want ze loeren en spieden, als iemand die rondspringt in de sneeuw. Daarom zijn ze nog des te vijandiger, maar niemand hoeft zich iets daarvan aan te trekken, want ze zoeken peren aan de beuken.

•

Toen men zich nog op de ware minne toelegde, toen legde men zich ook toe op de eer. Nu kan men dag en nacht leren hoe zich slecht te gedragen. Wie het ene nu ziet, en het andere toen zag, ach, wat die nu klagen mag! De deugden hebben de neiging zich nu in hun tegendeel te verkeren.

18

[SWER ZE DER MINNE IS SÔ VRUOT]

Swer ze der minne ist sô vruot,
   Daz er der minne dienen kan,
Und er durch minne pîne tuot,
   Wol im, derst ein saelic man!
Von minne kumet uns allez guot,
Diu minne machet reinen muot,
   Waz solte ich sunder minne dan?

Ich minne die schoenen sunder danc,
   Ich weiz wol, ir minne ist klâr.
Obe mîne minne ist kranc.
   Sô wirt ouch niemer minne wâr.
Ich sage ir mîner minne danc,
Bî ir minne stât mîn sanc,
   Er ist tump, swers niht geloubet gar.

[MAN SEIT AL VÜR WÂR]

Man seit al vür wâr
Nu manic jâr,
Diu wîp hazzen grâwez hâr.

Wie in de minne zo wijs is dat hij de minne dienen kan, en zich omwille van de minne moeite getroost, het ga hem goed, hij is een gelukkig man! Van de minne komt ons alle goed, de minne maakt het hart zuiver, wat zou ik dan zonder minne doen? ¶ Ik minne de schone tegen wil en dank, ik weet wel dat haar minne zuiver is. Als mijn minne zwak moet heten, dan bestaat er nooit meer ware minne. Ik zeg haar dank vanwege mijn minne, mijn gezang staat of valt met haar minne; hij is dwaas, die het niet zonder meer gelooft.

•

Men vertelt als waarheid, nu al menig jaar, dat de vrouwen grijs haar haten.

Daz ist mir swâr
   Und ist ir misseprîs,
   Diu lieber habet ir amîs
   Tump danne wîs.

Diu mê noch diu min,
Daz ich grâ bin,
Ich hazze an wîben kranken sin,
Daz niuwez zin
   Nement vür altez golt.
   Si jehent, si sîn den jungen holt
   Durch ungedolt.

[IN DEM ABERELLEN]

In dem aberellen
  Sô die bluomen springen,
    Sô loubent die linden
     Und gruonent die buochen,
Sô habent ir willen
  Die vogele und singen,
    Wan si minne vinden,
     Aldâ si suochen
      An ir gnôz,
      Wan ir blîdeschaft ist grôz,

Dat valt mij zwaar, en is voor hen schandelijk, die hun minnaar liever dwaas dan wijs hebben. ¶ Of ik nu meer of minder grijs ben, ik haat bij vrouwen een zwak verstand, waardoor ze nieuw tin verkiezen boven oud goud. Ze moeten toegeven dat ze van jongeren houden, puur uit ongeduld.

•

In april, als de bloemen ontluiken, dan krijgen de linden bladeren en worden de beuken groen. Dan hebben de vogels wat ze willen en zingen ze, omdat ze liefde vinden waar ze haar zoeken, bij hun levensgezel, want hun blijdschap is groot,

Der mich nie verdrôz,
Wan si swîgen al den winter stille.

Dô si an dem rîse
Die bluomen gesâhen
Bî den blaten springen,
Dô wâren si rîche
Ir manicvalten wîse,
Der si wîlent pflâgen.
Si huoben ir singen
Lûte und vroelîche,
Nider und hô.
Mîn muot stât alsô,
Daz ich wil wesen vrô.
Reht ist, daz ich mîn gelücke prîse.

Mohte ich erwerben
Mîner vrowen hulde!
Künde ich die gesuochen,
Als ez ir gezaeme!
Ich sol verderben
Al von mîner schulde,
Sî enwolte ruochen,
Daz si von mir naeme
Buoze sunder tôt
Ûf gnâde und durch nôt.

die mij nooit ergerde, aangezien ze er de hele winter het zwijgen toe plegen te
doen. ¶ Toen zij aan de takken naast de bladeren de bloesems zagen ontluiken,
toen waren ze vol van de vele melodieën die ze vroeger ten gehore brachten. Ze
begonnen luid en vrolijk, diep en hoog te zingen. Met mij is het zo gesteld dat ik
vrolijk wil wezen. Terecht mag ik mijn geluk prijzen. ¶ Kon ik de genade van
mijn vrouwe maar verwerven! Kon ik die maar opeisen als iets wat zij behoort
te geven! Ik zal door mijn schuld omkomen, tenzij zij ertoe wil overgaan van
mij een andere schadeloosstelling dan de dood aan te nemen, uit goedgunstig-
heid en uit noodzaak.

Wan ez Got nie gebôt,
Daz dehein man gerne solte sterben.

[GOT SENDE IR ZE MUOTE]

Got sende ir ze muote,
Daz si ez meine ze guote,
Wan ich vil gerne behuote,
    Daz ich ir iht spraeche ze leide
    Und iemer von ir gescheide.
    Mich bindent sô vaste die eide,
    Minne und triuwe beide.
Des vürhte ich si als daz kint die ruote.

[SI IST SÔ GUOT]

Si ist sô guot und ist sô schône,
    Die ich nu lange hân gelobet.
Solt ich ze Rôme tragen die krône,
    Ich saste ez ûf ir houbet.
    Maniger spraeche: sehent, er tobet!
Got gebe, daz sî mir lône,

Want God heeft nooit geboden dat een man graag moest sterven.

·

Moge God haar ertoe brengen dat ze het apprecieert, wanneer ik me er van
ganser harte voor hoed haar ook maar met één woord te krenken en haar ooit
te laten staan. De eden van liefde en trouw binden mij zozeer. Daarom vrees ik
haar, als het kind de roede.

·

Zij is zo goed en ook zo schoon, die ik nu al zo lang prijs. Als ik te Rome de
keizerskroon zou dragen, dan zette ik die op háár hoofd. Velen zouden dan
zeggen: 'Kijk, hij is gek!' God geve, dat zij mij beloont,

Wan ich taete, ich weiz wol wie...
Lebt si noch, als ich si lie,
Sô ist si dort, und ich bin hie.

Si tet mir, dô si mir sîn gunde,
    Vil ze liebe und ouch ze guote,
Daz ich noch ze etlîcher stunde
    Singe, sô mir sîn wirt ze muote.
    Sît ich sach, daz sî die huote
Sô betriegen kunde
    Sam der hase tuot den wint,
    So gesorget ich niemer sint
    Umbe mînes sunes tohter kint.

[GERNER HET ICH MIT IR GEMEINE]

Gerner het ich mit ir gemeine
    Tûsent marke, swâ ich wolte,
    Unde einen schrîn von golde,
    Danne von ir wesen solde
Verre siech und arme und eine.
    Des sol si sîn von mir gewis,
    Daz daz diu wârheit an mir is.

want ik deed dan — ik weet wel wat...! Leeft zij nog zoals ik toen ik haar
verliet, dan is zij daar, en ik ben hier. ¶ Ze schonk mij, toen ze het me gunde,
veel liefde en ook veel goedheid, zodat ik nu nog dikwijls zing, als ik eraan
terugdenk. Sinds ik zag dat zij haar bewaker even goed te slim af kon zijn als de
haas de windhond, sindsdien maakte ik mij geen zorgen meer om het kleinkind
van mijn zoon.

•

Liever bezat ik met haar samen duizend marken, waar dan ook, en een gouden
schrijn, dan dat ik ver van haar zou moeten zijn, ziek en arm en eenzaam. Dit
mag zij wel van mij aannemen: dat dit de waarheid over mij is.

[EZ TUONT DIU VOGELÎN SCHÎN]

Ez tuont diu vogelîn schîn,
   Daz siu die boume sehent gebluot,
  Ir sanc machet mir den muot
Sô guot, daz ich vrô bin
Noch trûric niht kan sîn.
   Got êre sî, diu mir daz tuot,
Al über den Rîn.
   Daz mir der sorgen ist gebuot,
     Aldâ mîn lîp verre ist in ellende.

[EZ HABENT DIE KALTE NÄHTE
GETÂN]

Ez habent die kalte nähte getân,
   Daz diu löuber an der linden
Winterlîche val stân.
Der minne hân ich guoten wân
   Und weiz sîn nû ein liebez ende;
Daz ist mir zem besten al vergân,
   Dâ ich die minne guot vinde
   Und ich mich ir aldâ underwinde.

De vogeltjes maken kond dat ze de bomen in bloei zien staan. Hun gezang stemt mij zo goed, dat ik vrolijk ben en niet treurig kan zijn. God ere haar die bij mij vanaf de overzijde van de Rijn bewerkt, dat ik van mijn zorgen word bevrijd terwijl ik ver in den vreemde ben.

•

Daar hebben de koude nachten voor gezorgd, dat de bladeren aan de linde nu op zijn winters vaal zijn. Op de minne heb ik goede hoop en ik weet nu dat ze een goede uitkomst zal hebben. Het is mij op de best mogelijke wijze vergaan, nu ik merk dat de minne goed is en ik mij geheel aan haar toewijd.

[DIE NOCH NIE WURDEN VERWUNNEN]

Die noch nie wurden verwunnen
　　Von minnen alse ich nu bin,
Die enmugen noch enkunnen
　　Niht wol gemerken mînen sin.
Ich hân aldâ minne begunnen,
　　Dâ mîne minne schînen min,
Danne der mâne schîne bî der sunnen.

[DIU ZÎT IST VERKLÂRET WAL]

Diu zît ist verklâret wal,
　　Des ist doch diu welt niht,
Wan sî ist trüebe unde val,
　　Der si rehte besiht.
　　　Die ir volgent, die jehent,
　　　　Daz sî sich boeset je lanc sô mê,
　　　Wan sî der minne abe ziehent,
　　　　Die ir wîlent dienten ê.

Degenen die nog nooit overweldigd werden door de minne, zoals ik het nu ben, die kunnen mijn gemoedsgesteldheid niet goed begrijpen. Ik ben daar beginnen te minnen waar mijn minne minder straalt dan de maan schijnt naast de zon.

·

Het weer is mooi opgeklaard, maar de wereld is dat niet, want zij is droevig en grauw voor hem die haar op de juiste manier bekijkt. Wie haar gadeslaan, erkennen dat zij hoe langer hoe slechter wordt, want degenen die vroeger de minne dienden zijn er nu afkerig van.

25

[ALSE DIE VOGEL VROELÎCHEN]

Alse die vogel vroelîchen
    Den sumer singende enpfân,
Und der walt ist loubes rîche
    Und die bluomen schône stân,
    Sô ist der winter gar vergân.
Mîn reht ist, daz ich wîche
Dar mîn herze staeteclîche
    Von minnen je was undertân.

[DER SCHOENE SUMER GÊT UNS AN]

Der schoene sumer gêt uns an,
    Des ist vil manic vogel blîde,
    Wan si vröwent sich ze strîte
Die schoenen zît vil wol enpfân.
Jârlanc ist rehte, daz der har
    Winke dem vil süezen winde.
Ich bin worden gewar
    Niuwes loubes an der linde.

Als de vogels vrolijk zingend de zomer verwelkomen, het woud rijk is aan loof
en de bloemen te pronken staan, dan is de winter helemaal voorbij. Het is dan
passend dat ik mij daarheen begeef waar mijn hart, zonder ophouden, uit minne altijd al onderdanig was.

•

De mooie zomer komt op ons toe, daarom zijn heel veel vogels blij, want zij
verheugen zich er om strijd op, het schone jaargetijde heel goed te ontvangen.
Bij het seizoen past het, dat de koude wind wijkt voor de zachte bries. Ik heb
nieuw loof aan de linde gezien.

[DIE MINNE BIT ICH UNDE MAN]

Die minne bit ich unde man,
   Diu mich hât verwunnen al,
Daz ich die schoenen dar zuo span,
   Daz si mêre mîn geval.
Geschiht mir als dem swan,
   Der dâ singet, als er sterben sal,
Sô verliuse ich ze vil dar an.

[IR STÜENDE BAZ, DAZ SÎ MICH TRÔSTE]

Ir stüende baz, daz sî mich trôste,
   Danne ich durch sî gelige tôt.
Wan sî mich wîlent ê erlôste
   Ûz maniger angestlîcher nôt.
   Als sîz gebiutet, ich bin ir tôte,
   Wan jedoch sô stirbe ich nôte.

Ik bid en smeek de minne, die mij helemaal overwonnen heeft, dat ik de schone ertoe mag brengen dat zij mijn geluk doet toenemen. Want vergaat het mij zoals de zwaan, die zingt wanneer hij sterven gaat, dan verlies ik daar te veel aan.

•

Het zou haar beter passen mij te troosten, dan dat ik door haar schuld dood neerlig. Want destijds heeft zij mij verlost uit veel beklemmend leed. Als zij het gebiedt, dan sterf ik voor haar; niettemin sterf ik met tegenzin.

27

[ICH LEBET JE MIT UNGEMACHE]

Ich lebet je mit ungemache
Siben jâr, ê ich iht spraeche
   Wider ir willen ein wort,
    Daz si wol hât gesehen und gehôrt
      Und wil doch, daz ich klage mîne sêre.
      Joch ist diu minne, als sî was wîlen êre.

[SWER WOL GEDIENET UND ERBEITEN KAN]

Swer wol gedienet und erbeiten kan,
   Dem ergêt ez wol ze guote.
    Dâr an gedâht ich menegen tac.
Got weiz wol, daz, dô ich ir kunde alrêst gewan,
   Sît diende ich ir mit selhem muote,
    Daz ich nie zwîvels gepflac.
   Lônet mirs diu guote,
   Wir zwei betriegen unser huote!

Ik leefde eerder zeven jaar in verdriet, dan dat ik ook maar tegen haar wil een woord zou uiten, en dat heeft ze wel gezien en gehoord. En toch wil ze, dat ik mijn leed klaag. Toch is mijn liefde zoals ze altijd al was.

·

Wie in de minne goed dient en wachten kan, hem vergaat het goed. Daaraan heb ik vaak gedacht. God weet wel dat toen ik haar voor het eerst leerde kennen, ik haar met zo'n hartstocht diende, dat ik nooit wanhopig werd. Als de goede het mij beloont, dan zullen wij beiden onze bewaker bedriegen.

◆

Hoppe, hoppe, Wilekin, hoppe, Wilekin,
Engelond is min ant tin.

DE MINNEDICHTER VAN
TER DOEST

ca. 1260-1280

Mijn doghen willic met vruechden draghen
Up aventueren watter ghesciet
Want al wildic mi vercnaghen
Mi ne ware dies te beter niet
De sulke sout sien hi soude mi claghen
Nochtanne ware lief hem mijn verdriet

Ic wille mi blidelike ghelaten
Al legghic nu onder voet
Si sullens verdrouven die mi haten
Want ic pense in minen moet
Ic sals comen te goeder baten
Al hebbic noch cranken spoet

Hup, hup, even nog, hup, even nog en Engeland is van jou en van mij.

•

Ik wil mijn lijden blij verdragen, voor lief nemend wat er van komt; immers: als
ik mij inwendig zou opvreten, zou ik mijzelf niet beter voelen, en zou wie het
zag mij kunnen beklagen en zich onderwijl vrolijk kunnen maken over mijn
verdriet. ¶ Ik zal dus een vrolijk gezicht trekken, al bevind ik mij nu in een dal;
zij die mij haten zullen nog komen te treuren, want ik denk dat ik er wel weer
bovenop zal komen, ook al zit het mij nu tegen.

29

Al toghe ic een scone ghelaet
Te minder so ne es niet mijn doghen
Gave ic te kenne al minen staet
Ic souder ooc lettel of verhoghen

Het heift de sulke ghesproken quaet
Ende mi harde zere beloghen
Eer dit spel ten ende gaet
Hi salre warden bi bedroghen

HADEWIJCH

[AY, AL ES NU DIE WINTER COUT]

Ay, al es nu die winter cout,
   Cort die daghe ende die nachte langhe,
Ons naket saen een somer stout
   Die ons ute dien bedwanghe
Schiere sal bringhen; dat es in schine
   Bi desen nuwen jare;
Die hasel brinct ons bloemen fine:
   Dat es een teken openbare
   — Ay, vale, vale milies —

Al trek ik een welgemoed gezicht, mijn pijn is er niet minder om; maar gaf ik te kennen hoe het ermee staat, dan zou ik daar ook weinig vreugde uit putten. ¶ Een enkeling heeft roddel verspreid, en vuige leugens over mij verteld; maar voordat diens spelletje ten einde is, zal hij zijn trekken thuis krijgen.

•

Ach, al is nu de winter koud, en al zijn de dagen kort en de nachten lang, toch is een koene zomer in aantocht, die ons snel uit die ellende zal bevrijden. Het nieuwe jaar maakt dit wel duidelijk: de hazelaar brengt ons mooie bloemen. Dat is een sprekend voorteken. Ach, het volstaat niet jullie duizendmaal geluk, geluk te wensen,

Ghi alle die nuwen tide
— Si dixero, non satis est —
Om minne wilt wesen blide.

Ende die van fieren moede sijn,
    Wat storme hen dore die minne
Ontmoet, ontfaense also fijn
    Alse: 'dit es daer ic al an winne
Ende winnen sal; God gheve mi al
    Datter minnen best become;
Na haerre ghenuechten weghe, mesval
    Si mi die meeste vrome.'
— Ay, vale, vale, milies —
    Ghi alle die avontuere;
— Si dixero, non satis est —
    Wilt doghen om minnen natuere.

Ay, wat salic doen, alendech wijf?
    Met rechte maghic tghelucke wel haten.
Mi rouwet wel sere mijn lijf:
    Ic en mach minnen noch laten.
Te rechte mi es beide fel
    Gheluc ende avontuere;
Ic dole, mijns en es niemant el;
    Dat scijnt teghen natuere.

jullie allen, die in dit nieuwe seizoen om minne blij willen zijn. ¶ Degenen die
fier zijn van gemoed, met hoeveel bestormingen de minne hen ook bestookt, zij
doorstaan die zo ridderlijk, alsof ze dachten: dit is het waarmee ik alles win en
winnen zal! God mag mij alles geven wat de minne het meest bevalt. Als zij het
wil, dan mag een nederlaag mij het meest tot voordeel strekken. Ach, het volstaat niet jullie duizendmaal geluk, geluk te wensen, jullie allen die avonturen
willen trotseren omwille van de minne. ¶ Ach, wat moet ik, rampzalige vrouw,
doen? Ik heb wel het recht het geluk te haten. Het verdriet me wel zeer dat ik
leef: ik kan niet minnen, maar ik kan het minnen ook niet laten. Waarlijk,
Geluk en Avontuur zijn allebei wreed jegens mij. Ik dool rond, er is niemand bij
mij. Dat lijkt tegennatuurlijk.

31

    — Ay, vale, vale milies —
       U allen laet dies ontfaermen
    — Si dixero, non satis est —
       Dat minne mi dus laet carmen.

Ay, ic was je op die minne stout
      Sint icse ierst hoerde noemen,
Ende verliet mi op hare vri ghewout.
      Dies willen mi alle doemen,
Vriende ende vreemde, jonghe ende out,
      Dien ic in allen sinnen
Diende ye ende was van herten hout,
      Ende onste hen allen der minnen.
   — Ay, vale, vale milies
      Ic rade hen datsi niene sparen,
   — Si dixero, non satis est —
      Hoe ic hebbe ghevaren.

Ay, arme, ic en mach mi selven niet
      Doen leven noch sterven!
Ay, soete God, wat es mi ghesciet,
      Dat mi die liede bederven?
Lietense u mi allene doch slaen,
      Ghi soudet best gheraden

Ach, het volstaat niet jullie duizendmaal geluk, geluk te wensen: heb er allen deernis mee dat minne me zo doet kermen! ¶ Ach, sinds ik voor het eerst over de minne hoorde spreken, vertrouwde ik altijd volkomen op haar, en gaf ik mij volledig aan haar over. Daarom wil iedereen mij veroordelen, vrienden en vreemden, jong en oud, die ik nochtans altijd in alle opzichten diende en van ganser harte genegen was, en wie ik, allen, de minne toewenste. Ach, het volstaat niet hun duizendmaal geluk, geluk te wensen, ik raad hun aan niet te versagen, hoe het mij ook is vergaan. ¶ Ach, ik arme, ik heb leven of dood niet in eigen hand! Ach, lieve God, wat overkomt me toch, dat de mensen mij te gronde richten? Lieten ze het maar aan u alleen over om mij beproeven: gij zoudt het best,

Na rechte, al dat ic hebbe mesdaen,
  Ende bleven buten scaden.
— Ay, vale vale milies —
  Die Gode niet ghewerden en laten,
— Si dixero, non satis est —
  Ende niet en minnen ende haten.

Die wile dat si sijn over mi,
  Wie sal hare lief dan minnen?
Si ghinghen bat hare weghe vri,
  Daer si u leerden kinnen.
Si willen u te hulpen staen
  Met mi, dies clene behoeven.
Ghi cont na recht soenen ende slaen
  Ende met claerre waerheit proeven.
— Ay, vale, vale milies —
  Alle die met Gode plechten,
— Si dixero, non satis est —
  In soenen ende in rechten.

Ay, Salamon ontradet dat werc,
  Dat wij niet en ondersoeken
Die dinghen die ons sijn te sterc,

op een rechtvaardige manier, bepalen wat ik allemaal misdaan heb, en zij zouden zichzelf geen schade toebrengen. Ach, het volstaat niet duizendmaal geluk, geluk te wensen aan hen, die God niet laten begaan, en niet minnen en haten zoals hij. ¶ Wie zal dan, terwijl ze zich bezighouden met mij, hún Geliefde beminnen? Beter gingen ze onbekommerd hun eigen weg, waarlangs ze u zouden leren kennen. Zij willen u te hulp komen in mijn zaak, wat geenszins nodig is. Gij kunt naar recht een verzoening of een straf uitspreken, en op deugdelijker gronden de waarheid achterhalen. Ach, het volstaat niet duizendmaal geluk, geluk te wensen, aan allen die het met God houden, of hij nu vrede of straf uitspreekt. ¶ Ach, Salamon raadt ons af de dingen te onderzoeken die ons te sterk zijn,

Noch dat wi niet en roeken
Hogher dinghen dan wij sijn,
Dat wij die ondervenden,
Ende laten ons die minne fijn
Vri maken ende benden.
— Ay, vale, vale milies —
Die ter hogher minnen rade
— Si dixero, non satis est —
Volclemt van grade te grade.

Der menschen sinne sijn so clene,
Daer mach God wel vele boven;
God es van allen wijs allene,
Dies salmen alles hem loven,
Ende laten hem sijn ambacht doen
In wreken ende in ghedoghen.
Hem en es gheen werc so verre ontvloen
En comt hem al vore oghen.
— Ay, vale, vale milies —
Die hen der minnen volgheven,
— Si dixero, non satis est —
Ende haren oghen ghenoech volleven.

God moet ons gheven nuwen sin
Ter edelre minnen ende vrie,

of ons in te laten met zaken die ons te boven gaan, met het doel ze te doorgronden. Maar laten wij ons door de edele minne doen bevrijden en gevangen
zetten. Ach, het volstaat niet hem duizendmaal geluk, geluk te wensen, hem die
trede na trede klimt naar de raad van hoge minne. ¶ Het verstand van de mensen is zo klein, God kan echt zoveel meer. Van allen is alleen God wijs: daarom
moet men hem om alles loven en hem zijn rechtsambt laten uitoefenen, of hij nu
straft of vrijspreekt. Geen daad gebeurt zo ver van hem, dat hij ze niet helemaal
doorziet. Ach, het volstaat niet duizendmaal geluk, geluk te wensen aan hen,
die zich helemaal geven aan de minne en leven op een wijze die haar helemaal
voldoet. ¶ Moge God ons nieuwe zin geven in de edele en vrije minne,

Dat wij so nuwe leven daer in,
 Dat ons die minne benedie
Ende nuwe make met nuwen smake,
 Dien si can nuwe volgheven.
Die minne es nuwe gheweldeghe orsate
 Dien, die der minnen al nuwe volleven.
— Ay, vale, vale milies —
 Dat nuwe der nuwer minnen
— Si dixero, non satis est —
 Dat nuwe, wilt nuwe bekinnen.

[AL DROEVET DIE TIJT ENDE DIE VOGHELINE]

Al droevet die tijt ende die vogheline,
Dan darf niet doen die herte fine
Die dore minne wilt doghen pine.
 Hi sal weten ende kinnen al
 — Suete ende wreet,
 Lief ende leet —
 Wat men ter minnen pleghen sal.

 Die fiere, die daer toe sijn ghedeghen

zodat wij haar op zo'n nieuwe wijze beleven, dat de minne ons zegent en ons nieuw maakt met een nieuw genot, dat zij steeds opnieuw kan geven. De minne is een nieuwe, machtige beloning voor diegenen, die op een totaal nieuwe wijze voor de minne gaan leven. Ach, het volstaat niet duizendmaal geluk, geluk te wensen: wil het nieuwe van de nieuwe minne, wil dat nieuwe op een nieuwe wijze kennen.

· · ·

Al treuren het seizoen en de vogeltjes, dat mag het edele hart niet doen, dat bereid is om minnepijn te doorstaan. Het moet alles weten en ervaren — zoet- en wreedheid, lief en leed — wat men ter wille van de minne moet doorstaan. ¶ De moedigen, die het zover hebben gebracht

Dat si onghecuster minnen pleghen,
Si selen in allen weghen daer jeghen
  Stout sijn ende coene,
  Ende al ghereet te ontfaen
  Si troest, si slaen,
  Van minnen doene.

Der minnen pleghen es onghehoert,
Als hi wel kint dies hevet becoert,
Want si in midden den troest testoert.
  Hine can ghedueren
  Dien minne gheraect;
  Hi ghesmaect
  Vele onghenoemder uren.

Bi wilen heet, bi wilen cout,
Bi wilen bloede, bi wilen bout:
Hare onghedueren es menichfout.
  Die minne al maent
  Die grote scout
  Haerre riker ghewout
  Daer si ons toe spaent.

Bi wilen lief, bi wilen leet.
Bi wilen verre, bi wilen ghereet:

dat zij de nooit verzadigde minne dienen, moeten in alle opzichten dapper en
onverschrokken zijn, en onvoorwaardelijk bereid om vanwege de minne zowel
aanmoedigingen als slagen te ontvangen. ¶ De minne te dienen is verschrikkelijk: wie het ondervonden heeft, weet dat heel goed. Want midden in de vertroosting verstoort ze die. Wie door minne wordt geraakt, vindt geen rust: vele
onbeschrijflijke uren maakt hij door. ¶ Nu eens heet, dan weer koud; nu eens
bevreesd, dan weer dapper: haar onrust uit zich op vele wijzen. De minne eist
volledig de grote schuld op die we te betalen hebben aan haar rijke heerschappij, waartoe zij ons verlokt. ¶ Nu eens lief, dan weer leed; nu eens ver, dan weer
dichtbij:

Die dit met trouwen van minnen versteet,
    Dat es jubileren:
    Hoe minne versleet
    Ende omme veet
    In een hanteren.

Bi wilen ghenedert, bi wilen ghehoghet,
Bi wilen verborghen, bi wilen vertoghet.
Eer selc van minnen wert ghesoghet
    Doghet hi grote avontuere,
    Eer hi gheraect
    Daer hi ghesmaect
    Der minnen natuere.

Bi wilen licht, bi wilen swaer,
Bi wilen doncker, bi wilen claer,
In vrien troest, in bedwonghenne vaer,
    In nemen ende in gheven,
    Moeten die sinne
    Die dolen in minne,
    Altoes hier leven.

wie dit vanwege minne trouw aanvaardt — hoe liefde in één beweging neer-
slaat en omhelst — die weet pas echt wat jubelen is. ¶ Nu eens vernederd, dan
weer geëerd; nu eens verborgen, dan weer zichtbaar: eer iemand door minne
wordt gekoesterd, doorstaat hij grote avonturen, totdat hij daar geraakt waar
hij het wezen van de minne smaakt. ¶ Nu eens licht, dan weer zwaar; nu eens
donker, dan weer klaar; in zorgeloze vertroosting, in drukkende angst, in nemen en in geven, moeten degenen die in minne ronddolen, hier altijd leven.

[DIE VOGHELE HEBBEN LANGHE GESWEGEN]

Die voghele hebben langhe geswegen
Die blide waren hier te voren.
Hare bliscap es ghegheghen
Dies si den somer hebben verloren.
Si souden herde saen gheseghen
Hadden sine weder ghecreghen,
Want si hebbenne vore al vercoren,
Ende daer toe worden si gheboren.
Dat machmen dan an hen wel horen.

Ic swighe vander voghele claghe
– Hare vroude, hare pine, es saen vergaen –
Ende claghe dat mi meer meshaghe:
Die minne, daer wij na souden staen,
Dat ons verweghet hare edele waghe,
Ende nemen vremde na ghelaghe.
Sone mach ons minne niet ontfaen.
Ay, wat ons nederheit heeft ghedaen!
Wie sal ons die ontrouwe verslaen?

Die moghende metter sterker handt,
Op hen verlatic mi noch sere

Reeds lang zwijgen de vogels, die voordien blij waren. Hun blijdschap is voorbij omdat ze de zomer kwijt zijn. Ze zouden onmiddellijk triomferen, zodra ze hem terugkregen, want hem verkiezen ze boven alles, en voor hem werden ze geboren. Dat kan men dan aan hen wel horen. ¶ Ik zwijg over de klacht van de vogels — hun vreugde en pijn gaan vlug voorbij — en ik klaag over wat mij meer mishaagt: dat de edele last van de minne, waarop we ons toch zouden moeten toeleggen, ons te zwaar valt, en we liever het makkelijke, aardse genot kiezen. Zo kan minne ons niet aannemen. Ach, wat heeft onze laagheid ons aangedaan! Wie zal ontrouw voor ons verdrijven? ¶ De machtigen met hun sterke hand, op hen verlaat ik me nog zeer.

Die altoes werken in minnen bandt
Ende en ontsien pine, noch leet, noch kere,
Sine willen dorevaren al dat lant
Dat minne met minnen in minnen ye vant.
Hare fine herte es so ghere,
Die weten wat minne met minnen lere
Ende hoe minne die minne met minnen ere.

Waeromme soude dan ieman sparen,
Ochtemen minne met minnen verwinnen mach,
Hine soude met niede in storme dorevaren
Op toeverlaet van minnen sach,
Ende minnen ambacht achterwaren?
Soe soude hem die edelheit openbaren.
Ay, daer verclaert der minnen dach,
Daer men vore minne nie pine en ontsach
Noch van minnen nie pine en verwach.

Dicke roepic hulpe alse die onverloeste.
Lief, wanneer ghi comen selt,
So noepti mi met nuwen troeste,
So ridic minen hoghen telt,
Ende pleghe mijns liefs als alrevroeste,

Zij leven altijd in verbondenheid met minne en vrezen pijn noch leed noch
tegenslag, maar ze zijn bereid door het hele land heen te trekken dat minne ooit
met minne in minne vond. Hun edele hart is zo voortreffelijk! Die weten wat
minne met minne leert en hoe minne de minne met minne eert. ¶ Waarom zou
iemand dan nog talmen, als men minne met minne kan overwinnen, en waarom zou hij niet strijdlustig in de aanval gaan, in vertrouwen op de macht van de
liefde, en zo het minne-ambt uitoefenen? Dan zou de ware adel aan het licht
komen. Ach, dan breekt de dag der minne aan, wanneer men voor minne geen
pijn uit de weg zou gaan en van minne geen pijn te zwaar zou vallen. ¶ Vaak
roep ik om hulp als een vrouw in barensnood. Lief, wanneer gij zult komen,
dan zult ge me opbeuren met frisse troost. Dan rijd ik met een fiere tred en geef
me in de grootste vreugde over aan mijn Lief,

Ochte die van norden, van suden, van oesten,
Van westen al ware in mijnre ghewelt.
So werdic saen te voete ghevelt.
Ay, wat holpe mijn ellende vertelt!

[NU ES DIE EDELE TIJT GHEBOREN]

Nu es die edele tijt gheboren
Die ons bloemen sal brenghen int lant.
So sijn die edele die sijn vercoren
Te draghenne dat joc, der minnen bant:
Hen bloeit altoes die trouwe in hant,
Ende edele bloemen met diere vrocht;
Daer werdt met trouwen dwort doresocht;
    Daer blivet die minne ghestade
Met eenre vrienscap al dore knocht,
    Int hoechste van minnen rade.

'Mijn joc es soete, mine bordene es licht',
Seghet selve die minnare es der minnen.
Dit word hadde hi in minnen ghedicht,
Daer buten en mach ment niet waer kinnen
Alsoe ic mi can versinnen.

---

alsof noord en zuid en oost en west helemaal in mijn macht waren. Dan word ik
plots neergeveld. Ach, wat helpt het mijn ellende te vertellen!

•

Nu is het edele seizoen geboren, dat ons bloemen zal brengen in het land. Zo is
het ook gesteld met de edelen die uitverkoren zijn om het juk, de band van de
minne te dragen: in hun hart bloeit de trouw altijd makkelijk, als edele bloemen
met kostbare vruchten; daar wordt trouw het woord doorzocht; daar blijft de
minne standvastig, in onverbrekelijke vriendschap, op de hoogste plaats van de
raad van minne. ¶ 'Mijn juk is zoet, mijn last is licht,' zegt de Minnaar van de
minne zelf. Dit woord heeft hij in minne uitgesproken, buiten minne kan men
volgens mij de waarheid niet ervan inzien.

So es hen lichte bordene swaer,
Ende si doghen meneghen vremden vaer
  Die buten minnen wonen.
Want der knechte wet es vaer,
  Maer minne es wet der sonen.

Welc es die bordene licht in minnen,
Ende dat joc dat soe soete smaket?
Dat es dat edele draghen van binnen,
Daer minne die lieve met gheraect,
Ende met enen wille so enich maect,
Met enen wesenne, sonder keer.
Begherten diepheit scept emmermeer,
  Ende dat sceppen drincket al die minne.
Die scout die minne maent der minnen,
  Gheet boven menschen sinne.

Het ne mochte nie herte noch sin gheraden
Hoe hi sijn lief met minnen anestaert,
Dien minne met minnen heeft verladen,
Want hi ene ure niet en spaert
Eer hi met minnen al dorevaert,
Hine stare met trouwen in minnen fijn.
Want sine vonnessen moeten al sijn

Daarom valt een lichte last diegenen zwaar, die buiten minne wonen, en doorstaan ze veel vreemde angst. Want angst schrijft knechten de wet voor, maar
minne aan de zonen. ¶ Wat is die last die licht is in minne, en het juk, dat zo
zoet smaakt? Het is het edele, inwendige minnedragen, waar minne haar lief
mee aanraakt en in één wil met zichzelf verenigt, geheel en al, voor altijd. De
diepe begeerte schept zonder ophouden, en wat zij schept drinkt de minne
helemaal op. De schuld, die minne van minne opeist, is groter dan een mens
zich kan voorstellen. ¶ Geen mens kan zich voorstellen hoe degene die door
minne met minne overladen werd, vol minne zijn ogen op zijn lief gericht
houdt. Want hij aarzelt geen ogenblik om met minne door alles heen te trekken,
totdat hij met volle overgave de edele minne kan aanschouwen. Want al wat
over hem is beschikt,

Ghelesen in minnen anscine
Ende daer siet hi, claer waer, sonder schijn,
  In meneghe suete pine.

Hi siet in claerheden, dat die mint,
Met volre waerheit pleghen moet.
Als hi met waerheiden dan bekint,
Dat hi der minnen te lettel doet,
Verstormt met pinen sijn hoghe moet.
Want in minnen anscine nemt hi al
Hoe minne der minnen pleghen sal,
  Ende dat vonnesse suet die pine,
Ende doet hem gheven al om al,
  Om der minnen ghenoech te sine.

Die hen in minnen ghenoech dus gheven,
Wat groter wondere sal hen ghescien!
Si selen met minnen ane minne een cleven
Ende selen met minnen al minne doresien,
Ende met hare verhoelnen aderen al tien
Int conduut daer minne haer minne al scincket
Ende met minnen hare vriende al dronken drinket,
  In wondere vore haren woeden.

moet hij aflezen van het aanschijn van minne, en dan ziet hij, met grote helder-
heid, zonder valse schijn, in vele zoete kwellingen. ¶ Hij ziet helder dat wie
mint, in volle waarheid dient te leven. Als hij dan duidelijk tot het inzicht komt
dat hij voor de minne te weinig doet, ontsteekt zijn fier gemoed op een pijnlijke
wijze in vurige passie. Want in het aanschijn van minne leest hij hoe minne met
de minne dient om te gaan, en die beschikking verzacht de pijn en doet hem
alles op alles zetten om de minne voldoening te schenken. ¶ Wie zich op zo'n
wijze aan de minne overgeven, welke grote wonderen zullen hun geschieden!
Zij zullen met minne in minne verenigd zijn en zullen met minne heel de minne
doorschouwen, en zich met hun verborgen aderen zonder ophouden laven aan
de bron, waar minne hun zonder ophouden minne te drinken geeft en met
minne haar vrienden helemaal dronken maakt, in verbazing over haar hevig-
heid.

Dat blijft den vremden al ontwincket,
   Ende openbaer den vroeden.

God geve hen allen die minne begheren,
Dat si der minnen also ghereden,
Dat si al op hare rike teren,
Dat si minne in hare moghen minne gheleden.
So en mach hen biden vremden wreden
Nemmer messchien, sine leven so vri
Alse 'ic al minnen ende minne al mi.'
   Wat mach hen dan meer werren?
Want in hare ghenaden staen si:
   Die sonne, die mane, die sterren.

[DIE TIJT ES DONCKER ENDE COUT]

Die tijt es doncker ende cout:
Dies druven voghele ende dier.
Die herten doghen el menichfout,
Die kinnen hare natuere fier
Ende hen dan minne ontbliven sal.

Dit blijft de vreemden allemaal verborgen, maar wordt de wijzen geopenbaard. ¶ God geve hun allen die minne begeren, dat ze zich zozeer aan de minne wijden, dat ze uitsluitend van haar rijkdom leven, zodat ze minne als minne in zich kunnen binnenleiden. Dan kunnen de wrede vreemden hun geen kwaad meer berokkenen, maar ze leven zo vrij dat ze kunnen zeggen: 'Ik behoor helemaal toe aan minne, en minne helemaal aan mij.' Wat kan hun dan nog deren? Want zij heersen over de zon, de maan, de sterren.

•

Het weer is donker en koud: daarom treuren de vogels en de dieren. Maar de minnaars, die hun eigen fierheid kennen en het dan zonder minne moeten stellen, hebben heel wat meer te verduren.

Wie oprijst, ic blive in tdal,
Van riken troeste onberaden,
Met swaren waghen altoes gheladen.

Die waghe es mi alte swaer,
Die niet en leghet bi ghere noet;
Hoe mochte een herte ghedueren daer,
Die liden moet so meneghe doet
Als hi ghesmaect, die hem bekint
Altoes van minnen onghemint,
Ende al ontseghet wien si ontfaet
Hulpe ende troest ende toeverlaet.

En wilt minne mi minne niet ontfaen,
Wat soudic dan ye gheboren?
Benic vore minne dus ontdaen,
So benic sonder waen verloren;
So magic claghen wets na wee
Al minen tijt voert ane mee,
Sone hopic niet na gheen gheval,
Sint minne mi dus ontbliven sal.

Ic toende der minnen mine pine;
Ic bad hare dat sire hadde ghenade;

Ook al zijn er die hoger komen, ik moet in het dal blijven, zonder krachtige
hulp, altijd maar beladen met zware lasten. ¶ Die last is me al te zwaar, die ik
niet kan neerleggen, hoe hoog de nood ook is. Hoe zou een minnaar het kunnen
uithouden, die even vaak de dood moet smaken als degene die steeds maar weer
vaststelt dat minne niet van hem houdt, en dat ze degene die ze dan wel wil,
alles ontzegt: hulp en steun en bemoediging. ¶ Als minne mij niet als minnaar
wil, waarom werd ik dan toch geboren? Als ik in de ogen van minne afgedaan
heb, dan ben ik zonder twijfel verloren; dan mag ik voortaan heel mijn leven
lang steen en been klagen; dan hoop ik niet meer op geluk, aangezien minne mij
zal blijven mijden. ¶ Ik heb de minne mijn smart getoond en haar gesmeekt om
medelijden.

Si dede mi met ghelate in scine
Dat sijs en hadde wille noch stade.
Wat mi ghesciet dats hare al een.
Hoe si mi ye in onsten sceen
Hebben mi hare vremde kere ontgheven.
Des moetic nachte bi daghe leven.

Waer henen es minne? in vinder niet.
Minne heeft mi al minne ontseghet.
Waer mi dat ye bi minnen ghesciet
Dat ic een ure hadde ghelevet
In hare hulde, hoe soet mi staet,
So sochtic ane hare trouwe aflaet
Nu moetic swighen, doghen ende dueren
Scarp ordel met nuwen uren.

Die vonnessen doen mi bederven,
Dat minne mi dus ontbliven moet.
Al woudic om hare hulde werven,
Daertoe en hebbic gheluc no spoet.
Mestroest heeft mi so wederstaen,
In can confoert en gheen ontfaen,
Die miere herten ontkeren mach
Dien onghehoerden wederslach.

Ze liet me duidelijk blijken, dat ze daar lust noch tijd voor had. Wat mij overkomt, kan haar niets schelen. De mening dat zij mij ooit gunstig gezind is geweest, heb ik door haar vreemde kuren nu wel uit mijn hoofd gezet. Daarom is
het voor mij nacht op klaarlichte dag. ¶ Waar is minne heen? Ik vind haar niet.
Minne heeft mij de minne helemaal opgezegd. Als minne het mij ooit had ver-
gund één enkel ogenblik in haar gunst te staan, dan zou ik met een beroep op
haar trouw haar om vergiffenis durven vragen, wat er met mij ook aan de hand
zij. Nu moet ik zwijgen, lijden en steeds opnieuw een strenge veroordeling
ondergaan. ¶ Die vonnissen dat ik het zonder minne moet stellen, zijn mijn
ondergang. Al wou ik naar haar gunst dingen, ik maak geen schijn van kans.
Wanhoop heeft zich zo tegen mij gekeerd, dat ik geen troost meer kan ontvangen, die mijn hart uit die vreselijke angst zou kunnen bevrijden.

Minne, ghi waert daer te rade
Daer mi God mensche wesen hiet.
Gi meinet mi in onghenade;
Si al u scout wat mi ghesciet.
Ic waende van minnen ghemint zijn;
Ic ben ontseghet, dats mi in schijn.
Mijn toeverlaet, mijn hoghe waen
Es mi te rouwen al vergaen.

Soe soete natuere als minne si,
Waer machsi nemen vremden nijt
Dien si alle uren sticht op mi,
Ende miere herten gront met storme doresnijt?
Ic dole in deemsterheit sonder claer,
Buten vrien troeste, in vremden vaer;
Gheeft, minne, den edelen fieren minne
Ende voldoet in mi al uwe beghinne.

Minne heeft mi recht loes ghedaen;
Ane wiene salic nu soeken raet?
Dats ane trouwe: wilt si mi ontfaen,
Dat si mi om hare hoghe daet
Vore minne gheleide, dat ic hare mochte

Minne, jij stond God met raad ter zijde toen hij me opdroeg als mens te leven.
Het was jouw bedoeling dat ik in ongenade zou leven. Al wat mij overkomt is
jouw schuld. Ik dacht dat minne mij beminde; maar ik ben afgewezen, dat is
mij wel duidelijk. Mijn vertrouwen, mijn hoge verwachtingen zijn totaal in
smart verkeerd. ¶ Waar haalt minne, die toch zo zoet is, die onbegrijpelijke
haat vandaan, waarmee zij mij voortdurend bejegent, en het diepste van mijn
hart zo hevig verscheurt? Ik dwaal in pikdonkere duisternis, buiten de bevrij-
dende vertroosting, in vreemde angst. Minne, geef de edelmoedigen minne en
voltooi in mij wat je begonnen bent. ¶ Minne heeft me waarlijk bedrogen. Aan
wie moet ik nu om raad vragen? Aan trouw! Wil zij zich over mij ontfermen,
dat ze mij dan door haar edele daden tot voor minne leide, zodat ik

Mi al op gheven, ocht sijs iet rochte;
Ic bidde hare troeste noch raet en ghene,
Dan si mi hare bekinne allene.

Ay, minne, doet al u ghenoeghen;
Uwe recht, dat es mijn naeste troest;
Ic wille met al mi daer toe voeghen,
Het si ghevanghen, ocht verloest;
Uwen liefsten wille willic vore al
Ghestaen, in quale, in doet, in mesval.
Ghevet, minne, dat ic u minne bekinne:
Dats rijcheit boven alle ghewinne.

[DAT SUETSTE VAN MINNEN]

Dat suetste van minnen sijn hare storme;
Haer diepste afgront es haer scoenste vorme;
In haer verdolen dats na gheraken;
Om haer verhongheren dats voeden ende smaken;
Hare mestroest es seker wesen;
Hare seerste wonden es al ghenesen;
Om hare verdoyen dat es gheduren;

---

me helemaal aan haar kan overgeven, als ze daar tenminste belangstelling voor
heeft. Ik vraag haar geen troost of raad, enkel dat ze mij als de hare erkent. ¶ Ach minne, doe al wat je goedvindt! Jouw recht is mijn grootste zaligheid. Ik wil me helemaal naar je schikken, of dat nu gevangenschap of vrijheid
betekent. Wat jou het liefst is, wil ik boven alles volbrengen, in ellende, dood en
tegenspoed. Geef, minne, dat ik jou als minne ervaar: dat is een rijkdom die
groter is dan alle bezit.

●

Het lieflijkst is minne wanneer ze aanvalt; in haar ijselijkste afgrond is ze het
mooist; in haar verdwalen is haar nabijkomen; om haar honger lijden is heerlijk eten; haar wanhoop is zekerheid; haar pijnlijkste verwonding is helemaal
genezen; om haar wegkwijnen is blijven leven;

Hare berghen es vinden alle uren;
Om hare quelen dat es ghesonde;
Hare helen openbaert hare conde;
Hare onthouden sijn hare ghichten;
Sonder redenne es hare scoenste dichten;
Hare ghevangnesse es al verloest;
Hare seerste slaen es hare suetste troest;
Hare al beroven es groot vromen;
Hare henen varen es naerre comen;
Hare nederste stille es hare hoechste sanc;
Hare groetste abolghe es hare liefste danc;
Hare groetste dreighen es al trouwe;
Hare droefheit es boete van allen rouwe;
Hare rijcheit es hare al ghebreken.
Noch machmen meer van minnen spreken:
Hare hoechste trouwe doet neder sinken;
Hare hoechste wesen doet diep verdrincken;
Hare grote rijcheit maect armoede;
Haers vele vercreghen toent onspoede;
Hare troesten maect die wonden groot;
Hare hanteren brinct meneghe doet;
Hare voeden es hongher; hare kinnen es dolen;
Verleidinghe es wijse van harer scolen;

haar verbergen is onophoudelijk vinden; om haar wegteren is gezond zijn; haar
zwijgen maakt haar kennis openbaar; wat ze achterhoudt zijn haar giften; haar
schoonste uitspraken zijn woordloos; haar gevangenschap is helemaal bevrijd
zijn; haar hardste slagen zijn haar zoetste vertroostingen; haar geplunder is
grote winst; haar weggaan is dichterbij komen; haar diepste stilte is haar hoogste zang; haar grootste toorn is haar liefste dankbetuiging; haar grootste drei-
gement is volkomen trouw; haar droefheid is genezing van alle verdriet; haar
rijkdom is haar gebrek aan alles. Men kan nog meer over minne zeggen: haar
hoogste trouw doet diep vallen; haar hoogste top doet diep verdrinken; haar
grote rijkdom veroorzaakt armoede; veel van haar krijgen is een bewijs van
tegenspoed; haar troosten maakt de wonden groter; omgang met haar doet
vele malen sterven; haar voeden is honger; haar kennen is dolen; misleiding is
de wijsheid van haar school;

Hare hanteren sijn storme wreet;
Hare ghedueren es in onghereet;
Hare toenen es hare selven al helen;
Hare ghichten sijn mere weder stelen;
Hare gheloeften sijn al verleiden;
Hare chierheiden sijn al oncleiden;
Hare waerheit es al bedrieghen;
Hare sekerheyt scijnt meneghen lieghen,
Dies ic ende menich dat orconde
Wel moghen draghen in alre stonde,
Dien de minne dicken hevet ghetoent
Saken daer wij sijn bi ghehoent,
Ende waenden hebben dat hare bleef.
Sint si mi ierst die treken dreef
Ende ic ghemercte al hare seden,
So hildicker mi al anders mede;
Hare ghedreich, hare gheloven
Daer met en werdic meer bedroghen.
Ic wille hare wesen al datse si,
Si goet, si fel: al eens eest mi.

haar liefkozingen zijn woeste aanvallen; haar rust bestaat in verwarring; wanneer zij zich vertoont, verbergt ze zich helemaal; haar geven is nog meer terug-
stelen; haar beloften zijn allemaal bedrog; haar tooi is zich helemaal uit te
kleden; haar waarheid is onophoudelijk te bedriegen; velen vinden dat haar
erewoord liegen is. Daarvan kunnen ik en vele anderen op elk ogenblik getuigen. De minne heeft ons dikwijls zaken voorgespiegeld, waarop we ons deerlijk
verkeken, en we dachten te hebben wat in haar macht bleef. Sinds zij mij voor
het eerst zo'n loer draaide en ik haar manier van doen doorzag, ben ik anders
met haar te werk gegaan. Door haar dreigementen en beloften laat ik me niet
meer misleiden. Ik wil voor haar zijn al wat zij is. Of zij nu goed of boosaardig
is: dat is mij allemaal hetzelfde.

[IC GROETE DAT IC MINNE]

Ic groete dat ic minne
Met miere herten bloet.
Mi dorren mine sinne
Inder minnen oerwoet.

Ay, hertelike suete minne,
Volwasse na dijn wesen,
So moghen mine sinne
Vander doet ghenesen.

Ay, here over kare,
Waerdi dat ghi sijt
In uwe natuere, so ware
Iet mijns gheduerens tijt.

Ay, over suete raste,
Haddi al dat uwe vercreghen,
So waren mine laste
Verlicht die nu so weghen.

Ay, over suete natuere,
Hoe ghedoet die herte dijn?
Ic en can ghedueren ene ure,
Ic moet al der minnen sijn.

Ik groet degene die ik uit het diepst van mijn hart bemin. Ik droog uit in minne-razernij. ¶ Ach, liefste, zoete minne, groei op tot wat je eigenlijk bent. Dan kan ik nog aan de dood ontsnappen. ¶ Ach, allerliefste Heer, als gij zoudt zijn wat gij in uzelf zijt, dan zou ik één ogenblik rust hebben. ¶ Ach, allerliefste rust, had jij alles verkregen wat je toekomt, dan zouden mijn lasten heel wat minder wegen, die nu zo op mij drukken. ¶ Ach, allerliefste, hoe is het met jouw hart gesteld? Ik kan geen ogenblik wachten, ik moet helemaal van de minne zijn.

Ay, hertelike joffrouwe,
Dat ic so vele te u spreke,
Dat doet mi nuwe trouwe
Van dieper minnen treke.

Ay, hadden wij dat wij hebben,
So waren wij beide so rike,
So soudemen luttel venden
Iewerinc onse ghelike.

Ay, ic woede in moede met spoede
Na tgoede dat ic der minnen volsi;
Ay, in woet zijn vroet dats spoet,
Ja in woet van minnen vri.

Ic hake, ic wake, ic smake
Die sake die mi dunct soete;
Ic kinne met sinne daer es inne
Die minne mijns evels boete.

Ic doge, ic poghe omt hoghe,
Ic soghe met minnen bloede;
Ic groete dat soete, dat moete
Boeten mine orewoede.

Ach, teerbeminde jonkvrouw, dat ik je zo uitvoerig toespreek, dat komt door
hernieuwde overgave aan de streken van de moeilijk te peilen minne. ¶ Ach,
hadden wij wat wij hebben, dan waren we beiden zo rijk, dat men nergens onze
gelijke zou vinden. ¶ Ach, ik brand van verlangen, vol hartstocht, ongeduldig,
naar het heerlijke ogenblik dat ik de minne helemaal toebehoor. Ach, in razernij wijs te zijn, dat is geluk, ja in de razernij van de vrije minne. ¶ Ik verlang, ik
waak, ik proef wat mij aangenaam lijkt. Ik weet zeker dat in de minne beterschap voor mijn rampspoed te vinden is. ¶ Ik lijd, ik streef naar omhoog, ik
voed me met het bloed van minne; ik groet de zoetheid, die mijn razende begeerte moge stillen.

Ic beve, ic cleve, ic gheve,
Ic leve op hoghen waen,
Dat mine pine die fine
In de sine sal al ontfaen.

Ay, lief, hebbic lief een lief,
Sidi lief mijn lief,
Die lief gavet omme lief,
Daer lief lief mede verhief.

Ay, minne, ware ic minne
Ende met minnen minne u minne!
Ay, minne, om minne ghevet dat minne
Die minne al minne volkinne.

JACOB VAN MAERLANT

DER NATUREN BLOEME

[fragment]

[...]
Daer sijn liede van ander maniere
Over Ganx der riviere,
Die die letteren heten Braghmanne,

Ik sidder, ik klem me vast, ik geef, ik leef met de hoge verwachting dat mijn edele pijn in zijn pijn alles zal verwerven. ¶ Ach, lief, als ik een lief liefheb, wees jij dat lief, mijn lief, die wat je lief was, opgaf voor je lief, waarmee jij, lief, mij als lief verhief. ¶ Ach minne, was ik minne, en minde ik u, minne, met minne! Ach minne, geef uit minne dat minne de minne geheel als minne kenne.

•

Het mooiste uit de natuur ¶ Aan de overzijde van de Gangesrivier leven nog andere mensen, die in boeken de brahmanen heten,

Van sonderlinge live nochtanne;
Want dats wonderlike ding:
Eer die Goeds soen vleesch ontfing,
So screven wiselike die ghoene
Van den Vader ende van den Soene,
Ende van hare evenhgeweldichede,
An Alexandren, dor sine bede,
Ende scinen an hare worde openbare,
Alst kerstelike gelove ware.

   Ander liede sijn daer neven,
Die om te coemen int langhe leven,
Dat coemt na dit sterven hier,
Hem verbernen in een vier.

   Ander volc es daer onvroeder,
Die haren vader ende hare moeder,
Alsi van ouder sijn versleten,
Doet slaen ende gaense eten.
Dit houden si over weldaet,
Ende dies niet ne doet, hi heet daer quaet.

   Oec vintmen daer in somech lant
Menighen staerken gygant,
Die XII cubitus sijn lanc;
Ende volc es daer mede so clene ende cranc,
Cume als lanc, wi lesent dus,

en een bijzondere levensstijl huldigen. Want het is wonderbaarlijk: voordat Gods zoon mens werd, zo schreven deze lieden zeer verstandig over de Vader en de Zoon en hun beider gelijkheid, in brieven aan Alexander de Grote (op diens verzoek) en ze schenen, naar hun woorden te oordelen, wel christenen te zijn. Daaraan grenzend wonen weer andere lieden, die zichzelf in brand steken om het lange leven te bereiken dat na het sterven hier op aarde komt. Daar leeft ook een ander, achterlijk volk, waar men zijn vader en moeder als die van ouderdom versleten raken, doodslaat en opeet. Dit houden ze daar voor welgedaan; wie het niet doet, geldt daar als slecht mens. Ook vindt men daar in sommige landen ettelijke sterke reuzen, die twaalf ellen lang zijn; en ook leven daar mensen die juist heel klein en zwak zijn, nauwelijks langer, lezen wij,

Als drie voete of een cubitus.

Daer sijn vrouwen, hoer ic ghewaghen,
Die als enewarf kinder draghen,
Ende die werden graeu geboren;
Ende alsi out sijn, als wijt horen,
So waert hem al swart dat haer.

Ander wijf wonen daer naer,
Diere vive draghen tere dracht;
Maer sine leven der jaer maer acht.

Oec es daer een volc geseten,
Die die rauwe vische eten
Ende drinken die souten zee.

Ander volc so woenter mee,
Die die hande hebben verkeert,
Ende ander voeten, als men ons leert,
Si hebben teen twewarven viere.

Volc so esser van ander maniere,
Die die voete hebben verkeert.

Als ons sente Jeronimus leert,
So esser erehande volc gevonden
Gehovet gelijc den honden,
Met crommen clauwen ende met langhen,
Ende met beesten vellen behanghen,
Ende voer haer spreken bassen.

dan drie voet oftewel één el. Er zijn daar vrouwen, hoor ik vermelden, die maar
één keer kinderen krijgen, en die met grijs haar worden geboren; als ze oud zijn,
zo vernemen wij, worden hun haren helemaal zwart. Weer andere vrouwen
wonen daar, die vijf kinderen per keer baren; maar die leven niet langer dan
acht jaar. Ook leeft er een volk dat zijn vis rauw eet, en de zoute zee opdrinkt.
Ook woont daar een ander volk, waarvan de handen andersom staan, en aan
hun voeten hebben zij, zo leert men ons, twee maal vier tenen. Ook is er een
volk, weer anders, dat zijn voeten verkeerd om heeft. Zoals ons Sint-Hiero-
nymus leert, is ook een volk bekend dat hoofden heeft als hondekoppen, en
kromme, lange klauwen, zich hult in beestevellen en blaft in plaats van spreekt.

Ander volc es daer gewassen:
So clene monde hebben die liede,
Dat si met enen clenen riede
Insuken moeten daer si bi leven.

Ander volc es daer neven,
Die mensche eten, als wijt horen.
Dese volgen den lieden bi sporen,
Bi der roeke, dats haer maniere,
Tote dat si comen tere riviere.

Ander liede sijn daer bi,
Die heten Arimaspi,
Jof Ciclopen in Latijn,
Die maer met enen oghe sijn,
Ende staet hem voer thoeft voeren.

Ander volc es daer geboeren,
Die lopen utermaten sere
Met enen voete ende niet mere;
Nochtan es die voet so breet,
Dat si jeghen die sonne heet
Hem bescermen daer mede,
Waer dat si rusten in enighe stede.

Ander liede, des geloeft,
Vintmen daer al sonder hoeft,
Haer oghen in haer scouderen staende;
In hare borst twe gate uutgaende

Daar leeft een ander volk, waarvan de mensen zulke kleine monden hebben dat ze met een rietje het voedsel moeten opzuigen dat hen in leven houdt. In de buurt woont een ander volk, dat naar wij vernemen mensen eet. Zij achtervolgen mensen volgens het spoor van hun reuk, totdat ze bij een rivier komen. Vlakbij wonen andere lieden, die Arimaspi heten, of cyclopen in het Latijn, en die slechts één oog hebben, dat midden in hun voorhoofd staat. Er leeft een ander volk dat heel hard rent met maar één voet; maar die voet is wel zo breed dat zij zich ermee beschutten tegen de zon als ze ergens liggen te rusten. Andere mensen, geloof mij, vindt men daar die zonder hoofd zijn, en wier ogen in hun schouders zitten; in hun borst zitten twee openingen,

Voer nose ende voer mont;
Eyselijc sijn si als een hont.
    Ander liede sijn daer neven,
Die bi eens appels roeke leven,
Sonder ander spise tontfaen.
Eist dat hem vere staet te gaen,
Si draghenre voer hem ter noet;
Want anders so bleven si doet,
Quame hem enighe quade lucht an.
    Oec vintmen daer wilde man
Met VI vingheren an elke hant.
    Oec so vintmen daer int lant
Wijf van sere scoenre maniere,
Die houden hem in ene waerme riviere;
Ende want si ne hebben yser negheen
Si wapenen hem al in een
Met wapene van sulvere al.
    Oec vintmen in menich dal
Van India wijf gebaert
Al toten mammen nederwaert,
Ende die cledren van huden draghen,
Ende hem alle generen in hagen.
Si hebben tighere ende lioene
Ende lupaerde te haren doene
Getemmet, daer si jaghen mede.

bij wijze van neus en mond; ze zijn vervaarlijk als een hond. Andere mensen
wonen daar in de buurt die leven van de geur van appels, zonder ander voedsel
te nuttigen. Als zij een grote afstand moeten afleggen, dan dragen zij de appel
voor zich uit; want anders zouden zij sterven, indien hen een nare geur zou
bereiken. Ook vindt men daar wildemannen, met zes vingers aan elke hand.
Ook vindt men daar in den lande vrouwen die leven in een warme rivier; ijzer
hebben ze niet, en zij bewapenen zich met wapens van zuiver zilver. Ook vindt
men in heel wat dalen in India vrouwen die baarden dragen tot op hun borsten,
en die als kleren huiden dragen, en zich ophouden in hagen. Ze hebben voor
eigen gebruik tijgers, leeuwen en luipaarden getemd, waarmee ze jagen.

Noch es daer in someghe stede
Volc, bede man ende wijf,
Die gheen cleet draghen ant lijf,
Ende ru gehaert sijn an den lichame.
Waert dat hem enich man toequame,
So doeken si int water danne,
Want dese wijf ende die manne
Leven wel na hare maniere
Opt lant ende in die riviere.

   Oec vintmen daer wilde liede,
Groet ende staerc ende ongehiede,
Die ru sijn als een swijn van hare,
Ende krieschen oft een stiere ware.

   In enen riviere sijn daer oec wijf
Die harde scoene hebben tlijf,
Sonder dat si in den mont
Sijn getant als een hont.

   Oec wonen daer die Pigmene,
Liedekine herde clene,
In die montaenge van Endi.
Ten derden jare pleghen si,
Dat si winnen ende draghen kinder,
— Men ne vint gheen volc minder —
Ende pleghen ten achtende jaar
Oerloghe te maken harde swaer

Ook is daar op sommige plaatsen volk, mannen en vrouwen, dat geen kleren aan het lichaam draagt, en ruw behaard is. Als mensen hen benaderen, duiken zij het water in, want deze vrouwen en mannen plegen te leven zowel op het land als in het water. Ook vindt men daar wilde volkeren, groot, sterk en barbaars, die een huid hebben als een everzwijn, en briesen als een stier. Ook leven daar in een rivier vrouwen die van uiterlijk zeer mooi zijn, behalve dat ze in hun mond hondetanden hebben. Ook wonen daar de pygmeeën, hele kleine mensjes, in de bergstreken van India. Elk derde jaar plegen zij kinderen te verwekken en te krijgen; kleiner volk vindt men nergens, en zij plegen elk achtste jaar oorlog te voeren

Op den cranen, die met ghewelt
Hem willen nemen die vrucht opt velt.

Oec heeft men in ouden stonden
Eerehande volc met sterten vonden.

Men vint in Orienten mede
Wilde liede in wilden stede.

Als mense int wout vanghen mochte,
Ende mense onder tfolc brochte,
Mochten si dan niet ontghaen,
Sone wilden si gheen eten ontfaen,
Ende doden hem met honghere dan.

Men vint oec in India man,
Die die oghen nachts hebben so claer,
Als joft ene karse ware, dats waer.

Oec wonen daer scone lieden mede
Op die see in ere stede,
Die niet ne eten dan vleesch al ro,
Ende uutgoet honech also.

In ene riviere, hetet Brixant,
Die loopt tote Endi int lant,
Sijn liede XII voete lanc,
Die die huut hebben sere blanc,
Ende tanschijn ghedeelt in tween.
Dit wonder ende menich een,
Dat hier boven staet bescreven,

tegen de kraanvogels die hun met geweld de oogst afhandig willen maken. Ook
heeft men heel lang geleden een volk met staarten aangetroffen. In de Oriënt
vindt men ook wilde lieden in onherbergzame streken, die als men ze in het
woud wist te vangen en naar de mensen bracht, dan eten weigerden te ontvangen en zichzelf dan van honger doodden. Ook vindt men in India mannen
wier ogen 's nachts zo helder schijnen als kaarsen, echt waar. Ook wonen daar
mooie lieden, ergens aan de kust, die niets anders eten dan rauw vlees en eerste
klas honing. Bij een rivier die Brixant heet en die door het land van India loopt,
leven mensen die twaalf voet lang zijn, en een zeer witte huid hebben en een
gespleten gezicht. Zulke wonderen, en nog veel meer als hierboven zijn behan-
deld,

Als ons die vraye boeke gheven,
Vintmen int lantscap van Endi.
[...]

VAN DEN LANDE VAN OVERSEE

Kersten man, wats di gheschiet?
Slaepstu? hoe ne dienstu niet
   Jhesum Christum, dinen here?
Peins, doghede hi dor di enich verdriet
Doe hi Hem vanghen ende crucen liet
   Int herte steken metten spere?
Tlant daer hi sijn bloet in sciet
Gaet al te quiste, als men siet;
   Lacy! daer en is ghene were!
Daer houdt dat Sarrijcijnsche diet
Die Kerke onder sinen spiet
   Daerneder, ende doet haer groot onnere;
   Ende di en dunkets min no mere!

Die Kerke es van haren lene
Ontervet! Dijn herte es van stene,
   Kerstijn, gaet het di niet na!

vindt men in het Indiase land, volgens de getuigenis van waarheidsgetrouwe boeken.

•

Christenmens, hoe is het met je gesteld? Slaap je? Waarom dien je je heer Jezus Christus niet? Bedenk: leed hij geen verdriet om jou, toen hij zich liet vangen en kruisigen, en zich met een lans in het hart liet steken? Het land waarin hij zijn bloed vergoot, gaat compleet ten onder, zoals men ziet; en helaas, zonder slag of stoot! Het Saraceense gebroed zet daar de kerk het mes op de keel, en haalt haar door het slijk; en jij kijkt er niet eens naar om! ¶ De kerk wordt van haar rechtmatig erfgoed beroofd, en jouw hart blijft er ijskoud bij, christen, raakt het je niet?

Si es dijn moeder, die ic mene,
Die di suver maect ende rene,
   Alsmen di in die vonte dwa.
Satanas kinder alghemene
Hebben die mammorie allene
   Beset op dat di toebesta.
Nu roept die Kerke met groten wene:
'Jhesus Kerst van Nazarene,
    Men rovet dat erve dat di toega!
    Pugna pro patria!'

Omme scat so gaepstu wide;
Elc is op anderen vol van nide,
   Ende dinen God heefstu vergeten.
Die door di ontdede sine side
Roept 'help!' op di te desen tide
   Ende claghet; des wiltu niet weten!
Hoe moghetstuut laten dus ter lide,
Dat dat volc vermaledide
   So verre ghepaelt heeft ende ghemeten?
God proevet di in desen stride;
Hi doghet dat menne te halse ride
   Voor di, ende du bist vast gheseten,
   Sughende an der weelde reten!

Ik heb het hier over je moeder, die jou in de doopvont je zuiverheid schonk! De kinderen van Satan hebben de afgoderij ingesteld op jouw heilige grond! De kerk roept wanhopig: 'Jezus Christus van Nazareth, men rooft uw erfdeel; pugna pro patria, strijd voor het vaderland!' ¶ Naar bezit snak je onophoudelijk; iedereen benijdt elkaar om van alles, maar je eigenste God ben je vergeten. Hij die om jou zijn zijde liet doorwonden, roept nu klaaglijk om hulp — en jij wilt er niet van horen! Hoe kun je het over je kant laten gaan, dat een onzalig volk zijn gebied zo ver uitbreidt? God stelt je in deze strijd op de proef; hij gedoogt om jou dat men hem zelfs vermoordt, en jij steekt geen hand uit, terwijl je je aan de zoetheid der wereld verlustigt!

In weelden sitstu hier versmoort,
So dat met di is onghehoort
   Gods lachter ende sine scande.
Dune peins niet om die moort,
Die tot Akers in die poort
   Wrochten die Gods viande.
Daer is Gods dienste ghescoort,
Cloostre ende huse sijn testoort;
   Tvolc verbeten van wreden tanden.
Kerstijn man, twi en trecstu voort?
Waerom sitstu hier verdoort?
   Du sout hemelrike panden
   Op Gode, wiltu dien lachter anden!

Jhesus Christus van Nazarene
Gaf van Akers der porten ene
   Name die was 'vermaledijt'.
Daer voorsprac hi bi van den wene
Die opt kerstine volc ghemene
   Ghevallen is in corter tijt.
Te diere porten, als ic mene,
Waren ierst uutghetrect die stene,
   Ende een inganc ghemaect so wijt,
Dat die Sarracine onrene

Je zwelgt hier zo in weelde dat je stokdoof bent voor de hoon en schande die
God overkomt. Je denkt volstrekt niet aan de moord die in de stad van Akko de
vijanden Gods hebben aangericht. Daar is het christendom aan stukken gere-
ten, en zijn kloosters en godshuizen verwoest; ons volk is wreed verscheurd.
Christen, waarom ga je onverstoorbaar voort, en blijf je hier verdwaasd en
werkeloos neerzitten? Je zou een pand verwerven voor de hemel, wilde je die
schande keren! ¶ Jezus Christus van Nazareth gaf een van de poorten van Akko als naam 'de vervloekte'. Daarmee voorspelde hij het leed dat onlangs over
heel de christenheid gekomen is. Het was namelijk bij die poort dat het eerste
gat werd geforceerd, en een toegang werd gemaakt waar de vuile Saracenen

Alle ingoten, groot ende clene;
   Ende daer becochten si den strijt,
   Die op Gode hadden ghelijt.

Men ginc daer houwen ende slaen;
Die kerstine worden seer ondaen;
   Hem mochte gheen weren ghewepen.
Si moesten alle die doot ontfaen,
(Daer jeghen mochte niet ontstaen),
   Die niet ontspronghen in schepen.
Men sach daer laten meneghen traen.
Kerstijnheit wart sonder waen
   So jamerlijc int vel ghenepen.
Men mach jamer hierin verstaen:
Die predicare dede men vaen,
   Ende alsijt crucifix ghegrepen,
   Si dadent achter straten slepen.

Joncfrouwen van religioene,
Suver ende van heiligen doene,
   Onsuverden die Sarracine.
Wiemen hoorde die was soo coene
Die Jhesus noemde, Mariën soene,
   Men dede hem torment ende pine.
Men briet sulken ghelijc den hoene;
Sulc wart onthalst bi den caproene;

---

door naar binnen stroomden. Daar dolven de gelovigen het onderspit. ¶ Met bijlen en zwaarden werden de christenen daar in het verderf gestort; geen weerstand baatte hun. Wie niet ontkwam in schepen, moest er het leven laten. Gekerm klonk alom; de christenheid werd jammerlijk te grazen genomen. Wat een ellende heerste daar: zelfs priesters werden gegrepen, en als zij het kruisbeeld omklemden, werd dit door de straten gesleurd. ¶ De godgewijde nonnen, zo kuis en vroom van leven, werden door Saracenen verkracht. Wie Jezus durfde aanroepen, werd extra gemarteld. De een werd als een kip gebraden, de ander dwars door de kloosterkap onthoofd,

Sulc ghescout ghelijc den swine.
Ghi heren, ghi princen, ghi baroene,
Hoe coomt dat hem elc niet vermoene
    Met live, met goede ghereet te sine,
    Te suverne tlant van dien venine?

Kerke van Romen, trec dijn swaert,
Dat di van Gode ghelaten waert:
    Kerstijnheit hevet te doene heden!
Besie oft vlegghe hevet of scaert
Ant einde of daer middenwaert;
    Ende oftuut overwaer vinds versneden,
So spoet di danne metter vaert
Ende doe al onghespaert
    Een van beteren snede smeden!
Qualike is het gheachterwaert;
Diere cardinale aert
    Die is van alsulken seden,
    Hi strect na scat met allen leden.

Alse thooft gulselike ontfaet
Den wijn die sine kele doorgaet,
    Het ontkeert alle die lede.
Die mont hi roept; hi slaet, hij vaet,
Hi verset dat wale staet;
    Bene faelieren ende voete mede.

een derde geroosterd als een zwijn. Gij heren, vorsten en baronnen, hoe komt
het dat niet ieder zich opwerpt om met lijf en goed het heilige land van zulk
addergebroed te zuiveren? ¶ Kerk te Rome, trek het zwaard dat u van God in
handen kreeg; het christendom staat op het spel! Bezie of het door bramen of
butsen onbruikbaar is geworden, en laat dan onverwijld een beter smeden!
Men heeft het slecht beheerd; de aard van kardinalen is het nu eenmaal om
meer op geld te letten. ¶ Wanneer het hoofd zich gulzig wijn in de keel laat
gieten, raakt heel het lichaam in de war. De mond gaat brallen; men slaat om
zich heen en schopt alles omver; men zwalkt en struikelt over zijn eigen benen.

Die Kerke van Romen is dusdaen vraet;
Si is dronken ende al sonder raet,
  Die hovet is van kerstijnhede.
Sine heeft gheen lit dat haer bestaet,
Keiser, coninc noch prelaet,
    Het en is mids der ghierichede
    Ontkeert van goeden seden.

Hoort, ghi heren, ghi baroene,
Wes die Kerke u vermoene;
  Si seit: si hevet tiende gheghheven
Daer si noit of te haren doene
Profijt ghecreech van enen boetoene,
    Dat sijt weet of heeft beseven.
Wat dadi in Tunis, in Arragoene?
Jeghen wien waerdi daer coene?
  Wat eren hebdi daer beweven?
Waert dat u die duvel niet en spoene,
Ghi naemt met u te uwen verdoene
    Van uwen rechten goede beneven,
    En hulpt der Kerken, daer si moet beven.

Wat scatte hiesch Jhesus die,
Doe hi liet met naglen drie
  Aent cruce naghelen sine lede?

De kerk van Rome is zo'n gulzigaard: het hoofd der christenheid is dronken en stuurloos. Geen lichaamsdeel is nog in orde: er is geen keizer, koning of prelaat die niet door hebzucht is verdwaald. ¶ Hoort heren en baronnen, waartoe de heilige kerk u aanmaant: zij heeft belasting afgedragen waarvoor zij nog geen stuiver terugzag. Wat heeft u in Tunis en Moors Spanje tot stand gebracht, en aan eervol heldendom verricht? Ware het niet zo dat de duivel u in zijn macht had, u zou uw eigen bezit aanspreken om daarmee de kerk te hulp te schieten, waar zij rilt van angst. ¶ Welke schatten eiste Jezus van u, toen hij zich met drie spijkers aan het kruis liet nagelen?

Hen doghede man die anxte nie,
Die hi doghede, ghelovets mie,
  Om di te brenghene ter hoochede.
Wie is hi nu, wie is hi, wie,
Die hem volghet na, daer hie
  Ghinc om onse salichede?
Mi dunct dat elc ommesie
Wat hi begrijpt, offer af plie
  Ghemac te comen ende weeldichede;
  Is niet, hi blivet mat op die stede.

Alse vallen prelatien
In kerken ende in canosien,
  Daerwaert spoedet metter vaert.
Deen gaet smeken, dander vrien;
Daer siet men der simonien
  Sere toghen haren aert.
Wie sijn si die daer tvette af sien?
Die therte hebben met reinaerdien
  Van binnen bewist ende wel bewaert.
Men hevet wat doen van clergien!
Met loesheiden, met scalkernien
  Machmen comen in Gods wijngaert;
  Dus blivet tfruut al onbewaert.

Nooit had een man de angst te verduren, die hij verduurde, geloof mij, om u het heil te schenken. En wie volgt nu zijn weg, die hij ging om ons aller zaligheid? Het komt mij voor dat iedereen alleen alert is als het zijn eigen weelde en gemak dient; zo niet, dan steekt hij geen vinger uit. ¶ Als er aantrekkelijke functies in parochies of kapittels vacant komen, dan maakt eenieder haast! De een gaat voor zichzelf pleiten, de ander slijmen; dan ziet men simonie in vol bedrijf. Wie zijn het die daar het vet afromen? Ze hebben hun hart en ziel verpand aan loze streken. Men kan het makkelijk stellen zonder opleiding! Met list en vleierij kan men in Gods wijngaard komen; en zo wordt daar het fruit verwaarloosd.

Daermen Gods leden mede soude voeden
Ende queken in hare aermoeden,
   Dat hebben al gheblaet die ghiere.
In sal niet scamen doen die goeden;
Maer hem mochte therte bloeden,
   Die houden die amien fiere!
Ay mi! Of si te hope stoeden
Endese alle die duvele loeden,
   Ic waenre niet ontghinghen viere,
Sine souden alle ter helscher gloeden
Wel neder onder der duvele roeden:
   Ic sie den hoop so putertiere,
   Ende die doghet in hem so diere!

Scalcheit heeft die provende groot;
Diviniteit gaet om haer broot;
   Dit sietmen nu alle daghe.
Kerke, clach! du heves noot;
Dune vinds in desen wederstoot
   Niewer ghenen vrient noch maghe.
Elc ondoet wel sinen scoot
Jeghen dijn rente; maer si sijn bloot
   Te wederstane die slaghe.

Waar men de ledematen Gods mee zou moeten voeden, om deze te verkwikken in hun armzaligheid, dat hebben zich nu de gieren toegeëigend. De goeden wil ik niet te na spreken; maar ik gun hun een bloedend hart die er een bijzit op na houden! Het is zonde dat ik het zeg: als zij bijeen zouden staan, en de duivel zou ze inspecteren, ik wed dat er geen vier zouden ontkomen aan zijn zweep en aan het helse vuur — het grootste deel leeft liederlijk, en deugd moet men met een lichtje zoeken! ¶ De meeste prebenden gaan naar geslepenheid; de godsvrucht moet uit bedelen, dat ziet men alle dagen. Beklaag jezelf, kerk, zoals het je past: in deze deplorabele toestand heb je nergens vrienden of familie. Je inkomsten worden wel door iedereen met open armen ontvangen; maar niemand stelt zich teweer tegen de slagen die je krijgt.

Al storte Jhesus sijn bloet root
Noch enewerf daer hijt wilen goot,
   Die doghet is overal so traghe,
   Men vonde cume die daerwaert saghe.

Coninghen, graven ende hertoghen,
Die op anderen orloghen
   Ende om een clene dinc verraden:
Peinst wat Jhesus wilde doghen,
Om u te brenghene ten hoghen
   Rike, daer altoos is ghenaden.
Sijn huus, sijn lant staet doorvloghen
Ende verwoest, alsmen mach toghen,
   Ende u en dunct niet siere scaden?
Ghi hebt hem sijn bloet ontsoghen,
Twi ontkeerdi hem u oghen?
   Ghi hebt enen andren last ghelaaden,
   Ende laet uwen God versmaden?

Nu weert tijt datmen soude
Den schilt van sabel ende van goude
   Toghen ende van lasuren!
Die niet voort treedt alse die boude
Ende wreect sire Moeder, daer hi af houde
   Sine kerstenheit, hi salt verburen.

Zelfs als Jezus nogmaals zijn bloed zou geven waar hij het destijds vergoot, de
deugd is overal zo ver te zoeken dat ternauwernood iemand er acht op zou
slaan. ¶ Koningen, graven en hertogen, die elkaar bestrijden en om een futili-
teit verraden: bedenk wat Jezus bereid was te doorstaan om u de kans te geven
op de hemelse genade! Zijn huis, zijn land worden geplunderd en verwoest,
zoals men ziet, en u maalt niet om zijn verdriet? Gij hebt u met zijn bloed
gevoed, en keurt hem nu geen blik waardig? U sjouwt zich suf om andere zaken, en laat uw God gewoon vernederen? ¶ Het wordt waarachtig tijd dat men
de schilden van goud, sabel en lazuur ter hand neemt! Wie nu niet als een
moedig man naar voren stapt, om de Moeder van de christenheid te wreken, hij
zal niet ongestraft blijven.

Twi wil elc leven met groter vroude,
Sonder hitte ende sonder coude,
   Recht na sijn ghevoech ter curen?
Het moet al sterven, jonc ende oude.
Peinst wat Jhesus ghedoghen woude
   Dor uwen wille ende besuren,
   Eer overgaen u tijt ende uren.

Neemt den schilt vermelioene,
Die Jhesus droech omtrent noene
   Op den goeden Vridach,
Doe Hi den camp vacht alse die coene,
Daer hi verdinc maecte ende soene
   Ons jeghen hem diet al vermach.
Vonde men prencen ende baroene,
Alsmen hier voormaels plach te doene,
   Die Kerke en dade niet sulc gheclach;
Want si was des onghewoene
Bi Godefroits tiden van Bulgoene,
   Ende bi Carle, die node sach
   Dat si stoot ontfinc of slach.

Wat vaerdi in desen daghen
Met valken bersen ende jaghen,
   Ghi lantsheren, ghi civeteine!

Waarom wil ieder leven voor de lol, en zonder hitte of kou, maar precies zoals
het hem bevalt? Bedenk wat Jezus bereid was te doorstaan om uwentwil, voordat uw eigen dagen zijn geteld. ¶ Neem het bloedrode schild ter hand dat Jezus
droeg op Goede Vrijdag toen hij de dappere strijd streed waarmee hij ons ver-
zoende jegens hem die de Almachtige is. Vond men nog prinsen en baronnen
zoals ze er vroeger waren, dan had de Kerk niet zo te klagen; want zij had
daartoe geen nood toen Godfried van Bouillon nog leefde, of Karel de Grote,
die nooit toestond dat haar een haar gekrenkt werd. ¶ Wat gaat u nu in deze
tijd op valkenjacht, gij landsheren en leiders!

Hoordi niet die Kerke claghen?
Of ghi sijt van haren maghen,
    Openbaer liëts int pleine!
Dordi uwes kerstijnheits ghewaghen,
So moeti den schilt draghen,
    Dien God veruwede met roder greine.
Hine liet Hem niet versaghen
Ons te loossene uter plaghen,
    Die vloeiet uter hellen fonteine,
    Ghemanc met torment ende met weine.

Ghi heren, dit is Jacobs vont,
Houdt dit gebit in den mont,
    Van an desen breidel cuwen;
Later u mede sijn ghewont
Binnen in uwer herten gront;
    Vant die weelde hier verspuwen!
Het is ene reden bont:
Hier masseren so menich pont
    Ende dat aerme volc verduwen.
God make ons allen so ghesont
Met rechten ghelove ter lester stont,
    Dat der sielen te min mach gruwen
    Van Sathanase den fellen ruwen!

Hoort u de kerk niet klagen? Als u zich rekent tot haar partij, laat dat dan openlijk zien! Wilt u zich nog een christen noemen, dan moet u het schild dragen dat rood werd door Gods bloed. Hij, op zijn beurt, liet zich niet beangstigen om ons uit onze zonde te verlossen die opwelt uit de helse bron waar pijn en leed uit vloeit. ¶ Gij heren, dit is Jakobs idee; laat u in deze zin beteugelen, en laat de woorden u ten diepste raken: wees bereid te spuwen op de aardse weelde! Het is immers absurd: hier enerzijds fortuin vergaren, en tegelijk het arme volk onderdrukken. Moge God ons allen zo genezen dat wij ten slotte rechtgelovig worden, en onze ziel des te minder hoeft te huiveren voor Satan, de felle beul!

ANONIEME LIMBURGSE
MINNEDICHTER

[1]

En mochte gheloven
Wie sere te cloven
Es sminners herte,
Ghene creature
Dien nie waert sure
Der minnen smertte.
Die gront ruringhe dede te gronde,
Ende te recht mocht gronden
Ende mijn hert ontlode, hi vonde
Dat nie in hert waert vonden.
Hi vonder in, onghebonden,
Meneghe versche blodende wonde
Ende vast ghedruct in elc dier wonden
Haer sute aensicht, dat claerste orconde
Diir minnen, dat ye minne orconden
Mocht: lief ende lief gebonden.
Gront diep gheprint
Int thert dat mint,
Staet tsien sier vrouwen:
Als troet in blude,
Als doeght in ghude
Ende liefde in trouwen.

Wie nooit gepijnigd werd door liefdesverdriet, kan niet geloven hoe diep het
hart van een minnaar is doorboord. Wie mijn hart helemaal tot op de bodem
zou omroeren en het naar waarheid zou kunnen doorgronden en leeghalen, hij
zou vinden wat nog nooit in een hart gevonden werd. Hij zou er talrijke verse,
bloedende, niet-verbonden wonden vinden, en diep gedrukt in elk van die wonden, haar zoet gelaat, het klaarste bewijs van minne dat minne ooit leveren
kon: lief en lief gebonden. Tot in het diepste diep van een minnend hart staat
het gelaat van zijn vrouwe gedrukt: zoals rood in bloed, zoals deugd in goedheid en liefde in trouw.

70

[2]

In den beghinne
Es vrouwen minne
Tsuetste dat men vint
Ende bute van rouwe,
Eere haer entrouwe
Yet onderwint.
Doe ic ierst int herte nam
Haren sueten name,
Docht mi dat hi mi bequam
Boven alle bequame,
Want hi es sonder blame.
Hier af mi haer minne in quam,
Diet riet dat ic quame
Tharen dinste. Dat mi mesquam
In vrochtlike mesquame
Mits der minnen prame.
Hien darf betien
Gheer jalasien
Noch quaets gherede
Der minnen twint,
Die sotlic mint
Op onnot stede.

In het begin is de liefde van een vrouwe het zoetste dat men vindt en een remedie
tegen verdriet, totdat ontrouw zich ermee begint te bemoeien. Toen ik die zoete
vrouwe in mijn hart begon te dragen, leek het mij dat zij me boven alles aangenaam was, want zij is zonder fout. Daardoor kwam in mij liefde voor haar
op, die mij aanraadde dat ik mij in haar dienst zou stellen. Dat kwam mij
vreselijk duur te staan door de dwingelandij van de minne. Wie zo dwaas is
liefde op te vatten voor een ondeugdelijk wezen, moet niet de liefde van jaloezie
of van kwaadsprekerij beschuldigen.

71

HERTOG JAN VAN BRABANT

[LIED 1]

Eens meienmorgens vroe
Was ic opgestaen;
In een scoen boemgaerdekijn
Soudic spelen gaen.
Daer vant ic drie joncfrouwen staen;
Dene sanc vore, dander sanc na:
Harba lori fa, harba harba lori fa, harba lori fa.

Doe ic versach dat scone cruut
In den boemgaerdekijn,
Ende ic verhoorde dat soete geluut
Van den mageden fijn,
Doe verblide dat herte mijn,
Dat ic moeste singen na:
Harba lori fa, enz.

Doe groette ic die allerscoenste,
Die daer onder stont;
Ic liet mine arme al omme gaen;
Doe, ter selver stont
Ic woudese cussen an haren mont.
Si sprac: 'laet staen, laet staen, laet staen!'
Harba lori fa, enz.

Vroeg op een ochtend in mei was ik opgestaan om mij te gaan vermeien in een mooi prieel. Daar trof ik drie jonkvrouwen; de een zong na de ander een refrein: 'Harba lor i fa, de ochtend is voor hen gekomen.' ¶ Toen ik de mooie bloemen in het prieeltje zag, en de zoete zang van deze maagden hoorde, toen werd mijn hart zo blij dat ik hen wel moest nazingen: 'Harba lor i fa', enz. ¶ Toen groette ik de allermooiste die in hun midden stond, en sloeg mijn arm om haar heen. Maar toen ik daar ter plekke haar mond wilde kussen, zei zij: 'Laat dat, laat dat, laat dat!' Harba lor i fa, enz.

[LIED 2]

Joncfrouwe edel, goedertieren,
Welgeraket van manieren,
Als ghi ghebiedt, so sal ic vieren
Tfernoy, daer ic ben inne.
  Dat ic dus moete quelen,
  Dat doet mire liefste minne.
  In cans mi niet ghehelen,
  Ghewaerlike ic ontsinne.

U eigen wil ic wesen;
Wet vorwaer, in cans genesen,
Het ensi alsoe, dat ic in desen
Troest moghe an u ghewinnen.
  Dat ic dus moete quelen... enz.

[LIED 3]

Cuusche smale, haer bruun ogen
  Die haent mi dat gedaen,
Dat ic minne moete dogen:
  Ic valle, in cans gestaen.
Geft si mi troest, so waere mi wel besciet.
Wacharme, ic pense sine willes doen niet.

Edele jonkvrouw, nobel van aard en hoofs van zeden, als u het eist zal ik mijn hartzeer laten varen. Dat ik zo word gekweld, dat is uit liefde voor mijn aanbedene. Ik kan het niet verhelen; ik raak waarachtig buiten zinnen. ¶ Ik wil u horig zijn; weet dat ik hiervan nooit herstel, tenzij ik troost bij u verwerf. Dat ik zo word gekweld, enz.

•

Aanvallige schoonheid — 't zijn haar bruine ogen die het mij hebben aangedaan dat ik in liefde moet lijden: ik val, kan mij niet staande houden. Als zij mij troost zou schenken, zou het mij goed gaan; maar o wee, ik denk dat zij zoiets niet wil.

Die mi haet dus bevaen,
In haer prisoen gedaen,
Ensi mi troeste, ic ben doet, sonder waen.

[LIED 4]
Ic sach noyt so roden mont
Noch oec so minlike ogen,
Als si heeft, die mi heeft gewont
Al in dat herte dogen.
Doch leve ic in hogen
Ende hope des loen ontfaen:
Geeft si mi qualen dogen
Si mach mis beteren saen.
Lief, mi hevet u minne
So vriendelike bevaen,
Dat ic u met sinne
Moete wesen onderdaen.

Mi es wale, als ic mach sijn
Bi minre scone vrouwen,
Ende ic danne haer claer anscijn
Ende haer gelaet mach scouwen.
God verde si van rouwen!

Zij die mij zo gevangen houdt en in haar kerker heeft gesloten, als zij mij niet wil troosten, ben ik waarlijk dood.

•

'k Zag nooit zo rode mond, noch zulke lieve ogen als zij heeft, die mij heeft verwond in het diepste van mijn hart. Toch leef ik welgemoed, en hoop ik daarvoor loon te krijgen: als zij mij lijden laat, kan zij het ook verhelpen. Beminde, de liefde voor u heeft mij zo hartelijk bevangen, dat ik met overtuiging uw onderdaan moet zijn. ¶ Het gaat mij goed, als ik bij mijn mooie vrouwe mag zijn en ik dan naar haar stralende gezicht mag kijken. God spare haar voor verdriet!

Si es so wale gedaen,
Dat ic haer bi trouwen
Moete tallen diensten staen.
Lief, mi hevet u minne, enz.

[LIED 5]

Menech creature es blide,
Die onthier in sorgen was.
Dats natuerlic jegen den tide;
Doch hout mi minne in enen pas.
Si doet mi, dat ic verswine.
Genade, cuusche werde fine!
Om u pensic dach ende nacht.
   Mi esset droeve van haer te sine:
   Nochtan lide ic bi haer pine;
   Dat doet rechter minnen cracht.

Menech hout van minnen tale,
Dien noch niet dwanc der minnen bant;
Ic woude, dat mens cande wale,
So werde goede minne niet gescant.
En es cleric, leke no begine,

Ze is zo voortreffelijk, dat ik haar onwankelbaar ten dienste moet staan. Beminde, de liefde voor u, enz.

•

Menigeen is blij die tot nu toe zorgen had. Dat past bij dit jaargetij; maar mij
houdt de liefde bekneld. Ze doet mij wegkwijnen; genade, edele zedige dame!
Dag en nacht denk ik aan u. Het stemt mij droef bij haar vandaan te zijn, maar
bij haar lijd ik evenzeer pijn; dat doet de kracht der ware liefde. ¶ Menigeen
kletst over de liefde die nog nooit door liefde werd omkneld. Ik wou dat men
haar werkelijk kende, dan werd ware liefde niet geschandvlekt. Er is geen
geestelijke, leek noch begijn

Si toene buten lieve te sine,
Dies doch in therte niet en acht.
    Mi esset droeve van haer te sine enz.

Haddic die cuere van allen vrouwen,
Sone wandelde doch niet dat herte mijn.
So sere minne ic ene met trouwen,
Dat ic haer onderdaen moet sijn.
Tusscen der Mase ende den Rine
Es gene scoenre dan die mine;
Si leit vaste in mire gedacht.
    Mi esset droeve van haer te sine, enz.

◆

[KERSTLIED]

Nu sijt willekome Jesu lieven Heer
Gij komt van alsoo hoge, van alsoo veer.
Nu sijt willekome van den hoghen hemel neer.
Hier al in dit aertrijck zijt gij gesien noijt meer.
Kirieleys.

of hij of zij geeft voor vol liefde te zijn zonder die ernstig te nemen. Het stemt mij droef bij haar vandaan te zijn, enz. ¶ Had ik de keus uit alle vrouwen, mijn hart zou niet veranderen. Ik min er een zo rotsvast, dat ik haar onderdaan moet zijn. Tussen Maas en Rijn is er geen mooier dan de mijne; ze zit verankerd in mijn gedachten. Het stemt mij droef bij haar vandaan te zijn, enz.

●

Wees nu welkom, Jezus, lieve Heer, u komt van zo hoog, van zo ver. Wees welkom uit de hoge hemel hier beneden. Hier op aarde bent u niet nog eens gezien. Heer, ontferm u.

Christe kijrieleyson laet ons singhen blij,
Daer meed oock onse leijsen beghinnen vrij.
Jesus is geboren op den heijligen kersnacht
Van een maget reijne, die hoogh moet sijn geacht.

D'herders op den velde hoorden een nieu liedt.
Dat Jesus was geboren, sij wisten 't niet.
Gaet aen geender straten, en ghij sult hem vinden klaer:
Bethlem is de stede daer 't is geschiet voorwaer.

D'heijlige drie koon'ghen uijt soo verren landt,
Sij sochten onsen Heere met offerhandt.
S'offerden oytmoedelijck myrh, wieroock ende goudt
Teeren van den kinde, dat alle dinck behoudt.

◆

UIT VAN ALDERHANDE SPROKENE,
CLEIN NOTABEL VERSKINE [1]

Ic minne met trouwen, ende ic en weet
Ocht men mi mint: dats mi leet.

Laat ons blij 'Christus, ontferm u' zingen, waarmee ook onze gezangen steevast
beginnen. Jezus is geboren in de heilige kerstnacht van een reine maagd, die
hoog geacht moet worden. ¶ De herders op het veld hoorden een nieuw lied,
dat Jezus was geboren, zij wisten dat nog niet. 'Gaat langs die wegen daar en
jullie zullen hem zeker vinden. Voorwaar, Bethlehem is de stad waar het gebeurd is.' ¶ De heilige drie koningen uit zo verre landen zochten onze Heer,
met geschenken in de hand. Ootmoedig gaven ze mirre, wierook en goud, ter
ere van het kindje dat de redding is van alles.

•

Ik heb standvastig lief, maar weet niet of ik word bemind: dat doet mij pijn.

Ic en bens allene niet
Die van minnen heeft verdriet.

Ic ben verraden onverdient:
Die mi verriet hi sceen mijn vrient.

Die trouwe met trouwen loende
Het ware recht dat men hem croende.

Nu peinst om mi, als ic om u,
Als lief om lief, dies biddic u.

Die dese werelt wel besiet
En sach noit man soe scone niet.

Ik ben de enige niet, met liefdesverdriet.

•

Ik ben zeer onverdiend verraden; wie mij verried, scheen eerst mijn vriend.

•

Wie trouw met trouw zou belonen, zou wel een koningskroon verdienen.

•

Denk veel aan mij, zoals ik aan u, als de ene geliefde aan de ander, zo vraag ik u.

•

Wie goed in de wereld rondkijkt, zag nooit zo'n fraaie man.

Minnic, soe stervic,
Ende latic, soe bedervic;
Ende minnic nie, soe minnic nu,
Ende minnic iemene, soe min ic u.

Aen vrouwen en leghet gheen macht:
Die oghen wenen, therte lacht;
Al dat si in seven jaren mint,
Dats binnen derden daghe al wint.

Een man mechtech,
Loes, ende loghenechtich,
Ende die es van haven rijc,
Dats een duvel op ertrijc.

Woudse eenwerf segghen ja,
Altoes woudic haer volghen na;

Als ik bemin, lijkt het alsof ik sterf; laat ik het na, dan ga ik ten onder. Als ik
ooit liefhad, dan wel nu; en zo ooit iemand, dan wel u.

* * *

Van vrouwen heeft men niets te verwachten; ze lachen in hun hart terwijl hun
ogen wenen. Al wie zij voor het leven liefhebben, is binnen drie dagen lucht
voor ze.

* * *

Een machtig man, maar vals en onbetrouwbaar, en ook rijk aan bezit, dat is een
duivel op aarde.

* * *

Als ze maar één keer ja zou zeggen, ik zou haar voor altijd volgen;

Ende ochte sijs niet doen en wille,
Mach si dan niet swighen stille?

Die een peert heeft dat qualijc gheet,
Ende een wijf die achter uut sleet,
Ende op elken tee twee exteroghen,
Die man leeft selden sonder doghen.

Ic was vrient, ic ben verset,
Sonder verdiente men mijns verghet,
Men mijns verghet, al onverdient:
Die tijt es leden dat ic was vrient.

Twe ghesellen, die houden kijf
Om een onghestadich wijf:
Den welken dien si dan verkiest,
Dats die ghene die meest verliest.

en als zij dat niet wil doen, wil ze dan bij voorkeur zwijgen?

•

Wie een paard heeft dat slecht loopt, en een vrouw die naar achteren schopt, en
op elke teen twee eksterogen — zo'n man leeft zelden pijnloos.

•

Ik was een vriend, maar ben verstoten; als men mij onverdiend vergeet, dan is
het met mijn vriendschap uit.

•

Als twee mannen wedijveren om een wispelturige vrouw, is degene aan wie zij
de voorkeur geeft het slechtste af.

En was noit pape soe out
Noch winter soe cout,
Dat hem vrosen voet of hande,
Als men hem brachte offerhande.

PSEUDO-HADEWIJCH I

[MI EN PIJNT]

Mi en pijnt
Noch en gherijnt
Dat ic moet dichten,
Daer hi die levet
Bi ons ghevet
Sine ghichten

Ende met nuwer mare
Ute sinen clare
Ons wilt verlichten.
Hi si ghebenedijt
In alre tijt
In allen anesichten.

In kinnen bloet
Al eest groet

Nooit was er een priester zo oud, noch ook zo'n koude winter, dat diens voeten
of handen bevroren bleken als men hem offergaven bracht.

•

Het kost me geen moeite en het stoort me ook niet dat ik moet dichten, omdat
hij die bij ons leeft, zijn gaven schenkt, ¶ en ons vanuit zijn klaarheid met een
nieuwe tijding wil verlichten. Hij zij gezegend, altijd, in alle opzichten. ¶ Al is
het groots wat men in het blote kennen

Dat mens vercrighet,
Het scijnt alse niet
Alse men besiet
Dat daer ontblivet.

Men moet crighen
In dat ontbliven,
Saelt sijn goet,
Ochte het es te clene
Algader reyne
Wat datmen doet.

Die in dat hoghe kinnen
Der bloter minnen
Waerdeloes
Diepere crighen
Venden hare ontbliven
Meere altoes.

Nuwe mare
In doncker clare
Vinden si,
Van hoghen prise
Sonder wise
In verre bi.

In dat eweghe wide

verkrijgen kan, toch blijkt het niets te zijn als men zich rekenschap geeft van
wat daar nog aan ontbreekt. ¶ Om goed te zijn moet men in dit te kort schieten
vooruitstreven; anders is wat men ook doet volstrekt onvoldoende. ¶ Degenen
die in de hoge ervaring van de onuitsprekelijke, blote minne verder streven,
komen tot het besef dat zij steeds meer te kort komen. ¶ In een donkere klaarheid, in een verre nabijheid, vinden zij een nieuwe, hooggeprezen, onuitsprekelijke boodschap. ¶ In de eeuwige wijdheid

In alle side
Sonder inden
Werdet si ghedeilt,
Ghebreidet, gheheilt
In een verslinden:

Die ghedachte
In stilre jachte
Die dat onghemeten
Al in al
Venden sal
Al ombegrepen.

Daer dunct hare baren
Sonder verclaren
Een simpel iet,
Alse in vertien;
Doch moet sijs lien
In een bloet niet.

In dat bloete
Staen die groete
Die vercrighen
In hare in sien,
In sijn ontvlien
Hare ontbliven.

zonder grenzen, overal, wordt de geest verdeeld, verbreid en één gemaakt terwijl hij verzwolgen wordt: ¶ in stilte jagend zal hij ontdekken dat het onmeetbare geheel-al totaal onvatbaar is. ¶ Dan lijkt het hem dat een eenvoudig iets zich aan hem openbaart, maar zonder dat het helder wordt: het lijkt zich voortdurend terug te trekken. Toch moet hij het erkennen als een bloot niets. ¶ In die blootheid staan de grote schouwende zielen, die hun ontbreken verkrijgen in hun inzicht en in zijn vluchten.

Wat mens vercrighet
Vore dats ontblivet
Sekerlike
Also ic meine
Dats alte cleine
Te enegher ghelike.

Bi dies sijn si ga
Ende volghen na
Die dit bekinnen,
Die donckere pade
Buten rade
Altoes van binnen.

Dat hen meest cost
Ende hen best lost
Dats dit ontbliven.
Maer hoe dat es
Des sijt ghewes:
Men en maechs niet scriven.

Maer redenen storme
Ende beelden vorme
Moet men af gaen,
Sal men van binnen
Des iet kinnen
Sonder verstaen.

Ten opzichte van wat ontbreekt is wat men verkrijgt volgens mij absoluut te klein om het op enige wijze met elkaar te kunnen vergelijken. ¶ Degenen die dit inzien volgen dan ook in grote haast de donkere paden, die niemand kent, in hun diepste zelf. ¶ Wat hen het meest bevredigt en het best bevalt, is dat te kort schieten. Maar hoe dat is, neem maar van me aan dat men het niet kan beschrijven. ¶ De stormloop van de rede en alle menselijke voorstellingen moet men echter achter zich laten, als men in het diepste van zichzelf er iets van wil kennen, zonder het overigens te begrijpen.

Die niet en gheroen
In ander doen
Dan hier es gheseit,
Si eneghen hen
In hare ierste beghin
In die ewicheit.

Daer werdense in
Hare ierste beghin
Met hem so een
Dat en mach ghelike
In eertrike
So sijn van tween.

In die naheyt
Der enicheit
Sijn selke pure
Binnen altoes
Bloet beeldeloes
Sonder figuere;

Alse ghevrijt
In eweghen tijt
Onghescepen
In stille wijt
Sonder crijt
Onbegrepen.

Degenen die in niets anders rust vinden dan in wat hier is uiteengezet, zij zullen
zich verenigen met hun allereerste begin van vóór alle eeuwigheid. ¶ In hun
allereerste oorsprong worden ze dan met hem zo één gemaakt, dat dat niet te
vergelijken is met wat er tussen twee schepselen op aarde kan voorkomen. ¶ In
de intimiteit van deze eenheid zijn zij zuiver, innerlijk altijd bloot, zonder beelden, zonder voorstellingen; ¶ zo vrij als in hun eeuwig leven, als in hun on-
geschapenheid, in een stille wijdheid bevrijd van alle grenzen.

Ic en vinder in
Meer inde noch beghin
Noch ghene ghelike,
Daer ic woert
Af mach brenghen voert
Volcomelike.

Ic wilt hier op gheven,
Hen diet leven
In hare bekeer;
Het mocht dat inneghen dincken
Die tonghe vermincken,
Sprake siere of mere.

[MENEGHERHANDE MINNE]

Menegherhande minne
In herte in sinne
Es puer minne ontsetten;
Het es ere ghensteren ghedencken,
Bloter minnen vermencken
Breken ende letten.

Menegherhande toeval
Werdet enich al

Ik vind begin noch einde noch enige gelijkenis waarmee ik dit ten volle onder
woorden kan brengen. ¶ Ik geef dit onderwerp hier over aan degenen die het
beleven; de intense inspanning zou mijn tong kunnen verminken, als zij er nog
verder over sprak.

●

Minne die zich met hart en ziel aan allerlei dingen overgeeft, doet de zuivere
minne teniet; ze richt zich op een vonk, en verminkt, breekt en pijnigt blote
minne. ¶ Bijkomstigheden van allerlei slag worden één

In puer ghetes,
Alse du best soe ghedaen
Dat di hoe ghedaen
Nieman en es.

Alle dinghe
Sijn mi te inghe;
Ic ben so wijt:
Om een onghescepen
Hebbic begrepen
In eweghen tijt.

Ic hebdt ghevaen.
Het heet mi ontdaen
Widere dan wijt;
Mi es te inghe al el;
Dat wette wel
Ghi dies oec daer sijt.

Men es vri
In dat nabi
Onghesceden;
Daer omme wilt hi
Dat alsoe si
Met ons beden.

Ghi moecht sijn erre
Die noch achter verre

in zuiver genot, als je aan niemand in het bijzonder gehecht bent. ¶ Alles is me te eng; ik ben zo wijd; ik heb voor eeuwig naar een ongeschapen Wezen gegrepen. ¶ Ik heb het gevangen, en het heeft mij eindeloos wijd geopend; al het andere is mij te eng; dat weet je wel, jij die daar ook bent. ¶ In die intieme verbondenheid is men vrij; daarom wil hij dat het met ons beiden ook zo gaat. ¶ Jij, die ver achter ons

In dat inghe sijt,
Ende te groter vromen
Niet voert en sijt comen
In dat wilde wijt.

Want in dat wide
Es men blide
In hope so groet,
Datmen daer altoes
Scijnt sorgheloes
Van ewegher noet.

Het es hen grote scade
Die traghen rade
Ghehorsam sijn,
Ende nemmermeer en kinnen
Wat bloter minnen
Loen sal zijn.

Selker salegher minne
Wert onderlinghe oetkinne
Uut Gode in hen ontdect
Metten gheeste ons Heren
Die in snel keren
In hen ondersprect.

in de engte verkeert en nog steeds niet tot je eigen grote voordeel in de wilde
wijdheid doorgedrongen bent, mag daar wel treurig over zijn. ¶ Want in die
wijdheid is men zo blij en hoopvol dat men daar altijd bevrijd schijnt van het
eeuwige verlangen naar meer. ¶ Wie gevolg geeft aan raadgevingen om het
kalm aan te doen en nooit inziet wat het loon van blote minne zal zijn, lijdt veel
schade. ¶ Aan de zalige minne wordt het wederzijdse kennen getoond dat vanuit God in de minnaars komt, en wel langs de Geest van God, die steeds opnieuw in hen spreekt.

PSEUDO-HADEWIJCH II

[BEGHERIC IET DATS MI ONCONT]

Begheric iet dats mi oncont;
Want in onwetenne sonder gront
Vendic mi ghevaen in alre stont.
Ic waent menschen sen nie en verstont,
So dat ghespreken mochte sijn mont
Waer hi grondet die diepe slont.

Ic en wille mi menghen niet met hen
Die omme loen dienen ocht omme ghewen.
Vraghet mi iemant waer dat ics ben,
Ic segghe hem ic en weets meer no min;
Want niet bat en caent ghetonen mijn sin,
Dan een molesteen mach vlieten int Swin.

Dit es ene wonderlike mare
Dat mi houdet in meneghen vare;
Si es meneghen verholen ende mi openbare:
Daer ic der minnen volghede nare,
Daer bleef ic in hare
Verslonden in eenen eenvoldeghen stare.

Of ik iets begeer, weet ik niet; want ik merk dat ik altijd maar in een grondeloos
niet-weten gevangen zit. Ik denk dat geen mens ooit heeft begrepen of onder
woorden heeft kunnen brengen waar hij de bodem van die diepe afgrond
vindt. ¶ Ik wil mij niet afgeven met lieden die om loon of uit winstbejag dienen.
Als iemand mij vraagt waar ik ben, dan zeg ik hem dat ik er geen benul van heb;
want ik kan het hem niet beter uitleggen dan een molensteen kan drijven in het
Zwin. ¶ Wat nu volgt, is een zonderling verhaal, dat me in grote vrees gevangen houdt; velen kennen het niet, maar ik wel: terwijl ik de minne achtervolg-
de, bleef ik met één onbeweeglijke blik geheel in haar verzwolgen.

Die dit staren mach verstaen
Hi es ghebonden ende ghevaen
Ende inder minnen prisoen so vast ghedaen,
Hine mach hare nemmermeer ontgaen.
Maer dier es luttel so ghedaen,
Datse der minnen so verre ghestaen.

Ay, mi Deus, wat es hem ghesciet,
Die dat en horet noch en siet
Dattenne jaghet ende daer hi vore vliet,
Ende dat hi mint ende van minnen ontsiet:
Der minnen jacht, hadde hi vore iet,
Jaghet hem van allen op een niet.

[IC LATE HARE GHERNE AF SLAEN
MIJN HOVET]

Ic late hare gherne af slaen mijn hovet,
Indien datse doch mijnre noet ghelovet,
Si die mi vanden sinne rovet
Metter treckender chiere die si mi toghet.

Wie dit staren kan begrijpen, is gebonden en gevangen en zo vastgekluisterd in
de gevangenis van de minne, dat hij nooit meer kan ontsnappen. Maar er zijn
maar heel weinig mensen die de minne zo ver volgen. ¶ Ach, mijn God, wat
maakt hij wel niet mee, degene die wat hem opjaagt en wat hij ontvlucht, wat
hij bemint en, uit minne, vreest, niet zien of horen kan. Als hij tevoren al iets
bezat, dan jaagt de minne hem van alles naar niets.

●

Ik laat haar gewillig mijn hoofd afslaan, als ze maar bereid is geloof te hechten
aan mijn nood, zij die me van mijn zinnen berooft met het bekoorlijke gezicht
dat ze me toont.

Waer omme toendi mi dat ghelaet
Daer ghi mi namaels met verslaet?
Want alst met mi ter noet wert gaet,
So drijfdi met mi uwe baraet.

Ay, minne, u treken sijn te snel:
Alse ghi toent een, so meende .I. el;
Nu stappans suete, nu stappans fel:
Bleefdi op een, soe daedi wel.

U baraet dat es te staerc
Hen die dienen in uwe paerc
Ende altoe setten hare ghemarc
Om te voldoene uus willen warc.

Ghi versouft wise ende vroede
Ende settse in menechfoldeghen moede;
Alsi meest scinen buten spoede,
Ghefdi hen uwe ghiften sonder hoede.

Ghi sijt scalc ende goedertieren;
Saecht alse een lam, ende onghehiere
Alse onghetemde welde diere
In die woustine, sonder maniere.

Waarom toon je me dat gezicht, als je me er vervolgens mee in het verderf stort?
Want terwijl ik te gronde ga, bedrieg je me nog. ¶ Ach, minne, je kunsten zijn te
gewiekst: als jij iets toont, dan bedoel je iets anders; nu eens ben je onverwacht
zoet, dan weer, even onverwacht, wreed; je zou er goed aan doen, je aan één iets
te houden. ¶ Met je listigheid ben je te sterk voor hen die in jouw strijdperk
dienen, en alles op alles zetten om aan jouw wensen te voldoen. ¶ Je berooft de
wijzen en de verstandigen van hun zinnen en brengt ze helemaal in de war; als
ze het meest in zak en as lijken te zitten, overspoel je hen onverwacht met je
giften. ¶ Je bent kwaadaardig en goedertieren; zacht als een lam, en wreed als
de ongetemde woeste dieren in de grenzeloze wildernis.

Nonnen minne, beghinen tonghe,
Morwe eyere, kinder jonghe,
Dese viere sekerlike
Besciten meneghen op eertrike.

Die wille vroeden,
Hi sal hem hoeden
Na sinen staet;
Want het es te spade
Na der scade
Te soekene raet.

Vele suchten,
Sere duchten
Ongheval,
Luttel spreken,
Dit zijn treken
Van minnen al.

Dat vrouwe seghet
Daer ane leghet
Luttel cracht.

De liefde voor nonnen, de tongen van begijnen, broze eieren en baby's: deze vier voorwaar doen menigeen onder de drek geraken.

•

Wie verstandig wil zijn, doet er goed aan zich te hoeden zoals bij zijn stand behoort; want het is te laat om na geleden schade raad te gaan zoeken.

•

Heel veel zuchten, hevig vrezen voor rampspoed, weinig zeggen, dat zijn allemaal symptomen van verliefdheid.

•

Wat een vrouw zegt, stelt ternauwernood iets voor.

Dat si segghen heden
Es somwile leden
Eer middernacht.

Die minne wilt draghen,
Sonder ghewaghen,
Ende daer toe helen,
Hi moet in sijn herte
Draghen smerte,
Ende daer toe quelen.

Soe meer die herte,
Die is in smerte,
Die bliscap siet,
Soe haer meer rout
Ende vernout
Al haer verdriet.

Die lief ende leet
Van minne weet,
Ende hevet ontfaen,
Die mach kinnen
Die cracht van minnen,
Ende leren gaen.

Wat zij vandaag zeggen, is soms al weer achterhaald voor middernacht een feit is.

•

Wie verliefd wil zijn zonder erover te praten en alles geheim wil houden, die vraagt om hartzeer en gekwijn.

•

Hoe meer een hart dat lijdt, andermans vreugde ziet, hoe meer het pijn heeft om het eigen verdriet.

•

Wie lief en leed der liefde kent en zelf ervaren heeft, die kent de kracht der liefde, en kan daarin op eigen benen staan.

Die anxt der doet
Die es soe groet
Datti verwint
Al ongheval,
Ende minne ende al,
Als hi beghint.

◆

[REX GLORIE]

Begheerte nu vlieghet ten hemel op
Gruet my mijn lief ende segt hem lof
Rex glorie deus omnipotens misericordie

Segt hem dat ic van mynne quel
Het gaet mit my al uut den spel
Rex glo

Sijn mynne steet vast in minen sin
En wils niet meer, mi en doechs niet min
Re

Angst voor de dood is zo immens dat deze alle leed en liefde overheerst zodra hij de kop opsteekt.

●

Verlangen stijg op naar de hemel, groet mijn minnaar en loof hem. Koning van de glorie, almachtige God van barmhartigheid. ¶ Zeg hem dat ik van liefde verkwijn. Het is afgelopen met mij. Koning van, enz. ¶ De liefde voor hem is vastgeworteld in mijn hart. Zij richt zich op niets hogers, en duldt niets lagers. Koning van, enz.

Nymmermeer en werde ic ghesont
Sijn hoghe mynne sy my kont
Rex glo

Hi heeft my in mynen gront gheraect
Sijn stralen sijn weder ghehaect
Rex glo

Hi is een suete honichvloet
Die droghen harten groyen doet
Rex glo

Hi mach wel draghen gueden moet
Die mynt dat onghescapen goet
Rex glo

O ziele wilt ghi nu meyen gaen
Gan dair seraphin gulden harpen slaen
Rex

Al dair is clanc ende overclanc
Dair is der sueter mynnen sanc
Rex glo

Nooit zal ik meer genezen, tenzij ik zijn hoge liefde leer kennen. Koning van, enz. ¶ Hij heeft mij in de grond van mijn hart geraakt. Zijn liefdespijlen hebben weerhaken. Koning van, enz. ¶ Hij is de zoete honingvloed, die zorgt dat verdroogde harten groeien. Koning van, enz. ¶ Wie het ongeschapen goed bemint, mag hooggestemd zijn. Koning van, enz. ¶ O ziel, wil u nu gaan vermeien waar serafijnen op gouden harpen spelen. Koning van, enz. ¶ Aldaar is klank en weerklank, daar klinkt het lied van de zoete minne. Koning van, enz.

♦

[IN DULCI JUBILO]

In dulci jubilo
Singhet ende weset vro
Al onse hartzen wonne
Leit in presepio
Dat lichtet als die zonne
In matris gremio
Ergo merito
Ergo merito
Des sullen alle hartzen
Zweven in gaudio
Dat lichtet als etc.

O Jhesu paruule
Na di is my so wee
Nu troest al mijn ghemoetse
Tu puer inclite
Dat staet in dijnre guetze
Tu puer optime
Trahe me post te
Trahe me post te
Al in dijns Vaders rijke
O princeps glorie

Zing en wees vrolijk met zoet gejubel. Al het geluk van ons hart ligt in de krib.
Het straalt als de zon in de schoot van zijn moeder. Daarom terecht, daarom
terecht, daarom zullen alle harten zweven in vreugde. Het straalt als, enz. ¶ O
kleine Jezus, ik voel een pijnlijk verlangen naar u. Nu troost heel mijn hart,
veelbesproken kind, dat kunt u uit uw goedheid. Trek mij met u mee, trek mij
met u mee in het rijk van uw Vader, o koning van de glorie.

Ibi sunt gaudia
Nerghent anders wair
Dan dair die engelen singhen
Nova tripudia
Dair hoertmen snaren clinghen
In Regis curia
Eye qualia
So sijn die weelden dair
Men leester boven wisen
Christi presentia
Daer hoert etc.

Maria nostra spes
Helpt ons joncfrouwe des
Verghevet onse sonden
Noch meer dan septies
Op dat wi salich werden
In u progenies
Vitam nobis des
Vitam nobis des
Dat ons te dele werde
Eterna requies
Op dat wi salich etc.

Daar zijn vreugden, nergens anders dan waar de engelen nieuwe ritmen zingen. Daar hoort men snaren klinken in het hof van de Koning. Ach hoe groot zijn de weelden daar, men zingt er leizen mooier dan alle melodieën, voor het aanschijn van Christus. Daar hoort, enz. ¶ Maria, onze toeverlaat, help ons daarom, jonkvrouw, vergeef onze zonden nog meer dan zeven maal opdat wij zalig worden in uw nageslacht. Geef ons het leven, geef ons het leven opdat ons de eeuwige rust ten deel valt. Opdat wij zalig, enz.

◆

[MINNEN NATUERE]

Minnen natuere
Gheneest quetsure
Ende alle pine;
Sijt in rueren
Daer in te dueren
Ende vroem te sine.

Wilt met suren
Aventueren
Cracht ende sinne;
Condijt verdueren,
U sal berueren
Godlike minne.

Al uwe cracht
Ende al u macht
Bestaet in minnen.
Si eest die wacht
Dach ende nacht
Na u ghewinnen.

Dese vriendinne
Es coninghinne
Milde ende rike;

Het wezen van de liefde geneest wonden en alle pijn; zet u ertoe aan om daarin
[de minne] te volharden en moedig te zijn. ¶ Wil bij leed kracht en verstand
inzetten. Als u het zou kunnen verdragen zal de goddelijke liefde u aanraken. ¶ Al uw kracht en al uw macht ligt in de liefde. Zij is het die dag en nacht
wacht op uw overwinning. ¶ Deze vriendin is een milde en rijke koningin.

Wildise kinnen,
Keert u van binnen
Te haren ghelike.

Onlede vlien,
Als mach ghescien,
Maect hebleecheit
God te sien,
Een in drien,
In eenicheit.

Wildi kennen
Vrucht der minnen
Sonder aerbeit,
Houdt u binnen
Ende wilt versinnen
Gods minnechleecheit.

Wildi winnen
Ende bekinnen
Ghewareghe doecht,
Gheeft der minnen
U versinnen
So ghi best moeght.

Hout uwen vlijt,
Dat hi te wijt
En sijn noch tinghe

Wilt u haar kennen, keer u van binnen tot haar beeld. ¶ Drukte ontvluchten, als het mogelijk is, maakt u geschikt om in eenzaamheid God te zien, één in drie. ¶ Wilt u de vrucht der liefde leren kennen zonder grote inspanning, blijf in uzelf gekeerd en overdenk Gods liefderijkheid. ¶ Wilt u ware deugd winnen en leren kennen, geef zo goed u kunt uw gedachten aan de liefde. ¶ Bewaar uw ijver, dat hij te wijd noch te eng zij.

. . . .
. . . .
. . . .

In doechden snel
Te hueden wel
Hoverdechede;
Op niemant fel,
En suect niet el
Dan nederhede.

Ghi moet dienen
Ende verdienen,
Lopen, rennen,
Seldi regneren
Ende jubileren
Metter minnen.

Zuect niet dan dienen,
Ruect niet verdienen,
Laet u ter minnen.
Na haer verseren
Seldi regneren
Na u versinnen.

Sidi ledich
Ende ghestedich,
Houdi vrede,

(...) In deugden snel om u goed te behoeden voor hoogmoed; zoek — tegen
niemand hard — niets anders dan nederigheid. ¶ U moet dienen en verdienen,
lopen en rennen, wilt u heersen en jubelen met de liefde. ¶ Zoek niets dan
dienen, wees niet uit op verdienen, geef u over aan de liefde. Na haar smart zult
u heersen volgens uw begripsvermogen. [?] ¶ Bent u ledig en standvastig, blijft
u in vrede:

100

God ghenedich
Es bereedich
Te uwen ghebede.

Dat wij verstaen,
Dat si ghedaen
In rechter minnen.
Dat doe God saen
Aen ons bestaen,
Buten ende binnen!
Amen.

JAN [VAN] BOENDALE

1279-1330/1340

VANDEN WIVEN

Meneghe selsene maniere
Hebben voghele ende diere,
Dier si pleghen in haer leven
Die hem nature heeft ghegheven.
Mar dat selssenste dier sekerlike
Dat ic weet in eertrike,
Dat dunct mi dat wijf wesen;
Want en hebbe niet ghelesen

---

de genadige God is bereid uw gebed te aanhoren. ¶ Wat wij begrijpen moet
gedaan worden in ware liefde. Dat moge God spoedig in ons beginnen, van
buiten en van binnen! Amen.

•

Vogels en zoogdieren hebben nogal wat eigenaardigheden, waarnaar ze zich
gedragen, en die hun aard hun ingeeft. Maar het merkwaardigste dier dat ik op
aarde ken lijkt me de vrouw te zijn. Ik heb nog nooit gelezen

Dat enich dier opter eerde
Noyt anders yet begheerde
Van ghedaenen of van figuren
Dan si hadde van naturen;
Want elc dier ende voghel, die leeft
Nae dat sine nature in heeft,
Wijseliker hem daer na hout, sijts vroet,
Dan de mensche hedendaghes doet.
Dit segghe ic al biden wiven,
Daermen wonder af mach scriven;
Want dat wijf es soe sot,
Voerme, ghedaene, die haer God
Bi naturen heeft ghegheven,
Die versmaet si in dit leven,
Ende nemen hem boven nature ane
Andre vorme ende andre ghedane;
Want nature nae haer recht
Gheeft hem dat hoet slecht:
Daer maken si ane grote hoorne
(Ic wane sijt doen te Gods toorne),
Ende comen ter kerken ende ter feesten
Ghehorent ghelijc stommen beesten,
Des hem nature niet en an.
Worden si gheboren nochtan

dat een dier een ander uiterlijk verlangde dan het van nature had meegekregen.
Elk zoogdier en elke vogel leeft immers naar zijn eigen aard, en is in dat opzicht
verstandiger dan de mens tegenwoordig is. Hierbij spreek ik vooral over de
vrouw, over wie ik veel wonderlijks kan schrijven; de vrouw is immers zo zot
dat ze de vorm en gedaante versmaadt die God haar met haar geboorte heeft
meegegeven. En boven dat waarmee de natuur haar heeft bedeeld, verkiest ze
andere vormen en gedaanten aan te nemen. Omdat de natuur haar, naar behoren, met een eenvoudige hoofdtooi heeft bedeeld, bevestigt ze grote horens op
haar hoofd (volgens mij doet ze dit om God te tarten). De vrouwen komen
gehoornd naar de kerk en naar feesten, alsof ze redeloze beesten zijn, hoewel de
natuur hen niet met horens heeft bedeeld. Als ze echter

Met hoornen, si soudens hem scamen,
Ende soudense decken waer si quamen.
Maer om dat hem nature verbiedt,
Soe eest meest dats hem gheniet;
Want waermen twijf meest af weert,
Die dinc si alre meest begheert.
Ende oec soe en ghenueghet hem niet
Die verewe, die hem beriet
Die nature van Godes halven;
Maer si smeren ende salven
Haere aensichten, om dat si
Te scoenre scinen, ende bedi
Dat si te meer selen sijn besien
Beide van desen ende van dien.
Maer als een meester heeft vernist
Een beelde met al siere list,
Dat scone blict als gout,
Nochtan soe eest binnen hout:
Alsoe ghelikerwijs es .i. wijf:
Alse si heeft vernist haer lijf,
Dat scone blicket ende scijnt,
Dat es al om niet ghepijnt,
Dattere was dat moet daer bliven,
Dat en canse niet verdriven.

met horens waren geboren, dan zouden ze zich schamen, en ze zouden ze steeds
verbergen. Maar dat wat tegennatuurlijk is geeft vaak het meeste genot, en de
vrouw begeert het meest waarvan men haar poogt te weerhouden. Ook zijn ze
ontevreden over de kleur waarmee de natuur hen, van Godswege, heeft bedeeld. Ze besmeren hun gezichten om mooier te lijken, opdat ze meer door Jan
en alleman worden bekeken. Als evenwel een meester een beeld op kunstige
wijze heeft geblanket, zodat het even mooi schittert als puur goud, ook dan
blijft het van binnen van hout. Op dezelfde manier gaat het met een vrouw: ook
al heeft ze haar lichaam zo beschilderd dat het er prachtig uitziet, het is allemaal
vergeefse moeite. Haar lichaam blijft zoals het was, daar valt niets aan te veranderen.

Nochtan heeftmen scande vanden meesten,
Al over al tallen feesten,
Gheleende cleder te draghene ane.
En es die gheleende ghedane
Alsoe grote scande niet?
Jaet, diet te rechte wel besiet.

    Noch meer es selsenre haer sede;
Want in alre wonderlichede
Setten si al haer begheerte:
Si sleypen na hem haer lange steerte
Ghelijc serpenten, .ii. ellen lanc,
Die hem volghen na haren ganc,
Ende hebben daer ghenuechte in,
Ende setten emmer haren sin,
Haer ghedachte ende haren moet,
Jeghen nature ende jeghen spoet.
Si hebben liever beesten ghedane
Dan menschelicheit te draghene ane.

    Dwijf mach oec onlanghe zwighen,
Maer cnitsen, scelden ende crighen,
Daer toe steet altoes haer moet.
Hets lettel enech man soe vroet
Dat hi sijn wijf, alse hi wille,
Can ghedoene zwighen stille;

Men spreekt schande over vrouwen die geleende kleren dragen als ze een feest
bezoeken. Is dit geleende uiterlijk dan ook geen schande? Jazeker, het is duidelijk voor wie het goed beziet. ¶ Zij [de vrouwen] hebben nog meer eigenaardigheden; ze verlangen werkelijk naar alles wat verbazing wekt. Ze slepen staarten achter zich aan van wel twee el lang, zoals slangen doen. Ze slepen deze
achter zich aan als ze lopen en dit schenkt hun veel genoegen. Al hun inspanningen zijn gericht tegen de natuur en het heil. Ze zien er liever uit als beesten dan
zich menselijk te gedragen. ¶ Verder kan de vrouw moeilijk zwijgen; mopperen, schelden en ruziën gaan haar des te beter af, ze denkt aan niets anders. Er
zijn maar weinig mannen zo knap dat ze er in slagen hun vrouw te laten zwijgen
wanneer ze dat verlangen.

Maer spreken dicke doet hise ghereet,
Ja vele meer dan si weet.

    Behendech, subtijl sonderlinghe
Soe es dwijf in allen dinghe
Daer bedrieghenesse toe hoort,
Want si connen ghelaet ende woort
Ende veinsen bat dan yemen el.
Dat hebbense ghetoent wel
Hier te voren aen menighen man
Die de wijste waren nochtan
Diemen in die werelt wiste,
Die bedroghen si met liste,
Beide Adame ende Sampsoene,
Davitte ende Salomoene,
Ende daer toe menighen wisen man
Die ic ghenuemen niet en can.
Wat holpe dat ic vele seide
Vander wive wonderlicheide?
In mochts u binnen .viii. daghen
Al te vollen niet ghewaghen;
Want en es philosophe no prophete,
Noch ander meester no apoteke,
Si en dichten alle ende scriven
Vander wonderlicheit der wiven.
Daer om eest sotheit ende anders niet

Veel makkelijker is het om haar te laten spreken, dikwijls over zaken waarvan ze geen verstand heeft. ¶ De vrouw is behendig en doortrapt in het bedriegen, want ze kan beter dan wie ook veinzen-in de woorden die ze bezigt en in de uitdrukking van haar gelaat. Dit is wel gebleken: nogal wat mannen, de allerverstandigste die we kennen, werden door een vrouw bedrogen. Hieronder zijn Adam, Samson, David, Salomo en velen die ik hier niet noem. Wat zou het baten als ik nog meer zou vertellen over de eigenaardigheden van vrouwen? Nog in geen acht dagen zou ik alles kunnen melden. Daarom is er geen wijsgeer noch profeet, geen apotheker of andere geleerde, of hij schrijft over de wonderbaarlijkheid van de vrouwen. Het zou daarom dwaasheid zijn

Dat icker ave scrive yet.
Ende nyemen die dit sal sien
En begripe mi in dien
Dat ic dit segghe van goeden vrouwen,
Daermen alle doghet aen mach scouwen;
Want hem en mochten alle die leven
Te vollen prijs niet ghegheven.

◆

[OVER HER EVER, DE HERTOG VAN BRABANT]

Her Ever, ghi zelt
Op dit velt
Verliesen tspel,
Want die tande
Uwer viande
Zijn te fel.

Her Ever swijn,
Want dese hier sijn,
Zo soect oetmoet
Van allen dinghen,
Eer wi u dwinghen
Dat ghijt doet.

er nog meer over te schrijven. Maar versta me goed, wat ik hier heb geschreven geldt niet voor deugdzame en goede vrouwen. Zij kunnen immers nooit genoeg worden geprezen.

•

Heer Ever, u zult op dit slagveld het spel verliezen, want de tanden van uw vijanden zijn zeer wreed. ¶ Heer Everzwijn, omdat dezen hier zijn, verzoek om genade voor alle dingen, voor wij u dwingen dat u dat doet.

Edelen lieden
Zoudi mieden
Hebben ghegeven,
Zo haddi hierbi,
Her Ever, vri
In dere gebleven.

Werct bi rade,
Ende zoect genade,
Ever, hets tijt,
Of ghi blijft
Immer ontlijft,
In dit crijt.

Ever, ic moet
In u bloet
Mijn tanden netten:
Want u en kan
Engheen man
Nu ontsetten.

Ghi hebt gesaet
Ende mi gehaet,
Her Ever wreet,
Ic zaelt verhalen;
Ghi moet betalen,
Wien lief of leet.

Aan edele lieden had u geschenken moeten geven, dan was u daardoor, Heer
Ever, edel in uw eer gehandhaafd gebleven. ¶ Ga met overleg te werk en vraag
genade, Ever, het is tijd, of u blijft ongetwijfeld dood in dit strijdperk. ¶ Ever,
ik moet mijn tanden natmaken in uw bloed: want geen enkele man kan u nu
ontzetten. ¶ U hebt het zo gewild en mij gehaat, wrede Heer Ever. Ik zal het op
u verhalen, of het u lief of leed is.

[Kleef:]
Ghi hebt te voren
Gedaen toren
Den vorders mijn,
Dat zal an u,
Her Ever, nu
Ghewroken sijn.

Ever, u en mach
Engheen slach
Staen in staden.
Leit u hoot
In onsen scoot;
Laet u gheraden.

Her Ever, vliet;
Want ghi wel ziet
U en helpt gheen weren:
Hier es zulc alleen
Ontsiet cleen
Dat ghi moocht deren.

Her Ever fier,
Ghi blijft hier
Int verlies:
Ghi en cont ontgaen;
Ghi blijft gevaen,
Zijt zeker dies.

[KLEEF:] Vroeger hebt u mijn voorouders verdriet aangedaan. Dat zal nu,
Heer Ever, op u gewroken worden. ¶ Ever, geen list kan u helpen. Leg uw
hoofd in onze schoot. Neem deze raad aan. ¶ Heer Ever, vlucht, want u ziet wel
dat weerstand bieden u niet helpt: hier is iemand alleen [nl. u], vrees het kleine
dat u kunt deren. ¶ Fiere Heer Ever, u delft hier het onderspit: u kunt niet
ontkomen; u wordt gevangengenomen, wees daarvan verzekerd.

108

Het es hier bi
Twilt, dat mi
Te vaen behaget,
Daer ic om liep,
Blies ende riep,
Ende hebbe gejaget.

U hulpe zal,
Her Ever, zijn smal,
Ghi moocht wel zien;
Want gheen slop
En is u op,
Dair ghi moocht vlien.

Her Everswijn
Hier suldi sijn
Nu vercocht:
Het is wel tijt;
Want ghi sijt
Langhe gesocht.

Ic hebbe gejanc,
Over lanc,
Ende groot gescal
Gehoort, van honden:
Hi es nu vonden
Diet gelden sal.

Het wild dat ik graag wil vangen is hier dichtbij, het wild dat ik achternazat, waarvoor ik op de jachthoorn blies en waar ik om riep en dat ik heb gejaagd. ¶ Hulp voor u, Heer Ever, zal gering zijn, zoals u wel zult merken, want er staat geen toevluchtsoord voor u open waarheen u kunt vluchten. ¶ Heer Everzwijn, hier zult u nu verkocht worden: het is hoog tijd, want u wordt al lang gezocht. ¶ Ik heb al geruime tijd gejank en groot rumoer van honden gehoord: hij die het zal gelden is nu gevonden.

Wat ghi u hoet,
Ever, ghi moet
Nedervallen;
Ghi sijt ontseit
Ende ombeleit
Van ons allen.

Ever, ghi waert
Onvervaert
Bleven in dere,
Had ghi gewandelt,
Ende u gehandelt,
Als een here.

Her Ever wilt,
Nu es u scilt
In bedwanghe;
U zaels verwassen
Dat ic gebassen
Heb so lange.

[Bar:]
Wat meendi, dwase?
Waendi enen hase
Hebben voir di?
Te dinen scanden
Sijn dine tanden
Hem comen so bi.

Hoe u, Ever, ook op uw hoede bent, u moet vallen; de oorlog is u verklaard en u
bent omsingeld door ons allen. ¶ Ever, u zou onbevreesd in eer zijn gebleven,
als uw handel en wandel die van een heer was geweest. ¶ Woeste Heer Ever, nu
is uw schild in het nauw gedreven, wat dat betreft zal het u te veel worden dat ik
zo lang heb geblaft. ¶ [BAR:] Wat meen je, dwaas? Denk je een haas voor je te
hebben? Tot je schande zijn je tanden hem zo dicht genaderd.

Ic rade di, kere!
En com nemmermere
In des Evers pas.
Ende, om dat gi wilt
Scoren sinen scilt
Zo haver das!

   [Het everzwijn:]
Ic ben die hertoghe van Brabant;
Bi den Ever ben ic genant.
Vrient ende mage gaens mi ave,
Sonder van Baren die edel grave;
Alle dragen si op mi haet.
Mijn antwoirde nu verstaet:
Dit gedreich ende overmoet
En is eerlic noch goet;
Mer is dat ghi immer wilt
Nu duerhouwen minen scilt,
So trect te velde op enen dach,
Ende neemt daer des u werden mach.
Somtijt so heb ik bescut
Sulken, die hier steit gecut,
Ende sine tanden te miwaert dreget;
Hi lonets mi also mens pleget;
Mer wat dooch al dit gebronc?

Ik raad je aan, keer om! En loop de Ever nooit meer in de weg. En omdat je zijn
schild wilt scheuren, hier, pak aan! ¶ [HET EVERZWIJN:] Ik ben de hertog
van Brabant. Naar het everzwijn ben ik genoemd. Vrienden en magen laten mij
in de steek, behalve de edele graaf van Bar; allen haten ze mij. Luister nu naar
mijn antwoord: dit gedreig en deze overmoed is eerlijk noch goed. Maar is het
zo dat u nu toch mijn schild doormidden wilt houwen, trekt u dan op een dag te
velde en neem daar wat u te beurt zal vallen. Ooit heb ik sommigen beschermd
die hier [rond mij] staan geschaard en mij met hun tanden bedreigen. Zij belonen mij daarvoor zoals men dat pleegt te doen. Maar wat betekent al dit
machtsvertoon?

Dat ghi verloort voir Woeronc,
Waendi dat verhalen nu?
Ic hoop ic saels nu jeghen u
Also wel verweren, hier ter stede,
Als mijn goede oude-vader dede.

♦

VAN DEN XII WEL DIENENDEN CNAPEN

Men seghet van boden die wel dienen,
Maer van tween ende oec van tienen
Wanic cume datmer eenen vint,
En es ghewracht werc dat hi mint.
Maer menich es van sulken zeden,
Hem ware leet, ware maeltijt leden,
Hine ware liever metten tanden
Onledich vaste dan metten handen.
Ja haddi tetene dat hem goet dochte
Ende goet dranc die hem voerdeel brochte!
Want aerbeit wert den meinsche tsuere;
Eten ende drincken voedt natuere:

Wat u bij Woeringen verloren hebt, denkt u dat nu te kunnen verhalen? Ik hoop
dat ik het nu hier ter plekke tegen u zal verdedigen, zoals mijn goede grootvader
ook heeft gedaan.

•

Men spreekt over dienaren die op de juiste wijze dienen, maar op twee en zelfs
op tien dienaren denk ik dat men er nauwelijks een vindt, tenzij er werk wordt
gedaan waar hij van houdt. Menigeen echter is zo, dat het hem zou spijten als
de maaltijd voorbij was, want hij was liever druk bezig met zijn tanden dan met
zijn handen. Ja, als hij maar te eten had wat hem beviel en heerlijke drank die
hem goed bekwam. Want arbeid is onplezierig voor de mens. Eten en drinken
voedt natuur:

Gherne soudso visschen die catte,
Maer noede steecse den poet int natte.

Sermo
Nu segghic, niemen trecs hem an,
Het zijn XII knechten die elc man
In sine herberghe wel soude voughen,
Up dat si ghelt van slijke sloughen.
Nu hoert dan wat si connen maken:
Die eerste predict up alle zaken;
Wilt hem sine heere een redene tonen,
Daer jeghen can hi wel sermonen:
Hi weet vele bet dan doet sijn heere,
Wat noode eist dat men den knecht leere?
Sine redene die scijnt waer altoes,
Nochtan es hi een deelkin loes.

Propheta
Die ander cnape es een prophete,
Te voren weet hi alle wete.
Als hem sijn meester beveelt weerc
Te doene des hi niet en gheert,
So weet hi wat al omme ghesciet;
Sentmen daer, so eist om niet:

---

de kat zou graag vissen, maar ze steekt haar poot liever niet in het water. ¶ De
prediker ¶ Nu zeg ik (niemand trekke het zich aan): er zijn twaalf dienaren die
iedereen in zijn woning goed zou kunnen gebruiken omdat ze geld maken van
slijk. Nu luister wat ze kunnen maken. De eerste preekt over van alles en nog
wat. Wil zijn heer hem iets zeggen, dan kan hij daar uitstekend zijn 'preek'
tegenover zetten. Hij weet het veel beter dan zijn heer. Waarom is het nodig dat
men de dienaar iets bijbrengt? Zijn redenering lijkt altijd juist, toch is hij eni-
germate onbetrouwbaar. ¶ De profeet ¶ De tweede dienaar is een profeet. Hij
weet alles vooruit. Als zijn meester hem beveelt werk te verrichten dat hij niet
graag doet, dan weet hij wat er overal gebeurt. Zendt men hem daarheen dan is
het voor niets:

Die meinsche es thuus niet, of ghereden
Van ghistren daer men omme sent heden.
Wat wonder eist dat hu vernoyt,
Dat men den cnape omme niet dus moyt?
Ende hi te voren weet vorwaer
Dat omme niet es sentmenne daer.
Sulke knechte met mi dienen souden,
Mochticse sonder cost onthouden!

Ghula
Die derde es van sulken gronde,
Hi schijnt hi vrienthout zijns meesters monde,
Nochtan hire in hem selven meent;
Want wat goets hem God verleent,
Eist visch, vleesch, broot of wijn,
Daer moet hi best ghedeelt an zijn.
Hi souct zijn voerdeel over al,
Hine weet hoe langhe het ghedueren sal.
Sulc waent machtich zijn int hof;
Men gheeft hem cort daer na orlof.
Daer omme maect ghula den roetaert:
Quaet es te zadene een ghulsich aert.

de betrokkene is niet thuis, of gisteren juist daarvandaan weggereden waar
men hem, de dienaar, vandaag naar toe stuurt. Is het een wonder dat het u
verdriet dat men de dienaar zich voor niets laat vermoeien? En hij weet werkelijk tevoren dat men hem voor niets daarheen stuurt. Zulke dienaren zouden in
mijn dienst mogen zijn als ik ze kosteloos in dienst kon nemen! ¶ De gulzigaard ¶ De derde is zo dat hij de eetlust van zijn meester vriendschappelijk gezind schijnt, maar hij is daarbij in feite op zichzelf gericht. Want wat God hem
ook aan goeds verleent — vis, vlees, brood of wijn — daar moet hij zelf het
beste deel van hebben. Hij is altijd uit op eigen voordeel. Hij weet niet hoe lang
het zal duren. Zo eentje denkt machtig te zijn aan het hof. Men geeft hem echter
kort daarop zijn congé. Daarom maakt gulzigheid [van hem] de [hongerige]
gaai: een gulzigaard is onverzadigbaar.

Lex

Die vierde knecht, daer men up spreect,
Sijn vasten eer zijn vierte breect,
Want hi altoes gherne saghe
In die weke VI heleghe daghe.
Hi prijst die vierte die God gheboot.
Al hadde zijn meester hulpen noot,
Sijn hoy te husene, of zijn coren,
Die cnape heeft tsmesdaechs werc verzworen:
Dat werc ware beter laten staen
Dan vierte ghebroken ende mesdaen.
Wilment dan ten besten merken,
Men soude shelichs daeghs niet werken.

Fur

Die vijfste cnape es niet te scuwen,
Sijn meester machem wel betruwen
Al zijns goets den selven cnape,
Als hi den wulf mach bi den scape.
Want hi en coept ne gheen morzeel,
Hine stelter emmer hute sijn deel,
Al weet zijn heere of niet een weet,
Den cabaes onder die duere hi sleet.
Sulke cnapen so haddic lief,

De wettische ¶ De vierde dienaar waar men over spreekt breekt eerder zijn
vasten dan zijn feestdag, want hij zou altijd graag door de week zes zondagen
zien. Hij prijst de feestdag die God gebood. Al had zijn meester hulp nodig om
zijn hooi of koren binnen te halen, de dienaar heeft werk op feestdagen afge-
zworen. Dat werk kan men beter laten liggen dan dat de feestdag gebroken
wordt en niet vervuld. Wil men het dan zo zuiver mogelijk beschouwen, dan
zou men op de feestdag niet werken. ¶ De dief ¶ De vijfde dienaar behoeft niet
te worden geschuwd. Zijn meester kan die dienaar al zijn goed toevertrouwen,
juist zoals hij de wolf bij het schaap kan vertrouwen. Want hij koopt geen eten
of hij steelt er altijd zijn deel van. Of zijn heer het nu wel of helemaal niet weet,
hij slaat er heimelijk munt uit. Van zo'n dienaar zou ik houden

Begheerdic met mi eenen dief:
Hi sout voer anderen dienen te bat,
Bewaren waer hi stelens zat.

Pyger

Den zesten, daer ic af ghewaghe,
Souden some lieden heeten traghe.
Sentene zijn heere om eenich goet,
Hi haest hem alse die ezele doet;
Heetmen loepen, hi wille crupen;
Dese siet men door haer bedde stroe drupen.
Heet mense sciere weder comen,
Al sout sinen heere X pont vromen,
Hine can niet zeere dan ghegaen:
Sine heere loept selve, hi laet staen.
Dit sijn alle van minen lieden;
So verre werpmense als mach ghebieden.

Medicus

De zevende es een medicijn,
Een wijs dienstknecht, hets wel anscijn.
Want es zijn meester onghesont,
Ende hi yet gheert in sinen mont,
Ghelijc dat zieke meinschen pleghen,
Die knecht doet gaet hem niet jeghen.

---

als ik een dief bij me zou willen hebben: hij zou het voor anderen beter dienen te
bewaren, als hij het stelen zat was. ¶ De luiaard ¶ De zesde waar ik het over
heb, zouden sommigen traag noemen. Zendt zijn heer hem om iets te halen,
dan haast hij zich als een ezel. Beveelt men hem te lopen, dan wil hij kruipen.
Deze lieden ziet men tot een ellendige toestand vervallen. Beveelt men hem snel
terug te keren, al zou het zijn heer tien pond opleveren, dan kan hij nog niet snel
gaan: zijn heer loopt zelf, híj laat het erbij zitten. Zo zijn al mijn lui. Men zette
ze zo ver buiten de deur als maar mogelijk is. ¶ De dokter ¶ De zevende is een
dokter, een wijze dienstknecht, dat kun je wel zien. Want is zijn meester ziek en
wil deze graag iets eten wat zieken gewoonlijk eten, dan doet de dienaar het en
gaat niet tegen hem in.

Maer wil zijn meester groeve spise heten,
Dat ware hem quaet, doetti hem weten.
Dan gaet hi lesen huten boucken,
Dat kiekine ghesont zijn ende snoucken,
Hart es rentvleesch te verduwen,
Die kiecskine mueru sijn licht int cuwen.
Dus heeft mijn heere dien hi vrient scijnt,
Maer om sijns selfs profijt hi pijnt.

  Immemoria
Die achtste heeft memorie sterc,
Hadde hi gheleert, hi ware een clerc.
Als hem zijn heere, eist dach of nacht,
Hiet heet onthouden in zijn ghedacht,
Dat hout hi vaste in zinen zin,
Als een teems water, meer no min.
Van X orboren niet die viere
Onthout hi, dit es sine maniere;
Et en ware of men hem woude scijncken
Eenen niewen froc, hi souts ghedincken,
Al waert daer naer over een jaer:
Dit vindic an vele knechten waer.

Maar wil zijn meester grove spijs eten, dan laat hij hem weten dat dat hem
kwaad zou doen. Dan gaat hij in de boeken lezen dat kip en snoek gezond is,
rundvlees is moeilijk te verteren, de malse kippetjes zijn makkelijk te kauwen.
Zo heeft mijn heer iemand die hem een vriend schijnt, maar hij is uit op eigen
voordeel. ¶ Gebrek aan geheugen ¶ De achtste heeft een sterk geheugen. Had
hij gestudeerd, dan zou hij een geleerde zijn. Als zijn heer hem, 's nachts of
overdag, beveelt iets in zijn gedachten te houden, dan houdt hij het zo stevig in
zijn hoofd als een zeef water, precies zo. Van tien opdrachten onthoudt hij er
nog geen vier, dat is zijn manier van doen; maar als men hem een nieuwe jas zou
willen geven, dan zou hij het onthouden, al zou het een jaar later zijn; dit zijn
mijn ware bevindingen bij veel dienaren.

Accusans

Die neghenste up een doocht acht cleine,
Want hi hevet dat blat so reyne,
Dat daer een twint niet up en blijft,
Hine seghet te male dat men bedrijft.
Hi seghet te sinen heere: 'ghine weet,
Die ontweecht ons, die ontmeet,
Dese wouden onse flassche niet toe setten.'
Dan gheeft hi elkermanlic letten:
'Dese heeft quaet van hu ghesproken,
Ware icke als ghi, het worde ghewroken.'
Nochtan dat daer scijnt gheene mesdaet,
So spient hi van den lieden quaet.
Daer omme eist quaet te lichte gheloeven
Den boden die met worden roeven
Eens heere die hem noint mesdede.
Nochtan es dit der wroughers zede.

Rex

Die tienste cnape van hogher waerde
Rijt node onghesadelde paerde,
Noede so haelt hi bier ofte broot.
Dese es van herten also groot:
Heet men hem steenen of mes huut draghen,

De kwaadspreker ¶ De negende bekreunt zich weinig om een deugd, want hij heeft zo'n zuivere tong, dat daar niets op blijft of hij zegt terstond wat men uitvoert. Hij zegt tegen zijn heer: 'U weet het niet, maar die ene geeft ons niet het volle pond, die ander doet ons te kort, en die daar wilde onze (wijn)flessen niet dicht laten.' Dan brengt hij ieder schade toe: 'Die en die heeft kwaad van u gesproken. Als ik u was, zou ik het afstraffen.' Hoewel er geen vergrijp blijkt, loert hij op kwaad van de mensen. Daarom is het een kwalijke zaak de dienaren te geloven die met woorden iemand die hun nooit iets misdeed van zijn eer beroven. Dit evenwel is de manier van doen bij kwaadsprekers. ¶ De koning ¶ De tiende dienaar van hoog aanzien rijdt met tegenzin op ongezadelde paarden, node haalt hij bier of brood. Deze heeft het hart zo hoog: beveelt men hem stenen te sjouwen of mest uit te rijden,

118

Dit ne plach hi noint binnen sinen daghen,
En hadt hem goet no quaet ghevallen.
Hine dorst niet slaven nu in stallen:
Men leerde hem dienen van den messe
Voer heeren, dit was zijn eerste lesse.
Dus dinct den armen sot, dat hi
Vele beter dan een coninc zi.
Hi waent een joncheere zijn, die knecht,
Dat men hem diende ware beter recht.

Ypocrita

Die ellefste scijnt een clusenare.
Als hi dient, hier of dare,
So vast hi dicwile, ende leest,
Maer omme sine ledicheit so heist.
Omme ghescoent tsine van den werke,
Antiert hi dicwilen die kerke;
Daer hi bidt voer heere ende voer vrouwe,
Daer hi toe heeft al sulke trauwe
Als die vos, ende sulke minne,
Trauwen heeft toter vetter hinnen.
Want snachts, als heere ende vrouwe rust,
Heeftijt, so heet hi dies hem lust.
Dus woudic dan wel helich scinen,
Brochtmen mi tetene sonder pinen.

dat deed hij van zijn levensdagen niet, of hem nu goed of kwaad zou zijn overkomen. Hij zou nu geen zwaar werk in de stallen kunnen verrichten: men leerde hem voorsnijden voor heren, dat was zijn eerste les. Daarom denkt de arme
dwaas dat hij veel beter dan een koning is. Hij meent een jonkheer te zijn, die
knecht, het zou juister zijn dat men hem diende. ¶ De huichelaar ¶ De elfde
schijnt een kluizenaar. Als hij hier of daar dient, dan vast hij dikwijls en reci-
teert, maar uit luiheid. Om verschoond te blijven van werk, gaat hij vaak ter
kerke; daar bidt hij voor heer en vrouwe, aan wie hij zo'n trouw en liefde
betoont als de vos aan de vette kip. Want 's nachts, als heer en vrouwe rusten,
grijpt hij het, dan eet hij wat hem lust. Zo wilde ik dan wel heilig lijken, als men
mij te eten bracht zonder dat ik er moeite voor behoefde te doen.

Jubet

Die twalefste bode, daer men af zeghet,
Suldi horen, wies dat hi pleghet!
Beveelt hem zijn heere een orbore,
Ende ghenoucht hem dat niet wel ter core,
So beveelt hijt emmer toe
Eenen andren, diet voer hem doe;
Nochtan dat ment hem selven beval,
Beveelt hijt voert eenen anderen al:
Dits de ghebiedre diet ghebiet,
Sijns heeren weerc, dies hem verdriet.
Dits de XIIste ende de leste.
Maer al wistickter ondert neste
Van sulken volke, wilt mi gheloven,
Sone soudicker niet eenen roven,
In hadde ghelt dat mi verwoughe.
Mi ware leet dats hem an droughe
Eenich knecht, of des an trake,
Hine ware besmet met alre zake.
Niet meer en willic hier af spreken:
Die weldoet dar gheenen wisch hute steken.

Nota.

De opdrachtgever ¶ Van de twaalfde bode over wie men het heeft, zult u horen
wat hij doet. Draagt zijn heer hem een taak op en bevalt hem dat niet al te zeer,
dan delegeert hij het altijd aan een ander, zodat die het voor hem doet; hoewel
men het hemzelf opdroeg, draagt hij het vervolgens een ander op: dit is de
gebieder die gebiedt voor zijn heer het werk te doen dat hemzelf niet zint. Dit is
de twaalfde en de laatste. Maar al zou ik honderd 'nesten' van zulk volk weten
te zitten, geloof me, dan zou ik er nog niet één leegroven, tenzij ik in mijn geld
zwom. Het zou mij spijten als enig dienaar het ter harte zou nemen of het zich
zou aantrekken, tenzij hij met het een of ander besmet is. Ik wil er niet meer
over zeggen: wie goede daden doet, behoeft dat niet van de daken te roepen.
Nota.

VAN DER WELDAET DIE DE DUVELE DEDE

Men vint bescreven te menegher stede
Dat die duvel noit wel en dede;
Dies hi selve onlyende zij,
In dese weke seide mi
Eene beghijne, daer ic af las,
Dat in de ordine te Cleofas
Eene nonne woende, goet ende scoene,
Maer so plach met fellen doene
Den duvele te verspuwene zeere,
Ende seide: 'spij di, vule heere!
Du bist so leelic int ghelaet,
Du moets met rechte wesen quaet.'
Dit was altoes hare zede.
Nu woenden daer in den cloester mede
Twee heleghe lieden te waren,
Die confessoers ende moonken waren.
Doe ghevielt up eenen tijt
Dat die duvele, die altoes nijt
Ter jonfrauwen drouch, socht dat hi dede
Te hare waert eene scalchede,
Alsoet altoes es zijn aert.
Ende dede so dat minnende waert

Op menige plaats vindt men geschreven dat de duivel nooit een goede daad
verricht heeft, hetgeen hij zelf ontkent. Dezer dagen zei een begijn, over wie ik
vertelde, mij, dat in het klooster te Cleofas een non woonde, goed en schoon.
Maar ze placht met ongemene felheid op de duivel te spuwen en zei: 'Ai, jij
vuilak! Je bent zo lelijk, je moet wel boosaardig zijn.' Zo deed ze altijd. Nu
woonden daar in het klooster ook twee heilige lieden, werkelijk waar, die
biechtvader en monnik waren. Toen gebeurde het eens dat de duivel, die altijd
nijdig was op de non, naar een gelegenheid zocht om haar te grazen te nemen,
zoals dat alleszins zijn aard is. En hij zorgde ervoor dat de non verliefd werd

Die nonne der moonken een,
Die een goet man oec wel sceen,
Ende die moonc mindese weder.
Doe ghevielt dat daer na zeder,
Alsoet die duvele toe hadde bracht,
Dat si up eenen hoeghen nacht,
Als dandere te mattinen waren,
Dat si die mattenen lieten varen
Ende te gader slapende bliven.
Die duvel, die dit wel toe conste driven,
Was arde blide, ic segghe hu hoe,
Dat hi dese feeste hadde brocht toe:
Want altoes, als sone verspaen,
So was hi tebarenteert ende slaen.
Nu es die nacht commen toe,
Daer si up hadden ghenomen doe
Dat die nonne entie moonc souden
Heymelike haer feeste houden.
Als dandre waren in den coer,
Es up ghestaen die confessoer.
Heymelike hi ter nonnen ghinc,
Diene in haren arem ontfinc:
Wat hi haer dede moeden wi wel.
Ende als si in haer beste spel,
Laghen, so es die duvele comen,

op een van de monniken, die een goede man scheen. En de monnik werd ook op
haar verliefd. Toen gebeurde het daarna, zoals de duivel het erop toegelegd had,
dat zij in de nacht van een hoogfeest, terwijl de anderen naar de metten waren,
de metten lieten schieten en samen bleven slapen. De duivel, die dit bewerkstelligd had, was zeer verheugd — ik zeg u hoe verheugd — dat hij voor dit
minnefeest had gezorgd: want altijd als zij hem verachtelijk behandelde, was
hij verslagen en uitgeput. Nu is de nacht gekomen waarin de non en de monnik,
volgens afspraak, heimelijk hun feestje zouden vieren. Toen de anderen in het
koor waren, is de biechtvader opgestaan. Hij ging stilletjes naar de non, die
hem in haar armen nam. Wat hij met haar deed kunnen we wel raden. En toen
ze op hun hoogtepunt waren, is de duivel gekomen

Ende heeftse in sinen arem ghenomen
Metten bedde daer si up laghen,
Ende heefse in den coer ghedraghen
Alsoe sie laghen in haren spele.
Doe liet die duvele huut ziere kele
Eenen luut gaen, ende hi zede:
'Men seit dat ic nie weldaet dede;
Maer hets altemale gheloghen,
Also ghi moocht sien voer huwen hoghen.
Dese twee, die ic hier hebbe bracht,
En waren te mattenen commen van der nacht,
En haddicse niet ghedraghen:
Nu besiet, hoe si hu behaghen.
Hier omme dedic dit ghepijn,
Omme dat ic wille dat si zijn
Gheorsam ende zijt niet en verzomen,
Si en souden te tijt te mattinen comen.'
Doe liet die duvele eenen dreet
Ende vloe wech, ende hi creet.
Die twee, die ghindre laghen,
Moesten haer bedde up den dorempter draghen,
Ende penitencie daer af ontfaen
Van der mesdaet die si hadden ghedaen.
Dus toechde die duvel na sijn verstaen
Die weldaet die hi hadde ghedaen.
                    Nota.

en heeft ze met bed en al in zijn armen genomen en ze naar het koor gedragen
zoals ze in hun minnespel bezig waren. Toen liet de duivel zijn keel een geluid
voortbrengen, en hij zei: 'Men zegt dat ik nooit een goede daad heb gedaan;
maar dat is allemaal gelogen, zoals u hier voor uw ogen kunt zien. Deze twee
die ik hier heb gebracht waren vannacht niet naar de metten gekomen als ik ze
niet had gebracht. Kijk nu, hoe ze u bevallen. Daarom heb ik die moeite gedaan, omdat ik wil dat zij gehoorzaam zijn en niet zouden verzuimen op tijd
naar de metten te komen.' Toen liet de duivel een wind en vloog schreeuwend
weg. Die twee die daar lagen moesten hun bed naar de slaapzaal dragen en
boete doen voor het kwaad dat ze hadden gedaan. Zo toonde de duivel, naar
zijn mening, de goede daad die hij had gedaan. Nota.

◆

VAN EENEN RUDDER DIE ZINEN ZONE LEERDE

Van eenen heere hoerdic ghewach,
Die hem in de wapine plach
Te regierne zijn leven lanc.
Vromelike, sonder verdrach,
Ontfinc hi ende gaf meneghen slach,
Tote hi so hout was ende so cranc
Dats hem nemmeer was belanc.

Eenen sone, jonc van daghen,
Rike van goede, hoech van maghen,
So hadde dese vrome heere.
Ten sone sprachi: 'wildi draghen
Wapine, so willic hu zaghen
Goede pointe; hoert wat ic hu leere,
Het wert hu bate ende hu eere.'

Die sone sprac: 'lieve vader,
Daer an willic zin ende ader
Legghen, mach ics werden wijs,
Noomse mi al teenen gader;
Ic hebt liever nu dan spader,

Ik hoorde over een ridder die zich zijn leven lang met wapens bezighield. Hij was altijd dapper, gaf en incasseerde menige slag, tot hij zo oud was en zo zwak dat hij er geen belangstelling meer voor had. ¶ Deze dappere heer had een jonge, welgestelde en edele zoon. Hij sprak tot de zoon: 'Als jij wapens wilt dragen, dan wil ik je een paar nuttige adviezen geven; hoor wat ik je leer, het zal je tot voordeel en eer strekken.' ¶ De zoon zei: 'Lieve vader, als ik dat kan leren, wil ik mij er met hart en ziel op toeleggen, noem ze mij allemaal; ik heb het liever nu dan later,

Si moghen meersen minen prijs:
Want duecht leeren es goet avijs.'

Dit dochte den heere goet acoort,
Ende sprac: 'sone, verstaet mi voort:
Wapene spelt men met letteren zevene.
Deerste zijn twee Huwe, verstaet voort:
Deen Hu es vromicheit in haer woort;
Ne pijnt hu dat niet te beghevene,
Het wert hu eere in huwen levene.

Want wi dat wille zijn ghepresen,
Ten wapinen si moeten reesen,
Daert te doene es metten vromen,
Ende ne gheen tijt achter deysen,
Maer altoes bi den hoefde wesen.
So sal men hare name nomen
In vromicheden, waer si comen.

Dander V bediet wijshede,
Dats: dat ghi hu lijf ende lede
Also wiselike bewaert
Met dat hoort ter wapinen zede,
Ende dat in hu zij gheene bede,
Daer ghi de viande ziet ghescaert:
Treet metten eersten daer waert.

zij kunnen de lof die mij ten deel valt vergroten: want het is verstandig deugd te
leren.' ¶ Dit leek de heer een goede zaak, en hij zei: 'Zoon, luister dan verder
naar mij: "wapene" spelt men met zeven letters. Eerst een dubbele "V". Luister
verder: de ene "V" betekent "vechtlust"; zet je je volledig in om die niet op te
geven, dan brengt het je eer in je leven. ¶ Want wie geprezen willen worden, die
moeten met de dapperen te velde trekken waar het nodig is en nooit terugdein-
zen, maar altijd in de frontlijn staan. Dan zal men hun naam met ere noemen,
waar zij ook komen. ¶ De andere "V" betekent "verstand", dat wil zeggen: dat
je je lijf en leden zo verstandig beschermt als bij het gebruik van wapens behoort, en dat je niet afwacht als je de vijanden in slagorde ziet staan: trek er
onverwijld op af.

Terde es een A, dats avontuere,
Diere up vallen te menegher huere;
Dats prouvelic an meneghen man,
Dien so bitterlic wert te zuere.
Die hem houden na wapine cuere
Moet dicwile avontueren dan:
Lijf ende goet dit leiter an.

Tfierde es een P, beteekent pine,
Daer sonder ne staet hu niet ze zine,
Wildi de wapene antieren.
Die hem poghen vrome te zine
Lijden zorghe, anxt, hets anscine,
Daer men met moede moet pongieren:
Scaemte heeft pine in dat bestieren.

Tfijfste es een E, eersamichede.
Dats een point van goeder zede,
Onthout dit, sone, in alre tijt.
Sijt reine ende milde telker stede,
Eersaem thove, ter taflen mede.
Dorperhede altoes vertijt,
Ende hout hu trauwe waer ghi zijt.

De derde is een "A", dat betekent "avontuur" dat men op elk moment kan tegenkomen; dat blijkt bij menige man, die het zeer zwaar valt. Wie zich aan de wapens wijden moeten dikwijls op avontuur uit: leven en bezit hangt ervan af. ¶ De vierde is een "P", wat "pijn" betekent, zonder welk je niet kunt bestaan als je de wapens wilt hanteren. Wie proberen dapper te zijn, die gaan gebukt onder zorg en angst, dat is nu eenmaal zo, omdat men moedig dient te strijden: ridderlijke dapperheid heeft pijn ten gevolge. ¶ De vijfde is een "E", "eerzaamheid". Dat is een zaak van goede zeden, onthoud dit te allen tijde, zoon. Wees kuis en mild, overal, eerzaam aan het hof en ook aan tafel. Houd je altijd verre van onbeschoftheid, en bewaar je trouw, waar je ook bent.

Tseste es een N, ende haer point
Dats neerensticheit, peinst om tgoent,
Sone, dat ghi traecheit verdrijft,
Waer dat neerenstichede in woent
Vrome herte hem vermoent,
Dat hi in hogher namen clijft
Mids dat hi jeghen traecheit kijft.

Noch esser een E, in allen keeren
So moetti vrauwen ende magheden eeren.
Ende niet naer haren lachter staen.
Hu prijs, hu lof sal dan meeren
Onder vrouwen, onder heeren,
Nu laet hu scalcheit niet bevaen,
Ende haet verraders waer si gaen.'

Ruddren, cnechten, onthout dese leere
Van den sone ende van den heere,
So sal men hu voer goet bekinnen.
Met Gode ende metter weerelt eere
Werdi verheven in lanc so meere,
Ende wildi dienstman zijn der minnen,
Doet scalkernie huut huwen zinnen.
                    Nota.

De zesde is een "N", en haar punt is "nijverheid". Denk eraan, zoon, dat je
traagheid verdrijft. Waar nijverheid woont, daar zet een dapper hart zich ertoe
dat hij tot hoge eer opklimt, doordat hij zich tegen traagheid verzet. ¶ Dan is er
nog een "E": altijd moet je vrouwen en maagden "eren" en niet op haar schande uit zijn. Je roem en lof zal dan toenemen onder vrouwen en onder heren.
Laat slechtheid je niet bevangen en haat verraders overal en altijd.' ¶ Ridders,
dienaars, onthoud deze les over de zoon en de heer, dan zal men u als goede
mensen erkennen. Voor God en wereld wordt uw eer steeds groter. En wilt u
dienaar van de liefde zijn, werp dan alle slechtheid van u af. Nota.

◆

EEN SPROKE UP DEN WIJN

Nu laet ons leven met blijden gheeste
Ende drincken den wijn all metten keeste,
Ende blidelic leven in goeden hueghen,
Eer salt ghebreken ant vermueghen
Dan an te hebbene, hopic an Gode.
Seere es te prijsene een rasch bode,
Diene te haelne niet es traghe,
Het maect so lievelic tghelaghe,
Versch huten vate, zuver gheclaert,
Die rijpe besien van goeder aert.

Goede ghesellen sullen soucken
Jonstelic andren in allen houcken,
Met rechter vruecht in bliden moede
Gode lovende van sinen goede;
Ende altoes leven met den weert
Vriendelic wies mer heeft verteert:
Wille hi ons dat jonnen bi ziere duecht,
God houden eewelic in ziere vruecht
Ende verzien van goeden wine!
Bi hem te commene wert ons gheen pine.

Kom, laten wij blijgeestig leven en de heerlijke geurige wijn drinken, en vrolijk,
lustig, leven. Ik vertrouw op God dat het eerder zal ontbreken aan het kunnen
dan aan het hebben. Een snelle knecht, die niet traag is om de wijn te halen, is
zeer te prijzen. Het maakt het gelag zo heerlijk, vers uit het vat, zuiver, de rijpe
druiven van de goede soort. ¶ Goede drinkers zullen anderen vriendschappelijk overal zoeken, in oprechte vreugde, blijgemoed God lovend om zijn goedheid, en altijd op vriendschappelijke voet leven met de waard, hoe meer men
heeft verteerd: wil hij ons dat toestaan dankzij zijn goede inborst, dan moge
God hem zijn eeuwige vreugde schenken en voorzien van goede wijn! Bij hem te
komen is voor ons niet moeilijk.

Den besten wijn es goet bezocht
Ende onder die ghesellen brocht
Naer tsaysoen van den jare:
Te wintre jeghen die coude hare,
Tjeghen reghen, haghel ende snee,
Ende om te bescuwene al wee,
Sal men drincken den duutschen traen,
Daer met verdrijft men tcoude saen;
Te somere den edelen vrancschen wijn:
Ende altoes metten blijden zijn.

Die goede wijn verlicht den zin,
Subtijlheit brinct hi ter herten in
Den ondersceedeghen van goeden zeden.
Hijs conforteerlic smeinschen leden,
Ende maect elken wel ghemoet,
Die anders es van zinne goet,
Up dat hine neemt bi ondersceede.
Dies laet ons al sonder beide
Den wijn drincken met blijden moede
Ende Gode dancken van allen goede.

Naer dat wij sijn in goeden state
Met vruechden te deser goeder zate,
Sulwi loven den meester goet,

De beste wijn is goed bevonden en bij de drinkers gebracht al naar gelang van
het seizoen: 's winters moet men tegen de koude wind, tegen regen, hagel en
sneeuw en om alle narigheid te ontkomen de Duitse wijn drinken, waarmee
men de kou snel verdrijft; 's zomers de edele Franse wijn, en altijd welgemoed. ¶ Goede wijn verlicht de geest, hij brengt de kenners van goede zeden
fijnzinnigheid in het hart. Hij versterkt 's mensen leden en maakt ieder welgemoed. Wje dat niet is maakt hij goed van zin, als deze de wijn verstandig
gebruikt. Daarom, laat ons zonder uitstel de wijn blijgemoed drinken en God
danken voor alle goeds. ¶ Omdat wij goed gezond met vreugde bij deze plezie-
rige bijeenkomst zijn, zullen wij de goede meester loven,

Bi wiens gracie wassen moet
Dit edel zap van groeten prijse,
Ende leven voert als de wijse,
Vriendelic danckende onsen weert
Van dat wi hebben hier gheteert,
Ende scelt hi quite dit ghelach,
Ghetidelic hi ons hebben mach.

O lieve her weert, nu doet hu gracie!
Wij hebben te levene curte spacie;
Hets eere om hu naer dit verliden,
Ghi muecht tgheselcap zeere verblijden:
Wat scilt hu een milde woort ter eeren?
Waer wij belenden of bekeeren,
Wi sullen huwer miltheit ghewaghen
Ende huwen prijs al omme draghen:
Dus leefdi in eeren met jolijte,
Tdien wij scelden tghelaghe quite.

◆

DITS VANDEN ANXT

Die levet in anxte, hi levet in eren,

door wiens genade dit edel, hoog te prijzen vocht rijpt, en verder leven als de wijze, vriendelijk onze waard dankend voor wat we hier hebben verteerd, en scheldt hij dit gelag kwijt, dan kan hij ons zo vaak hij wil terugkrijgen. ¶ O, lieve heer waard, schenk nu genade! Wij hebben maar korte tijd te leven; u rest de eer als dit voorbij is, u kunt het gezelschap zeer blij maken. Wat kost u een royaal woord omwille van de eer? Waar wij ook belanden of terechtkomen, wij zullen van uw mildheid gewagen en uw lof overal verkondigen: dus leeft u in eer en met vreugde, mits wij het feest besluiten.

●

Wie in vrees leeft, leeft in eer,

Want anxt doet al mesdaet keren.
Wie anxt vore Gods toren haet,
Huedt hem sondeliker daet
Vele bat dan een ander man,
Die nie anxt, no vrucht, ghewan.
Bi anxte behout menech wijf
Haer rechte, tsucht, moet ende lijf,
Dat si haer selven vervrouden mach
Dat si des anxt je gheplach,
Diese alsoe van scanden sceidt
Ende bewaert haer wijfelijcheit.
Dat wijf mach wel sachte leven
Die allen anxt heeft afghedreven,
Alle onwijfeliken seden,
Die si doer anxt hevet vermeden.
Es dan haer anxt volcomen,
Dien si heet tot haer ghenomen,
Dat is in anxte si telken spele.
Die anxt verweerft haer ere vele.
Es dan dien anxt niet wel te loven,
Die wijfelijc ere dus brinct te boven
Ende set in dus hoegher weerde,
Ende hulpet in enen rechter gheverde?

want vrees verjaagt elke misdaad. Wie vrees voor Gods toorn heeft, hoedt zich veel beter voor zonde dan een ander, die vrees noch angst zou kennen. Dankzij de vrees behoudt menige vrouw haar rechtschapenheid, haar eer, haar zedelijk bewustzijn en haar lichaam, zodat zij zichzelf erover kan verheugen dat zij wat dat betreft altijd vrees toonde, wat haar eveneens van schande afhoudt en haar vrouwelijkheid beschermt. De vrouw bij wie alle schaamtegevoel alle onvrouwelijke zeden, die zij uit vrees vermeden heeft, heeft verdreven, die kan gelukkig leven. Is dan haar schaamtegevoel dat zij zichzelf heeft verworven, volkomen, laat zij dan bij iedere gelegenheid haar schaamtegevoel koesteren. Het bezorgt haar veel eer. Is het schaamtegevoel niet hoog te prijzen, dat de vrouwelijke eer zo hoog verheft en zo'n grote waardigheid verleent en haar in het rechte spoor houdt?

Ridders, knechten, in striden, in storme,
Mids anxt comt hem een manlijc vorme
Datse hem hoeden vore selc gherochte,
Desse hem namaels scamen mochten.
Die anxt doet hem verwerven
Eren vele ende daer in sterven.
Selc die vliet doer anxt van mans handen,
Die si hevet, wilt verstanden,
Ware si scamel van natueren,
Die anxt soude haer al haer leven dueren,
Dat ment haer verwiten soude
Dicker dan sijt hooren woude.
Anxt van scempte es, dat ic meine,
Die meneghe herte maket reine
Ende meneghen doet gheloeften houden,
Ende van onvertuughden scouden,
Ende ghewarech te sine van worden.
Bi anxt hout menech sijn orden
Die si billijc anders minghen,
Als anxt, no scempte, niet en dwinghen.
Dus sal men anxt ende sceempte prisen
Want si den lieden te besten wisen.
Nota. XLVI v.

Ridders, dienaars, bij strijd, bij aanval, uit schaamtegevoel komt hun mannelijk gedrag voort, zodat zij zich hoeden voor een slechte naam waarover zij zich
later zouden moeten schamen. Het schaamtegevoel zorgt ervoor dat zij veel
roem verwerven en dat zij roemvol sterven. Sommigen vluchten uit vrees voor
mannelijke kracht; wie die vrees hebben, begrijp dat goed — zouden ze dapper
zijn van natuur, dan zouden zij hun hele leven bang zijn dat men het hun zou
verwijten, vaker dan ze het zouden willen horen. Vrees voor schande, naar ik
meen, maakt menig hart zuiver en doet menigeen zijn beloften houden, en
houdt af van heimelijke schulden, en zorgt ervoor dat de waarheid gesproken
wordt. Uit schaamtegevoel houden velen zich aan hun plichten, waarmee zij
het waarschijnlijk niet zo nauw zouden nemen, als angst en schaamte hen er
niet toe noopten. Daarom moet men vrees en schaamte prijzen, want zij wijzen
de mensen de beste weg. Nota 46 versregels.

◆

VAN DAT DIE LIEDE SIJN GHERNE GEHETEN JONCFROU

Al dunct den lieden meest algader
Dat die werelt nu es quader
Dan si was wilen eer,
God danc! si es veredelt seer!
Want die wilen, in ouden dagen,
Vrouwen te heten plagen,
Heile, Griete, Lise oft Calle,
Heten nu joncfrou alle!
Al hadde haer moeder warmoes vercocht,
Oft liede gebeden ter brulocht,
Oft te like gebeden vrouwen,
Oft ael oft bier gebrouwen,
Natten geknocht oft huven,
Hoenre vercocht ende duven,
Si souden joncfrou willen sijn,
Op dat haer manne tapten wijn
Oft tot eneghen ambachte willen keren.
Daer ane leget een dropel eren!
Ic ontmoette ene vrouwe, in dese weke,
Die ic gruette vriendeleke,
Ic seide: 'Vrouwe, God geve u goeden dach!'

Al komt het de meeste mensen voor dat de wereld nu slechter is dan vroeger,
God dank! zij is veel beter geworden! Want de vrouwen die vroeger, lang geleden, Heile, Griete, Lise of Calle genoemd plachten te worden, die heten nu
allemaal jonkvrouw! Al had hun moeder vroeger groente verkocht of mensen
ter bruiloft genood, of was zij lijkbidster geweest, of had zij aal of bier gebrouwen, netten geknoopt of mutsen, hoenders en duiven verkocht, zij zouden
jonkvrouw willen zijn, als hun mannen wijn tappen of enig ambacht willen
uitoefenen. Daar hangt een druppel eer aan! Ik ontmoette deze week een vrouw
die ik vriendelijk groette, ik zei: 'Vrouwe, God zegene u!'

Haddi gesien hoe si op mi sach
Ende den hals keerde, soe fier
Als ene hinne op enen pier!
Ende antworde mi een woert niet
Om dat icse joncfrou niet en hiet!
Dies, Dicus! wanen quam dese edelheit groet?
Edelheit geet om haer broet,
Want wie iet goeds can ghewinnen,
Wilt hem selven vore edel kinnen.
Goet, noch geboerte mede
En maken gheen edelhede.
Al ware een man een conincs kint,
Ware hi op edelen seden blint,
Hi en ware niet edel, des sijt gewes.
Ende wi edel van seden es,
Hi es recht van edelre connen,
Al hadden een dorper gewonnen.
Nieman ende hoert ter edelheden,
Hi en si edel van herten ende van seden.
Nieman en si fel, noch stuer;
Elc si sijns gebuers gebuer,
Want wi sijn alle sterfelijc,
Ende van vleesche ende van bloede gelijc;
Ende hebben wi allegader

U had moeten zien hoe ze me opnam en me met de nek aankeek, zo trots als een hen op een worm! En ze antwoordde me met geen woord, omdat ik haar geen jonkvrouw noemde. God nog aan toe, waar kwam die hoge adeldom vandaan? Adeldom verdient haar brood met bedelen, want wie iets aan bezit kan krijgen, wil zichzelf al voor edel houden. Bezit noch geboorte maakt adeldom! Al zou een man een koningskind zijn, was hij blind wat edel gedrag betreft, dan zou hij niet edel zijn, wees daar zeker van. Maar wie zich edel gedraagt, hij is met recht van edele afkomst, al had een dorper hem verwekt. Niemand hoort tot de adel, tenzij hij edel van hart is en zich daarnaar gedraagt. Laat niemand hardvochtig of bars zijn; laat ieder de buur van zijn buur zijn, want wij zijn allen sterfelijk, en gelijk van vlees en bloed; en wij hebben allemaal

In den hemel enen Vader,
Ende op ertrike, als ghi hebdt vernomen,
Si wi alle van Adame comen.
Tfoerdeel es cleine, diet wel besiet.
Onse rechte erve en es hier niet;
Maer die ginder hemelrijc heeft,
Heeft hier als een coninc geleeft!
      Nota LII v.

◆

TGHELUC VANDEN HONT

Ic hebbe, weder ende voert,
Herde menechwerf ghehoert
Wenschen: 'Eens honts gheluc
Es beter dan een stuc
Broets of vleeschs, dat men hem gheeft.'
Ja! menech hont, die leeft,
Heeft alsoe groet gheluc dat hi
Es vrouwen ende joncfrouwen bi;
Compt in cameren ende op bedden,
Daer menne dect, ic bieds mijn wedden!
Met bonten ende met sindale.

---

in de hemel een Vader en op aarde, zoals gij hebt gehoord, stammen wij allen van Adam. Het voorrecht houdt, goed beschouwd, niet veel in. Ons echte erfdeel is niet hier; maar wie ginds het hemelrijk bezit, heeft hier als een koning geleefd! Nota 52 versregels.

•

Ik heb alom heel vaak horen verzuchten: 'Het geluk van een hond is meer dan een stuk brood of vlees dat men hem geeft.' Ja, menige hond die leeft, heeft zo'n groot geluk dat hij bij vrouwen en jonkvrouwen in de buurt is. Hij komt in kamers en op bedden, waar men hem toedekt — daar durf ik wat onder te verwedden! — met bont en met zijde.

Voert ende weder, in die sale,
Wandelt hi waer hi wilt,
Vroech ende spade, nochtan en scelt
Men niet daerom den hont!
Daer toe custmenne aen den mont,
Ende draghet mede opden arm.
Heeft hi coude, men decten warm.
Dit gheluc heeft een hont!
Mocht dat ghescien, tenegher stont,
Meneghen man, hi soude leven
In vrouden; ende al woudemen gheven
Hem daer vore .M. pont,
Hi core tgeluc van den hont
Boven tgelt ende boven tgoet,
Indien dat hi sinen voet
Setten mochten in die camer.
Nu claeght sere ende maect jammer
Menech man, die hogen moet dreght
Tot eenre vrouwen, daer hi leght
Aen hare, moet, herte ende sin,
Want hi en mach niet in
Comen, ghelijc den hont,
Die men dect onder bont!
            Nota 34 v.

Hij loopt in de zaal heen en weer, waar hij maar wil, op elk willekeurig moment, toch gaat daarom niemand tegen de hond tekeer. Bovendien kust men
hem op z'n bek en draagt hem op de arm. Heeft hij het koud, men denkt hem
warm toe. Dit geluk valt de hond te beurt! Zou dat ooit menig man ten deel
vallen, hij zou in vreugde leven. En al wilde men hem in plaats daarvan duizend
pond geven, hij zou het gelukkige lot van de hond kiezen boven geld en goed,
als hij zijn voet maar mocht zetten in de kamer. Nu klaagt en jammert menig
man die grote liefde koestert voor een vrouw, op wie hij al zijn zinnen gezet
heeft, want hij mag niet binnenkomen, zoals de hond, die men onder bont dekt.
Nota 34 versregels.

ENE BOERDE

Ic minne een wijf die scande geert
Nemmermeer si pijnt na ere
Wijflijcheit haet hare onweert
Nicht haren prijs kan si meerren
   Quade ongheraecte werken si doet
Nergens haer lijf ich minne
Aen valscheit keert si haren moet
Selden voer scande si haer behoet
Haer hertse ende oec haer sinne
   Al haer seden prijstmen nicht
Weinich goet sijn haer dade
Ontrouwe heeft si in haer geplicht
Negeine stont si blijft gestade
   Aen haer oncuesche werken sijn
Nergeens si haer wael prueft
Alle doeght in haer verswijnt

Ik houd van een vrouw die nooit op schande uit is, zij streeft naar eerbaarheid; zij heeft vrouwelijkheid hoog in haar vaandel, haar roem kan zij vergroten. ¶ Kwade, schandelijke werken doet zij nergens, ik houd van haar leven; zelden keert zij haar gemoed tot bedrieglijkheid, voor schande behoedt zij zich, haar hart en ook haar zintuigen. ¶ Al haar doen en laten prijst men in niet geringe mate, goed zijn haar daden; nooit heeft zij zich aan ontrouw overgegeven, zij blijft gestadig. ¶ Aan haar kleeft volstrekt geen onkuisheid, zij betoont zich voortreffelijk; alle deugd gaat bij haar nauwelijks teniet,
NB *Dit gedicht kan ook andersom gelezen worden:* Ik houd van een vrouw die op schande uit is. Zij zet zich nooit in voor eer. Vrouwelijkheid interesseert haar niet. Zij kan haar lof niet vergroten. ¶ Zij doet kwade, schandelijke werken. Ik houd niet van haar leven. Zij keert haar gemoed tot valsheid. Zelden behoedt zij zich, haar hart en haar geest, voor schande. ¶ Al haar doen en laten prijst men niet. Van haar daden deugt niet veel. Zij heeft zich overgegeven aan ontrouw. Geen moment blijft zij gestadig. ¶ Onkuisheid kleeft aan haar. Nergens betoont zij zich goed. Alle deugd gaat bij haar teniet.

Cleine doghet si haer onderwint
Haer en roect nicht wien dat bedrueft
  Hier om soe muotsich laen van ir
Nicht lief es mir die saerte
Si sal ummer leiden mir
Weinich op haren troest ich waerte
  Ich wilse scuwen of minen eit
Luttel mich helpt haer gruetsen
Men vintse sonder bescheidenheit
Nemmermeer mijn dienst bereit
Sal sijn der saleger suetsen
        Nota XXVII v.

TOEGESCHREVEN AAN
JAN DINGELSCHE

VANDEN PLAESTERES

Mi quam te voren in minen moet
Dat men menech amboch doet,
Dat men heet herde groet.

Zij legt zich toe op deugd. Het interesseert haar niet wie dat verdriet. ¶ Hierom moet ik niet van haar aflaten, lief is mij de tedere; zij zal mij altijd weinig verdriet doen, ik wacht op haar troost. ¶ Ik wil haar, op mijn erewoord, weinig ontlopen. Haar groeten helpt mij; men vindt haar nimmer onverstandig, mijn dienst zal de zalige zoete altijd bereid zijn! Nota 27 versregels.

Andersom: Nauwelijks legt zij zich toe op deugd. Het interesseert haar niet wie dat verdriet doet. ¶ Daarom laat ik haar schieten. De tedere is mij niet lief. Zij zal mij altijd leed bezorgen. Ik wacht niet in hoge mate op haar troost. ¶ Ik wil haar ontlopen, op mijn erewoord. Haar groeten helpt mij niet veel. Men vindt haar onverstandig. Nooit zal mijn dienst de zalige zoete bereid zijn. Nota 27 versregels.

•

Het kwam in me op dat men menig ambacht uitoefent dat men zeer belangrijk noemt.

Salic u segghen die redene bloet?
Mi en dunct negheen soe mechtich
Van allen lieden, noch soe crachtich,
Wevers, volders, sceres no backers,
Maer die meste heren sijn die plackers!
Al en trecken si niet een seel,
Si plaesteren wel sonder truwel.
Dit sijn al die meste heren,
Daer omme soe willic plaesteren leren!

    Plaesteren sijn van twee manieren,
Al soe ic u sal visieren:
Selc die draghen grau ende bont
Ende winnen menich groet pont,
Al en plaesteren si gheen muren,
Si winnen grote dachuren;
Al en stoppen si gheen gaten,
Si gaen baleren achter straten
Ende houden metten lieden haer scheren.
Ic moet emmer plaesteren leren!

    Alle die plaesteren metten truwele
Sijn van clene voerdele.
Om twee groete of om drie,
Staen si beslabt tote den cnie,
In den mortre, al den dach.
Hebben si daer in goet verdrach,

Zal ik open kaart spelen? Niemand dunkt mij zo machtig en krachtig van alle lieden — wevers, volders, lakenscheerders, bakkers — als de pleisteraars: dat zijn de hoogste heren! Al trekken ze geen lijn, ze pleisteren wel zonder troffel. Dit zijn de hoogste heren, daarom wil ik leren pleisteren. ¶ Pleisteraars zijn er in twee soorten, zoals ik u zal vertellen. Sommigen dragen grijs en bruin bont en verdienen een aardige duit, al pleisteren ze geen muren; ze verdienen forse daglonen, al stoppen ze geen gaten. Ze lopen langs de straat te slenteren en drijven de spot met de mensen. Ik moet beslist leren pleisteren! ¶ Allen die pleisteren met de troffel verdienen niet veel. Om twee of drie stuivers staan ze tot hun knieën bemorst in de mortel, de hele dag. Schikken ze zich daarin,

Soe besteden si wel haren tijt;
Ende doen si den lieden haer profijt,
Blidelec moghen sijt verteren.
Ic moet emmer plaesteren leren!
    Selc can plaesteren herde scone
Van buten, maer binnen soe es hi hone.
Wat si spreken ofte callen,
Ende hoe scone haer worden vallen,
Met haren smekenden sermone
Hebdi hare hulpe te doene,
Hebdi ghelt, mogdi wel gheven,
Soe seldi sijn lieve neve,
Ende: 'Alsoe hulpe mi theilich graf!
Ic sal u hulpen, al dat ic mach,
Alsoe langhe als ic sal leven.'
Hebdi gheen gheelt, mogdi niet gheven,
Dan soe sal hi segghen, die selve man,
Dat hi u niet ghehulpen en can,
Nemmermeer met ghenen kere.
Ic moet emmer plaesteren leren!
    Plaesteren connen dats die man;
Soe, wel hem die wel plaesteren can!
Si sijn lief ende weert,
Ende elc doet dat hi beghert,

---

dan besteden ze hun tijd goed; en brengen ze de mensen voordeel, dan mogen ze
het verdiende opgewekt verteren. Ik moet beslist leren pleisteren! ¶ Sommigen
kunnen aan de buitenkant heel fraai pleisteren, maar van binnen zijn ze bedriegers. Wat ze ook spreken of zeggen, en hoe fraai hun woorden en smeek-
beden ook klinken, hebt gij hun hulp te bieden, hebt gij geld, kunt gij geven,
dan zult gij 'beste vriend' zijn, en: 'Zo helpe mij het heilig graf! Ik zal u helpen,
zoveel ik kan, mijn hele leven lang.' Hebt gij geen geld, kunt ge niet geven, dan
zal hij zeggen, diezelfde man, dat hij u niet kan helpen, nooit, op geen enkele
manier. Ik moet beslist leren pleisteren! ¶ Kunnen pleisteren, dat is het! Hij die
kan pleisteren zit goed. Zij zijn geliefd en geacht, en ieder doet wat hij begeert,

Waer si comen in elken lande.
Plaesteren connen en es ghene scande.
Ic segghe u waer, in goeder trouwen,
Het plegen heren ende vrouwen,
Ende oec soe en willics niet ontberen,
Ic moet emmer plaesteren leren!

Plaesteren es dmeste ambacht,
Daer die meneghe cleine op acht,
Dat men in de werelt doet.
Wie van plaesteren es vroet
Hi blijft gheert ewelike;
Es hi arm, hi wert noch rike.
Sal yewers enech vordeel vallen,
Het moet in haren ketel wallen.
Dus sijn si die meste heren!
Ic moet emmer plaesteren leren!

Die plaesteren connen sijn van groten love,
Ende oec voersprekers telken hove.
Altoes moeten si voren gaen
Daer ander lieden achter staen.
Elken soe maken si samblant:
tFier draghen si in die ene hant
Ende dander hant es selden sonder
Water, hier ende gonder;

in welk land ze ook komen. Kunnen pleisteren is geen schande. Ik zeg u de waarheid, werkelijk, heren en vrouwen doen het, en ook ik wil het niet nalaten. Ik moet beslist leren pleisteren! ¶ Pleisteren is het aanzienlijkste ambacht – menigeen ziet dat niet goed in — dat men ter wereld uitoefent. Wie kundig weet te pleisteren, blijft eeuwig geëerd; is hij arm, hij wordt nog wel rijk. Valt er ergens enig profijt te halen, dan verdwijnt het in hun kookketel. Dus zijn zij de grootste heren. Ik moet beslist leren pleisteren! ¶ Wie kunnen pleisteren worden hoog geprezen en voeren ook het hoogste woord aan ieder hof. Zij moeten altijd haantje de voorste zijn waar anderen juist worden achtergesteld. Zij doen zich bij iedereen alleraardigst voor: of het nu hier of daar is, in de ene hand dragen ze vuur, en de andere is zelden zonder water;

Si smeken ende si trufferen.
Ic moet emmer plaesteren leren!
  tFolc van ertrike ghemene
Plaestert, groet ende clene:
Smede, coepers ende fruteniers,
Perpointstickers ende permentiers,
Scoenmakers ende smeden
Plaesteren, met allen leden,
Die cunnen spinnen ende noppen;
Soe doen si oec die cleders stoppen;
Scipliede, molders ende wagheners,
Alle soe sijn si plaesterers,
Waer si gaen of waer si keren.
Ic moet emmer plaesteren leren!
  Ay mi! ic hadde wel na vergheten
Die alder meest van plaesteren weten:
Dat sijn meesters liberael,
Die kieken inden orinael;
Si connen plaesteren wel ter cure
Sonder eneghe grote labure.
In haren morter beslabben si hem selden,
Nochtan moet men hem diere gelden;
Hoe die plaesteringhe vaert
Ende hoe die liede meer pipen ende screien,

ze vleien en bedriegen. Ik moet beslist leren pleisteren! ¶ Mensen over de hele
wereld pleisteren, hoog en laag: smeden, handelaars en fruitverkopers, wam-
buismakers en vervaardigers van perkament, schoenmakers en smeden, ze
pleisteren met hart en ziel; degenen die kunnen spinnen en noppen; zo doen
ook zij die kleren stoppen; scheepslui, molenaars, voerlieden, allemaal zijn ze
pleisteraars, waar ze ook gaan of staan. Ik moet beslist leren pleisteren! ¶ Wee
mij, ik had bijna degenen vergeten die het meest van pleisteren weten: dat zijn
meesters in de vrije kunsten, die in het urinaal kijken; zij kunnen in hoge mate
pleisteren zonder grote inspanning. In hun mortel maken zij zichzelf zelden
smerig, toch moet men het hun fors vergoeden; hoe het pleisteren gaat en hoe
meer de mensen gillen en schreeuwen,

Hoe si meer daer omme pleien.
Biden stronte! ic moeter om sweren!
Ic moet emmer plaesteren leren!
    Plaesteren connen al ghemeine:
Baeliu, scepene ende casteleinen
Plaesteren, groet ende cleine,
Om te hebben dit sughebeen,
Daer si op moghen, al in een,
In taverne gaen ende in caberetten
Eten ende drincken van den besten.
Hier omme eest dat si fineren.
Ic moet emmer plaesteren leren!
    Die van plaesteren seide quaet,
Swige daer af, dats mijn raet.
Vander werelt dmeste deel
Sijn plaestereren al gheheel.
Oec soe sijn si lief int ghetal
Dese plaesterers over al.
Die wille gheloefs, die wille ontbaers!
Ic blijfts metten plaesteraes!
    Not. CXX v.

hoe meer genoegen ze daarin scheppen. Bij de stront! Ik moet erom zweren! Ik
moet beslist leren pleisteren! ¶ Pleisteren kunnen ze allemaal: baljuws, schepenen en burggraven pleisteren, van hoog tot laag, om de vette kluif te pakken te
krijgen, waarmee ze permanent naar de kroeg en het wijnhuis kunnen gaan,
eten en drinken van 't beste. Daar zijn ze op uit. Ik moet beslist leren pleisteren! ¶ Wie over pleisteren kwaadsprak, zwijge daarover, dat is mijn advies.
Het grootste deel van de wereld bestaat geheel uit pleisteraars. Ook zijn ze,
deze pleisteraars, in 't algemeen overal gezien. Wie wil die gelove het, wie wil
die late het. Ik blijf bij de pleisteraars! Nota 120 versregels.

VANDEN COVENTE

Hoert na mi, in lieghe u twint:
Eenrehande liede, dat men vint,
Enen cloester hebben si ghesticht.
Wat men bedrieft, in haer covent,
Hebbic wel een deel versent
Daeromme soe hebbicker af ghedicht;
Want des cloesters wesen es wel licht.
Scade waert dat ment te scrivene liete.
Si hebben aen enen here gheplicht,
Dats die bisscop van verdriete;
Haer jonc wijf die heet droeve Magriete.
Of ghi wilt, verstaet mijn menen:
Tcloester es tachter altenen!
    Alse dese broeders broeders werden
Ende si eerste in dordene terden,
Gheraet wat gheet men hem bevelen:
Nu siet wel die ons leven harden,
Ghi moet u met eenre corden gorden
Om dat wi daer toe comen selen.
Dierste jaer laet mense spelen,
Na hare ghenoechte, met haren renten,
Ende alst jaer es uut dan gaen si quelen;

Luister naar mij, ik lieg volstrekt niet: er is een merkwaardig soort lieden, ze hebben een convent gesticht. Van wat men in hun convent doet ben ik het een en ander te weten gekomen. Daarom heb ik er een gedicht over geschreven, want de leefwijze in het convent is heel makkelijk. Het zou jammer zijn als het niet zou worden opgeschreven. Zij hebben zich verbonden aan de dienst van een heer, te weten de bisschop Verdriet; hun dienstbode heet Droeve Magriete. Als u wilt, begrijp wat ik bedoel: het convent is gestadig in verval! ¶ Als deze broeders broeders worden, en ze in de orde treden, raad eens wat men hun opdraagt: 'Nu kijk naar de zaken die ons leven zwaar maken, gij moet u om- gorden met een koord, opdat wij daartoe zullen komen.' Het eerste jaar laat men ze voor hun genoegen van hun bezit genieten. En als het jaar om is, dan raken ze er slecht aan toe;

Dan soe sijn si povers van largenten,
Ende dan leven si vanden covente;
Dan gaen si broeders sijn met allen.
Ach lasen! tcloester sal saen vallen!

    Alst djaer uut es, des seker sijt,
Ende si draghen gaen dabijt,
Dan gheet men stellen haer provanche.
Si draghen rocken met scoren wijt,
Ende si eten selden enen goeden maeltijt;
Met honghere gaen si dicke ten danse;
Si wedden om een scuerken de canse,
Verliesense, soe eest verdriet,
Dan gaen si cloien haren cranse.
Bi lode! nochtan en hoect hem niet.
Ende haer prioer, als hi dit siet,
Leent hi hem .vi. om sevene
Ende dan vallen si weder, saen ter banen
Ende als hem haer prioer beghint te manen
Om sine bate te hebben inne,
Dese broeders seiden: 'Stecti uut u granen,
Bi lode! wi en gaven u niet ii sanen,
Strijct den iersten die ic winne.'
Dan soe sprect hi, met grammen sinne:
'In anderweerf seldijs ghemessen;

ze zijn platzak en leven van het convent; dan worden ze volledig broeder. Helaas! Het zal met het convent weldra gedaan zijn! ¶ Als het jaar om is, dat
verzeker ik u, en zij het habijt gaan dragen, dan zet men hen op rantsoen. Ze
dragen kleding met grote scheuren en ze eten zelden een goed maal: dikwijls
worden ze door honger gekweld. Ze wedden om een muntje dat ze een gelukkige worp zullen doen bij het dobbelen. Verliezen ze, dan betekent dat verdriet,
dan gaan ze hun kruin krabben. Bij God! Toch drijft dit hen niet in het nauw.
En wanneer hun prior dit ziet, leent hij hun zes tegen zeven, en dan gaan ze
weldra weer aan de gang en als hun prior hen begint te manen om zijn rente
binnen te halen, zeggen deze broeders: 'Zet niet zo'n grote mond op, bij God!
Wij zouden u nog niet het minste of geringste geven, strijk het eerste op dat ik
win.' Dan zegt hij, kwaad: 'De volgende keer krijgen jullie het niet;

Dit sijn dese broeders lessen:
Dat van viven ic hout van sessen.'
Alsoe gaen si daer sitten callen.
Ach lasen! tcloester sal saen vallen!
    Die in dit cloester sijn vercoren
Hoe si heten seldi horen,
Ende die penitencie die si doen.
Haer aederen die sijn na ghescoren,
Van couden sijn hare aederen versworen;
Si hebben moder in hare scoen;
Sine draghen swert, no bastoen,
Soe heilich sijn si, dat ghijt wet,
Maer daer bi es een occosoen,
Hets vore ghoet te pande gheset.
Die ledech es ende gherne wel et
Dien cleden si ende el gheenen.
Tcloester es tachtere altenen!
    Desen broeders hebben enen sede:
Si hebben liever wijn dan mede,
Alst men hem borghen wilt met vliete;
Maer alse si drincken tenegher stede,
Soe bidden si den weert ene bede:
'Scrijft anden want met enen crite:
Wi hebbens x, her weert, telt quite.'

---

dit zijn de lessen van deze broeder: dat van vijf houd ik op zes.' Zo gaan ze daar
zitten kletsen. Helaas! Het zal weldra met het convent gedaan zijn! ¶ Wie tot
dit convent zijn uitverkoren, hoe ze heten zult u horen, en de boete die ze doen.
Hun is de kruin tot op de aderen geschoren, van kou zijn hun aderen ontstoken;
zij hebben modder in hun schoenen; zij dragen zwaard noch wapenstok, zo
heilig zijn ze, dat u 't weet, maar daar is een goede reden voor, het is verpand
voor goederen. Wie lui is en toch graag goed eet, die nemen ze in de orde op, en
anders niemand. Het convent is gestadig in verval! ¶ Deze broeders hebben een
gewoonte: zij drinken liever wijn dan honingdrank, als men hun snel krediet
wil geven. Maar als ze ergens drinken, dan vragen ze de waard: 'Schrijf het
maar met krijt op de wand: wij hebben er tien gehad, heer waard, scheld ze ons
kwijt.'

Dan sprect die weert: 'Bi lode! ene mite
Ende willic u niet langher borghen!'
Dan soe gheet daer aen een sorghen,
Wanneer dat haer renten smallen.
Ach lasen! tcloester sal saen vallen!
   Dan gheet die ene broeder ane de vrouwe,
Hi smeet ende maect haer die mouwe.
Hi swert: 'Die moeder, die mi droech!
Ic scaems mi ende ic hebts rouwe.
Gheloves mi, bi miere trouwen!
Ic saelt u gheven marghen vroech!'
Dan sprect die weert: 'Hets mi ghenoech
Wildi vore hem allen bliven?'
Hij sprect: 'Jaic.' Sijn herte loech.
Soc gheet ment dan op enen scriven.
Groet es die blisscap, die si driven,
Als ment tghelach dus hout aen enen.
Ach lashen! tcloester es tachter altenen!
   Dus lopen si weder ter taverne.
Dan weert driven si te scerne,
Si maken herde groet beraet.
Dan sprect daer een: 'Ic ate wel gherne,
(Die ander heves quaet tontberne),
En weet hier niemen ghenen raet?'

Dan zegt de waard: 'Bij God, ik wil u zelfs niet langer nog een cent voorschieten!' Dan begint het daar zorgelijk te worden, wanneer hun renten minder
worden. Helaas! Het zal weldra met het convent gedaan zijn! ¶ Dan gaat de
ene broeder naar de waardin, hij vleit en paait haar. Hij zweert: 'Bij de moeder
die mij droeg! Ik schaam me erover en heb er spijt van. Geloof me, op mijn
woord van eer! Ik zal het u morgenvroeg geven.' Dan zegt de waard: 'Het is mij
voldoende. Wilt u [als onderpand] voor hen allen hier blijven?' Hij zegt: 'Ja
zeker.' Hij lacht in zijn vuistje. Dan gaat men het op één naam zetten. Groot is
de blijdschap onder hen, als men er een voor het gelag aansprakelijk stelt.
Helaas! Het convent is gestadig in verval! ¶ Dus gaan ze weer naar de kroeg.
Ze drijven de spot met de waard, ze maken zeer groot kabaal. Dan zegt er een:
'Ik zou wel graag wat eten, (de ander heeft het kwaad te verduren), weet hier
niemand raad?'

Dan sprect een ander: 'Broeder, jaet,
Ic wane ic thuus noch hebbe een swert,
Ic saelt gaen halen, dat verstaet,
Ende wi selent gheven onsen wert!'
Dan sijn si stout ende onververt,
Int cabaret gaen si dan callen.
Ach lasen! tcloester sal saen vallen!
    Ic segghe u dat dese broeders leven
Met Gode sere sal sijn verheven,
Want si neghene sekerheit en weten;
Sine en hebben savons niet beseven
Wiet hem lonen sal oft gheven
Dat si smorghens selen eten.
Theilicheit heeftse soe doorspleten
Dat si en sorghen om gheen goet.
Haren roc die es dunne versleten
Ende beroect es haren hoet.
Si sparen haer cousen, ende si sijn vroet,
Ende gaen bloet met beiden benen.
Ach lasen! tcloester es tachter altenen!
    Alse si soe langhe dese ordene hayen
Ende haer clederen oec ontnayen
Ende si ghene nuwe en moghen copen,
In Vranckerike gaen si dan drayen

Dan zegt een tweede: 'Broeder, ja, ik geloof dat ik thuis nog een zwaard heb, ik zal het gaan halen, begrijp me goed, en we zullen het onze waard geven!' Dan zijn ze dapper en onvervaard, in de kroeg gaan ze dan zitten kletsen. Helaas! Het zal met het convent weldra gedaan zijn! ¶ Ik zeg u dat het leven dat deze broeders leiden bij God hoog zal staan aangeschreven, want zij kennen geen zekerheid. Ze weten 's avonds niet wie het hun zal lonen of wie hun geven zal wat ze 's morgens zullen eten. De heiligheid heeft hen zo in haar greep gekregen dat zij zich om geen bezit zorgen maken. Hun pij is tot op de draad versleten en hun hoofddeksel is smerig. Zij sparen hun kousen, en ze zijn verstandig, en lopen met blote benen. Helaas! Het convent is gestadig in verval! ¶ Als zij het zo lang in deze orde uithouden en hun kleren ook stukgaan en ze geen nieuwe kunnen kopen, dan gaan ze ervandoor naar Frankrijk

Ende leren daer goet walsch ter laeien.
Si leren daer haer hemde knopen.
Suete water halen si daer met stopen
Ende ghevens om ene malic een pinte.
Aldus laten si verlopen
Met ermoeden daer haer renten.
Si draghen thuuswert tenen prosente
Een nieu juweel uter Hallen.
Ach lasen! tcloester sal saen vallen!
   Elc die wachte hem van deser abdie,
Want ghene eersam paertie
En pleghen in dit cloester te sine;
Maer ledeghe, ledeghe loddernie
Wert daer ghecleet, seit men mie.
Int leste werdent al cokine.
Si gaen ghegort met eenre linen;
Sine hebbens gheens riems te doene.
Si hatent tghelt ghelijc den venine!
Dus scijnt die sonnen doer hare caproene!
God, die starf ter rechter noenen,
Moet goet gheselscap hier af te renen;
Want tcloester es tachter altenen!

It. desen sproke houdt C ende XL v.

en leren daar van lieverlee goed Frans. Zij leren daar hun hemd knopen. Zoet water halen ze daar met kruiken en voor een halve penning geven ze daarvan een pint. Zo laten ze hun rente in armoede verlopen. Als geschenk brengen ze iets nieuws en moois uit de Hallen mee naar huis. Helaas! Het zal met het convent weldra gedaan zijn! ¶ Ieder wachte zich voor deze abdij, want in dit convent loopt bepaald geen eerzaam gezelschap rond; maar lege, lege ongebondenheid wordt daar ingekleed, zegt men mij. Op 't laatst worden het allemaal leeglopers. Zij lopen omgord met een touw, ze hebben geen riem nodig. Ze haten het geld als vergif, dus schijnt de zon door hun kap. God, die om drie uur 's middags stierf, moge een goed gezelschap hiervan zuiveren, want het convent is gestadig in verval! ¶ Item. Deze sproke bevat 140 versregels.

LODEWIKE

VANDEN EENHOREN, EEN EDEL POENT

Ic hebbe ghelesen, hier te voren,
Hoe dat een eenhoren
Eenen man brachte ghejaghet,
Die soe sere was versaghet
Vanden vreseliken diere
Dat hi quam gheronnen sciere
Boven enen diepen pit.
Die man duchte soe sere dit
Dier, dat hem volgde naer,
Dat hi, over mids den vaer
Vanden diere, neder spranc
Ende bleef clevende aen een cranc
Boemkijn, dat daer binnen stont.
Daer sach hi ligghen, op den gront,
Vanden putte, vele serpente
Die, met ghemeinen consente,
Alle gaepten naden man.
Oec sach hi aen die wortel van
Desen boem twee diere cnaghen,
Daer die lettren af ghewaghen,
Over seker waerheit, dit:
Dat deen was swert ende dander wit.
Ende dese cnagheden, nacht ende dach,

Ik heb vroeger gelezen hoe een eenhoorn een man opjoeg die zo bang was
gemaakt door het schrikaanjagende dier, dat hij na korte tijd kwam aangerend
aan de rand van een diepe afgrond. De man vreesde dit dier dat hem achtervolg-
de zozeer, dat hij uit angst voor het dier naar beneden sprong en bleef hangen
aan een miezerig boompje dat daar stond. Daar zag hij, op de bodem van de
put, veel slangen liggen, die, eensgezind, alle op de man uit waren. Ook zag hij
aan de wortel van de boom twee dieren knagen, waar ik, naar waarheid, dit
over las: dat de een zwart was en de ander wit. En deze knaagden dag en nacht,

Om dat si hadden gheacht
Desen boem te velene neder.

    Dese man sach voert ende weder,
Ende sach aen den boem een gat
Vol van hoeneghe; ende dat
Smaecte desen man soe soete
Dat hem van alle sorghen boete
Gaf, ende maecten sorghen vri;
Want die man vergat dat hi
Ghejaghet wert vanden eenhorne,
Die boven sijns wachte met torne.
Der serpenten hi oec vergat
Ende die diere mede, die dat
Boemken neder wouden vellen.

    dEenhoren es die hellen
Viant, hebbic ghelesen.
Hi jaeght den mensche in desen
Putte, daer ic bi gome
Dese werelt. Ende biden bome
Meinic des menschen leven,
Daer ons God aen heeft ghegheven.
Ende als merken mach,
Want die nacht ende die dach
Corten tallen tiden dit:
Die nacht es swert, die dach es wit.

    tHonech, metten sueten smake,

---

omdat ze van plan waren die boom te vellen. ¶ Deze man keek naar alle kanten en zag in de boom een holte vol honing; en dat smaakte deze man zo zoet, dat het hem van alle zorgen bevrijdde en hem zorgeloos maakte. Want de man vergat dat hij werd opgejaagd door de eenhoorn, die boven woedend op hem wachtte. Hij vergat ook de slangen en de dieren die het boompje wilden vellen. ¶ De eenhoorn is de duivel, heb ik gelezen. Hij jaagt de mens deze put in, waar ik deze wereld voor houd. En met de boom bedoel ik 's mensen leven, dat God voor ons eindig heeft gemaakt, als duidelijk is, want de dag en de nacht maken het steeds korter. De nacht is zwart, de dag wit. ¶ De honing met haar zoete smaak

Bediedie in een ander sake.
Ic merker bi sekerlike
Die ghenuechte van ertrike:
Gout, selver, cleder ende scat,
Vette morsele. Want in dat
Nemtmen die ghenoechte soe groet
Dat men die viant, noch die doot,
In die werelt niet en vreest
Ende als dan ontvaert ons gheest;
Dan valt die boem metten man,
Die die serpenten dan
Al verteren ende die worme;
Ende maken dan een ander vorme
Dan die mensche hadde te voren.
Huedt u voor desen eenhoren
In desen cule, in desen pit,
Want dat swert dier ende dat wit
Cnaghen altoes anden boem.
    Dit leven en es maer een droem.
In drome es men dicwile vroe
Ende oec droeve. Recht al soe
Es dit leven in ertrike;
Want en es arm man, noch rike,
Die over sinen tijt mach gaen;
Want die boem moet vallen saen

leg ik weer anders uit. Ik vat deze op als de aardse genoegens: goud, zilver, klederen, schatten, lekker eten. Want daarin schept men zoveel behagen, dat men in de wereld de duivel noch de dood vreest. En als wij dan opeens de geest geven, dan valt de boom met de man, die vervolgens geheel en al verteerd wordt door de slangen en de monsters. En ze maken dan een andere vorm dan de mens daarvoor had. Hoed u voor die eenhoorn in deze kuil, in deze put, want het zwarte en het witte dier knagen altijd door aan de boom. ¶ Dit leven is maar een droom. In dromen is men dikwijls blij maar ook bedroefd. Precies zo is dit leven op aarde. Want arm noch rijk kan over zijn tijd heen gaan; de boom moet immers weldra vallen

Als hi over es ghecnaghen.
    God late ons, in onsen daghen,
Al soe scuwen desen eenhoren
Ende thonech, daer ic te voren
In mijn ghedichte af hebbe gesproken,
Dat in dinde niet ghewroken
En moet werden aen onse ziele;
Maer dat wi, met sente Michiele,
Varen moeten in dat suete hemelrike.
Dit es die bede van Lodewike.
        Amen. LXXXIIII. v.

BOUDEWIJN VANDER LUERE

VAN TIJTVERLIES

Ic quam ghegaen al in eene keerke,
Daer ic vele scoender zaerken
Sach ligghen, rikelike ghehauwen,
Daer onder heeren, ende vrauwen,
Groete meesters, ende prelaten,
Die alle hare rikelike ghezaten
Hadden ghelaten alte male,

als hij is doorgeknaagd. ¶ God late ons, in ons leven, deze eenhoorn en de honing, waarover ik hiervoor in mijn gedicht heb gesproken, zozeer schuwen, dat het aan het eind niet gewroken wordt aan onze ziel; maar dat wij, met Sint-Michiel, het zoete hemelrijk mogen binnengaan. Dit is de bede van Lode-wijk. Amen. 84 versregels.

•

Ik kwam in een kerk, waar ik veel fraaie zerken zag liggen, rijkelijk bewerkt, waaronder heren, en vrouwen, grote meesters, en prelaten, die allen hun rijke woningen geheel achter zich hadden gelaten,

En waren in die donker zale
Varen wonen van zeven voeten.
Ic las die letteren met goeder moeten,
Na des carnacioens bediet,
Ende hoe dat elc bi namen hiet,
Die daer onder begraven lach,
Ende int laetste daer ic zach
Een den meesten zaerc ghehauwen,
Die eeneghe oeghe mochte scauwen.
Al adde daer onder, des zijt wijs,
Gheleghen een conijnc Darijs,
Alexander, ofte Ector
Eene tomme die niet was dor
Van sconen weerke, die saghic welven.
Al daer over in my selven
En constic niet ghewerden vroet,
Wanen comen mochte tgoet
Dat lach an die tomme reene,
Van gaude, en van dieren steenen,
Voert saghic an die tombe verchiert,
Letteren die waren gheammelgiert:
Ic lasse, en zij orconden dies,
Dat daer onder lach Tijtverlies.

My veranderde daer bi den zin,

en waren gaan wonen in het donkere verblijf van zeven voet. Ik las ernstig zowel wat de letters als wat de jaartallen meedeelden, en de naam van ieder die daaronder begraven lag. En op 't laatst zag ik een van de fraaist bewerkte zerken die een oog zou kunnen aanschouwen, alsof daaronder, weet dat wel, een koning Darius, Alexander, of Hector had gelegen, een tombe die zeer smaakvol bewerkt was, zag ik welven. Ik kon niet begrijpen, waar de rijkdom aan goud en edelstenen vandaan zou kunnen komen die voor deze prachtige tombe was gebruikt. Verder zag ik aan de schone tombe geëmailleerde letters. Ik las ze, en zij deelden mee, dat daaronder Tijdverlies lag. ¶ Mijn stemming sloeg om.

154

Doe hoerdic, ter tomben in,
Eene voys, na mijn bediet,
Die sprac: 'En vervaert hu niet,
Ende ne wilt oec nyewer gaen,
Maer my hoeren, en wel verstaen,
En willet orconden voort
Den volke dat ghij ziet en hoort,
Van my en sal hu niet messchien.'
Doe seindic my, en bleef mettien
Hoerende na die stemme claer,
Die bescheedelic sprac daer naer:

'Hoerdijt, Tijtverliesekijn,
Als meest alle mensche zijn,
Die nu up de weerelt leven,
Dies hem zoude therte beven,
Wisten zijt also ict weet
Die de meeste in der namen heet,
Es die meeste Tijtverlies
Die meest edelt, die meest riest,
En es die onsalichste na de doet.
En es ter weerelt heere zo groet,
Noch prelaet zo hoghe ghewijt,
Dat hi orbuert zinen tijt,
Also ne hem God heeft verleent,

Toen hoorde ik, in de tombe, een stem, naar ik meen, die zei: 'Vrees niet, en ga ook beslist niet weg, maar luister naar mij en begrijp mij goed, en vertel het verder aan de mensen die u ziet en hoort; van mij zult u geen kwaad ondervinden.' Toen sloeg ik een kruis, en bleef terstond luisteren naar de heldere stem, die vervolgens duidelijk zei: ¶ 'Hoort u het, Tijdverliesje, zoals de meeste mensen zijn, die nu op aarde leven, daarom zou de schrik hun om het hart slaan, als zij wisten wat ik weet. Wie in naam de grootste heet te zijn, is in feite de grootste tijdverliezer. Maar wie het meest adelt, wie er het moeilijkste leven heeft, is na de dood niet de ongelukkigste. Er is ter wereld geen heer zo hoog, of een prelaat zo hoog gewijd, die zijn tijd gebruikt zoals God hem die gegeven heeft,

Dat noch swaerlic zal beweent
Van hem wesen, eer yet lanc.
Die rechte souden gaen, zijn manc,
Die zien souden, die sijn blent,
Ende in duechden ombekent,
Die ghesonde zijn worden lam,
Die goedertiere verwoet en gram.

Die vroede die zijn worden spilde,
Sij zijn vrec die waren milde,
Die ghevers die zijn worden ghier,
Die heleghe keerke es pursemier,
Voercoep ende symonie,
Thoeft der heeren es reynaerdie.
Suptijlheit es nu scalcken vont,
Waerheit es der trauwen oncont,
Wille dat es worden wet,
Foerche es voer trecht gheset,
Costume, uzage, ende eennighe quaet,
Int bouc van prevelegen staet.
Singette, zeghelinghe zijn ghedwas,
Dat zekerheit van trauwen was.

Die pennijnc es der weerelt Eere,
Dat scande was, es worden Eere,

wat door hen binnenkort nog ernstig betreurd zal worden. Wie goed zouden moeten lopen, zijn mank, wie zouden moeten zien, zijn blind, en onbekend met deugden, gezonden zijn lam geworden, de goedertierenen razend en woedend. ¶ De wijzen zijn spilziek geworden. Zij die mild waren zijn gierig geworden. De gevers zijn hebzuchtig geworden. De heilige kerk is een en al woekeraar, voorkoop en simonie. Reinaardie staat aan het hoofd der heren. Scherpzinnigheid is nu arglist. Waarheid is de trouw onbekend. Wil is wet geworden. Geweld heeft de plaats van het recht ingenomen. Gewoonte, gebruik, en allerlei kwaad, staat in het boek met privileges. Zegels, bezegelingen, die stonden voor zekerheid van trouw, zijn nu dwaasheid. ¶ Het geld is (h)eer der wereld, wat schande was, is eer geworden.

Dat heere was, es worden scande,
Gods vriende zijn der weerelt viande,
Die goedertiere heeten beesten,
Die liede sterven recht met feesten,
En zij trauwen sonder vruecht,
Aude rijchede es worden juecht,
Die jonghe kintscheit, die niet en weet,
Es wethaudere of beleet.
Het werden kinderen, rudders, en papen,
Deen kint gaet bi den anderen slapen,
Eer harer eenich es uutjaert,
Sy gaen ghewapent sonder baert,
En moeyderen elc anderen sonder nijt,
Vrauwen draghen mans abijt,

Die mans gaen ghecleet ghelijc wiven,
Nyemen mach zonde metten live
Doen na tweerc der luxure.
Maghe, vriende, en ghebuere,
Elc anderen haer wijfs ontvryen.
Papen, wethauders, hauden amyen
Boven haer belof van trauwen.
Lettel scamen hem de vrouwen,
Die maechden hebben baut ghelaet.

Wat eer was, is schande geworden. Gods vrienden zijn de vijanden van de wereld. De goedertierenen worden beesten genoemd, de mensen sterven in pure opgewektheid, en trouwen zonder vreugde. Oude rijkdom is jeugd geworden. De jonge jeugd, die niets weet, is magistraat of overheid. Het worden kinderen, ridders, en priesters. Het ene kind gaat bij het andere slapen, voor een van hen tot de jaren is gekomen. Zij zijn gewapend zonder dat ze een baard hebben, en vermoorden [?] elkaar zonder kwaadaardigheid. Vrouwen dragen mannenkleren, ¶ de mannen gaan gekleed als vrouwen. Niemand kan de lichamelijke zonde van onkuisheid bedrijven. Magen, vrienden en buren houden het met elkaars vrouwen. Priesters, magistraten, ze houden er vriendinnen op na ondanks hun belofte van trouw. De vrouwen hebben weinig schaamtegevoel, de meisjes zijn bepaald niet verlegen.

Bastaerdie varijnc gaet
Al boven wettelike trauwe.
Dies mach men nu ter weerelt scauwen
Plaghe, en destrucxie menegherande,
Van bloetsturtinghen, en van brande,
Van watere, en steerften vorleden,
Maer wies toten daghe van heden
Gheschiet es, dan es maer spel
Tgherechteghe sweert es arde snel,
Het es gheslepen an beeden zijden,
Hoet sal steken ofte snyden

Weet lettel yemen eer hijt prouft,
Sij werden jammerlic bedrouft,
Die aerme vorseide dulle riesen,
Die haren tijt aldus verliesen,
Ghelijc dat ic hebbe verloren.
Dies raut my dat ic ye was gheboren,
Dat ic den tijt van minen leven,
Hebbe ter weerelt dus ghegheven.
Mijn vleesch dat was zo zeere gheprijst,
Daer zijn de worme met ghespijst,
Die ziele ghescepen en gheprent
Na Gode, nu doghet zo swaer torment,
Dar waert dat ic als nu vare,

Overspel gaat alras boven wettige trouw. Daarom kan men nu in de wereld plagen en menigerlei verwoesting zien, door bloedvergieten en door brand, door water, door sterfte, maar wat tot op heden gebeurd is, dat is maar kinderspel. Het zwaard der rechtvaardigheid is heel snel. Het is aan beide kanten geslepen. Hoe het zal steken of snijden, ¶ weet bijna niemand voor hij het ervaart. Zij worden jammerlijk bedroefd, de genoemde arme dwaze vermetelen, die hun tijd zo verliezen, zoals ik die heb verloren. Daarom spijt het mij dat ik ooit was geboren, dat ik mijn levenstijd op aarde zo heb doorgebracht. Mijn lichaam dat zozeer geprezen was, dat hebben de wormen opgegeten; de ziel, geschapen en gevormd naar God, wordt nu zo vreselijk gekweld, daar waarheen ik nu ga.

Ware mine redene openbare
Onder tvolc, dat ware wel noet.'
Die stemme versuchte, ende ic verscoet
Aldoe huut minen vizioene.
Nu biddic elken het es te doene,
Datti hem verhoede dies,
Datti niet ne heete Tijtverlies.
Die doet es snel, cort es de tijt,
Der weerelt loen es onproffijt,
Die na den lichame es de meeste,
Es de mintste na den gheeste.
Maer nyemen en wille zijn ghecastijt,
Al raet men hem zijn proffijt;
Dat zijnre zielen mede gaet,
Het dijnct hem na de weerelt quaet.

Dus blijven de herden metten scapen
Al verloren in der zapen,
Ende elc wille spreken metten broede,
Dus gaet de reghele buten loede,
Ende de kerre buten pade,
Ende de closse buten der trade,
Ende over den waghen sprijct de coe,
En dat mer vele zeide toe,
En mach niet verbetert zijn.

Het zou hard nodig zijn, dat hetgeen ik gezegd heb onder de mensen bekend werd.' De stem zuchtte diep en ik schrok toen op uit mijn visioen. Nu vraag ik ieder, dat hij zich ervoor hoede Tijdverlies genoemd te worden. De dood komt ras, de tijd is kort. Het loon van de wereld is schade. Wie naar het lichaam de beste is, is naar de geest de minste. Maar niemand wil gekastijd worden, ook al is het om zijn bestwil. Dat het ook zijn ziel betreft dunkt hem naar wereldse normen kwaad. ¶ Daarom dwalen de herders met de schapen geheel verloren over de heide. Ieder wil naar de mond praten, daarom gaat de liniaal uit het lood en de kar buiten het pad en de bal buiten de baan en springt de koe over de wagen. En dat men er veel over zou zeggen, het zou niet helpen.

Maer van der Luere Baudewijn
Bidt elken, die dit ziet of hoert,
Datti niet en zij ghestoert,
Maer neme exempel bi der dijnc.
Die Heere die naect ant cruce hijnc,
Ende int graf lach in den tempel,
Die late elken mensche exempel
Hier an nemen, na zijn proffijt,
Datti niet verliese zinen tijt,
Also my dochte in minen vizioene,
God sterke ons allen in weldoene.
                    Amen.

◆

RIJMSPREUKEN [1]

Die soe wie aensiet
Syns selfs verdriet
Ende syn ghebreken,
Die en sel niet gheeren
Yemant te deren
Mit fellen steken.

Maar Baudewijn van der Luere verzoekt ieder die dit leest of hoort, dat hij zich er niet aan stoort, maar er een voorbeeld aan neme. De Heer die naakt aan het kruis hing, en in het graf lag in de tempel [?], late iedereen hieraan een voorbeeld nemen, tot zijn voordeel, zodat hij zijn tijd niet verliest. Zo scheen het mij toe in mijn visioen. God sterke ons allen in deugdbetrachting. Amen.

•

Wie kijkt naar zijn eigen leed en zijn gebreken, die zal niet talen naar het agressief bezeren van een ander.

Wye dat Gode
Ende syn ghebode
In hogher lusten
Wil bescouwe,
Moet, mit trouwen,
Van binnen rusten.

◆

VAN EENER DOSINEN VERKEERTHEDEN

Prelate die Gode niet en ontsien,
Priesters die haer kercke vlien,
Lantsheeren onghenadich,
Schoen vrouwen onghestadich,
Rechters die lieghen leeren,
Scepenen die trecht verkeeren,
Een ridder die sijn lant vercoept,
Een joncwijf die vele te mattenen loept,
Een gheordent man die vele rijt,
Een out man die vele vrijt,
Een arem man die wel wijn kent,
Een scolier die tijlic vrouwen mint;
Kindre, wildijs mi lijden,
Dats een dossine die selden bediden.

Wie met genoegen God en zijn geboden wil gehoorzamen, moet eerst duurzame vrede in zijn hart gevoelen.

•

Prelaten zonder ontzag voor God; priesters die hun kerk mijden; genadeloze vorsten; vrouwen, even mooi als wispelturig; rechters die de mensen laten liegen; schepenen die het recht verdraaien; een ridder die zijn land verkoopt; een jong meisje dat vaak 's nachts over straat gaat; een monnik die veel paard rijdt; een oude man die veel uit vrijen gaat; een arm man die wijnliefhebber is; een scholier die al jong vrouwen bemint; dat zijn, lieve kinderen, geef het maar toe, een dozijn zaken die zelden goed gaan.

◆

RIJMSPREUKEN [2]

Mijn vader wan mi hier te voren:
Eer hi ghewonnen was ochte gheboren
Mijn moder gheloeft mi das:
Droech mi eer si gheboren was:
Ende ic was oec die selve man:
Die mire oudermoder magdom nam:
Ende ic was oec hoe ict verdroech:
Die tfirendeel vander werelt versloech:

Somen dor live meer verteert
Somen dlief meer beghert
Somen doer live meer ghedoecht
Somen meer um liefde poecht
Pine, slaghe, cost, verdriet
Dat en mindert minne niet

◆

VANDER HOGHER SALEN

Ic quam van hier, in weet van waer,
Al in een herberghe hoech van prise;

Mijn vader verwekte mij, nog voor hij zelf geboren of verwekt was; mijn moeder, geloof mij, droeg mij al voor zij was geboren; en ik was ook dezelfde man die mijn grootmoeder ontmaagdde, en die ook — hoe kreeg ik het voor elkaar — een kwart van de wereld veroverde.

●

Hoe meer men door de liefde wegkwijnt, hoe meer men de geliefde begeert. Hoe meer men van de liefde te verduren heeft, hoe harder men die najaagt. Pijn, onheil, kosten, verdriet: dat alles vermindert de liefde niet.

●

Ik kwam van hier, ik weet niet waarvandaan, in een herberg die hoog geprezen moet worden;

In kinde, weder lich so swaer,
Edelen dranc, noch goede spise.
Ic was daer meer dan VII jaer,
Ic sach daer dranc ende spise voert halen,
Eer ic vernam eneghe mare
Dat men tghelach soude betalen.

Screonre sale en sach noit mensche,
Al was hi van daghen out;
Si was, boven alle wensche,
Ghetemmert sonder stene ende hout.
Een wert heves al sijn ghewout,
Dat noit mensch gheweten en conde,
Die van leringhe was soe stout
Waer die sale inde of begonde.

Meneghe woeninghe es daer binnen
Ende al overdect metter salen.
Daer na begonstic mi te versinnen
Dat men tghelach soude betalen.
Sinen metselier dede hi voert halen
Die mechteghe wert, met ghewelt,
Hine gheert ghesteinte, no scat, te male
Dan elc daer metten live ghelt.

Het dunct mi wesen een mechtech wert;
Men moet al prisen dat hi doet.

ik kende in geen enkel opzicht edele drank, zomin als goede spijs. Ik verbleef
daar meer dan zeven jaar. Ik zag daar drank en spijs te voorschijn brengen,
voor ik er ook maar iets over hoorde dat men het gelag moest betalen. ¶ Niemand zag ooit een fraaier zaal, al was hij zeer oud. Zij was, beter dan men zou
kunnen wensen, gebouwd zonder steen of hout. Een waard had alles wat hij
maar wensen kon. Nooit zou een mens kunnen weten — al was hij nog zo
geleerd — waar de zaal begon of eindigde. ¶ Daarbinnen is menige woning,
geheel overkoepeld door de zaal. Daarna begon ik te bedenken dat men het
gelag zou moeten betalen. De machtige waard liet met kracht zijn metselaar
halen, hij wil helemaal geen edelstenen of schatten, alleen dat ieder betaalt met
zijn leven. ¶ Het dunkt mij een machtige waard. Men moet alles wat hij doet
prijzen.

163

Want hi pant, noch gheelt en gheert
Dan dlijf, wat hulpet dat behoet?
Het moet wesen, want wi sijns vroet.
Mochment met cleinder haven betalen,
Hier es selc die mede moet,
Hi bleve ewelike woenen inder salen.

    Maer emmer duncket mi sijn bedwanc,
Dus heeft die wert tghelach gheset,
Want hi en gheeft om niemens danc,
Noch om ghene coke vet;
Maer hi sceedt lijf en let
Vander zielen, in corter stont,
Waer die ziele vaert, die daer na met
Die mate, die es al sonder gront.

    Nu heeft mi die wert ghedaecht,
Dat ic betalen moet tghelach,
Dat es dat mi te sere versaecht;
Doch moet wesen op enen dach.
Ic bidde den wert oft wesen mach
Dat hi mi al luttel beit.
Ic doe hem cont, soe ic best mach,
Dat ic niet wel en ben bereit.

    Wi moeten rekenen, die wert ende ic,
Van scoude, die hi mi heeft gheborcht;

Omdat hij geen onderpand of geld verlangt behalve het leven, wat helpt bescherming? Het moet gebeuren, daar zijn wij immers van op de hoogte. Zou
men met minder kunnen betalen — hier is iemand die mee moet — hij zou
eeuwig in de zaal blijven wonen. ¶ Maar ik denk altijd aan zijn dwang, zo heeft
de waard het gelag ingericht, want hij geeft niet om iemands dank, noch om
lekker eten, maar hij scheidt lijf en leden in korte tijd van de ziel. Waar de ziel
heen gaat — wie dat wil peilen, peilt een afgrond. ¶ Nu heeft de waard mij
gedaagd dat ik mijn gelag moet betalen, dat maakt mij zeer bevreesd, maar het
moet op een dag gebeuren. Ik bid de waard, dat hij, als het zou kunnen, nog wat
op mij wacht. Ik laat hem weten, zo goed als ik kan, dat ik niet deugdelijk ben
voorbereid. ¶ Wij moeten de rekening opmaken, de waard en ik, voor het krediet dat hij mij heeft gegeven.

Dies es leden een groet stic,
Om hem te betalen benic besorcht.
Eer dat mi die doot verworcht,
Soudics gherne comen toe
Ende ghelden dat ic hebbe gheborcht.
Als ic noch sal, in weet niet hoe.

 Dus heeft mi die wert doen manen,
Dat ic mijn rekenighe moet maken.
Het gheet al buten minen wanen.
In wijste niet eer van deser saken.
Mijn spise, mijn dranc, mijn edele smake,
Mijn goede juwelen die moeten hier bliven.
Waer ic den iersten nacht sal gheraken,
Dan can mi pape, no clerc bescriven.

 Met groten armoede quamic hier.
Onraste soe es al mijn leven.
Om ertsche have wasic ghier.
Ter werelt wasic gherne verheven.
Met rouwe soe moetic hier beven,
Ende besuerent metter doot swaer.
Vader, moeder, suster, neven,
Die sijn vore, in weet waer.

 Al dus hebbic hier gheweest,
Wanen ic quam dan wetic niet,

Daar is een hele tijd overheen gegaan, ik zit in angst om hem te betalen. Voor de dood mij wurgt zou ik graag zover komen en betalen wat ik op krediet heb gekregen, zoals ik ook wil, al weet ik niet hoe. ¶ Nu heeft de waard mij eraan herinnerd dat ik mijn rekening moet opmaken. Ik heb er geen flauw idee van. Ik wist hier niet eerder van. Mijn eten, mijn drinken, mijn lekkernijen, en mijn fraaie juwelen moeten hier blijven. Waar ik de eerstvolgende nacht zal slapen, dat kan priester noch klerk mij vertellen. ¶ In grote armoede ben ik hier gekomen. Onrustig is mijn hele leven. Om aards goed was ik hebzuchtig. Ik telde in de wereld graag mee. Met verdriet moet ik hier staan beven en met de ellendige dood ervoor boeten. Vader, moeder, zusters, neven, zij zijn mij voorgegaan, ik weet niet waarheen. ¶ Zo ben ik hier geweest. Waar ik vandaan kwam weet ik niet.

Waer ic sal varen. Die daer na leeft,
Het waer beter dat hijt liet,
Want hi vindes een cranc bediet.
Die wert, hi eest diet allene
Wat je ghewas oft je ghesciet
Of wesen sal, dat es hem clene.
    Ic wils al al bliven biden wert,
Ende hi en seits mi ghenen danc.
Eenen ghelden, dat ic hebbe verteert,
Als hijt ghebiet, eest cort of lanc,
Want hi heeft mi in sijn bedwanc.
Nu biddic hem, doer sinen oetmoet,
Dat hi mi bringhe inder inglen sanc
Ende hoeden vore der helscher gloet.
    Amen. Item. LXXXVIII v.

◆

[VANDEN KAERLEN]

Der Mey comt hier, dez machmen scouwen,
So wie sijn bloemen scoen can strouwen.

Waar ik heen zal — die daar achter tracht te komen, zou er beter aan doen dat te laten, want hij zal weinig achterhalen. Alleen de waard die weet het allemaal, wat ooit gebeurd is of ooit geschiedt of eens zal plaatsvinden. Dat is voor hem een kleinigheid. ¶ Ik wil geheel en al bij de waard blijven, maar hij bedankt er mij niet voor. Vroeg of laat wil ik betalen wat ik verteerd heb, als hij het gebiedt, want hij heeft macht over mij. Nu bid ik hem omwille van zijn goedertierenheid, dat hij mij brengt bij de zang der engelen en behoedt voor de hel. Amen. Item 88 versregels.

•

De mei komt hier, daarom kan men zien hoe fraai hij zijn bloemen kan strooien.

Men siet opden dorren ouwen
Avonts, smorgens lustelic douwen.
Ridderen, knapen, heren, vrouwen,
Ploghers die haer acker bouwen,
Scepers die haer beeste scouwen,
Boschers die dat walt gaen houwen,
Pelsers die haer pelsen touwen,
Louwers die haer leder louwen,
Ende elker malc vergheet sijn rouwen;
Mer wie een voghel inder couwen
        So leg ic hier besloten haert.
        Daer toe so swang mi in mijn baert
        Een kunst en kuer, een wilt vermaert:
        Dus toent een kaerl sijn kaerlighe aert.

Tis billix: malc moet sijns aerts ghebruken.
Nu ons die somer wil oplucken,
Die maechden, die die cleyder gaen vuyken,
Gaen nu ten born mit haren cruken;
Die vischers setten oec haren vuyken
In twater, daer die visch in duken;
Die pluumgrave wil sijn swaenkuken
Gaen corten, merken ende fnuken;
Men siet den kamerkijn nu huken

's Avonds ziet men op de dorre velden, 's morgens ziet men het lustig dauwen. Ridders, knapen, heren, vrouwen, ploegers die hun akker bewerken, herders die hun beesten hoeden, houthakkers die het bos gaan kappen, pelswerkers die hun pelzen bewerken, leerlooiers die hun leer looien, en iedereen vergeet zijn verdriet. Maar als een vogel in de kooi, zo lig ik hier stevig gevangen. Daarom vloog een knoestige kerel, een beruchte wilde mij in de baard. Zo toont een boerenkinkel zijn onbeschaafde aard. ¶ Terecht moet ieder genoegen scheppen in zijn aard, nu de zomer voor ons gaat aanbreken. De meisjes die de kleren gaan wassen, gaan nu met hun kruiken naar de bron; en de vissers zetten hun fuiken in het water waar de vissen in zwemmen; de pluimgraaf wil zijn zwanen-jong gaan kortwieken, merken en de slagpen uittrekken. Men ziet de lammetjes nu bukken

Onder die moeder die si suyken;
Men siet oec uut dorren struken
Wel bloemen gaen, die soetelic ruken.
  Die somer comt hier angheswipt,

. . . .

  Mer die mit kaerlen is beheept,
  Die heeft den duvel selver ghesceept.

Want wie en leeu inder spelunken
So gruut die kaerl als hi dronken.
Ic vanter lest een hoep staen pronken,
Die vraten looc mit coelstronken,
So veel dat si algader stoncken.
Ten lesten sachmen brant ontfoncken,

. . . .

In horniken vlieghen ende in honken,
Ende riepen: 'Ho! laetet catkijn ronken:
Malc hoet der been ende wacht sijn sconken!'
Mar als dat bier was wat ghesonken,
Doe was hem haer moet ghesonken;
  Doe en wisten si noch ba noch boe.
  Ach God! wie luttel dachtic doe,
  Dattet mi soude noch comen hier toe
  Met hem te smeken spade und vroe.

onder de moeder bij wie ze drinken; men ziet ook uit doornstruiken bloemen
komen die heerlijk ruiken. De zomer komt hier aangesneld, (...) Maar die door
boerenkinkels wordt gekweld, die zit met de duivel zelf opgescheept. ¶ Want
als een leeuw in zijn hol zo groet de kinkel als hij dronken is. Ik vond er laatst
een stel staan brallen, die vraten look met koolstronken, zo veel dat ze helemaal
stonken. Op 't laatst zag men brand ontvlammen, (...) in hoeken en gaten
vliegen en riepen: 'Laat 't katje spinnen: ieder hoedt de benen en wacht zich
voor zijn schonken!' Maar toen het bier wat was weggezakt, toen was hun ook
de moed in de schoenen gezonken. Toen zeiden ze boe noch ba. Ach God! hoe
weinig dacht ik toen dat het met mij ooit zover zou komen, dat ik hun vroeg en
laat zou smeken.

Ic plach bi minen twe kaerlen te micken,
Wie ander kaerlen hem ten eten scicken.
Als men hem malc dient een paer micken,
So gaen si vluchs daer an staen wicken,
Ende segghen: 'Wie sel ons dit onthicken?
Sullen wi nu als muschen bicken?
Gaefmen ons en groten dicken
Bouwelinc, neef, dat mocht wel clicken!'
So gaen si haren buuc ontstricken:
Tis wonder dat si niet en sticken,
So recht ghierlic als si slicken.
En mensch mach al sijn bloet verscricken,
   Die haer onnaerdicheit ansiet,
   Ende ymmer so ontbrect him yet.
   Die stoc waer mi en cleyn verdriet,
   En dorst ic dese voeren niet.

Wanneer die karel vergadert wat,
So calt die een dit, die ander dat.
Die een seit: 'Ic was in gheen stat
Daer ic seer leckerlic at:
Mijn lantheer mi ten eten bat.
Och neve! ic hieu daer in een swat,
Ic scocte ende ic vrat

Ik placht bij mijn twee kinkels erop te letten hoe andere kinkels zich tot eten
zetten: als men hun een paar broden voorzet, dan gaan ze daar meteen aan
staan trekken en ze zeggen: 'Wie zal ons dit ontnemen? Moeten we nu als
mussen bikken? Gaf men ons een grote dikke worst, vriend, dat zou niet kwaad
zijn!' Dan gaan ze hun buik(riem) losknopen: 't is verbazingwekkend dat ze
niet stikken, zo gulzig als ze zitten te schrokken. Een mens z'n bloed kan helemaal verstijven als hij hun boosaardigheid ziet, en altijd ontbreekt hun iets. Het
gevangenisblok zou mij weinig verdriet doen, als ik dit alles niet lijdelijk hoefde
aanzien. ¶ Wanneer de kerels wat vergaderen, dan kletst de een zus, de ander
zo. De een zegt: 'Ik was in gindse stad, waar ik lekker at: mijn landsheer vroeg
mij te eten. Och, vriend, ik deed me daar toch te goed! Ik schrokte en ik vrat

Al steke vol, al heer sat!'

. . . .

— 'En trouwe, neve, dat was die cat,'
Seghet dander ende viel op sijn plat.
'En heeft u ruynkijn niet en spat?'
   'Neent, neve, ic had hoy ghement
   Den scoute, dien gi al wel kent,
   Ende haddet na mit allen verdent:
   Nu vloec ic al dat sporen spent.'

So ruupt daer een ander druut:
'Ey, hoert dach alte nien cluyt!
Ic heb mijn blese merry verbuyt
Te trecken in Pieter Gherytz. scuut.
En heb ic sijn nose niet wel ghesnuyt?'
Doe seyde dair een ander: 'Ysentruut,
Onse nicht sel marghen wesen bruut.'
Nu proeft hoe dat te samen sluut.
Si sijn so recht grof und ruyt,
Eer deen half sijn reden uut,
So slaet die ander sijn gheluut.
Wie jachhonden slabben op een huyt,
   So slabben si, de dom ghebuer,
   Ende driven menighen droncken voer;

mij barstensvol, helemaal zat!' (...) 'Waarachtig, vriend, dat was de kat,' zei de
ander, en viel op z'n achterste. 'En heeft jouw ruintje geen spat?' 'Nee, vriend,
ik had hooi gereden voor de schout, die je wel goed kent, en had het bijna
helemaal verdiend. Nu vervloek ik alles wat ridder is.' ¶ Dan roept daar een
andere snaak: 'Ai, hoor toch een heel nieuwe grap! Ik heb mijn merrie-met-de-
bles verruild om in Pieter Gherytz' schuit te trekken. Heb ik hem niet goed bij
de neus gehad?' Toen zei een ander: 'Ysentruut, onze nicht, zal morgen de
bruid zijn.' Ga na hoe dat in elkaar past! Zij — die boerenkinkels — zijn zo
ontzettend grof en ruw, eer de een zijn verhaal half af heeft, doet de ander zijn
mond open. Zoals jachthonden kwijlen op een huid, zo kwijlen zij, die domme
boeren, en zijn menigmaal dronken;

Soe sijn si soe straf, stug und stuer,
Verkeert, aefsch, wreet und suyer.

Wanneer die kaerl heeft melc ghestopt,
Ende daer veel eyer in ghedopt,
Ende mitter hant ontween gheclopt,
Daer sit hi over ende ropt
Recht als een dofhorn die hem cropt.
Soe is sijn mont soe vol ghestopt,
Recht of hi waer vol hoys ghepropt.
So drinct hi dan dat heet ghesopt,
Mer wie dat root scarlaken nopt,
Of een rose die staet ende knopt,
    So weert hem dan sijn aensicht root,
    So sweert hi wonde, passi, doot.
    Wat bi him is, ist cleyn, ist groet,
    Dat crijcht en hort of een stoet.

Wanneer een kaerl wort recht vergult,
So raest hi wie en dwaes die bult.
Sijn aensicht drint hem ende zwilt,
Hi sweert, hi doemt, hi vloect, hi scilt:
So sijn sijn eyer qualic ghepilt,
Of twermoes is te zeer ghedilt,
So dattet sijnre huusvrouwen heeft onghelt.

ze zijn zo bars, stug en stuurs, verdorven, dwars, wreed en kwaadaardig. ¶ Wanneer de kerel melk heeft geklutst en daar veel eieren in heeft gemengd en met de hand stukgeklopt, dan zit hij daarvan te schrokken precies als
een doffer die zich volpropt. Dan is zijn mond zo volgestopt, net of die vol hooi
is gepropt. Dan drinkt hij dat gesopt heet op, en dan wordt zijn gezicht rood, als
een rood genopt scharlaken, of een roos die in knop staat; dan zweert hij bij
wonden, lijden en dood. Wat in z'n buurt komt, klein of groot, krijgt dan een
oplawaai of mep. ¶ Wanneer een kinkel werkelijk dronken wordt, dan raast
hij als een gek die tiert. Zijn gezicht zwelt en zwelt, hij zweert, hij scheldt, hij
vloekt, hij vaart uit: zijn eieren zijn niet goed gepeld, in de groente zit te veel
dille, zodat zijn vrouw het heel vaak moet ontgelden.

Seer dic, gheloves mi, of gi wilt,
Soe gort die kaerl dan op sijn milt
En roestighe lemmel sonder hilt,
Daer mede menich merss is ghevilt,
Ende gaet staen voer sijn doer ende drilt.
   Hi grinst, hi gruut, hi prat, hi pruult,

. . . .

   Sijn wijf die screyt, sijn maghet die huult,
   Van anxt al sijn gheselscap scuult.

Waert dat ic al hoir doen woude melden
Ende haer overdadicheit vertelde,
Soe mochtens wael mijn bien onghelden;
Want het staet mi al an desen helden,
Weder ich draven sal of telden.
Die goede ghesellen, die mi velden
Ende eerst brachten inder helden,
Die soldich node waerlic bescelden,
Want sie ic die, dat is seer selden.
Mer wie dat die raet eerst stelden,
Datmen mi mit heer Nyten quelden,
Ende dach ende nacht daer mede verselden,
   Die sal ic haten al mijn daghe.
   Wat baet dat ic veel croen of claghe?

Geloof me, als je wilt, dan gordt de vent een roestige kling zonder heft aan zijn
lijf, waarmee menige mars(kramer) is geveld en gaat voor zijn deur staan
zwaaien. Hij grijnst, hij daagt uit, hij mokt, hij pruilt, (...). Zijn vrouw
schreeuwt, zijn dienstmeid huilt, uit angst houdt zijn hele gevolg zich
schuil. ¶ Als ik al hun gedoe zou opsommen en over hun gewelddadigheid zou
vertellen, dan zouden mijn botten het behoorlijk kunnen ontgelden; het hangt
helemaal van deze helden af of ik zal draven of de telgang gaan [hoe ze met mij
zullen omspringen]. De 'olijkerds' die mij vernederden en meteen in de boeien
sloegen, die zou ik inderdaad node uitschelden, want ik zie ze maar zelden.
Maar wie het advies hebben gegeven dat men mij zou kwellen met Heer Neidhart en mij dag en nacht tot diens gezelschap zou veroordelen, die zal ik mijn
leven lang haten. Wat baat het dat ik veel kerm of klaag?

172

En vynt niet een an al mijn maghe,
Die mi verlost uut dese plaghe.

Ic mach wel segghen van elende:
Wat wilmen mi vanden live niet prenden!
Ic sit hier in eenen onbehenden
Starken stoc mit yseren benden,
Dat ic rugghe, bien noch lenden
Nauwelic en can ommewenden;
Daer toe en moet ic nerghent senden
An yement die mijns lidens enden.
Wat helpt dat ic u twaer verkenden
Of anders seyde dan ic meynde?
Ic wensch dat God al moet scenden,
Al die heer Niters bloem ontrenden,
   So en vloec ic gheen gueden man.
   Die wil die mach hem trecken an.
   Die nyemant vruechd noch goet en gan,
   Dat is en kaerl, oec wien wan.

Tis beste dat ic dese reden laet,
Ende tot verduldicheit mi saet,
Ende weder vanden gheboren praet,
Die nie en dede edel daet.

Ik vind niet één verwant die mij van deze plaag verlost. ¶ Ik mag van ellende
wel zeggen: wat wil men niet plunderen uit mijn leven! Ik zit hier in een ruw,
stevig gevangenisblok met ijzeren banden, zodat ik rug, benen en lendenen
nauwelijks kan bewegen; bovendien kan ik nergens iemand ontbieden die een
eind aan mijn lijden zou kunnen maken. Wat helpt het dat ik tegenover u de
waarheid zou ontkennen of het anders zou zeggen dan ik het bedoelde? Ik hoop
dat God al degenen die de bloem van Heer Neidhart bezoedelden volledig te
schande zal maken, maar een goede man vervloek ik niet. Wie wil die kan het
zich aantrekken. Wie niemand vreugde of goed gunt, dat is een boerenkinkel,
wie hem ook verwekt heeft. ¶ Het is maar het beste dat ik ophoud met dit
geklaag en mij zet tot lijdzaamheid, en weer over de boerenkinkel praat, die
nooit een goede daad verrichtte.

Een recht ghebuer dat is een vraet,
Want hi en weet sijns buucs gheen maet;
Daertoe soe peynst hi altoes quaet.
Ten is gheen heer so hooch van staet,
Waerlic, gheestelic noch prelaet,
Hadden die karel macht op die straet,
Of woutmen volgen haren raet,
Si riepen: 'Slaet den heren, slaet!'
  Dat edel bloet dat is een present:
  Dies meest mach storten, dat is een sent.
  Dat woert is in haer hart gheprent,
  Aen oerkond menighen carel te Ghent.

Men secht, een karel op een meer
Dat is een duvel in en heer,
Want die heynsten wreynschen al van gheer;
Soe make die runre groet ghebeer.
Si ropen: 'Weer den rover, weer!'
Mer des en acht hi niet en peer,
So meest hi eerst soe laet hi smeer
Ende sit ende gruyt als een beer.
Soe seit hi: 'Dit is mijn speer,
Daer ic mi daghelix mede gheneer.'
  Soe neemt hi vleghel ende wan,

Een echte boer is een vreetzak, want hij weet geen maat voor zijn buik; bovendien denkt hij altijd kwaad. Er is geen wereldlijk of geestelijk heer of prelaat,
hoe hoog van staat hij ook is — als de boerenkinkels de macht hadden op
straat, of als men hun advies zou volgen, dan zouden ze roepen: 'Sla de heren
dood, sla ze dood!' Het edele bloed is een geschenk: wie er het meest van kan
storten, dat is een heilige. Dat woord staat in hun hart gegrift, getuige menige
boerenkinkel in Gent. ¶ Men zegt, een boer op een merrie is een duivel in een
leger, want de hengsten hinniken van lust; zo maken de ruiters [?] veel lawaai.
Zij roepen: 'Weer de rover, weer hem!' Maar dat acht hij geen zier, hoe meer hij
terugwijkt hoe meer hij slaat en gromt als een beer. Dan zegt hij: 'Dit is mijn
speer, waarmee ik dagelijks de kost verdien.' Dan neemt hij vlegel en wan

Soe segghen sijns honts ghenoten dan:
'Ey, seker Rolof is een man,
Die alte wael borderen can.'

Wat helpt dat ic u blaseneer?
Een recht ghebuer, en rud rustier,
Die fel is, hoverdich ende fier,
Dit is een alte wreden dier.
Ja! al die meyster van Momplier,
Van Basel, Straetborch, Worms ende Spier,
Daer toe van Mens, Colen und Trier,
En screven niet half haer manier.
Ja! al waert oec alte mael papier
Dat laken, datmen maect te Lier,
Hi en hilt van vasten noch van vier;
Hi seit: hi scijt in calengier.
   Mar alst daer buten vriest ende rijpt,
   So sit hi op een cussen strijpt
   Bi sinen haert te huus ende hijpt:
   Tis sonde dat yemant mit hem kijpt.

Soe stoet hi dan in sijn mortier
Twe keel loocs, drie of vier.
Mit vollen monde roopt hi dan: 'Bier!

---

en dan zeggen zijn hondse gezellen: 'Kijk, Rolof is ongetwijfeld een man die
geweldig goed kan vechten.' ¶ Wat helpt het dat ik u dit luid verkondig? Een
echte boerenkinkel, een onbeschofte kinkel, die hardvochtig is, hoogmoedig en
trots, dat is een heel wreed beest. Ja, alle geleerden van Montpellier, Basel,
Straatsburg, Worms en Spier, en bovendien die van Mainz, Keulen en Trier,
zouden nog niet de helft van hun gedrag kunnen beschrijven, al was al het laken
dat men in Lier maakt papier. Hij heeft niet veel op met vasten noch met feestdagen. Hij zegt: hij heeft schijt aan de heiligenkalender. Maar als het buiten
vriest en ijzelt, dan zit hij op een gestreept kussen thuis bij de haard en gromt.
Het is zonde dat iemand zich met hem afgeeft. ¶ Dan stampt hij in zijn vijzel
twee, drie of vier lepels look. Met volle mond roept hij dan: 'Bier!

Coomt hier ende siet hoe ic hoveer.
Hoe dunct u dat ic hovelier?
Weer ic niet een goet buttelgier
Te hove, neve? siet hoe ic visier.
Dit looc is goet voer die pier.
Al en etic snyppen noch plovier,
Ic word al sat.' Nu hoort dat scier.
Sach yemant sulken lophe sier?
　　Seer selden snijt hi, mer hi nijpt
　　Sijn vleysch ende spec, daer hi in grijpt,
　　Dat hem smeer langhes den vingheren sijpt:
　　Tis sonde dat yement mit hem kijpt.

Als hi dan vol comt uten bier,
Soe hevet hi alte vreemden tier;
Want soe grimmet hi daer ende hier,
Recht wie een scip doet inden rivier
Al over hoeck als die torrier,
Recht als een hont mit eenre vier,
Ende sit als een verdroncken stier.
Lichtelic wart hi vertorent scier,
Soe pluust hi dan uut sijn collier,
Ende recht den hals als een coppier.
Roelant die stoute noch Olivier
En hadden niet bi hem en spier.

Kom hier en kijk hoe ik feestvier. Hoe vind je dat ik feestvier? Zou ik niet een
goede keldermeester aan het hof zijn, vriend? Kijk, hoe ik overleg. Dit look is
goed voor de wurmen. Al eet ik snippen noch pluvieren, ik word helemaal zat.'
Nu, luister. Zag iemand ooit zoiets? Zeer zelden snijdt hij, maar hij scheurt zijn
vlees en spek, waar hij in grijpt, zodat het vet langs zijn vingers druipt: het is
zonde dat iemand zich met hem afgeeft. ¶ Als hij dan volgeladen met bier uit de
kroeg komt, dan heeft hij een uiterst vreemde manier van doen; want dan loopt
hij overal tierend rond, juist als een schip op de rivier, dwars op de stroom,
precies als een hond die vlam heeft gevat, en hij zit als een verdronken stier. Hij
wordt bij het minste of geringste woedend, dan plukt hij aan zijn halskraag, en
recht de hals als een haan. De dappere Roelant en Olivier waren niets bij hem
vergeleken.

Hi mient dat alle man voer hem pijpt,
Hi knort altoes ende grijnst ende lijpt:
Tis sonde dat yement mit hem kijpt.

◆

[SPOTLIED DER LELIAARDS OP DE KLAUWAARDS — MEI 1380]

Clauwaert, Clauwaert,
Hoet u wel van den Lelyaert,
Gaet ghi niet te Ghendtwaert,
Ghi laetter uwen tabbaert,
Al waerdi noch soe seere ghebaert,
Sy sullen u maken vervaert,
O Clauwaert, Clauwaert,
Wacht u voere den Lelyaert.

UIT HET GRUUTHUSE-HANDSCHRIFT

MISERERE MEI, DEUS

[fragment]

Miserere mei, Deus,

Hij denkt dat iedereen naar zijn pijpen danst. Hij gromt altijd, en is grimmig en bromt: het is zonde dat iemand zich met hem afgeeft.

●

Klauwaard, Klauwaard, hoed u ten zeerste voor de Leliaard. Gaat u niet naar Gent, dan laat u hier uw leven; al zou u nog zo gebaard zijn, zij zullen u bang maken. O Klauwaard, Klauwaard, wacht u voor de Leliaard.

●

Ontferm u over mij, God,

Dat in ydelheden dus
Hebbe versleten mijn jonghe leven;
Vader, dat wil mi nu vergheven
Na dijnre groter ontfaermicheit,
Sie op mi, Vader, het es mi leit
Dat mi niet leet ghenouch en zi
Dat ic mesdaen hebbe jeghen di.
Recht als een worm van groter onwerde
Boghe ic mijn aenscijn totter erde;
Ic bem niet wert dat ic mijn oghen
Di zoude sonder tranen toghen,
Doch biedic di mijn handen beide:
Help mi, mijn Vader, dat van mi sceide
Dese arde memorie, en mac mi zoet,
So offere ic di der traenen vloet.
[...]

[DE EERSTE ALLEGORIE]

[fragment]

[...]
Truerende ghinc ic hier ende daer;
Spisen was ic hier onnaer.

---

dat ik in ijdelheid mijn jeugd zo heb doorgebracht; Vader, wil mij dat nu vergeven naar uw grote barmhartigheid. Zie op mij neer, Vader, het doet mij
verdriet dat ik niet genoeg verdriet heb over wat ik tegen u heb misdaan. Als een
waardeloze worm buig ik mijn gelaat naar de grond. Ik ben niet waard dat ik u
mijn ogen zonder tranen zou tonen, maar ik hef mijn beide handen naar u: help
mij, Vader, dat dit bezwaard gemoed mij verlaat, en maak mij beminnelijk, dan
offer ik u mijn tranenvloed.

•

Treurend liep ik maar wat rond en ik kon nergens van genieten;

Hongher, cout, anxt ende vaer
Cam mi menichfoudich aen.
Doe sach ic bin den hove staen
Seven bomen wel gheladen
Elc met sonderlinghen bladen
Daer toe met diveerschen frute;
Doe proefdic van wat virtute.
Doe was teerste daer ic of tructe
Een tac daer ic een rijs of plucte.
Drie smaken hi mi gaf
Daer ic niet verblide af:
Ziecheit, zwaerheit ic ontfijnc,
Suerheit die daer mede ghinc.
Dese drie waren des fruuts condicien
In manieren van justicien
Om wrake van dat ic hadde verbuert.
Dander boom die niet verzuert
Mochte sijn van sinen draghe,
Daer nuttic crancheit ende claghe.
Dat moettic cuwen nacht ende dach
Want ic niet wel teeren mach.
Dien derden boom beghonstic prouven
Daer mi de smake of dede drouven.
Twee smaken dese frute ontgheit:

ik werd gekweld door honger, kou, angst en vrees. Toen zag ik in de tuin zeven
weelderige bomen staan, elk met andere bladeren, en met verschillende vruchten, en ik proefde wat voor kracht ze hadden. [De beginletters van de zeven
vruchten in de Middelnederlandse tekst vormen het woord sceiden=scheiden.]
De eerste boom, waarvan ik een tak naar me toe trok en een vrucht plukte, deed
me drie smaken proeven die me weinig vreugde gaven: ze brachten me ziekte,
traagheid en ongemak. Dit waren de drie eigenschappen van de vrucht waarmee ik werd gestraft als wraak voor wat ik had misdaan. Van de tweede boom,
waarvan de vruchten niet onaangenamer hadden kunnen zijn, nuttigde ik
zwakheid en beklag. Dag en nacht blijf ik erop kauwen, want ze zijn nauwelijks
verteerbaar. Ik proefde van de derde boom, en de smaak maakte me bedroefd.
Zijn vrucht had twee smaken,

Dat es allende ende eenicheit
Die mi dede zwaer verdriet.

Die vierden boom vergat ic niet
Want sinen smac dede mi pine.

Jammer was de name zine.

Ten vijfsten smaecte ic cranc-gheluc;
Hi gaf mi droufheit ende druc.

Al wast dat mi de vijfste deerde,
Die zeste gaf mi eyghin eerde;
Daer of so wardic arde flau.

Doe so dedic een bescau
Up den zevensten, daer ic las
Een fruut dat mi niet goet en was.

Noot was sijn rechte smac,
Dies ic doghede onghemac.

Als ic deze ·VII· adde gheprouft,
Doe wart mi den zin bedrouft
Want ic en sach daer anders wat
Dat ic nutten mochte dan dat
Ende altoos als ic voetsel nam
Doe docht mi dat steerven cam.

Steerven was al mijn begheren.

Nochtan moestic der doot ontberen
Also langhe als mine natuere
Leven wilde bin desen muere.

die me veel verdriet gaven, namelijk ellende en eenzaamheid. De vierde boom
blijft me altijd bij, want zijn smaak, die hartzeer heet, deed me pijn. Als vijfde
proefde ik ongeluk; het gaf me droefenis en zware zorgen. Al heeft de vijfde me
gekwetst, de zesde heeft me onderworpen en ik raakte hierdoor uitgeput. Toen
nam ik de zevende in ogenschouw en ik koos een vrucht uit die me slecht beviel.
Zijn smaak was treurigheid, en hij bezorgde me veel ongemak. Toen ik deze
zeven had geproefd was het mij droef te moede want ik zag niets anders dat
eetbaar was en steeds als ik iets at, dacht ik dat ik zou sterven. Ik verlangde nog
slechts te sterven, maar de dood werd niet mijn deel zolang mijn lichaam nog
wilde blijven leven binnen deze ommuurde tuin.

Dus wandeldic met groter pine
Als een wilt in de woestine.
Al mijn vruecht haddic verloren;
Dit leven was mi angheboren.
Vrou Hope die was mi ontgaen;
Twifel hilste mi ghevaen.
Allene was ic int verdriet.
Wenende sanc ic een liet
Uut ghepeinse van droufheden
Ende met onverduldicheden:

Die mint ende hem sijn hope ontgaet,
Hi mach wel claghen,
Want hi van zoorghen leen ontfaet
Van drouven daghen.
Hem en helpt no vrient, no maghen,
No niemens raet,
Helpt zo hem niet sijn liden draghen
Die tleit verslaet.

Daer of mach ic wel wesen ein
Die liden moet.
Mijn hope es wech, mijn troost es clein
Ende onder voet.
So wat ic doe is jegenspoet.

Zodoende dwaalde ik getergd als een roofdier in de wildernis. Al mijn (levens)-
vreugde was verdwenen; ik was tot dit leven veroordeeld. Jonkvrouw Hoop
had me verlaten en Twijfel hield me gevangen. Ik was alleen met mijn verdriet
en wenend en wanhopig zong ik een lied dat voortkwam uit droefgeestige gedachten: ¶ Die liefheeft maar zijn hoop verliest, mag met recht klagen, want hij
krijgt zorgen te leen en dagen vol droefheid. Hij kan niet geholpen worden door
vrienden of familie of iemands goede raad, als niet zij, die zijn leed kan verdrijven, hem helpt met het dragen van zijn lijden. ¶ Ik ben zodoende degene die
moet lijden. Mijn hoop is verdwenen en er is nauwelijks troost; ze zijn onder de
voet gelopen. Alles zit me tegen en

Ic bem allein.
Hope ende troost waer mi nu goet,
Noch anich ghein.

Graeu es die oordene mijn
Ende dat blijft mijn cleit,
In graeu moetic gheduerich zijn
Nach thert mi zeit.
In graeu vindic al arebeit,
Dats mi anschijn.
Mines aergher nie gheseit
Van lidens pijn.

Hier mede cortic minen tijt.
Ic weinschede haddet ghehoort Jolijt
Die mi so vrienthout plach te sine
Dat hi mi van uter pine
Enichsins verlossen mochte
Van liden, dat ic mi verwrochte
Die overzoete compaengie
En burchgrave ende Melancolie
Ende die lieden alle gadre.
Dies juecht, zenuen ende adre,
Herte, zin, vleesch ende beene
Versliten in desen weene.

---

ik ben alleen. Hoop en troost zouden me nu goed van pas komen, maar ik
ontbeer ze geheel. ¶ Ik ben een kluizenaar en draag een grijs gewaad. Mijn hart
zegt me dat ik hierin moet volharden. In dit grijze gewaad moet ik mijn lot
dragen, is me duidelijk geworden. Iets ergers dan dit liefdesverdriet had me niet
kunnen overkomen. ¶ Hiermee [met het zingen van dit lied] probeer ik de tijd
te doden. Ik zou willen dat Vreugde, die me zo goedgunstig placht te zijn, me
verlost uit dit lijden dat is veroorzaakt doordat ik onrecht heb gedaan aan het
aangename gezelschap, de kasteelheer, heer Melancholie, en alle andere aan-
wezigen. Door het verdriet dat ik lijd gaan mijn jeugd, mijn zenuwen, aderen,
hart, zintuigen, vlees en beenderen te gronde.

Mijn handen wranc ic ende wreef
Van groten rouwe die ic dreef
Waer ic ghinc, zat of sliep.
Mijn wonde van den bloede liep.
Flau so wardic ende mat
Van den frute dat ic hat,
Daer ic sulc voetsel of ontfinc
Dat mi cracht ende macht ontghinc.
Langhe was ic int ellende,
Dat ic mi selven niet en kende
Ende wart razende uut ende in,
Als ic peinsde in minen zin
Om die weelde ende om tsolaes
Die ic hadde in dat palaes
Ende om dat licht ende om de zale
Ende om die woninghe al te male
Ende om verleden vroilicheit
Die mi was worden aerbeit.
So wordic so tende den rade
Dat ic badt Gode dor ghenade,
Dat hi mi liete zijn verduldich
Want ic kende mi beschuldich.
Die tranen liepen ghedichte
Neder over mijn ansichte.

Ik wrong mijn handen samen vanwege de grote rouw waarin ik verkeerde,
waar ik ook liep, zat of sliep. Het bloed bleef stromen uit mijn wond. Ik werd
slap en lusteloos door het fruit dat ik at, want het was voedsel dat mijn kracht
en vermogens deed afnemen. Ik verkeerde zo lang in ellende, dat ik mezelf niet
meer herkende en door razernij bevangen werd, terwijl ik piekerde en peinsde
over de weelde en het genoegen die mijn deel waren geweest in het paleis, en om
alle licht, en de prachtige zaal, om alle vertrekken die er waren, en om alle
vreugde die ik er kende en die nu tot verdriet is geworden. Ik was zo ten einde
raad dat ik God om genade heb gebeden opdat ik dit lijden geduldig zou dragen, want ik wist dat ik zelf schuldig was. De tranen stroomden langs mijn
gezicht

Therte was mi also flau
Int beweenen ende in tberau
Dat ic int knielen neder zeech
Daer ic pine bi ghecreech.
Mi dochte ic staerf van pinen doot.
Van vare ic uut den slape scoot.
Ic sach den dach als ic ontwiec,
Noch bem ic van den wonden ziec.

[ACH MOEDER VAN ONTFAERMICHEDEN]

Ach moeder van ontfaermicheden
Hoe beseghet tvolc den dach van heden
Sinen gheleenden tijt.
Beesten van redenen ombesneden
Houden bet regle van zeden
Dan tvolc ter werelt wijt
Elc bid der omme of heift ghebeden
Te lopene met groten screden
Ter hellen int ghecrijt
Cuensi den tijt alzo besteden
Te levene hier in weildicheden
Sine duchten gheen verwijt
Na dezen overlijt.

en mijn hart was zozeer uitgeput door het verdriet en het berouw dat ik knielde, wat me veel pijn deed. Ik dacht te zullen sterven aan deze pijn. Angstig schoot ik wakker! Toen ik ontwaakte zag ik dat het dag was, maar ik voelde me ziek en ellendig door mijn wond.

•

Ach, genadige moeder, zie toch hoe de mensen heden ten dage omgaan met de tijd die ze slechts te leen hebben. Redeloze beesten houden de zeden beter in acht dan alle volkeren van de wereld. Iedereen vraagt er om, of heeft dat reeds gedaan, met grote passen de verschrikkingen van de hel binnen te gaan. Wanneer ze hun tijd doorbrengen met het leven in weelde, vrezen ze kennelijk geen bestraffing na dit kortstondige aardse bestaan.

Het es wel noot dat ict di claghe
Maria vrauwe want alle daghe
So aerghet tvolc ghemeene
Al es God gram al zent hi plaghe
Wie es die hem daer of verzaghe
Twelcs herte ghelijct den steene
Niemen rouct hoe hijt bejaghe
Up dat hi ovaerde in hem draghe
Men vint nu niement cleene
Die vinden can die nauste laghe
Hoe dat men tghelt te kote jaghe
Dat heet die vroetste alleene
Hi lacht wie datter weene

Sonde es worden svolcs costume
Redene doolt men kenze cume
Weldoen es meest vergheten
Gherechtichede es worden scume
Men wimpelze al omtrent den dume
Wie zal hem rechts vermeten
Niement hem voor andren rume
Elc toocht de kerste maer niet de crume
Elcs anders vleesch zi eten

Het is nodig dat ik mijn beklag erover doe, Maria, want van dag tot dag worden de mensen slechter, al is God woedend, en stuurt hij rampspoed. Welke
mens, wiens hart als van steen is, bekommert zich daarom? Niemand maakt
zich zorgen om de manier waarop hij zijn rijkdom verwerft, omdat hij hoogmoedig is. Men vindt niemand meer die nederig is, als hij ook maar ergens een
strik zou kunnen spannen. Slechts hoe men geld binnenhaalt is nu de grootste
wijsheid. Wie dat doet lacht, hoeveel er ook geweend wordt. ¶ De zonde is tot
gewoonte van de mens geworden. Het verstand dwaalt, men kent het nauwelijks. Met name de deugdzaamheid is vergeten. Rechtvaardigheid heeft geen
betekenis meer; men windt haar om de vinger. Wie beroemt zich daar nog
terecht op? Niemand laat nog ruimte voor een ander: hij toont wel de korst
maar niet het kruim [niet het brood zelf], ze eten elkaars vlees.

185

Elc rasuur pijnt hoe hi den anderen lume
Ach dat men dus den tijt versume
Dies zal der zielen weten
Noch zwaerlic zijn ghesmeten

O Vader die dinen enichen zone
Sendets in desen eerdsghen hone
Die door ons gaf zijn bloet
Wat hebstu daer of nu te lone
Men achtes varinc niet een bone
Dat hi ant cruce stoet
Waer zijn ghevaren alle die gone
Die storven om dijns levens crone
Dat niemen nu en doet
Wilde wiven paerden scone
Tclergie te crighen es ghewone
Die werelt es zo soet
Haer dienres heeten vroet

O goedertiere ontfaermich God
Waer es dijn paeus waers dijn ghebod
Waer es dijn heliche leere
Waer es dijn passie waer es dijn spod
Waer es tversmaden want over zod

Ieder spant zich in de ander beentje te lichten. Ach, dat men zo zijn tijd verdoet.
Dit zal de ziel zwaar worden aangerekend. ¶ O Vader die uw enige zoon, die
omwille van ons zijn bloed heeft gegeven, hebt gezonden in deze aardse schande, wat heeft het u allemaal opgeleverd? Men acht het van geen enkele waarde
dat hij aan het kruis heeft gehangen. Waar zijn de mensen gebleven die stierven
omwille van uw uitverkorene? Niemand doet dat nu nog. Het bemachtigen van
wellustige vrouwen en mooie paarden en het tegenstreven van de geestelijkheid
zijn de gewoonste zaak van de wereld geworden. De wereld is wonderschoon,
en die haar aanbidden worden wijs genoemd. ¶ O goede en genadige God, hoe
is het gesteld met uw paus, uw geboden, en uw heilige leer? Waartoe hebt u
geleden, en bent u bespot. Waartoe wordt u gelasterd, want als een zot

So dede men di onneere
Waer es der ewangelien slod
Dat godlike ende dat zaliche vlod
Dat ons ten weghe keere
Du kents dijn volc in zonden glod
Die rozen stroit voor twsine kod
Verliest zijn pine zeere
Ghenaden Christus heere

Laetstu de creatueren dijn
In dit allendiche venijn
Der zonden dus versmoren
So duchtic vander zielen mijn
Maer du moets God ende meinsghe zijn
Laet ons dan niet verloren
No over Zeine no over Rijn
Ne vindic troost no medecijn
Of ghelt ne springher voren
Men zuvert zonden sonder pijn
Danc moet hebben de florijn
Es Reynaert paeus ghecoren
So duchtic dinen toren

Moet emmer ghescien soet es voorseit
God dor dine grote ontfaermicheit

vernedert men u. Waar vindt men de sleutel tot het evangelie, de goddelijke stroom der zaligheid, die ons doet terugkeren op het rechte pad. Gij kent uw volk, geneigd tot het kwade. Wie parels voor de zwijnen strooit doet vergeefse moeite. Wees genadig Christus, onze Heer. ¶ Als gij uw schepselen laat stikken in het gif van de zonden, vrees ik voor mijn ziel. Maar gij moet God én mens zijn, laat ons dus niet verloren gaan. Aan de overzijde van de Seine noch de Rijn vind ik troost of genezing, alleen geld biedt uitkomst. Men delgt zijn zonden moeiteloos; het geld mag daarvoor wel worden gedankt. Als Reynaert tot paus is gekozen vrees ik uw woede. ¶ Moge het ten slotte gaan zoals voorspeld is: God, omwille van uw grote mededogen,

Wes hem doch niet versmadich
Die gheerne zonden hadden leit
Ende dijnre moeder waerdicheit
Hier gheerne zaghen ghestadich
Ons boom so zeere verdorret steit
Van duechdeliker zalicheit
Wes ons daer toe beradich
Dat wi eer ons de ziele ontgheit
Ghecrighen sulke vruchtbaricheit
Dat wi di zien ghenadich
Daert al sal zijn verladich

Amen

[LIEDEREN EN GEDICHTEN]

[1]

Here God, wie mach hem des beclaghen
Die sine ghenouchte crijcht up erde?
Hoe mach hem dan den tijt behaghen
Die nie ghewan daer hi na gherde!
Hi es te voet, tgheluc te perde.
Met rechte lijt sijn herte pijn,
Want elc ende elc neemt gerne tsijn.

veracht niet degenen die oprecht spijt hebben van hun zonden, en die de waardigheid van uw moeder hier graag bestendigd zagen. Onze boom is zozeer uitge-
droogd van deugdzame zaligheid. Wees ons daarom behulpzaam, opdat wij, nog
voor onze ziel van ons lichaam scheidt, zozeer tot [geestelijke] bloei zullen komen
dat wij u genadig zullen zien waar wij met zonden beladen zijn. Amen.

•

Heer God, wie zou zich beklagen als hij op aarde aan zijn trekken komt? En hoe
kan degene die niet verkreeg wat hij verlangde tevreden zijn? Hij gaat te voet
terwijl het geluk hoog te paard zit. Zijn hart lijdt terecht pijn want iedereen
krijgt graag wat hem toekomt.

Ic weinsche hem heyl op elcken dach
Die sinen boele hout stede ende trouwe.
Maecht hem gheburen of en mach,
Dat men geen onsteide an hem scauwe.
Ic gheve mijn steide der liefster vrouwe
In wien dat rust die hertze mijn,
Want elc ende elc neemt gerne tsijn.

Wi maecht beniden eenich zin
Dat lief ende lief te zamen gheren?
Want alle bliscap vint mer in
Ende ooc en can ment niet gheweren.
Tzwaer, het mach elker herten deren
Dat niders hier in doen venijn,
Want elc ende elc neemt gerne tsijn.

Men can ghelijc ende onghelijc
Met vruechden voughen niet in eyn,
Maer altoos es in vreuchden rijc
Lief bi lief in trouwen reyn.
Een kerel ghert der vruechden gheyn,
Hi mint den scat, spise ende wijn,
Want elc ende elc neemt gerne tsijn.

Ik wens hem die zijn liefje trouw is alle dagen geluk. Of dit hem nu wel of niet te
beurt mag vallen, laat hij in elk geval standvastigheid betonen. Ik betoon mij
trouw aan de meest beminde vrouw, bij wie mijn hart rust heeft gevonden,
want iedereen krijgt graag wat hem toekomt. ¶ Hoe zou enig mens kunnen
benijden wat twee geliefden tezamen wensen? Want hierin wordt immers alle
vreugde gevonden, men kan zich er dan ook niet tegen verzetten. Voorzeker,
het zal elk hart deren dat de afgunstigen hiertegen hun giftige pijlen richten,
want iedereen krijgt graag wat hem toekomt. ¶ Men kan het tegengestelde niet
naar voldoening samendwingen, maar als twee geliefden in trouw samen zijn
leidt dit steeds tot grote vreugde. Een lomperik verlangt evenwel niet naar
vreugde; hij houdt van geld, eten en wijn, want iedereen krijgt graag wat hem
toekomt.

Selver, gout ende dierbaer steine
Jeghen een wivelic aenzien,
Dat prisic zeker alte cleine,
Want ic sghelijcs bezeffe in mien.
Mijn hertze en can di nicht ontflien,
Ic ghere vor al die hulde dijn,
Want elc ende elc neimt gherne tzijn.

[2]

Wit ende zwart, dat es een snede
Contrarie int gheliken.
Trouwe, ontrouwe, stede, onstede,
Arem man bi den riken,
Dat mach al wel een snede bliken
Die maect een groot ghescil.
Tscilt vele dinx diet merken wil.

Tsiminkel, tscaep, ghestelt bi eyn,
Hoe sal ment compareren?
Scalc, onnosel, reyn, onreyn,
Rouwe ende solaceren,
Teen moet tander violeren
Contrarie lude of stil.
Tscilt vele dinx diet merken wil.

Zilver, goud en kostbare stenen acht ik gering in vergelijking met de blik van mijn geliefde, want daarin herken ik mijn gelijke. Mijn hart kan jou niet ont- vluchten, ik verlang bovenal naar jouw genegenheid, want iedereen krijgt graag wat hem toekomt.

•

Wit en zwart zijn zaken die niet goed bij elkaar passen. Trouw en ontrouw, standvastigheid en onstandvastigheid, de arme en de rijke, het zijn allemaal dingen die nogal van elkaar verschillen. Het scheelt een stuk voor wie het wil zien. ¶ Hoe moet men een aap en een schaap vergelijken als ze naast elkaar worden geplaatst? Gewiekst en onschuldig, zuiver en onrein, droefheid en ver- troosting, ze verdragen elkaar niet, en ze zijn dan ook onverzoenbaar. Het scheelt een stuk voor wie het wil zien.

Lief ende leit, vrec ende milde,
Tzoete bi den zueren,
Waer eist bevonden, het en scilde,
Onmeenzaem int ghedueren?
Elc volghet gheerne sijnre natueren,
Al keki duer den bril.
Tscilt vele dinx diet merken wil.

Lief ende lief, milde ende goet,
Dit voucht al wel te zamen.
Wie reyn heift hertze, zin ende moet
Sal hem in aerghen scamen.
God gheve hem heyl diet gherne namen
Van meye tote na april!
Tscilt vele dinx diet merken wil.

[3; RONDEEL]

Sonne no mane nie besceyn
Reinre dinc up erderijc
Dan een wijf in dueghden reyn.

Een wijflic scijn hout mi alleyn
In vruechden, nu ende eewelijc.

Lief en leed, schraapzucht en goedgeefsheid, zoet en zuur, zijn ze ooit ergens
gevonden zonder dat vroeg of laat bleek dat ze niet bij elkaar passen? Iedereen
krijgt graag wat het best bij hem past, al zou hij een bril moeten opzetten om het
te vinden. Het scheelt een stuk voor wie het wil zien. ¶ Lief en lief, zacht en
goed passen goed bij elkaar. Wie zuiver van hart, van zinnen en van verstand is
schaamt zich voor slechtheid. God schenke heil aan wie dit ter harte nemen;
van mei tot na april [het hele jaar rond]. Het scheelt een stuk voor wie het wil
zien.

●

De zon noch de maan bescheen ooit iets dat zuiverder was dan een deugdzame
vrouw. ¶ De aanblik van een vrouw schenkt mij voor altijd vreugde.

Sonne no mane nie besceyn
Reinre dinc up erderijc.

Met ganser trauwen ich das meyn:
Ich blive haer eighin minnentlijc,
Si es mijn liefste ende liever gheyn.

Sonne no mane etc.

[4]

In noyaelre trauwen fijn,
Sonder fraude of malengien,
Willic eewich haer dienre zijn,
Want duecht ende vruecht doet si ghescien.
Haer edel wivelic zoete aenzien
Staet binnen in mire hertzen scrijn.

Naest Gode so moet dat herte mijn
Altoos bliven haer eighijn.

Al warich heinen over Rijn,
Gheheel soude haer mijn hertze bliven,
Want haer wivelic anscijn
En can men uut mi niet verdriven.
Mine bliscap ware niet te scriven,

De zon noch de maan bescheen ooit iets dat zuiverder was. ¶ Op mijn erewoord kan ik zeggen: Ik blijf in liefde aan haar toegewijd, ik bemin haar en
haar alleen. ¶ De zon noch de maan, enz.

•

In oprechte trouw, zonder bedrog of kwade bedoelingen, wil ik voor altijd haar
dienaar zijn, want zij roept goedheid en vreugde op. Haar edele aanblik bewaar
ik diep in mijn hart. ¶ Niet alleen aan God maar ook aan haar blijft mijn hart
voor altijd toegewijd. ¶ Al trok ik naar de overzijde van de Rijn, ook dan bleef
mijn hart aan haar verpand, want de aanblik van haar gelaat zal ik nooit vergeten. Mijn geluk zou onbeschrijfelijk

Gaefsoe mi troost een lettelkijn.

Naest Gode so etc.

Hoe mochtic achten eenighe pijn
Die mi haer minne doghen doet,
Want als die edel duutsche wijn
Mach si verhueghen minen moet.
Wat soe mi doet, docht mi niet goet,
Ic ware onwetender dan een zwijn.

Naest Gode so moet die hertze mijn
Altoos bliven haer eighijn.

[5; RONDEEL]
In weet bi bilich, hoe gheneren!
De werelt es so sere verdrayt:
Ontrauwe rijst daer trouwe daelt.

Mi dincke, ic moet der trauwe ontberen,
Of men wert nerghent mijns ghepayt.

zijn als ze me enige hoop zou schenken. ¶ Niet alleen aan God, enz. ¶ De kwelling vanwege mijn verliefdheid kan me niet deren, want net zoals door de voortreffelijke rijnwijn wordt mijn gemoed opgevrolijkt door haar. Als ik niet gelukkig zou zijn met wat zij bij mij teweegbrengt, dan was ik stommer dan een
varken. ¶ Niet alleen aan God maar ook aan haar blijft mijn hart voor altijd
toegewijd.

•

Ik zou bij benadering niet weten hoe me te gedragen! De wereld staat op zijn
kop: ontrouw verheft zich terwijl trouw te gronde gaat. ¶ Ik geloof dat ik de
trouw maar achterwege moet laten, want alleen zo kan ik anderen nog tevredenstellen.

In weet bi bilich, hoe gheneren!
De werelt es so sere verdrayt.

Wat batet altoos trauwe begheren,
Daer men niet na trauwe en hayt?
Doch bleef goet dienst noit onbetaelt.

In weet bi bilich, hoe gheneren!
De werelt es so sere verdrayt:
Ontrauwe rijst daer trouwe daelt.

[6]

Ic hadde een lief vercoren,
Dies es leden lanc.
Soe hadde een ore verloren,
Daer toe ghincso manc.
Soe diende so wel na minen danc,
Seidic neen, so seide ja.

Nu gaet voren, voren, voren,
Nu gaet voren, ic volghe u na!

Ic seide: 'soete minnekijn,
Nu gaet met mi.

Ik zou niet weten hoe me te gedragen! De wereld staat op zijn kop. ¶ Wat levert het op steeds trouw na te streven, als niemand meer daarnaar verlangt? Maar toch: goede daden bleven nog nooit onbeloond. ¶ Ik zou bij benadering niet weten hoe me te gedragen! De wereld staat op zijn kop: ontrouw verheft zich terwijl trouw te gronde gaat.

•

Lang geleden had ik mijn oog laten vallen op een geliefde. Ze miste een oor [was 'gekortoord', de straf voor hoeren], en was bovendien mank. Ze deed precies wat ik wilde, als ik nee zei, zei zij ja. ¶ Gaat u voor, dan volg ik daarna. ¶ Ik zei: 'Lieve vriendin, ga met me mee.

Ic wille altoos u eighin zijn,
So waer ic zi.
Mijn herte es u so vaste bi,
Mine rouc waer dat ic met u ga.'

Nu gaet voren etc.

Ic leedese in dat groene
Bachten Daverloo.
Haddicker yet mede te doene,
Dat laet zijn also.
Wi waren beide in vruechden vro,
Soe leerde mi scieten na de ka.

Nu gaet voren etc.

Ic seide: 'scone vrouwe,
Ic bem in u bedwanc.'
Soe boot mi hare trouwe,
Doe riepic: 'Goddanc!'
Van vruechden dat ic lude zanc:
'Help mi, here God, hoe vaste ic sta!'

Nu gaet voren etc.

Soe boot mi hare meine,
Wit als ene cole.

Ik wil u voor altijd toebehoren, zolang ik besta. Mijn hart is één met u, en ik volg u, waar u ook gaat.' ¶ Gaat u voor, enz. ¶ Ik voerde haar mee naar de weiden achter Daverloo [gehucht bij Brugge]. Mocht het zo zijn dat ik met haar bezig ben geweest, laat het dan zo zijn. We waren beiden zeer opgetogen, ze heeft mij de papegaai leren schieten. ¶ Gaat u voor, enz. ¶ Ik zei: 'Mevrouw, ik ben in uw macht.' Ze bood mij haar trouw aan, en ik riep: 'Goddank!' Ik zong het uit van vreugde: 'Sta me bij, Heer God, nu zit ik klem.' ¶ Gaat u voor, enz. ¶ Ze bood me haar hand aan, die wit was als steenkool.

De zuverlike reyne
Maecte mi an dole.
Wi ghinghen so ter minnen scole,
Wine consten segghen bu no ba.

Nu gaet voren etc.

Soe boot mi haer anscijn
Ende zoe sanc in fransois.
Recht als een ongherich zwijn
So ghinc haer zoete voys.
Mi dincke, ic minne gheerne iet moys,
Ic halp haer zinghen, re mi fa.

Nu gaet voren etc.

Ic seide: 'lief, nu gaeu
Ende ghevet mi eenen mont!'
Ghelu ende blaeu
Up hare lippen stont.
Mijn hertkin dat es al ghesont,
Als ic mi in der vruechden dwa.

Nu gaet voren etc.

Soe lichtede haer caproen
Ende seide: 'die tijt gaet.'

De onbedorven schoonheid bracht me in verwarring. We gaven ons zozeer over
aan de lessen van de liefde dat we geen boe of ba meer konden zeggen. ¶ Gaat u
voor, enz. ¶ Ze bood me haar aanblik en ze zong in het Frans. Haar stem klonk
als een speenvarken. Me dunkt dat ik wel van iets moois houd, en ik zong met
haar mee, re mi fa. ¶ Gaat u voor, enz. ¶ Ik zei: 'Schat, bied me nu vlug je mond
aan!' Haar lippen waren geel en blauw gekleurd. Mijn hart is kerngezond als ik
me kan baden in de genoegens van de liefde. ¶ Gaat u voor, enz. ¶ Ze nam haar
muts af en zei: 'De tijd vliegt.'

Ic seide: 'wat gadi doen?
Ende dies es gedaen quaet!
Ghi hebt mijn hertekin al versaet,
Als ic mijn oghen up u sla.'

Nu gaet voren, ic volghe u na.

Als ic sach haren ganc,
Spien ic der vruechden crans.
Soe was van houden manc,
Hoe mochte haer lusten mans!
Wielende ghinc soe als een gans.
Hadsoe gheroupen doe ka ga!

Nu gaet voren etc.

[7]
De capelaen van Hoedelem
Die soude eens nuchtens messe doen.
Die coster die drouch bachten hem
Sinen bouc ende sinen craproen.
Hi seide: 'coster, lieve garsoen,
Nu ganc een lettelkijn met mi.'
De bottekalagi de madamoers sondi sondi,
De bottekalagi de madamoers de voustra vi.

Ik zei: 'Wat ga je nu doen? Is er iets verkeerd gebeurd? Je hebt mijn hart verzadigd, als ik maar naar je kijk.' ¶ Gaat u voor, enz. ¶ Toen ik haar zag weglopen prees ik me gelukkig. Ze was mank van ouderdom, hoe zou ze trek in een
man kunnen hebben! Waggelend liep ze daar, en als een gans snaterde ze toen:
gak gak. ¶ Gaat u voor, enz.

•

De kapelaan van Oedelem wilde op een morgen de mis opdragen. De koster
droeg zijn misboek en kazuifel achter hem. Hij zei: 'Koster, beste kerel,
loop een eindje met me om.' De bottekalagi... [Van schoonheid die mijn minnepijnen verlicht zing ik een liedje, van schoonheid die mijn minnepijnen verlicht
leef ik.]

197

De costre seide: 'domine,
Waer waert wildi henen gaen?'
'Lieve coster, nemmermee
Ne latet niemene verstaen!
Men soude mi de crune vlaen,
Wiste men hoe die zake zi!'
De bottekalagi etc.

Als si camen vor die duere
Daer de pape wilde zijn:
'Coster, nu moeti hier vuere
Bliven staende een lettelkijn.
Haddic ghedaen den wille mijn,
Ic comme tot u sonder chi.'
De bottekalagi etc.

Mijn here die pape die ghinc in.
De coster die daer buten stoet,
Hi peinsde wel in zinen zin:
'Dese pape en es niet vroet.
Quame de man, dan ware niet goet.
Hi soude mi vraghen: wat wildi?'
De bottekalagi etc.

De coster die ne stont daer niet lanc,
De man ne cam ter duere ghegaen.

De koster zei: 'Heer, waar wilt ge naar toe?' 'Beste koster, nooit mag iemand
dit horen! Men zou mij scalperen als men wist hoe de zaken er voor staan.' De
bottekalagi, enz. ¶ Toen ze voor de deur stonden waar de priester naar binnen
wilde, zei hij: 'Koster, nu moet ge hier een tijdje blijven staan. Als ik klaar ben
kom ik meteen terug.' De bottekalagi, enz. ¶ De priester ging naar binnen. De
koster, die buiten bleef, dacht: deze priester is niet verstandig, als de echtgenoot
komt is het niet best. Hij zal mij vragen: wat moet dat daar? De bottekalagi,
enz. ¶ De koster stond er nog maar kort toen de echtgenoot bij de deur kwam.

'Laet in! laet in!' dat was sijn zanc:
'Of ic sal de duere up slaen!'
Als hi dit riep, doe wast ghedaen.
In de camere so ghinc hi.
De bottekalagi etc.

Een pape dat hi te bedde vant,
Die arde jamerlike sach.
De man nam enen stoc in dhant,
Hi gaf hem menighen drouven slach.
Hi seide: 'dit es u laetste dach!'
De pape maecte groot ghecri.
De bottekalagi etc.

Die coster hoerde dat ghescal,
Hi tart een lettelkijn bet naer.
Hi hoorde tspapen ongheval,
Hi seide: 'wat duvle doedi daer?
God gheve mi een drouve jaer,
Mi en es lief dat ic hier buten zi!'
De bottegalagi etc.

[8; ACROSTICHON]
Mijn hertze en can verbliden niet,
Als soe niet vroilic up mi ziet

'Laat me binnen,' riep hij, 'of ik zal de deur openslaan.' En nog terwijl hij dit riep liep hij de kamer binnen. De bottekalagi, enz. ¶ Hij vond daar een priester in bed, die doodsbenauwd uit zijn ogen keek. De man pakte een stok en deelde rake klappen uit. Hij zei: 'Uw laatste uur heeft geslagen!' De priester jammerde luidkeels. De bottekalagi, enz. ¶ De koster hoorde het kabaal en sloop wat dichterbij. Toen vernam hij het ongeluk van de priester, en zei: 'Verdomd, wat doet u daar? God mag me in het verderf storten als ik niet blij ben dat ik hier buiten sta.' De bottekalagi, enz.

•

Mijn hart kan zich niet meer verheugen als zij

In wien ic vruechden aen bespiet.
Elpt mi, of ic verderve!

Mi ne can gehelpen wijf no man,
Als soe mi geenre hulpe ne jan.
Ic moet van rauwen dwinen dan,
Et es aldus mijn erve.

Mijn lief es leet, mijn heyl verdriet,
Aldus ende wers es mi ghesciet.
Ic biddu, vrauwe, ghedinct mijns yet,
Eer ic van rouwen sterve!

Meerre vruecht nie man ghewan,
Als ic vroylic scauwen can.
In can ghesceiden niet, daer van
Eenparich ic mi kerve.

Met vruechden zinghen een vroylic liet:
'Allen rouwe van mi vliet
In hopen, wes ghi mi ghebiet,'
Elpt mi, of ic bederve!

Mijn hertze en can verbliden niet etc.

---

in wie ik vreugde heb bespeurd geen opgewekte blik in mijn richting werpt. Sta
me bij, of ik ga ten onder! ¶ Geen man of vrouw kan me bijstaan als zij me niet
te hulp komt. Ik kan dan slechts wegkwijnen van verdriet, zo is het lot dat me
ten deel valt. ¶ Mijn vreugde is tot verdriet geworden, mijn geluk tot treurnis,
zo een groot kwaad is mij overkomen. Ik smeek u mevrouw, bekommer u om
mij, opdat ik niet doodga van ellende. ¶ Nooit heeft iemand meer vreugde gekend dan de vreugde die ik zal kennen als ik u opgewekt kan aanschouwen.
Van die gedachte kan ik me niet losmaken, ik kwel mezelf voortdurend. ¶ Laat
me een vrolijk lied zingen: 'Al mijn verdriet verdwijnt, wanneer ik erop mag
hopen dat gij iets aan me opdraagt.' Sta me bij, of ik ga ten onder! ¶ Mijn hart
kan zich niet meer verheugen, enz.

[9; ACROSTICHON]

Melancolie dwinct mi de zinne
Allein up ein ende anders gein.
Reinre wesen van beghinne
Ic nie verzinde dan dit ein.
Et es alst was, mi blivet reyn!

Mi en rouc wat wene ic ghewinne,
Als ic verzie u lieflic grein.
Recht bezouc doet dat ict kinne,
In trauwen rein, niet als vileyn.
Et es alst was etc.

Met steiden blivic vaste hier inne,
Alle vruecht es mi te clein.
Rouct soe mijns niet wien ic minne,
In hopen vindic bate allein.
Et es alst was etc.

Mijn trauwe es vast, mijn ontrauwe dinne,
Arech es met mi onghemein.
Rouct mijns, mijns hertzen coninginne,
Ic houdu over capiteyn!
Et es alst was etc.

Melancholie dwingt mijn gedachten zich te richten op haar alleen, en niemand anders. Een zuiverder wezen heb ik nooit liefgehad. Zoals het was zal het blijven, ik blijf altijd zuiver. ¶ Het kan me niet schelen welk verdriet me treft zolang ik u zie, heerlijk juweel. Mijn oplettendheid maakt dat ik dat in gelijkmoedigheid draag, in reine trouw, zonder onhoofse gedachten. Zoals het was zal het blijven, enz. ¶ Standvastig blijf ik hierbij, geen enkele vreugde is mij genoeg [in vergelijking met de vreugde die u mij kunt bieden]. Als zij, die ik bemin, geen acht op me slaat, put ik kracht uit de hoop. Zoals het was zal het blijven, enz. ¶ Mijn trouw is onwankelbaar, ontrouw ken ik niet, kwaadaardigheid is mij vreemd. Sla acht op mij, vorstin van mijn hart, ik beschouw u als mijn gebiedster. Zoals het was zal het blijven, enz.

Melancolie dwinct mi die zinne etc.

[10]

Ne gheen solaes vor vrauwen minne!
Si sijn van herten reine!
Het lach een wijf van frisschen zinne
Bi haren boele alleine
In anders arem vast ghemeine.
Si helsden vaste omtrent den crop:
'Ay mi, lieve Jacop! ai mi, lieve Jacop!'

Der minnen spel si beide plaghen
Met groter melodien.
Ende als si meest in vruechden laghen,
Viel soe in frenezien.
Ic wane, soe liet haer elder vrien,
Van vruechden riep soe den walop:
'Ai mi, lieve Jacop' etc.

Haer boel was gram om dese worde,
Hi sprac: 'sidi bezeten?
Wien waest dat ic hu nomen hoorde?
Hebdi minen name vergeten?
Wel an, ic wil de wareit weten,

Melancholie dwingt mijn gedachten, enz.

•

Geen genoegen gaat boven de liefde van vrouwen, hun hart is zo zuiver. Een
levenslustige vrouw lag eens in de armen van haar minnaar. Ze greep hem bij de
keel: 'O lieve Jacob, o lieve Jacob.' ¶ Ze bedreven het liefdesspel met veel genot, en toen ze in opperste vervoering waren raakten haar zinnen verbijsterd.
Me dunkt dat ze de grijsaard liet begaan; zelf riep ze in vreugde de kreet: 'O
lieve Jacob' enz. ¶ Haar minnaar was kwaad vanwege deze woorden, en zei:
'Ben je gek geworden? Wie was het die ik je zopas hoorde roepen? Ben je mijn
naam soms vergeten? Kom op, ik wil de waarheid weten,

Mi dincke, ghi hout met mi u scop:
Ay mi, lieve Jacob!'

Si peinsde, als soe haer wel bedochte:
'Wat duvle hebbic gheseit?'
Vele onsculden dat soe zochte,
Si seide, het was haer leit.
Hi zwoer bi zijnre zekerheit:
'Ghi sult ontfanghen menighen clop,
Ay mi, lieve Jacob!'

Dus was dat vraukin daer bedroghen
Bi haren zotten wane.
Elc peinse om dat soe heift vor oghen,
Als men rolt in haer bane.
Men betert ghene wijfs met slane,
Nochtan so makensi menighen Job:
Ay mi, lieve Jacob etc.

[11]

Het soude een scamel mersenier
Coopmansceipe leren.
Hi hiet Annin Tutebier,
Hi conste hem wel gheneren.

volgens mij bedonder je de boel: o lieve Jacob.' ¶ Toen ze weer bij zinnen was
gekomen, dacht ze: verdomd, wat heb ik gezegd? Ze zocht allerlei verontschul-
digingen, en zei dat het haar speet. Maar hij zwoer op zijn erewoord: 'Je zult er
stevig van langs krijgen, o lieve Jacob!' ¶ Zo was dat vrouwtje dus beetgeno-
men door haar zinsbegoocheling. Laat iedere vrouw bedenken wat ze beoogt,
als men in haar wagenspoor rijdt. Geen vrouw valt te verbeteren door haar te
slaan, maar veel vrouwen maken van hun man een Job [Job werd door zijn
vrouw bespot]. O lieve Jacob, enz.

•

Er was eens een arme koopman die moest leren hoe hij zijn waar aan de man
moest brengen. Hij heette Hannin Tutebier en hij wist zich goed te gedragen.

Daer hi sinen canis drouch,
Een joncfrauwe riepen ende soe louch:
'Comt hier na, goet meerseman!'
'Naelden! spellen! trompen! bellen!
Ic wil mijn merse hier neder stellen,
Laet zien of ic vercopen can.'

Als hi de scone vrauwe anesach,
Hi sprac: 'ic wil mijn merse ontslaen,
Ic hebbe ghetsantert al den dach,
In hebbe ene mite niet ontfaen.'
Sinen canis hi ontslouch:
'Joncfrauwe, no souct al u ghevouch,
Want ic u wel der baten jan.'
Naelden! spellen! etc.

'Merseman,' seidse, 'lieve gheselle,
Ic hebbe een cleine cokerkijn.
In vinde hier in no naelde no spelle
Die wel voughen soude daer in.
Hier sijn grote ende daer toe cleine,
Maer ic ne vinde niet dat ic meine.'
'Joncfrauwe, wat spellen wildi dan?'
Naelden! spellen! etc.

Toen hij met zijn korf rondliep riep een jonge vrouw hem en lachte hem toe:
'Kom hiernaar toe, beste koopman!' 'Naalden! Spelden! Toetertjes! Bellen!
Laat ik mijn korf hier neerzetten, en zien of ik iets kan verkopen.' ¶ Terwijl hij
de mooie vrouw aankeek sprak hij: 'Ik zal mijn korf openmaken, de hele dag al
heb ik mijn waren aangeprezen maar ik heb nog geen rooie cent verdiend.' Hij
sloeg zijn ransel open: 'Jonge dame, kies maar uit wat ge wenst, want ik gun u
van harte het genoegen.' Naalden! Spelden! enz. ¶ 'Koopman,' zei ze, 'beste
vriend, ik heb een klein kokertje. Ik vind tussen uw handelswaar geen naalden
of spelden die daarin goed zouden passen. Er zijn grote en kleine, maar niet één
die precies past.' 'Maar mevrouw, wat voor spelden wenst ge dan?' Naalden!
Spelden! enz.

'Joncfrauwe, ic hebbe een spellekijn,
Dan es niet aldus cleine.'
'Cnape, wel moeti comen sijn,
Ghi weit wel wat ic meine.
Wildi de spelle vercopen niet,
So leentse mi, of ghijt ghebiet!
Ic salt u lonen, bi sinte Jan!'
Naelden! spellen! etc.

Hi nam de joncfrauwe bi der hant,
Si gingen onder hem beiden.
De spelle dat zoe te pointe vant,
Soene wilder niet of sceiden.
'Cnape, hout mi dit spellekijn!
Het sal u wel vergouden zijn,
Want beter spelle ic nie ghewan!'
Naelden! spellen! etc.

[12]
Blide ende vro uut zorghen laste
Ende nummer onghesteide zijn,
Hier in vint men der vruechden raste.
Dats ombekent int hertze mijn.
Ghenouchte es lidens medicijn,

'Mevrouw, ik heb een speld die heel wat groter is.' 'Kerel, goddank bent ge
gekomen, gij weet vast wat ik bedoel. Als ge uw speld niet wilt verkopen moet
ge hem maar uitlenen! Ik zal u er voor belonen, bij Sint-Jan!' Naalden! Spelden!
enz. ¶ Hij voerde de jonge dame bij haar hand en ze waren samen. Ze vond de
speld zo precies passend dat ze er geen afscheid van kon nemen. 'Kerel, bewaar
deze speld voor mij! Je zult er goed voor worden beloond, want nooit had zag
ik een betere speld!' Naalden! Spelden! enz.

●

Blij en vrolijk zijn, zonder zorgen en onzekerheid, biedt een genoeglijke rust.
Maar in mijn hart ontbreekt dit. Tevredenheid verzacht het lijden,

Daer hope in steit.
Ghenouchte voucht leit ter vroilicheit.

Hi zeilt met enen zekren maste
Die vroilic scuwet der zoorghen pijn.
Wanneer ic bem in hopen vaste,
So levic in een vroylic scijn.
Bestu ghesteidich, minnerlijn,
Hoop ende verbeit!
Ghenoucht voucht leit ter vroilicheit.

Waen ende Twifel sijn mijn gaste,
Trouwe es mijn wert tot in den fijn.
In vinde niet daer ic na taste,
Doch mijn gheluc dan es niet dijn.
Die nie ne smaecte goeden wijn,
Te biere hi gheit.
Ghenoucht voucht leit ter vroilicheit.

Blide ende vro etc.

[13]
Violette, zuver wit,
Juechdich, soete ende amoreus,

---

als de minnaar hoop mag koesteren. Genoeglijkheid verbindt verdriet met
vreugde. ¶ Hij die opgewekt pijnlijke zorgen uit de weg gaat vaart een vaste
koers in het leven. Als ik hoopvol en standvastig blijf is mijn leven vol vreugde.
Wees trouw, gij die liefhebt, wees hoopvol en geduldig! Genoeglijkheid verbindt verdriet met vreugde. ¶ Onzekerheid en twijfel vergezellen mij, maar
trouw is mijn gastheer. Ik vind niet wat ik zoek; wat mij geluk zou brengen,
doet dat kennelijk niet aan u. Wie nooit goede wijn heeft geproefd stelt zich
tevreden met bier. Genoeglijkheid verbindt verdriet met vreugde. ¶ Blij en vrolijk, enz.

•

Viooltje, smetteloos wit, jeugdig, genoeglijk en beminnelijk,

Omoedich, simpel, onbesmit,
Lievelic, scone, gracieus,
Edel, reine, glorieus,
Trouwe ende stede ghi bezit.
Troost hem dien ghi maect penseus,
Ende u wil dienen in al dit.

[14]

Hoe soudic yemen vruechden geven,
Of ic selve ghene en aen?
Sorghen, peinsen es mijn leven,
Des moet ic lust ten vruechden laen.
Al wildic nu om vruechden gaen,
Si sijn mi verre ende onghereit.
Gheen dinc vor lust ende vroilicheit.

Dus es mijn hertze in zorghen bleven,
Mijn beste zeker es een waen,
Mijn hope es al een twifel sneven,
Dus moet mijn vruecht aen wanckel staen.
Mochtic met zorghen leit verslaen,
So ware mi allen rouwe ontseit.
Gheen dinc vor lust ende vroilicheit.

nederig, eenvoudig, kuis, liefdevol, mooi, bevallig, edel, ongerept, vol heerlijkheid, gij beschikt over trouw en standvastigheid. Schenk troost aan hem die
omwille van u droefgeestig is, en u om dit alles hulde wil brengen.

•

Hoe zou ik een ander vreugden kunnen schenken als ik zelf bedroefd ben? Mijn
leven is vol zorgen en gepeins, zodat ik allerminst verlang naar vrolijkheid. Al
ging ik op zoek naar de vreugden (van het leven), ze zijn te ver en buiten mijn
bereik. Er gaat niets boven genot en vrolijkheid. ¶ Mijn hart is door dit alles vol
zorgen, alle zekerheden vervliegen en hoop is tot diepe twijfel geworden: mijn
vreugde is aan het wankelen gebracht. Als ik de ellende zou kunnen verdrijven
door mij zorgen te maken, dan zou alle verdriet van me afgenomen zijn. Er gaat
niets boven genot en vrolijkheid.

Hoe soudic yement vruechden etc.

Een ordine hevet mijn herte up heven,
Dats zwart, dat heift soe an ghedaen.
Een graeu doet soe daer binnen cleven.
Dit heift zoe ervelic ontfaen.
Hoe salsi dan haer van zorghen dwaen?
Want zwart es rauwe ende graeu arbeit.
Dus heift zoe lust no vroylicheit.

Hoe soudic yemen etc.

[15]
Ic hadde een lief vercoren,
Soe es mi worden scu.
Daer toe hebbict verloren,
In weet waer zouken nu.
Soe gheift mi enen wreeden vu,
In hebbe haer niet mesdaen.

Wel op, wel aen,
Wat saelt ghesneift
Die sijn lief verloren heift?
Wi willent zouken gaen!

Hoe zou ik een ander vreugden, enz. ¶ Mijn hart heeft een zwart habijt aangetrokken, en daaronder draagt ze een grijs kleed: dat is voorgoed haar bezit
geworden. Maar hoe kan ze zich nu van haar zorgen ontdoen? Immers, zwart
betekent droefenis, en grijs staat voor zware arbeid. Ze ontbeert zodoende
genot en vrolijkheid. ¶ Hoe zou ik een ander, enz.

•

Ik had een liefje uitverkoren dat nu wars van mij is. Ik ben haar kwijtgeraakt en
weet niet waar ik haar moet zoeken. Ze schenkt me slechts een stuurse blik,
hoewel ik haar niets heb misdaan. ¶ Kom op, kom mee, waarom zou je treuren
als je je geliefde hebt verloren? We gaan samen op zoek.

Wat baet ons daer om trueren,
Dat ons niet werden mach?
Dat mi niet mach gheburen,
Des hebbic goet verdrach.
Ic hebbe ghetruert so menighen dach,
Ic wilt voort avelaen.

Wel up, wel aen etc.

Wie hem daer toe wil gheven,
Daer mens niet vele en acht,
Hi moet met zorghen leven,
Hem en baet const no cracht.
Maer brinct hi ghelt, men es bedacht.
Ten can hem niet ontstaen.

Wel up, wel an etc.

Dat ghelt dat es die bloume
Die elkerlijc begheert.
Dies ic mi niet beroume:
Mijn ghelt es al verteert!
Wie niet ne liecht, bedriecht ende zweert,
Men acht sijns niet een spaen.

Wel op, wel aen etc.

Wat levert het ons op om te treuren over wat we toch niet (terug)krijgen? Ik zie
af van dat wat mij niet ten deel valt. Dagenlang ben ik bedroefd geweest, maar
nu wil ik het van me afzetten. ¶ Kom op, kom mee, enz. ¶ Hij die zich beweegt
in een omgeving waar talent en geestkracht niet worden gewaardeerd, lijdt een
zorgelijk leven. Het baat hem niet om deze te tonen. Maar als hij geld meebrengt is men vol belangstelling. Niets kan hem dan nog mislukken. ¶ Kom op,
kom mee, enz. ¶ Het geld is de bloem die door iedereen begeerd wordt. Ik kan
er echter niet mee pronken: al mijn geld is uitgegeven! Wie zich niet bedient van
leugens, bedrog of krachtige taal wordt door niemand geacht. ¶ Kom op, kom
mee, enz.

Nu wil ics al ontberen,
Want ics ontberen moet.
In can mi niet gheneeren,
In hadde ghelt of goet.
So wat ic doe, dats jeghen spoet.
Men wil mi niet ontfaen.

Wel op, wel an etc.

Nu wilwi vroilic zinghen,
Scamel sonder ghelt!
Cuenwijt also duerbringhen,
So hebben wijt wel bestelt.
Here God die allen commer velt,
Wilt ons van zorghen dwaen!
Wel up, wel aen etc.

[16; RONDEEL]
So wie bi nachte gherne vliecht,
Hi slacht den huwerhane,
Die hem sdaeghs uten oghen doet.

Ruste ende paeis hem dickent liecht
Van vele bi nachte te gane.

Ik wil me nu aan alles onttrekken, want ik ben armlastig. Ik kan me nauwelijks
redden want ik moet het stellen zonder geld of goed. Wat ik ook doe, het haalt
niets uit, en ik ben nergens meer welkom. ¶ Kom op, kom mee, enz. ¶ Laten we
vrolijk zingen, wij arme sloebers zonder geld. Als we onze tijd zo besteden, dan
hebben we het goed gedaan. Heer God, die alle verdriet tenietdoet, maak ons
vrij van zorgen! ¶ Kom op, kom mee, enz.

•

Wie 's nachts graag rondzwerft lijkt op een nachtuil die zich overdag verscholen houdt. ¶ Rust en vrede ontbreken hem vaak door de vele nachtelijke uit-
stapjes.

So wie bi nachte gherne vliecht,
Hi slacht den huwerane.

Sijn zanc, zijn roup, dats: 'waen bedrieght!'
Dies scuwet hi zonne ende mane.
Lanteerne ende keerze ware hem goet!

So wie bi nachte gherne vliecht,
Hi slacht den huwerhane,
Die hem sdaeghs uten oghen doet.

[17; RONDEEL]
Ich haen een uut vercoren .L.
Int hertze mijn ghecoroneirt.
So wat zi doet, dat vuecht si wel.
Up duecht soe altoos avizeirt.

So nes no wreet no stuer no fel,
Maer wivelic ghefigureirt,
Ghestadich, minlic, niet rebel.

Ich aen een uutvercoren .L.
Int hertze mijn ghecoroneirt.

Mi ne huecht jolijt no vruecht no spel,

Wie 's nachts graag rondzwerft lijkt op een nachtuil. ¶ Zijn lied, zijn roep
luidt: 'Schijn bedriegt!' Hij schuwt daarom de zon en de maan, en stelt zich
tevreden met het licht van lantaarns en kaarsen. ¶ Wie 's nachts graag rondzwerft lijkt op een nachtuil die zich overdag verscholen houdt.

•

Ik heb een uitverkoren L in mijn hart gelauwerd. Alles wat ze doet, doet ze op
gepaste wijze, en in alles is ze deugdzaam. ¶ Nooit kijkt ze stuurs of onvriende-
lijk, en steeds is ze minzaam van gelaatsuitdrukking. Ze is vriendelijk, beminnelijk, nooit eigenzinnig. ¶ Ik heb een uitverkoren L in mijn hart gelauwerd. ¶ Vreugde en geluk ken ik niet

Als soe mi niet ne visenteirt.
Al haddic weinsch, in core niet el
Dan haer, dus anich gevuweert.

Ich haen een uut vercoren .L.
Int hertze mijn ghecoroneirt.
So wat zi doet, dat vuecht si wel.
Up duecht soe altoos avizeirt.

[18]
Een .M. die nye van mi ne sciet,
Sint ic mi gaf in haer ghewaldt,
Van haer ne wil ic sceiden niet,
So wat mi nemmermeer ghevaldt.
Haer duecht die es so menichfalt.

Bi dezer .M. voughic een .Y.
Met ganser trauwen sonder scil.
Met desen tween so spelt men mi,
Die haer ghestade bliven wil
Van allen meye tote april.

Tuschen der .M. der .Y. so steit
Een edel .E. van zoeter aert.

---

tenzij zij met me omgaat. Al zou ik alles mogen wensen, ik zou niemand anders
verkiezen dan haar, zo heb ik me plechtig voorgenomen. ¶ Ik heb een uitverkoren L in mijn hart gelauwerd. Alles wat ze doet, doet ze op gepaste wijze, en
in alles is ze deugdzaam.

•

Er is een M die me nooit verlaten heeft sinds ik me onder haar hoede heb
gesteld, van haar wil ik nooit scheiden, wat me ook gebeurt. Haar deugden zijn
talrijk. ¶ Bij deze M plaats ik een I, in volkomen trouw en zonder mankeren.
Met deze twee letters schrijft men MI [mij], die haar trouw blijft van elke meimaand tot [de volgende] april. ¶ Tussen de M en de I staat een edele en prachtige E.

Die .E. bediet ons eewicheit,
Te samen minnentlijch ghepaert.
Niet bet maghic zijn verwaert.

Dus volghet deser .M. een .E.,
Der .E. een .Y., ende elc bevrijt.
Daer mede so spelt men min no mee
Mey, deser over zoeter tijt,
Daer in elc minre heift jolijt.

Laet u ghenoughen, .M. alleine,
Den mey die ic u minlic gheve.
Up erde en anich liever gheine,
Ghi zijt die vruecht daer ic bi leve.
Ne gheen ontsien mi van u dreve.

[19]

Een wijf van reinen zeden,
Vulmaect van allen leden,
Hovesch ende vroet,
Die heift mi ghebeiden
In ghestadicheiden
Te vougene hertze ende moet:
'Quaet aeste es al ontspoet!'

Deze E staat voor de eeuwigheid die ons liefdevolle samenzijn zal duren. Een
betere bescherming kan ik me niet voorstellen. ¶ Zo volgt dus na de M een E,
en na de E een I, en beide [M en I] worden door haar [de E] beschermd. Met
deze letters wordt MEI gespeld, die genoeglijke maand waarin elke minnaar
vreugde kent. ¶ M, stel u slechts tevreden met de meimaand die ik liefdevol aan
u opdraag. Er is niemand op aarde die ik meer bemin; ik leef voor de vreugde
die u mij schenkt en niets kan me hiervan weerhouden.

•

Een beschaafde en welgemanierde vrouw, volmaakt van lijf en leden, hoofs en
wijs, heeft me gevraagd om rustig en beheerst te volharden in mijn (onbeant-
woorde) liefde. 'Haastige spoed is zelden goed.'

Doe seidic: 'werde vrouwe,
Ghestadich ende ghetrauwe,
So willic emmer zijn,
Up dat ic trauwe gelauwe.
Nu blivic in den rauwe:
Men doet mi geene anscijn,
Verlangen doet mi pijn.'

Dat wijf van herten reine
Die sprac: 'die minne es cleine
Die verlangen doet.
Mindi anders geine,
So blijft met haer ghemeine,
Gheift u in haer behoet.
Quaet aeste es al onspoet!'

'Vrauwe, in caent gelaten,
Al soudser mi omme haten!
So heift de hertze mijn.
Ic truere boven maten,
Ic claghe, en mach mi baten
Niet een vingerlijn.
Verlangen doet mi pijn.'

Si sprac: 'ghi sult u houden
Vroilic, ende verbouden

Daarop zei ik: 'Geachte dame, ik zal altijd trouw en standvastig zijn, als ik
maar op wederkerige trouw kan rekenen. Maar nu ben ik nog bedroefd, want
men laat mij geen trouw blijken, en verlangen kwelt mij!' ¶ Die gewetensvolle
vrouw sprak: 'Er is maar weinig liefde nodig om te verlangen. Richt uw liefde
niet op een ander, maar blijf haar trouw beminnen. Haastige spoed is zelden
goed.' ¶ 'Maar vrouw, ik kan het niet laten haar lief te hebben, al zou ze me
daarom verachten! Ze heeft mijn hart in bezit genomen. Ik ben zeer bedroefd
en beklaag me, al levert het me niets op. Verlangen kwelt me.' ¶ Zij sprak: 'Ge
moet blijmoedig blijven, en nog

Inder minnen gloet,
Al souddi u bescouden!
Ne latet niet vercouden:
Na tzuere comet tzoet,
Quaet aeste es al ontspoet!'

Doe andwordic hare:
'Bi den goeden jare,
Ic ben een arem swijn.
So waer ic henen vare,
In werde niet geware
An haer alsulken fijn.
Verlangen doet mi pijn.'

Si sprac: 'die wil becliven
In te minnene wiven,
Die wachte na de vloet
Ende doe sijn sceipkin driven.
Laettijt te lange bliven
En doet hem nummer goet:
Quaet aeste es al ontspoet!'

Nu laet ons wachten alle:
Als ons de tijt gevalle,
So wilwi wacker zijn,
Dat men ons niet vergalle.

---

vuriger beminnen, al zou het vuur u verzengen. Laat de liefde niet bekoelen. Het zure wordt gevolgd door zoetheid, en haastige spoed is zelden goed!' ¶ Toen gaf ik haar ten antwoord: 'De tijd mag er dan gunstig voor zijn, ik ben een arm varken. Waar ik ook kom, nergens bemerk ik aan haar iets dat aan een goede afloop doet denken. Verlangen kwelt me!' ¶ Zij sprak: 'Die wil slagen in zijn liefde voor de vrouwen moet wachten op de vloed die zijn scheepje doet vlotten. Het baat hem niet tot diep in de nacht te waken. Haastige spoed is zelden goed.' ¶ Laten we allen wachten tot het geëigende moment. Dan moeten we wakker zijn, opdat de gelegenheid niet door anderen vergald kan worden.

Die tpaert heift binden stalle,
Verware sijn slotelkijn!
Verlangen doet mi pijn.

[20]

Ic quam ghegaen up enen dach.
Daer hoordic bliscap ende gheclach
Twee frissche vrauwen driven.
Die een die riep: 'owi, owach!'
Mi dochte dat ic nie ne sach
So wivelike wiven.
Doe sprac dat droufste vrauwelin:
'Ich aen ghegeven herte ende zin
In trauwen,
Men acht up mi no meer no min.
Dat doet mi, leider, dat ic bin
In rauwen.'

Doe sprac dat ander blide wijf:
'Hoe mach dijn edel jonghe lijf
In rauwen dus verkeeren?
Om minen wille in vruechden blijf
Ende desen rauwe van di drijf!
Du does mi ooc verzeeren.

Wie een paard op stal heeft staan, moet zijn sleutel goed bewaren! Verlangen
kwelt me zeer.

•

Toen ik op een goede dag aan het wandelen was, hoorde ik twee jonge vrouwen
lachen en jammeren. De een riep: 'Ach en wee!' Me dunkt dat ik nog nooit
zulke eerbare vrouwen heb gezien. Toen zei de treurigste van de twee: 'Ik heb
mijn hart en ziel in goed vertrouwen weggegeven, maar hij slaat er geen acht
op. Hierdoor ben ik zeer bedroefd.' ¶ Toen sprak de andere vrouw, die erg opgewekt was: 'Hoe kunt gij, jong van lijf en leden, zo verdrietig zijn? Blijf opgewekt, schud de droefheid van u af, vraag ik. Nu kwelt ge mij ook.

Hoe moochstu nu so drouve zijn?
Dijn vruecht was meere dan de mijn
Te voren.
Verandert es dijn wijflic scijn.
Hebstu dijns lieves vingherlin
Verloren?'

'Ghespele, in caent gheswighen niet.
Nu wilt mijn over zwaer verdriet
In trauwen helpen helen.
Doe ic lesten van u sciet,
Doe addi mi allein bespiet
Ende ic ghinc mettem spelen.
Ghespele, wilt beraden mi
So dat mijn here behouden zi,
Bi wizen rade.
Ic wane, in comme hem nemmer bi.
Wat salic doen? owach, owi,
Het es te spade!'

Die ander sprac: 'op minen heit,
Dat es mi waerlic alzo leit,
Ghespele, ic wil u claghen.
Waer es dijn zuver omme cleit?
Nu moetstu dinen aerbeit

Hoe kunt ge toch zo terneergeslagen zijn? Nog maar kort geleden was uw
vreugde groter dan die van mij. Uw eerbare uiterlijk is volstrekt veranderd.
Bent ge misschien de ring van uw geliefde kwijtgeraakt?' ¶ 'Mijn beste vriendin, ik kan het voor u niet verborgen houden. Help me alsjeblieft om mijn grote
verdriet te boven te komen. Toen ik laatst bij u vandaan kwam zag hij dat ik
alleen was, en we hebben samen de liefde bedreven. Vriendin, help me met uw
wijze raad, zodat mijn goede naam behouden blijft. Ik ben bang dat hij me
nooit zal willen trouwen. Wat moet ik? Ach, het is te laat!' ¶ De andere antwoordde: 'Geloof me vriendin, het doet me groot verdriet, ik beklaag u zeer.
Waar is uw ongerepte kleed [van de maagdelijkheid] gebleven? Ge moet de
zwangerschap

Lange alleine draghen.
Waer es dijns hertzen toeverlaet?
In can di, leider, ghenen raet
Ghegeven.
Wint up dijn haer, dijn guldin draet!
Waer es dijn vruechdenrijch ghelaet
Ghebleven?'

Haer aer so droevelic up want.
So namze bider witzer ant.
Te zamen dat si ghingen.
De tranen vielen daer int zant.
Die daer de blijtste was becant,
Die ghin haer anden wringhen.
Als ic dat sach, het deerde mich
Dat zi haer anden drouvelich
Te zamen wrongen.
God jonne hem beeden hemelrijch!
In wilde rusten zekerlijch,
In hadt bezonghen.

[21; RONDEEL]
Vor al dat God ye an mi wrachte
So dankic hem mir oghen twee,

helemaal alleen uitdragen. Waar is uw steun en toeverlaat? Ik kan u, het spijt
me, geen advies geven. Steek uw goudblonde haren op! Wat is er geworden van
uw vrolijke, onbekommerde uiterlijk?' ¶ Ze stak haar haar op, en haar vriendin pakte haar blanke hand vast. Samen liepen ze verder. De tranen vielen in
het zand. Die eens de vrolijkste was, wrong haar handen samen. Het deed me
groot verdriet te zien dat ze haar handen bedroefd ineenstrengelde. God moge
beiden heil schenken! Ik wilde niet rusten alvorens ik dit had bezongen.

•

Meer dan al het andere dat God me gegeven heeft dank ik hem voor mijn beide
ogen,

218

Die mi brochten int ghedachte
Een .M. die ic nemmermee
Laeten wil, hoet mi vergee.

Dese .M. es boven allen crachte
Machtich mijns. Ghelijc der zee
Canzoe mi gheven zuer ende zachte.

Vor al dat God ye an mi wrachte
So dankic hem mir oghen twee
Die mi brochten int ghedachte

Uren, wilen, daghen, nachten
Doet mi verlangen liden wee.
Mi hebdi vri te uwen pachte
Als een herde doet sijn vee.
Anders dwinic als die snee.

Vor al dat God ye an mi wrachte
So dankic hem mir oghen twee,
Die mi brochten int ghedachte
Een .M. die ic nemmermee
Laeten wil, hoet mi vergee.

waardoor M in mijn gedachten is gekomen. Haar zal ik nooit uit mijn gedachten verbannen, wat er ook gebeurt. ¶ Deze M beheerst mij meer dan alle andere
invloeden. Zoals de zee kan ze goed en kwaad brengen. ¶ Meer dan al het
andere dat God me gegeven heeft dank ik hem voor mijn beide ogen, waardoor
M in mijn gedachten is gekomen. ¶ Urenlang, dagen en nachten doet dit onver-
vulde verlangen mij pijn lijden. U kunt me leiden waar u wilt, zoals een herder
zijn vee. En doet u dit niet, dan verdwijn ik als sneeuw voor de zon. ¶ Meer dan
al het andere dat God me gegeven heeft dank ik hem voor mijn beide ogen,
waardoor M in mijn gedachten is gekomen. Haar zal ik nooit uit mijn gedachten verbannen, wat er ook gebeurt.

'Lijskin, wat helpt vele ghestreiden?
Ic moet u doen dat zotte dinc.
Ic hebt u menich waerf ghebeiden,
Daer u niet vele an en hinc.'
'Her Wouter,
En tast mi emmer niet beneden,
Ghine waert een lettel stouter!'

'Lijskin, bi des Heren doot,
Haddic u up den corentas,
Al waerdi .vij. waerf so groot,
Ic soude u leeren tswingen tvlas!
Wat, Lijskin,
Vindi mi niet in uwen scoot,
So segt dat ic een annin bin!'

'Her Wouter, ghi sijt al te stout
Van uwen fellen daden:
Ghi sijt out ende ghi sijt cout,
Ic souds u wel verzaden!
Her Wouter,
Vermeit u niet op uwen bout,
Ghine waert een lettel stouter!'

'Liesje, wat baat al dat gekibbel? Ik moet met jou het zotte (minne)spel spelen.
Ik heb het je al zo vaak gevraagd, maar jij trok je er niets van aan.' 'Heer
Wouter, probeert u mij maar niet van onderen te pakken, daar zou u een stuk
flinker voor moeten zijn.' ¶ 'Liesje, bij 's Heren dood, had ik je bij me op de
korenhoop, al was je nog zevenmaal zo sterk, ik zou je het vlas leren braken!
Wat, Liesje, als je me niet in je schoot vindt, zeg dán maar dat ik een sukkel
ben.' ¶ 'Heer Wouter, u hebt al te veel vertrouwen in uw drieste daden: u bent
oud en koud. Ik zou u er uw bekomst van geven! Heer Wouter, beroem u maar
niet op die bout van u, daar zou u een stuk flinker voor moeten zijn.'

'Lijskin, minne, hout up dijn hant,
Ghi sulles noch ontgelden!'
'Wacht u, Wouter, goet calant,
Ghi sout mi moeten melden!'
'Wat, Lijskin,
Laetti hier niet eenen pant,
So seght dat ic een annin bin!'

'Secht mi, Wouter, lieve drael,
Wat pande wildi hebben?
Dat ic u gheve, ic jans wael:
Een quaet jaer op u rebben!
Wat, Wouter,
Ne comt met ysere an gheen stael,
Ghine waert een lettel stouter!'

Her Wouter die was arde gram
Van deser wreeder sprake.
In sinen aerm dat hise nam.
Soe sloucher vor de cake.
'Wat, Lijskin,
Doe ic u noch niet wesen tam,
So secht dat ic een annin bin!'

'Liesje, liefje, durf je hier een koop op sluiten, je zult er voor betalen.' 'Pas op,
Wouter, goede klant! U zou mij [om het u verschuldigde te krijgen] voor het
gerecht moeten dagen.' 'Wat, Liesje, als je hier niet een pand achterlaat [voor
wat je schuldig bent], zeg dan maar dat ik een sukkel ben.' ¶ 'Zeg mij, Wouter,
beste armoedzaaier, aan welk pand had je dan gedacht? Van ganser harte gun
ik je dit: een kwaad jaar voor je ribbenkast! Wat, Wouter, met ijzer moet je
geen staal bevechten, of je zou een stuk flinker moeten zijn.' ¶ Heer Wouter
was heel ontstemd door deze bijtende woorden. Hij nam haar in de greep. Zij
sloeg de handen voor het gelaat. 'Wat, Liesje, krijg ik je niet getemd, zeg dan
dat ik een sukkel ben.'

Wi willen van den kerels zinghen!
Si sijn van quader aert,
Si willen de ruters dwinghen,
Si draghen enen langhen baert.
Haer cleedren die zijn al ontnait.
Een hoedekijn up haer hooft ghecapt,
Tcaproen staet al verdrayt.
Haer cousen ende haer scoen ghelapt.

Wronglen wey, broot ende caes,
Dat heit hi al den dach.
Daer omme es de kerel so daes:
Hi hetes meer dan hijs mach.

Henen groten rucghinen cant
Es arde wel sijn ghevouch.
Dien neimt hi in sijn hant,
Als hi wil gaen ter plouch.
Dan comt tot hem sijn wijf, de vule,
Spinnende met enen rocke,
Een sleter omtrent haer mule,
Ende gaet sijn scuetle brocken.

Wronghele ende wey etc.

Wij willen over de boeren zingen. Ze zijn gemeen van aard. Ze willen onze ruiters te lijf gaan. Ze dragen een lange baard. Hun kleren zijn helemaal uit de naad. Een kransje hebben ze op hun hoofd gezet, hun kap staat er helemaal verdraaid van. Hun [lederen] broek en hun schoenen zijn met lappen versteld. ¶ Wrongel, wei, brood en kaas, dat eet hij de hele dag. Daarom is de boerenkinkel zo suf: hij eet er meer van dan hij op kan. ¶ Een groot stuk roggebrood is precies wat hem bevalt. Dat neemt hij tot zich als hij ter ploeg wil gaan. Dan komt zijn vrouw bij hem, de slons, met een vod om haar muil en met het spinrokken nog in de hand, en gaat het brood in zijn melkschotel verkruimelen. ¶ Wrongel en wei, enz.

Ter kermesse wille hi gaen,
Hem dinct datti es een grave.
Daer wilhijt al omme slaen
Met sinen verroesten stave.
Dan gaet hi drincken van den wine,
Stappans es hi versmoort.
Dan es al de werelt zine,
Stede, lant ende poort.

Wronghele ende wey etc.

Met eenen zeeuschen knive
So gaet hi duer sijn tassche.
Hi comt tote zinen wive,
Al vul brinct hi sine flassche.
Dan gheift hi soe hem vele quader vlouke,
Als haer de kerel ghenaect.
Dan gheift hi haer een stic van den lijfcouke,
Dan es de pays ghemaect.

Wronghle ende wey etc.

Dan comt de grote cornemuse
Ende pijpt hem turelurureleruut.
Ay, hoor van desen abuze!
Dan maecsi groot gheluut,

Op naar de kermis wil hij nu. Hij voelt zich een echte graaf. Daar wil hij het met
zijn verroeste knots allemaal ondersteboven slaan. Dan begeeft hij zich aan de
wijn: meteen is hij bezopen. Dan is heel de wereld van hem: de streek, het land
en de stad. ¶ Wrongel en wei, enz. ¶ Een [groot] zeemansmes heeft hij door
zijn buidel gestoken. Zo komt hij bij zijn vrouw met zijn fles boordevol. Dan
wordt ze kwaad en scheldt hem uit, als hij haar te na komt. Maar geeft hij haar
een stuk van zijn gekruide koek, dan is algauw de vrede gesloten. ¶ Wrongel en
wei, enz. ¶ Dan komt daar de grote doedelzak en speelt hen turelurureleruut.
Ach, hoor hoe wild het er dan aan toegaat! Dan gaan de pummels luid tekeer

Dan sprincsi alle al over hoop,
Dan waecht haer langhe baert.
Si maken groot gheloop,
God gheve hem quade vaert!

Wronghle ende wey etc.

Wi willen de kerels doen greinsen,
Al dravende over tvelt.
Hets al quaet dat zi peinsen,
Ic weetze wel bestelt:
Me salze slepen ende hanghen,
Haer baert es alte lanc.
Sine connens niet ontganghen,
Sine dochten niet sonder bedwanc.

Wronghle ende wey etc.

[24]
Ic sach een scuerduere open staen
Eens avonts, als de mane sceen.
Als icker binnen waende gaen,
Stac ic mi jeghen enen steen.
Ic sacher niemen dan hem tween.

en hossen door elkaar. Dan wappert hun lange baard. Ze maken een drukte van belang. God moge ze in het ongeluk doen lopen! ¶ Wrongel en wei, enz. ¶ Wij zullen die loeders doen grijnzen, achter hen aan dravend over het veld. Het is niets dan kwaad wat ze in de zin hebben. Ik weet wel hoe men ze moet aanpakken: men zal ze [bij de baard] slepen en hangen, hun baard is veel te lang! Er is geen ontkomen aan, ze deugen niet zonder dwang. ¶ Wrongel en wei, enz.

•

Ik zag een schuurdeur openstaan, op een maanverlichte avond. Toen ik er binnen wilde gaan, stootte ik tegen een steen. Ik zag er niets, behalve die twee.

224

Daer zaghic twee witte been
Devotelike te Gode waert.
'Peinst om mi, zuster Lute!'
'Gherne, broeder Lollaert!'

Mettien slopic ter duren in
Al achter eenen corentas.
Daer hoordic dat dat zusterkijn
Den cokerduunschen zouter las.
Beede laghen zi int vlas.
De cucule, die daer upperst was,
Die docht mi draven als een paert.
        'Peinst om mi' etc.

In den gheest studeirden zi
Dieper dan ic wel verstont.
De broeder bleeffer vaste bi,
Hem dochte hi was der zaken cont.
Nochtan en vant hi niet den gront.
Daer omme wart hi so onghesont,
Hi bleef verwonnen in de vaert.
        'Peinst om mi' etc.

Mettien cesseirde dat ghescal.
Suster Luten bleef den prijs,

___

Twee witte benen zag ik daar, devoot naar God geheven. 'Denk om mij, zuster
Lute.' 'Gaarne, broeder Lollaert.' ¶ Daarop sloop ik binnen en verborg me
achter een korenhoop. Daar hoorde ik het nonnetje een heel bijzondere psalter
lezen. Samen lagen ze in 't vlas. De monnikspij, die boven lag, leek wel een
dravend paard. ¶ 'Denk om mij', enz. ¶ Hun geestelijke samenspraak was
diepzinniger dan ik kon volgen. De broeder gaf geen duimbreed toe, zo overtuigd was hij van zijn gelijk. Toch kon hij de grond der zaak niet treffen. Daardoor raakte hij zo uitgeput, dat hij zich halverwege gewonnen moest geven. ¶ 'Denk om mij', enz. ¶ De hoogoplopende discussie hield daarmee op.
Zuster Lute had gewonnen,

De broeder was verwonnen al.
Nochtan so was hi arde wijs.
Hi scudde sine cappe grijs.
Daer was Amelis ende Amijs,
Ja naer den gheesteliken aert!
       'Peinst om mi' etc.

Goede spise ende goeden wijn
Brochte elc van hem beiden voort.
Ic riep: 'ic wils gheselle zijn,
Want daer ghebreict een derde acoort!'
Doe worden si also ghestoort,
Si vloon, sine spraken niet een woort.
So sere waren si van mi vervaert.
       'Peinst om mi' etc.

De goede flasschen bleven daer,
Daer ic te drinckene of began.
Die wijn was zuver ende claer,
De spise die stont mi ooc wel an.
Hets recht dat men hem eere jan
Die Luten leven eerst began:
Daer nes gheen luumkin in ghespaert!
       'Peinst om mi' etc.

---

de broeder had zijn meerdere gevonden. Toch was hij ter zake zeer competent. Hij schudde zijn grijze mantel schoon. Daar had je bij elkaar de legendarische vrienden Amelis en Amijs, vergeestelijkt wel te verstaan. ¶ 'Denk om mij', enz. ¶ Elk van beiden bracht nu lekkere spijs en drank te voorschijn. Ik riep: 'Ik kom erbij, want in dit koor ontbreekt een derde stem.' Daarvan schrokken ze zo, dat ze op de vlucht sloegen zonder nog een woord uit te brengen. Zozeer had ik hun de stuipen op het lijf gejaagd. ¶ 'Denk om mij', enz. ¶ De heerlijke flessen bleven daar achter: ik deed me eraan te goed. De wijn was zuiver en helder, de spijs stond mij ook wel aan. Terecht mag men hem wel prijzen die Lutes orderegel bedacht: daar ontbreekt warempel weinig aan. ¶ 'Denk om mij', enz.

Mijn boel, daer al mijn vruecht an steit,
Doet mir onstede, al eist mi leit.
Daer up so acht hi cleine.
Riet dat metten winde gheit
Heift vele met hem ghemeine.

Wat baedt ghezonghen of gheseit?
Trauwe, scaemte ende stedicheit
Ontgaet hem scone ende reine.

Mijn boel, daer al mijn vruecht an steit,
Doet mir onstede, al eist mi leit.
Daer up so acht hi cleine.

Wankel herte, onstedich pleit,
Hets al verloren aerbeit,
Dat men om di beweine.
Du begheers der trauwen heit,
Maer dune does selve gheine.

Mijn boel etc.

Mijn vriend, die heel mijn leven is, is mij ontrouw. Al doet het mij pijn, hem kan
het weinig schelen. Riet dat met elke wind meewaait, daarmee kun je hem
vergelijken. ¶ Wat baat het erover te zingen of te spreken? Trouw, eerlijkheid
en standvastigheid, al wat schoon en rein is, is bij hem onbekend. ¶ Mijn
vriend, die heel mijn leven is, is mij ontrouw. Al doet het mij pijn, hem kan het
weinig schelen. ¶ Wankel hart, onbetrouwbaar wezen, het is al verloren wat
men om je weent. Je verlangt gezworen trouw, maar zelf trek je je daar niets van
aan. ¶ Mijn vriend, enz.

Mijn hoochste vruecht, waer bestu hen?
Das ich nu niet bi dir en ben,
Des sijn mijn vruechden cleine.

Al moetic wesen, vrauwe, van dir,
Mijn hertze en can niet van u zijn.
Verlanghen dat verharret mir
Ende doet mich alte grootze pijn,
Toot ic aenzie dijn lieflic scijn.
Du mi verhuechs ende anders gheine.

Mijn hoochste vruecht etc.

In can gherusten hier no daer
Ende alle vruecht es mi verdriet,
Maer als ic zie dijn aenscijn claer,
So es mir also wael ghesciet.
Al haddic weinsch, in core el niet
Dan dijn te zine in trouwen reine.

Mijn hoochste vruecht etc.

Du best mi altoos int ghedacht.
Dat doet dijn liefste beilde zoet.
Slapic, wakic, dach ende nacht

Mijn hoogste vreugd, waar ben je heen? Dat we nu niet samen zijn, dat maakt
mijn vreugden klein. ¶ Al moet ik, vrouw, ver van u weg, mijn hart blijft steeds
bij u. Verlangen blijft me aanhoudend kwellen, tot ik u in gedachten voor me
zie. Gij zijt mijn vreugde, mijn enige. ¶ Mijn hoogste vreugd, enz. ¶ Ik vind
geen rust, noch hier, noch daar, en alle vreugde is mij verdriet. Maar als ik uw
zuiver gelaat mag zien, is alles zoals 't moet. Al kon ik alles wensen, ik zou niets
anders willen dan u in reine trouw toe te behoren. ¶ Mijn hoogste vreugd,
enz. ¶ Gij zijt altijd in mijn gedachten met uw zoete, lieve beeltenis. Slaap ik,
waak ik, dag en nacht

Dijn aenscijn es mi in den moet.
Wel mi ghenoucht, wat ghi mi doet,
Want ic so lief en creech nie eyne.

Mijn hoochste vruecht, waer bestu hen?
Das ich so verre van dir ben,
Das sijn mijn vruechden cleine.

[27]
De steen die trect die naelde naer.
Wien wondert das, al hanich vaer
Vor oghen die bedrieghen?
Oghen vlieghen hier ende daer,
Maer herte en can niet lieghen.

Een oghe upslaen es wandelbaer,
Maer als tghesichte wil bliven staer
Ende laten in waert vlieghen,
So moet daer therte segghen waer,
Want zoe en can niet lieghen.

Lijflic beilde, speghel claer,
Mijn cracht es jeghen dijn begaer
Als tskints es in der wieghen.

is uw beeld in mijn gemoed. Wat gij mij ook doet, ik vind het goed, want zoals
nu heb ik nog nooit bemind. ¶ Mijn hoogste vreugd, waar ben je heen? Dat we
nu niet samen zijn, dat maakt mijn vreugden klein.

•

De zeilsteen trekt de naald van het kompas naar zich toe. Zal het iemand verbazen als ik bang ben voor ogen die bedriegen? Ogen fladderen nu hier, nu
daar; maar een hart dat kan niet liegen. ¶ Een oogopslag is onbestendig. Maar
als de blik rustig terugkijkt en zich openstelt, dan moet het hart daar waarheid
spreken. Want het hart dat kan niet liegen. ¶ Heerlijk wezen, spiegel klaar, het
verlangen naar u maakt me zo weerloos als een kind in de wieg.

Dijn moetic bliven al mine jaer,
Want herte en can niet lieghen.

De steen die trect etc.

[28]

Sceiden, onverwinlic leit,
Onvruechdelijc es dijn beghin.
Dat nemic waerlic up mijn heit:
Ten brinct gheen dinc meer lidens in.
Sceiden, du dwinx herte ende zin.
So langher tijt, so meer verdriet,
Sceiden, du ne ghenouchs mi niet.

So liever lief, so liever paer,
So meer verdriets den hertzen zi.
Int sceiden hets een ure een jaer,
So lanc so meer verdriets in mi.
En hooptic niet om comen bi,
Mijns lijfs gheduer waer als .i. riet.
Sceiden, dune ghenouchs mi niet.

Al es tbeghin des sceidens zuer,
Tlanghe merren en es niet zoet.

Ik blijf mijn leven lang de uwe, want het hart dat kan niet liegen. ¶ De zeilsteen
trekt, enz.

•

Scheiden, onbedwingbaar leed; vreugdeloos is uw begin. Op mijn woord: niets
brengt meer lijden toe dan scheiden. Scheiden, gij kwelt hart en geest. Hoe
langer het duurt, hoe groter het verdriet. Scheiden, gij bevalt mij niet. ¶ Hoe
groter de liefde, hoe hechter het paar, des te meer smart komt de gescheiden
harten toe. Een uur van scheiding duurt een jaar. Hoe langer het duurt, hoe
groter mijn verdriet. Kon ik niet op weerzien hopen, dan bleef mij nog maar
weinig leven over. Scheiden, gij bevalt mij niet. ¶ Al is het scheiden bitter in 't
begin; langer wachten verzoet het niet.

So langher dat de tijt gheduer,
Te meer verlanghens in den moet.
Sceyden, nye en waerstu goet,
Noch nie en es heil van di ghesciet.
Sceiden, dune ghenouchs mi niet.

Als ic of sciet, mi was so wee,
Mine dede nie dinc so grote pijn.
Nu pijnt mi .M. waerven mee
Dat ic so langhe van haer moet zijn.
So sere verlanct der hertzen mijn,
In weet niet wes mi es ghesciet.
Sceiden, dune ghenouchs mi niet.

Hope, nu hebt mijns levens danc:
Vor alle dinc ghi mi verhuecht.
Al dinct mi tmerren wesen lanc,
In dinen troost vindic ghenuecht.
Ic biddu, God, mi zaen bewuecht
Bi haer daer ic mijn hertze liet.
Sceiden, dune ghenouchs mi niet.

[29; RONDEEL]

Egidius, waer bestu bleven?
Mi lanct na di, gheselle mijn.

Hoe langer het duurt, des te meer verlangen komt er in 't gemoed. Scheiden,
nooit waart gij goed, en nooit is enig heil van u geschied. Scheiden, gij bevalt
mij niet. ¶ Het afscheid was zo pijnlijk; niets heeft me ooit zo pijn gedaan. Nu
kwelt het mij duizendmaal meer dat ik zo lang van haar gescheiden moet zijn.
Zo groot is het verlangen in mij; waar ik het vandaan heb, weet ik niet. Scheiden, gij bevalt mij niet. ¶ Hoop, heb dank dat gij mij in leven houdt: meer dan
wie ook brengt gij mij troost. Al dunkt mij 't wachten lang, in uw vertroosting
vind ik vreugd. Ik bid u, God, breng mij spoedig weer bij haar, bij wie ik mijn
hart achterliet. Scheiden, gij bevalt mij niet.

•

Egidius, waar ben je heen? Ik mis je, mijn vriend.

Du coors die doot, du liets mi tleven.

Dat was gheselscap goet ende fijn,
Het sceen teen moeste ghestorven sijn.
Nu bestu in den troon verheven
Claerre dan der zonnen scijn,
Alle vruecht es di ghegheven.

Egidius, waer bestu bleven?
Mi lanct na di, gheselle mijn.
Du coors de doot, du liets mi tleven.

Nu bidt vor mi: ic moet noch sneven
Ende in de weerelt liden pijn.
Verware mijn stede di beneven:
Ic moet noch zinghen een liedekijn.
Nochtan moet emmer ghestorven sijn.

Egidius, waer bestu bleven?
Mi lanct na di, gheselle mijn.
Du coors die doot, du liets mi tleven.

[30]
O cranc onseker broosch engien,
Snee of glas als dijn nature,

Je koos de dood, mij liet je 't leven. ¶ Het was een goede, fijne vriendschap: het
leek wel even of de dood niet bestond. Nu heb jij bij Gods troon een plaats
gekregen, omstraald door het helderste licht. De hoogste vreugde is jou geschonken. ¶ Egidius, waar ben je heen? Ik mis je, mijn vriend. Je koos de dood,
mij liet je 't leven. ¶ Bid nu voor mij: ik moet nog moeizaam verder de pijn van
deze wereld dragen. Bewaar voor mij een plaats naast jou: wat mij betreft, ik
moet hier nog een liedje zingen. Maar sterven moet iedereen. ¶ Egidius, waar
ben je, heen? Ik mis je, mijn vriend. Je koos de dood, mij liet je 't leven.

•

O zwakke, onzekere, broze mens, vergankelijk als sneeuw, breekbaar als glas,

Niet en sech: 'dit sal ghescien',
Want dune hebs morghen tijt no ure.
Waer vintstu eenighe creature
Die ghedure
Jeghen de doot die commen moet?
Al eist so datti hier ghebuere
Dijns weinschens cuere,
De doot die werpt di onder voet.

O vroylic herte, solazelic bloet,
Egidius, di sal men claghen,
Ende rauwe draghen
Tallen daghen,
Ende dijns ghewaghen!
So wie dijns plaghen,
Hem maechs wanhaghen
Datti de doot so vrouch bestoet,
Maer wat God wille, elc neimt vor goet.

Nemmermeer sone wanic zien
Dijnre vroylicheit parture.
Musike ende alle melodien
Minnestu met herten pure.
Nu bestu doot; elc vroylic truere.
O Avonture,

---

zeg niet: 'Dit zal geschieden'; want van de dag van morgen weet je niets. Waar
vind je enige creatuur die bestand is tegen de dood, die onafwendbaar is? Ook
al zou je hier op aarde alles hebben wat je je maar kunt wensen, de dood krijgt
je er wel onder. ¶ O blijhartige geest, genoeglijk gezelschap, Egidius, jouw
dood zal men beklagen, in lengte van dagen zal men je rouw dragen en je
gedachtenis bewaren. Al wie met je omging mag het als een zwaar verlies ervaren dat de dood je zo vroeg overviel. Maar als het Gods wil is, valt daar nu
eenmaal niets op af te dingen. ¶ Nooit meer zal ik iemand zien zo blijmoedig
als jij. Met zuiver hart beminde je muziek en zang. Nu ben je dood: wie vrolijk
was, moet nu treurig zijn. O Noodlot,

Du slachts der hebben ende der vloet!
Du gheifs hem tzoet die staen na tzure,
Entu best stuere
Hem die van aerde minnen tzoet!

O vroylic herte, solazelic bloet etc.

Wie sulre nu dijnre vruechden plien,
Egidius, stervelike guere?
Menich edel musisien
Prees dinen voys ende dijn tenuere.
Nu bidt vor ons, want du best vuere
In schemels duere,
Dat ons God neme in sijn behoet
Ende dat hier elc also labuere,
Eer therte scuere,
Dat wij ontgaen der hellen gloet.

O vroilic herte etc.

[31]
Musike, die in der naturen
Can bezuren

je tij is wisselend als eb en vloed. Je schenkt geluk aan hen die er niets om geven
en maakt het leven zwaar voor hen die van nature het geluk beminnen. ¶ O
blijhartige geest, genoeglijk gezelschap, enz. ¶ Wie zal nu de zorg om de vreugde van je overnemen, Egidius, nu je als een geur van bloemen bent vergaan? Je
werd door menig kenner als zanger van de tenor geprezen. Bid nu voor
ons — want je bent ons door de hemelpoort voorgegaan — dat God ons behoede en dat elk van ons hier voor de dood zo zijn best mag doen, dat wij aan
het vuur van de hel mogen ontkomen. ¶ O blijhartige geest, genoeglijk gezelschap, enz.

•

Muziek, wie in de slagen der natuur reden kan vinden tot verdriet,

Beseffen der consten vroylicheit,
Wes vroylic nu! la varen trueren!
Looft teser uren
Der rozen vul der reynicheit,
Wiens omoet ende zuverheit
Der Triniteit
Ontsluten dede schemels duren
Om alre meinschen zalicheit,
Daer soe bereit
Toe was vor alle creaturen.
Eva brochte ons int bezuren,
Ave was bi den Here gheseit.

Ave der werder rozen teeren,
Die ons mach leeren
Quaets ombeeren,
Te duechden keeren,
Den viant weeren.
An haer so steit
Al onse meeste zalicheit.

Bi den Here so was Muzike
In hemelrike,
Eer hi Adame tlijf in blies.
Dien wildi maken van den slike
Na sire ghelike

vervul hem met de vreugde van de kunst! Wees nu vrolijk, laat het treuren
varen. Loof met zang de roos van zuiverheid, wier ootmoet en maagdelijkheid
de Triniteit ertoe bracht — waartoe zij boven allen gedienstig was — de deuren des hemels te openen tot zaligheid van alle mensen. Eva bracht ons [door de
erfzonde] in 't verdriet, Ave plaatste God daar [bij de Incarnatie] tegenover. ¶ Ave, ter ere van de edele roos, die ons kan leren het kwaad af te zweren,
ons te keren tot de deugd en de duivel te verdrijven. Alle zaligheid kan zij alleen
ons schenken. ¶ Bij God in de hemel was muziek nog voordat hij Adam het
leven inblies. Die wilde hij van materie maken naar zijn gelijkenis

Ende gaf hem alre herten kies.
Den viant dien vernoyde dies,
Ende vantene ries,
Doe Eva slouch sbevelens swike.
Ave beterde ons tverlies,
Doe soe up wies,
Die werde roze, die met verzike
Den Heere ontfinc oetmoedelike.
Nu danct der rozen, die vruechden plies!

Ave der werder rozen teeren etc.

O zuvre roze zonder doren,
Uutvercoren
Van den Heere dor sijn ootmoet!
Ne ware hi niet van di gheboren,
So ware verloren
Al dat Adame ye bestoet.
So wie Musiken eere doet,
Verleent hem spoet
Tallen vruechden sonder toren!
Ende neimt ons allen, roze zoet,
In dijn behoet,
Die van Musiken gheerne horen

en hij gaf hem alles wat zijn hart begeerde. De duivel, die dit verdroot, wist hem tot een dwaasheid te verleiden toen Eva Gods gebod in de wind sloeg. 'Ave' maakte het verlies weer goed, toen zij opgroeide; de edele roos, die met een zucht ootmoedig de Heer in zich ontving. Dank nu de roos, gij allen die [in de muziek] de vreugde vereert. ¶ Ave ter ere van de roos, enz. ¶ O onbevlekte roos, roos zonder doornen, door God uitverkoren in zijn genade; was hij niet als mens uit u geboren, dan zou alles wat ooit aan Adam werd geschonken verloren zijn. Verleen nu aan ieder die zich aan de muziek wijdt, voortgang tot de vreugde zonder tegenspoed. En wij die de muziek liefhebben

Ende diese node souden storen,
Nu elc sijn alre blijtste doet!

Ave der werder rozen teeren etc.

[32]
Wie mach andren bedrieghen bet
Dan daer al sijn ghelove an staet?
Maer als men es ghevaen int net,
So eist te spade te zoukene raet.
Te verre betrauwet es dickent quaet.
De menighe esser omme int strec.

En ghec mi niet, des biddic dijch:
'Ja, ghec! ja, ghec!' vrouwe, zekerlijch
Ic hiete mi liever quaet dan ghec.

Van al das ich up eerden haen
Betrauwich dir ende ben di hald.
Salics gheen ander loon ontfaen
Dan du dan met mi ghecken sald?
Ach vrauwe, het es in dijn ghewald,
Maer liever hebbic mi verstec.

---

en haar niet graag zouden ontstemmen; minzame roos: neem ons allen in uw
hoge bescherming. Dat elk nu zijn allerblijste zang laat horen! ¶ Ave ter ere van
de roos, enz.

•

Wie kan een ander gemakkelijker bedriegen dan degene in wie men het volste
vertrouwen stelt? Maar als men in het net gevangenzit, dan is het te laat om zich
te bedenken. Te veel vertrouwen schenken is vaak rampzalig: menigeen heeft
zich daarmee in de nesten gewerkt. ¶ Begek mij niet, als je belieft! Ja gek, ja
gek, mevrouw, zeer zeker. Ik werd nog liever kwaad genoemd dan gek. ¶ Al
wat ik in de wereld heb, draag ik aan u op en houd ik trouw in leen. Zal ik er
geen ander loon voor krijgen dan dat gij de gek met mij zult steken? Ach,
vrouw, niemand kan het u beletten. Maar ik heb het liever niet.

Ne ghec mir niet etc.

Wat wiltu meer, of ic ben dijn?
Saltu mi willen ghecken dan?
Het es mi nerenst, vrauwe mijn,
Want ich di niet gheghecken can.
Doe dat mi vruechden commen an
Of anders blivic in den drec.

Ne ghec mir niet etc.

Wie mach andren bedrieghen bet etc.

[33]
De vedele es van so zoeter aert,
Al ware een hertze jonc bezwaert,
Dat spel soudze verbliden.
Vor alle dinc hebbict begaert,
Nu grijst mijn top, nu graeut mijn baert,
Vruechden mi ontgliden.
Haddic minen stoc ghespaert,
Doe hi was stijf ende wael ghesnaert,
Sone stondic niet beziden.

Wat saelt gheclaecht? doch eist also

Begek mij niet, enz. ¶ Wat wilt ge nog meer, als ik al helemaal van u ben? Het is mij ernst, mevrouw, want u voor de gek houden kan ik niet. Geef me uitzicht op geluk, anders zit ik voorgoed in het slop. ¶ Begek mij niet, enz. ¶ Wie kan een ander gemakkelijker bedriegen, enz.

•

De vedel klinkt zo aangenaam, dat een jong gemoed, hoe bezwaard ook, er-door verblijd moet worden. Ooit was de vedel bespelen het liefste dat ik deed. Nu mijn kruin en mijn baard grijs geworden zijn, glijdt de vreugde me door de vingers. Had ik mijn strijkstok wat meer gespaard, toen hij nog strak stond en wel behaard was, dan stond ik nu niet [afgedankt] terzijde. ¶ Wat helpt het te klagen? Toch is

238

Dat es mijn hertze gar onvro
Als een versteken vedel man.
Bonghen, akaren, vedel spel
Ghevoucht den jonghen hertzen wel,
Want alle vruechden clever an.
Ich haen verdorven mijn ghestel
Int vedelen, dat mi rauwen sel.
Daer nes een ander up nochtan:
Hi sceiter van dies niet en can.

Dat bongen es vul der vroilicheit.
Als men de bonge te pointe leit
Ende menre up speilt gheringhe,
So mense dan gheringher sleit,
Te meer haer luut te zuetzer gheit.
Mi huecht, dat icker of zinghe!
Haddic ghespaert mijn aerbeit,
Het stonde mir bas dant mir nu steit,
Nu trueric zonderlijnghe.

Wat saelt gheclaecht etc.

Akaren dat es wel also zoet.
Als men de const te rechte doet,
So gheift se also zuetzen clanc.
Mijn hijsterment was wilen goet.

mijn hart bedroefd als een afgedankte vedelaar. Trommen, pauken, vedelspel,
dat bevalt de jongeren wel, want het is een bron van vermaak. Ik heb mijn
instrument met vedelen versleten, tot mijn spijt. Er zit niets anders op, helaas:
wie het niet langer kan, houdt ermee op. ¶ Het trommelspel brengt veel plezier.
Als men de trom gepast hanteert, er niet te veel op speelt, hoe zachter men hem
dan bespeelt, hoe fijner het geluid. Ik geniet er nog van, terwijl ik ervan zing!
Was ik wat minder hard van stapel gelopen; dan was ik er beter aan toe dan ik
nu ben. Nu zit ik in eenzaamheid te kniezen. ¶ Wat helpt het te klagen,
enz. ¶ Paukenspel is net zo fijn. Als men ze met kunst bespeelt, dan is hun klank
al even zoet. Ooit was mijn instrument in orde:

Doe haddic tallen vruechden spoet,
Wat ic nu doe, dats zonder danc.
Die hem mestroost, hine es niet vroet,
Na dien dat emmer wesen moet.
Ic houds mi anden goeden dranc!

Wat saelt gheclaecht? doch eist also
Dies es mijn hertze gar onvro
Als een versteken vedel man.
Bongen, akaren etc.

[34]
Ic badt der liefster vrouwen mijn.
God gheve dat mir becliven moet,
Of anders sal verlanghens pijn
Verdwinen al mijns hertzen bloet.
No vruecht, no heil, no scat, no goet
En mach mi helpen niet een blat,
Doet si mi niet dat ic huer bat.

Ghebloiet staet een gardelijn,
So vaste nye ghein in mi en stoet.
God groetu, joncfrauwe edel, fijn,
Dat rijs haenstu in dijn behoet.

ik deed aan alle joligheid mee. Wat ik nu ook doe, het leidt tot niets. Het is niet wijs te treuren over wat nu eenmaal wezen moet. Ik troost mij met de drank! ¶ Wat helpt het te klagen. Toch is mijn hart bedroefd als een afgedankte vedelaar. Trommen, pauken, enz.

•

Ik deed mijn liefste een verzoek. God geve dat het mij te beurt mag vallen, anders zal het verlangen zo ondraaglijk worden dat het me zal doen wegkwijnen. Vreugde noch voorspoed, geld noch goed kunnen mij ook maar iets helpen, als zij niet doet waar ik om vroeg. ¶ Mijn twijgje staat in bloei, zo stevig stond het nog nooit. Gegroet, edele jonkvrouw, dat twijgje is u toevertrouwd.

Ich badt der liefster etc.

Sal dan mijn gaert ghedurich sijn,
Blijft mi ghestalt toot heilde zoet.
Want ich wil emmer bliven dijn,
Dat saltu zeker werden vroet.
No vruecht, no heil, no scat, no goet
Ne mach mi helpen niet een blat,
Doet si mi niet dat ic haer bad.

Ich badt der liefster etc.

[35; RONDEEL]
Aloeette, voghel clein,
Dijn nature es zoet ende rein,
So es dijn edel zanc.
Daer dienstu met den Here allein
Te love om sinen danc.

Daer omme bem ic met di ghemein.
Ander voghel willic ghein
Dan di, mijn leven lanc.

Aloeette, voghel clein,
Dijn nature es zoete ende rein,

Ik deed mijn liefste een verzoek, enz. ¶ Houd mij, opdat mijn twijgje kan blijven staan, steeds in uw zoete band gevangen. Want ik wil altijd de uwe zijn, dat
zult gij zonder twijfel ooit wel inzien. Vreugde noch voorspoed, geld noch goed
kunnen mij ook maar iets helpen, als zij niet doet waar ik om vroeg. ¶ Ik deed
mijn liefste een verzoek, enz.

•

Leeuwerik, vogel klein, van nature zijt gij zacht en zuiver, zo is ook uw edele
zang. Met die zang dient gij de Heer alleen, om hem te loven uit louter dankbaarheid. ¶ Daarom voeg ik mij bij u. Ik wil geen andere vogel dan u, mijn
leven lang. ¶ Leeuwerik, vogel klein, van nature zijt gij zacht en zuiver,

So es dijn edel zanc.

Nider boos, onreine vilein,
De rouc die es wel dijn compein,
Neemt dien in u bedwanc!
Laet minlic hertzen sijn bi eyn
Sonder loos bevanc!

Aloeette, voghel clein,
Dijn name es zoete ende rein,
So es dijn edel zanc.
Daer dienstu etc.

[36]

De scoonste die men scauwen mach,
De liefste die ich ye ghesach,
Ich weinsche huer heyl ende goeden dach,
Maer wie ich meyn,
Wil ich niemen doen ghewach
Dan huer allein,
Die mijns vermach ende anders ghein.

Al zocht een man .vM. jaer,
Hier noch daer
So nes ghein beild so wivelijch.

---

zo is ook uw edele zang. ¶ Valse kwaadspreker, gemene schoft, de roek is voor
jou een geschikte gezel: neem díe maar liever gevangen! Laat minnende harten
bij elkaar zijn, zonder dat je valse listen daaraan te pas komen! ¶ Leeuwerik,
vogel klein, uw naam is zacht en zuiver, zo is ook uw edele zang. Daarmee dient
gij, enz.

•

De schoonste die men kan aanschouwen, de liefste die ik ooit mocht zien, haar
wens ik heil en een goede dag. Maar wie ik bedoel, dat verklap ik alleen aan
haar die macht over mij heeft en anders niemand. ¶ Al zocht een man vijf-
duizend jaar, nergens zou hij zo'n beeld van een vrouw vinden.

Haer edel minnentlijch ghebaer
Last mir so zwaer,
Das nie man drouch so truwelijch.
Hets recht, groet ich mijn hemelrich
Dan jonstelijch,
Daer an dat staet mijns vruechts ghecrijch,
Want ich bin huer in trauwen rein.

De scoonste die men etc.

Wan mir gheluct ende icse can
Vri scauwen an,
So brandich in der vruechden gloet.
Wanneer ich moet des derven dan,
Sone leift gheen man
Die meer bedruct es in den moet.
Hets recht, want zi es also zoet,
Des ben ic vroet,
Al waer al erderijch mijn goet,
Sonder zi, het waer tzo clein.

De scoonste etc.

Of si dan es mijn hoochste vruecht,
Die mir verhuecht

Haar edele, beminnelijke verschijning heeft mij zozeer in haar ban, dat ik haar
trouwer dien dan iemand ooit deed. Het is niet meer dan betamelijk, dat ik mijn
aanbedene een vriendelijke groet breng, haar, die mij alle vreugd kan schenken.
Want ik behoor in louter trouw geheel aan haar toe. ¶ De schoonste die men,
enz. ¶ Als ik het geluk heb haar ongehinderd te mogen aanschouwen, dan
brand ik in de gloed der vreugde. Wanneer mij dat niet is gegund, dan is niemand zo bedroefd als ik. Dat is ook zoals het hoort, want zij is zo beminnelijk!
Dit weet ik zeker: al was de hele wereld van mij en ik had haar niet, de wereld
was mij niet genoeg. ¶ De schoonste, enz. ¶ Indien zij dan mijn hoogste vreugde is, die mij verheugt

Vor al das vruecht haet ghevens macht,
En si allein, want haer ghenuecht,
Met huerer duecht
Mi mach doen leven zoet ende zacht,
Ich wille dan stellen mijn ghedacht
Dach ende nacht
So dat huer eere si bewacht
Vor elken clappenden vilein.

De scoonste etc.

[37]

Ich haen mijn rozen uut ghestreit
Aen ondersceit.
Of minen heit,
Mine esser ein niet bleven.
Of men die onder voetsen leit,
Aen hofen steit
Al mijn aerbeit.
Wes huecht mir dan tze leven?
Mijn rozen sijn van smetten rein.
Daer en esser ghein so clein,
Si en wies in herten gronde.
Blijf si vertreden dan ghemein,

boven al wat vreugde kan schenken en als zij alleen, zo 't haar bevalt, mij door
haar deugdzaamheid in vrede kan doen leven: dan wil ik mij er dag en nacht op
toeleggen dat haar eer gevrijwaard blijft van vuige achterklap. ¶ De schoonste,
enz.

•

Ik heb mijn rozen onbedachtzaam uitgestrooid. Waarlijk, niet één is er overgebleven. Als men die dan achteloos vertrapt, dan is al mijn werk voor niets
geweest (zonder hoop). Wat heb ik dan nog aan het leven? Mijn rozen zijn vrij
van smetten. Geen ervan zo klein of ze groeide uit de grond van mijn hart.
Worden die rozen dan zonder onderscheid vertrapt,

Mine wert der rozen nummer ein.
Dat ics dan ye begonde,
Dat was verloren stonde.

Sullen dan dus de rozen mijn
Ghestroiet zijn
Verliezens pijn,
Wes sal ic mi betrouwen?
Hope, het was tbevelen dijn.
Doestu verdwijn
Den rozen fijn,
Den boom sal ic of hauwen.
Daer ne sal nummer roze anstaen.
Des stroiens willic avelaen,
Nemmeer ics mi bewinde.
Si zijn ghepluct, het blijft ghedaen.
Sijn si ghestroit ende over gaen,
Hier mede so nemic inde,
Up dat ict so bevinde.

Ach, Twifel, Twifel, wacker strijt,
Die altoos sijt
In mijn berijt,
Dat salic Hopen claghen!
Vrau Hope, ic bem mire rosen quijt!
Helpt mi tze tijt,

dan komt geen roos nog in mij op. Dat ik er ooit aan begon, het was verloren tijd. ¶ Indien mijn rozen vergeefs zijn uitgestrooid, op wie zal ik mij dan verlaten? Hoop, ik deed het op uw bevel. Laat gij mijn rozen tenietgaan, ik zal de struik verdelgen. Ik houd op met strooien, het kan me niet meer schelen. Ze zijn geplukt, daar is niets meer aan te doen. Merk ik dat ze, uitgestrooid, vertrapt liggen, dan is dit voor mij het einde. ¶ Ach, Wanhoop, Wanhoop, wakkere kwelgeest, die het altijd op mij gemunt hebt, ik zal er bij Vrouw Hoop over klagen. Hoop, ik ben mijn rozen kwijt! Help mij bijtijds

Of mijn jolijt
Verliezic al mijn daghe!
Mijn rozen staen mi over goet,
Het zijn mijn zinne, het es mijn moet,
Trouwe ende hertze gonste.
Zenuwe, adren, vleesch ende bloet
Ende wes ich haen, lief beilde zoet,
Dat es dijn proper wonste
Met minliker conste.

Nu nem te minen rosen waer,
Mijn hoochste gaer!
Al mine jaer
Willich dijn eighin bliven.
Haenstu in dir des twifels vaer,
So sich mi naer,
Du vindes waer:
Onstede willic verdriven.
Ic wil mich eighin gheven dir,
Ic gheve di rozen ende rozier,
Wiltuus niet nemen hoede?
Ende in mi rijst des twifels vier,
So wart dijn boom verbrandet scier,
Want ic bem, vrouwe goede,
Bescout van tswifels gloede.

of ik verlies voor altijd mijn levensvreugde. Mijn rozen zijn mijn liefste goed,
het zijn mijn zinnen, mijn gemoed. Trouw en genegenheid, zenuwen, aderen,
vlees en bloed, al wat ik heb, liefste, ik schenk het u met de kunst die bij de liefde
hoort. ¶ Schenk nu aandacht aan mijn rozen, mijn hoogste verlangen! Voor
altijd wil ik de uwe zijn. Hebt gij enige twijfel over mij, zie mij dan aan, gij zult
het waar bevinden: ontrouw ban ik uit. Ik wil mij geheel aan u overleveren: ik
schenk u de rozen én de rozestruik. Wilt gij daar niet voor zorgen, dan rijst het
vuur van de wanhoop in mij op en ligt uw rozestruik spoedig in as. Want ik ben,
genadige vrouw, door de gloed van de wanhoop verschroeid.

Vaer wech, Ghepeins! God gheve dir leit,
Dattu ye quaems in mijn ghedacht!
Du bist vort an van mi ontzeit
Ende ic ontsegghe al dijn gheslacht.
Vaer wech!
Vaer wech ende vlie van mi ghereit!
Dune laets mi rusten dach no nacht.

Du haens ghebrant met onbesceit
Mijn herte ende al mijns zinnes cracht.
Mi dwinct so zere dijn aerbeit,
In haen no vruecht, no vruechden macht.
Vaer wech!
Vaer wech ende doe van mi ghesceit!
Dune laets mi rusten dach no nacht.

Ach groen nu zi mijn Ommecleit,
Want ich mi nie so moede en vacht.
Helpstu mir niet, soot mir nu steit,
So werdic zaen ghevanghen bracht.
Vaer wech!
Vaer wech! helf God om vroilicheit!
In can gherusten dach no nacht.

Ga weg, gepeins! God moge je verdoemen, dat je ooit in mij opkwam. Van nu
af aan verklaar ik je de oorlog, aan jou en aan je hele geslacht! Ga weg! Ga weg,
maak dat je wegkomt: je laat mij rust vinden, dag noch nacht. ¶ Je hebt dom-
weg mijn hart en al mijn geestkracht opgebrand. De druk die je op mij legt,
weegt mij zo zwaar: ik heb noch vreugde, noch kracht om blij te zijn. Ga weg!
Ga weg en laat me nu! Je laat me rust vinden, dag noch nacht! ¶ Ach, laat mijn
mantel groen zijn [met het groen van de hoop of van de jeugd], want nog nooit
was ik zo moegestreden. Zoals het er nu voor staat, word ik, zonder uw hulp,
spoedig overmeesterd en gevangengenomen. Ga weg! Ga weg! Schenk mij,
God, weer vrolijkheid! Ik kan geen rust meer vinden, dag noch nacht.

Wan ich der vrauwen liden zie
In enigher wijs, wes huer messcie
Gaer ganslich lijt mijn herte also.

Sal ich huer scauwen vruechden laen,
En vruechden haen? dan can ich niet.
Al conde mijn zin na vruechden staen,
Nature en wil das volghen niet.
Mijn hertze is huer, dies haer verdriet
Dan laet mi nummer wesen vro.

Wan ich der vrauwen liden zie
In enigher wijs, wes huer messcie
Gaer ganslich lijt mijn herte also.

Bin ich huer varre, bin ich huer naer,
Van huer comt al de vruechden mijn.
Al mochtic leven duzent jaer,
Ich meine, en sal niet anders sijn.
Si liefd mir, so al lidich pijn,
In wil des achten niet een stro.

Wan ich der vrauwen liden zie
In enigher wijs, wes huer messcie
Gaer ganslich lijt mijn hertze also.

Als ik mijn vrouwe lijden zie, om wat dan ook, dan lijdt mijn hart evenzeer, onder het leed dat haar geschiedt. ¶ Kan ik toezien hoe zij vreugde moet ontberen en zelf vreugde hebben? Dat kan ik niet. Al zou mijn geest naar vreugde staan, de natuur wil daar niet in mee. Mijn hart is van haar: wat haar verdriet doet, doet ook mij verdriet. ¶ Als ik mijn vrouwe lijden zie, om wat dan ook, dan lijdt mijn hart evenzeer, onder het leed dat haar geschiedt. ¶ Ben ik ver van haar of ben ik haar nabij, van haar komt al mijn blijdschap. Al zou ik duizend jaar leven, waarlijk het zou niet anders zijn. Ik heb haar lief: al lijd ik pijn, het deert me niet. ¶ Als ik mijn vrouwe lijden zie, om wat dan ook, dan lijdt mijn hart evenzeer, onder het leed dat haar geschiedt.

In weinsche huer tallen tiden heil,
Ghenouchlicheit al hueren tzijt.
Huer eighin bin ich also gheil.
Truert si, ich bin der vruechden quijt.
Ghedenc das: wan ghi vroilic zijt,
So sinc ich, lief, van vruechden ho!

[40]
God gheve ons eenen bliden wert,
So sijn de gasten vroilic jo,
Die altoos blidelic ghebert,
So moochwi ganslijch wesen vro!
Ach, lieve her wert, nu doe also!

Waer dranc nye man so goet ghelach,
Up dat die wert es zorghen quijt?
So wilwi comen alden dach
Van nuchtens toter vespertijt.
Dese wert moet sijn ghebenedijt,
Hine acht des truerens niet een stro.

God gheve ons eenen bliden wert etc.

Wael op, laet ons dan vroilic sijn,

Ik wens haar heil en welzijn, haar leven lang! Zozeer ben ik aan haar verknecht:
treurt zij, dan ben ook ik mijn vreugde kwijt. Vergeet dit niet: als gij vrolijk zijt,
dan zing ik, lief, in vreugden hoog!

•

God geve ons een opgewekte gastheer, een die zich altijd vrolijk voordoet: dan
zijn de gasten blij, dan kunnen wij een en al vrolijkheid zijn. Ach, lieve gastheer,
gedraag u nu zo! ¶ Zou de drank iemand goed kunnen bevallen, als hij niet wist
dat ook de gastheer onbekommerd is? Dan willen we de hele dag hier toeven,
van 's morgens vroeg tot de vespertijd. Deze gastheer zij hoog geprezen: treurnis krijgt bij hem geen kans. ¶ God geve ons een opgewekte gastheer, enz. ¶ Welaan, laat ons dan vrolijk zijn,

249

Want ons die wert veil vruechden gan.
Wi drinken hier so goeden wijn,
Wat souden wi noch besceiden dan:
'God gheve hem heil diet ons vorwan,
Sijn leven lanc met vruechden ho!'

God gheve ons eenen bliden wert etc.

Scinc in, scinc in den duutscen traen,
Die luden doet so suetzen clanc!
Wi willen truerens avelaen.
Ach, vruechden, nemmermeer verganc!
Die ons benijdt, hi hebbe ondanc!
Ic wilde, hi zate in Jerico.

God gheve ons eenen bliden wert etc.

◆

[RIJMSPREUKEN]

Tweer ghliver minne
Dats als eens sinne,
Dits anders werden:
Ende hi wort si,

---

daar ons de gastheer zoveel heerlijks gunt. We drinken hier zo'n lekkere wijn!
Wat kunnen we anders zeggen dan: 'God geve hem zijn leven lang voorspoed,
die ons dit alles schenkt.' ¶ God geve ons een opgewekte gastheer, enz. ¶ Schenk
in, schenk in het Duitse vocht, dat zo'n zoete zang doet opklinken. Wij willen
het treuren laten. Ach, vreugde, wijk nooit meer! Wie ons benijdt, die kan
verrekken! Naar Jericho verwens ik hem! ¶ God geve ons een opgewekte gastheer, enz.

●

De liefde maakt twee minnaars eensgezind; zij worden anders: hij wordt zij,

Ende si wordt hi,
In eenre begherden.

Die daer ghern ware
Daer men ommare
Sijn vrinschap heeft
Ende draf wijst smelec,
Hi es ghehelec
Die armste die leeft.

Terra natabit, piscis arabit, bos que volabit,
Cum mulierum dicere verum lingua parabit.
Die eerde zwijmmet, die vische eert, die osse vlieghet,
Als der wive om hoere gherive tonghe nyet en lieghet.

Die noeyt van lieve leet en ghewaen,
En weet niet wat liefde maeken can.
Liefde is leyts aen vanc
Ende leyt is liefden ute ganc.

en zij wordt hij, in eendrachtig verlangen.

•

Wie graag daar is waar men zijn vriendschap niet waardeert en deze honend
van de hand wijst, is de armzaligste die leeft.

•

De aarde gaat zwemmen, de vis gaat ploegen, de os vliegen, als vrouwentongen
van plan zijn om de waarheid te spreken.

•

Wie nooit uit liefde lijden kende, weet niet wat liefde is. Liefde is het begin van
leed, en leed het einde van liefde.

'Duuc, voghelken, ende laet over ghaen,
Tot dat die vlaghe es ghedaen.'
Dit sal een op hem selven nemen ende verstaen,
Die met drucke ende lidenne es bevaen.
Ende wesen aldus sijns selfs sercors ende troest,
Tot dat hi niet van menschen
Maer van Gode wert verloest.

UIT HET HAAGSCHE
LIEDERHANDSCHRIFT

VAN VROU VENUS ENDE VAN MINNE

Venus, warom deys du dat,
Dat ghi hem sijt also wreet,
Den genen, die der minnen pat
Dicwil gaen, dat hem wert heet?
Venus, dat is ongelike,
Dat ghi den genen niet en loent,
Die altoes mint getrouwelike –
Mer uwen art ghi gerne toent!

Ghi hebt een alte zute beghin

'Duik naar de grond, vogeltje, en laat de storm overwaaien.' Dit advies moet
iemand op zichzelf betrekken als hij in benarde omstandigheden verkeert. Aldus moet hij zichzelf redden en troosten, totdat hij niet door andere mensen,
maar door God zelf wordt verlost.

•

Venus, waarom handelt u zo, dat u voor degenen die het pad van de liefde
dikwijls begaan, zo wreed bent dat het voor hen onaangenaam wordt? Venus,
het is onrechtvaardig dat u degene die altijd trouw liefheeft niet beloont — doch u toont uw ware aard maar al te graag! ¶ U bent in het begin zeer
zoet

Ende geeft groete vrude hem somen,
Mer ghi nemt hert und zin,
Eer zi weder van u komen.
Nochtan sone darf men niet spreken
Of Venus; ic wil die warheit ruren:
Dat een van minnen wert ontsteken,
Dat doet complexie met naturen.

Of Venus sone darfmens niet leggen,
Want nature algader doet;
Die nature war te lanc te zeggen
Teser tijt, ict versten moet.
Maer hoert een luttel van nature,
Die twee gelijc te gader brenct:
Wanneer complexie vint har ure,
Dat si met naturen menct,

So moeten si hem onderminnen,
Wanneer gelijc comt an ghelijc;
Men kant anders niet bezinnen:
Et is warheit, zekerlijc.
So wie dat min dracht boven maten,
Dat sine kracht wil al ontdringen,

en schenkt grote vreugde aan sommigen, maar u ontneemt hun hart en verstand voor zij u terugkeren. Toch mag men niet zo over Venus spreken. Ik
wil de waarheid zeggen: dat iemand in liefdevuur wordt ontstoken, dat wordt
veroorzaakt door temperament en natuur. ¶ Men moet het niet aan Venus toeschrijven, want de natuur veroorzaakt het allemaal; het zou nu te ver voeren de
natuur te bespreken, ik moet het uitstellen. Maar hoor hier althans íets over de
natuur, die twee gelijken samenbrengt: wanneer temperament het treft dat het
zich met natuur mengt, ¶ dan moeten — wanneer twee gelijken elkaar ontmoeten — die twee elkaar liefhebben; zo alleen kan men het beredeneren: het
is de waarheid, werkelijk. Wie overmatig liefheeft, zodat de liefde hem krachteloos maakt,

Die zal hem ummer in dien zaten,
Dat hi zin wol mach bedwingen.

So wie die min in hem wil husen,
Die moet dicke liden lief und leet:
Niement en sal te zeer confusen,
Dat niet na sinen wil en geet.
                    Explicit.

ONGHENATE

O wee, das ich so wael weys
Der liever zin und haer beheys.
Des volgen ich der liever dan,
Ich arme, zender, trourich man.
Haddich mich selven und haer,
Si har selven ende mi, int war,
So wert herde wel gepast.
Mer des in es gheen effen last:
En hebbe mi selven, noch si mi,
Ich heb har und zi is vry.
Hope und troest, na min behagen,
Dat loept achter lande jagen

---

die moet zich er altijd toe zetten dat hij zichzelf bedwingt. ¶ Wie de liefde in zijn
hart wil herbergen, die moet dikwijls lief en leed dragen: iemand moet niet al te
zeer in verwarring raken als het niet gaat zoals hij wil. Einde.

•

Ach, dat ik de gezindheid en de mooie woorden van de geliefde zo goed ken!
Daarom volg ik de geliefde, ik arme, verlangende, treurige man. Bezat ik mijzelf en haar, en zij haarzelf en mij, dan paste het allemaal prachtig! Maar zo
gelijkelijk is de last niet verdeeld: ik bezit mijzelf niet, noch zij mij, ik bezit haar
en zij is vrij. Hoop en troost

Wilder vele, dan enich wilt...
Ich blive leyder ongestilt.
Doe ich har clagede minen noet,
Vragede zi mi: is Brugge groet?

LOFLIED VAN VRIENT TSERNOYT

In rijcher eeren wete
Mit wonnentlicher stete
Can zich mijn vrouwe cleyden:
Van uir ist nicht ghesceyden
Ghanse doghet, wijflich guete
Sceemte, kuus onde hoghe muete;
Erbermich, trouwe, milde, tsaert,
Suchtich na vroulijcher aert
Can ze, luutzelich, wol gheberen.
Vroulof gebalsemet hayt yr eeren,
Was mach ich me gheprisen yr?
Had ich alles wenches gheyr,
Sone kunde ich anders nicht gedenchen.
Van den hoefde bas aen yr lenchen
En wert nye bilde ghemaect bas!

jagen veel wilder dan wild overal en nergens op haar die mij behaagt... maar ik, helaas, word niet bevredigd. Toen ik haar mijn nood klaagde, vroeg zij mij: 'Is Brugge groot?'

·

Loflied van Vriend (N)ooit ¶ Wetend dat zij rijk aan eer is, kan mijn vrouwe zich kleden met heerlijk aanzien: zij is niet zonder volledige deugd, vrouwelijke goedheid, eerbaarheid, kuisheid en fierheid; zij kan zich, op aangename wijze, barmhartig, trouw, mild, teder en, naar vrouwelijke aard, zedig tonen. [De dichter] Frauenlob heeft haar eer gebalsemd, wat kan ik haar dan nog meer prijzen? Had ik alles wat wenselijk is, dan zou ik verder niets kunnen bedenken. Van hoofd tot lendenen werd nooit schoner beeld gemaakt!

Dorse ich spreken ane has:
Se wee van scoenheyt wal een engel.
Ir oghen onde yr tsarte wengel,
Ir kele, onde och ir roeter mont
Das vlammet dorch mijns hertzen gront.
Des bin ich in vures glueten.
Wer mach mich zender kommer buesen,
Dan eyn, der ich eyghen wert gheboren,
Onde tse hulden haen ghezworen,
Canse truwe ende sekerheyt.
Wer des nicht, das wer mir leyt.
Doch weys ich wal, ze was mir holt,
Ir stede is so mennichfolt,
Das ich wal weys, das ze mir ghan:
Das troest mich, vil zender man.
Sus moys ich ghenade werten
Van der minnentlicher tsaerte.
Ummerme bas aen mijn sterven
Moys ich na iren dienst werven,
Ende oech nader liever hulden.
Erwerve ich die bi rechter sculden,
Wie mach mer vruden dan ghelijchen,
Onde oech der tsarten minnentlichen?

Zou ik vol liefde over haar spreken: ze zou wel een engel van schoonheid zijn.
Haar ogen en haar tedere wangetjes, haar hals, en ook haar rode mond, dat
alles vlamt door het diepst van mijn hart. Daarom sta ik in vuur en vlam. Wie
kan mij, in mijn smart, het verdriet stillen behalve de ene, voor wie ik als slaaf
ter wereld kwam en aan wie ik volkomen trouw en leenmanschap heb gezworen. Zo niet, dan zou me dat groot verdriet doen. Toch weet ik heel goed dat zij
mij trouw was [als leenvrouwe], haar trouw is zo veelvormig, dat ik wel weet
dat zij mij haar trouw gunt: dat troost mij, zo smachtende man. Daarom moet
ik op de genadigheid wachten van de lieflijke tedere. Altijd door, tot aan mijn
dood toe, moet ik uit zijn op dienst aan haar en ook op lieve trouw. Als ik die
ooit terecht verwerf, wiens vreugde gelijkt dan de mijne en op wier vreugde
gelijkt dan die van de tedere geliefde?

LOF DER VROUW

In steden dienste wil ich bliven
Onderdanich goeden wiven
Emmer, waer ich henen vaer.
Oech so willich openbaer
Den vrouwen altoes spreken goet.
Ets reden, want des mannes moet
Overmids der vrouwen troest
Uut menneger sorghen wert verloest.
Men is hem billic daerom hout.
Men kan ghesteyn, cruut noch gout
Te volle bi hem gheliken.
Conde ich yet, ich sout doen bliken
Altoes, tot haren besten.
Lijf ende moet dat wil ich vesten
In haren dienste, mijn leven uut,
Want alle doghet uut hem spruut.
                    Hophen.

VAN CLAREN

Ich heb Claren op ghegeven
Mijn lijf, mijn goyt, wes ich vermach;

In trouwe dienst wil ik altijd onderworpen blijven aan goede vrouwen, waar ik
ook ga of sta. Ook wil ik openlijk altijd goeds van de vrouwen zeggen. Dat is
terecht, want het gemoed van de man wordt door vrouwentroost van veel verdriet bevrijd. Daarom is men haar terecht [als leenman] onderworpen. Edelsteen, kruid noch goud kan men ten volle bij haar gelijken. Zou ik het een beetje
kunnen, dan zou ik het altijd laten blijken, zo goed als ten opzichte van haar
maar mogelijk zou zijn. Met hart en ziel wil ik mij haar ten dienste stellen, tot
het eind mijner dagen, want uit haar komt alle deugd voort. Hoop.

•

Ik heb Clara gegeven mijn leven, mijn bezit, alles wat ik maar kan geven.

Van haer is mi nicht weder bleven
Dan sorghe, toren, nacht ende dach.
Dorst ich, ich souts haer doen gewach,
Hoe ich comen byn in sneven:
Ich moet betalen al tgelach,
Om mi gaef si niet twe sceven.

Clare, die alle dinc verclaert,
Hir ond daer in alle steden,
Voer scande heeft zi God bewaert.
Soo waer, dat si comt gereden,
Men vint niet opten dach van heden
Wijf van also goeder aert,
Noch so volmaecht, van so scone leden:
Ich moet zi prisen, waer si vaert.

Dorstich Claren noch wel verclaren,
Hoe dat mi mit claren steyt
Ich soude noch Claren openbaren
Ende claghen haer mijns hertzen leyt.
Si is die liefste, die ich weyt.
Gheen dienst mach mi aen haer verzwaren,
Al deyt si mich cranc ontheyt,
God moet haer lijf ende eere bewaren.
                    Ten baet niet.

Van haar kreeg ik niets terug dan zorg en verdriet, dag en nacht. Als ik zou
durven, dan zou ik haar zeggen hoe ik aan het eind ben: ik moet het hele gelag
betalen, zij geeft volstrekt niets om mij. ¶ God heeft Clara, die alles licht en
klaar maakt, hier en daar en overal, voor schande behoed. Waar zij ook komt,
men vindt nu nergens een vrouw met zo'n karakter, zo volmaakt, zo schoon. Ik
moet altijd en overal haar lof zingen. ¶ Zou ik Clara durven verklaren hoe het
met mij in alle klaarheid staat, dan zou ik Clara mijn liefdesverdriet openbaren
en mij erover beklagen. Zij is de liefste die ik ken. Geen dienst aan haar kan mij
te zwaar vallen, al belooft zij mij nauwelijks iets. God moge haar leven en eer
bewaren. Het helpt niet.

WAT GERECHTE MINNE SI

Mijn vrouwe Venus, die godinne,
Sat op eenen tijt met sinne,
Ghecyert met mengen duren werken.
Scone questien ende stercke
Hoerdic voer haer oponeren,
Al van minnen, ende die solveren
Scone joncvrouwen onderlinghe.
Cortelike na dit gedinghe
Sprac Venus uut haren mont,
Ende ontbant in corter stont
Voer ons allen openbare,
Uut gerechter minne ware,
Ende wat crachte in hare lage,
Daer si te werken mede plage.
Si seyde dat minne ware een leven
Ende een wesen, dat waer gegeven
Den mensce bi lichter avonturen,
Dat hem gheeft een ongheduren
Ende onghenuecht in allen dien
Dat hi mach horen ende sien
Of dat ertrike heeft inne,
Sonder allene in die minne.
Minne is oec een hoghe wenscen,

Mijn vrouwe Venus, de godin, getooid in een rijk bewerkt gewaad, hield eens
zitting. Ik hoorde hoe schone jonkvrouwen ten overstaan van haar discussieer-
den over allerlei fraaie en moeilijke kwesties met betrekking tot de liefde en die
ook oplosten. Kort na dit geding nam Venus het woord en zette ons allen in
korte tijd duidelijk uiteen wat echte liefde was en welke krachten in haar aanwezig waren waarmee zij placht te werken. Zij zei dat liefde een leven en een
gesteldheid was, de mens gegeven door de onbetrouwbare Fortuna. Het bezorgt hem ongedurigheid en voortdurend ongenoegen in al wat hij op aarde
kan horen en zien of wat er ter wereld is behalve in de liefde. Minne is ook een
grote wens,

Een heet begheren van den mensche,
Een fierheyt van oetmoedichede,
Een vertien in den seden,
Een vele pensen sonder spreken,
Een licht vergheven ende node wreken.
Een zaen vergheten alle dies,
Dat binnen minnen noyt en wies.
Minne is een ziele van hem tween
Ende twee herten voecht in een
Mit ongheveynsder minlicheden,
Ghestadich suver, volmaect in beden.
Ondersceden in alle saken,
Die cleynen mogen ende mere maken
Alle die punten, die van minnen
In een vallen van tween sinnen.
Minne is een dinc, di is gheheel,
Unde uut haer selven gheen deel
En wil gheven, noch en kan...
Dat seide wilen een wijs man.
Die minne haer rike niet mach delen,
Noch haer selven oech onthelen,
Maer altoes bliven in haer gestede
Gheheel, ghestade, simpel mede.
Minne is minne ende el niet.
So wat el is dan minne, vliet

hartstochtelijke begeerte, fierheid van ootmoed, volledige omkeer in doen en
laten, veel peinzen zonder spreken, makkelijk vergeven en node wreken, onmiddellijk vergeten alles wat binnen de liefde nooit ontsproot. Liefde is één ziel
van twee samen. Zij smeedt twee harten aaneen met ongeveinsde welwillendheid, standvastig, zuiver, volmaakt in beiden. Verstandig in alles wat kan verkleinen en vergroten de punten waarin door de liefde twee zielen overeenstem-
men. Liefde is een geheel en wil noch kan van zichzelf slechts een deel geven...
Dat zei indertijd een wijs man. De liefde kan haar rijk niet delen noch zichzelf
onthelen, maar zij moet altijd in zichzelf getrouw blijven, geheel, gestadig, eenvoudig ook. Liefde is liefde en niets anders. Wat anders is dan liefde, dat ontvlucht

Gherechte minne in alre tijt;
Ghelijct dat rouwe ende jolijt
Op eenen tijt, op eene ure
Niet te gader mogen duren,
Sone mach men minne in anderen dwingen.
Minne wil haer selven myngen,
Minne is wonder, dat wonder doet:
Zi maect den maten hogen moet,
Den hogen oec van maten sinne,
Den droeven vro, oec maect minne
Den vrecken milde, den bloeden coene.
Minne is mechtich te voldone
Al dat si gheloven can,
Wat souder yemant zonder dan?
Minne is valu nochte bleec,
Zi is altoes groen ende zuverlec,
Altoes nuwe ende even scoen,
Ende milde van haren loen,
Altoes edel ende rike,
Rose roet, lylie wit.
Doe si ghesproken had dit,
Dacht ic: God, in welker tijt
Zal mi condich sijn det delijt,
Dat den salegen is ghehouden?
Die mennichfoudege zueticheyt

echte liefde te allen tijde; zoals verdriet en vreugde niet samen kunnen gaan, zo
kan men liefde in anderen niet dwingen. Liefde wil zichzelf mengen, liefde is
een wonder dat wonderen verricht: zij maakt de middelmatige hooggestemd,
de hooggeplaatste tot een die maat houdt, de bedroefde blij, de vrek mild, de
lafaard dapper. Liefde heeft de macht te volbrengen alles wat zij kan beloven.
Hoe zou iemand dan zonder haar kunnen? Liefde is grauw noch bleek, zij is
altijd groen en zuiver, altijd nieuw en even mooi, en mild in haar beloning,
altijd edel en rijk, rode roos, witte lelie. Toen zij, Venus, dit gezegd had, dacht
ik: God, wanneer zal die vreugde mij te beurt vallen die de gelukzaligen is
voorbehouden? Die veelvoudige zoetheid

Die minne na den arbeyt
Den ghenen geeft, die zijs ghan.
Dus sciet ic truerich van dan.
                    explicit.

♦

DE LEIDSE CHANSONNIERFRAGMENTEN

[1]
Tsinghen van der nachtegale
Can ic niet gheprisen wale
    Noch gheen voghels zanghes rijc
Jeghens haer di mi te dale
Heeft ghetoghen tesen male
    In ellenden misselijc.

Haer so moet ic ewelic
Eyghen wesen, ho soet gheet;
    Nochtan roept si wonderlic:
Hale mosselkijn al heet,
Die beste spise die ic weet,
    Dat sijn mosselkin al heet.

die liefde na alle moeite degenen geeft aan wie zij het gunt! Dus ging ik treurig
heen van daar. Einde.

●

Het zingen van de nachtegaal kan ik niet voldoende prijzen, evenmin als het
prachtige gezang van om het even welke vogel, in vergelijking tot haar die mij
nu in diepe ellende heeft gestort. ¶ Haar moet ik voor eeuwig onderdanig wezen, wat er ook gebeurt. Toch roept ze, wonderlijk genoeg: 'Koop hete mosseltjes. Het lekkerste eten dat ik ken, zijn hete mosseltjes.'

[2]

Des vasten avonts gheen vertiet;
Hi toghet mi een schoen ghelaet:
Ghelijc der beelden die men siet
Ghemaelt end nyemen bevaet.
   Want tswonsdaechs ist een ander liet:
   Mijn gelt bevoel ic zere smale;
   Bi fauten hoer ic van 'Ho hale
      Musselen, grote duvelantsche musselen an d'Eechout
                                                    straet,
      Ho hale mussel hale mussel hael hael hale,
      Het's goet visch, hij'n heeft gheen graet.'

[3]

   Een cleyn parabel wilen eer
      Heb ic ghehoert, en dat is waer:
   Waer oegh, daer lyef; waer hant, daer zeer;
      Waer zeer, daer smert; waer lief, daer vaer.

   Des spels bin ic nu wel ghewaer
   Aen een dat zoetste vrouwelijn
      Dat wesen mach in erderic

Op vastenavond gaat niemand weg, of hij toont mij een vriendelijk gezicht: het
is zoals de beeltenissen die men geschilderd ziet, maar die niemand echt kan
aanraken. Want op aswoensdag is het een ander liedje: ik merk dan dat ik heel
weinig geld heb; bij gebrek daaraan hoor ik enkel: 'Ho, koop mosselen, grote
Duivelandse mosselen in de Eekhoutstraat, ho, koop mosselen, koop mosselen,
koop, koop, koop. 't Is goeie vis, hij heeft geen graten.'

•

Destijds heb ik een kleine levensles gehoord, die heel juist is: waar het oog gaat,
daar is het lief; waar de hand gaat, daar is de wonde; waar de wond is, daar is
pijn; waar het lief is, daar is vrees. ¶ Die paradox ken ik nu heel goed dankzij
het allerliefste vrouwtje dat er op aarde is.

263

Welc droech een lieflic kijndekijn,
　　Dat si besach so vriendelic
Dat mi daer af verblide thert.
　　Om haer soe doeghic grote smert;
Dat dede een vriendelic aensien.
So vaer ic, sout mi dit ghescien:
　　Soudic vervolghen mijn begheren,
　　Tkijnt mostic om der moeder eren.

[*Martinus Fabri*, † 1400]

◆

LEVENSLESSEN

Aensich dinen verledenen tijt,
Ghedinc dinre vrienden trouwe,
Duchte diner vianden nijt,
Teghewordeghe dinghe aenscouwe,
Toecomende dinghen wes in vermode,
Hope noch duchte niet te zeer,

Zij droeg een lief kindje, dat ze zo vriendelijk bekeek, dat het mijn hart
verblijdde. Om haar lijd ik veel pijn; dat kwam door haar vriendelijke blik. Zó
zal het mij vergaan, als mij het volgende gebeurt: mocht ik gevolg geven aan
mijn gevoelens, dan zou ik, omwille van de moeder, het kind in ere moeten
houden.

•

Geef je rekenschap van je verleden, wees vriendentrouw indachtig, vrees voor
de jaloezie van vijanden, zie het heden onder ogen, wees bedacht op het toeko-
mende, hoop noch vrees te veel,

Halt dich in ghestade mode,
Dancke alle saken onsen Heere,
Kenne dich cleyne, haldich reyne,
Minne ghemeyn, blijft alleyn,
Verkyes gheyn, dat mach vergaen:
So mach dijn herte in vreden staen!

◆

DEN ABCDE IS DIT

Aen siet wan ghi comen sijt.
Besiet ghi hoe cort es den tijt,
Condy dat wel leeren kennen,
Dan bewaert u ziele van binnen.
Eenich sijt in uwen ghebede;
Fondert in u oetmoedichede.
Gheeft u herte altoes te Gode,
Hout wel die x. gheboede.
In u hebt die vrese ons Heren,
Kert u te Gods dienste ende teren.
Loeft Gode sijre smerten,
Mijnten met al uwer herten.
Nu doet uwen evenkersten u selfs gelike
Om Goeds wille van hemelrike.

houd jezelf in evenwicht, dank Onze Lieve Heer voor alles, besef je kleinheid, houd je zuiver, bemin iedereen, maar blijf zelfstandig, hecht je aan niets dat kan vergaan: dan zal je hart in vrede blijven!

•

Zie vanwaar je bent gekomen. Bezie hoe kort de tijd is. Zou je dat kunnen doorgronden, bewaar dan van binnen je ziel. Wees eenvoudig in je gebeden. Grondvest ootmoed in je. Richt je hart altijd op God. Houd je aan de tien geboden. Draag de vrese des Heren in je. Zet je in voor de dienst aan en de eer van God. Loof God om zijn lijden. Heb hem lief met geheel je hart. Behandel je naaste als jezelf ter wille van de God des hemels.

Pinen der hellen wilt ontsien;
Quaet te doene wilt altoes ontsien;
Rechtverdijch wilt u selven houden:
Reine herten sullen Gode scouwen.
Scout ende vliet altoes sonden;
Sprect u biechte wel te gronde.
Toent den priester u sondijch leeven,
U sonden sal u God vergheven.
U herte kert van ertschen creaturen,
Xristus mijnt in allen uueren.
Yoetmoet is wortel van alre doecht.
Ziet dat ghi u daer voeghet,
Et es altoes wel ghedaen,
Concencie doet ons verstaen.
Et ons den a. b. c.
Est onser sielen saelijchede.

◆

VAN DEN A-B-C VELE ABUSE DER WERELT

Hier moegdi vinden de waerhê,
Elc lettre gheverst by A-B-C.

Vrees de pijnen van de hel. Wees altijd bang om kwaad te doen. Blijf rechtvaardig: zuivere harten zullen God zien. Schuw en vlucht alle zonden. Spreek je
biecht volledig. Toon de priester je zondig leven, dan zal God je zonden vergeven. Wend je hart af van aardse schepselen. Heb Christus te allen tijde lief.
Ootmoed is de wortel van alle deugd. Zie dat je je daarop richt, dat is altijd
goed, zo leert ons het geweten. En het abc is voor het heil van onze ziel.

•

Hier kunt u de waarheid vinden, iedere letter gedicht op het ABC.

Aensiet de vrouwen hoe si gaen,
Besiet haer tuten hoe si staen,
Claer si hemlieden blancketten,
De cleeder so lanc dat si hem letten
Ende slepen hem up de eerde.
Fy van der vuler hoverde!
Ghi, vrouwen, en scaenmdu niet?
Het es schande dat ment siet.
Ic sie, dies mi verwondert zeere,
Knechten gaen jonchers ghelijc den heeren;
Laghen si soms te bedde drie daghen,
Men soutse int gasthuus moeten draghen.
Nu, merct noch meer, in den lande
Overspel en es gheen scande.
Priesters de Scriftuere uutgheven,
Qualic si selve daernaer leven.
Rechtverdicheit wert zeere vergheten,
Recht wert dicwile qualic ghemeten,
Sulc gaet jaer ende dach
So eer hem recht ghebueren mach.
Trouwe ende waerheit es uten lande,
Valschede es menegherande,
Wy moghen sien, marcken ende haren.

Aanschouw de vrouwen, hoe ze lopen: bezie hun puntkapsels hoe die hun
staan, zij blanketten zich tot ze wit zien; de kleren zo lang dat deze over de
grond slepen en hen bij het lopen belemmeren. Foei toch, deze weerzinwekkende hoogmoed! Gij vrouwen, schaamt gij u niet? Het is een schande om te
zien. Ik zie — wat mij hooglijk verwondert — dienaars, jonkers, lopen erbij als
heren; als ze soms drie dagen te bed lagen, dan zou men ze naar het ziekenhuis
moeten brengen. Tegenwoordig — let nog meer op! — is overspel in het land
geen schande. Priesters die de bijbel verklaren, leven er zelf slecht naar. Rechtvaardigheid wordt ten zeerste vergeten. Het recht wordt dikwijls kwalijk ge-
hanteerd. Voor sommigen gaat er jaar en dag overheen voor hun recht geschiedt. Trouw en waarheid zijn verdwenen, bedrog is er velerlei, zoals wij
kunnen zien, merken en horen.

Xristus name werdt dic versworen
Yoetmoedicheit licht onder voet;
Ziet, oeverde draecht hoeghen moet
Ende werdt vervult in vele saken.
Con me weet men van den scape wat maken.
Ziet in u selven ende besiet
Ende eist niet aldus dat nu gheschiet?

◆

VAN EENRE BAGHINEN ENE GOEDE BOERDE

Van eenre baghinen will ic u singen,
Te Brusele gevielt inden wigaert,
Hoert hier boerdelike dinghen:
Si saten ende nopten op den standaert,
Dies worden si cortelike vervaert,
Want hem gesciede al selc een wonder;
Haer heimelijc drincken was geopenbaert,
Want dese baginen spelen gerne van onder.
. . . .
Die baghine sprac: 'ic souts mi scamen
Quaeme yement ende vande mijn bedde tebroken.'

Christus' naam wordt dikwijls misbruikt. Ootmoed wordt vertrapt. Zie, hovaardigheid is hooghartig en komt bij veel dingen kijken. Van de schapen weet
er nauwelijks één nog hoe te handelen. Zie in uzelf en zie: zo is het toch wat er
nu gebeurt?

●

Een vrolijk verhaal over een begijntje ¶ Ik wil u zingen over een begijntje. Hoor
over de grappige dingen die zijn gebeurd in de Wijngaard [het begijnhof] in
Brussel. Ze ragden terwijl ze op de bovenverdieping waren. Plotseling schrokken ze, want hun overkwam iets onverwachts. De stiekeme penetratie kwam
aan het licht; begijnen amuseren zich graag onder de gordel. (...) De begijn
sprak: 'Ik zou me schamen als iemand mijn bed onopgemaakt vond.'

Doen berieden si hen bede te samen,
Voer die bedsponde ghingen si stoken.

Dat vier dat groet was ende sterc,
Wilden si te blusschen bestaen,
Ende als si te besten laghen int werc —
Vreselijc si steken ende slaen,
Moeste die baghine van onder ontfaen,
Si werde haer vromelijc weder —
Ende eer die joeste was voldaen,
Soe vielen si beide te gader neder.

Alsoe si laghen boven hen allen,
Want hem die soldervloer ontsanc,
Quamen si neder, op dlaken gevallen,
Arm in arm boven haren danc;
Dat fondament was hem te cranc.
Men riep: 'Deus! wat compt daer gesprongen?'
Het dunct mi sijn een heilich sanc.
Joncffrouwe, es dit qualijc gesongen?

Ene baghine vragede: 'wat zijn die dinge?
In sacher noit gheen in ons convent.'
Die selke loecte doer den vingher,

Toen overlegden ze samen en voor het bed stookten ze het vuurtje verder
op. ¶ Het vuur dat groot en krachtig was wilden ze gaan blussen, en ze namen
dat zo goed mogelijk ter hand. De begijn ontving verschrikkelijke slagen en
stoten onder de gordel, maar ze weerde zich dapper. Maar vóór het steekspel
ten einde was vielen ze beiden naar beneden. ¶ Precies zoals ze boven [de
hoofden van] iedereen hadden gelegen kwamen ze, omdat de zoldervloer het
begaf, naar beneden. Ze vielen, ongewild, in omarming op het laken: de vloer
was te zwak. Men riep: 'Mijn God, wat komt daar te voorschijn?' Het lijkt me
een vroom lied, jonkvrouwen. Kan het kwaad dat men zoiets zingt? ¶ Een van
de begijnen vroeg: 'Wat zijn dat voor dingen? Zoiets zag ik nooit in ons convent.' Sommigen gluurden tussen hun vingers door,

269

Si maecten al willens blent.
Die ene sprac: 'hets ons bekent
Dat wi de werelt selen meren.
Soe menich baghine dat men vint
Die dit spel gerne souden leren.'

Dese jonghelinc es van danen gegaen
Ende dese baghine waert omgemuert,
In groten rouwe vaste bevaen,
Want dat laken was ghescuert.
In groter scaden was si becoert,
Nochtan en mochse niet droever bliven.
Men spracker af weder ende voert
. . . .

WILLEM VAN HILDEGAERSBERCH

DIT IS VAN REYER DIE VOS

In enen zomerlyken tyde,
Als men sach an allen zyden
Die wouden schoen ende tgras groeyen,
Doe moete vos Reynart sijnre moeyen
Der wolvinnen op Haspangouwen.

maar ze deden alsof ze blind waren. Die ene [die van de zolder kwam gevallen] zei: 'We weten dat we de wereld in stand moeten houden en ons moeten vermenigvuldigen. Er zijn vast heel wat begijnen die dit spel graag zouden leren!' ¶ De jongeman is daar vandaan gegaan, en de begijn werd opgesloten. Ze was zeer bedroefd want het laken was gescheurd. Tot haar grote schande was ze verleid en ze had niet treuriger kunnen zijn. Overal werd hierover gesproken. (...)

•

Op een zomerdag, toen de bossen op hun schoonst waren en het gras welig tierde, ontmoette Reynaert de vos zijn tante de wolvin in Haspengouw.

Als hise sach, hi seyde: 'Vrouwe,
Lieve moeye, maect my bekent,
Wat soe doedi hier omtrent?
Ic en sach u nye binnen menigen daghen.'
    'Twaren, neve, soe moechdi vraghen
Wel te rechte waer ic ga.
Tis seven maenden wel na,
Dat ic nye op voet en stiep,
Dan ghister, doen ic harwaert liep:
Ic heb soe langhe sieck gheleghen.
Hadder my die wil niet toe ghedreghen,
Ic en waer noch niet opghestaen;
Mar in mijn siecte loofdic te gaen
tAken, door mijn tederheit:
Dair toe soe bin ic nu bereyt,
Lieve neve, vos Reynart.'
    'tAken, moey, God wouts der vaert!
Gadi bedevaerde nu?'
'Ja ick, neve, dat seg ic u;
Wanter mi toe dreeff die noot.
Ick waer seker ghebleven doot,
Had icker mi niet toe verbonden.
Bedevaert tot allen stonden
Die dwaet zonden ende ziecheit aff.'
    'Moeye, soe en gave ic niet een kaff,'

Toen hij haar zag, zei hij: 'Vrouwe, lieve tante, zeg mij wat u in deze omgeving doet? Ik heb u zo lang niet gezien.' ¶ 'Wel neef, u moogt gerust vragen waar ik heen ga. 't Is al bijna zeven maanden terug dat ik te voet ging sinds ik gisteren hierheen liep: ik heb zo lang ziek gelegen dat ik nooit zou zijn opgestaan als mijn sterke wil mij er niet toe had gedwongen; maar toen ik ziek was, deed ik de belofte zo zwak als ik was naar Aken te gaan — en daarheen ben ik nu op weg, lieve neef Reynaert de vos.' ¶ 'Naar Aken, tante? God moge u geleiden! Gaat u soms op bedevaart?' 'Inderdaad, neef, daartoe dreef mij de nood. Ik zou zeker doodgegaan zijn, had ik die belofte niet gedaan. Een bedevaart maakt ons te allen tijde vrij van zonde en ziekte.' ¶ 'Tante, ik geef geen zier

Sprack Reynaert, 'om u bedevaert,
Soe dicke varet hindervaert,
Dat vrouwen veel after lande lopen:
Sy gaen om oflaet; mar sy vercopen
Dicwijl eer ende salicheit.
Moeye, dit en heb ic niet gheseit
By u, dat neme ic op mijn lijff!
Ic segghet by alrehande wijff,
Die lopen om die landen te scouwen,
Als poertersen ende ridders vrouwen,
Dorpmans wijff, beghinen, nonnen:
Dese hebben ghelopen ende gheronnen
Menich werven after lande.
Moeye, beter is beseten schande
Dan schande belopen, dat weet ic wael.
Want ic woende tenen mael
Hier te voren tot Parijs,
Aldair soe hoerdic gheven prijs
Mannen, die wel bewandert waren:
Dat vrouwen after landen varen,
Dat en wistic nye veel prisen.
Keert weder, moeye, hoert den wysen:
Si sellen u dit selve leren.'
      'Reynaert, neve, soudic keren

voor uw bedevaart. Het pakt zo dikwijls verkeerd uit, dat vrouwen zich op weg
begeven: zij vertrekken voor de aflaat, maar bekopen het dikwijls met hun eer
en zaligheid. Tante, ik doel daarmee niet speciaal op u, dat bezweer ik u! Ik zeg
het met het oog op allerlei vrouwen die door de landen op reis gaan, zoals
stadse en ridderlijke vrouwen, dorpsvrouwen, begijnen en nonnen: zulke types
hebben al heel wat afgedraafd door alle landen. Tante: het is beter om schande
te dragen dan om haar op te zoeken, dat weet ik wel. Want vroeger woonde ik
een tijdje te Parijs, en daar hoorde ik de mannen prijzen die flink bereisd waren;
maar ik maakte zelden of nooit mee dat men ook vrouwen prees die hadden
rondgezworven. Tante, keer op uw schreden terug; luister naar wijzen die u dit
kunnen leren.' ¶ 'Neef Reynaert: als ik

Van minen bedevaert te doen,
Soe waer ic sot ende alte coen.
Goede ghelofte is goet ghehouden.
Ic en dar my zeker niet verbouden
Te breken dat ic schuldich bin.'

    'Daer en is eer noch wijsheit in,'
Sprac Reynart, 'moeye, gheloves mi.
Tot uwer kercken al hier by
Daer moechdi Goede wel ghenaken.
Moeye, al en quaemdi nymmermeer tAken,
Wilt God, hi doet u wel ghenesen;
Hier om soe laet u lopen wesen,
Ende neemt exempel anden anderen,
Die belopen ende bewanderen
Scaemt ende schande, die langhe duyrt,
Ghelijc den paerde, dat besuyrt
Beyde mit lopen ende mit draven,
Soe dattet comt van groter haven
Tot cleynen ghelde off tot nyet.
Moeye, dats menichwerff gheschiet,
Ende noch selt inder werlt gheschien:
Vrouwen, die hem laten zien
After lande hier entaer,
Men volcht hem soe mit listen nair,

---

de bedevaart zou staken, zou ik dwaas en ongehoorzaam zijn. Een vrome belofte behoort men eerbiedig te houden; ik mag mij zeker niet verstouten plichts-
breuk te plegen.' ¶ 'Uw gedrag getuigt van eer noch wijsheid, tante, geloof mij.
In uw nabijgelegen kerk, daar kunt u tot God geraken. Ook als u nooit in Aken
aan zou komen, tante, zou God u doen genezen; laat daarom uw gesjouw
achterwege, en spiegel u aan al die anderen, die vooral op weg zijn naar
schaamte en schande met de lange duur vandien; zoals ook het lopen en het
draven het paard opbreekt, zodat het van grote tot lage waarde vervalt, of zelfs
niets meer waard is. Tante, het is al vaak gebeurd en zal in de wereld nog vaker
voorkomen: vrouwen die zich her en der vertonen, die worden zo met slimmig-
heidjes achternagezeten,

Dat si comen buten der waerden.
So slachten sy verleemde paerden:
Hoerre gheen en prijstmen guet.'
Dat sprac Reynaert, ende hi was vroet.

VAN MER

Waerom souden wy trueren yet?
Sint God die werlt werden liet,
Sone was sy nye soe wel te vreden.
Die paeus die leeft by goeden reden
Om te dienen onsen Heer;
Exempel ende gherechte leer
Doetet volck iu duechden leven
Omdat sy goede exempel gheven,
Die mitten paeus gaen te rade,
Soe en tretter nyemant buten pade,
Wy en menen al gherechticheit.
Heb ic meer niet gheseit,
Soe is een woort daer an vergheten.
Die byden paeus sijn gheseten,
Cardinael ende legaet,
Si leven al in goeder staet
Sonder nijt ende ghierichede;

---

dat zij de waarden uit het oog verliezen, en kreupele paarden lijken: geen ervan
wordt echt geprezen'; dit sprak Reynaert, en hij had gelijk.

•

Waarom zouden wij ergens over treuren? Sinds God de wereld schiep, was zij
niet zo goed op orde. De paus leeft zeer rechtschapen om Onze Lieve Heer te
dienen; exempelen en goede lering maken dat het volk in deugden leeft. Dankzij het goede voorbeeld van de pauselijke adviseurs, misdraagt niemand zich en
hebben wij allemaal het goede voor ogen. En dan zou ik nog bijna vergeten, dat
zij die in de omgeving van de paus verkeren, zoals kardinalen en gezanten, een
eerzaam leven leiden zonder jaloezie en hebzucht;

Bisscopen ende prelaten mede
Sijn gherechtich, waermen coomt:
Mer is woort dat luttel vroomt!

Die Heilighe Kerck heeft ander kinder,
Beyde meerder ende minder,
Als abten ende rijcke monicken,
Prochypapen ende canonicken,
Die alle schinen gheestelijck.
Want daer en isser gheen soe rijck,
Si en hadden liever meer dan min;
Doch si en gheren gheen ghewin
Vorder dan hem toe behoert.
Isser *Mer* niet in twoert,
Soe doele ic seker in mijn dichten.
Die den luden nu verlichten
Mit absolucien tontbinden,
Nader waerheit die wy vinden,
Sy sijn op reden al ghestelt:
Sy en absolveren niet om tghelt,
Noch oeck deken, noch provisoer,
Si segghen elck man te voer,
Si en willen gheen onrechte miede.
Nader waerheit die ic bediede

ook bisschoppen en prelaten zijn brandschoon, waar men ook komt: 'maar' is
een woord dat weinig helpt! ¶ De Heilige Kerk heeft andere kinderen, van
hoog tot laag, zoals abten en rijke monniken, parochiepriesters en kanunniken,
die zich allen ware geestelijken betonen. Want hoe rijk iemand ook is, hij hoopt
toch altijd op meer; maar zij begeren geen inkomsten meer dan hun toekomt.
Als hier niet het woordje 'maar' aankleeft, dan dicht ik dwaasheid. Zij die de
mensen nu de verlichting van de absolutie kunnen geven, gaan daarmee, zoals
in volle waarheid blijkt, verantwoord om: zij absolveren niet voor geld, de
dekens en vicarissen, en zeggen iedereen op voorhand dat zij niet in zijn voor
douceurtjes. Conform de waarheid die ik schets,

Soe moghen si gherechtich sijn ghenoemt:
Mer is woort dat luttel vroemt!

Die keyser ende sijn hoghe man
Die hebben oec ghenomen an
Tswaert der gherechticheit te voren,
Ende in doechden soe te roeren,
Dats die werlt si verhoecht.
Nu die keyser mint die doecht,
Nu doen die coninghen oec alzoe.
Hy mach mit rechte wesen vroe,
Die hem mitten goede verzelt:
Mer is woert dat mi versnelt!

Als ic die zulke prisen waen,
Constmen meerre wel verstaen,
Ick soude noch dichten ende vinden,
Hoe sy hem te gader bynden,
Keyser, coninghen in eendracht,
Om te crighen sulke macht,
Dat sy die straten maken vry.
Eendrachteliken, sonder twy,
Menen si pays entaer toe vrede,
Als ghi wel siet in kerstenhede,
Hoe deen den anderen nu spaert.

kan men ze wel rechtschapen noemen: 'maar' is een woord dat weinig helpt! ¶ De keizer en zijn hoge edelen hebben al evenzeer het zwaard der ge- rechtigheid ter hand genomen en hanteren dit zo deugdzaam dat de wereld zich verheugt. Nu de keizer de deugd liefheeft, volgen de koningen hem na. Hij die omgaat met de aanzienlijken, mag zich waarachtig gelukkig voelen: 'maar' is een woord dat mij voor op de tong ligt! ¶ Indien men niet genoeg heeft van de lof die ik hun toezwaai, zou ik nog verder kunnen dichten over hoe zij een- drachtig samenwerken, de keizer en de koningen, om de wegen te zuiveren. Eensgezind hebben zij rust en vrede voor, zoals u duidelijk ziet binnen de chris- tenheid, hoe men daar eerbied voor elkaar toont.

Ghiericheit is onwaert
Ende versmaet in allen dinghen,
Omdat keyser ende coninghen
Sterken trecht al dair si moghen;
Des gheliken doen hertoghen
Entie graven in hoer lant,
Soe dat si alle werden bekant
Gherechtich, schamel ende milde.
Ic waen een yghelijc wel wilde,
Dat die ghierighe waer verdoempt:
Mer is woirt dat luttel vroempt!

Onder alle dese hoghe heren
Leeft oock ridderscap in eren
Elkerlijc na sijnre macht.
Si sijn in doechden soe bedacht,
Dat sy gherechtichede minnen.
Al mochtmer noch soe veel an winnen,
Mit ghelde en canmense ghemieden;
Si sijn ghenadich horen lieden,
Soe dat wy nyemant horen claghen.
Tmach den volke wel behaghen,
Dat reden is dus zere vercoren
Onder theerscap wel gheboren,
Dat elck sijn recht by reden hout.

Hebzucht wordt alom gehaat, omdat keizer en koningen het recht beschermen waar zij kunnen; hetzelfde doen hertogen en graven in hun eigen landen, zodat al deze heren bekendstaan als rechtvaardig, terughoudend en vrijgevig. Ik meen dat iedereen het liefste hebzuchtigen verdoemd zou zien: 'maar' is een woord dat weinig helpt! ¶ Ondergeschikt aan deze hoge heren leeft ook de ridderschap eervol en naar vermogen. Zij zijn zo op de deugd gericht, dat zij rechtvaardigheid beminnen. Hoeveel men er ook mee denkt te kunnen winnen, met geld kan men ze niet inpalmen; zij zijn genadig voor hun dienaren, zodat wij niemand horen klagen. Het volk mag wel tevreden zijn; het fatsoen staat zozeer in aanzien bij het gezag, dat iedereen rechtschapen is.

Oock vintmen theerscap menichfout
Tot ridders oerden oeck ghewijt,
Die jongheers heten inder tijt:
Si gaen oec mede den selven ganc.
An horen raet, in horen banc,
Is ghiericheit ghedreven off,
Wy moghen Gode wel gheven loff,
Die ons dese gracie heeft ghesent:
Waerre *Mer* niet soe wel bekent!

Ic soudse noch veel hogher prisen
Die trecht regieren ende wisen:
Baeliuwen, schouten ende scepen,
Die sijn in doechden soe begrepen,
Dat sy niet dan recht en doen.
Men biet den armen sulke soen
Voer misdaet, die hem is gheschiet,
Dat hi hem wel ghenoeghen lyet,
Al had hi min van sijnre blaem.
Onrecht heeft soe wreden naem,
Waermen comt ter werlt wijt,
Datmen mit ghelde gheen respijt
In onrecht can ghecrighen.
Nu moeten al die schalken zwighen,
Die hem dickent hebben beroemt:
Mer is woert dat luttel vroemt!

Ook vindt men jonkers binnen de ridderschap, die dit pad zijn ingeslagen. In hun beraad en in hun rechtspraak, is hebzucht uitgebannen. Wij mogen God wel loven, die ons deze gelukzaligheid gunde — als 'maar' niet zo bekend was! ¶ Nog hoger zou ik degenen moeten prijzen die de rechtspraak berredderen: baljuws, schout en schepenen, zijn zo gefixeerd op deugdzaamheid dat zij niets dan recht doen wedervaren. Men stelt de arme drommel zodanig schadeloos voor onrecht dat hem is aangedaan dat hij zich ook met minder tevreden zou stellen. Onrecht wordt wijd en zijd zo gruwelijk verfoeid, dat voor geen geld ter wereld onrechtmatig gedrag geduld kan worden. De sluwe manipulatoren is nu eindelijk de mond gesnoerd: 'maar' is een woord dat weinig helpt!

Die huusman staet oeck op sijn hoede,
Om wel te leven als die vroede
Min noch meer in sinen daghen
Als sijn overouders plaghen.
Hine wil bailiu noch scepen wesen,
Daer menich man by is gheresen;
Hy wilt den heren laten wouden,
Dat sy trecht by reden houden,
Ende gheen onrecht en laten doghen,
Dair hem twair off comt voer oghen.
Die coopman die is oeck gheneghen
In sinen comanscap te dreghen
Rechte mate ende anders niet;
Ja ende neen is hoer bediet
Die hem mit comanscap gheneren.
Sonder hoghen ofte meerren
Wort nu comanscap bescheiden.
Meerre volcht mi sonder beiden,
Om te straffen dat ic make;
Oft *Meerre* mient dus felle wrake,
Ic moet mi hoeden veel te meer.
Een zeeman die nu vaert ter zee
Om visch off om ander neer,
Gherechticheit is al hoer gheer;
Sy en nemen niet in hoer partie
Boeven offte schalkernye.

Ook de gewone man is er duchtig op bedacht om in de beste tradities van zijn
voorvaderen te leven. Hij taalt niet naar het ambt van schepen of baljuw, dat al
zo menigeen verheven heeft; hij laat het aan de echte heren over om het recht in
ere houden en geen onrecht laten gedijen als zij de waarheid kennen. De koopman legt zich er ook op toe de goede maat te houden; liegen en draaien komt
onder kooplieden niet voor. Zonder prijsopdrijving wordt nu zaken gedaan.
(Het woordje 'maar' zit mij op de hielen, om af te straffen wat ik maak; uit
angst voor felle represailles van die kant moet ik mij beheersen.) Een zeeman
die nu uitvaart om vis of andere nering, wil slechts rechtschapen zijn; ze laten
boeven noch bedriegers aanmonsteren.

Die zeeman leeft der avonturen,
Hy en dede niet om gheen besuren
Anders dan hi selve gaert.
Off elkerlijc hem wel bewaert,
Als ic u hier te voren telle,
Soe en dienter nyemant om die helle,
Daer Lucifer in is verdoempt:
Mer is woert dat luttel vroemt!

Goede heren, goede papen,
Goede ridderen ende knapen,
Die sijn ghenoechlijc mede te hoven,
Mer vrouwen gaen hem al te boven
Te prisen in gherechter doecht.
Als die heren sijn onthoecht
Op horen landen fel ende wreet,
Die vrouwen sijn altoes bereet
Horen volck te staen in staden,
Ende heymelic den heer te raden
Off openbaer der meenten best.
Gaetmen oest off gaetmen west,
Men vint den vrouwen goedertieren,
Want si en willen niet regieren
Datten heren is bevolen.

Het zeemansleven is ongewis; hij zou onder geen beding iets anders doen dan
hij zichzelf toewenst. Als iedereen zichzelf gedraagt zoals ik u hierboven meld-
de, beweegt zich niemand richting hel, waar Lucifer zijn verdoemd leven slijt:
'maar' is een woord dat weinig helpt! ¶ Goede heren, dito priesters, goede ridders, dito schildknapen, daarmee is het genoeglijk plezier maken; maar vrouwen gaan hun nog te boven in prijzenswaardige deugdzaamheid. Wanneer de
heren vertoornd zijn op hun onderdanen en knevelarijen in de zin hebben, dan
zijn de vrouwen steeds bereid om het voor hun volk op te nemen en openlijk of
discreet de heer te adviseren in het belang van de gewone mensen. In Oost en
West vindt men de vrouwen nederig, en niet van zins macht uit te oefenen over
hetgeen de heren aangaat.

Hoe mach Kerstenheit dan dolen,
Oft wel te punten is beheert?
Heb ic *Mer* niet gheleert,
Soe is mijn dichten luttel waert;
Ende die waerheit niet en spaert,
Die sel altoes den vrouwen prisen,
Ende ymmer doecht ende eer bewisen,
Want si sijn van hogher waerde.
Men vint in vrouwen gheen hoveerde,
Daer ondoecht uut can gheleken;
Vrouwen souden node spreken
Dat horen manne waer contraer;
Si leven al in rechten vaer,
Openbaer ende stille,
Om te doen hoers mans wille,
Dair sy moghen dach ende nacht.
Al hadden die vrouwen wel die macht,
Sy en willen gheen onminne maken;
Eer si onpunteliken spraken,
Si zweghen liever seven daghe:
Aldus en comter ghene plaghe,
Diemen witen mach den vrouwen.
Sy leven die de werlt bouwen
Mit ghenoechten alte male,

Hoe kan de christenheid verdwalen, als zij zo ordelijk wordt geregeerd? Als ik
geen rekening houd met 'maar', is al mijn dichtkunst weinig waard; en wie de
waarheid niet uit de weg gaat, zal steeds de vrouwen prijzen en hun altijd eer en
deugd bewijzen, want zij zijn zeer hoogstaand. Men vindt in vrouwen geen
hovaardij, waaruit ondeugd zou kunnen voortvloeien; vrouwen zeggen nooit
iets dat tegen hun man ingaat; zij leven allemaal deemoedig, zowel publiek als
privé, volgens de wensen van hun man, zoveel zij kunnen, dag en nacht. Al
hadden ze de macht ertoe, ze zouden geen ruzie willen teweegbrengen; ze zwijgen liever zeven dagen lang dan dat zij ongepaste taal zouden bezigen. Daardoor ontstaat er nooit enig onheil dat men aan vrouwen kan verwijten. Allen
die bouwen aan de wereld leven vol vreugde,

Als een die wandert inden dale,
Daer die Meye staet ghebloemt:
Mer is woort dat luttel vroomt!

Hoe comt *Meerre* dus te werke
Onder pape ende clercke
Ende onder grote heren machtich?
Is daer yemant soe voerdachtich,
Die my ontbint ende overspelt,
Hoe *Meerre* crijcht dus groet ghewelt
Dat mense dicht bi goeden luden?
Hoert, ic sel u twaer beduden:
Meerre maect een weynich dat,
Waer *Mer* an is, hem brect al wat;
Doch die goede is sonder *Meerre*.
Wijsten mi, hi woent noch verre,
Die *Mer* en heeft noch dat en ghien;
Mar God is sonder dat alleen;
Wil hi ons helpen ende raden,
So en can ons *Mer* noch dat ghescaden.

alsof ze zwerven door een dal in voorjaarstooi: 'maar' is een woord dat weinig
helpt! ¶ Hoe komt het toch dat 'meer' zo werkzaam is in kringen van priesters,
klerken en onder grote, machtige heren? Heeft iemand zoveel inzicht dat hij mij
kan uitleggen hoe 'meer' zozeer in macht kan rijzen dat rechtschapen lieden
erop gefixeerd raken? Hoor, ik zal u de waarheid uitduiden: het is niet 'meer'
die dat uitricht; waar 'maar' aan kleeft, daar ontbreekt iets; wie goed is, stelt
het zonder 'meer'. Wijs mij eens iemand aan — die wel ver weg zal wonen — die zonder 'maar' of smet door het leven gaat. Slechts God is smetteloos; als hij ons helpt en leidt, kan 'maar' noch smet ons schaden.

VANDER WANKELRE BRUGGHEN

Op een rivier quam ic ghegaen,
Dair bloemen stonden scoen ontdaen,
Int beghinsel vander Meye;
Ende ander vruchten menigherleye
Waren versieret over al.
Die voghelkijns dreven groet ghescal
Mit soeten sanghe menighertieren;
Die vissche zwam inder rivieren.
Elc was zonderling verhoecht
Overmits der Meyen doecht,
Dat si verstroyt wel menich vrucht;
Die voghelen boven inder lucht,
Die visschen mede byden gronde.
Hi waer wijs diet al verstonde,
Hoe menighe doecht die Mey heeft in;
Want si verstroyt wel droeven sin,
Daer hi wandelt int ghedocht.
Hier om soe quam ic ende socht
Desen rivier schoen ende claer.
Van sorghen was ic wat in vaer;
Mer ic docht ten selven tyden,
Dattie voghelkijns hem verbliden
Als die Meye comt an hant,
Ende legghen off der sorghen bant,

Eens, in het begin van mei, kwam ik bij een rivier, waarlangs allerlei bloemen en bloesembomen in bloei stonden. De vogeltjes zongen volop hun zoetgevooisd gezang, en vissen zwommen in het water. Alles was blij over de meimaand en haar vruchtbaarheid: de vogels in de lucht en de vissen op de bodem. Men zou de deugden van de mei niet makkelijk overschatten; want ze geeft ook nieuw leven aan het bedrukt gemoed, en beurt het op. Met die bedoeling zocht ik deze heldere rivier op; de zorgen zaten mij wat dwars, maar ik bedacht terzelfder tijd hoe de vogeltjes vrolijk worden als de meimaand zich aandient, en de zorgen van zich afschudden

Die des winters sijn bedwonghen.
Wanttie voghelkijns dair songhen,
Soe lietic oeck die sorghen dalen,
Ende hoerde nader nachtegalen,
Die schone sanc op enen boem.
In dese rivier soe ghinc een stroem,
Die stranghe was entaer toe diep.
Mi docht dat een joncfrouwe riep
Over twater, dat ic soude
Tot hoir comen off ic woude.
Als ict hoerde, ic keerde mi omme:
'Joncfrou, ghi spreket als die domme,
Ic heb u reden wel vernomen.
Hoe soudmen tot u overcomen?
Hier en is brugghe noch schepelkijn.'
Als dit verhoerde die joncfrou fijn,
Soe leydsi mi een brugghe voren,
Wel ghemaect mit vasten schoren
Ende mit stilen, als mi docht.
Doe peynsde is veel hoet wesen mocht,
Aldair ic stont op die riviere,
Waen dese brugghe quam soe schier:
Daer moet wat anders wesen by.
Die vrouwe sprac: 'Hebt ghenen twy,
Ghi gaeter over sonder wanck.

die hen 's winters nog in de ban houden. Nu de vogeltjes daar zongen, liet ik
ook mijn zorgen varen, en luisterde naar de nachtegaal die in een boom mooi
zong. De stroom van de rivier was sterk en diep. Aan de overkant meende ik een
jonkvrouw te horen roepen dat ik naar haar toe moest komen. Toen ik het
hoorde, draaide ik mij naar haar toe: 'Jonkvrouw, hoe komt u zo dwaas? Hoe
zou men bij u kunnen komen? Er is hier geen brug of bootje.' Toen de jonkvrouw dit vernam, legde zij voor mij een brug uit, solide gebouwd met stevige
stutten en palen, naar het mij voorkwam. Verbaasd vroeg ik mij af hoe die brug
daar zo snel kwam; er moest daar iets bijzonders in het spel zijn. De dame
sprak: 'Wees niet wankelmoedig, u komt er zonder geschommel overheen.

Dit fondament en is niet cranck
Van deser brugghen, die ghi siet.'
Ende als ic hoirde sulc bediet,
Ic ghinc tot hoer met groten vlijt.
Die joncfrou seyde in corter tijt
Horen sin, ende ic ghinc weder
Mit groten anxt den brugghe neder,
Want my twivelde utermaten,
Dat si int eynde soude laten
Mi in doghen, als sy dede.
Hier was ic dicke in twifel mede,
Want ic hoer hert niet wel en kende,
Ende als die brugghe quam ten eynde
Ende ic al over was gheleden,
Doe sach ic boven ende beneden
Off die brugge yet vaste stont
Mit horen stilen op die gront,
Al dair ic dicwijl over ghinc.
Sy minnede mi voer alle dinck,
Als si toghede in haer ghelaet.
Nu siet dat ghijt te rechte verstaet,
Hoe ic int eynde wort ghehoont.
Ic hadde die joncfrou hoghe ghecroent,
Die desen brug al voir mi leyde;
Sint lietse mit onbescheyde
Mi int water nederzincken,

De fundering van de brug die u hier ziet is rotsvast.' En toen ik deze woorden
hoorde, begaf ik mij rap in haar richting. De jonkvrouw zei binnen een oog-
wenk wat zij wilde, en ik ging flink angstig de brug over; onzeker of zij mij aan
het eind niet in het nauw zou brengen — zoals zij ook deed. Ik verkeerde hierover in grote twijfel, omdat ik niet in haar hart kon kijken, en toen ik aan het
einde van de brug kwam keek ik zorgvuldig aan alle kanten of de palen stevig in
de grond staken. Afgaand op haar gelaatsuitdrukking, droeg zij mij niets dan
liefde toe. Let nu op dat u goed ziet, hoe ik ten slotte voor gek gezet werd. Ik had
de jonkvrouw zeer hoog, die voor mij deze brug aanlegde; maar later liet ze mij
op ondankbare wijze in het water vallen,

Dat ic te voeren wel plach te dincken,
Al hoede ic mi een deel te spade.
Wye dicke claecht, die heeft die schade:
Dat vintmen dicke wel int lest.
Ic hadde die joncfrou hoghe gevest
In mijn hert ter goeder wise;
Nu setticse weder uten prise;
Dat doet mi seker wel die noot;
Want alden dienst, die si mi boet,
Dat was int eynde mer een caf.
Si stiet mi vander brugghen aff,
So dat ic most int water vallen.
In wilt nu segghen voer u allen,
Waer off die brugghe was ghemaect,
Die ic gheprijst heb ende ghelaect:
Van woerden, die si mit horen monde
Tot mi sprac tot menigher stonde;
Die vant ic sint alle gader loghen,
Daer menich mensch om blijft bedroghen
Die veel wil loven datmen seit.
Nochtan isser onderscheit
Inden mensch, dat weet ic wel,
Wiemen doecht gheloven sel.
Mochtmen den quaden dair off cloven,

zoals ik tevoren al vreesde, al hoedde ik mij er dus te laat voor. Wie dikwijls klaagt, trekt aan het kortste eind, zoals maar al te dikwijls blijkt. Ik had de jonkvrouw innig in mijn hart gesloten, nu werp ik haar weer verre van mij; het is de nood die mij dat ingeeft: want alle beleefdheid die ze mij bewees, bleek aan het einde pure nep. Ze duwde mij van de brug af, zodat ik in het water viel. Ik zal u nu vertellen waarvan die brug gemaakt was die ik eerst prees en daarna laakte: van woorden namelijk, die zij menigmaal tot mij gesproken heeft; die bleken mij sinsdien alle gelogen te zijn geweest, waar menigeen door wordt bedot die graag wil prijzen wat men zegt. Wel is er natuurlijk een verschil tussen de mensen die men wel en niet geloven mag. Als men de kwaadaardigen kon uitbannen,

Men soude den gueden wel gheloven,
Die ymmer houden dat si spreken.
Die brug en can niet rede tebreken,
Wanttie gront es ymmer vast:
Hi mach wel draghen swaren last.
Twater, dair ic eerst op quam,
Dat was een hert, offt droech een lam,
Naden woerden die ic verstoet,
Dat dieper lach dan enen vloet,
Dat selden ebbet op die gront.
Hoer hert en was niet als die mont:
Dat dede mi vallen in die vlyet.
Dus was die brugghe ende anders niet
Mit schonen woerden overdect.
Die anders mitten monde sprect
Dan sijn herte mient van binnen,
Dat is een brugghe, wildijt voersinnen,
Die niet seer en staet te loven;
Want schone woerden leggen boven
Ende therte diep dair onder:
Hier om wast te minder wonder,
Dat ic my liet aldus verdoeren.
Die joncfrou was te voeren

dan zou men de goede lieden, die altijd gestand doen wat zij zeggen, best kunnen geloven. De rede kan de brug niet vernielen: daarvoor staat zij te stevig in
de bodem; en daardoor kan ze zware lasten aan. Het water waar ik aanvankelijk bij belandde, dat was een hart, onschuldig als een lam, te oordelen naar de
woorden die zo standvastig leken als de bodem waarop eb noch vloed veel
greep heeft. Haar hart was evenwel iets anders dan haar mond: dat deed mij in
het water vallen. Zo was de brug gelegd met niets dan mooie woorden. Wie met
de mond anders belijdt dan dat zijn hart hem ingeeft, die maakt een brug,
bedenk dat wel, die weinig prijzenswaardig is: want mooie woorden liggen
bovenop, het hart heel ver daaronder; en daarom was het niet zo vreemd dat ik
mij liet beduvelen. De jonkvrouw werd aanvankelijk

Mit anderen saken soe beladen,
Sine conde mi niet wel beraden:
Daer om misdede si veel te meer,
Dat si mi brocht in sulken keer,
Dat icse minde sonder veynsen.
Hier omme suldi alle peynsen,
Dat ghi maect een vaste brugge,
Sone valter nyemant after rugge
In dat water, als ic dede.
Men vintse noch te menigher stede,
Die wanckel bruggen maken connen;
Hier om heb ic dit dicht begonnen,
Dat elcman hoede, waer hi mach,
Voer sulken brugghe als voir mi lach,
Die dus lusteliken scheen,
Ende sonder perse brac ontween,
Des ic mi luttel hadde vermoet.
Hi is wijs die hem te tide hoet,
Dat seit Willem van Hilgaersberghe;
Dies niet en doet, hi comt in sorghe
Menichwerven, eer hijt weet,
Al ist hem nader schaden leet.

zozeer door andere zaken in beslag genomen, dat zij mij niet tot steun kon zijn:
des te meer misdeed zij door mij ertoe te brengen dat ik haar onvoorwaardelijk
beminde. Gij allen moet, hieraan indachtig, zorgen dat u een stevige brug slaat,
zodat er niemand kopje-onder gaat zoals ik deed. Men vindt ze alom genoeg,
die wankele bruggen kunnen maken; ik heb dit gedicht gemaakt opdat eenieder
zich zoveel hij kan hoedt voor bruggen zoals ik er een vond, die zo aanlokkelijk
leek, en toen zonder belast te worden in tweeën brak, waarop ik allerminst
verdacht was. Wijs is wie tijdig op zijn hoede is, zegt Willem van Hildegaersberch; wie dat niet doet, raakt menigmaal in de puree voor hij het weet, en
krijgt zijn schade achteraf te bezuren.

VANDER HONTSSCHEDE

Een hontsschote heeft mi gheraect
Heymelic ende soe mismaect,
Datse mi onghenoechte gheeft.
Waense quam, ic bin diese heeft;
Ic en hoede mi niet voerden snack,
Die my doet dit onghemac.
Honden die van afteren biten
Heymelijc, hem is wat te witen.
Hoedet u voer die honts schote;
Hoir sang is van sulker note,
Dat hi onsalicheit in brinct:
Hy danst oeck mede, die voren sinct.
Misdoet een schalc op sijn behaghen,
Hy moetet boeten off beclaghen.
    Si comen heymeliken ghegaen,
Die van afteren bestaen
Enen man, eer hijt weet.
Blaffende honden, al sijn si wreet,
Die machmen mit voerhoede keren;
Die enen man aldus beseren
Heymelike sonder hoede,
Die sijn wreet off fel van moede.

Over de hondebeet ¶ Een hondebeet heeft mij in het geniep getroffen en zo
verwond dat ik er hevig last van heb. Hoe het ook kwam, ik zit ermee; ik was
niet op mijn hoede voor het geblaf dat mij dit bezorgde. Honden die stiekem
van achteren bijten, die mag men verachten. Hoed u voor hondebeten; honde-
geblaf is van dien aard dat er narigheid uit voortvloeit; wie eraan meedoet, zal
het merken. Als een intrigant willens en wetens kwaad doet, dan zal hij daarvoor boete doen of spijt krijgen. ¶ Ze sluipen heimelijk naderbij, en belagen
een man van achteren voor hij het weet. Blaffende honden, al zien ze er vervaarlijk uit, daar kan men voorzorgsmaatregelen tegen nemen. Honden die een
man vanuit een hinderlaag bezeren als hij argeloos is, zijn kwaadaardig of
agressief van geest.

Die mit liste willen voert,
Visieren wonder ende moert.

  Siet ghi enen lupenden hont
Doeghet toghen tenigher stont,
Ymmer en suldi hem niet betrouwen.
Die misdoet, het mach hem rouwen;
Mer gherne blivet in den mensche cleven
Twoort, dat hem die luden gheven:
Tmach hem billicx wel behaghen,
Die dar berechten ende vraghen.
Ic woud wel dat si bellen droeghen
Honden, die hem dair toe voeghen,
Soe mochtmense dan wel horen comen:
Horen wille word hem lichte benomen,
Dien si volbrenghen menichwerven,
Sint schalcheit mocht op wijsheit erven
Ende schalcheit wijsheit heten sel:
Dat donct mi sijn groot ongheval.
Hy is wijs, die hem voir schalcheit hoet,
Ende salich diese niet en doet,
Want si comt uut fellen gronde.
Dit seg ic byden lupenden honde:
Eer hi volbrenghet sinen wil,

Zij die op slimme wijze denken weg te kunnen, staat sensatie en ook moord te
wachten. ¶ Als u een valse hond ooit iets goeds ziet doen, moet u hem niettemin
niet vertrouwen. Wie misdoet, rouw wordt zijn deel; maar daarentegen blijft
het woord dat mensen over iemand spreken, de betrokkene aankleven; dit moge hem die daarvan last heeft, zeker tot bemoediging strekken. Ik wou wel dat
ze allemaal belletjes droegen, de honden die daartoe de neiging hebben, dan
kon men ze aan horen komen; dan zou hun plan, dat nu nog dikwijls wordt
uitgevoerd, dikwijls worden verijdeld. Deze plannen worden uitgevoerd sinds
de boosaardigheid kan delen in de erfenis van wijsheid, en snoodheid wijsheid
wordt genoemd; dat dunkt mij een grote ramp. Hij die zich behoedt voor
snoodheid, is wijs. Hij die zoiets niet begaat, verdient heil, want snoodheid
wortelt in boosaardigheid. Dit kan ik vergelijken met de valse hond: voor hij
doet wat hij van zins is,

Soe blijft hi staen ende swighet stil,
Ende keert weder achterwaert;
Soe laet hi sinken sinen staert,
Recht off hi onnosel ware.
Ic woudmense schoer mit enen schare,
Datmen elc wel kennen mochte,
Die gaern veel uut scalcheit wrochte.
Die die rechte strate schuwet,
Hy zoect sijn vordel off hem gruwet.
Ghi sult ommesien te tijt,
Als ghi voer een hove lijt,
Daer lupende honden wesen mochten.
Eer sy volbringhen dat si sochten,
Men mochtse lichte wederstaen.
Wye mitter schalcheit ommegaen,
Wist nyemant schalcheit el dan sy,
Soe waer hoer behaghen vry.
Die een schalcheit wist allien
Hi verdorve een lant ghemien.
Sich omme, schalc, wat mach di baten?
Constu dijn vinden niet ghelaten,
Dair dijn onsalicheit an leyt?
Waer om soe doestu onbescheit,
— Ten is salicheit noch eer —
Die heer den knecht, die knecht den heer,

blijft hij staan, zwijgt en keert terug op zijn schreden, net alsof-ie een beetje simpel is. Ik wou dat men ze kaalschoor, opdat men degenen die graag kwaadaardig opereren, gemakkelijk zou herkennen. Wie niet graag het rechte pad begaat, jaagt eigenbelang na, ongeacht wat men ervan vindt. U kunt maar beter tijdig om u heen kijken, als u een hof passeert waar gluiperige honden kunnen zijn. Zolang ze nog niet hun zin hebben doorgezet, kan men gemakkelijk tegen ze op. Zij die boosaardig door het leven gaan, hebben daar liefst monopolie op; dan kunnen ze doen wat hun goeddunkt, en met één valse truc een heel land in het verderf storten. Bezie, valsaard, wat baat het je? Kun je je streken echt niet laten, waar je je zieleheil mee verspeelt? Waarom bevorder je onbehoorlijk gedrag, tussen heer en knecht en andersom,

Die vrouwe der maecht, die maecht der vrouwen?
Doch men gheter veel mit ontrouwen:
Denen maech verschalct den anderen,
Vrienden die te gader wanderen,
Denen ghebuer de anderen mede.
Op dorp, op lant, te menigher stede,
Soe sietmen nu tot deser tijt
Hoveerde, ghiericheit ende nijt
Soe veel ghemeughet onder die lude.
Die mitten wisen hem beriede,
Hi soude hem seker bet bewaren.
Tis goet, wel heen, ic latet varen.
Waer twee schalken tsamen runen,
Daer saytmen coren buten dunen.

VANDEN MONICK

Vaste hoede voer messchien
Die staet te prisen al in yen;
Want si mit vresen is verselt,
Die menighen lachter heeft ghevelt,
Toren, nijt ende ander schade.
Als vrouwen, maechden, vroe ende spade,

---

tussen vrouw en meisje en omgekeerd? Maar ontrouw wordt alom gebezigd:
familieleden bedriegen elkaar, en idem dito vrienden die samen verkeren, en
buurtbewoners onderling. In dorpen, op het land, in menige stad kan men
heden ten dage hoogmoed, hebzucht en jaloezie welig zien tieren onder de
mensen. Wie wijze raad ter harte zou willen nemen, zou zich zeker beter indek-
ken. Maar het is goed, verder maar weer, ik laat het hierbij. Waar twee snood-
aards samenspannen, gooit men zaad op de rotsen.

•

Nauwlettende zorg voor ongeval is zeer prijzenswaardig; want zij gaat hand in
hand met vrees, die al heel wat ellende, woede, jaloezie en andere narigheid
heeft voorkomen. Als vrouwen en maagden

Heymeliken willen wanderen
Mitten enen, mitten anderen,
Ende wel betrouwen elken man,
Daer en leyt hem eer noch wijsheit an;
Want heymelijcke stede ende stonde
Bringt menich man tot sulker zonde,
Daer hi hem selven mede onteert;
Ende om dat stonde stelen leert,
Soe selmen scuwen enicheit,
Daer sonde of comt ende archeit:
Natuer is cranck int wederstaen.
Wilmen heymelijcke gaen,
Daermen stonde of stede crijcht,
Die wille werct, die reden zwijcht,
Comtmen heymelijc te gader.
Ic en wilde minen biechtvader
Sonderlinghe niet al betrouwen
In enicheit mit schone vrouwen;
Want die vyant is naradich.

   Tot enen tyden wert misdadich
Een heilich man, een predickaer,
Die sinen tijt een deel der jaer
Een Terminarius hadde ghewesen.
Hi placht te vasten ende te lesen

het in het geheim aan willen leggen met de ene na de andere man, en daarbij op
die mannen vertrouwen, dan levert hun dit even weinig eer op als het van wijs
gedrag getuigt; want juist in het geheim komt menig man tot zonden waarmee
hij zichzelf onteert. En omdat de gelegenheid de dief maakt, moet men de eenzaamheid mijden, die zonde en kwaad met zich meebrengt: onze natuur is
zwak in het weerstaan ervan. Als men in het verborgene de gelegenheid te baat
wil nemen om elkaar heimelijk te treffen, dan moet de wil actief zijn maar de
spraak muisstil. Ik zou zelfs mijn eigen biechtvader niet compleet vertrouwen
in afzondering met mooie vrouwen; want de duivel is arglistig. ¶ Ooit verviel
tot grote zonde een vroom man, een prediker, die een deel van zijn leven als
bedelmonnik was rondgegaan. Hij placht te vasten en te spreken

Ende goede sermoenen te brenghen voert,
Soe dat hi dicke wort ghehoert
Mit ghenoechten vanden luden,
Die soe verstonden sijn beduden,
Dat si mit ongheveynsden moede
Hem mededeylden van horen goede
In minnen ende in caritaten.
Hi hadde die werlt soe ghelaten,
Dat hi heilich scheen van leven.
Hi plach den luden troest te gheven,
Die haere sonden waren leet,
Op dat si voert in minnen heet
Gode te dienste wilden bliven.
Si moghen wonders veel bedriven,
Daer nyemant ducht voer en draecht.
    Een welgheboren schone maghet
Versochte dickent desen broeder,
Om dat si wilde wesen vroeder
Hoe sy ten hemel comen soude:
Si en wilde om gheen schat van goude
In zonde langher bliven staen.
Dus plach si menichwerf te gaen
Totten broeder mit ghenende,
Wanneer si hoer selven schuldich kende;
Si sprac hoer biechte mit begheren,

en mooie preken te houden, zodat hij graag beluisterd werd door de mensen,
die in hem iemand zagen aan wie zij onbewimpeld een deel van hun goederen
konden geven in godvruchtigheid en naastenliefde. De man had zich zo af-
gekeerd van het gewone leven in de wereld, dat hij van bijkans heilige levenswandel scheen. Hij placht troost te schenken aan de mensen die spijt hadden
van hun zonden, zodat zij voortaan in vurige liefde voor God gingen leven. (Zij
kunnen wonderen verrichten, degenen voor wie niemand bevreesd is.) ¶ Een
welgeboren, mooie maagd ging dikwijls bij deze broeder op bezoek, omdat zij
weten wilde hoe zij de hemel kon bereiken; ze wilde voor geen geld ter wereld
nog langer in zonde volharden. Zo placht zij zich menigmaal vrijmoedig tot de
monnik te wenden, wanneer zij zichzelf zondig voelde; zij ging dan vol overtuiging te biecht,

Entie broeder plachse te absolveren.
Alsoe langhe ghincse ende keerde,
Dat stonde stelen leerde,
Entie broeder diende hoir mit half sesse,
Ende si verstont van sijnre lesse
Tpater noster entie crede,
Soe dattet wide van haren clede
Begonde te vollen in die zyden,
Als doorde hout van dien ghetyden,
Datmen soe by naturen scrijft.
Wanneer dat wel verholen blijft
Soe ist een speelkijn van solaes,
Mar op twee tarninghen van deus aes
Soe loopt wel menichwerf een sijs.
Die broeder wort der saken wijs,
Hoe die joncfrou was verladen.
Tvolc begonder in te raden
Ende of te clappen menigherhande.
Die broeder duchte voer die schande
Ende ooc voer sinen goeden naem,
Ende om te decken desen blaem
Soe socht hi menigherhande list;
Want als die mient die waerheit wist,

en de broeder placht haar dan aflaat te geven. Zo dikwijls ging zij in en uit, dat de gelegenheid de dief maakte, en de broeder voor haar zijn klokkenspel liet luiden; zij begreep zijn credo en zijn onzevader toen zo goed dat de plooien van haar kleed begonnen op te bollen, zo nijver oefende zij de getijden die bij het natuurlijk leven voorgeschreven zijn. Wanneer dat goed verborgen blijft, is het een leuke tijdpassering; maar naarmate men vaker met de dobbelstenen gooit, stijgt ook de kans dat men een prijs heeft. De broeder kreeg in de gaten dat de jonkvrouw volgeladen was. De mensen begonnen erover te speculeren en te roddelen. De broeder was bevreesd voor schande en bovenal voor zijn goede naam; en om deze blamage te verbergen, overwoog hij de ene list na de andere. Want als de goegemeente de waarheid zou kennen,

Soe waende hi ymmer wesen doot
Of ghebrocht in sulker noot,
Die onverwinlic waer te lyden:
Hier om docht hi tallen tyden.
Dese broeder, die ic myene,
Die ghinc menichwerf alliene
Heymelyken sinen pat:
Twifel dede hem menighen hat,
Wanhope const hi nau verweren.
Daer hy ghinc in sulken deren,
Quam die vyant vander helle,
Die mitten broeder wert gheselle,
Ende sprac hem toe in sulken schijn,
Recht oft een meester had ghesijn
Te weten heymelijc ghedocht,
Soe dattie broeder an hem socht
Om goede troost van sijnre zaken.
Die vyant lach op felle wraken,
Al en wistet die broeder niet.
In leden tyden wast gheschiet,
Daer hi wrake om wilde doen.
Die broeder plach in sijn sermoen
Den volcke te predicken openbaer,
Hoe lelic dat die vyant waer
Ende hoe anxtelijc te scouwen,

meende hij zo goed als dood te zijn en zich in zo'n penibel parket te bevinden dat hij er nooit meer uit zou komen; dus pijnigde hij continu zijn hersens af. Dikwijls ging de broeder er in het verborgene alleen op uit; hij was aan vertwijfeling ten prooi en de wanhoop nabij. Terwijl hij zo gekweld rondliep, kwam de duivel uit de hel en liep met de broeder op; hij deed alsof hij een meester was in listige praktijken, zodat de broeder hem om steun vroeg bij hetgeen hem dwarszat. De duivel zon op een vreselijke wraak, al had de broeder dat niet door. In het verleden waren dingen gepasseerd waarvoor hij wraak wou nemen. De broeder plach namelijk in zijn prediking het volk omstandig uit te tekenen hoe lelijk de duivel was en hoe angstwekkend om te zien,

Soe datter menich creech berouwen
Naerstelijc van sinen sonden;
Entoe die vyant wiste ghebonden
Den broeder in dus groter sorghen,
Doe quam hi tot hem al onverborghen
Ende seide aldus: 'Ic bin een man,
Die den vyant dwinghen can,
Ende mit woorden wel vermanen.
Ic sel die luden sonder wanen
Doen gheloven int ghemien,
Dat ghi weder groot noch clien
En hebt van sulke danighen touwe,
Daer enich maecht of ander vrouwe
Sculdich mochte werden by.
Van sulker daet soe side vry
Ende ontsleghen altemale.'
Doe sprac die broeder nader tale:
'Soe helpt my dat ic mach ghewaghen
Mijn onschult in corten daghen.'
Die meester sprac: 'Alsoe salt sijn.'
Sonder smarte ofte pijn
Dede hi hem quijt sijn voerghestel,
Soe dattet slecht als ander vel
Twisken sijn benen was ghebleven.
Die broeder taste daer bineven,

zodat menigeen vurig berouw gevoelde voor zijn zonden. Nu dan de duivel wist
dat de broeder zelf in grote zorgen zat, kwam hij frank en vrij naar hem toe en
zei: 'Ik ben een man die de duivel kan bedwingen, en met woorden kan vermanen. Ik zal de mensen rotsvast doen geloven dat u in het geheel geen eindje
touw bezit waarmee u vrouwen iets dergelijks zou kunnen aandoen: u bent
gewoon niet toegerust voor dergelijk werk, en er compleet van ontheven.' De
broeder sprak daarop: 'Help mij dan, opdat ik binnenkort mijn onschuld kan
demonstreren.' De meester sprak: 'Zo zal het gaan.' Zonder pijn ontnam hij
hem zijn voorgestel, zodat er tussen zijn benen niets dan gewoon vel restte. De
broeder tastte er in het rond,

Hine vanter weder dat noch dit
Anders dan een weynich pit,
Daer hi sijn water mochte lozen.
Die vyant sprac: 'Nu doet den bosen
Veel confuus al openbaer,
Ende schelt die ghene loghenaer,
Die sulke tale brenghen voort.'
Die broeder sprac: 'Dits goet accoort,
Op dat ic bet na mijnre onschulde
Mocht verdienen vrouwen hulde.'
'Ja ghi!' sprac die vyant saen,
'Hoeneer u onschult is ghedaen,
Soe sel u comen optie stat
Tselve dat ghi te voren hadt.'
Die broeder sprac: 'En gheer niet el.'
Sine tael bequam hem wel.
Doe ghinc hi lesen ende studieren
Een goet sermoen nae sijn begheren,
Ende quam als hi te voren plach
Ten stoel op enen hoghen dach,
Daer menich mensch vergadert was.
Tewangeli, datmen las
In dien daghe, dat set hi voren;
Daer nae liet hi den luden horen

maar trof niets anders aan dan een klein gaatje waardoor hij zijn water kon
lozen. De duivel sprak: 'Betuig de kwaadsprekers nu in het openbaar uw diepe
verachting, en scheld degenen die zulke praatjes rondstrooien uit voor leugen-
naar.' De broeder sprak: 'Dit lijkt mij prima, gesteld tenminste dat ik na bewezen onschuld weer net zo van de vrouwen kan genieten als tevoren.' 'Ja zeker
wel,' antwoordde de duivel meteen, 'zodra uw onschuld vastgesteld is, zal wat
u vroeger had op dezelfde plaats herrijzen.' De broeder sprak: 'Ik wil niet anders.' De woorden van de ander bevielen hem wel. Toen ging hij met veel moeite uit de boeken een sterke preek voorbereiden, en klom zoals hij dat gewoon
was op de preekstoel ten overstaan van een macht mensen. Eerst las hij het
evangelie van die dag; daarna onderhield hij de parochie

Vanden bosen nyders schare;
Oeck sprac hi optie loghenare,
Die menighen mensche hebben bedroghen,
Ende hoe hi selve was beloghen
Mitter joncfrou an sijn eer:
Dat brocht hi al ter goeder leer
Ende beslotet wel ter core:
'Ic bin daer in, ic moeter doere,'
Sprac die broeder daer hi stoet:
'Dit is een dinc dat wesen moet,
Al ist mi smadelic te toghen.
Ghi moecht hier sien voer uwen oghen
Ic bin noch slechter dan een wijf,
Ende om der boser nyder kijf
Soe moet ic dese smaetheit lyden.'
Daer sloech hi op ten selven tyden
Openbaer die cappe wyde.
Die vyant wachte sijn ghetide:
Doe hijt den luden toghen soude,
Doe sette hi hem an sijn evenoude
Weder op die selve stede,
Stiver ende harder mede
Dant ye wert tot sinen daghen.

over het kwaad der jaloezie; ook sprak hij over leugenaars die al zovelen hebben bedrogen, en over hoe hijzelf wegens een jonkvrouw in zijn eer was aangetast: dat bracht hij ter goede lering allemaal naar voren, en zorgde voor een
fiks sloteffect: 'Ik ben nu zover gegaan, ik moet er maar doorheen,' zo sprak de
broeder van de kansel, 'het is een onafwendbare zaak, hoe pijnlijk het ook is
om eruit te komen. U kunt hier nu met eigen ogen zien dat ik nog slanker
ben dan vrouwen — en wegens de smaad van boze kwaadsprekers moet ik nu
ook deze vernedering ondergaan.' Op hetzelfde ogenblik hief hij publiekelijk
zijn wijde pij op. De duivel wachtte op het juiste moment: toen hij het aan den
volke zou vertonen, plaatste de duivel zijn oude kameraad weer op diens vaste
plaatsje terug, alleen nog stijver en harder dan hij in zijn vorig leven ooit geweest was.

Men sacht streven ende raghen,
Eer hijt voelde of vernam,
Hoe sijn ghestelle wederquam.
Doe loech die vyant mit ghenende,
Om dat hi den broeder schende,
Ende hem sijn doghen halp vernuwen.
Men ghincken vloeken ende verspuwen,
Ende seer confuselic hantieren:
Dit halp die vyant al visieren,
Eynde, middel ende beghin!
Alsulc loon, alsulc ghewin
Gheftie bose noch den sinen,
Ende sonderling die heilich schinen,
Ende dan hem setten tsulker staet
Mit ghenoechten in dommer daet,
Gheliken als die broeder dede,
Die mit groter onghenadichede
Wort ghehandelt vanden lieden,
Die dicken wijsden ende rieden,
Dat men ymmer soude bederven.
Hi waende ondievelike sterven
Of te lyden swaer torment;
Ende hoe sijn doghen wert volent
En can ic hier niet al verslaen.

Men zag hoe zijn lid zich fier en stram verhief, nog voor hij zelf in de gaten kreeg
dat zijn gestel weer terug was. Toen lachte de duivel uitbundig, dat hij de broeder zo te schande maakte en hem nog meer in de penarie bracht. Hij werd
vervloekt en ook bespogen; men ging hem stevig te lijf: dit was door de duivel
opgezet, van begin tot einde! En zulk loon, en dit soort profijt, bezorgt de boze
nog altijd zijn volk, en bovenal wie zich zo heilig voordoen en zich dan aan dit
soort van daden schuldig maken zoals de broeder deed, die nu genadeloos werd
uitgestoten door de mensen, die hem uitscholden en toewensten dat men hem
af zou tuigen. Het was hem of hij nog beroerder aan zijn eind zou komen dan
een dief, en een vreselijke ramp over zich heen kreeg; en hoe zijn lijden naar het
einde liep, kan ik hier niet volledig rapporteren.

Men brochten heymelike van daen,
Of hi waer ghesleghen doot;
Ende voer alsulc wederstoet
Sel een yghelijc hem hoeden,
Ende te voren wel bevroeden
Watter nae of comen mach,
Te drincken heimelic ghelach,
Gheliken als die joncfrou dede,
Die in heymeliken steden
Den goeden broeder socht so langhe,
Dat nature by bedwanghe
Van hem beyden droech op yen.
Vrouwen gunst, hoer lieflic zien,
Doet vergheten menighen nose;
Ende int gheselscap roeckelose
Speltmen dicwijl onnosel spel.
Natuer is starc, ghedocht is snel
In onghestader vaster hoede,
Ende hier om dolen noch die vroede;
Want vintmen meyskijns slap ghegort,
Ende sijn hem dan die hielen cort,
By enen cleynen orisoen
Machmense opwert nighen doen;
Mar stolpelinghe vallen si node:
Dat doet si sijn van herten blode.

Men ruimde hem daar in stilte uit de weg alsof hij doodgeslagen was; en voor
dit soort van represailles moet iedereen zich hoeden, en zich vooraf terdege
realiseren wat het gevolg kan zijn als men een stiekem glaasje nuttigt zoals die
jonkvrouw die de broeder zo veelvuldig opzocht dat de kracht van de natuur
hen op elkaar bond. De gunst van vrouwen, hun lieftallige aanblik, doet menige schade vergeten; in roekeloos gezelschap speelt men dikwijls gewaagd
spel. De natuur is sterk, gedachten springen snel en ongestadig uit de band;
want als men meisjes treft die makkelijk uit de kleren gaan, en met korte achil-
lespezen, dan kan men die via een klein verzoekje met de benen omhoog en
achterover krijgen. Maar voorover vallen ze ongaarne, daar zijn ze maar al te
beducht voor:

Vellen si ontwee nose ofte mont,
Therte en bleve niet ghesont;
Quetsten si knye of ellenboghe,
Soe en sijn si niet in goeden hoghe;
Ende want si aldus sijn vervaert,
Soe vallen si liever achterwaert,
Al wortet hem een deel te suer,
Dan si tlijf in davontuer
Setten of hoer zonde lede;
Want vrouwen hebben altoes gheerne vrede.

VAN JA ENDE NEEN

Van hem twien wil ic ghewaghen,
   Die ter werlt sijn verscheiden
Ende altoes malc van anderen jaghen.
   Hoe soudmen dese twe te gader leiden?
   Daer loept een wech tusschen hem beiden,
Soe dat si niet op een en draghen,
   Die ghesien staet altoes te breiden:
Dus en versamenen si tot ghenen daghen.

Want deen wil zuut, dander noort,

---

als ze hun neus of mond bezeren, hebben ze daarover pijn tot in het hart; als ze een schaafwond krijgen aan hun knie of elleboog, dan raken ze diep bedroefd. Ze zijn daarvoor zozeer vervaard, dat ze nog liever achterover vallen, op gevaar af dat het ze zuur opbreekt en ze lijf en ledematen op het spel zetten, want vrouwen zijn nu eenmaal ongedurig.

•

Ik wil het hebben over een tweetal dat in het leven ver uiteen ligt, en elkaar altijd afstoot. Hoe zou men ze kunnen verenigen? Er loopt een scheidsweg tussen die twee die alsmaar breder wordt, zodat zij elkaar nimmer zullen ontmoeten. ¶ Immers: de een wil naar het noorden, de ander zuidwaarts,

Dus soe breytsi al in een
Den wech, als ghi wel hebt ghehoert,
   Die daer leit tusschen hem twien.

   Wildi weten wye si sien,
Die dus scheiden hoer accoert?
   Op dat mi liste mach gheschien,
Ic wilt u allen segghen voert.

Ja ende *Neen* sijn dese twie,
   Die altoes malc van anderen wiken;
Mi denct dat icker luttic sie,
   Die desen tween mit rechte lijcken.
   Ic wil die waerheit laten blyken,
Tghescie ofte wats gheschie,
   Beide den armen enten rijcken,
Op dat elc der waerheit ghie.

Soe en twiet mi niet van enen haer,
   Als sy den sin hebben verstaen,
Si en sellens lyen openbaer,
   Datter luttic willen gaen
   Den selven pat al sonder waen,
Die dese twee noch volghen naer
   Ende langhe tijt hebben ghedaen,
Ja ende *Neen*, dat weet voerwaer.

---

en zo wordt dus de weg tussen hen beiden waar u van hoorde allengs breder.
Wilt u weten wie het zijn, die tussen henzelf zo'n wig drijven? Ik weet dat het
vernuftig klinkt, en zal het u allen nu onthullen. ¶ Ja en Nee zijn deze twee, die
elkaar altijd uit de weg gaan; ik meen dat ik maar weinig zie dat werkelijk op
deze twee gelijkt. Ik wil de waerheid duidelijk maken, kome er wat ervan komt,
zowel voor arm als rijk, opdat eenieder de waarheid erkent. ¶ Ik betwijfel voor
geen cent dat die lui, als ze de waarheid hebben gehoord, ruiterlijk zullen erkennen dat er maar weinigen zijn die het pad van deze twee van oudsher aan-
hielden, en het nog rechtlijnig plegen te vervolgen.

Wilden si wenden hore tael,
  Alsser menich doet sijn reden,
Men soude dat oerloghe altemael
  Varinghe zoenen ende vreden.
  Nu sijn si van alsulke zeden,
Datmen een lemmel sloeghe van stael,
  Si lieter hem liever mede ontleden,
Dat weet ic voer die waerheit wael.

Want si hem selven dus verbouden,
  Dat si hem liever lieten pinen,
Mit enen zwaerde hoer zyden spouden,
  Eer si hoer woirt lieten verdwinen,
  Ende elc die blijft noch byden sinen,
Ende gheen en wil ten anderen vouden,
  Hier bi macht wel reden schinen,
Datmen *Ja* ende *Neen* sal houden.

Spreecti *Ja*, dat suldi laten
  Bliven ga, dats wel mijn raet,
Soe crijchdi eer in allen straten,
  Wairwart dat ghi hene gaet.
  Het is wonder boven maet,
Dat yemant wil die ere haten,

Als men het goede spoor zou houden van Ja en Nee wanneer menigeen zijn
zegje doet, dan zou de strijd wel spoedig worden verzoend tot vrede. Maar nu is
het met Ja en Nee dusdanig gesteld dat men elkander liever over de kling jaagt
en zich op een dwaalspoor begeeft; dat weet ik wis en waarachtig. ¶ Want zij
fokken zichzelf zo op dat als men een zwaard van staal zou smeden, zij er liever
mee op elkaar zouden inhakken dan dat ze hun woorden zouden afzwakken,
en elk volhardt in de zijne, en niemand wil zich voegen naar de ander; daarom
moet het evident zijn, dat men het verschil van Ja en Nee moet respecteren. ¶ Als u Ja zegt, moet u dat handhaven, dat is mijn advies; dan oogst u
allerwegen eer, waar u ook gaat. Het is een onbegrijpelijk iets dat iemand eer
zou haten,

Want si soe redeliken staet
Den ghenen diere hem toe saten.

Ende spreecti *Neen*, dat laet oec bliven
   Neen, soe moechdi crighen eer;
Men sal al doghet van di scriven,
   Condi volghen dese leer.
   Van daghe te daghe voerwairt meer
Sal u der werlt lof becliven,
   Ende God, die boven al is Heer,
Sel u int ende niet verdriven.

Op dat ghi dese twee wilt houden
   Elkerlijc nae sijn accoort,
Ende u selven daer toe vouden,
   Soe moechdi in eren comen voert.
   Nu isser menich soe verdoort,
Dat si in boesheit hem verbouden,
   Als ghi dicwijl hebt ghehoert;
Doch willen sy edel sijn ghescouden.

Dese en slachten niet den twien,
   Dair ic of seide hier te voren,
Die altoes malc van anderen vlyen,

---

want zij is zo rechtvaardig jegens hen die ernaar talen. ¶ En zegt u Nee, laat dat
dan ook Nee blijven, dan ontvangt u eer; men zal niet anders dan uw deugdzaamheid bezingen, als u zich aan deze stelregel weet te houden. Van dag tot
dag tot in de eeuwigheid zult u de lof der wereld oogsten, en God, die Heer is
boven alles, zal u bij het Oordeel niet verstoten. ¶ Indien u deze twee wilt respecteren in hun waarde, en u dienovereenkomstig wilt gedragen, dan zult u
voortleven in eer. Maar tegenwoordig is menigeen zo verdwaasd, dat hij glo-
rieert in de boosaardigheid, zoals u al vaak hebt gemerkt; en toch willen zij
voor edel doorgaan. ¶ Zulke mensen gedragen zich niet overeenkomstig de
twee waar ik hierboven over sprak, die altijd elkaars gezelschap mijden

Om dat si niet en willen horen
Reden, diese mocht verdoren,
Al daer hem schande of mocht gheschien.
Nu hieter menich wel gheboren,
Die dese punten achten clien.

Want si hem selven dus verschieden,
Ende elkerlijc gaet sinen pat,
Soe willic alden mienen lieden
Over dbeste raden dat,
Waer si sijn tot enigher stat,
Die ict mit woorden can bedieden,
Dat si om have noch om schat
Hem in gheenre misdaet laten mieden,

Si en houden *tJa*, als sijt beghinnen,
Ende emmer des ghelyke *tNeen*,
Daermen die waerheit wil bekinnen:
Tmaect u van oneren reen.
Daer en is nyemant, groot noch cleen,
Die trechte can versinnen;
Op dat hi volghet desen tween,
Hi macher prijs ende eer an winnen.

Want *Ja* dat is een edel zake,
Daermense te rechte wil verstaen;

---

omdat ze geen praat willen horen die ze op hol zou kunnen brengen en waardoor hun schande zou kunnen overkomen. Thans gelden er heel wat als hooggeboren, die deze zaken minachten. ¶ Want zij lopen zozeer uiteen, en ieder
gaat zozeer zijn eigen weg, dat ik gewone mensen niet beter kan adviseren dan
dit: zij moeten zich waar dan ook om geen enkele gift in natura of contanten
laten omkopen tot wandaden. ¶ Maar daarentegen vasthouden aan hun eenmaal gegeven Ja, en idem dito Nee, als zij de waarheid willen weten: dat zuivert
u van oneer. Er is niemand, groot noch klein, die de juiste koers kan houden
tenzij hij deze twee gestand doet; lof en eer zal dan zijn deel zijn. ¶ Want Ja is
een edele zaak, als men haar correct opvat;

Neen denct mi een ander sprake,
   Daer om scheiden si sonder waen.
   Contraer die heeftse soe bevaen,
Sullen si leven mit ghemake,
   Si moeten malc van anderen gaen,
Tis recht dat ic hoer gheen en lake;

Want elkerlijc die staet te prisen,
   Daermense te rechte wil hantieren.
Wildi slachten naden wisen,
   Soe suldi peynsen ende visieren,
   Hoe ghise in edelre manieren
Hout, soe moechdi in eren rysen.
   Nu waen ic datmen wel hem vieren
Vint, die hem al anders spisen,

Dan *Neen* te houden ende *Ja*,
   Elkerlijc alst hem betaemt,
Si en volghen liever der boosheit na,
   Op dat hem inden budel vraemt.
   Aldus wort boosheit soe vernaemt,
Isset als ic mi versta,
   Dat si die trouwe zeer verlaemt;
Hier om soe radic dat si ga,

Nee komt mij als iets anders voor, en daarom gaan die twee uiteen. Ze zijn nu eenmaal elkaars tegendeel; als ze een zuiver leven willen leiden, moeten ze elkaar uit de weg gaan, en het is met recht dat ik geen van beide misprijs. ¶ Want elk van beiden is prijzenswaardig, als men ze correct gebruikt. Als u een wijs voorbeeld wilt volgen, dan moet u zich erop concentreren hoe u ze zuiver houdt; dan zal uw aanzien stijgen. Maar vandaag de dag meen ik dat men er wel heel wat vindt die heel anders in het leven staan. ¶ Ze volgen liever kwade paden, hopend dat dat hun in de buidel baat, dan dat ze Ja en Nee gestand doen zoals bij die twee behoort. En zo wordt de boosaardigheid zo in de hoogte gestoken, als ik goed zie, dat ze betrouwbaarheid verlamt; en daarom raad ik laatstgenoemde weg te gaan

Aldaer si mach mit vreden leven.
  Hier en heeft si gheen gheleide,
Want loosheit wert alsoe verheven,
  Als ic u hier te voren seide,
  Dat si veel mit onbescheide
Den goeden doet ter werlt sneven:
  Trouwe dwaelt nu optie heide
Ende heeftet velt al hier begheven.

God, nu staet der trou in staden,
  Hier soe heeft si cleinen troost;
Want loosheit heeft mit overdaden
  Jeghens der trouwen hoir verboest;
  Ende want ghi daghen doet van oest,
Soe helpt die trou tuwer ghenaden:
  Wye daer nae werct dat ghi en verloost,
Die is int eynde wel beraden.

Alsulken troest is sijn begheren,
  Willem, die dit ghedichte vant,
Hoe hi sijn ziel mochte neren,
  Datse mit Gode wort becant.
  Van Hildegaersberghe is hi ghenant,
Die dit maecte sonder scheren;

naar waar ze vrede vindt. Bij ons heeft ze geen vrijgeleide, want zoals ik u hier
tevoren zei, de onbetrouwbaarheid wordt zo gekoesterd dat ze degene die goeddoet in de wereld, op redeloze wijze aan het kortste eind laat trekken; Trouw
zwerft nu over de kale heide, en heeft bij ons het veld geruimd. ¶ God, sta de
Trouw nu bij, want hier vindt zij geringe steun; want het kwaad heeft met
vertoon van overmacht gezondigd tegen trouw; zoals u het in het oosten dag
laat worden, help zo ook Trouw met uw genade: wie ernaar leeft om door u
verlost te worden, zal uiteindelijk de goede keus hebben gemaakt. ¶ Zulke
troost is ook het verlangen van Willem, die dit gedicht bedacht; hoe hij zijn ziel
zodanig voedt, dat die bij God geraakt. Men noemt hem Van Hildegaersberch,
die dit in volle ernst maakte;

Gode gheeft hijt inde hant,
Die wel mach lesschen onse deren.

IC BIN AL MOEDE, IC WIL GAEN RUSTEN

Ic bin al moede, ic wil gaen rusten,
Van des mi wilen plach te lusten
Des wordic sat, en weet niet hoe.
Oft al om niet is dat ic doe,
Wat sel dan arbeit onderstaen?
Veel te yaghen sonder vaen
Dat maect int leste onghenuecht.
Werck ic salicheit nochte duecht,
Soe ist al arbeit teghen spoet.
Schone exempelen ende goet
Heb ic ghesproken voerden heren:
Al mijn dichten ende leren
Is gherechticheit ende eer,
Die betaemt wel elken heer,
Hadsi mijn leer te recht onthouden,
Als si alle billics souden.
Voert soe heb ic openbaert
Den soeten pat ten hemel waert,

hij legt het in de hand van God, die al onze smart kan lenigen.

•

Ik ben zo moe, ik wil gaan rusten; van wat mij vroeger veel plezier gaf, heb ik genoeg gekregen, ik weet niet waarom. Als alles wat ik doe voor niets is, waartoe dient al die moeite dan? Alsmaar jagen zonder iets te vangen, schept uiteindelijk ongenoegen. Wanneer ik zieleheil noch deugd bewerkstellig, dan is het vruchteloze arbeid. Mooie en nuttige exempelen heb ik verteld aan de heren; al mijn dichten en leren draait om rechtvaardigheid en eer die elke heer betaamt; als ze mijn les ter harte hadden genomen zoals ze allen zouden moeten doen. Verder heb ik publiekelijk het zoete pad naar de hemel gewezen,

Hoe schoen hi is, hoe saft te treden,
Ende wiere in gaet, hi is wel te vreden.
Sonder nijt ende sonder toern
Soe hebsi al dat best vercoren,
Diere in wanderen te tyde.
Die vuyle pat an dander zyde
Ter hellen waert heb ic bewijst,
Hoe zeer den goeden daer of grijst,
Die hier gherechteliken leven.
Alsmen moet voer toordeel beven,
Daer elc sijn werck voer hem siet,
Soe kennen si wat hem is gheschiet,
Die hier gheen vrese en willen draghen,
Ende altoes prisen hoer behaghen
Op een wanckel toeverlaet.
Den pat, diemen ter helle gaet,
Dats hoverde ende nijt,
Daermen bi vallet ende glijt,
Ende nerghent vast gheleide en heeft
Te comen daermen ewich leeft.
Die ghiericheit maect ons oec den pat,
Die altoes vuyl is ende glat;
Want hoveerde, nijt ende ghierichede
Die en wercken salicheit noch vrede.

hoe mooi het is, hoe zacht om te betreden; wie het begaat is zielsgelukkig. Vrij
van naijver en woede hebben zij die het tijdig bewandelen daarmee de beste
keus gemaakt. Het smerige pad ter andere zijde, naar de hel, heb ik getoond;
hoe erg degene die goed is en op aarde leeft als een rechtvaardige daarvan
gruwt. Als men moet beven voor Gods oordeel, waar ieder ziet wat hij gedaan
heeft, ervaart men wat zij die hier op aarde geen godsvrucht erkennen en altijd
vertrouwen op vergankelijk geluk, hebben verricht. Het pad dat naar de hel
voert, loopt via hovaardij en haat, waarover men struikelt en uitglijdt, en nooit
enig houvast vindt om te geraken waar men eeuwig leeft. Ook hebzucht leidt
ons op een pad dat altijd glad en vies is; want hovaardij, haat en hebzucht
brengen noch zieleheil noch rust.

Veel toepaden vintmen meer
Ter hellen waert, des ducht ic seer,
Die mi verdrieten al te noemen.
Ic hoer die sulke hem beroemen,
Datse mit wille volbrenghen moghen
Wercken, die niet veel en doeghen
Ende beter waren onghewracht.
Verkeerden wil, wreet in macht,
Is dat die wech van caritaten?
Mochtwy hier malcander haten,
Entaer mede hemelrijc ghewinnen,
Wye soude dan den anderen minnen
Of doecht bewisen tenigher stont?
Mar God, dien alle dinc is cont,
Die heeft al anders wat gheleert,
Doe hi stont alsoe bezeert
Verduldelijc an tcruce al naect,
Vanden Yoden seer mismaect:
Hi bat den Vader voer tghediet,
Die hem deden sulc verdriet.
Hier soudwy exempel nemen aen,
Al waer ons oec een deel misdaen,
Niet al te wreken hier int leven.
Wilwy malcander niet vergheven,

Veel binnenwegen zijn er nog richting de hel, waarvoor ik vrees, waarvan het mij pijn doet ze te noemen. Ik hoor sommigen opsnijden dat ze uit vrije wil daden verrichten die nergens voor deugden en beter onvolvoerd zouden kunnen blijven. Kwade wil en machtsmisbruik, is dat de weg der caritas? Als wij elkaar hier konden haten, en daarmee de hemel zouden verdienen, wie zou dan ooit een ander liefhebben of te eniger tijd goeddoen? Maar God, die alles ziet en weet, heeft een heel andere les gegeven, toen hij naakt en gemarteld en mismaakt door de joden aan het kruis hing: hij bad jegens zijn Vader voor het volk dat hem zulk verdriet deed. Hieraan zouden wij een voorbeeld moeten nemen: om in dit leven niet altijd wraak te nemen als ons iets misdaan wordt. Als wij niet bereid zijn om elkaar te vergeven,

Hoe crighen wy dan ten lesten stonden
Verghiffenis van onsen zonden?
Dit is tpunt dat ic myen,
Daer die luden op achten clyen:
Dat after hoert, dat keersi voer.
Dus clop ic veel an doofmans doer,
Al roep ic lude, en mach niet in;
Hier om sprac ic in mijn beghin:
Ic wil gaen rusten, ic bin moede.
Die mijn reden wel verstoede,
Die soudt bekennen, seidic waer,
Doch die waerheit is soe in vaer,
Si en weet langher wat begripen.
Als die tijt beghint te slyten
Ende ten ende comt van onsen daghen,
Soe soude hem weldoen wel behaghen,
Die nu op weldoen luttel achten
Ende altoes nade wrake wachten,
Soe mit wercken, soe mit rade.
Den vuylen pat van grade te grade
Den treden si, wat si tende vinden.
Mochtmer dan een doec om winden
Mit subtijlre schalkernye,

hoe krijgen wij op het eind dan zelf vergiffenis voor onze zonden? Dit is het
punt dat ik bedoel, waarop de mensen weinig acht slaan: de afrekening die pas
te zijner tijd behoort te komen, verplaatsen zij naar voren. Zo klop ik vaak op
dovemansdeuren; al roep ik luid, ik mag niet naar binnen; en hierom zei ik in
mijn aanhef: ik wil gaan rusten, ik ben moe. Wie mijn woorden goed begrijpt,
zou erkennen dat ik de waarheid zeg; maar de waarheid heeft het zo te verduren, dat ze niet langer weet wat ze moet gispen. Nu de tijd begint te slijten en
naar het einde van onze levensdagen neigt, zouden zij toch behagen moeten
scheppen in goede werken die daar nu niet naar omkijken en altijd op wraak
loeren, via woord of daad. Ze lopen het smerige pad steeds verder af, wat ze
ook aan het einde mogen vinden. Als men er dan een doek omheen zou kunnen
winden met behulp van listige kunstgrepen,

Of ondringhen mit partye,
Alst daer op een scheyden gaet,
Soe waer schalken wisen raet
Seer te prisen ende te loven;
Mar die rechter van hier boven
Die en wilse niet langher sparen,
Si en moeten sterven ende varen
Elkerlijc op sijn verdient,
Soe en is daer ghelt, maech noch vrient,
Dat hem comen mach tontset.
Die daer bevallet onder tnet,
Dat hem die bose heeft ghespreit,
Dien mach wel rouwen sijn arbeit,
Die hi doer hem ye ghedede;
Want God ende sijn gherechtichede
Die staet op hem selven vry,
Ende wye hem dient, die minnet hi,
Ende oec en heeft hi nyemant leet.
Mar die hem selven is soe wreet,
Dat hi willens wort misdadich
Tieghens die waert, die hem ghenadich
Is ende gheerne bliven soude,
Waer dat sake dat hi woude
Doen, als daer toe behoert,

of zich eraan zou kunnen ontworstelen met steun van anderen, als het daar tijd
wordt voor het scheiden van de markt, dan zou de wijze raad van sluwe vossen
zeer te prijzen zijn; maar de rechter in den hogen zal ze dan niet langer sparen;
ze moeten sterven en ieder voor zich hun verdiende weg gaan; dan is daar geld
noch familie noch vrienden die men te hulp kan roepen. Wie terechtkomt onder
het net dat de duivel voor hem heeft gespreid, zal berouw hebben van de daden
waarmee hij de duivel ooit diende. Want God en zijn gerechtigheid staat tot
ieders vrije beschikking; en wie hem dient heeft hij lief; en ook heeft hij aan
niemand een hekel. Maar wie zo wreed is voor zichzelf dat hij uit vrije wil
misdadig wordt jegens de Opperheer des huizes, die voor hem zijn genade over-
heeft en dat zou blijven hebben indien de mens zich zou gedragen zoals het
hoort —

Ghenoecht hem niet, hi trecket voert,
Daer hi swerlijc wert ontfaen,
Die weert ghedoechtet ende laten gaen.
Aldus soe staet die mensche te ganghe,
Hi en darf niet comen bi bedwanghe
Te hemelrijc, hi en wilre wesen,
Of ter helle, als wy lesen;
Wanttie vrye wille is sijn,
Themelrijc, der hellen pijn,
Dat mach hi scheyden ende kiesen.
Wat wil hi dan claghen sijn verliesen,
Of hi hem selven schade wijst,
Dat sijn ghelucke spade rijst?

VANDER BEDEVAERT

Int beghin van minen leven
Wart mi cranck verstant ghegheven
Ende luttel wijsheit inghevoecht:
Twisschen archeit ende doecht
Dat onderscheit en wistic niet.
Als dit algader was gheschiet,

als hem dat niet aanstaat en hij zijn reis voortzet naar waar hij warm zal worden ontvangen, dan aanvaardt de Heer dit en laat hij hem begaan. Zo kan de
mens dus zelf zijn koers bepalen: hij komt niet onder dwang in de hemel, maar
alleen als hij dat wil, en evenzo belandt hij in de hel zoals wij lezen; want ieder
heeft zijn eigen vrije wil, en de keuze tussen hemelrijk of hellepijn. Wat geeft
hem dan het recht te klagen over zijn verlies, als hij er zelf schuld aan heeft dat
hij naast zijn geluk grijpt?

•

Aan het begin van mijn leven kreeg ik een zwak ontwikkeld verstand en weinig
wijsheid toebedeeld; tussen deugd en wandaad besefte ik geen onderscheid.
Nadat die tijd voorbij was

Ende ic quam tot twaelf jaren,
Doe ghinc ic mi selven openbaren,
Dat ic goet wist ende quaet;
Doe nam ic mitten priesters raet,
Hoe mijn leven soude wesen;
Ende doe verstonde ic wel in desen,
Dat ic was bedevaert ghesant,
Of om een boetscap hier int lant,
Die mi bevolen was te doen,
Ende niet te merren over noen,
Mar ymmer tijtlic uut te gaen.
Ende reden dede mi verstaen,
Dat ic mi wel te voren saghe,
Ende nyet en ghinc in felre laghe
Of buten pade in vreemden weghen,
Die van handen mochten dreghen
Besiden vander rechter straten.
Al hoe mi reden quam te baten,
Natuer die ghinc al hoir te boven
Ende dede mi schone dinc beloven,
Des ic hoer loefde ende volchde hoir naer.
Dus heb ic voert van jair te jair
Ghevordert wel mijn bedevaert,
Sdaghes een reyse achterwaert.
Die oost sel wesen, gaet hi west,

en ik tegen de twaalf liep, begon ik er blijk van te geven dat ik goed en kwaad
kende. Toen ging ik bij priesters te rade hoe mijn leven diende te zijn; en hieruit
vloeide voor mij voort dat ik op bedevaart moest gaan, of op een missie bin-
nenslands die mij werd opgedragen, en hiermee niet te dralen, maar tijdig te
vertrekken. Mijn eigen rede gaf mij in dat ik goed moest uitkijken, en niet in een
gevaarlijke situatie moest belanden of afdwalen op vreemde wegen die terzijde
zouden kunnen voeren van het rechte pad. Maar hoe de rede mij ook baatte, de
natuur was sterker, en deed mij schone beloften, die ik geloofde. Zo ben ik jaar
na jaar nu voortgeschreden op mijn bedevaart: per dag een stukje verder terug.
Wie naar het oosten wil en westwaarts gaat,

Soe waer hem twederkeren best.
Die dwaelt ende sonder wederkeren,
Die moet hem stoten of bezeren;
Ende onder stoten ende sneven
Ben ic soe hier entaer ghebleven,
Ende heb mijn reyse maect so lanc,
Dat ics noch hebbe cleynen danck.
Ic ducht, ic heb ondanc behaelt
An hem, die al die cost betaelt,
Dats God ende gheen ander.
Hoe ic buten pade wander,
Ic heb altoes op hem gheteert.
Al ist een goedertieren weert,
Die vrese beghint mi zeer te nopen
Doch ic wil ghenade hopen,
Want sijn goedertierenheit
Die en is nyemant wederseit.
Wyese soect, hi machse vinden
By reden, die ic wil ontbinden.
Hy mach corter veel vergheven
Dan heeft gheduert een sondich leven,
Opdat wy nietste lang en toeven;
Want wy den tijt seer wel behoeven,
Die ons God noch mach verlienen,

doet er goed aan om op zijn schreden terug te keren. Wie zonder omkeren voort-
dwaalt, die loopt tegen een botsing op of bezeert zich anderszins; en dankzij dit
soort ongevallen ben ik hier en daar gestrand, en is mijn reis van lieverlee zo
lang geworden dat ik er weinig waardering voor oogst. Ik vrees zelfs dat ik mij
de ergernis op de hals heb gehaald van hem die mijn reiskosten betaalt; dat is
God en niemand anders. Hoe ik ook van de route afwijk, ik heb steeds op zijn
zak geteerd. Hij mag dan een royale gastheer zijn, de angst begint mij te be-
klemmen; maar ik wil toch op zijn genade hopen, want zijn goedertierenheid
wordt niemand ontzegd. Wie naar haar taalt, die kan haar krijgen, om redenen
die ik nu uit zal leggen. Hij kan in kortere tijd vergeven dan de lengte van het
zondige leven heeft geduurd, als wij maar niet te lang talmen; want wij hebben
behoefte aan de tijd die God ons nog verlenen kan

Hem te bidden ende te dienen.
Langhe te marren gaet ons tieghen;
Die tijt en can soe niet verdreghen,
Wy en moeten cortelijc van steden.
Die dach is over middach leden
Mit menighen mensche meer dan yen,
Die luttic nader sonnen sien,
Hoe zeer si daelt ende niet en rijst,
Ende hoe natuer an hem bewijst,
Dat vespertijt beghint te naken.
Souden wy noch te weghe raken,
Soe en docht ons hier gheen langhe merren.
Die gheen, die lopen comt van verren
Ende voetelt wel, die wint sijn maet,
Bet dan een die effen gaet.
Die traechlic comt in allen dinghen,
Die sietmen selden verre springhen.
Wy souden haesten tot berouwen
Ende Goede in hopen wel betrouwen,
Ende totter biecht mit conscienci,
Ende int voldoen van penitencie
Daer den wille toe reyden,
Dat mach ons best te weghe leyden.

om tot hem te bidden, hem te dienen. Langdurig dralen breekt ons op; de tijd
ontbreekt ervoor, want wij moeten weldra vertrekken. Voor menigeen is het al
ruimschoots na het middaguur, menigeen die toch niet op de zon let, hoe zij
alleen maar daalt en niet meer rijst, en hoe ook de natuur aan hen maar al te
zichtbaar maakt dat het avond wordt. Als wij nog op de juiste weg willen
geraken, helpt het ons niet om hier nog lang te dralen. Degene die een lange
afstand loopt en dit aan den lijve voelt, zal naar verhouding worden beloond,
en meer dan iemand die een klein eindje aflegt. Wie altijd traag op gang komt,
die ziet men zelden ver springen. Wij zouden ons moeten haasten met berouw,
en in vertrouwen onze hoop op God vestigen, gewetensvol te biecht gaan en de
daar opgelegde penitentie doen; als wij onze wilskracht daarop richten, leidt
dat ons het beste naar de rechte weg.

Hier op wil ic weder keren,
Ende opten troest van onsen Heren
Pinen mi te weghe waert,
Om te doen mijn bedevaert,
Die mi langhe was bevolen,
Oeck hoe my crancheit heeft doen dolen
Ende die werlt my ghelet.
Nu beghere ic tmeen ghebet,
Ende sonderlinghe die van minnen
Bidden mit ghetrouwen sinnen.
Mit trouwen bitmen voer den vrient
Na gonsten, die hi heeft verdient.
Wye wat goets verdienen can,
Tis recht datmen hem wat goets an.
Dus machmen node wesen quaet
Tieghens hem, daert al an staet.
Moechdi roeckeloes misdoen,
Weldaet maect ons weder soen,
Op datmer in ghedurich blijft,
Ende elcx sijn ezel voerwaerts drijft
Den rechten pat soe vaste voert,
Soe comt hi weder daer hi hoort,
Van daen hi eerst wart uutghesent;

Op deze laatste wil ik terugkeren, en ik wil mij met de troost van Onze-Lieve-
Heer moeite geven in die richting, om nu mijn bedevaart te doen die mij al lang
geleden werd opgedragen, ongeacht de dwaalwegen waarop zwakte mij voerde
en waarop de wereld mij staande hield. Ik verlang nu naar gezamenlijk gebed,
en in het bijzonder met degenen die uit ware liefde en met trouwe inborst bidden. Met trouw pleegt men te bidden voor een vriend om gunsten die hij heeft
verdiend; wie ook iets goeds verdienen kan, mag men met recht iets gunnen. Zo
mag men ook niet boos zijn op hem van wie heel de wereld afhangt. Mocht u
ook roekeloos misdoen, de goede werken brengen ons weer met hem in het
reine. In de hoop dat dat zo blijft en elk zijn ezel koersvast voorwaarts drijft
over het rechte pad, en thuiskomt waar hij hoort en waarvandaan hij werd
uitgezonden;

Ende wye sijn boetscap wel volent
Ende goede antwoerde brinct te recht,
Dien loont hi als een trou knecht
Mitten eweliken loen.
Dus machmen gaerne maken schoen
Een vuyl consciencie vanden zonden,
Om tgrote loon ten lesten stonden.

[JONKER] JAN VAN HULST

*Hier naer volcht een exemple, ghesonden
bi eenen eerweerdighen Joncheere, geheeten
Jan Van Hulst, an her Perchevalen van
den Nocquerstocque, priester te
Gheeroudsberghe.*

Perchevael broeder, lieve gheselle,
Bi sinte Jacop van Compestelle
Ic vinde de weerelt sulc van ghequelle,
Soe maect mi varinc al in ghescille.

Die van vrienden begheert verlaet
Claghe dat hem nauwe staet.

n wie zijn missie goed voltooit en een goedgunstig antwoord meeneemt, be-
oont hij als een trouwe dienaar met de eeuwige beloning. Derhalve moet men
l te graag een vuil geweten reinigen, wegens het grote loon wanneer ons laatste
ur geslagen heeft.

•

Hier volgt een exempel, gezonden door een eerzaam jonkman, Jan van Hulst
geheten, aan heer Perchevael van den Nockerstocke, priester te Geeraards-
bergen. ¶ Broeder Perchevael, lieve vriend, naar mijn bevinding is de wereld,
bij Jakobus van Compostella, zo deprimerend dat ik aan vertwijfeling ten prooi
ben. ¶ Wie van zijn vrienden af wil, moet klagen dat hij het moeilijk heeft;

Soe dat si dergelike sien
Si sullen stappans van di vlien.

En rade niet dat liede claghen:
Men macher vriende met verjaghen.
Vraecht eenighe die in liden si:
Secht hijt oec niet, verwitet mi.

Als de wagene effene gaet,
Sit up, dat es der weerelt raet;
Maer helti teenigher sijden iet,
Sprinct af, ende steectene in de vliet.

Sint dat elc peinde binnen mijn
Soe moestent dinne vrienden sijn.
Hets al 'ghesellikin, sich voor di!
Mescomt u iet, so vliet van mi.'

Ic sach eens in een bispel
(Mi ghedinckes noch harde wel)
Eenen man hebben eenen hont:
Die versolaestene tsomenegher stont.

Eenen vriend haddi oec, tier tijt,
Die dicwile liet sijns selfs profijt

zodra ze dat in de gaten krijgen, zullen ze zich uit de voeten maken. ¶ Ik raad het af dat mensen klagen; men kan er vrienden mee verjagen. Vraag het maar na bij iemand die het zwaar heeft; als hij het niet beaamt, geef mij dan maar de schuld. ¶ Zolang de kar op rolletjes loopt, rij dan vooral mee, zo adviseert de wereld; maar niet zodra begint hij te hellen, of je moet eraf springen en hem in de plomp doen belanden. ¶ Vanaf het moment dat ze mij allemaal pijn deden, bleek ik vrienden van niets te hebben. De regel is: 'Vriendje, zorg voor je eigen zaken; en als het je tegenzit, ga uit mijn ogen.' ¶ Als leerzame geschiedenis zag ik eens — ik herinner het mij wel — hoe een man een hond had die hem menigmaal plezier gaf. ¶ Ook had hij in dezelfde tijd een vriend, die zich veelal opofferde

Om te verblidene den selven man:
Nu hort, lieve, wat gheviel hem hier van.

De hont wart eens onmate siec,
Die men van rouwen daer omme wiec.
'Ey lacen,' sprak hi, 'mijn lieve beeste,
Nu en mochstu mi nemmermee maken feeste.'

Hi claechde den hont, ende sochte raet;
Hi brochtene in eenen ghesonden staet.
De hont wiepsteerte weder, als honden souden.
Doe waren sine costen al behouden.

Die vrient, die desen man oec plach
Te versolasene, up meneghen dach,
Wart oec van herten onghesont,
Ende claechdet den man, ende niet den hont.

Die man die wart van deser claghe
Dien goeden vrient van daghe te daghe
Scuwende, ende lietene in de noot;
Maer waert een hont, hi gave hem broot.

Svriens versolaessen van te voren
Dat was vergheten ende al verloren;

om diezelfde man vreugde te bezorgen; hoor nu, lieve vriend, waarop dit uit-draaide. ¶ De hond werd eens zo hevig ziek, dat men uit bezorgdheid bij hem waakte. De man sprak: 'Helaas, lief beest, je vreugde lijkt ten einde.' ¶ Hij had te doen met de hond, en ging om hulp, waardoor hij weer gezond werd en normaal kwispelstaartte; kosten en moeite waren niet voor niets. ¶ De vriend die deze man zo vaak genoegen had geschonken, kreeg het ook moeilijk, en beklaagde zich bij de man (niet bij de hond). ¶ De man reageerde op deze klacht door zijn goede vriend van dag tot dag meer te gaan mijden, en hem in de steek te laten; was het een hond geweest, dan had hij hem brood gegeven. ¶ Het plezier dat hij tevoren aan de vriend beleefd had, was nu plotsklaps geheel vergeten en verdwenen;

Maer tversolaessen van den hont
Dat dedene weder sijn ghesont.

Die hont es oec vroet: hi mint de lieden
Die hem goet doen ende vrienscap bieden.
Die tsonts vrient wilde beraden thoren
Hi souder de tande bieden voren.

Waren de lieden oec also,
So waric nu van herten vro:
Moet ic oec beiden tot si sulc sijn,
So duchtic te truerene lanc termijn.

TWEE HISTORIELIEDEREN

[ONTDEKT OP HET SCHUTBLAD VAN EEN HANDSCHRIFT]

Een groen raepkin,
Een vuurt scaepkin,
Ende den rogghenen cant:
Dat zijn de pruesschaerts van Brabant.

Groote platteelen,
Lecker morseelen,

en dat terwijl het plezier dat de hond hem gaf, gemaakt had dat hij die genas. ¶ De hond is een verstandig dier: hij houdt van mensen die hem goeddoen en vriendelijk bejegenen. Wie de vriend van een hond kwaad zou willen doen, die zou hij erom aanvliegen. ¶ Als mensen uit hetzelfde hout gesneden waren, dan was ik nu opgewekt gestemd; maar als ik moet wachten tot zij dat zijn, dan denk ik dat ik nog lang kan blijven treuren.

•

Een groen knolletje, een geroosterd schaapje en een snee roggebrood: dat zijn de blaaskaken uit Brabant. ¶ Grote schalen, lekkere hapjes

Ende vrouch an de banck:
Dat zijn de drijnckebuucken van Hollant.

Lange pijcken,
Slyckege dijcken,
Ende den taruwen cant:
Dat zijn de bottaerts van Zeelant.

Hooghe peerden,
Blancke sweerden,
Rasch van der hant:
Dat zijn de snaphanen van Ghelderlant.

Scerp van rekenijnghe,
Rein van betalijnghe,
Ende scalk up den teerlijnc:
Dats den loosen, lacken Vlamijnc.

VAN MIJN HERE VAN LELIDAM

Het was op eenen Dijsendach,
Al inde Sinxendaghen,
Dat grave Philips van Vlaenderlant
Op Hollant wilde varen.

---

en vroeg aan de tap: dat zijn de zuipschuiten uit Holland. ¶ Lange lansen, drabbige dijken en een homp tarwebrood: dat zijn de botteriken uit Zeeland. ¶ Hoge paarden, blanke zwaarden, vlug met de handen: dat zijn de haantjes uit Gelderland. ¶ Kien op de centen, goed van betalen en doortrapt met de dobbelsteen: dat is de onbetrouwbare, frivole Vlaming.

•

Het was op een dinsdag in de pinkstertijd dat graaf Filips van Vlaanderen naar Holland wilde gaan.

Hollant dat en meende hi niet;
Het was Brugghe, die edel stede reyne:
'Mijn heeren, blijft mi alle gader bi,
Ende ghi ruyters groot ende cleyne.'

Doen si bi der stede quamen,
Een mijle buyten der vesten,
Die Mechelaers trocken besiden af:
Si en wilden op Brugghe niet vechten.

Mer doen si quamen by sinte Andries,
Al in die velden groene:
'Mijnheeren, blijft mi alle gader bi,
Ghi ruyters stout ende coene.'

Si ontwonden banieren ende standaert
Al voor sinte Magdaleene:
'Elck man si vier mannen waert,
Dit is Hollant dat ick meene.'

Doen sprac mijn heere van Lelidam:
'Heere, wat wilt ghi maken?
Daer gaet so menich frisch edelman
Te Brugghe al op die straten!'

Op Holland had hij het niet gemunt; maar op Brugge, de edele, schone stad:
'Heren, sta mij allemaal ter zijde, en ook jullie ruiters van hoog tot
laag.' ¶ Toen ze bij de stad kwamen, een mijl buiten de vesting, trokken de
Mechelaars weg. Zij wilden niet tegen Brugge vechten. ¶ Maar toen ze bij Sint-
Andries kwamen op de groene velden: 'Heren, blijf allemaal bij mij, jullie
moedige en dappere ruiters.' ¶ Bij Sinte-Magdalene ontrolden zij banieren en
standaard: 'Elke man vechte voor vier, dit is het Holland dat ik bedoel.' ¶ Toen
sprak de heer van l'Isle-Adam: 'Heer, wat wilt u doen? In Brugge op straat
loopt zo menig jeugdig edelman!'

'Och edel heere van Lelidam,
Hoe coemt ghi nu dus bloode?
Doen ghi Parijs driewerven wont,
Ghi en dedes niet so noode.'

'Doen ick Parijs driewerven wan,
Dat dede ick in vroomen strije;
Mer ghi wilt die edel stadt van Brugghe
Winnen met verraderije.'

Doen si binnen die poorte quamen,
Processie quam hem te ghemoete;
Dat cruyce spranc in vier quartieren
Al voor des princen voeten.

'Och edel heere van Vlaenderlant,
Hebt doch Gode voor ooghen,
Dat ghi Brugghe wilt paelgieren,
God en salts niet ghedooghen.'

'Och edel heere van Lelidam,
Hoe coemt ghi nu dus bloode?
Doen ghi Parijs drie werven wont,
Ghi en dedes niet so noode.'

'Doen ic Parijs drie werven wan,
En was ic in gheenen noode,

'Och, edele heer van l'Isle-Adam, hoe komt u nu zo laf? Toen u Parijs drie keer
veroverde, deed u er niet zo benauwd over.' ¶ 'Toen ik Parijs drie keer veroverde, deed ik dat in een dapper gevecht; maar u wilt de edele stad Brugge met
verraad overwinnen.' ¶ Toen zij binnen de stad kwamen, kwam hun een processie tegemoet; het kruis sprong in vier stukken uiteen vlak voor de voeten van
de vorst. ¶ 'Och, edele heer van Vlaanderen, houd God toch voor ogen. Dat u
Brugge wilt plunderen, dat zal God niet toestaan.' ¶ 'Och, edele heer van l'Isle-
Adam, hoe komt u nu zo laf? Toen u Parijs drie keer veroverde, deed u er niet zo
benauwd over.' ¶ 'Toen ik Parijs drie keer veroverde, was ik níet in nood.

Mer voorwaer so ben ick nu:
Die Brugghelingen sullen mi dooden.

Men hale mi broot ende wijn
Ende wilt mi drincken gheven,
Het sal mijn laetste maeltijt zijn:
Te Brugghe worde ick versleghen.'

Doen dranck mijn heere van Lelidam,
Hi beval hem selven te Gode,
Mer eer de dach ten avont quam,
Was hi in grooten noode.

Doen si bi die Vrydaechsmerct quamen,
Si moesten hem doen ghenieten;
Die Pijckaerts spanden haer boghe snel
Ende ghinghen so seer schieten.

Die Brugghelingen brochten haer bussen voort
Ende ghinghen doe seer schieten,
Die Pijckaerts spanden haer boghen snel,
Dat hem wel mochte verdrieten.

Men ghinck daer houwen ende slaen,
So seer boven maten,

Maar, voorwaar, dat ben ik nu wel. De Bruggelingen zullen mij doden. ¶ Men
hale mij brood en wijn; en wil mij toch te drinken geven. Het zal mijn laatste
maaltijd worden. Te Brugge word ik gedood.' ¶ Toen dronk de heer van l'Isle-
Adam. Hij beval zichzelf aan bij God, maar eer het avond werd was hij in grote
nood. ¶ Toen ze bij de Vrijdagmarkt kwamen, moesten zij ervan lusten. De
Picardiërs spanden snel hun boog en begonnen geweldig te schieten. ¶ De
Bruggelingen haalden hun donderbussen te voorschijn en begonnen toen geweldig te schieten; de Picardiërs spanden snel hun boog, wat hun wel zou spijten. ¶ Men begon er daar op in te hakken en te slaan, zo mateloos,

Si en constens ontrijden noch ontgaen;
Si moesten daer haer leven laten.

Lelidam riep: 'Ransoen, ransoen,
Laet mi mijn lijf behouden,
Ick sal mi in een schale weghen doen
Ende al van fijnen goude.'

'Dijn silver noch dijn roode gout
En mach u al hier niet baten:
Lelidam, al waert ghi noch so stout,
Ghi sulter hier u leven laten!'

Daer bleef die edel heere doot,
Verslegen al op die strate,
Noyt en quam hi in meerder noot;
God gheve zijn arme siele bate.

Sinte Donaes in die kercke,
Daer leyt hi begraven,
Die edel heere van Lelidam.
God wil zijn siele laven!

dat zij het konden ontrijden noch ontlopen. Zij moesten daar hun leven laten. ¶ L'Isle-Adam riep: 'Losgeld, losgeld, laat mij mijn leven behouden, ik zal
mij op een weegschaal laten wegen en mijn gewicht in zuiver goud betalen.' ¶ 'Uw zilver en uw rode goud, dat zal u hier niets baten: l'Isle-Adam, al
zou u nog zo dapper zijn, u zult hier uw leven laten!' ¶ Daar bleef de edele heer
dood, verslagen op straat, nooit kwam hij in groter nood. God zij zijn arme ziel
genadig. ¶ In de kerk van Sint-Donaas, daar ligt hij begraven, de edele heer van
l'Isle-Adam. God lave zijn ziel!

◆

[RIJMSPREUKEN]

Duodecim orbis conservantia.
Eyn prelaet dye Got ontsiet,
Eyn pape die ter kyrcken draget vliet,
Eyn ridder mit eeren syn erve vermeert,
Eyn jonck wyff sonder arch vrolick gebeert,
Eyn vorst, milde ende waeldedich,
Eyn vrouwe, schemel ende darby stedich,
Eyn richter dye dat recht eert,
Eyn schepen tytlick recht ordel leert,
Eyn schoeler dye dye boecken mynt,
Eyn arme nae syn haven up klymt,
Eyn monik dye nae synen orden deit,
Eyn alt man nae Gots genaede steit:
Dit syn xij wysheyden, duncket mich,
Dye wael foegen arm ende ryck.

[OMKERING:]

Duodecim abusiva seculi.
En prelaet sunder Gots ontsien,

Twaalf zaken in de wereld die behoud verdienen. Een prelaat die God vreest;
een pastoor die vlijtig zijn kerk bestiert; een ridder die eervol zijn domein vermeerdert; een jonge vrouw die zonder bijbedoelingen vrolijk is; een vorst die
gul en deugdzaam is; een vrouw die eerbaar en standvastig is; een rechter die
rechtvaardigheid in ere houdt; een schepen die bijtijds rechtvaardig leert te
zijn; een scholier die zijn boeken liefheeft; een arme die zijn bezit weet uit te
breiden; een monnik die zijn orderegel naleeft; een man-op-leeftijd die naar
Gods genade toeleeft — dit zijn, dunkt mij, een twaalftal voorbeelden van wijs
gedrag die jong en oud ter harte zouden moeten gaan.

•

Twaalf wantoestanden in de wereld. Een prelaat die God niet vreest;

Papen dye oer kircken vlien,
Eyn ridder dye syn erve verkoept,
Eyn jonck wyff vroech te mette loept,
Eyn vorst, wrede ende ongenedich,
Eyn vrouwe, schoen ende ongestedich,
Eyn richter dye dat recht verkeert
Eyn schepen dye jonch liegen leert,
Eyn schoeler dye toe tyden mynt,
Eyn arme dye wael wyn kynt,
Eyn monck die te voel uit ryt,
Eyn alt man dye ter doyrheit tyt:
Dit syn xij aeffenien
Die selden wael gedien.

Ich wolde dat ich hadde up mynen dische
Jonck vleysche ende alde vische,
Still bier ende springende wyn,
Dat salde wael myn dranck syn.
Daertoe eyn meisken mit swaecken lynden,
Dar mede wolde iek myn leven eynden.
Responsio. Goit geselschap sonder quaet
verleen hem Got dye darnae staet.

pastoors die hun eigen kerk mijden; een ridder die zijn erfgoed verkoopt; een jonge vrouw die 's nachts naar de ochtendmis gaat; een vorst die wreed is en genadeloos; een vrouw die even mooi als wispelturig is; een rechter die het recht krombuigt; een schepen die al jong leert liegen; een scholier die zich met liefde inlaat; een arme die zich in de wijn verdiept; een monnik die te vaak uit rijden gaat; een man-op-leeftijd die zich uitleeft in dwaasheid — dit zijn twaalf zottigheden die zelden goed uitpakken.

•

Ik wilde dat ik op mijn bordje had: vers vlees en maatse vis; rustig bier en sprankelende wijn, dat zou mijn favoriete drank zijn. Ook nog een meisje met buigzame lendenen, met wie ik door het leven zou kunnen. De tegenstem: Goed gezelschap zonder smet, verlene God hem die ernaar taalt.

Eyn jaermerct sonder dieffden,
Schoen vrouwen sonder liefden,
Goyde wyn sonder coup,
Groit vuyr sonder roeck,
Eyn alt wambesch sonder luys,
Eyn alt huis sonder muys,
Eyn quaet wyff sonder schelden:
Dese seven vynt men selden.

Nu siet wat hir geschreven staet:
Doit my goit, ich doyn u quaet.
Doit my eere, ick doyn u laster,
Sett my vor, ick sette u achter.

Ich byn verraeden onverdient,
Dye my verrede, het scheyn myn vrunt.
Daer ick myn vruntschap toe verliet,
Dat was der gene dye my verriet.

Een jaarmarkt zonder dieven; mooie vrouwen zonder liefjes; goede wijn die
gratis is; een groot vuur zonder rook; een oud wambuis zonder luizen; een oud
huis zonder muizen; een boosaardig wijf dat niet scheldt; deze zeven dingen
vindt men zelden.

●

Merk op wat hier geschreven staat: doe mij goed, ik doe u kwaad; bewijs mij
eer, ik berokken u schande; bevoordeel mij, ik benadeel u.

●

Ik ben onverdiend verraden; wie mij dat deed, scheen eerst mijn vriend. De man
aan wie ik mijn vriendschap toevertrouwde, was dezelfde die mij verried.

Ick byn begoten sunder nat
Eyn valsche vrund dede my dat.

Ich hadde eynen vrunt soe my docht,
Mer doy ick vruntschap aen hem sucht,
Doy en was dar nyemant te huis:
Nochtan bleiff hy myn vrunt quansuis.

Ich wolde dat nyemant konste
Vruntschap toenen sonder gonste,
Off dat si te kennen weeren
Dye anders syn dan sy gebeeren.
Want ten is geyn arger fenyn
Dan vrunt te schynen ende vyant te syn.
Hiromme sal men vrunde proeven;
Want wan eer men sy behoeven
Sall dan ter noit heft te doyn,
Soe mach men up vrunden wael syn koen.

Ik ben kletsnat geworden zonder dat er vocht aan te pas kwam; dat flikte mij
een valse vriend.

•

Ik meende een vriend te hebben; maar toen ik vriendschap van hem verlangde,
gaf hij niet thuis; en toch bleef hij doen alsof hij mijn vriend was.

•

Ik zou wensen dat niemand vriendschap kon voorwenden zonder haar daadwerkelijk te bewijzen; of anders dat men ze kon herkennen die anders zijn dan
zij zich voordoen. Want er bestaat geen kwader gif dan vriend te schijnen maar
vijand te zijn. Daarom moet men zijn vrienden zorgvuldig kiezen; want zolang
men ze nog niet nodig heeft, kan men gemakkelijk op ze rekenen.

O mynsche warop wildi u verlaeten?
Dye creaturen en mogen ons nyet baeten,
All setten wy daer soe groeten troist in.
Ten is all nyet by Xristus mynne.
All valt daer duck bangicheit in,
Dyeser swaerheit nymt all eyn eynde:
Xristus troest soe goetlick syn vrunde.

Xristus ad fideles

Ick byn schoen ende genoechlick,
Ende ghy en mynt my nyet.
Ich byn mechtich, ryck ende milde
Ende ghy en bidt my niet.
Ich byn sachtmoedich ende genaedich
Ende ghy en betruwet my nyet.
Ich byn eyn rechtferdich richter
Ende ghy en ontsiet my nyet.

Men plaech te segen: dye will lange eyn kopman syn,
Dye hoede sich vor byen, perden, ende wyn,
Dat vierde maech wael heymelick syn.

O mens, waarop denk je te vertrouwen? De geschapen wereld baat ons niet,
ook al hechten wij daar nog zo sterk aan. 't Is allemaal niets in verhouding tot
Jezus' liefde. Hoe benard het dikwijls ook mag zijn, dit moeizame leven gaat
ten einde, en dan troost Christus zijn vrienden zo weldadig. ¶ Christus tot de
gelovigen: ¶ 'Ik ben mooi en heb zoveel genot te bieden, maar gij bemint mij
niet. Ik ben zo machtig, rijk en gul, maar gij vraagt niets van mij. Ik ben zachtmoedig, vol genade, maar gij vertrouwt niet op mij. Ik ben een rechtvaardige
rechter, maar gij hebt geen ontzag voor mij.'

•

Het gezegde luidde: wie lang koopman wil blijven, die hoede zich voor bijen,
paarden en wijn, en voor een vierde have die maar beter geheim kan blijven.

DRIE LOFZANGEN

[EEN VROEG REDERIJKERSGEDICHT]

Almachtich God, der glorien Heere,
Euwighen lof moet ghi ontfaen.
Het heift al van hu gheneere
Wasdom nutscap voetsel ende theere,
Dat hemel ende eerde heift bevaen.
Doe ghi seit: 'Wes aldus, ict gheere',
Wast al wes es, sal emmermeere.
Huwe minne die heift so vele ghedaen
Dat huut oetmoet met rechte in togen
Mi soude van tranen bloncken de ooghen.

Met handen tsamen, gheboghender knien
Willic tlijf veroetmoeden.
Si hu bequame dat mach ghescien.
Ghi hebt een ziele ghesturt in mien
Bet dat ic can bevroeden,
Maer tghelijc uwer beilden engien
Met crachte so uterlic voorsien
Bet dan ic can bevroeden.
Ay lacen! mine wete dient min no mee
Als een dropel waters in de zee.

Almachtige God, glorierijke Heer, u komt eeuwige lof toe. Alles wat door hemel en aarde wordt omvat, dankt aan u zijn voeding, groei en nut. Toen u zei:
'Besta aldus, zoals ik wil', ontstond alles wat bestaat, en zal blijven bestaan. Uw
liefde heeft zoveel teweeggebracht, dat mijn ogen als blijk van ootmoedige
dank met recht zouden moeten blinken van tranen wanneer ik mij aan u vertoon. ¶ De handen gevouwen, de knieën gebogen, neem ik een nederige houding aan. Moge mijn verdere leven u welgevallig zijn. U hebt een ziel in mij
gegoten die beter is dan ik beseffen kan, maar u hebt mij tevens naar uw gelijkenis zichtbaar voorzien van vernuft dat verder strekt dan ik doorgrond. O wee!
Mijn eigen kennis betekent niet meer dan één druppel water in de zee.

O Heere, hu moet hoghen lof toe hooren.
Hoe wel es mi bi hu ghesciet:
Ic bem int kerstin lant ghebooren.
Ay lacen, wat esser al verlooren
Die en hebben al sulke gracie niet.
Dan inglen, sinten met hu vercooren,
Hu moeder zelve bitter vooren
Den sondare ende hem hulpe biet.
O kennesse kennesse, scaemt hu scaemt!
Meerct dat zulken Heere groot lof betaemt.

Voghelen visschen ende dieren,
Gras lover boom, wes groysel heift,
Heer God, laet ghi ons al regieren.
Zeen fonteinen ende rivieren
Elc na tsine hu loven gheift.
Ghi verleent macht om al bestieren.
Dus redene wijst dat wij niet vieren,
Maer elc hu lovende ane cleift,
Alleene met tranen niet een ghedeel
Maer herte zin ende lijf gheheel.

Wie hoorde de duecht die ghi oyt doet
Huwen beminden kinde?

O Heer, u komt hoge lof toe. Hoe goed is het mij door u vergaan: ik ben binnen de christenheid geboren. O wee, hoevelen gaan er verloren die niet hetzelfde voorrecht genieten. Maar engelen, heiligen, en uw droeve moeder leiden ook die zondaars en bieden hun hulp. O kennisse Gods, wees beschaamd en nede- rig! Besef dat zulk een Heer grote lof toekomt. ¶ Vogels en vissen en andere dieren, gras, lover, boom en wat ook maar groeit, laat u, Here God, ons mensen besturen. De zee, de bronnen en de rivieren betuigen u lof, elk op zijn wijze. Gij geeft ons de macht om dat alles te bestieren. Dat maakt het vanzelfsprekend dat wij niet talmen, maar dat elk met ontzag aan u gehecht is; niet slechts een beetje met tranen, maar in volledige overgave van hart, ziel en zinnen. ¶ Wie begreep ooit ten volle de deugd die gij bewees door uw geliefde kind?

Ghi gheift ons hier der princhen hoet:
Dat nauwe voor slijm der erden stoet
Dat ic coninc nu bevijnde,
Ende al dat ons lichame voet
Om onsen wille sterven moet.
Dies ic hu lof ontbijnde.
Lof, hertelike Vader mijn,
Mi es leet dat mijn lof niemeer can zijn.

In ziecten in qualen in anxste in vare
So noopt ghi hu kint ende verwect
Datti kennesse wert gheware,
Sent ghi hem blide ende drouve mare
So dat ghine emmer an hu trect.
Dach nacht so bidt int openbare
De helighe keerke voor den sondare,
Die uwe gheboden ons claer ontdect.
Om loven roert dies mijn bloet mijn zweet:
Lippen tonghe mont, tes al bereet.

O herte, ontpluct doch zin ende ader,
Sturt huut wes ghi ghevroeden muecht
Om loven dancken mijn God mijn Vader
Die mi gheift propren wille al gader:

Gij kroont ons hier op aarde, zodat iets dat nauwelijks gelijk is aan aards slijk
koning wordt. Gij zorgt dat alles wat ons lichaam voedt om ons bestwil moet
sterven. Daarom verkondig ik uw lof. Zij geloofd, mijn liefhebbende Vader;
het spijt mij dat mijn lof niet groter kan zijn. ¶ In ziekte en kwalen, in angst en
vrees, prikkelt gij uw kind en bewerkstelligt dat hij tot zelfkennis komt, en
zendt gij hem goede en droeve berichten, waardoor gij hem voor altijd aan u
bindt. Dag en nacht bidt de heilige kerk, die ons uw geboden duidelijk toont,
publiekelijk voor de zondaar. Daarom kolken mijn bloed en zweet van uw lof:
mijn lippen, mijn tong en mond willen u loven. ¶ O mijn hart, prikkel toch
mijn lijf en ziel, en stort alles uit waarover u kunt beschikken om mijn God en
mijn Vader te loven, te danken, die mij de beschikking geeft over mijn vrije wil:

Ic mach quaet laten ende doen duecht.
Al es temptacie valsch verrader,
Wille es zelve dies ontlader
Want wille crijcht wille, droufheit of vruecht.
Ende ghi spaert in sonden wijf ende man,
Dies niement hu verloven can.

Lof, hoghe miltheit boven conden.
Hu doopsel, hu helighe sacrament
— Hu vleesch hu bloet esser in vonden
Ten outare — wye sout ghegronden?
Int spreken van dien vallic te blent.
Ghi zuvert onser zielen wonden,
Verheelende mettu tallen stonden.
Lof, Heere die alle herten kent.
Aest, arde memorie, wilt doch scueren.
Looft tijt datti tijt mach ghebueren.

Vercocht, mijn Vader, ende verraden
Ghi om minen wille sijt,
Bespot ghegheeselt zeere verladen
Ghecront ghenaghelt voor mine mesdaden
Ghetroct gherect so langhe tijt
Bebloet bezweet bitter versmaden

ik kan het kwaad schuwen en de deugd doen. Al is de verleiding een valse
verrader, de wil zelf kan ons hiervan verlossen, want de wil krijgt zijn zin, is het
droefheid of vreugde. En gij beschermt de zondige mannen en vrouwen, waarvoor niemand u voldoende kan loven. ¶ Geloofd zij u, nooit geziene gulheid.
Uw doopsel, uw heilige sacrament — uw vlees en uw bloed manifesteert zich
erin op het altaar — wie kan dat volledig begrijpen? Om daarover te spreken
ben ik te dom. Gij reinigt de wonden van onze ziel, en stelpt ze te allen tijde.
Wees geloofd, Heer, die ieders hart kent. Breek spoedig open, zwakke memorie, en prijs tijdig wat de tijd kan ervaren. ¶ Verkocht en verraden was u, mijn
Vader, om mijnentwil; bespot en gegeseld en vreselijk gemarteld, gekroond en
gespijkerd wegens mijn zonden, gespannen en zo lang geradbraakt, bebloed en
bezweet en bijtend gehoond,

Vul wonden — soete God, ghenaden! —
Ende zonder scult sulc liden lijt.
Ay lacen, in uwes doots vermanen
Waer mi wel noot een zee vul tranen.

Lof, milde minne Ontsprekelic groot,
Dier ghelike noyt niement vant:
Sulke teeder meinscheit, sulc wederstoot
In pinen in persen toter doot.
Ghi biet uwen kinde wel de hant:
Voor andren sterven in sulker noot,
Hanghende tusscen twee dieven bloot.
Wij stonden hu wel voor lieve pant.
Mijn herte lijt mettu passie ende zeer.
Lof, soete God, in cans niemeer.

Lof, prinche! al dat zeeus es of rivieren
Fonteinen, dau snee aghel reyn
— Elke dropel een tonghe om Gods verchieren —
Loofden hu na weerden niet een greyn.
Ontfarmt ons sondaers al ghemeyn.

AMEN

vol met wonden — genade, lieve Heer — en schuldeloos ondergaat u dit lijden. O wee, in het gedenken van uw dood zou ik wel een zee van tranen moeten
wenen. ¶ Zij geloofd, gulle liefde die onuitsprekelijk groot is, en wier gelijke
nooit iemand vernam: zulke nederige menselijkheid, zulke vervolging, vol pijn
en marteling tot aan de dood. Gij verleent uw kind stevige bijstand: door voor
anderen te sterven in zulke nood, hangende tussen twee naakte dieven. U wilde
ons uit liefde vrijkopen; mijn hart lijdt met uw lijden mee. Zij geloofd, lieve
God, meer kan ik niet. ¶ Geloofd, prins! Al wat zee is of rivier, of bron, dauw,
sneeuw, pure hagel — was elke korrel of druppel daarvan een tong voor Gods
lof, dan nog loofden zij u voor geen zier naar verdienste. Toon ontfermen met
de zondaars die wij allen zijn. Amen.

[HU LOVIC]

Eene waerdelike devote bedinghe

Hu lovic, hemelsce conighinne,
Een wesen voorzien — also ic kinne —
Puer overvloeyende in al der duecht.
Lof tresoor der saligher minne.
Lof Gods vercoorne tonsen ghewinne,
Maria, wiens dracht ons heift verhuecht.
Hu zuvere Juecht
Es een constraint van tsVaders zinne,
Dies ghi bi hem al dijnc vermuecht.

Ave Maria

Lof zuver sacriste van den lichte,
Die uten vaderliken ghesichte
Hu inspireirde hem generatie.
Die meinscheit toot der omoet swichte
Tzeil voor toorne, dat yeve stichte
Bi rade tserpents, der sonden dolatie.
Huwe milde gratie
Sent mi te trooste, dat ic in dichte
Met love hu hier doe presentacie.

Ave Maria

Een waardevol en vroom gebed ¶ U loof ik, hemelse koningin, die naar mijn overtuiging een uitverkoren mens bent. Uw deugdzaamheid overtreft alles. Ik loof u, schatkamer van heilzame liefde, die door God is uitgekozen om ons ten dienste te zijn, en wier kind ons vreugde heeft gebracht. Uw jeugdige kracht is u geschonken door de wil van de Vader, waardoor gij tot alles in staat zijt. ¶ Ave Maria ¶ Ik loof u zuivere hoedster van het licht, die door het oog van de Vader, en middels de Heilige Geest, een kind hebt ontvangen. De mensheid moet zich verootmoedigen omwille van de toorn die Eva veroorzaakte toen ze de raad van de slang opvolgde, en in zonden verviel. Uw milde genade moge mij tot troost strekken, zodat ik u in dichterlijke woorden eervol mag begroeten. ¶ Ave Maria

Lof glorieus spegel van claren scine,
Lof pretieuse balseme fine,
Lof der Drievoudicheit soete gaert,
Lof voetsel van alder duecht doctrine,
Lof gansighe van alser sonden venine,
Lof bleckende sonne diet al verclaert.
Uwe name vermaerd
Es ons verdrijf der elscer pine,
Also scrifture wel openbaert.

Ave Maria

Lof keyserinne, der hemelen croone,
Besittighe van den ewighen trone,
Leedre die Jacop sach gherecht
Te hemele, lof tresoor van loone
Hem die hu dienen sonder hoonen.
Lof die den viant tonder vecht.
De seker plecht
Dijns sceips heift ons gheavent scoone.
Dies wi di danken nu ende echt.

Ave Maria

Lof spetie, boven al der soetheit guere,
Die in di wrochte buter nature
Tgoddelike zweemen ons te confoorte,

Ik loof u glorieuze heldere spiegel, zachte en verfijnde balsem, weldadige tuin van de Drieëenheid, voedsel voor de kennis van alle deugden, ik loof u gij die het gif van de zonde onschadelijk maakt, stralende zon waardoor alles verlicht wordt. Uw beroemde naam verlost ons van de hellepijn, zoals de geschriften ons vertellen. ¶ Ave Maria ¶ Ik loof u keizerin, vorstin van de hemel, behoedster van de hemel, jakobsladder, schatkamer waaruit allen die u oprecht dienen loon ontvangen. Ik loof u die de duivel onderwerpt. De betrouwbare voorsteven van uw schip verzekert ons van een goede vaart. Hiervoor zijn we u steeds dankbaar. ¶ Ave Maria ¶ Ik loof u allerzoetst geurend kruid, gij die op bovennatuurlijke wijze de afschaduwing van God in uw lichaam opnam, om ons daarmee troost te bieden.

Welc inspireren bin dinen muere
Vrucht, besloten dine zuver duere
In comparatien Esetziels porte.
Dine hoghe gheboorte
Heift God theeren der omoed puere
Eewich ghevoucht der zaliger soorte.

Ave Maria

Lof bloeseme vul van tsemels dauwe,
Lof princesse boven allen vrouwen.
Lof goddelike scrine van cetin,
Daer, te boeten van allen rauwen
Der aermer meinscheit duer onghers flauwen,
Daer tlevende manna beetede in.
Dijn edel zin
Vinc tsVaders minne in een bescauwen,
Die hi vercoos van aenbeghin.

Ave Maria

Om moeder te wordene van den claren,
Daer die ter donkerheit waren ghevaren
Na adden geroupen so lange tijt,
Lof hebstu duer dijn zuver baren,

En deze inblazing van de Heilige Geest brengt vrucht voort binnen de muren
van uw lichaam, waarvan de toegang gesloten is, zoals eerder werd afgebeeld
door de poort van Ezechiël. Jouw hooggeboren kind is door God voor altijd
verenigd met het gezelschap van de gelukzaligen, uit eerbied voor jouw smette-
loze nederigheid. ¶ Ave Maria ¶ Ik loof u bloesem overdekt met hemelse
dauw, prinses verheven boven alle vrouwen, ik loof u goddelijk tabernakel,
gemaakt van acaciahout, waarin het levende manna neerdaalde om de rampspoed te verdrijven waarin de arme mensheid was terechtgekomen, nadat de
honger hun moraal had ondermijnd. Gij die vanaf het begin door God was
uitverkoren, uw edele gemoed werd in één oogopslag geraakt door de liefde
van God. ¶ Ave Maria ¶ Ik loof u omdat u moeder bent geworden van de licht-
brenger, om wie allen die in duisternis gingen sinds lang hebben geroepen. Ik
loof u omwille van het zondeloze kind dat u hebt gebaard,

Want hemel ende eerde es vul niemaren.
Lof moeder ende maecht, gebenedijt
Ende hoochst ghewijt
Heiftu die prince der ingelen scaren.
Hets recht dat ghi vul glorien sijt.

   Ave Maria

Lof godlic prieel der melodye,
Welc alle die hemelsce compaengie
Lof toe vloeyen sonder vergaen.
Busch bernende sonder dorpernye
Of grief, also scrifture lye,
Daer wi dine zuverheit bi verstaen,
Daer in ontfaen
Word onse behouder, scoone Marie,
Wilt ons in alder noot bistaen.

   Ave Maria

Lof moeder der weesen sonder begeven,
Lof daer so claer of staet bescreven,
Lof tempel van Salomoene den wisen,
Lof medicine voor sondelic sneven.
Lof die den viant hebt verdreven
Ende ons gevreidt voor sijn ofgrisen.

---

want hemel en aarde zijn vol van het vreugdevolle nieuws. Ik loof u moeder en maagd, gij bent gezegend en geheiligd door de prins van de engelenscharen. Uw roem is terecht. ¶ Ave Maria ¶ Ik loof u, godgewijd prieel vol vreugde, die onophoudelijk wordt geprezen door allen die de hemel bevolken. Ik loof u brandend braambos, aan wie alle ruwheid of onbeschaamdheid vreemd is zoals de bijbel ons doet weten. Met dit braambos wordt uw ongereptheid bedoeld, toen u zwanger raakte van onze verlosser. Zuivere Maria, sta ons bij in onze ellende. ¶ Ave Maria ¶ Ik loof u, moeder van allen die verweesd zijn, over wie zo fraai geschreven is. Ik loof u tempel van Salomo, ik loof u medicijn tegen de zonde, gij die de duivel hebt verjaagd en ons hebt gevrijwaard voor zijn verschrikkingen.

Hu trostelic spisen
Doet ons an Gods genade cleven,
Also die vrucht cleift an die risen.

Ave Maria

Lof ewich hemel vul glorien soet,
Lof paradijs vul der omoet.
Marie, der dolender advocate,
Wie van der eerde Gods minne up loed
Als moeder in vlammen der godheit gloet
Ende voordu in sijn hoghe ghesate.
Soete honich rate,
Die ons die bitterheit hebt gheboet
Ende sit in eewigher glorien state,
Neimt ons voor dan in hu behoet. Amen.

[HYMNE AAN DE HEILIGE GEEST]

Lof gheest ghenaemt,
Een der godheden
Ewich versaemt,
Als in drien leden
Godheit gheheel.

De troost die u ons schenkt verbindt ons met Gods genade, zoals een vrucht
vastzit aan een tak. ¶ Ave Maria ¶ Ik loof u eeuwige, glorievolle hemel en paradijs vol mededogen. Maria, pleitbezorgster voor allen die ronddwalen, gij
werd door Gods liefde weggedragen van de aarde, en als moeder werd gij,
omstraald door de gloed van het goddelijk vuur, in zijn hoge woning binnenge-
leid. Zoete honingraat, u hebt boete gedaan voor onze zonden, en voor eeuwig
is uw roem gevestigd. Neem ons vanaf vandaag in uw hoede! Amen.

•

Lof zij u, die Geest wordt genoemd, een van de drie goddelijke personen, die
toch eeuwig een zijn. Hoewel drievuldig, toch een volmaakte God.

Een vijngher vercooren.
Lof hu die quaemt
Toot hier beneden,
Met hu gheraemt
Die Sone huut vrede
Als Marien deel.
Huer moest toehooren
— Lof hebt, casteel —
Pays int oorbooren.

Lof een beradre
Om ons al gadre,
Troost toe keerende
Diet sijn begheerende.
Lof hooghe inadre
Naest Gode den Vadre,
Hem eerende
Die duecht es leerende.
Lof pays meerende,
Niement deerende.

Lof der ghenaden
Fonteine ende vat;
Met .vij. graden
Verchierende stat,
Want ghiften zevene
Men hu toe gheift.

Uitverkoren vinger. Lof zij u die hier beneden op aarde kwam. Overeenkomstig het verlossingsplan daalde de Zoon met u af, ter verlossing, als deel van Maria. Zij mocht haar taak in vrede uitvoeren. Kasteel, ontvang onze lof. ¶ Lof hem die een hulp voor ons allen is, die troost schenkt aan hen die daarnaar verlangen. Lof aan het diepste binnenste naast God de Vader, die hem eert die de deugd aanleert. Lof voor hem die de vrede vermeerdert en niemand deert. ¶ Lof voor de bron en het vat der genade; de plaats die op zeven manieren luister bijzet, want zeven gaven schrijft men u toe.

Lof bi wiens daden
Weerckende dat
Met één der zaden
Die ziele es zat,
Want bi dien ghevene
Si altoos leift.
Lof om te levene
Daer niement sneift.

Lof vier gheweten,
Hoocht gheseten,
Duervloeyt met minnen;
Sliper der zinnen.
Lof onghemeten
Lucht, duer gheten
Vul gloyender pinnen.
Lof vier van binnen,
Diet beghinnen
Der duecht doet winnen.

Lof fonteine soet,
Vul waters levende.
Lof zuver vloet
Rivieren ghevende,
Hemelic vloeyende
Bi manieren.
Lof euwich ghoet,

Lof zij u, door wiens werkzaamheid de ziel voldaan raakt met één gave, want door dat geven leeft zij altijd. Lof, om het leven waar niemand sterft. ¶ Lof voor het zichtbare vuur, hoog gezeten, met liefde doorvloeid, die het verstand scherp maakt. Lof, ongemeten lucht, verteerd, vol vurige tongen. Lof, innerlijk vuur dat aanzet tot de overwinning in de deugd. ¶ Lof, zoete bron, vol levend water. Lof, zuivere vloed die rivieren doet ontspringen, in stilte vloeiend. Lof, eeuwig goed,

Lof troost an clevende.
Verlicht den moet
Ons, sondaers snevende,
Wiens duecht es groeyende
Int regieren.
Lof boom bloeyende
In zeven rivieren.

Lof caritate,
Wech ende strate
Die den blenden leet
In den wech ghereet.
Lof hoochst van state
Toot sondaers bate,
Want der wijsheit cleed
Gheifdi, elc weet.
Lof die troost heet
Elken, die sonden veet.

Lof zalve dierbaer;
Lof geestelic cruut,
Die ziecten claer
Puer net jaecht huut
Den onghesonden
Wien si tast.
Lof die voorwaer
Alle duecht besluut;

lof, voortdurende troost, verlicht de geest van ons, zondaars, die steeds weer
vallen, wier deugd echter steeds meer veld wint. Lof, boom die bloeit bij zeven
rivieren. ¶ Lof, liefde, weg en straat, die de blinden leidt op het rechte pad. Lof
zij u, die het best in staat zijt de zondaar te helpen, want u geeft, zoals ieder
weet, het kleed der wijsheid. Lof zij u, die troost heet voor ieder die de zonden
haat. ¶ Lof, dierbare zalf; lof, geestelijk kruid, dat onmiskenbare ziekten geheel en al verjaagt uit de ongezonde die ze hebben aangetast. Lof zij u, die
voorwaar alle deugd in u bevat;

Huut hem eenpaer
Ghesontheit spruut,
Want hi dier wonden
Gheneset last.
Lof zalve ghevonden
Daer duecht in wast.

Lof precieus steen
Staerc, drien in een,
Up wien dat staet
Dien hemelschen raet.
Lof godheit reen,
Vloeyende huut tween
Mids der minnen zaet,
Dat tusscen hem huut ghaet.
Lof die gloose slaet
Up hem die tgoede vaet.

Lof vloeyende gracie
Den ·V· aders in
Om jubilacie.
Lof vray bekin,
Lof ewich confoort
Dat niet en zwicht.
Lof confirmacie,
Wie claerst den zin
Der niewer nacie

uit hem komt bij voortduring gezondheid, want hij geneest de pijn van de wonden. Lof, probate zalf, waardoor de deugd groeit. ¶ Lof, kostbare steen, machtig, drie in een, waarop de hemelse wil staat. Lof, zuivere godheid, vloeiend uit
de twee anderen door hun onderlinge liefde. Lof zij u, die acht slaat op degene
die goed handelt. ¶ Lof, genade, die vloeit in de vijf aderen om jubelende vreugde. Lof, juist inzicht, lof, eeuwige bijstand, die nooit wijkt. Lof, sterkte, die het
gemoed van ons, het vernieuwde volk,

Om ons ghewin.
Lof die acoort
Weerct int ghesticht,
Ons bringhende voort
Een ewich licht.

Lof Helich Gheest,
Der minnen keest,
Godheit sachtich
Die tsinxen crachtich
Vertroostet meest
Dapostelen verweest,
Die daer na voordachtich
Bleven eendrachtich;
Dit es warachtich,
Lof hebt God almachtich.

O God, lof God
Sonder vermijnken.
Al was ic sot,
Wilt mi aest scijnken
Der gracien dau
Om tbroosch ghekijf.
Der zielen slot
Wilt over dijncken
Eert huer ontrot.
Om tdiep versijnken

---

te onzen bate zuivert. Lof voor hem die er zorg voor draagt dat het gestichte
[het nieuwe] in harmonie wordt verricht, en die ons een eeuwig licht is. ¶ Lof,
Heilige Geest, kern van de liefde, barmhartige God, die op Pinksteren met
kracht de verweesde apostelen het meest hebt gesterkt, zodat zij daarna wel-
overwogen eendrachtig bleven, werkelijk waar. Lof zij de almachtige God. ¶ O
God, lof voor de volmaakte God. Al was ik een dwaas, wil mij spoedig de dauw
van de genade schenken om de zwakke strijd. Overdenk het einde van de ziel
voor het te laat is. Zend ons, om het diepe wegzinken,

Sent ons betrau
Ende heyls beclijf.
Om vray berau
Bidt, ziele ende lijf.

◆

[STABAT MATER]

Stabat mater in duytsche
Die moeder die stont vol van rouwen
Weenende onder den cruce met rouwen,
Daer haer lieve sone aen hinc.
Wiens ziele suchtende ende bevende
Sere bedruct in swaerheit levende
Metten sweerde des rouwen doer ghinc.

O quam tristis et afflicta
Och hoe drueve ende hoe onblide
Was die suete ghebenedide
Moeder van den enighen sone.
Die welcke wenede ende rouwede,
Die weerde moeder, als sij aenscouwede
Sine pine swaer ende onghewone.

---

vertrouwen en geef dat ons heil beklijft. Ziel en lichaam, bidt om waarachtig
berouw.

●

De moeder stond vol verdriet wenend onder het kruis waar haar lieve zoon aan
hing. Door haar zuchtende, bevende ziel, zeer bedrukt in hartzeer levend, sneed
het zwaard der droefheid. ¶ Och, hoe droevig, hoe verdrietig was de zoete,
gezegende moeder van de enige zoon. Zij weende en leed smartelijk, die eerbiedwaardige moeder, toen zij zijn zware, buitengewone pijnen aanschouwde.

Quis est homo
Wie es die mensche, hi en dede claghe,
Als hi Cristus moeder aensaghe
In sulcken swaren druck sijnde.
Wie en soude niet weenen moeghen
Sulcken moeder siende in sulcken doeghen
Soe droevich alsmen haer kint soe pijnde,

Pro peccatis
Om sijns volcs sondighe gewenten
Siende Jhesum alsoe tormenten
Ende den gheeselen soe onderdaen.
Sij sach haer kint seer ghenoost,
Ontfermeliken sterven ende onghetroest,
Met saechter zielen deerliken uitgaen.

Eia mater fons
Eya moeder, fonteyne der minnen,
Doet mij dien druck bevoelen binnen,
Dat ic met di doch weenen mach.
Doet dat mijn herte berne seere
Inder minnen Cristi onsen Here,
Dat hem believe mijn bejach.

Sancta mater
Heilighe moeder, doet dat liden

Welke mens zou geen klacht uiten, als hij Christus' moeder in zo'n groot verdriet zag? Wie zou niet moeten wenen, als hij zo'n moeder in zulk een lijden
zag, zo bedroefd, toen men haar kind zo pijnigde, ¶ [toen zij] Jezus om de
zondige gewoonten van zijn volk zo gekweld zag worden, en onderworpen aan
geselslagen. Zij zag haar kind zeer gekwetst, beklagenswaardig en troosteloos
sterven, gelaten en jammerlijk uit het leven gaan. ¶ Ach, moeder, bron van
liefde, doe mij het verdriet van binnen voelen, zodat ik met u kan wenen. Zorg
ervoor, dat mijn hart vurig brandt in liefde tot Christus, onze Heer, zodat mijn
manier van leven hem behaagt. ¶ Heilige moeder, prent dat lijden

Ende sijn wonden tot allen tijden
In mijn herte vast ende vrij.
Doet dat sijn passie ende wonden,
Sijn smadeghe crucinghe om onse sonden
Deelachtich met mij sondaer sij.

In me sistat
In mij vesticht dijn lijden alteenen,
Doet mij die crucinghe dijns soens beweenen,
Die ben in dese alleynde gheduerlyc.
Doet mij waerlic met dij beclaghen
Die crucinghe seer swaer om verdraghen
Ende met begheerten beweenen truerlic.

Juxta crucem tecum
Doet mij met di onder tcruce staen,
Mettij ghesellende gheerne te gaen,
Ende met begheerten in mij gheplant.
Desen druck maect mij ghemeyne
Ende en doet in mij niet wesen cleyne
Die begheerte uws lidens onderstant.

Virgo virginum praeclara
O maghet der mechden boven al,
En sijt mij niet wreet in mijn misval,

en zijn wonden voor altijd hecht en vast in mijn hart. Laat zijn lijden en wonden, zijn smadelijke kruisiging om onze zonden, door mij, zondaar, gedeeld
worden. ¶ Bevestig gedurig in mij uw lijden, laat mij, die steeds in deze ballingschap verkeer, de kruisiging van uw zoon bewenen. Laat mij de kruisiging, die
zo zwaar te verdragen is, werkelijk met u beklagen en laat mij die met overgave
droevig bewenen. ¶ Laat mij met u onder het kruis staan, u graag vergezellen,
terwijl het [kruis] geplant is in mij, die daar vurig naar verlangt. Maak mij dit
verdriet deelachtig, en laat in mij het verlangen u in uw lijden te helpen niet
gering zijn. ¶ O, maagd boven alle maagden, wees niet wreet in mijn ellende,

Doet mij met u weenen ghestadeliken
Doet mij draghen Cristus doot,
Sijn passie ende liden groot,
Ende dincken om sijn wonden ghenadeliken.

Virgo dulcis virgo
O maghet soet, maghet goedertieren,
Maria, saechtmoedich in allen manieren,
Aen hoert dat roepen des dieners dijn.
Maect die wonden in mij ghewont,
Ende tcruce te draghen in alre stont
Ter liefden vanden sone dijn.

Inflammatus
Ontsteect mi vierichliken in desen,
Bij dij, o maghet, beschermt te wesen
Inden daghe sijns oerdeels wreet.
Doet, dattet cruce behuede mi,
Ende Cristus doot bij mi sij,
Ende met gracien maect mi ghecleet.

Cum hoc, criste
Met Cristo doet mij verscheiden,
Ende gheeft mij te comen nae dit beleyden
Te lidene der victorien.

---

laat mij gestadig met u wenen. Laat mij dragen Christus' dood, zijn passie en
groot lijden, en laat mij denken aan zijn heilbrengende wonden. ¶ O, zoete
maagd, goedertieren maagd Maria, alleszins zachtmoedig, aanhoor het klagen
van uw dienaar. Maak dat de wonden in mij wonden worden, en dat ik het
kruis te allen tijde drage uit liefde voor uw zoon. ¶ Zet mij daartoe in vuur en
vlam, zodat ik, o maagd, op de dag van het wrede oordeel door u verdedigd
word. Zorg ervoor, dat het kruis mij behoedt, en dat Christus' dood mij bijstaat, en bekleed mij met genade. ¶ Laat mij met Christus sterven, en verleen
mij na dit leven te komen tot de opgang naar de overwinning.

Wanneer dlichaem sal laten dleven,
Doet dat die ziele dan sij ghegheven
Ten paradise der glorien. Amen.

◆

[CANTILENE]

Dat suete kint die coninc der minnen
Vermaent sijn bruut sijn lieve vriendinne
In dese cantilene hem hertelike te minnen
Ey sich op mi, mijn lieve vriendinne
Wat trouwen ic di hebbe ghetoent;
Hoe mi verwonnen heeft die minne
Ende mit haren rosen ghecroent.
Si heeft mi doervaren al sonder sparen
Ende dat zwaerste ten lesten ghetoent.
Ay laet di verwinnen van mijnre minnen
Ende vliet tot mijnre herten binnen,
Du en blijfster nemmermeer bi ghehoent.

Mijn handen ontloken, mijn arme ontspreyt,
Mijn ziel gheert di mit groter lust.

Wanneer het lichaam het leven zal laten, zorg er dan voor dat de ziel gegeven
wordt aan de glorie in het paradijs. Amen.

•

De beminde jongeling, de koning der minne, spoort zijn bruid, zijn geliefde
vriendin in dit gezang aan om hem vol overgave lief te hebben. ¶ Zie me aan,
lieve vriendin, en zie hoe trouw ik je ben geweest, hoe de minne mij in haar
macht heeft gekregen en heeft gekroond met haar rozen. Ze heeft me doordrongen zonder zich in te houden en me ten slotte het allerzwaarste getoond.
Geef je over aan mijn minne en neem je toevlucht in mijn hart: je zult hierdoor
nooit worden bedrogen. ¶ Mijn handen zijn geopend, mijn armen gespreid,
mijn ziel verlangt hevig naar jou,

Mijn hoeft gheneycht, mijn mont bereyt,
Hi waer so gaerne van di ghecust.
Mijn herte doerwont staet open tot alre stont
Om di daer binnen te gheven rust.
Nu laet di verwinnen van mijnre minnen
Ende vliet tot mijnre herten binnen.
Daer suldi zaden al uwen durst.

Ey scaemdi, mijn bruut, der groter ontrouwen
Daer du lange mede hebste omghegaen,
Ende waert van trouwen te wreven in rouwen,
Want mi dijn minne dus heeft bevaen.
Laet dansen ende springhen ende ydel singhen
Ende leert die hemelsche snaren slaen.
Ay laet di verwinnen van mijnre minnen
Ende vliet tot mijnre herten binnen.
Daer suldi ewighe vroechde ontfaen.

Nu slach op mi, mijn lief, dijn oghen,
Ende sich wat di verbliden mach,
Als ghi siet dat ic ghedoghe
Van minnen so menighen zwaren slach.
Ay haddi gheproeft des mi ghenoecht
Ghi soudt lude ropen: o wi, o wach.

mijn hoofd buigt zich en mijn mond wil graag door jou worden gekust. Mijn
dodelijk gewonde hart staat steeds open om jou daarin een rustplaats te bieden.
Geef je over aan mijn minne en neem je toevlucht in mijn hart: je dorst zal er
gelest worden. ¶ Schaam je, mijn bruid, voor de ontrouw waarin je lang hebt
volhard. Maar je bent door je trouw in verdriet gedompeld omdat de minne tot
jou mij heeft bevangen. Laat het dansen, springen en luchthartige zingen achterwege en leer de hemelse snaren te bespelen. Geef je over aan mijn minne en
neem je toevlucht in mijn hart, want daar zal eeuwige vreugde je deel zijn. ¶ Mijn
geliefde, sla nu je ogen op naar mij, en kijk naar wat je zal verheugen wanneer je
ziet dat ik uit minne zoveel zware slagen doorsta. Als je geproefd zou hebben
wat ik accepteer, zou je luid weeklagen.

Nu laet di verwinnen van mijnre minnen
Ende vliet tot mijnre herten binnen.
Daer suldi drinken der minnen ghelach.

Ey ghelijc dinen roden roc den minen
Ende besich welc di best behaecht.
Dijn spelden, die dat hoeft doen schinen,
Ghelijc mijnre doornen crone, o edele maecht.
Ende set mijn smerte al in dijn herte
Die dijn trouwe so minlijc draecht.
Nu laet di verwinnen van mijnre minnen
Ende vliet tot mijnre herten binnen,
Daer vindt ghi al daer ghi naer jaecht.

Ey condi nyemant scoenre vinden,
Edelre of minliker dan ic bin,
Hoe en laet di u die minne niet binden
Die an mi vindt so groot ghewin?
Hoe moechdi so langhe ghevlien bedwanghe
Daer min mede trect so edelen sin?
Ay laet di verwinnen van minre minnen
Ende vliet tot mijnre herten binnen;
Daer is alles goets eynde ende beghin.

Geef je over aan mijn minne en neem je toevlucht in mijn hart: je zult daar de minnedrank drinken. ¶ Vergelijk je rode mantel eens met die van mij en zie welke je het best bevalt. Vergelijk de spelden die schitteren op je hoofd met mijn doornenkroon, edele maagd. En sluit het leed van mij, die je op zo'n liefdevolle wijze trouw ben, in je hart. Geef je over aan mijn minne en neem je toevlucht in mijn hart: je vindt daar alles waarnaar je op zoek bent. ¶ Als je niemand kunt vinden die mooier, zuiverder en liefdevoller is dan ik, waarom laat je je dan niet binden door de minne, jij, die door mij zoveel voordeel ontvangt? Hoe kun je de aandrang zo lang ontvluchten waarmee de minne een zo edel gemoed tot zich trekt? Geef je over aan mijn minne en neem je toevlucht in mijn hart: alles is daar goed, van begin tot einde.

Ey wat mach di in mi mishaghen
Dat ghi dus sere voer mi vliet?
Ic macht hemel ende aerde claghen
Dat mi mijn lief en mach waerden niet.
Daer ic om heb ghestreden ende ghebeden
Al dat mi minne oyt ghehiet.
Nu laet di verwinnen van mijnre minnen
Ende vliet tot mijnre herten binnen.
Oft ics te bet mocht hebben yet.

Ey keert nu, mijn bruut, mit ernste tot mi
Want minne is starker dan die doot;
Si maect di van allen zunden vri,
Lect u hoeft in haren scoet.
Laet haer staren u hert doer varen
Dat vurigher is dan ennich gloet.
Ay laet di verwinnen van mijnre minnen
Ende vliet tot mijnre herten binnen.
Daer werdi verledicht van alre noot.

Ghebruke mijns na al dijn begheren
Ende wilt mi niet sparen noch u vermiden.
In can der minnen niet gheweren,
Wat si mi doet dat moet ic liden.

Wat bevalt je niet aan mij dat je me steeds wilt ontvluchten? Ik wil klagen tot de
hemel en de aarde dat mijn geliefde mij niet waardeert. Daarom heb ik gevochten en gebeden, geheel zoals de minne mij gebood te doen. Geef je over aan mijn
minne en neem je toevlucht in mijn hart. Iets beters kan ik me niet inden-
ken. ¶ Mijn bruid, keer je nu vastberaden tot mij, want minne is sterker dan de
dood, ze verlost je van alle zonden. Leg je hoofd in haar schoot en laat haar
blik, die vuriger is dan de felste gloed, je hart doorstralen. Geef je over aan mijn
minne en neem je toevlucht in mijn hart. Je wordt er bevrijd van al je zorgen. ¶ Beschik over mij, zoveel je wilt, spaar mij niet en houd je niet in. Ik kan
de minne niet weerstaan, wat ze met me doet moet ik dulden.

Ay mijn utvercoren nu buucht u oren,
Die tijt en comt niet tallen tiden.
Nu laet di verwinnen van mijnre minnen
Ende vliet tot mijnre herten binnen,
Daer suldi u ewelic verbliden.

Ghi blijft cuysch als ghi mi ruert,
Als ghi mi helst so blijfdi reyn,
Als ghi mi cust werdi ghepuurt
Van allen zonden ghemeyn.
So ghi mi meer mint, so ghi meer vindt,
Daer om en acht u, lief, niet cleyne.
Nu laet di verwinnen van mijnre minnen
Ende vliet tot mijnre herten binnen.
Daer suldi drinken der minnen fonteyn.

Ghi blijft maecht als ghi mi ontfaet,
Als ghi mit mi juwen wille voldoet
So blijfdi joncfrou fier, ende gaet
Vromelic in der minnen orewoet
Die u sal gheven dat ewighe leven
In haer diep afgrondighe vloet.
Nu laet di verwinnen van mijnre minnen
Ende vliet tot mijnre herten binnen,
Daer suldi ghebruken dat ewighe goet. Amen.

Mijn uitverkorene, luister goed, zo'n gelegenheid doet zich niet vaak voor.
Geef je over aan mijn minne en neem je toevlucht in mijn hart, je zult daar
eeuwige vreugde vinden. ¶ Je blijft kuis als je me aanraakt en als je me omhelst
blijf je ongerept, als je me kust word je gezuiverd van alle zonden. Je zult me
dichter naderen naarmate je me meer bemint; acht je daarom, geliefde, niet te
gering. Geef je over aan mijn minne en neem je toevlucht in mijn hart. Je zult
daar drinken uit de bron der minne. ¶ Je blijft maagd als je mij ontvangt, als je
met mij je verlangen bevredigt blijf je een trotse maagd, en ga je vroom binnen
in de vurigheid van de minne die je, in haar onmetelijke diepe overvloed, het
eeuwige leven zal schenken. Geef je over aan mijn minne en neem je toevlucht
in mijn hart. Je zult daar de eeuwige zaligheid genieten. Amen.

◆

[IC DRAGHE IN MINES HERTEN GRONT]

Ic draghe in mines herten gront
Een steen verciert mit stralen,
Dat is Heer Jesus, der maechden soon,
Mijns herten wenschelgaerde.

Mer wie mit Jesus cosen wil
Die moet al laten varen
Der werelt ghenoechte ende al haer spel
Ende nemen sijns brudegoms ware.

Hi is een soete minnenbant,
Mijns herten wenschelgaerde;
Ic willen oec immers voor alle mine vrent
In minen herten draghen.

Door hem so wil ic laten vaeren
Ooc al die werelt ghemeine;
Hi dunket mi alle tijt schone staen
Des winters als in den meie.

Niemant houde sich also cloec
Dat hi der werelt betrouwe;

Ik draag in het diepst van mijn hart een edelsteen, gesierd met stralen. Dat is Heer Jezus, de zoon van de maagd, wichelroede van mijn hart. ¶ Maar wie met Jezus vertrouwelijk wil praten, die moet de geneugten van de wereld en al haar plezier volledig laten varen en het oog richten op zijn bruidegom. ¶ Hij is een zoete liefdesband, de wichelroede van mijn hart; ik wil hem ook altijd boven al mijn vrienden in mijn hart dragen. ¶ Omwille van hem wil ik ook de hele wereld laten varen. Het komt mij voor dat hij altijd schoon is, 's winters net zo goed als in mei. ¶ Laat niemand zo verstandig zijn dat hij de wereld vertrouwt.

Wie hare ghenoechten mit vrouden dient
Si sal hem lonen mit rouwen.

Laetse dansen, laetse spelen,
Haer corte ghenoechte driven;
So wie Heer Jesus ghelaten heeft,
Hem en can gheen heil becliven.

Adieu, adieu bedriechlike werelt,
Ic wil nu van u scheiden;
So sal ic ewelic blide sijn
Nae deser corter ellenden.

Ic wil mijn hertken breken af
Mit hameren ende mit tanghen
Ende senden dat Jesu in sijn coninclike sael,
Ic hope hi salt vriendelic ontfanghen.

Ic meine mijn lief ghevonden haen
Ende stede vrolic bliven;
Nu moetic ellendich buten staen;
Wes mach ic mi verbliden?

Hier om en willic niet laten af
Ende gheenre droefheit wiken;

Wie haar geneugten met vreugde dient, zal zij belonen met verdriet. ¶ Laat ze dansen, laat ze spelen, laat ze hun kortstondige genoegens najagen. Wie Heer Jezus heeft achtergelaten, voor hem kan er geen bestendig heil zijn. ¶ Adieu, adieu, bedrieglijke wereld, ik wil nu van u scheiden. Dan zal ik, na deze kortstondige ellende, eeuwig verheugd zijn. ¶ Ik wil mijn hartje met hamers en met tangen afbreken en het Jezus in zijn koninklijke burcht toezenden. Ik hoop dat hij het minzaam zal ontvangen. ¶ Ik dacht mijn lief gevonden te hebben en voortdurend vrolijk te blijven; nu moet ik verlaten buiten staan. Waarin kan ik mij verblijden? ¶ Daarom wil ik niet aflaten en wijken voor geen droefheid.

Mijn lief die is van aerde goet,
Hi en sal mi niet beswiken.

Ic sie mijn lief also ghedaen,
Der werelt die moetic sterven;
Ic moet mijns selves te mael uutgaen,
Sal ic sijn hulde verwerven.

Tribulacie is hier der minnen spel,
Daer in wil ic mi verbliden;
Door hem so wil ic draghen last
Ende hem ghetrouwe bliven.

Den wech den hevet hi voor ghegaen,
Den willic overliden;
So wie mijn lief navolghen wil
Die moet volstandich bliven.

Hi is een soete minnenbant,
Mijns herten wenschelgaerde;
Ic hebben ooc voor mijn hoochste lief
In minen sin gheladen.

Door hem so willic laten vaern
Begheerte menigherleie;
Hi is ene rose die alleweghe bloeyt
Des winters als in den meie.

Mijn lief is goed van karakter, hij zal mij niet aan mijn lot overlaten. ¶ Zó zie ik
mijn lief. Ik moet sterven aan de wereld. Ik moet mijzelf helemaal loslaten, wil
ik zijn trouw verwerven. ¶ Bekoring is hier het spel der minne, daar wil ik mij
in verblijden. Omwille van hem wil ik de last dragen en hem trouw blijven. ¶ Hij is de weg vooruitgegaan, die wil ik [ook] gaan; wie mijn lief wil
navolgen moet standvastig blijven. ¶ Hij is een zoete liefdesband, wichelroede
van mijn hart. Ik draag hem ook als mijn liefste lief in mijn gemoed. ¶ Omwille
van hem wil ik menigerlei begeerte laten varen. Hij is een roos die altijd bloeit,
's winters net zo goed als in mei.

◆

HIER VOLGHEN MERCKELICKE PUNTEN

Heilicheit en leecht niet inden schijn,
Mer heilicheit leecht in heilich sijn.
Cappe, noch covele, noch heilige stede
En gheeft den mensche geen heilichede;
Mer die sachtmoedich is van gronde,
En seer gestichtich is van monde,
Devoet en ynnych in sijnen ghebede,
Dit heyt voer God heilichede.

Die sijnen onwille can verdraghen
En haerde woerden, sonder claghen,
Verlies van goede ende oec van eren
En alle dinck can int beste keeren,
Wat hi siet ofte wat hi hoert,
En hem nerghens in en stoert,
Gaet hem tegen oft gaet hem mede,
Dit heyt voer Gode heilichede.

Die hem gheern van sunden wachten,
En luttel op hem selven achten,
Ende God boven alle dingen mynnen,
En wel bewaren hoer vijf synnen,
Gods passie myt wee int herte dragen,

Heiligheid is niet gelegen in de schijn, maar heiligheid is gelegen in heilig zijn.
Kap, kovel, noch heilige plaats schenkt de mens heiligheid; maar wie volkomen
zachtmoedig is, en zeer stichtelijk in zijn spreken, devoot en innig in zijn gebeden — dit is voor God heiligheid. ¶ Wie zonder klagen onaangenaamheden en
harde woorden kan verdragen, verlies van bezit en ook van eer; wie alles in een
goede richting kan sturen, wat hij ook ziet of hoort, en nergens ontstemd over
raakt of het hem nu tegen- of meezit — dit is voor God heiligheid. ¶ Wie zich
volijverig wachten voor zonden en weinig oog voor zichzelf hebben en God
boven alles liefhebben, en hun vijf zintuigen goed behoeden, Gods lijden smartelijk in het hart dragen,

En altoes gheern van God gewagen,
Ende in penitencie orberen hoer lede,
Dit heyt voer God heilichede.

Die gheern vergeeft dat men hem misdoet
En den selven daer toe doet goet,
Horen even mensche troesten ende leren,
En houden die x geboden ons Heren,
In alle weldoen hem verblijden,
Quade werken altijt benijden,
Gestadich blijven in horen vrede,
Dit heyt voer God heilichede.

Die hem selven altijts vercleynen
En dicwijle om hoer sunden wenen,
Beeden by nachte en by daghen,
Gelijck die heilighen voertijts plagen.
Elck pijn te dragen des anders last,
En houde hem int gelove vast!
Hout in verdriet getemperthede;
Dit is voer God heilichede.

Veel soe isser die heilich schijnen,
Papen, clercken, nonnen, beghijnen,

en altijd graag over God spreken en hun lichaam voor boetedoening gebruiken — dit is voor God heiligheid. ¶ Wie graag vergeeft wat men hem misdoet
en aan diezelfde bovendien goeddoet, wie hun naaste troosten en onderrichten,
en de tien geboden van onze Heer onderhouden, zich verblijden over alle
deugdzaamheid, zich altijd ergeren aan kwade werken, standvastig blijven in
hun vreedzaamheid — dit is voor God heiligheid. ¶ Wie zichzelf altijd verootmoedigen en dikwijls om hun zonden schreien, 's nachts zowel als overdag,
zoals de heiligen vroeger deden. Ieder zette zich in om de last van de ander te
dragen, en sta vast in het geloof! Houd maat in verdriet — dit is voor God
heiligheid. ¶ Velen schijnen heilig, priesters, klerken, nonnen, begijnen,

Myt menigen anderen verdreyden geesten,
Die luttel smaken vanden kerste,
Ende wanen myt allen God mynnen:
Si mochten wel van ierst beghinnen
Met soberheit, reinicheit met oetmoedichede,
Dat heyt voer God heilichede.

Wat wil ic veel van heilicheit scrijven,
Die heilich is sie dat hi heilich blijve.
Draecht dit altoes in u memorie;
Wacht u oec voert van ydel glorie;
Hier om moeten wi God loven;
Want alle doecht die coemt van boven,
Altoes, myt rechter saechtmoedichede:
Dit heyt voer God heilichede.
   Deo laus.

◆

[IC GROETU, HELICH CRUCE]

Ic groetu, helich cruce ons Heeren,
Daer ghi an smaectet die bitter doet,

en nog heel wat andere verdoolde geesten, die weinig van de Christus ervaren,
maar in de waan verkeren God geheel en al lief te hebben: zij zouden wel van de
grond af kunnen beginnen met armoede, zuiverheid, met gehoorzaamheid — dat is voor God heiligheid. ¶ Wat zal ik nog meer over heiligheid
schrijven? Die heilig is, zie dat hij heilig blijft. Houd dit altijd in uw gedachten.
Wacht u verder ook voor zelfbehagen. Hierom moeten wij God loven. Want
alle deugd komt van boven, altijd, met waarachtige zachtmoedigheid: dit is
voor God heiligheid. Lof zij God.

●

Ik groet u, heilig kruis van onze Heer, waaraan u de bittere dood hebt gesmaakt,

Welc ons den viant doet verweeren
Ende verlost heeft uter helscher noet.
Ic biddu, God, die ons gheboet,
Dat u cruce ende u helighe bloet
Mi hoede voor der hellen stoet
Ende altoes wese in mijn behoet.

Ic groetu, helighe Vieronike,
Die na Gods aensichte es gheprent
In eene ghedane, in eene ghelike.
Maect mi, Heere, also bekent
Dat mi die sonden weerden ontwent,
Ende ic ghedinke uwer pine;
Hu gracie, Heere, mi soe toe sent
Dat ic bescouwe tanschijn dine.

Ic groetu, de langden ende de wide
Der heligher wonden die ghi ontfinct
Met eenen speere in u soete zide,
Daer ghi aen den cruce hinct,
Daer water ende bloet uut quam gheminct
Daer wij alle bij waren verlost.
Lieve Heere, mijns ghedinct
Ende weest mijnere aermer zielen troest.

dat ons beschermt tegen de duivel en ons verlost heeft uit de nood van de hel. Ik bid u, God, die ons hebt geschapen, dat uw kruis en uw heilig bloed mij behoedt voor het helse gevolg en mij altijd beschermt. ¶ Ik groet u, heilige zweetdoek, waarin Gods aangezicht is gedrukt als afbeelding, in een beeltenis. Zorg, Heer, dat mijn zonden van mij worden weggenomen, en dat ik uw pijn gedenk. Zend mij, Heer, uw genade, zodat ik uw aanschijn zie. ¶ Ik groet u, lengte en breedte van de heilige wond die u met een speer in uw geliefde zijde hebt ontvangen, toen u aan het kruis hing, waar water en bloed samen uit vloeiden, waardoor wij allen werden verlost. Lieve Heer, gedenk mij, en wees mijn arme ziel tot troost.

Ic groetu, scarpe dornijn crone,
Die Gode up thoeft was gheduwet,
Daer mi sondare, cleene persoene,
Seere of te sprekene gruwet.
U edel bloet dat quam ghespuwet
Huut uwen hoofde in LXXII steden.
Heere, al hebbic u ghescuwet,
Toecht an mi uwe ontfaermichede.

Ic groetu, weerde roc ons Heeren,
Die ghi an droucht al u leven,
Ende daer die Joden in haer sceeren
Om lod worpen, soet es bescreven;
U meinschelic lijf daden si beven
Met spotte ende met groeter pine.
Heere God, wilt mi gracie gheven
Dat ic ghedinke der passie dine.

Ic groetu wallem ende lanterne,
Daer onse Heere met was ghesocht
Te vanghene, te doedene met scerne,
Na datten Judas hadde vercocht.
Ic biddu, God, die ic verwrocht
Dicken hebbe met minen sonden,

Dat ic ontga der hellen crocht
Ende salich met hu werde vonden.

Ic groetu, gheeselen ende callomme
Ende tseel daer met was ghebonden
Donnozele Jhesus, die als een stomme
Naect stont ende ontfinc zijn wonden
Also vele te dien stonden
Dat die joden moede worden van slane.
God Heere, vergheeft mi mine sonden
Ende gracie in duegden te vulstane.

Ic groetu, hamer ende naglen mede,
Die Gode dor hande ende dor voete
Ghesleghen waren; sine lede
Scuerden tonser zielen boete.
Ant cruse waerdi ghenaghelt onzoete
Ende up gheheven dor onse mesdaet;
God Heere, hets recht dat ic u groete,
Want ghi sijt onse toeverlaet.

Ic groetu, pot ende spoenge mede,
Daer God drinken met was ghegheven,
Galle, aysijl, groete bitterhede

---

dikwijls verbeurd heb, dat ik de krocht van de hel ontkom en met u zalig word
bevonden. ¶ Ik groet u, geselroeden en geselkolom en het touw waarmee de
onschuldige Jezus was gebonden, die, zwijgend, naakt stond en toen zoveel
wonden toegebracht kreeg dat de joden moe werden van het slaan. Heer God,
vergeef mij mijn zonden en verleen mij de genade standvastig in deugdbeoefening te zijn. ¶ Ik groet u, hamer en spijkers, die God door handen en voeten
geslagen werden; zijn ledematen werden verminkt tot kwijtschelding voor onze ziel. U werd ruw aan het kruis genageld en opgeheven om onze misdaad;
Heer God, het is terecht dat ik u groet, want u bent onze toeverlaat. ¶ Ik groet
u, beker en spons, waarmee God te drinken werd gegeven, gal, azijn, grote
bitterheid

Haddi inne, soet es bescreven;
Cort daer na, Heere, liet di u leven,
Want ghij spraect: 'Hets al vuldaen'
Doe ghi den bitter dranc hadt beseven.
Doet mi in gracien, Heere, vulstaen.

Ic groetu, tange ghebenedijt,
Ende die leedre die ant cruce stoet
Daer God, die ons heeft bevrijt,
An hinc, doot, naect ende zeere bebloet,
Doene Joseph van Armatie goet
Met siere hulpen vanden cruce dede.
Hout mi, Heere, in u behoet
Dor uwe groete ontfaermichede.

Ic groetu, helighe sudarie ons Heeren,
Daer hij in was ghewonden saen,
Groetelic hem te loven ende theeren,
Doe hi vanden cruce was ghedaen.
U moeder, Heere, wende meneghen traen
Doe soe u in haren arem ontfinc.
Vergheeft mi dat ik hebbe mesdaen
Dat ic so dicke peinse om eerdsche dinc.

had u in u, zoals geschreven staat. Kort daarna, Heer, liet u uw leven, want u sprak, toen u de bittere drank had gesmaakt: 'Het is allemaal volbracht.' Heer, laat mij in genade volharden. ¶ Ik groet u, gezegende tang en u, ladder die tegen het kruis stond, waaraan God, die ons heeft verlost, dood, naakt en zeer bebloed hing, toen de goede Jozef van Arimathea hem met zijn helper van het kruis nam. Houd mij, Heer, onder uw hoede omwille van uw grote barmhartigheid. ¶ Ik groet u, heilige lijkwade van onze Heer, waarin hij weldra werd gewikkeld om hem grotelijks te loven en te eren, toen hij van het kruis was afgenomen. Uw moeder, Heer, schreide menige traan toen zij u in haar armen nam. Vergeef mij dat ik heb gezondigd. Vergeef mij dat ik zo dikwijls op aardse zaken mijn zinnen zet.

Ic groetu, helich graf ons Heeren,
Daer ghij in waert, als men ons leest,
Ingheleit met groeter eeren,
Ende ten derden daghe verreest.
Heere Jhesus Cristus, nu so weest
Ons ghenadich als wij verrisen
Daer wij sullen staen bevreest,
Ende wilt ons tuwen rike wizen.

Voort biddic u, Heere, dor uwe passie groot,
Dat ghij mi wilt so langhe sparen,
Dat ic ontga der hellen stoot,
Ende jeghen mine viande mi verwaren,
Ende jeghen die mi willen daren.
Sijt mijn behoeder tallen stonden,
So dat ic ter hemelscher scaren
Na dit leven werde vonden.

◆

[EENE FONTEINE HEBBIC VONDEN]

Eene fonteine hebbic vonden
Daer alle zueticheit uut vloyt:

Ik groet u, heilig graf van onze Heer, waarin u, zoals men ons doet weten, zeer eerbiedig werd neergelegd en waaruit u de derde dag bent verrezen. Heer Jezus Christus, wees ons toch genadig als wij verrijzen wanneer wij bevreesd zullen zijn, en wil ons naar uw rijk zenden. ¶ Verder bid ik u, Heer, omwille van uw grote lijden, dat u mij zo lang wilt sparen, dat ik het hels gevolg ontga, en wil mij beschermen tegen mijn vijanden en tegen degenen die mij willen deren. Wees mijn behoeder te allen tijde, zodat ik na dit leven tot de hemelse scharen moge behoren.

•

Een bron heb ik gevonden waar alle zoetigheid uit vloeit:

Jhesus' passie ende sine wonden.
Soe wie daer toe gheraect, hi groyt
Altoes in doechden ende in minnen,
Soe dat hi dicwile mach ontsinnen.
Hier uut soe willic dagelijcs trecken
Van levende water iij lepelkine,
Op dat ic altoes, sonder vlecken,
Mach leven van Jhesus' medescine.
Dat ierste lepelkin, sonder waen,
Dats dat ic blidelijc wille ontfan
Alle worden wreet ende fel,
Ende met enen sinne snel
Hem die offeren oetmodelike
Die coninc es van hemelrike.
Tander lepelkijn nemic hier naer:
Dats dat ic alle werken swaer
Altoes met enen zueten sinne
Draghen wille, om sine minne,
Die dat cruse droech vor my
Ende ons van sonden maecte vry.
Terde lepelkijn nemic mede:
Dats dat ic alle quade zeeden,
Felle manieren ende stuer ghelaet
Gherne liden wille sonder verlaet

Jezus' lijden en zijn wonden. Wie daartoe komt, hij neemt altijd toe in deugden
en in liefde, zodat hij dikwijls buiten zichzelf kan raken. Hieruit wil ik dagelijks
drie lepeltjes levend water scheppen, opdat ik altijd, onbesmet, van Jezus' medicijn kan leven. Het eerste lepeltje, voorwaar, is dat ik opgeruimd alle harde en
felle woorden wil aanvaarden, en hem, die koning is van het hemelrijk, deze
woorden met bereidwilligheid ootmoedig offer. Het tweede lepeltje neem ik
hierna: dat is dat ik alle moeilijke werken altijd met opgewekte zin wil dragen,
omwille van de liefde van hem die het kruis voor mij droeg en ons van zonden
verloste. Het derde lepeltje neem ik ook: dat is dat ik alle kwade gewoonten,
onvriendelijke manieren en een zure gezichten graag voortdurend wil verdragen

Ende blidelijc op my ghestaen,
Op dat ic alsoe, sonder waen,
Minen brudegom mach werden ghelike
Hier ende in sijns Vader rike,
Daer hi enen ieghewelken sal loenen
Met glorien ende met ewighen croenen,
Die dese iij lepelkine daghelike
Om hem hier nutten in eertrike.

◆

[O WEL MOECHDI U VERHOGEN]

O wel moechdi u verhogen
Die om God na u vermogen
Den armen troest in haer verdriet
Tzy mit woerden of mit werken
Voer u doer of voer die kerken
Soe waer dat ghi se hoert of siet
Vaderlic end mynnentliken
Sel u God van hemelriken
Daer voer noch in syn rijc ontfaen
Daer sel dijt pallaes aenscouwen

en opgewekt doorstaan, opdat ik zo, voorwaar, aan mijn bruidegom gelijk mag
worden, hier en in het rijk van zijn Vader, waar hij iedereen die deze drie lepeltjes hier op aarde dagelijks ter wille van hem inneemt, zal belonen met glorie
en met een kroon voor altijd.

•

Zeker mag u verheugd zijn, die omwille van God naar uw vermogen de armen
troost in hun ellende, zij het met woorden of met werken, voor uw deur of voor
de kerk, waar u ze maar hoort of ziet. Eens zal God in de hemel u daarvoor als
een vader met liefde in zijn rijk ontvangen. Daar zult u het paleis zien

U getymmert al claer gouwen
Vant guet dat ghi hem hebt gedaen

Hoe ghi hem geeft blideliker
Hoet pallaes wort suverliker
Mit alle sueticheit verciert
Des menschen hart machs niet grondieren
Hoe ghi daer selt jubilieren
Om dat ghi hem nu wel hantiert
Loff end eer sul zi u geven
Boven in dat ewich leven
Daer voer die borgers dancken zeer
Wonderlic sul si u prisen
Hulp ende troest mit myn bewisen
Voer Jhesum onsen lieven Heer

So dat ghi van hem selt horen
Coemt myn vrienden uutvercoren
Besit myns Vaders ewich rijc
Ju bereit mit lieft mit mynne
Vander werrelts aen beghinne
Want ghijt verdient hebt trouwelic
Honger dorst heb ic geleden
Veel verdriets veel jammerheden

dat voor u gebouwd is in blinkend goud, vervaardigd uit het goede dat u hun hebt gedaan. ¶ Hoe blijer u geeft, des te fraaier wordt het paleis versierd met al wat aantrekkelijk is. 's Mensen hart kan niet doorgronden hoe u daar zult juichen, omdat u hen nu goed behandelt. Lof en eer zullen zij u geven, daarboven in het eeuwige leven. De hemelbewoners danken u daarvoor zeer. Op wonderbare wijze zullen ze u prijzen, hulp en troost zullen ze u geven voor het aangezicht van Jezus, onze lieve Heer. ¶ Zodat u van hem zult horen: 'Kom, mijn uitverkoren vrienden. Ontvang het eeuwige rijk van mijn Vader, dat u met liefde en minne bereid is vanaf het begin van de wereld. U hebt het met uw trouw verdiend. Honger, dorst heb ik geleden, veel verdriet en ellende.

Ghi troeste my in myn gebrec
Als ic ju myn noet liet weten
Drincken gaefdi my end eten
Daer in en sciede gheen vertrec

Oec in al myn ander dogen
Quam my troest nae u vermoegen
Dus coemt besit myns Vaders rijc
U bereit mit lieft mit mynne
Vander werrelts aen beghinne
Want ghijt verdient hebt trouwelic
Hoe wel sel u dat behagen
Blidelic suldi hem vragen
O Heer wanneer is dit gesciet
Dat wy u dus in liden sagen
Honger dorst mit ander plagen
En troesten u in ju verdriet

Soe suldi dees antwort horen
Lieve vrienden uutvercoren
Voerwaer voerwaer ic segge ju
Also lang gijs een die mynste
Mynre hebt gedaen of gunste
So lang gesciedet my van u
O wat vruechd sal u dan wesen

U hebt mij in mijn nood getroost, zodra ik u liet weten wat ik nodig had.
Zonder uitstel gaf u mij drinken en eten. ¶ Ook in al mijn ander leed kreeg ik
troost naar uw vermogen. Dus kom, ontvang het rijk van mijn Vader, dat u met
liefde en minne bereid is vanaf het begin van de wereld. U hebt het met uw
trouw verdiend.' Hoe zal u dat bevallen! Blij zult u hem vragen: 'Heer, wanneer
zagen wij u zo in lijden, honger, dorst en andere ellende, en troostten wij u in
uw verdriet?' ¶ Dan zult u dit antwoord horen: 'Lieve, uitverkoren vrienden,
voorwaar, voorwaar ik zeg u, zoals u het ook aan de minste van de mijnen
gedaan hebt of gunde, zo gebeurt u van mijnentwege.' O, wat een vreugde zal u
dan ten deel vallen

Als u God soe heeft gepresen
Voer al dat is of heeft geweest
Syn prijs is waerachteliken
Want si blijft doch eweliken
Mer werrelts prijs is idel feest

O nu wilt doch blideliken
Hier beneden op eertrijken
Den armen geven troest en raet
Wie heeft noet end bidt om Gode
Laet u dunken tsi Gods bode
Al waer hi wonderlike quaet
Als ghi een sult aelmis gheven
Is hi guet of quaet van leven
Al daer en leyt u niet smyts aen
Als ghi so staet in die sinne
Dat ghijt puer geeft om Gods mynne
Ghi sult daer of groet loen ontfaen

Wie ghi troest in syn behoeven
Om Gods myn wilt des geloven
Hi wort u tymmerman te hant
In dat scoen palaes voerscreven
Daer ghi in sult syn verheven
Corts boven in dat suete lant

---

als God u zo heeft geprezen boven al wat is of is geweest. Zijn lof is waarachtig,
want zij blijft tot in eeuwigheid, maar de lof van de wereld is een ijdel genoegen. ¶ Och, wil nu toch opgewekt hier beneden op aarde de armen troost en
raad geven. Wie gebrek lijdt en uit Gods naam bedelt, die is — denk daaraan — gezonden door God, ook al zou hij helemaal niet deugen. Als u een
aalmoes gaat geven leidt hij een goed of een slecht leven, daar moet u niets aan
gelegen laten zijn. Als u zuiver om de liefde voor God geeft, dan zult u daar
groot loon voor ontvangen. ¶ Als u iemand troost in zijn nood omwille van de
liefde tot God, geloof het of niet, dan wordt hij uw timmerman in het voornoemde paleis, waarin u binnenkort verheven zult worden, daarboven in het
zoete land.

Nu God gheeft ons hier die armen
Om dyn wille so tontfermen
Dat wy noch weerdich moeten syn
Alle blijscap mit *Venite*
Ende verlost van dat woert *Ite*
Mit al syn vreselike pyn   Amen

◆

[RIJMSPREUKEN]

Granfys dye quam van Parys.
Seyt dat Granfys is geboren,
So heft Got vell dancks verloren.

Well te teren ende nyet te generen,
Voel te haelen ende nyet te talen,
Voel te borgen ende nyet te sorgen:
Dese saecken sal men laecken,
Want si verderven end onterven
Man ende wyff, seel ende lyff.

God geeft ons hier nu de armen om u zodoende welwillend te maken, zodat wij alle blijdschap verdienen met het 'komt', en verlost zijn van het woord 'gaat' met al zijn vreselijke pijn. Amen.

•

Granfys [grand fils?] kwam uit Parijs, en sinds hij werd geboren, is er dikwijls op God gevloekt.

•

Flink verteren en niets verdienen; veel gaan halen en niet betalen; veel te lenen en daar niet naar leven: deze zaken moet men laken, want ze ruïneren man en vrouw, lichaam en ziel.

Ich heb gewandelt boven ende onden,
Ende nyrgent hebbe ick recht gevonden,
Ende want ich nirgent recht en vynde,
Soe hange ich dye hoecke naeden wynde.

Dye nyet enheft
Ende allewege in tavernen left
Ende den wert wael betaelt:
Het geft my wonder, waer hyt haelt.

In den water nyet en swommen
Soe voel vische, noch in kommen
Byen in eyn kaerf, noch loepen
Wilder hasen sonder knopen
Opden velde, als daer is
Lydens voel in mynnen twist.

Padden ende slangen syn fenyn,
Noch vynt men tongen dye arger syn.

'k Heb overal verkeerd, maar nergens recht gevonden. Nu recht niet blijkt te
bestaan, hang ik de huik maar naar de wind.

●

Wie niets bezit, en toch voortdurend åan het kroeglopen is, en ook nog de
waard netjes betaalt; ik vraag mij af, waar hij 't vandaan haalt.

●

In het water zwommen nimmer zoveel vissen, noch waren er ooit zoveel bijen
in een korf, noch lopen er zoveel wilde hazen zonder halsband in het veld, als er
geleden wordt bij liefdestwist.

●

Padden en slangen zitten vol vergif; toch zijn er tongen die nog erger zijn.

Twyer dyngen ich nyet engere:
Dats wanckelen vrouwen ende sperver,
Want men moit dar vel omme waecken
Ende verluistse mit kleynen saecken.

O mynsche overdenck dyn leven,
Want dese werelt moit dich begeven.
Beweyne dyn sunden ende bis in vaere,
Du mots sterven ende en weets wanneer,
Du en weits geyn tyt, noch stonde, noch hoe
Dat dyn doit sall comen toe.
Daromme so is gelaeten goit
Richeit, welden ende overmoit.
Wille altoes leven in sorgen,
Want du enhefs geynen seckeren morgen.

Lyden is myn naeste kleyt,
Eynen mantell is my van druck bereit,
Hy is gefoedert mit verdriet.
Help Got, ick en verslytes nyet.

Naar twee zaken taal ik niet: dat zijn sperwers en wispelturige vrouwen. Men moet die immers nauwlettend bewaken, en raakt ze bij het minste of geringste kwijt.

•

O mens, weet wat het leven is; want deze wereld raak je kwijt; beween je zonden en wees beducht: je moet sterven en je hebt geen flauw idee wanneer of hoe de dood je zal bezoeken. Daarom kun je maar beter afstand doen van rijkdom, weelde en zelfoverschatting; leef liever altijd in onzekerheid, want op de dag van morgen valt geen staat te maken.

•

Lijden zit mij als gegoten; een mantel van zorgen is mij aangemeten, gevoerd al met verdriet. God help mij: hij blijkt onverslijtbaar.

Dye ick maech lyden
Dye moet ic myden.
Die ick nyet lyden en maech,
Dye sie ick alle den daech.

Lydt, hert, ende breckt nyet!
Swyget, mont, ende spreckt nyet!
Want als ghy swiget ende nyet enspreckt,
Soe en weit nyemant wat u gebreckt.

Eyn mulleners haen,
Eyn vischers kraen,
Eyns carthusers catt
Eyns vleischhouwers raven,
Eyns beckers ratt
Eyns bruwers vercken
Eyn schoelmeisters hont:
Als dese seven in corten stont
Van groten honger sterven,
Dye werelt solde eer verderven.

Haar die ik graag mag, moet ik mijden. Haar die ik niet kan velen, zie ik de hele dag.

•

Lijd, hart, maar breek niet! Zwijg, mond, en spreek niet! Want als jij zwijgt, weet niemand wat er aan je schort.

•

De haan van een molenaar, de kraanvogel van een visser, de kat van een kartuizer, de raaf van een slager, de rat van een bakker, het varken van een bierbrouwer, de hond van een schoolmeester — als deze zeven binnenkort doodgaan van de honger, dan is het einde van de wereld nabij.

Mennich man van vrouwen quaedt redt,
Hy weit gar wenich wat syn moder dede.
Elick swige ende halde synen mont
Ende dynck all om in synen gront
Dat hy van vrouwen is geboren,
Wat hy klapt is doch all verloren.

Dye ten X. jaeren nyet en groit,
Noch ten XX. nyet en schoent,
Noch ten XXX. nyet en sterckt,
Noch ten XL. nyet en mirckt,
Noch ten L. nyet en ryckt,
Noch ten LX. Gode sich nyet en gelyckt:
Dye maech wael seggen ende schryven
Dat sy achter sullen blyven.

In deser nacht mogen wy genesen,
Mer dye nacht dye altyt sall wesen
Ende nummer en sall werden morgen:
Vor dye nacht mogen wy wael sorgen.

Menig man die kwaadspreekt over vrouwen, weet nauwelijks wat zijn eigen
moeder deed. Laat elk daarom zijn mond houden, en zich bewust zijn dat een
vrouw hem het leven schonk; wat hij rondkletst is niets waard.

•

Wie op zijn tiende niet groeit, wie op zijn twintigste niet mooi is, noch op zijn
dertigste sterk, wie op zijn veertigste niet uit zijn ogen kijkt, en op zijn vijftigste
niet rijk is noch op zijn zestigste in het reine komt met God — van zulke lieden
kan men met recht stellen dat zij de boot zullen missen.

•

Het duister hier op aarde kunnen wij te boven komen, maar de eeuwige duisternis die nooit of te nimmer licht wordt, die moeten wij waarachtig vrezen.

UIT EEN BRUSSELS HANDSCHRIFT

[EEN LIED]

Te Venloe all in dye goyde statt
Ontmoet ick eyn jonfrouwe schoen,
Vrundelick dat sy my batt:
'Knaep,' seide sy, 'dat u Got loen,
Segt my dye waerheit sonder hoenen,
Dat u Got hoede ongeschent:
Weit ghy yet vanden snaeren doenen?
Ick heb soe goyden instrument.'

Vrundelick spraeck ick tot oer:
'Van allen spoel kan ick genoech,
Ick byn eyn goit luytener,
Had ick eyn luyte nae myn genoechde.'
'Ick heb dye beste dye ye wyff gedroech,
Om te spelen wael te cueren,'
Dat spraeck dat frouken, off sy loich,
'Nu spelt ghy boven, ick halt tenoeren.'

Dat spoel mit oer en wille ick niet laeten,
Om dat si so frundelick tot my spraeck.
Tenuer vant ick daer goit van maeten,
Mer boven spel viel my dye slaep.

In de goede stad Venlo ontmoette ik een schone jonkvrouw. Vriendelijk vroeg zij mij: 'Jongeman,' zei ze, 'God lone het u, zeg mij oprecht de waarheid — dat God u ongedeerd beware — weet gij iets van snarenspel? Ik heb zo'n goed instrument.' ¶ Vriendelijk sprak ik tot haar: 'Ik kan heel wat, van allerlei spel. Ik ben een goede luitspeler, als ik maar een luit had die mij beviel.' 'Ik heb de beste die een vrouw ooit gehad heeft, om uitstekend op te spelen,' dat zei dat vrouwtje lachend, 'speelt gij nu de bovenpartij, ik doe de onderstem.' ¶ Dat spel met haar wilde ik niet laten, omdat zij zo vriendelijk tot mij sprak. Ik bevond de onderstem goed van maat, maar tijdens het spel overviel mij de slaap.

Om dye went virsch was ende natt,
So wrongen dye snaeren all omtrent,
Ick dreyde den sloetel, ick wranck, ick staeck,
Altoes scudesi myn instrument.

'Knaep,' seydesi, 'waromme spieldi nyet voirt?
U doyn en is nyet dan eyn gedwaes.'
Hy sette die luyt styff up dye borst,
Dar hy dat vrouken mit genaes.
Hy vielde der luyten hoer compas,
Hi maekeden dar up eyn wervel fier.
Doen syn discant all uut was,
Doen was den besten oer tenoer.

'Knaep,' seydesy, 'u brecken noten,
Suldi volkomen myn discant.'
'Jonfrouwe, my is eyn quynt ontschoten,
Dar ick dye meiste konst in vant.'
Hy sette dye luit styff up den kant,
Als eyn dy hem dar mede bekant,
Hy dreyde den sloetel aenden kant,
Hy vant dar eyn goit instrument.

Ich dede dat my dat vrouken hiet,

Omdat de wind fris en nat was, zakten de snaren overal; ik draaide de stem-
sleutel, ik wrong, ik stak, steeds maar schuwde mijn instrument de sleutel. ¶ 'Jong,' zei ze, 'waarom speel je niet verder? Je melodie is niets dan ge-
pruts.' Hij zette de luit recht overeind op de borst, waarmee hij het vrouwtje
voldoening gaf. Hij vedelde op de luit naar de juiste maat, hij maakte er een
geweldige riedel op. Toen zijn bovenstem helemaal uit was, toen was haar
onderstem het best. ¶ 'Joh,' zei ze, 'het ontbreekt je aan noten, zul je de bovenstem die bij mijn onderstem hoort wel afmaken?' 'Jonkvrouw, mijn kwint-
snaar, waarop ik het mooist kon spelen, is gesprongen.' Hij zette de luit recht
op z'n kant, zoals iemand die weet hoe het moet, hij draaide de sleutel aan de
zijkant. Het bleek een goed instrument. ¶ Ik deed wat mij dat vrouwtje beval,

Ick spielde myn lietgen all gader ute.
'Knaep,' seyde si, 'wy enscheyden nyet.
Ghy siet goit meister vander luiten.'
Tenuer stont oer vor eyn cluyte,
All wort hem tboven spoelen de suir.
Doy syn discant all oeck was ute,
Doy was ten besten oer teneur.

[CARMEN SPONSAE]

Hed ich dye vloegel van seraphyn,
Ick sold so hoge fliegen
Hir boven in des hymmels troen
Tot mynen soeten lieven.

Soe wolde ick seggen: 'Heer Vader myn,
Wanneer wildus my lonen,
Dat ich lange gedyenet hayn?
Nu gevet my dye crone.'

'Myn seel, nu gaet hir vor my staen,
My dunckt ghy syt soe schone,
My dunckt dat ghy eyn spegel siet,
Dar in verklaer ick myn ogen.'

---

ik speelde mijn liedje helemaal uit. 'Jongen,' zei ze, 'wij scheiden niet. Je bent een voortreffelijk meester op de luit.' De onderstem was voor haar als een grap, al werd hem het spelen van de bovenstem heel zwaar. Toen zijn bovenstem ook helemaal uit was, toen was haar onderstem het best.

•

Lied van de bruid ¶ Had ik de vleugels van een serafijn, dan zou ik zo hoog vliegen hierboven tot in de hemel naar mijn zoetelief. ¶ Dan zou ik willen zeggen: 'Heer, mijn Vader, wanneer zult u mij lonen dat ik u zo lang gediend heb? Geef mij nu de kroon.' ¶ 'Mijn ziel, ga nu hier voor mij staan, mij dunkt je bent zo mooi, mij dunkt dat je een spiegel bent, waarin mijn ogen zich verlustigen.'

'Mer dat ick alsoe schone byn
Dat maech ich wael gelyden.
Ick solde so gerne gecronet syn
Ende sitten by uwer syden.'

'Wael op, ghy here van seraphyn,
Wael op, ghy heren alle,
Versiert dese verwende bruit,
Si is ons wael gevallen.'

Do quam dye engel van seraphyn
Ende brachten eyn cleit van syden,
Dat dye bruit all aen solde doyn
Ende sitten by Christus syden.

Doe quam Got selver ende bracht syn croen,
Sy was van roden golde
Ende satt der bruit all up oer hoeft:
Soe wassi als sy wesen solde.

[EEN LIEFDESGROET]

Got groet dich lieff, myn alre liefste lieff,
Myn hert sent dich desen brieff.

'Dat ik zo mooi ben, dat kan ik wel verdragen. Ik zou zo graag gekroond
worden en aan uw zijde zitten.' ¶ 'Welaan, gij heer der serafijnen, welaan, gij
heren allen, tooit deze verheven bruid. Zij bevalt ons in hoge mate.' ¶ Toen
kwamen de serafijnen en brachten een zijden kleed, dat de bruid, die aan de
zijde van Christus mocht zitten, moest aantrekken. ¶ Toen kwam God zelf en
bracht een kroon van rood goud en zette die de bruid op haar hoofd. Toen was
zij zoals zij wezen moest.

•

God groet je, lief, mijn allerliefste lief. Mijn hart zendt je deze brief.

Myn hert heft dich uutvercoren
Boven alle dye syn geboren
Sonder Jhesum ende Maria alleyn,
Mit truwen dat ich dich meyn.

Och lieff sluit up dat milde herte dyn,
Suich aen den smert ende jaemer des herten myn
Den ick vast tot dynren liefden moet dragen,
Des endar ick anders nyemant klagen.
Daromme enkan ich dynre niet vergeten,
Ick slaep, ick waecke, ick drinck, ich ete.

Nu vaer hyn, du kleyner brieff,
Ende groet my myns herten soete lieff
Ende groetse mi alsoe seer,
Off ic daer oeck selver weer.
Lieff doer gront myns herten is dit gedacht,
Daer mede heb duysent guyder naecht.

[EN EEN PARODIE]

Got groet u lieff doer den tuyn,
Du bis swart ende ick byn bruyn.
Du staes in mynen loven
Als eyn soech in den troge.

Mijn hart heeft jou uitverkoren boven allen die zijn geboren, behalve Jezus en
Maria. In trouw richt ik mij op jou. ¶ Och, lief, ontsluit je milde hart. Zie de smart
en jammer van mijn hart aan, die ik gestadig uit liefde voor jou moet dragen.
Daarover durf ik bij niemand anders te klagen. Daarom kan ik je niet vergeten, of
ik slaap, waak, drink, of eet. ¶ Nu ga, jij kleine brief, en groet namens mij mijn
hartsvriendin en groet haar van mij zozeer alsof ik er ook zelf was. Lief, dit komt
uit de grond van mijn hart, daarmee duizendmaal welterusten.

•

God groet je, lief, om de tuin, jij bent zwart en ik ben bruin. Je staat bij mij in
aanzien als een zeug in de trog.

[GEPEYNS LYGT MY SOE SEER EN QUELT]

Gepeyns lygt my soe seer en quelt,
Van my en kan icks nyet geweren,
Des syn myn syn soe seer onstelt,
Der werelt solaes moet ick ontberen.
Het comt te nyet al myn begeren,
Want nyet en baet wat ick laboer,
Dus moet ick in druck myn herte verteren:
Ick byn dar in, ick moet dar doer.

Den gonst tot u wille ick dragen
Dye my doit so duck verwandelen my bloit.
Och moecht ich hem myn lyden klagen
Myn herte te lesschen, dat weer my goit.
Ich moet doch derven syn vriuntschap soet,
Geyn sloet kan ich geslieten dar vor
Twelck my bedroeft hert, syn en moit:
Ich byn dar in, ick moet &c.

Ay lacie, ick en weit nyet waert my lyget,
Dat hy my scowet die my eerst gemynde.
Tis ongeluck dat my bedrieget,
Want ick geyn troist aen hem kan vynden.

Gepeins drukt en kwelt mij zo vreselijk, ik kan het niet van mij afzetten, daarom zijn mijn zinnen zozeer ontsteld. De troost van de wereld moet ik ontberen. Al mijn verlangen leidt tot niets, want het baat niets, wat ik ook doe, dus moet ik mijn hart in verdriet laten wegteren. Ik zit ermee, ik moet er doorheen. ¶ De genegenheid voor u, die mij zo dikwijls van kleur doet verschieten, wil ik dragen. Och, mocht ik hem mijn lijden klagen om [de dorst van] mijn hart te lessen, dat zou mij een weldaad zijn. Ik moet zijn zoete vriendschap derven, geen slot kan ik daarvoor sluiten, wat mijn hart, verstand en gemoed verdriet doet. Ik zit ermee, ik moet, enz. ¶ Helaas, ik weet niet hoe het komt, dat hij, die mij eerst liefhad, mij nu mijdt. Het is het ongeluk dat mij verdrietig maakt, want ik kan bij hem geen troost vinden.

Ick lyde verdriet ende groit ellende
Ende anders en kryge ick geyn aventur,
Ich hope het sall verkeeren ende eynden:
Ick byn dar in, ic &c.

Eer, doeget ende vroude moet hem geschien
Dye my laet mynnen tot allen tyden.
Want hy myn daelinge heft aengesien,
Hy sall my nu ende altyt verblyden,
Mit soeten worden dat herte dorsnyden.
Ach helpt my, lieff, in myn doloeren,
Want ick byn duck in groten lyden:
Ick byn daer in &c.

Der nyders tongen hebbent gebrouwen.
Dat ick van hem dus bin verdreven.
Aen hem staet all myn betruwen
Dye my nu schynt te mael begeven.
Ick will nochtans up hopen leven,
Al wort myn leven duck wyle suir,
Ten baet geyn suchten off beven:
Ick byn dar in &c.

Daer by soe raedick allen jongelingen
Dye gerne ten ewigen leven solden raecken,

Ik lijd verdriet en grote ellende en ik krijg geen ander lot, ik hoop dat het zal veranderen en ophouden. Ik zit ermee, ik, enz. ¶ Eer, deugd en vreugde moge hem ten deel vallen die mij te allen tijde laat minnen. Want hij heeft mijn diepe verdriet aangezien, hij zal mij nu en altijd vreugde geven, met zoete woorden het hart doorsnijden. Ach, lief, help mij in mijn smart, want ik ben dikwijls in groot lijden. Ik zit ermee, enz. ¶ De tongen van de kwaadsprekers hebben ervoor gezorgd dat ik zo van hem verdreven ben. Al mijn hoop is gevestigd op hem, die zich nu helemaal van mij schijnt af te keren. Al is mijn leven dikwijls zwaar, zuchten of beven helpt niet. Ik zit ermee, enz. ¶ Alle jongelingen die graag tot het eeuwig leven zouden komen, geef ik daarom de raad

Dat sy oer synnekens alsoe bedwingen
Dat sy te tyt wael moegen laeten
Ende halden in allen dyngen maet,
Want suet wort dick verkeert in suir.
Dat kan dye wandel duck wyle maecken:
Ich byn daer in &c.

CARMEN NOTABILE

Eyn vrolick nu liet
Tis beter yet dan niet.
Ho byn ick in dit verdriet?
Ick en derse noemen nyet,
Ich hebse lang gefryet.
Sall ickse moten derven,
So sall ick van ruwe sterven.

Wartoe, wartoe, wartoe
Van mynnen ick verwoe!
Wat dyngen dat ick doe
Van eten, van dryncken ic nyet engroe,
My is, ick en weit nyet hoe.
Eya lacy! ic arme bluts,

---

dat zij hun zinnen zo in bedwang houden dat zij zich op tijd intomen en in alle
dingen maat houden, want zoet verandert dikwijls in zuur. Dat kan de veran-
dering dikwijls veroorzaken. Ik zit ermee, enz.

•

Opmerkelijk lied ¶ Een vrolijk nieuw lied, beter iets dan niets. Hoe ben ik in dit
verdriet? Ik durf haar niet te noemen, ik heb lange tijd naar haar hand gedon-
gen. Als ik haar kwijtraak, zal ik van verdriet sterven. ¶ Waartoe, waartoe,
waartoe? Ik raak buiten zinnen van liefde! Wat ik ook doe, eten en drinken
smaken mij niet. Het is mij — ik weet niet hoe. Helaas, ik arme stakker,

Soe jamerlick heb ick dye muts.

Dye tyt valt my te lange,
Myn herte is soe bevangen
Plats midden in den drangen.
Ist dat geyn troesten ontfange,
Ick sterve mitten gangen.
Ick hebbe wael dusent wecke
Aldus den block gaen sleypen.

Ho come ic in desen moras?
Ick byn soe quaelick te pas,
Ick sitte tusschen twee stoelen in dye asse,
Nochtan soe heb ick geldeken in myn tasse
Dwilck ick verquys, verquas
Ende all mit schonen vrouwen,
Nyet voel en sall ick behouwen.

Mer wat ick hale off janck
Si singet all eynen sanck,
Si settet my up Hugen banck,
Mer wat si doit, ic nemt in danck.
Ick doeget all van kant,
Ick slacht den luyden van Tuylle
Voir tgaet gae ic huylen.

---

ik gloei zo jammerlijk van blinde liefde. ¶ De tijd valt mij te lang, mijn hart is zo
volkomen door hartstocht bevangen. Als ik geen troost ontvang, sterf ik zeer
spoedig. Zo heb ik wel duizend weken het blok [van dit leven] voortge-
sleept. ¶ Hoe kom ik in dit moeras? Ik ben er zo slecht aan toe, ik zit tussen
twee stoelen in de as, toch heb ik geld in mijn beurs dat ik verkwist, vergooi, en
dat allemaal met mooie vrouwen; ik zal niet veel overhouden. ¶ Maar wat ik
roep of klaag, zij zingt maar één zang, zij maakt mij een hoorndrager. Maar
wat zij doet, ik aanvaard het in dank. Ik verdraag het allemaal, ik lijk op de
lieden die niet goed bij het hoofd zijn, voor het gat [?] ga ik huilen.

Ten baet geyn draven off lopen.
Dye muts moet ick daer knopen,
Ick byn daer in gecropen,
Synt Jorys vissop heb ic gesopen.
Ic byn dar in gedocken,
Wat listen dat ick soecken,
Ick blyve plat in den hoicken.

Sy holt myn hert so vast,
Dat is my den meisten last,
Ic byn oer eyn onwert gast,
Want sy up my nyet en past.
Ick slacht den erden quast,
Ich byn voel nauwer den ich klauwen,
Ic maech myn hoeft wael krouwen.

Hoer herte is alte maele
Van yser ende van staele.
Och, sall ick noch langer dwaelen?
Och ley der doyt, will my doch halen
All sonder langen dralen.
Voel liever weer ick doet
Dan te blyven in deser noit.

Myn hert wilt my beswycken,
Uutten lande will ick slycken

Draven of lopen helpt niet, ik moet verliefd zijn, daar zit ik aan vast. Ik ben verliefd geraakt, ik ben erin gedoken, wat ik ook aan listen bedenk, ik kom er niet onderuit. ¶ Zij houdt mijn hart zo in bedwang. Dat valt mij het zwaarst. Ik ben voor haar geen welkome gast, want zij slaat geen acht op mij. Ik ben als de aardse dwaas [?], ik ben veel minder vrij dan ik lijk [?], ik kan mij de haren wel uit het hoofd trekken [?]. ¶ Haar hart is volkomen van ijzer en staal. Och, zal ik nog langer ronddolen? Och, helaas, dood, wil mij toch halen zonder al te veel uitstel. Veel liever zou ik dood zijn, dan dat ik in deze nood blijf verkeren. ¶ Mijn hart staat op het punt te bezwijken, ik wil uit het land wegtrekken

Ende nummermeer omme kycken,
Al byn ic arm, ic sall noch rycken.
Ic will nu van oer strycken.
Ade, myn uutvercoren,
Ic en gefs nyet all verloren.

Si heft my aen gesien
Dat ick oer gonste plien,
Sy en mochtet nyet gesien
Dat ic van oer sold vlien.
Sy spraeck: 'ten moet nyet geschien.
Het vint nu alleyns,
Wy syns geworden eyns.'

All om dye liefste myn
So willick vrolick syn.
Schinckt in den coelen wyn,
Ich byn verloest uut alre pyn
Alsoe het wael is aenschyn.
Laet spoelen up dye luyte,
Dye vroude moet all uutte.

Dye dit lietken heft gemackt,
All ist nyet wael geraeckt,
Och dat ghys nyet en laecht,
Want hy alsoe gern slaept.

---

en nooit meer omkijken. Al ben ik nu arm, ik zal nog rijk worden. Ik wil nu van
haar weggaan. Adieu, mijn uitverkorene, ik houd het nog niet helemaal voor
verloren. ¶ Zij heeft aan mij gezien dat ik mij erop toelegde haar gunst te winnen. Zij kon niet verdragen dat ik van haar zou wegvluchten. Zij sprak: 'Dat
moet niet gebeuren. Het komt overeen. Wij zijn het eens geworden.' ¶ Om
mijn liefste wil ik vrolijk zijn. Schenk de koele wijn. Ik ben van alle pijn verlost,
zoals duidelijk blijkt. Laat op de luit spelen, de vreugde moet eruit! ¶ Die dit
liedje heeft gemaakt, al is het niet veel bijzonders, och, wil er niet om lachen,
want hij slaapt zo graag.

[NIE MYNSCHE EN WAS SOE HOGE GEBOREN]

Nie mynsche en was soe hoge geboren,
So wys, so schoen, soe uutvercoren
Als hem dye doyt wolde openbaeren,
All dynck moist hy ter stont laeten varen.

Dat licham sall dye erde ontfaen,
Dye seel sall te ordel staen
Ende vor dat gerichte des groten Heren,
Den golt noch macht maech omme keeren.

Dat gericht sall daer all recht geschien,
Des en mach oech geyn mynsche ontflien.
O edel mynsche, denck mitten herten dyn,
Wat anxten, wat vresen sall daer syn,

Als Xristus, dye coenynck van moegenheit
Sall comen in geweldiger majesteit,
Synen engelen gebyeden sonder beyden
Dye goyde ende quade van eyn te scheyden.

Men enkans niet geschryven noch uut gesprecken,
Mer int befinden, sal ment mircken,

Nooit was er iemand van zo hoge afkomst, zo wijs, zo schoen, zo uitverkoren, of hij moest, als de dood zich aankondigde, terstond alles laten varen. ¶ De aarde zal het lichaam opnemen, de ziel zal geoordeeld worden en staan voor het gericht van de grote Heer. Dan kan goud noch macht een ommekeer teweegbrengen. ¶ Het gericht zal daar in volle gerechtigheid plaatsvinden, geen mens kan het ook ontlopen. O, edele mens, gedenk in uw hart wat een angst, wat een vrees daar zal zijn, ¶ als Christus, de machtige koning, in geweldige majesteit zal komen, zijn engelen zal gebieden de goeden en de kwaden zonder dralen van elkaar te scheiden. ¶ Men kan het beschrijven noch onder woorden brengen, maar bij hét ervaren zal men merken

Wat rouwe, wat anxte, wat bitterheit
Den onseligen dan sall syn bereit,

Dye daer ter luchter hant sullen staen
Ende dat strenge ordell sullen ontfaen:
'Ghy maledyden gaet van myr
In dat helsche, onleschlicke fuyr!'

Och dan en sall helpen macht noch gut
Om te soenen des richters wreden moit,
Want soe gerynge als dat ordel is gegaen,
Sonder merren salt all syn gedaen,

Dan sullen dye sunder sonder beyden
Van hoeren schepper syn gescheyden
Ende gefoeget totter helscher pyn,
Daer rast noch hulp noch troist sall syn,

Mer weynen ende schryen sonder eynde,
Onsprecklick rouwe, volmaeckt elleynde,
Onlydelicke tormenten ende ewelick truren
Alletzamen sonder eynde duyren.

Men sall dye bitter helle sluten,
Welde ende blytschap all daer buyten.

wat een verdriet, wat een angst, wat een bitterheid de onzalige daar te wachten
staat, ¶ die daar ter linkerhand zullen staan en het strenge oordeel zullen te
horen krijgen: 'Gij vervloekten, gaat van mij weg in het helse, onblusbare
vuur!' ¶ Och, dan zal macht noch bezit helpen om de gestrengheid van de rechter te verzoenen, want zo gauw het oordeel geveld is, zal het onverwijld vol-
trokken worden. ¶ Dan zullen de zondaars zonder uitstel van hun schepper
worden gescheiden en gebracht worden in de helse pijn, waar rust, hulp, noch
troost zal zijn, ¶ maar waar eindeloos wenen en schreien, onuitsprekelijk verdriet, volkomen ellende, niet te dragen kwellingen en eeuwig treuren, allemaal
zonder eind duren. ¶ Men zal de bittere hel sluiten, geluk en blijdschap er geheel buiten laten.

Hiromme dynckt up dat eynde
Ende wacht dich vor dat ewich elleynde.

♦

[GOEDE TAFELMANIEREN]

Hieraf moetti hu hoeden.

Dit zijn de scanden die over tafle ghevallen
Dies laetter ons af wachten van alle
Die ter goeder lieder tafle pleghen te eten,
Hets hem noetsake dat zijse weten.

Dit es de benedixie.

Benedicite Dominus nos et ea que sumus sumpturi
benedicat dextera Cristi. In nomine Patris † et Filij † et
Spiritus † Sancti † amen.

Dit es de gracie.

De tali convivio Benedicamus domino Deo gratias.
Agimus tibi gratias omnipotens Deus pro universiis

Hierom: denk aan het einde en wacht je voor de eeuwige ellende.

•

Hiervoor moet u zich hoeden. ¶ Dit zijn de beschamende dingen die aan tafel
gebeuren. Laten wij ons daarom voor al deze dingen wachten. Voor hen die aan
de tafel van beschaafde mensen plegen te eten is het noodzakelijk dat zij ze
kennen. ¶ Dit is de zegen. ¶ Zegen ons, Heer, en de rechterhand van Christus
zegene wat wij gaan nuttigen. In de naam van de Vader en de Zoon en de
Heilige Geest. Amen. ¶ Dit is de dankzegging. ¶ Laten wij de Heer zegenen
voor zo'n maaltijd. God zij gedankt. Wij brengen u dank voor al uw weldaden,
almachtige God,

beneficijs tuis qui vivis et regnas Deus in
secula seculorum Kyerie leyson. Christe leyson
kierye leison Pater Noster. Et ne nos Retribuere
dignare Domine omnibus nobis bona facientibus
propter nomen tuum vitam eternam. Amen.

Nyement en sal hant an spise slaen,
Voer de benedixie es ghedaen.
Nyemen en sal stede nemen die leeft,
Voer datse hen de weert selve gheeft.
Spise, broet ende wijn,
Neemt bi maten, de bate es dijn.
Dat ghi ghebeten hebt wats gheschiet,
En steect weder in de scotele niet.
Hebdi onsuver nagle oft hande,
Suvertse of hets grote scande.
En steect gheen spijse int soutvat,
Het ware scande saghe yement dat.
In hoere ende in nuese en steect niet
Hu bloete vinghere daert yement ziet.
En stoect hu tande met gheenen messe,
Want meesters leeren ons die lesse.
Weerpt over de tafle speecsel no snot,
Dies pleghen, men hautse over zot.

---

gij die als God leeft en heerst tot in de eeuwen der eeuwen. Heer, ontferm u.
Christus, ontferm u. Heer, ontferm u. Onze Vader [enz.]. En leid ons niet
[enz.]. Gewaardig u, Heer, aan ons allen omwille van uw naam het eeuwig
leven te schenken, als wij het doen. Amen. ¶ Niemand zal zijn hand uitsteken
naar het eten voor de zegenbede is uitgesproken. Niemand zal plaatsnemen
voordat de gastheer hem zijn plaats toewijst. Spijzen, brood en wijn, neem die
met mate: dat is gunstig voor u. Doe nooit iets waarvan u gegeten hebt terug op
de schaal. Hebt u vuile nagels of handen, maak ze schoon, anders tast het uw
reputatie aan. Steek geen eten in het zoutvat, het zou kwalijk zijn als iemand
dat zag. Als iemand het kan zien, steek dan uw blote vingers niet in oor of neus.
Gebruik geen mes als tandenstoker, zo leren ons leermeesters. Laat geen speeksel of snot over de tafel gaan: wie dat doet verklaart men voor gek.

En lecht uwen lepel in gheenre wijse
Weder in de scotele metter spise.
En roupt om hu scotele niet weder,
Als mense wechdraecht en set neder.
Wacht hu van rupsemen waer ghi muecht
Over tafle, dats eene duecht.
En vernaemt van gheender spize
Dan ter tafelen es in gheender wize.
Die drijncken wille bier of wijn
Sie dat leppen en mont zuver zijn.
En secht tote nyemen felle woerde
Elc zout begripen diet hoerde.
Sijt altoes simpel van uwer tale,
Oec niet te vele woorden verhale.
En licht niet up uwen hellenboghe,
Dat ware eene scande hoghe.
Van vrauwen en sal men niet spreken
Over tafle, gheen dorper treken.
En schelt up beeste noch up mesniede
Binnen der maeltijt, voer de liede.
En ruunt in nyemens hoere, verstaet my,
Over tafle, dat leeric di.
Weest blide en spreect properlike,
So zijdi in payse sekerlike.

Leg uw lepel onder geen beding terug in de schaal met eten. Roep niet opnieuw om uw schotel als men ze wegbrengt en neerzet. Als het enigszins mogelijk is, wacht u voor oprispen boven tafel, dat getuigt van manieren. Maak op geen enkele wijze gewag van ander eten dan van hetgeen op tafel staat. Wie bier of wijn wil drinken zorge ervoor dat lippen en mond schoon zijn. Zeg tegen niemand harde woorden, ieder die het hoorde zou het laken. Spreek altijd eenvoudig en gebruik ook niet te veel woorden. Leun niet op uw ellebogen, dat zou volstrekt geen pas geven. Over gemene streken van vrouwen mag men aan tafel niet spreken. Scheld, waar iedereen bij is, tijdens de maaltijd niet tegen dieren of dienstpersoneel. Luister naar me: fluister aan tafel in niemands oor, dat leer ik u. Wees opgewekt en spreek beschaafd, dan bewaart u de goede verstandhouding.

Van niemen en zuldi spreken quaet
Over maeltijt, dats mijn raet.

Als ghi nader maeltijt dwaet,
En spuut int becken niet, dat verstaet.
Het soude den gheselscepe deeren zeere,
Oec waert scande ende onneere.
Dwaet yement met hu an de morghenstont,
Handen, oeghen ende mont
Ne dwaet niet hogher dan hij dwaet
Die met hu te dwane staet.
Ende en lachtert gheene spize
Die ghi nut, in gheenre wijse.
Wie dese poynte wederzeit teenegher tijt
Ne es hem sculdich te nemene zine maeltijt.

TWEE KERSTLIEDEREN

[WILDI HOREN SINGHEN]

Wildi horen singhen
Enen soeten sanc
Van Jesus, die ic gheerne saghe

Spreek over niemand kwaad tijdens de maaltijd, dat is mijn advies. ¶ Als u na de maaltijd de handen wast, spuw dan niet in het waterbekken, begrijp dat. Het zou het gezelschap zeer onaangenaam aandoen, ook zou het schandelijk en oneervol zijn. Als iemand met u 's morgens handen, ogen en mond wast, was dan niet hoger [in de waterstroom] dan hij wast die met u te wassen staat. En keur onder geen voorwaarde spijzen af die u aan het eten bent. Wie zich tegen deze voorschriften ooit verzet behoort zijn maaltijd niet te gebruiken.

•

Wil je een mooi lied horen zingen over Jezus, die ik liefheb,

Al wordet lanc,
Ende hoe hi in der eersten nacht
In eenre cribben wert ghelacht
Al onverborghen?
Die een reine hertken heeft,
Die en derf niet sorghen.

Ende doe Heer Jesus gheboren wert,
Doe wasset cout,
In tween ouden hosen
Hi ghewonden wert.
Daer stont een esel ende een rint,
Die hoeden Maria haer lieve kint
Ende onsen Heren.
Die hem so wel ghedienen can,
Hi lones hem sere.

Jesus wert besneden
Nae der ouden ee.
Woudes u niet verdrieten,
Ic songhes u mee.
Dat werden die heilighe drie coninghe ontwaer.
Si brachten oren offer daer
Ende oren gaven.
Si baden dat weerde kindekijn
Om sine ghenade.

---

ook al wordt het een lang lied, hoe hij op de eerste nacht in een krib werd gelegd, open en bloot? Wie een zuiver hartje heeft, hoeft niet bezorgd te zijn. ¶ En toen Heer Jezus geboren werd, toen was het koud. Hij werd gewikkeld in twee oude kousen. Daar stonden een ezel en een os, die waakten over Maria haar lieve kind, onze Heer. Iemand die hem zo goed dient, die beloont hij wel rijkelijk. ¶ Jezus werd besneden, overeenkomstig de oude wet. Zou het u niet verdrieten, dan zong ik er meer over. De heilige drie koningen kwamen het te weten. Zij brachten daar hun geschenken en hun gaven. Zij vroegen het edele kindje om zijn genade.

Joseph doe den esel nam
Al bi den toom.
Wat vant hi aen den weghe staen?
Een dattelenboom.
'Och eselken, du moetste stille staen,
Wi willen die dattelen plucken gaen,
Wi sijn seer moede.'
Die dattelenboom ter eerden neech
In Marien schote.

Maria las die dattelen
In haren schoot.
Joseph was een out man,
Dats hem verdroot.
'Maria, laet die dattelen staen,
Wi hebben noch veertich milen te gaen,
Het wort seer spade.'
Wi bidden dat weerde kindekijn
Door sine ghenade.

Joseph nam dat eselkijn
Al bi der hant.
Si quamen bi schoonre sonnen
In dat Egiptenlant.
Egipten is een seer goede stat,
Daer Joseph ooc die herberghe bat
Seer ellendich.

Jozef nam toen de ezel bij de teugel. Wat zag hij langs de weg staan? Een dadelboom. 'Ezeltje, je moet stil staan. Wij willen hier dadels gaan plukken. Wij zijn
erg moe.' Die dadelboom boog zich tot in Maria's schoot. ¶ Maria verzamelde
de dadels in haar schoot. Jozef was een oude man; dat speet hem. 'Maria, laat
die dadels hangen, we hebben nog veertig mijl te gaan. Het wordt erg laat.' Wij
bidden het edele kindje omwille van zijn genade. ¶ Jozef pakte het ezeltje met
zijn hand. Zij kwamen op klaarlichte dag in het land van Egypte. Egypte is een
zeer goede plek, waar Jozef om onderdak verzocht, zeer ver van huis.

Maria die span veel goedes gaerns
Mit haren handen.

Maria die conde spinnen
Dat vrouwelijn.
Joseph die conde timmeren,
Si gheneerden sich fijn.
Doe Joseph niet meer timmeren can,
Doe was hi also ouden man,
Hi haspelde garen.
Jezus droech dat gaernken te huus
Den riken ende den armen.

[O EEUWIGE WIJSHEIT]

O eeuwige wijsheit, daer menich jaer
Die oude vaders openbaer
Om riepen met penitencien swaer,
Ghy sijt ons nu gegeven.

O Adonay, o Heere groot,
Ghy hebt aensien ons groote noot,
En sijt in eender maget scoot
Als een cleyn kint gelegen.

Maria spon veel goed garen met haar handen. ¶ Maria, die kon spinnen, dat
vrouwtje! En Jozef die kon timmeren. Ze verdienden mooi de kost. Toen Jozef
al zo'n oude man was dat hij niet meer timmeren kon, wond hij het garen op.
Jezus bezorgde het garen bij armen en rijken aan huis.

•

O Eeuwige Wijsheid, waar de patriarchen zoveel jaren luid met zware boetedoening om hebben geroepen, u bent ons nu gegeven. ¶ O Adonaj, grote Heer,
u hebt onze grote nood aangezien en zit als kindje in de schoot van een maagd.

O wortel van Yesse, want ghy sijt
Die suete weerde gebenedijt,
Daer God af woude in deser tijt
Mensceliker natueren leven.

O sloetel heer Davids ewich goet,
Ghy hebbet uwen grammen moet
Al gewandelt in oetmoet
En onsen val vergeven.

O blickende raey des hemels troon,
Ghy sijt die eeuwige sonne scoen
Ende eender puerder maget soen,
Daer hemel ende eerde voer beven.

O coninc des volcx, gelooft sydy,
Dat ghij ballinge maket vri,
Des moet u een yegelijc, wie hy sy,
Ewige glorie gheven.

O edel coninc Emanuel,
Wy weten allegader wel,
Dat ghy ons moecht ende niemant el
Die ewige glorie geven.

O wortel van Jesse, want u bent de lieve, edele gezegende, waarvan God op dit
moment zijn leven in de menselijke natuur wilde ontvangen. ¶ O sleutel van
het eeuwige goed van David, u hebt uw toorn veranderd in ootmoed en hebt
vergiffenis geschonken voor onze val. ¶ O schitterende straal van de hemel, u
bent de eeuwige prachtige zon en de zoon van een zuivere maagd, voor wie
hemel en aarde bang zijn. ¶ O koning van het volk, u zij geloofd, omdat u
ballingen vrijmaakt. Daarom moet iedereen, wie hij ook is, u eeuwige glorie
geven. ¶ O edele koning Emmanuel, wij weten allemaal wel dat u ons de eeuwige glorie geven kan, en niemand anders.

JOANNES BRUGMAN

ca. 1400-1473

Dit liedeken gaet op die wijse Och die daer jaecht

Ick hebbe ghejaecht mijn leven lanc
Al om een joncfrou schone.
Die alder schoonste wijngaertranck
Die is in shemels throne.
Si is met enghelen so omset
Ic en can daer niet bi comen
Dat hebben mi mijn sonden belet
Des wil ic mi ontvromen

Ic ben verdwaelt in deser nacht.
Die werelt heeft mi bedroghen
Ghenoechte heb ic so seer gheacht
Mijn waen heeft mi beloghen
Rijcheyt ende eer heb ic ghemint.
Ende ydelheyt vercoren
Al jaghende ben ic aldus verblint
En heb minen wech verloren.

Ic wil opstaen tes meer dan tijt
Ende soeken hem alleene.

Ik heb mijn leven lang gejaagd op een schone jonkvrouw, de schoonste wijngaardrank die in de hemel is. Zij is zo rijkelijk omgeven met engelen, dat ik er
niet bij kan komen. Dat hebben mijn zonden mij belet. Daarom zal ik de moed
verliezen. ¶ Ik ben in deze nacht verdwaald. De wereld heeft mij bedrogen. Ik
heb genot hoog aangeslagen, maar mijn verwachting heeft mij belogen. Rijkdom en eer heb ik liefgehad en onbelangrijke dingen uitverkoren. Zo ben ik al
jagend verblind geraakt en de weg kwijtgeraakt. ¶ Ik wil opstaan, het is meer
dan tijd en hem alleen zoeken,

Der maghet sone ghebenedijt
Jhesus ist dien ic meene
Hi is den wech alsmen verclaert
Ic wil mi tot hem keeren
Den rechten wech ter maghet waert
Sal ic aen hem leeren

O Jhesus Heer nu bidde ic di
Al uut mijns herten gronde
Van sonden wilt mi maken vrij
Nu ende tot allen stonden
Laet mi die waerde moeder dijn
Met suverheyt aenschouwen
Doer haer wilt mi ghenadich sijn
Want mi mijn sonden rouwen

Der engelen vrouwe wilt op mi slaen.
Uwe ontfermhertighe oghen
Ic heb so swaerliken mesdaen
Des lidet mijn herte doghen
Ghi sijt des sondaers toeverlaet
Ende onderstant den armen
Ghi sijt die ghene daert al aen staet
Wilt doch mijns ontfarmen

Vrienden maghen ende schat

---

de gezegende zoon van de maagd: het is Jezus die ik bedoel. Hij is de weg, zoals men zegt, ik wil mij tot hem keren. De rechte weg naar de maagd zal ik van hem leren. ¶ O Heer Jezus, nu bid ik u uit het diepst van mijn hart, maak mij toch vrij van zonden, nu en altijd. Laat mij uw eerbiedwaardige moeder in zuiverheid aanschouwen. Wees mij omwille van haar genadig, want ik heb berouw over mijn zonden. ¶ Vrouwe der engelen, sla uw barmhartige ogen op mij. Ik heb zo ernstig misdaan, daarom lijdt mijn hart pijn. U bent de toevlucht voor de zondaar en hulp voor de armen. U bent degene die alles vermag, ontferm u toch over mij! ¶ Vrienden, verwanten en rijkdom,

Die willen mi beswiken
Scriftuere die bewijst wel dat.
Ic moet van haer gaen striken.
Och moeder Gods wilt mi bistaen
Als ic sal moeten sterven
Want elc sal loon na werc ontfaen
Wilt mi ghenade verwerven

Och die dit liedeken eerstwerf sanc
Was seer ghequelt van binnen
Sijn vlees was hem gemaect so cranc
Dat hi flaeu is van minnen
Jhesus die dranc den bitteren dranck
Aent cruys om smenschen leven
Bescermt ons vander hellen stanc
Ende van dat eewighe beven

Dit liedeken gaet op die wijse van Cleve Hoorne
en Batenborch

Met vruechden willen wi singen
Ende loven die Triniteyt
Dat si ons wil bringhen
Ter eewigher salicheyt

die zullen mij ontvallen. Dat bewijst de bijbel duidelijk. Ik moet van hen heengaan. O moeder Gods, sta mij bij als ik zal moeten sterven, want ieder zal loon
naar werken krijgen. Verwerf mij genade! ¶ Och, die dit liedje het eerst heeft
gezongen, werd in zijn binnenste zeer gekweld. Zijn zondigheid had hem zo
zwak gemaakt, dat hij traag was in de liefde. Jezus dronk aan het kruis de
bittere drank omwille van het leven van de mens. Behoed ons voor de stank van
de hel en de eeuwige angst.

•

Met vreugde willen wij zingen en de Drieëenheid loven, opdat zij ons wil brengen tot de eeuwige zaligheid,

Die eewelick sal dueren
Eewelic ende sonder verganck
Och mocht ons dat ghebueren
Och eewelick is so lanck

Leefden wi na die gheboden
Also wi leven souden
Ende dienen altoos Gode
Ende Onser Liever Vrouwen
Ende lieten over liden
Die werelt in haren ganck
So souden wi hier na verbliden
Och eewelic is so lanck

Die blischap is sonder eynde
Hier boven in hemelrijc
Die wi daer sullen vinden
En heeft gheen ghelijck
Dat es dat godlijc wesen
Het schenct ons goeden dranc
Also wi horen lesen
Och eewelick is so lanck

Die enghelen van hier boven
Si maken so grote chier
Laet ons hem allen loven

---

die eeuwig duren zal, eeuwig en onvergankelijk. Och, mocht ons dat ten deel vallen. Och, eeuwig is zo lang. ¶ Leefden wij volgens de geboden, zoals wij zouden moeten leven en zouden wij God en Onze Lieve Vrouw altijd dienen en zouden wij de wereld haar eigen gang laten gaan, dan zouden wij hierna verheugd zijn. Och, eeuwig is zo lang. ¶ Hierboven in de hemel kent de blijdschap geen einde. Degene die wij daar zullen aantreffen heeft zijns gelijke niet: dat is het goddelijk wezen. Het schenkt ons goede drank, zo men ons leert. Och, eeuwig is zo lang. ¶ De engelen van hierboven bedrijven grote vreugde. Laat ons hen allen loven,

Het ghelt ons eeven dier
So moghen wi verbliden
Ende singhen der enghelen sanc
Tot eeweliken tiden
Och eewelic is so lanc

Die heilighen allegader
Si maken grote feest
Si loven God den Vader
Den Soon den Heylighen Gheest
Als wi die sonden laten
Si wetent ons groten danck
Si verbliden boven maten
Och eewelic is so lanck

Maria moeder Ons Heeren
Si is van ons verblijt
Wanneer wi ons bekeeren
In deser ellendigher tijt
Maria maghet reyne
O edel wijngaert ranck
Bidt voer ons al ghemeyne
Och eewelic is so lanck

Nu laet ons dienen Gode
Dat rade ick jonck ende out

---

het is voor ons van groot belang. Dan kunnen wij verheugd zijn en de zang van
de engelen zingen tot in eeuwigheid. Och, eeuwig is zo lang. ¶ Alle heiligen
vieren groot feest. Zij loven God de Vader, de Zoon, de Heilige Geest. Als wij
de zonden laten, zijn zij ons daar heel dankbaar voor. Zij verheugen zich bo-
venmatig. Och, eeuwig is zo lang. ¶ Maria, de moeder van Onze Heer, die is
over ons zeer verheugd als wij ons bekeren in deze ballingschap op aarde. Maria, reine maagd, o edele wijngaardrank, bid voor ons allen. Och, eeuwig is zo
lang. ¶ Nu, laat ons God dienen, dat raad ik jong en oud,

Ende houden sijn ghebode
Ende dienen hem menichfout
Dat hi ons wil beschermen
Van alder hellen stanck
Ende van dat eewighe kermen
Och eewelic is so lanck

ANTHONIS DE ROOVERE

ca. 1430-1482

EEN GHEDICHT OP DAT WOORT MARIA

Machtighe Mogentheit Menighertiere
Medicijnste Melodioeste Marie
Middelarighe Maechdelijke Maniere
Miltste Moederlicste Melodije
Medelyt Met Mynder Melancolije
Meesterighe Meerende Mychels Mijsterije
Menichfoudicht Mint Minct Mametterije
Maect Myn Misval Minlyke Materie

Ave Arcke Amorueste Aensien
Acker Ambrosius Accordeersele

en laten wij zijn geboden onderhouden en hem volledig dienen, opdat hij ons
wil behoeden voor alle stank van de hel en voor het eeuwig kermen. Och,
eeuwig is zo lang.

•

Machtige menigvoudige majesteit, geneeskrachtigste heerlijkste Maria, midde-
lares, maagdelijke staat, mildste moederlijkste vreugde, heb medelijden met
mijn melancholie, meesteres die het mysterie van Michal groter maakt, geef
kracht, bemin, vernietig de afgoderij, herstel mijn dwaling, lieflijk wezen. ¶ Ave ark, allerlieflijkste aanblik, akker, voorwerp van Ambrosius' vurige
liefde,

Appeleringhe Arme Allendigher Anvlien
Ammirael Aventlic Aryveersele
Ancker Afgrondelic Arresteersele
Arpe Abigael Abelst Alleene
Alder Archangelicste Approbeersele
Anhoort Abrahams Afcoomste Altene

Rechtverdichste Rancke Rykelicste Rente
Roode Roose Rechts Reformeringhe
Redelicste Raetcamer Reyaelste Regente
Reynlicste Rustelicste Reveleringhe
Raetfrouwe Rys Rooms Restoringhe
Ramps Remedie Ruimste Riviere
Reverendeghe Rachel Ruths Repareringhe
Rout Ruijde Rouhertighe Riekende Rosiere

Jnte Jn Jesse Jacobs Joyeuse
Joachems Jonghe Josephs Jolyt ·
Jonstighe Judith Jstorieuse
Jesus Jnghelieste Jntroijt
Jsrahels Juechdelicste Jnbijt
Jnstrumelike Jst Jont Jnspiracie
Ja Jeghen Jiegheliken Jpocrijt
Jnstordende Jnwendighe Jubilacie

hoger beroep, toevlucht van arme rampzaligen, admiraalse, avondlijke be-
zoekster, afgronddiep anker, band, harp, Abigaïl, ongeëvenaarde schoonheid,
alleraartsengelachtigste lovenswaardige, luister zonder ophouden naar Abrahams nageslacht. ¶ Rechtvaardigste wijnrank, rijkelijkste rente, rode roos,
herstel van het recht, redelijkste raadkamer, aanzienlijkste regentes, zuiverste,
vredigste openbaring, raadgeefster, meitak, verlossing van het Roomse rijk,
hulp bij rampspoed, breedste rivier, eerbiedwaardige Rachel, Ruths herstel,
wees bedroefd over hardvochtige, berouwvolle mensen, welriekende rozestruik. ¶ Ent in Jesses wortelstam, Jakobs geliefde vrouw, Joachims kind, Jo-
zefs vreugde, genadige, goedgunstige Judith, engelachtigste doorgang van Jezus, Israëls heerlijkste voedsel, werkzaam wezen, geef inspiratie, ja, tegen iedere huichelaar, en stort innerlijke jubel in.

Arbeydende Anroepic Alder Almachtichste
Aestelic Anhanct Assistencie
Anders Afvallick Adem Achtichste
Antierende Abuijselick Abstinencie
Aerdighe Abijsaac Ach Audiencie
Anxtelick Akick Als Aveloos
Adeu Alluleije Al Archs Absencie
Aderlic Anschijn Advocate Altoos

Princesse	Precieuse	Principale
Rosemareyn	Ripelicke	Roede
Onnosel	Oetmoedige	Origenale
Oersprongelic	Onser	Ontweechder hoede
Voersiet vrede	**Vrouwe**	Vroede
Edelste ende	**Ewich**	Emmermere
Reyn robyn	Rasch	Roep my tuwen goede
Eewerdighe	Ester hebt	Ewich eere

ABC VAN MARIA

Aenminnichste Bevelichste Curieuse
Duwagiere Eerlijcxste Fonteyne

Al zwoegend roep ik u aan, alleralmachtigste; geef snel hulp, anders struikel ik, heerlijkste adem, gij die u op een buitengewone wijze versterft; schone Abisag, ach, in angst, als een haveloze, zie ik uit naar uw pleidooi; adieu, blijdschap, afwezigheid van alle kwaad, edel gelaat, eeuwige voorspraak. ¶ Edele, opperste prinses, rozemarijn, zedige tak, onschuldige, nederige instelster van het goddelijk rechtsgeding, van bij het begin beschermster van ons, verdoolden, zorg voor vrede, wijze vrouwe, edelste en altijd eeuwige, zuivere robijn, roep mij snel naar uw goedheid, eerwaardige Esther, heb altijd eer.

•

Bekoorlijkste, bevalligste, uitgezochte, weduwe, edelste, fontein,

Ghesinnichste Heylichste Joyeuse
Kancheliere Leerlicxste Mageleyne
Natuerlicxste Ontfaermichste Presentatie
Questinghe Redelicxste Solverende
Tracterelicxste Verwaermichste Xcusatie
Ynvestinghe Zedelicxste ConForterende.

RETROGRADE TEN LOVE VAN MARIA

Marie weerde Moedere ghenaden
Vrije Coninghinne wilt my beraden
Reyne Maghet gracieuse soete
Fonteyn suyvere tscommers boete
Baerblijcke verbidt ghy menschen alle
Rijcke aerme groote ende smalle
Volloven en can u niemant nemmermeer
Boven vrouwen alle verdrijft ghy wee
Nichte Davidts Moyses doren
Ghestichte tsVaders Godts lief vercoren
Goede Poorte besloten Ezechiels
Roede Jesse offerande Abels
Medecijne roke soete ende virtuyt

verstandigste, heiligste, verblijdende, kanselier, voorbeeldigste, marjolein, rechtschapenste, barmhartigste, geschenk, begerenswaardige, verstandigste, bevrijdster, vriendelijkste, koesterendste, vrijpleitster, toevlucht, welwillendste, troostende.

•

Maria, edele moeder, genade! Edele koningin, help mij. Reine, genadige, zoete maagd, zuivere fontein, geneesmiddel tegen verdriet, kennelijk redt gij door uw voorbede alle mensen, rijk, arm, groot en klein. Niemand kan u ooit voldoende prijzen. Meer dan alle andere vrouwen verdrijft gij smart. Bloedverwante van David, braambos van Mozes, schepsel van de Vader, Gods uitverkoren geliefde, goede gesloten poort van Ezechiël, twijg van Jesse, offer van Abel, medicijn, zoete geur en wonderlijke kracht,

Divine Vrouwe ende Godts Bruydt
Nae u volghen laet my deuchdelijck
Maria ghy zijt eewich vruechdelijck
Eerbare ghy draecht glorieuse croone
Ware mijns neempt coninghinne schoone.

REFEREYN VAN BEROUWE

Ontfermhertichste Here die noit genadeloos
En waert, zijt, noch — hope ic — werden en sult
Vertroost mijn siele nu wesende radeloos
Dat sy by u mach commen schadeloos
Tsvyandts tempteren my laes heeft verdult
Wyen wil ickt wijten tis al mijn schult
By sober wysheyt veel sonden bedreven

goddelijke vrouwe en bruid van God, laat mij u in deugd navolgen. Maria, gij zijt voor eeuwig gelukzalig. Gij draagt op eervolle wijze een heerlijke kroon. Waak over mij, schone koningin. NB *Dit gedicht kan ook andersom gelezen worden*: Schone koningin, waak over mij. Een heerlijke kroon draagt gij op eervolle wijze. Gelukzalig voor eeuwig zijt gij, Maria. Laat mij in deugd u navolgen, bruid van God en goddelijke vrouwe, wonderlijke kracht en zoete geur, medicijn, Abels offer, Jesses twijg, Ezechiëls gesloten goede poort, uitverkoren geliefde van God, schepsel van de Vader, braambos van Mozes, Davids bloedverwante. Smart verdrijft gij meer dan alle vrouwen. Nooit kan iemand u voldoende prijzen, klein en groot, armen, rijken. Alle mensen redt gij kennelijk door uw voorbede, geneesmiddel tegen verdriet, zuivere fontein, zoete, genadige, reine maagd. Help mij, edele koningin. Genade, moeder, edele Maria!

•

Heer vol erbarmen, die nooit zonder genade waart noch zijt en ook nooit – dat hoop ik toch — zult worden, spreek mijn ziel, die nu radeloos is, moed in, opdat zij ongedeerd bij u zal kunnen komen. De bekoringen van de duivel hebben mij helaas verdwaasd. Maar wie moet ik er een verwijt van maken? Het is allemaal mijn schuld. Met weinig wijsheid heb ik veel zonden bedreven,

Met hen die duecht deden ghegheckt ghedrult
Met sondighen aze mijn lijf ghevult
My beroudt soe hertelijck mijn sondich leven.

Hebt ghy oydt goddelijcke consistorie
Bemint de salicheyt van manne van wijve
Oft wijsheyt gegheven der suyverlijcker memorie
Seyndt my wijsheyt uut uwer glorie
Dat doch mijn siele behouden blijve
Wanneer si scheyden moet uuten lijve
Ontfermhertichste ontfermherticheit wiltse aencleven
Als gheneselijckste confectie confortatijve
Niet vonnissende naer mijn wercx bedrijve
My beroudt soe hertelijck mijn sondich leven.

O Passie, o doodt, o bloedighe wonden
Hebt ghy uut uwer vaderlijcker herten vry
Den Publicaen gegheven — so scriftueren oirconden —
Ontfermherticheyt, midts dberou in hem bevonden
Hoe sult ghi dan ontfermherticheyt weygheren my
My dunckt o Heere, en ick blijver by
Is in my tmisdoen, in u is tvergheven

degenen die de deugd beoefenden heb ik bespot en uitgelachen, met zondig
voedsel heb ik mijn lijf gevuld. Ik heb zo'n diep berouw over mijn zondig leven. ¶ Als gij ooit, goddelijke almacht, de zaligheid van man, van vrouw hebt
bemind of de reine memoria met wijsheid hebt begiftigd, zend mij dan wijsheid
vanuit uw glorie, opdat mijn ziel gered moge worden, wanneer zij van het
lichaam moet scheiden. Barmhartigste barmhartigheid, zorg voor haar als een
zeer geneeskrachtige versterkende medicijn en spreek geen oordeel uit op
grond van mijn daden. Ik heb zo'n diep berouw over mijn zondig leven. ¶ O
passie, o dood, o bloedende wonden, als gij — zoals de Heilige Schrift getuigt — vanuit uw edel vaderlijk hart de tollenaar genadig bent geweest, vanwege het berouw dat gij in hem gevonden hebt, wat zult gij mij dan genade
weigeren? Ik denk, Heer, en ik blijf erbij: zoals in mij de misdaad is, zo is in u de
vergiffenis.

Ick en ben niet meer een steen dan hy
Ontfermt mijns dan, meer is in dy
My beroudt soe hertelijck mijn sondich leven.

O Prinche, al heb ick te menighen tijden
Mijnre sielen salicheyt ghestelt bezijden
Ende in een groot perijckele ghedreven
My beroudt soe hertelijck mijn sondich leven.

VANDER MOLLENFEESTE

Hoordt ghy goede lieden al ghemeyne
Edele onedele, aerme ende rijcke
Ghy zijt ontboden groot ende cleyne
Te trecken in een ander wijcke
Hy is uutghesonden met zijnder pijcke
Des opperste Prinche messagier
Maeckt u ghereedt alle ghelijcke
Ghy en muecht niet langher blijven hier.

Al in dat lantschap vanden mollen
Moet dy trecken sonder waen
Al wildy daer teghen strijen of grollen

Ik ben niet meer verhard dan hij was. Ontferm u daarom over mij, in u is meer
genade. Ik heb zo'n diep berouw over mijn zondig leven. ¶ O Prins, al heb ik
dikwijls mijn zielezaligheid opzij gezet en in groot gevaar gebracht, ik heb zo'n
diep berouw over mijn zondig leven.

•

Hoort toe, gij mensen allemaal: of jullie van adel zijn of niet, arm en rijk, groot
en klein, jullie zijn opgeroepen om te reizen naar een ander land. De bode van
de opperste Vorst is uitgestuurd met zijn lans. Maak je allemaal klaar, jullie
mogen hier niet langer blijven. ¶ Naar het rijk van de mollen moeten jullie
trekken, zonder pardon. Al willen jullie daartegen morren of protesteren,

Ten mach u helpen niet een spaen
Als de bode coempt tis ghedaen
Hoe jonck, hoe schoone, hoe vroom, hoe wijs
Als dOpperste ghebiedt, soe moet ghy gaen
Trecken int landt van mollengijs.

Der mollen Heere, dopperste prins
Die de mol schiep, de blinde beeste
Heeft ontboden hier ende ghins
Onder tvolck minste ende meeste
Dat sy commen ter molle feeste
Daer sy hof houden onder deerde
Als dlichaem sal scheeden vanden gheeste
Salmen elck dienen naer zijn weerde.

De Paus ende zijn Cardenalen
Moeten alle tdeser feesten sijn
Legaten, Bisschoppen, Dekens, Officialen
Prochiepape, Predicare, Jacopijn
Freerminueren, Vrouwenbruers ende Augustijn
Priesters Clercken ende Meester wijs
Dese moeten alle binnen corten termijn
Trecken ter feesten te mollengijs.

dat zal jullie geen zier helpen. Wanneer de bode komt, dan is 't afgelopen. Hoe
jong, hoe knap, hoe vroom, hoe wijs jullie ook zijn, als de Hoogste het gebiedt,
dan moeten jullie optrekken naar het land van mollengijs. ¶ De Heer der mollen, de opperste Vorst, die de mol, dat blinde beest, schiep, heeft alom laten
weten aan de mensen, van hoog tot laag, dat ze moeten komen naar het feest
der mollen, wanneer die hofdag houden onder de grond. Als het lichaam van de
geest zal scheiden, zal men iedereen dienen volgens zijn verdienste. ¶ De paus
en zijn kardinalen moeten allen op dit feest verschijnen, legaten, bisschoppen,
dekens, officialen, parochiepriesters, predikers, dominicanen, minderbroeders, karmelieten en augustijnen, priesters, klerken en wijze magisters, zij moeten allemaal op korte termijn naar het feest van mollengijs.

Saertroosen, Monnicken, Regulieren
Bogaerden, Lollaerden ende Cluysenaren
Fratres wilt u ghereeden schiere
Nonnen, Baghijnen wilt mede varen
Clopsusters, Susters, Bedelaren
Ende alle die leven nae den gheeste
Maeckt u bereedt sonder sparen
Ghy moet al trecken ter mollen feeste.

Keysers, Coninghen, Hertoghen, Graven
Baenrotsen, Ridders ende Jonckheeren
Ende voort alle rijcke van haven
Wilt u tallen duechden keeren
Want den wech die moetty leeren
Ter feesten te commene te mollengijs
Maeckt u ghereet, dat ghy met eeren
Daer muecht ontfanghen lof ende prijs.

Cancelliers, Bailious ende Souvereyns
Shouthetens, Amptmans ende Dienaren
Schepenen, Meyers ende Castelleyns
Ontfanghers, Rentmeesters ende Wisselaren
Hoofmeesters die de salen bewaren
Portiers, Cocx, smaeckt wel ten keeste

Kartuizers, monniken, reguliere kanunniken, begarden, lollards en kluizenaars, broeders, maak je vlug klaar! Nonnen, begijnen, reis mee! Klopjes, bedelnonnen en allen die geestelijk leven, maak je onmiddellijk klaar! Jullie moeten allemaal naar het mollenfeest. ¶ Keizers, koningen, hertogen, graven, baanderheren, ridders en jonge edellieden, en ook jullie allen die rijk aan bezittingen zijn: bekeer jullie tot alle deugden, want jullie moeten de weg leren naar het feest, naar mollengijs. Maak jullie klaar, opdat jullie daar met ere lofprijzingen in ontvangst mogen nemen. ¶ Kanseliers, baljuws en opperbaljuws, schouten, onderschouten en gerechtsdienaren, schepenen, meiers en burggraven, ontvangers, rentmeesters en wisselaars, hofmeesters die toezicht houden over de paleizen, poortwachters, koks, begrijp het tot in zijn wezen.

Ende die edele Zeeman moet varen
Met zijnen schepen ter mollenfeeste.

Ghy machtighe Poorters ende Bourgoys
Ghy rijcke Pachters ende Rentieren
Al zijn u solders vol corens vol hoys
U kisten vol ghelts ende u fortchieren
Ghy rijcke Cooplieden ende Drapenieren
Al zyn u kisten vol meerssen vol wollen
Ghy sult oock moeten trecken logieren
In dat lantschap vanden mollen.

De Coninck der mollen heeft doen ontbieden
Met zijnen bode stijf ende sterck
Al teenemale de Ambachts lieden
Dat sy oock moeten laten werck
Dus rade ick elcken dat hy neme merck
Om goede herberghe ende logijs
Want claer gheseyt, ghy moet int perck
Ter feesten commen van mollengijs.

Der mollen Coninck heeft doen vermanen
Alle jonghe ghesellen fijn
Met corte keerels, met langhe palanen

En ook de edele zeeman moet met zijn schepen varen naar het mollenfeest. ¶ Machtige poorters en burgers, rijke pachters en renteniers, al barsten
jullie zolders van het koren en het hooi, en jullie kisten en koffers van het geld;
rijke kooplieden en lakenwevers, al zijn jullie kisten vol koopwaren en wol,
jullie ook zullen moeten gaan wonen in het land der mollen. ¶ De koning der
mollen heeft via zijn bode met klem aan alle ambachtslieden laten weten dat zij
hun werk moeten staken. Daarom raad ik eenieder aan dat hij zou zorgen voor
een goede verblijfplaats, want, om er geen doekjes om te winden, jullie moeten
verschijnen op het feest van mollengijs. ¶ De koning der mollen heeft alle flinke
jonge mannen doen oproepen, met korte overkleren en lange snavels

Aen haer schoen ende aen haer pattijn
Voort alle stortstekers wie sy zijn
Legt af u sweerden u walsche dollen
Want ghy moet eer lanck termijn
Trecken int landtschap vanden mollen.

Selden is volmaect de feeste
Daer vrouwen ghebreken ofte jonckvrouwen
Dies zijnse ontboden minste ende meeste
Ter mollen feeste in goeder trouwen
Langhe sleypsteerten ofte bonte mouwen
Noch tuyten en dorven sy hebben twint
De mollen die daer haer feeste houwen
Sy en soudent niet sien: sy sijn al blindt

Dese meyskens zijn oock alle ghedaecht
Die te vastenavonde pijpers hueren
Eest dienstbode, voestre oft maecht
Die haer voeten te dansene rueren
Dese moeten wech in corter uren
Hoe jonck sy sijn, hoe blijde van gheeste
Dit danssen dit reyen mach hier niet dueren
Ghy moet ghaen danssen ter mollen feeste.

aan hun schoenen en houten sandalen. Ook alle vechtersbazen, wie ze ook zijn.
Leg jullie zwaarden en Franse dolken neer, want jullie moeten binnenkort reizen naar het land der mollen. ¶ Een feest is nooit compleet, als daar geen vrouwen of jonkvrouwen zijn. Daarom zijn ook zij ontboden, de geringsten zowel
als de aanzienlijksten, op het mollenfeest. Lange slepen of mouwen van bont,
of vlechten hoeven ze volstrekt niet te hebben: de mollen zouden er toch niets
van zien: ze zijn blind. ¶ Ook worden alle meisjes opgeroepen, die op vastel-
avond speellieden huren, of het nu om een dienstbode, een voedster of een
dienstmeisje gaat. Degenen die aan het dansen gaan, moeten weg na korte tijd.
Hoe jong ze ook zijn, hoe blij ook van geest, dit dansen en reien kan hier op
aarde niet blijven duren. Jullie moeten gaan dansen op het mollenfeest.

REFEREYN

Wat ist als u by verre wandelinghe
De lengde, de wijde tswereldts bekent es
Wat ist alst u by sekere handelinghe
Goudt, silver, ghesteente eenpaer ontrent es
Wat ist alst u int schouwen present es
De Sonne rijsende ende wederdalende
Wat ist als u thooghe firmament es
Met claren sterren schoon licht stralende
Wat ist dat ghy siet die zee doch halende
Alle de Rivieren diemen oydt kende
Niet overloopende, doch cort betalende
Wat ist al. Niet. Hoement keere of wende
Ghenoechte der wereldt is druck int hende.

Wat ist dat ghy winter siet ende somere
Wat ist dat ghy gars, loof, boom, cooren siet
Wat ist dat ghy kendt de stercke een vromere
Wat ist dat ghy sulck achter sulck vooren siet
Gheen mondt cant segghen, gheen ooren hooren niet

Wat heeft het voor belang door lange omzwervingen de lengte en breedte van
de wereld te kennen? Wat heeft het voor belang dat je door bekwaam beleid
goud, zilver en edelstenen constant ter beschikking hebt? Wat heeft het voor
belang de zon te zien rijzen en dalen? Wat heeft het voor belang dat het hoge
firmament je heerlijk met heldere sterren toestraalt? Wat heeft het voor belang
dat je ziet dat de zee alle rivieren die men ooit kende naar zich toe trekt, en
daardoor niet overloopt, maar er zich snel weer van ontdoet? Wat heeft dat
allemaal voor belang? Geen enkel. Hoe men het ook draait of keert: aards
genot is verdriet op 't eind. ¶ Wat heeft het voor belang dat je winter en zomer
ziet? Wat heeft het voor belang dat je gras, loof, bomen, koren ziet? Wat heeft
het voor belang dat je weet dat ook de sterke zijn meerdere heeft? Wat heeft het
voor belang dat je de ene van voor en de andere van achter ziet? Geen mond kan
het zeggen, geen oor kan het horen,

Gheen ooghe en mach zijn versaet int schouwen
Wat ist als ghy blijschap ende thooren siet
Wat ist ghebruyckende wensch van vrouwen
Wat wonder can ons de wereldt brouwen
Staet, Heerschappije, ofte my ander ghiften sende?
Al ydelheydt, onseker ende vol ontrouwen
By proevene, want waer ick my belende
Ghenoechte der werelt is druck int hende.

Alle dinck is des menschens commere
Met weenen ende schreyen wy op ghebroedt zijn
Met schreyene cort zijn wy hier ommere
Met schreyene moet van hier ghespoet zijn
Hier moet ons aerme natuere ghevoet zijn
Nu slapen, nu waken, nu eten, nu drincken
Nu hitte, nu coude, nu wel ghemoet zijn
Nu qualijck, int eynde doodt ende stincken
Ist dat wy dan van weldoene mincken
Wee wee wordt onse eewighe Amende
Ach broeders wilt hier by daghe op dincken
Voorpeysende eer dat de nacht u schende
Ghenoechte der wereldt is druck int hende.

geen oog kan er genoeg van krijgen. Wat heeft het voor belang dat je blijschap
ziet en verdriet? Wat heeft het voor belang dat je naar hartelust van vrouwen
geniet? Welk wonder kan de wereld ons bieden, of ze mij nu praal, macht of
andere giften schenkt? De ondervinding leert dat het allemaal ijdel, wisselvallig
en onbetrouwbaar is, want waarheen ik mij ook begeef: aards genot is verdriet
op 't eind. ¶ Alles is de mens tot last. Al huilend en schreiend zijn we opgegroeid; al schreiend zijn we hier altijd, voor een korte tijd; al schreiend moeten
we deze wereld verlaten. Hier moet ons arme lichaam worden gevoed, nu eens
slapen, dan weer waken, nu eens eten, dan weer drinken; het heeft het nu eens
heet, dan weer koud, is nu eens opgeruimd en dan weer somber. Ten slotte is
het dood en stinkt het. Als wij dan onze weldadigheid laten verflauwen, dan
wordt geweeklaag onze eeuwige straf. Ach broeders, denk hieraan tijdens de
dag, en bedenk vooraf, voordat de nacht u te grazen neemt: aards genot is
verdriet op 't eind.

Princche

Prinche hoe lustich men crijghes versaetheydt
Want sonder verlaetheydt
Alle dinghen begheren hueren tijdt
Ende claerlijck vaet dit, sonder versmaetheyt
Onghepunieerde quaetheyt
Is puer alleene der wereldts Jolijt
Want waer elck ghecastijdt in zijnen strijdt
— Overspel, Manslacht, Ghiericheydt, Nijdt —
De wereldt en hilde gheen blijder bende
Maer neens. Dies is haer eynde verwijdt
Daermen handen slaet ende tanden bijdt
Sonder cesseren. Eylaes aerme blende
Ghenoechte der werelt is druck int hende.

HOORDT NAE MY GHY SPITTERS GHY
DELVERS

Hoordt nae my ghy spitters ghy delvers
Die daghelijcx moet int werck labueren
Al en gaerdy de kiste niet vol selvers
Wilt dies niet boven redene trueren

Prins ¶ Prins, hoe aangenaam is het verzadigd te worden, want zonder mankeren komt alles op zijn tijd. Begrijp goed het volgende, zonder het gering te
schatten: ongestrafte boosheid is enkel en alleen een genoegen voor deze wereld, want als eenieder gestraft werd tijdens zijn zondig streven — overspel,
doodslag, gierigheid, nijd — dan zou de wereld niet door blije mensen be-
woond kunnen worden. Maar neen. Daarom is haar einde ellende, wanneer
men zonder ophouden met de handen slaat en de tanden knarst. Helaas, arme
blinden! Werelds genot is verdriet op 't eind.

•

Luistert naar mij, spitters en delvers, gij die u elke dag zwaar moet inspannen.
Ook al vullen jullie geen kist met zilver, treur daarover niet al te zeer.

Tis salich int sweedt u broodt besueren
Wilt onghenochte van u jaghen
Maect goede moedt, u sal ghebueren
Pap ende broodt in doude daghen

Ghy ambachtslieden die groote pijne doet
Als menich uutghenomen man
Wanneer elck met recht in tzijne wroet
Soe en volchter geen verdomen an
In weldoen wilt vervromen dan
Peyst Gods loon salt al overdraghen
Wiens gratie elcken an dromen can
Pap ende broodt in doude daghen.

Ghy climmers die kercken ende thorrens maeckt
Om cleynen loon die vreese aensien
Wanneer u wanhaghelijck porren naeckt
Laet Godt u loon zijn als van dyen
Eedt, drinckt, wilt vry om dbeste spien
Dlijf moet ghevoedt zijn, dat is gheen vraghen
Al en gaerdy gheen schadt, u sal gheschien
Pap ende broodt in doude daghen.

't Is heilzaam al zwetend je brood te verdienen, jaag de ontevredenheid van je weg, schep moed, dan zal je krijgen: pap en brood op je oude dag. ¶ Gij ambachtslieden, die zoals vele voortreffelijke lieden zwaar werk leveren: als ieder zijn werk zorgvuldig uitvoert, dan zal hij niet veroordeeld worden. Span jullie dan ook in om deugdzaam te leven. Denk eraan: Gods loon zal het allemaal overtreffen. Zijn genade zal elkeen schenken: pap en brood op de oude dag. ¶ Gij klimmers, die kerken en torens maakt, en voor een klein loon het gevaar onder ogen moet zien: wanneer jullie je duizelig voelen, laat God dan jullie loon zijn. Eet, drink, streef volop naar het beste. Het lichaam moet gevoed worden, dat spreekt vanzelf. Al vergaren jullie geen schatten, jullie zullen krijgen: pap en brood op je oude dag.

Hoordt ghy pelgrimagie loopers
Voyagiers, Rijders om have om geldt
Al en zijdy gheen groote rente coopers
Ghetrouwen aerbeydt is hooghe ghetelt
Som zijdy teenen Monioye ghestelt
Maer sterfdy thuys tis groot behaghen
Ghy crijcht al en haddy broodt noch ghelt
Pap en broodt in doude daghen.

Hoordt ghy sleypers ende ghy draghers
Die daghelijcx groot last heffen ende voeren
Weest vanden aerbeyde gheen beclaghers
Wat gady veel nae rijckdom loeren
Schost, brost ende wilt de kanne roeren
Maeckt goede chiere met vrienden met maghen
U sal ghebueren — schoudt valsche toeren —
Pap ende broodt in doude daghen.

Ghy aerbeyders die ick heete goedt rondt
Alexander is doodt met al den rijcken
Dit heb ick touwer eeren vermondt
Om u te troostenen by ghelijcken
Schouwet ende vreest altoos practijcken

Luistert, gij bedevaarders, reizigers, ruiters omwille van eigendom of geld: al zijn jullie geen grote kopers van lijfrenten, eerlijke arbeid staat hoog aangeschreven. Soms doen jullie graven dienst als wegwijzers, maar sterven jullie thuis, dan is dat mooi meegenomen. Ook al hadden jullie brood noch geld, toch krijgen jullie: pap en brood op je oude dag. ¶ Hoort, gij slepers, en gij dragers, die elke dag zware lasten optilt en vervoert: klaag niet over jullie zware werk. Waarom zouden jullie zeer op rijkdom uit zijn? Smul, schrans, zwaai met de kan. Maak goede sier met vrienden en verwanten, schuw valse streken, jullie zullen krijgen: pap en brood op je oude dag. ¶ Gij arbeiders, die ik eenvoudig noem: Alexander de Grote is dood, net als alle rijken. Dit heb ik ter ere van jullie gedicht, om jullie enige moed in te spreken. Ga listige streken uit de weg en wees ervoor beducht,

Al en hebdy gheen suyghebeen om cnaghen
Werckt vry, den ledighen sal beswijcken
Pap ende broodt in doude daghen.

Ende hier mede troost ick my selven voort
Gode bidick om pap ende broodt
De moghende heeft dickwils mijn name gehoordt
Dat my dies cleyn secours beschoodt
Met wercken weer ich des honghers noodt
Gode danck ick, can ick sonder claghen
Noch bid ick soe ick eerst besloodt
Om pap ende broodt in doude daghen.

RONDEEL

Die gheen pluymen en can strijcken
Die en dooch ter werelt niet
Is hy aerm, hy en sal niet rijcken
Die gheen pluymen en can strijcken
Alomme soe heeft hy tachterkijcken
Hy wordt verschoven, waer men hem siet
Die gheen pluymen en can strijcken
Die en dooch ter wereldt niet.

ook al heb je geen kluif om op te knagen. Werk stug door, want aan de luiaards zal ontgaan: pap en brood op hun oude dag. ¶ En hiermee spreek ik ook mijzelf moed in. God vraag ik om pap en brood. De machtigen hebben dikwijls mijn naam gehoord, zonder dat het mij veel heeft geholpen. Door te werken wend ik de hongersnood af. Ik dank God, wanneer ik dit zonder klagen kan doen. Nog altijd bid ik, zoals aan het begin van mijn refrein, om pap en brood op mijn oude dag.

•

Wie niet kan pluimstrijken, deugt niet voor de wereld. Als hij arm is, dan wordt hij niet rijk. Wie niet kan pluimstrijken, heeft overal het nakijken. Overal wordt hij achteruitgezet. Wie niet kan pluimstrijken, deugt niet voor de wereld.

[EEN ANDER]

Die door de wereldt sal gheraken
Die moet connen huylen metten honden
Ende moet oock connen diverssche spraken
Die door de wereldt sal gheraken
Hier waerheyt segghen en ghinder missaecken
Vooren salven ende achter wonden
Die door de wereldt sal gheraken
Die moet cunnen huylen metten honden.

[EEN ANDER]

Die nu ter wereldt sal bedien
Die moet duersteict zijn als een jacke
Alomme moet hy hoocheydt dien
Die nu ter wereldt sal bedien
Onnoosel als die Godt verrien
Oft anders gaet hy metten sacke
Die nu ter wereldt sal bedien
Die moet duersteict zijn als een jacke.

Wie in de wereld vooruit wil komen, moet kunnen huilen met de honden, en verschillende talen kunnen spreken. Wie in de wereld vooruit wil komen, moet hier de waarheid zeggen en daar liegen, iemand in zijn gezicht vleien en hem achter zijn rug bekladden. Wie in de wereld vooruit wil komen, moet kunnen huilen met de honden.

•

Wie nu in de wereld vooruit wil komen, moet als een jak vol steken [d.i. streken] zitten. Wie nu in de wereld vooruit wil komen, moet overal kruipen voor de macht, en even onschuldig zijn als degenen die Christus verrieden. Anders loopt hij met de bedelzak. Wie nu in de wereld vooruit wil komen, moet als een jak vol steken zitten.

[EEN ANDER]

Sluymende zueghen eten wel haer draf
Al sietmen de lieden men kentse niet
Ten is gheen coorne sonder caf
Sluymende zueghen eten wel haer draf
Het heet sulc milde die noydt en gaf
By desen veel tsgelijcx gheschiet
Sluymende zueghen eten wel haer draf
Al sietmen de lieden men kentse niet.

REFEREYN AMOUREUX

Myn herte niet el dan druck besluyt
Ick vinde my selven al swaer beducht
Ick haecke tot den wint wordt zuydt
Want mijn lieffelijck lief reedt derwaerts uut
Dus coempt van daer den zoeten lucht
Mijn ooghen staen naer der coempste ter vlucht
En segghe dit woordt van wijlen eer
Daer lief daer ooghe, daer handt daer seer.

Slapende zeugen eten hun draf wel op. Al ziet men de lui, men kent ze niet. Er is geen koren zonder kaf. Slapende zeugen eten hun draf wel op. Velen worden mild genoemd, die nooit iets gaven. Dergelijke zaken komen tegenwoordig heel veel voor. Slapende zeugen eten hun draf wel op. Al ziet men de lui, men kent ze niet.

•

Mijn hart kent enkel nog verdriet. Ik voel me zeer bezorgd. Ik verlang naar het moment dat de wind uit het zuiden gaat waaien, want mijn allerliefste lief is in die richting weggereden. Daarom komt de zoete lucht van ginds. Mijn ogen vluchten weg vol begeren naar zijn komst, en ik zeg deze oude spreuk: 'Waar het lief is, daar is het oog; waar de hand is, daar is de pijn.'

O zuyderste lucht die my beraeyt
Mijnen boesem ontdoe ick soe ick best mach
Mijn hertken is soe vele te bat ghepaeyt
Dat ick metten winde mach zijn bewaeyt
Hy coempt van daer ick hem rijden sach
Al ist van trooste een cleyn bejach
Tghesichte neempt derwaerts zijnen keer
Daer lief daer ooghe, daer handt daer seer.

Ick vanghe den windt, ick en hebs niet el
Tconfoort is cleyne dat ick hier schouwe
Maer men pleech te segghene in een spel
Een luttelken helpt den lecker wel
Diet nauwe staet, die nemet nauwe
Dus stae ick als een bedruckte vrauwe
En haecke, ken wiste wat segghen meer
Daer lief daer ooghe, daer handt daer seer.

Princhelijck Lief diemen in eeren noomt
Daer ick eens sdaechs nae te siene pooghe
Maer tis een saecke die luttel vroomt
Te sienen nae eene die niet en coomt

O lucht uit het zuiden die mij verwarmt, ik ontbloot mijn borst, zoveel als ik kan. Mijn hartje maakt het zoveel beter, wanneer de wind in mijn richting waait. Die wind komt vanwaar ik hem rijden zag. Al is het maar een schrale troost, mijn blik keert zich naar ginder. Waar het lief is, daar is het oog; waar de hand is, daar is de pijn. ¶ Ik grijp naar de wind, iets anders heb ik niet. De troost die ik hier zie, is maar gering. Maar men zegt wel vaker bij wijze van aardigheid: 'Een klein beetje doet de lekkerbek al goed. Wie weinig heeft, let op de kleintjes.' Daarom sta ik als een bedroefde vrouw te verlangen, ik zou niet weten wat ik nog meer kan zeggen. Waar het lief is, daar is het oog; waar de hand is, daar is de pijn. ¶ Prinselijk lief, die men met ere vermeldt, en die ik probeer ooit eens te zien. Maar het baat maar weinig uit te zien naar iemand die niet komt.

Dus seg ick als die tlijden dooghe
Daer handt daer seer; daer lief daer ooghe.

SOTTE AMOUREUSHEYT

Ick heete Pantken, mijn lief Pampoeseken
Dat gheerne een croeseken
Licht met vruechden daert niet en gheeft
Ghy en saecht ten daghen noyt blijder droeseken,
Alst appelmoeseken
Sijn buycxken al vol gheten heeft
Ick mindse soe dat mijn herte beeft
Godt wilse vercnapen
Want alle de sorghe die in haer cleeft
Dats eten en slapen
(Men schreve niet in ses vellen van schapen)
Als ick haer wille een pintken schincken
Hoe vriendelijck dat haer ooghskens pincken.

Tis in mijn herte een dyamantken
Ende huer callantken
Ben ick eenpaerlijck sonder vercoelen
Als ick met haer drincke een quantken

Daarom zeg ik, die gebukt ga onder verdriet: 'Waar de hand is, daar is de pijn; waar het lief is, daar is het oog.'

•

Ik heet Pantken, mijn lief Pampoeseken. Ze heft graag een kruikje, met veel plezier, waar het maar pas geeft. Een blijer dikkerdje heb je nooit eerder gezien, dan wanneer dit appelmoesje haar buikje helemaal rond gegeten heeft. Ik hou zoveel van haar, dat mijn hart ervan beeft. Moge God haar beschermen, want de enige bekommernis die ze heeft is eten en slapen — men zou het niet op zes schapevellen kunnen schrijven. Wanneer ik haar een pintje wil inschenken, hoe vriendelijk dat dan haar oogjes blinken! ¶ Ze is een diamantje in mijn hart en ik ben haar trouwe gezel, zonder dat dat ooit bekoelt. Als ik met haar een pintje drink,

Godt loondtse Pantken,
Seydt sy gheringhe. Dats blijde ghevoelen
Pampoeseken seg ick voor al mijn boelen
Hebtstu proper sede
Dan seegtse Pantken, laet staen dijn loelen
Du foolster mede
Dan lachtse met rechter minnelijckhede
Men soudes nemmermeer voldincken
Hoe vriendelijck dat haer ooghskens pincken.

Sy gaet met eenen bruynen Coocxkene
Ende vanden Roocxkene
Soe zijn haer handekens peper wit
Haer mondeken dat rieckt vanden loocxkene
Van haren ghesproocxkene
Soe is ontsteken mijnre herten pit
Waér Paesschen hier door minnen verhit
Wy houweden ghereedt
Ende als ick haer wille verclaren dit
Lachtse duymen breedt
Hy en leeft niet die ten vollen weet
Als ick segghe Pampoeseken ghaen wy drincken
Hoe vriendelijck dat haer ooghskens quincken.

dan zegt ze meteen: 'God lone het je, Pantken.' Dat is een prettig gevoel! 'Pampoeseken,' zeg ik dan, 'voor al mijn minnekozerij ben jij de juiste persoon.' Dan zegt ze: 'Pantken, hou op met jokken, je steekt de draak met me.' Dan lacht ze allerliefst. Men zou zich nooit kunnen voorstellen hoe vriendelijk dat dan haar oogjes blinken! ¶ Ze loopt met een zwart kopje en van de rook zijn haar handjes peperwit. Haar mondje riekt naar look en door haar woordjes staat mijn hart in vuur en vlam. Als het nu Pasen was, dan trouwden we meteen, heet van liefde. En als ik haar dat wil zeggen, dan lacht ze duimen breed. Niemand die ten volle beseft hoe — als ik zeg: 'Pampoeseken, laten we drinken' — hoe vriendelijk dat dan haar oogjes blinken!

Prinche

Ghelijcke treckt tot ghelijcken
Natuere can selden haer helden mincken
Ick en liete u nemmermeer vol gheblijcken
Hoe vriendelijck dat haer ooghskens quincken.

REFEREYN INT ZOTTE

Een gaey wel fraey nisch frisch joncwijveken
Ghewrocht gecnocht wel gent int lijveken
Quam laesten met haesten ghegaen om wijn
Een Rutere een clutere wel vroom int stijveken
Sprack tot haer voorwaer waert u gherijveken
Een stick soe wild ick wel by u zijn
Dat quick sprack click wa ghy cockijn
Laet wesen van desen meet vol mijn maetken
Hy stacxse doen sprackse u boor is fijn
Ghemaeckt gheraeckt soe hebdijt gaetken
Het liep doen riep dat vroulijck vaetken
Ach smul meet vul wat cost ick coopt

Prins ¶ Gelijken trekken elkaar aan. De natuur kan haar eigen neiging niet
verloochenen. Nooit zou ik u voldoende kunnen zeggen hoe vriendelijk haar
oogjes blinken!

•

Een lustig, heel dartel, mal en knap jong vrouwtje, flink en welgeschapen,
schoon van lijf, ging onlangs in haast wijn kopen. Een ruiter, een grappen-
maker, heel bedreven met de fluit, sprak haar aan: 'Wel, als jij er zin in hebt,
dan wil ik wel een poosje bij je zijn.' Het dier zei gauw: 'Wel, jij schelm, 't is in
orde! Gooi mijn vaatje maar vol.' Hij prikte haar. Toen sprak ze: 'Jouw boor is
goed. Je hebt het gaatje gemaakt zonder fout.' Het liep. Toen riep het vrouwelijk vaatje: 'Ach snoeper, gooi het vol! Wat het ook kost, ik koop het!'

Al horti al storti mijn liefste savernaetken
Gheen maetken vol voor dover loopt.

Hoe gaet hoe staet sprack dat calantken
Dat dier sprack fier boort noch aen tcantken
O manneken mijn canneken wilt vol meten
Ick en mach o wach ay vuyl plavantken
Verstaeft verslaeft sluts als een wantken
Cockijnken u wijnken is al versleten
Hoe tdoomken of roomken hem sy ontseten
Sprack hy tis vry noch goedt van smaken
Dat lack dier sprack dat moet ick weten
Het coelt het spoelt soe wel die caecken
Hy schreyde sy seyde wat gaen wy maken
Flauwaert blauwaert zijdy ontcnoopt
Meet vol lieve mol te min salt laken.
Gheen maetken vol voort overloopt.

Hy lutste hy slutste noch wat aent bommeken
Sy crevelde hy stevelde sy speelden mommeken
Hy greepse doen peepse recht als een gans
Int donckere den Jonckere wijsde zy tblommeken
Hy dancktese doen janctese rechts als een stommeken

Al stoot je, al mors je, mijn liefste zoeteliefje, geen vaatje is vol, voor het overloopt.' ¶ 'Hoe gaat het? Hoe is het?' vroeg de guit. Het dier zei dapper: 'Boor
nog eens van opzij! O mannetje, gooi mijn kannetje vol.' 'Ik kan niet!' 'O wee,
jij vuile, verdroogde, lamlendige deugniet, slap als een vaatdoek! Schavuit,
jouw wijn is helemaal verschaald!' Al was hij zijn fris- en flinkheid kwijt, toch
sprak hij: ''t Is zeker nog goed van smaak.' Het dartele dier sprak: 'Dat wil ik
weten. Het koelt en spoelt de mond zo goed.' Hij vloekte, zij zei: 'Wat is er aan
de hand? Flauwerik, slappeling, ben je moe? Schenk vol, lieve mol, 't zal des te
minder druppelen. Geen vaatje is vol, voor het overloopt.' ¶ Hij friemelde, hij
knoeide nog wat aan het sponnetje. Zij kronkelde, hij verstijfde, ze gaven een
vertoning weg. Hij greep ze, toen gakte ze net als een gans. In het donker wees
ze de jonkman de weg naar haar bloempje. Hij dankte ze, toen jankte ze als een
die niet spreken kan.

Hy swichte sy lichte tvat stappans.
Hy duchte sy suchte en sprach och Hans
Al leket versteket doch nederwaert
Ghy sult ghevult noch vinden bijcans
Mijn cruycxken o buycxken den wijn niet spaert
Want minlick versinlick verstaet den aert
Haeltmet betaeltmet ghedout ghehoopt
Dus meet my soe weet ghy waer hy bewaert.
Gheen maetken vol voort overloopt.

Prinche

Tvrouken vroylick frisch moylick was poylick
Den wijn die fijn daer werdt ghestoopt
Godt danck sy dranck en sanck seer vroylick
En sprack reyn greyn mijn roostken droopt
Gheen maetken vol voort overloopt.

REFEREYN INT SOTTE

Hoort ghi gelubecte van hoofde nisscherkens
Die ghister een buyle vielt en heden een gat

Hij bedaarde, maar zij stak onmiddellijk het vat omhoog. Hij kreeg het benauwd, zij zuchtte en sprak: 'Och Hans, al druppelt het, duw het toch naar
beneden. Je zult mijn kruikje, mijn buikje bijna helemaal vol vinden. Spaar de
wijn niet, want let aandachtig en goed op: haalt men het, dan betaalt men het;
verdwijnt er, er komt erbij. Giet me dus vol, dan weet jij waar het blijft. Geen
vaatje is vol, voor het overloopt.' ¶ Prins ¶ Het vrolijke, knappe, mooie
vrouwtje dronk de wijn, die daar vaardig in het vat werd gegoten. God zij
gedankt. Zij dronk en zong zeer vrolijk, en sprak: 'Lieve schat, mijn roosje
druppelt. Geen vaatje is vol, voor het overloopt.'

•

Luister, jullie onnozele lege hoofden, die jullie gister een buil vielen, en vandaag
een gat;

Sint Talpins ongheluckighe visscherkens
Der pijnen ghewoone ende tetene half sadt
Waghenaers die dickent maken haer badt
In diepe straten met laste verstelt
Jan tachter kinders al bachten nat
Mishoude ter eerster missen ghemelt
Die anderen menighen trap ontelt
Quaetslaghers die altoos hebben den tuck
Rompelborsen, ghildebroers qualijck int gheldt
Sulck als ick ben maeckt plaetse en veldt
Staet betacht men saeydter gheluck.

Hoordt oock nu alle ghy Venus dreetkens
Die vingherkens dout of int oorken ruynt
Ende susterkens, die matten doen metten geetkens
Tsavonts onder de crane alst weder bruynt
Wiens capellanen zijn meest voor knyen gecruynt,
Oude cordewaghencruyers ende sackdraghers
Wiens habijten met lappen meest zijn doorthuynt
Voort gheborsten volders ende hase jaghers,
Hanghemans, hondtslaghers, Cascoenvaghers,
En Suypers, ghewuene te lijdene druck
Cruepele, blinde, steinders ende claghers

ongelukkige vissertjes van Sint-Talpijn, die gewoon zijn te sloven en weinig te
eten; voerlui die met een vastgelopen lading dikwijls een bad nemen in drassige
straten; berooide schuldenmakers; ongelukkige echtparen die in de vroegmis
werden afgeroepen en elkaar vaak ontrouw zijn; pechvogels die altijd de klap
opvangen; bezitters van gekrompen beurzen; fuifnummers zonder geld; lieden
zoals ikzelf ben, maak ruim baan! Ga meer naar achteren staan, daar zaait men
geluk! ¶ Luister ook allemaal, lichte vrouwtjes die met de vingertjes knippen of
in 't oortje fluisteren, en nonnetjes die met de nachtwakers de metten bijwonen,
's nachts onder de kraan, als het donker wordt, wier kapelaans vooral op hun
knieën kale plekken hebben; oude kruiers en zakdragers, van wie de kleren
helemaal met lappen doorschoten zijn; noodlijdende volders en stropers; beulen, hondenslagers, schoorsteenvegers en dronkaards, die gewoon zijn in benarde omstandigheden te leven; kreupelen, blinden, kreuners en klagers,

Makelghen, potspinneghen ende cantknaghers
Staet betacht men saeydter gheluck.

Hoort Canonicken van sinte Cristoffels oordene
En ghasthuys muyters qualijck inde pluymen
Die doxel fremeneuren pleghen te vermoordene,
Sonder wet oft vonnisse tusschen den duymen
En quadebeleyders die anderen tlandt doen ruymen,
Die in hueren voedt eer vinden eenen doren
Dan nobels inde borse by costuymen
En weeldekens die aten haer wittenbroodt voren
Roemers van vrouwen, wreedt versworen
Stinckende voor vrou Venus als den buck
Cappoenders teender oude placke weerdich geboren
Men seydt ons aldus al hebben wijs thoren
Staet betacht men saeydter gheluck.

Prinche

Dits al volcxken van cleynen proffijte
Verslaghers die stelen menighen huck
Schoelien, bradende den harinck om de kijte

koppelaarsters, uitvreters en korstenknabbelaars: ga meer naar achteren staan,
daar zaait men geluk! ¶ Luister, kanunniken van de orde van Sint-Christoffel
[zij die met jeuk geplaagd zijn]; gasthuisvogels die slecht in de pluimen zitten en
die gewoon zijn de oksel-fraters [vlooien] om te brengen, zonder over een wet
of vonnis te beschikken; deugnieten die anderen op het slechte pad brengen en
doorgaans eerder een doorn in hun voeten vinden dan goudstukken in hun
beurs; weeldekinderen, die hun wittebrood eerst opgegeten hebben; grootspre-
kers over trouweloze vrouwen, die in het bijzijn van vrouw Venus stinken als
een bok; stakkerds, van wie het hele bezit niet meer bedraagt dan een oude plak
[geldstuk]; dit zegt men ons, al zijn we er niet blij om: ga meer naar achteren
staan, daar zaait men geluk! ¶ Prins ¶ Dit zijn allemaal mensen met weinig
profijt, verduisteraars die veel prullen achteroverdrukken, arme drommels die
de haring bakken om de kuit.

Hier te ghapene baedt niet een mijte,
Staet betacht men saeydter gheluck.

TOEGESCHREVEN AAN ANTHONIS DE ROOVERE

REFFEREYN

Als ick peijse om des tijdts onlancheijt
Als ic ghevoile der natueren crancheijt
Siende wat wij brochten ende wat wij draghen
Als ick duchte der hellen pyne bevancheyt
Als ick dan vrese des ordels strancheyt
Als ick vinde dat sonden die mensche plaghen
Als ick mijnen tijt verloren sie moetick claghen
Als ick peijse wat ick worde als tlijf vergaet
Als conscientie myn herte coomt binnen knaghen
Soe mach ick wel wenen voer mijn misdaet

Aij twi diendic u werlt veninighe beeste
IJdel glorie heeft mij bij uwen foreeste
Verblynt dus bin ick verdoolt misgaen

Hier veel te begeren, levert geen rooie duit op. Ga meer naar achteren staan,
daar zaait men geluk!

•

Wanneer ik denk aan de kortheid van het leven, wanneer ik de broosheid voel
van de menselijke natuur, wanneer ik zie wat wij hier meebrachten en van hier
meenemen, wanneer ik schrik heb voor de pijnen van de hel, wanneer ik de
gestrengheid van het Oordeel vrees, wanneer ik merk dat zonden de mensen
kwellen, wanneer ik zie dat mijn leven verspild is, dan moet ik klagen. Wanneer
ik eraan denk wat er van mij zal worden, wanneer mijn lijf vergaat, wanneer
het geweten in mijn hart begint te knagen, dan mag ik mijn fouten wel beschreien. ¶ Ach, waarom heb ik jou gediend, wereld, kwaadaardig beest? Met
jouw hulp heeft verwaandheid mij verblind. Daarom ben ik verdoold en verkeerd gelopen,

Want van alle sondaren soe bin ick die meeste
Dus leggick ghevallen soe swaer van geeste
Sonder hulpe en can ic niet op gestaen
Hoe sal ic myn oghen dan dorren slaen
Te Godewaerts om hulpe of toeverlaet
Teghen dusentich sonden nau eens voldaen
Dus mach ick wel wenen voer myn misdaet

Waer wast dat ick doden te erden dede
Waer toende ick den dorstighen ontfermhertichede
Mit dranck, waer heb ic den hongherighen gespijst
Waer loste ic ghevanghen waer is die stede
Daer ick naecte clede of zieken mede
Visiteerde, waer heb ic den dolende ghewijst
Waer heb ick vertroost daer duecht uut rijst
Den onghetroosten ghegeven confoort of raet
Och nerghens, dies my myn leven af gryst
Dus mach ick wel wenen voer myn misdaet

Wee den oghen besienden alle erdtsche dinghen
Wee den sinnen die mit begeerten ontfinghen
Wee die noese die sondelick heeft gheroken
Wee handen die tasten we voeten die ghinghen

want van alle zondaren ben ik de grootste. Daarom lig ik zo bedroefd terneer
dat ik zonder hulp niet overeind kan komen. Hoe zal ik het dan aandurven mijn
ogen naar God op te slaan om hulp of steun? Van duizend zonden heb ik er
nauwelijks één uitgeboet. Daarom mag ik mijn fouten wel beschreien. ¶ Waar
heb ik doden begraven? Waar heb ik met drank aan de dorstigen barmhartigheid betoond? Waar heb ik de hongerige gespijsd? Waar heb ik gevangenen
verlost? Op welke plaats heb ik naakten gekleed of zieken bezocht? Waar heb
ik de vreemdeling de weg gewezen? Waar heb ik opgewekt tot deugd? Waar
heb ik de moedeloze troost of raad gegeven? Ach, nergens! Daarom gruw ik
van mijn leven. Daarom mag ik mijn fouten wel beschreien. ¶ Wee de ogen die
alle aardse dingen bezien; wee de zinnen die begerig hebben ontvangen; wee de
neus die op een zondige wijze heeft geroken; wee de handen die grepen; wee de
voeten die gingen;

Wee vrijen wille quaet om bedwinghen
Het wordt al op myn arme ziele ghewroken
Wee tonghe die sondelick hebt ghesproken
Wee den ooren die sondelick thoren ontfaet
Wee smake ghy hebt tgebodt ghebroken
Dus mach ick wel wenen voer myn misdaet

Ick en vinde in myn selven gheen excusacie
Ic moet in die ewighe condempnatie
Mer hope staet my by ter noot
Die mij tuijcht en maeckt gheen desperacie
Want Goods ontfermherticheyt is een gracie
Opten sondaer dalende uut sVaders schoot
Want noyt sonder ter werlt en was soe groot
Die bekeerde, hij en vant troost en oflaet
Nochtans vreesende voer die ewighe doot
Dus mach ick wel wenen voer mijn misdaet.

Prinche

Vermurwet u herte sydi van steene
Sindt tranen den oghen ende sydt in weene
Roept daer ghenade, God sal dy horen
Bidt voer mij moeder ende maghet reene

wee de vrije wil die zich moeilijk liet bedwingen: het wordt allemaal op mijn
arme ziel gewroken. Wee tong die zondig hebt gesproken; wee oren die zondig
hebben geluisterd; wee smaak, jij hebt het gebod gebroken. Daarom mag ik
mijn fouten wel beschreien. ¶ Ik vind bij mezelf geen verontschuldiging. Ik
moet de eeuwige straf ondergaan. Maar hoop staat me bij in de nood en be-
zweert me: 'Wanhoop niet, want Gods barmhartigheid is een genade, die vanuit de schoot van de Vader over de zondaar neerdaalt. Want op de wereld is er
nooit zo'n verstokte zondaar geweest, die geen troost en vergeving vond, wanneer hij zich bekeerde.' Nochtans vrees ik voor de eeuwige dood. Daarom mag
ik mijn fouten wel beschreien. ¶ Prins ¶ Word zacht, hart. Ben je van steen?
Zend tranen naar de ogen en ween. Roep om genade: God zal je horen! Bid
voor mij, reine moeder en maagd.

Bidt voer mij santen santinnen ghemeene
Bidt voer my martelaren ende confessoren
Bidt voer my alle themelsche Heer vercoren
Bidt voer my Goods inghelen al bin ic quaet
O Heere selt ghy my laten verloren
Soe mach ick wel weenen voer myn misdaet.

TOEGESCHREVEN AAN EEN ZEKERE 'HAES'

REFEREYN

Siedy eylaes de duecht alomme verjaecht
Ende versmaden die goede ghewercken
Siedy dat de Juge nae ghiften vraecht
Of siedy hem den persoon aenmercken
Siedy discretie alomme verpercken
Ende elck volghen zijnen quaden wille
Al siedijt al dolen Priesters en clercken
Houdt tant voor tonghe ende swijcht al stille.

Siedy thouwelijck smallen en dinnen
Ende doverspel voor goet ghepresen

Bid voor mij, heiligen allemaal. Bid voor mij, martelaren en belijders. Bid allen voor mij, uitverkoren hemelse heerscharen. Bid voor mij, engelen Gods, al ben ik slecht. O Heer, als gij mij achterlaat in de verdoemenis, dan mag ik mijn fouten wel beschreien.

•

Als je de deugd helaas overal verjaagd ziet worden en de goede werken versmaad ziet worden, als je ziet dat de rechter smeergeld vraagt of een machtige naar de ogen ziet, als je ingetogenheid overal buitengesloten ziet worden en iedereen zijn kwade wil volgen; al zie je iedereen dolen, zelfs geestelijken en geleerden, hou je tong achter je tanden en zwijg stilletjes. ¶ Zie je het huwelijk veracht worden en overspel als goed worden geprezen,

Siedy dat Heeren looftuyters beminnen
Siedy oncuyscheyt in eeren gheresen
Siedy oock ter wereldt wesen
Dat haer de Maecht draecht als een dille
Siedy een monninck rebel tot desen
Houdt tant voor tonghe, ende swijcht al stille.

Siedy metten schapen de wolven gaen
Ende fortselijck henlieden tvel af stroopen
Siedy groote dieven den hals ontgaen
Ende cleene aen die galghe cnoopen
Siedy een Nonne met Heer Omnes loopen
En liever naeyen dan hanthieren de spille
Siedy alomme ghebreck by hoopen
Houdt tant voor tonghe ende swijcht al stille.

Prinche

Prinche, tswijghen en machmen niet verelen
Tvele spreken is vol van gheschille
Dus wat ghy siet, al macht u vervelen
Houdt tant voor tonghe, ende swijcht al stille.

zie je dat heren pluimstrijkers appreciëren, zie je onkuisheid verheerlijkt, zie je
ook dat een maagd zich als een sloerie gedraagt, zie je in deze tijd een onge-
hoorzame monnik, hou je tong achter je tanden en zwijg stilletjes. ¶ Zie je de
wolven op de schapen afkomen en ze met geweld het vel afstropen, zie je grote
dieven hun hals redden en kleine dieven opgeknoopt worden, zie je een non met
Jan en alleman lopen en liever naaien dan het spinnewiel hanteren, zie je alom
het kwaad met hopen, hou je tong achter je tanden en zwijg stilletjes. ¶ Prins ¶
Prins, het zwijgen kan men niet hoog genoeg prijzen. Veel praten leidt tot ruzie.
Dus, wat je ook ziet, al mag het je tegen de borst stuiten, hou je tong achter je
tanden en zwijg stilletjes.

SUSTER BERTKEN

† 1514

EEN LYEDEKEN

Ic was in mijn hoofkijn om cruyt gegaen;
Ic en vanter niet dan distel ende doorn staen.

Den distel ende den doorn die werp ick uut:
Ic soude gaerne planten ander cruyt.

Nu heb ic een gevoncen dye gaerden can;
Hi wil die sorge gaerne nemen an.

Een boom was hooch gewassen in corter tijt;
Den cond ic uuter aerden gebrengen nyet.

Dat hinder vanden bome mercte hi wael:
Hi toochen uuter aerden altemael.

Nu moet ic hem wesen onderdaen,
Oft hi en wil dat gaerden niet bestaen.

Mijn hoofken moet ic wien tot alre tijt;
Nochtans en can icks claer gehouden niet.

Ik was in mijn tuintje gegaan om kruiden te halen; ik vond er niets dan distels
en doornen. ¶ De distels en de doornen heb ik eruit gegooid: ik zou graag
andere kruiden planten. ¶ Nu heb ik iemand gevonden die tuinieren kan; hij
wil de zorg graag op zich nemen. ¶ In korte tijd was er een boom hoog opgegroeid; die kon ik niet uit de grond trekken. ¶ Dat ongemak van de boom
bemerkte hij wel: hij trok hem helemaal uit de grond. ¶ Nu moet ik hem onderdanig zijn, of hij wil het tuinieren niet op zich nemen. ¶ Mijn tuintje moet ik
voortdurend wieden; toch kan ik het niet schoonhouden.

Hier in so moet ic zayen lelyen saet;
Dit moet ic vroech beginnen inder dageraet.

Als hi daer op laet dauwen, die minre mijn,
So sel dit saeyken schier becleven sijn.

Die lelien siet hi gaerne, die minre mijn,
Als si te rechte bloyen ende suver sijn.

Als die rode rosen daer onder staen,
So laet hi sinen sueten dau daer over gaen.

Als hi daer op laet schynen der sonnen schijn,
So verbliden alle die crachten der sielen mijn.

Jhesus in sijn name, die minre mijn;
Ic wil hem eewelic dienen ende sijn eygen sijn.

Sijn min heeft mi gegeven so hogen moet,
Dat ic niet meer en achte dit eertsche goet.

Hierin moet ik leliezaad zaaien, dat moet ik doen bij het krieken van de
dag. ¶ Als hij daar de dauw op laat neerdalen, mijn minnaar, dan zal het zaadje
weldra wortel schieten. ¶ De lelies ziet hij graag, mijn minnaar, als zij bloeien
zoals dat behoort en zuiver zijn. ¶ Als de rode rozen daartussen staan, dan laat
hij zijn zoete dauw daarop neerdalen. ¶ Als hij daarop de zonneschijn laat stralen, dan worden al mijn zielekrachten verheugd. ¶ Jezus is de naam van mijn
minnaar; ik wil hem voor eeuwig dienen en hem toebehoren. ¶ Zijn liefde heeft
mij zo fier gemaakt, dat ik niets meer geef om dit aardse bezit.

EEN LYEDEKEN

Die werelt hielt my in haer gewout
Mit haren stricken menichvout;
Mijn macht had sy benomen.
Si heeft my menich leet gedaan, eer ic haer bin ontcomen.

Ic bin die werelt af gegaen;
Haer vroechde is also schier gedaen
In also corten daghen.
Ic en wil die edel siele mijn niet langer daer in wagen.

Ic sie den enghen wech bereyt,
Die recht totter ewigher vroechden leyt.
Natuer, wilt nyet versaghen!
Ic wil dair vromelic doer gaen, om Jhesus te behagen.

Ick voele in my een vonkelkijn;
Het roert so dic dat herte mijn.
Daer wil ick wel op waken.
Die min vermach des altemael, een vuer daer af te maken.

Nu moechdi horen een groot beclach:
Natuer si roept 'o wy!' 'o wach!'

De wereld hield mij ten zeerste in haar macht met haar vele strikken; mijn
macht had zij afgenomen. Zij heeft mij heel wat leed bezorgd, voordat ik haar
ontkwam. ¶ Ik heb de wereld vaarwel gezegd; haar vreugde is zo snel, in korte
tijd, voorbij. Ik wil mijn edele ziel in die korte tijd niet langer op het spel
zetten. ¶ Ik zie de smalle weg open liggen die recht naar de eeuwige vreugde
leidt. Natuur, versaag niet! Ik wil de smalle weg dapper gaan om Jezus te
behagen. ¶ Ik voel in mij een vonkje; het raakt zo dikwijls mijn hart. Daar
wil ik goed op letten. De liefde is er volledig toe in staat om daar een vuur
van te maken. ¶ Nu kunt ge een grote klacht horen: Natuur roept: 'O wee!
Helaas!'

Haer vroude moet si laten.
Daer si haer lange in heeft verblijt, dat moetse leeren haten.

Haddieu, haddieu, nature mijn!
Mijn hert dat moet ontcommert sijn.
Ten mach gheen claghen baten.
Dye mijn siel alleen begeert, hem wil ic nu inlaten.

Mijn vianden nemen des nauwe waer,
Heymelick ende openbaer:
Si legghen mi valsche laghen;
Hier om so moet ic wacker sijn bi nacht ende oec bi dage.

Ic en wil mi daer in niet verslaen;
Met vroechden wil ict anegaen;
Ic selse wel verweren.
Die minne voert so groten brant, si en moghen mi niet deren.

Daer vast staet mijn betrouwen in:
Hi sterct mi met sijn hoghe min;
Sijn cracht doet mi verwinnen;
Sijn gaven sijn soe menichfout, geen hert en mach't versinnen.

Haar vreugde moet zij laten schieten. Waar zij zich lange tijd in heeft verheugd, dat moet zij leren haten. ¶ Adieu, adieu, mijn natuur! Mijn hart dat moet ontlast worden. Klagen helpt niet. Hij die mijn ziel geheel voor zich begeert, hem wil ik nu binnenlaten. ¶ Mijn vijanden letten daar scherp op, heimelijk en openlijk: zij spannen valstrikken voor mij; daarom moet ik waakzaam zijn, 's nachts en overdag. ¶ Ik wil mij niet uit het veld laten slaan; met vreugde wil ik het ondernemen; ik zal ze wel afweren. De liefde brandt zo fel dat zij mij niet kunnen deren. ¶ Hierop vertrouw ik ten volle: hij maakt mij met zijn verheven liefde sterk; zijn kracht doet mij overwinnen; zijn gaven zijn zo veelvuldig: geen hart kan het zich voorstellen.

DIRC COELDE VAN MUNSTER

ca. 1435-1515

[DRIE DINGHEN WEET IC VOORWAER]

Drie dinghen weet ic voorwaer,
Die dicke mijn herte maken swaer.
Dat eerste beswaert mi minen moet,
Want ic immer sterven moet.
Dat ander beswaert mijn herte meer,
Als dat ic niet en weet wanneer.
Dat derde beswaert mi boven al,
Ic en weet niet waer ic varen sal.

[OCH EDEL SIELE WILT MERCKEN]

Och edel siele wilt mercken
Ende hertelijck bekinnen
Dijns soete brudegoms wercken,
Sijn onghemeten minnen;
Hoe veel heb ick gheleden
Al om die minne dijn;

Drie dingen weet ik, voorwaar, die mijn hart dikwijls bezwaren. Het eerste bezwaart mijn gemoed, namelijk dat ik ooit moet sterven. Het tweede bezwaart mijn hart nog meer: dat ik niet weet wanneer. Het derde bezwaart mij bovenal: ik weet niet waar ik naar toe zal gaan.

•

[De bruidegom zegt:] 'Och, edele ziel, sla toch acht op en bezie met je hart het werken van je beminde bruidegom, zijn onmetelijke liefde. Hoeveel heb ik geleden uit liefde voor jou.

Dit soude u wel bi reden
Doen doen den wille mijn.

Hemel, lucht ende aerde
Heb ick ghemaect om dy,
Des hemels borgers weerde
Sijn alle dijn dienaers vry;
Die beesten op aertrijcke,
Die voghelen inder lucht,
Die bloemkens des ghelijcke,
Die boomen ende alle vrucht.

Die middelaer seyt:
O siele uutvercoren,
Nu keert u herte tot hem;
Ontsluyt dijns herten ooren
Ende hoort dijns brudegoms stem.
Hi spreect tot u van binnen:
O uutvercoren bruyt,
Die werelt laet nu te minnen
Ende gaet u selven uut.

Die bruydegom seyt:
Ick wil dat ghi sult laten
Alle bliscap ende ghemack,

Dit zou je wel, als je jezelf erop bezint, mijn wil laten doen. ¶ Hemel, lucht en aarde heb ik om jouwentwil geschapen, de waarde hemelburgers [de engelen] zijn allen je edele dienaars. En ook de dieren op aarde, de vogels in de lucht, evenzo de bloemen, de bomen en alle vruchten.' ¶ De bemiddelaar zegt: ¶ 'O, uitverkoren ziel, keer je hart toch tot hem; doe de oren van je hart open en hoor de stem van je bruidegom. Hij spreekt tot je van binnen: "O, uitverkoren bruid, houd nu op de wereld lief te hebben en verloochen jezelf."' ¶ De bruidegom zegt: ¶ 'Ik wil dat je alle blijdschap en genoegens van het geschapene zult laten varen

Der creaturen af saten
Ende vlyen der werelt wrack;
Ende hebt mi lief alleene,
Ick wil u bruydegom sijn;
Der menschen trou is cleene,
Int laetste niet dan pijn.

U hert tot miwaert draget:
Ick ben van formen schoon,
Mijn moeder is een reyn maget,
Ick ben eens conincx soon;
Dan moechdy eewelijck leven
Al in dijns bruydegoms rijck,
Met Gode sijn verheven,
Den schonen engelen ghelijc.

Wildy der werelt volghen
Ende soecken aertsch jolijs,
So maect ghi mi verbolghen
En verliest dat schoon paradijs.
Den wech is seer enghe,
Die totten leven leyt;
Strijdt in duechden strenghe,
Die croone is u bereyt.

Doer u, o mijn vercoerne,

---

en dat je de bedorven wereld zult ontvluchten. En heb alleen mij lief, ik wil je bruidegom zijn. De trouw van de mensen is gering en uiteindelijk niets dan leed. ¶ Richt je hart op mij: ik ben schoon van vorm, mijn moeder is een zuivere maagd, ik ben een koningszoon. Dan mag je eeuwig leven in het rijk van je bruidegom, en, gelijk aan de schone engelen, bij God worden verheven. ¶ Wil je de wereld volgen en aardse vreugde zoeken, dan maak je mij toornig en verlies je het schone paradijs. De weg die naar het eeuwig leven leidt is zeer smal. Strijd in harde deugdbeoefening, de kroon ligt voor je klaar. ¶ Om jou, o mijn uitverkorene,

Heb ick scherpe wegen ghegaen
Doer dijstelen ende doer doerne
Moet ghi mi volghen aen.
En wilt ghi niet vermiden
Waelluste in deser tijt,
So siet uws bruydegoms liden,
Oft ghi hem ghelijcke sijt.

Om dy ben ick ghedalet
Uut mijnder moghentheyt
Ende heb u schult betalet
Met grooter bitterheyt.
Sijt mi ghetrouwe alleyne
Ende gaet uwer sonden uut,
Ghi hebt mijn herte reyne
Ghewont, mijn suster ende bruyt.

Ick ben uut grooter eeren
Ghecomen in scanden groot;
Om u vruecht te vermeeren
Gaf ick mijn leven ter doot;
Ick was der coningen coninc
Ende wert des menschen knecht;
Al duyster ick aen 't cruce hinc,
Al was ick des hemels lecht.

ben ik moeilijk begaanbare wegen gegaan; door distels en doornen moet je mij
volgen. Wil je wellustige genoegens op aarde niet vermijden, zie dan het lijden
van je bruidegom aan, of je hem gelijkt. ¶ Om jou ben ik uit mijn macht neergedaald en heb je schuld met groot bitter lijden betaald. Wees mij alleen getrouw
en verzaak aan je zonden. Jij, mijn zuster en bruid, hebt mijn zuiver hart gewond. ¶ Ik ben vanuit grote eer in grote schande gekomen. Om jouw vreugde
te vermeerderen heb ik mijn leven gegeven tot de dood toe. Ik was de koning
der koningen en werd de dienaar van de mens. Ik heb in volkomen duisternis
aan het kruis gehangen, ofschoon ik het licht des hemels was.

Ick ben pelgrim gheworden,
Ghecomen uut mijn rijck;
Sij wouden mi vermoorden,
O lief seer minnelijck.
Hoe vele heb ick gheleden,
Hoe bitter, oock hoe swaer!
Om u heb ick ghestreden,
O bruyt, drieëndertich jaer.

Ick was soe seer ontblide
Doen ick den strijt bestoet,
Dat ick te dyen tide
Sweete water ende bloet.
Oock was ick alleen die man,
Doen ic ten stride waert ghinc;
Minne dede mi die wapen an,
Daer ic met aen den cruce hinc.

O siele, o seer gheminde,
Mijn bruyt, mijn uutvercoren,
Nu volcht mi tot int ynde,
Als ick u gae te voren.
En laet u niet duncken
Dat ghi te weeckelijck sijt,
Mijn kelc uut minnen ghedroncken
En is soe bitter niet.

Ik ben pelgrim geworden, uit mijn rijk gekomen. Zij wilden mij vermoorden, o,
teerbemind lief. Hoeveel heb ik geleden, hoe bitter, en hoe zwaar! Om jou, o
bruid, heb ik gestreden, drieëndertig jaar. ¶ Ik was zo diep bedroefd toen ik de
strijd aanging, dat ik in dat uur water en bloed zweette. Ook was ik alleen toen
ik ten strijde trok. Liefde gordde mij de wapenen aan waarmee ik aan het kruis
hing. ¶ O ziel, o zeer geliefde, mijn bruid, mijn uitverkorene, volg mij nu tot in
het einde, zoals ik je voorga en denk niet dat je te zwak bent. Mijn kelk, uit
liefde gedronken, is niet zo bitter.

Uwen staf laet sijn mijn liden,
Als ghi vermoeyet sijt.
Merct doch tot allen tiden
Mijn pine diep ende wijt!
Ick heb om dijn minne
Soe swaren cruyce ontfaen:
Als lammeken soet van sinnen
Ben ick ter doot ghegaen.

Om u ben ick gheclommen
Al op des cruycen boom;
Waer toe ben ic ghecommen,
O siel, du suyver bloem;
Om dy te gheven drincken
Ende engelsche spise daer by?
Mijn passie wilt ghedincken,
Set alle uwen troost in my.

    Die middelaer seyt:
O bruyt, wilt met hem treuren,
Met hem te liden kiest,
Als doet tot allen uren
Die sijn liefste lief verliest.
Vliecht op dat cruyce met sinne
Daer hi leet groten noot;
O bruyt, om uwe minne
Is nu dijn bruydegom doot.

Laat mijn lijden je staf zijn als je vermoeid bent. Sla toch altijd acht op mijn diepe en grote smart! Ik heb uit liefde tot jou zo'n zwaar kruis ontvangen: als zachtzinnig lammetje ben ik ter dood gegaan. ¶ Om jou ben ik op de kruisboom geklommen. Waartoe ben ik gekomen, o ziel, zuivere bloem? Om jou te drinken te geven en daarbij de spijs van de engelen? Gedenk mijn lijden, stel al je hoop op mij.' ¶ De bemiddelaar zegt: ¶ 'O bruid, treur met hem, verkies met hem te lijden, zoals degene die zijn liefste lief verliest altijd doet. Haast je blijmoedig naar het kruis waar hij grote nood leed. O bruid, uit liefde tot jou is je bruidegom nu dood.'

Dye minnende siele totten Bruydegom:
Ick wil met ganser herten,
Al metten armen mijn
Om vangen met groter smerten
U, Jesu, brudegom fijn.
Mijn herte ick u gheve,
O Jesu, liefste aenschijn,
Oft ick sterve oft leve,
Laet nemmermeer sceyden sijn.

Die middelaer seyt:
Nu vliecht opt cruyce ootmoedich
Daer ic aen sterf de doot,
Daer bloeyen bloemkens bloedich
Als vijf schoon roosen root,
Ende doet ghelijc die byen fijn
Die suyghen der bloemen saet,
Daer uut sy treckende sijn
Dat alder soetste honich raet.

Hi heeft u meer beminnet
Dan eenich moeder haer kint;
Sijn bloet is uut gherinnet,
Daer met ghi u suyver vint.
Al sijt ghi vol misdaden,
Hi en wilt u niet versmaen;

De minnende ziel tot de bruidegom: ¶ 'Ik wil met heel mijn hart, met mijn armen in grote smart jou, Jezus, edele bruidegom, omarmen. Ik geef je mijn hart, o Jezus, liefste wezen. Of ik sterf of leef, laat het nooit tot een scheiding komen.' ¶ De bemiddelaar zegt: ¶ 'Nu haast je ootmoedig naar het kruis waar ik de dood aan stierf. Daar bloeien bloedige bloempjes als vijf prachtige rode rozen. En doe zoals de edele bijen die het zaad der bloemen zuigen, waaruit zij de allerzoetste honingraat maken. ¶ Hij heeft je meer bemind dan enige moeder haar kind. Zijn bloed is uitgevloeid, waardoor jij jezelf gezuiverd vindt. Al ben je vol zonden, hij wil je niet versmaden.

Als ghi begheert ghenaden,
Hi wilt u gaerne ontfaen.

    Die bruydegom seyt:
Ick ben van u vergheten,
O lacen, al heel bi nae,
Voer uws herten dore gheseten,
Daer ic dicwils cloppe en slae;
Ende mi wort gheweyghert dat,
O alder liefste siele mijn,
Te rusten in uwer herten stat,
Want dat al mijn weelden sijn.

O siele, hoort mi kermen,
Waer om vlietstu van my?
Laet u doch mijns ontfermen,
Want ick dijn schepper sy.
Mijn armen sijn ontploken,
Mijn hooft gheneycht tot u,
Mijn leden om u ghebroken,
Coemt, bruyt, ende cust mi nu!

Als je genade verlangt zal hij je graag ontvangen.' ¶ De bruidegom zegt: ¶ 'Ik ben, helaas, door jou vrijwel geheel vergeten, zittend voor de deur van je hart, waarop ik dikwijls klop en bonk. Maar het wordt mij geweigerd, o mijn allerliefste ziel, in de woning van je hart te rusten, terwijl dat mijn allergrootste vreugde is. ¶ O ziel, hoor mij kermen, waarom vlucht je van mij weg? Ontferm je toch over mij, ik ben je schepper. Mijn armen zijn opengespreid, mijn hoofd is naar jou geneigd, mijn ledematen zijn om jou gebroken. Kom, bruid, en kus mij!'

◆

[RIJMSPREUK]

Als op mijn schouder clopt een heer,
En een baghyne my noot seer,
En my een loes man sweert by trouwe,
En mijn aenlacht een schoon joncfrouwe,
En mijn een non biet haren mont,
En mijn aenwispelsteert een hont,
So heb ick gewonnen noch verloren,
Maer blijf al als ick was te voren.

DRIE HISTORIELIEDEREN

[UIT DE 'EXCELLENTE KRONIKE VAN VLAENDEREN']

[ACROSTICHON]

Mijne gheminde, ick biddu hertelick,
Aensiet hoe lettel mijn voys gheacht es,
Remedieert mijn lijden smertelick,
In also varre alst in u macht es;
Een weese, een maecht, die dus vaeracht es,

●

Wanneer een heer mij op de schouder slaat, en een begijn mij inviteert, en mij een valsaard zijn erewoord geeft, en mij een mooie jongedame toelacht, en mij een non haar mond toesteekt, en een hond tegen mij kwispelt, dan heb ik daarmee niets gewonnen noch verloren, maar blijf ik precies dezelfde die ik was.

●

Mijn beminden, ik smeek u hartstochtelijk: zie hoe weinig gewicht mijn stem in de schaal legt. Tracht mijn hevige verdriet te verzachten, voor zover dat binnen uw vermogen ligt. Een wees, een jong meisje, die op deze wijze verdrukt wordt

Van hem, die my ter vonten hief!
Ach, doet my bijstant, eert al versmacht es,
Noeyt volc so goede cause besief.

Betraut in Gode, hebdy my lief,
Voor een maecht vechten es eer ende vreucht,
Raept moet, ghi bluscht hu eyghen grief,
God sal ons helpen by sijnder duecht;
Oec biddic hu minlic: hebt, of ghi muecht,
Eendrachticheyt tsamen, wats gheschiet.
Ne weist in sijn heircracht niet onghehuecht;
Int meeste volcx licht die victorie niet,
Eere, winst, ende duecht mijn siele hu biedt.

By my, als jonghe princesse cleene,
Doet bystant, dat hu God vruecht verleene.

EEN LIEDEKEN VANDEN SLACH VAN BLANGIJS

Alsmen duysent vierhondert schreef
Ende neghen en tseventich jaer,

door hem, die mij ooit ten doop gehouden heeft. Ach, sta mij bij, eer alles verloren is. Nooit is er zo'n rechtvaardige zaak voor het volk geweest. ¶ Vertrouw op God, indien gij mij liefhebt. Het is een eer en een vreugde om voor een maagd te strijden. Schep moed, gij doet uw eigen smaad teniet. God in zijn goedheid zal ons bijstaan. Ook vraag ik u vriendelijk, wat er ook gebeurt: tracht eendrachtig te strijden als u daartoe in staat bent. Laat u niet afschrikken door zijn legermacht. Een overwinning is niet louter een kwestie van het grootste aantal soldaten. Bij mijn ziel beloof ik u riddereer, roem en een overwinning. ¶ Omwille van mij, een jonge tere onbeschermde prinses. Sta mij bij; God zal het u lonen.

•

Toen men schreef duizend vierhonderd en negenenzeventig jaar,

Wat schoonder victorie doen becleef
Den Vlaminghen, dat was waer!
Te Blangijs al op dat velt,
Daer heeft den Leeu zijn clauwen ontdaen
Met machte ende met ghewelt;
Met foortsen door dronghen,
Si riepen alle: 'Flander de leeu!'
Met Vlaemschen tonghen.

Als die Lupaert sach zijn vianden,
Hi en sorchde voor gheen ghequel;
Hi thoonde zijn clauwen en ooc zijn tanden,
Zijn briesschen, ende dat was fel.
Sijn ooghen blaecten al waert een vier;
Doen riepen alle die capiteynen:
'God hoede ons in dit bestier!'
Beyde ouden metten jonghen,
Si riepen alle: 'Flander de leeu!'
Met Vlaemschen tonghen.

Die Franchoysen quamen an,
Seer cloeck ende onversaecht.
Ons Prince sprak: 'Elck si een man,
Het moet hier vromelijck zijn gewaecht;

wat behaalden de Vlamingen toen bij de slag van Blangijs een schitterende
overwinning! Daar sloeg de Vlaamse Leeuw brullend zijn klauwen uit. Met
groot geweld braken de Vlamingen door de vijandelijke linies; zij riepen in
koor: 'De Leeuw van Vlaanderen!' in hun moedertaal. ¶ Toen de Leeuw zijn
vijanden ontwaarde, vreesde hij geen rampspoed. Hij toonde zijn klauwen, liet
zijn tanden blikkeren en stiet een bloeddorstig gebrul uit. Zijn ogen schitterden
en spogen vuur. Toen riepen alle legeraanvoerders (zowel de oude als de jonge): 'Moge God ons beschermen bij deze onderneming!' Alle Vlamingen riepen
in koor: 'De Leeuw van Vlaanderen!' in hun moedertaal. ¶ De fransozen kwamen zeer kloek en onverschrokken naderbij. Onze vorst sprak: 'Wees een man,
iedereen! Wij moeten onze levens heldhaftig op het spel zetten.

Elck si gemoet ghelijck een Lupaert!'
Doen sprack die grave van Romont:
'Edel Vlamingen, thoont uwen aert!'
Die pijckeniers doordronghen,
Si riepen alle: 'Flander de leeu!'
Met Vlaemschen tonghen.

Ons edel prynce Maximiliaen,
Hy beete hem neder te voet,
Ende hi viel over zijn knien,
Biddende Gode met ootmoet:
'Kinderen, dus wil ick, dat ghi allen doet
Ende ghi heeren van hooger weerde';
Met dien maecte hi een cruyce voor hem,
Hi custe die aerde.
Die tranen hem ontspronghen.
Si riepen alle: 'Flander de leeu!'
Met Vlaemschen tonghen.

Myn here van Bever ende menich lantshere,
Baenrootsen van machte groot,
Behaelden daer prijs ende eere;
This recht, want het was wel noodt,
Midts hulpe vanden pijckeniers.

Strijd nu met ware leeuwenmoed!' Toen sprak de graaf van Romont: 'Edele Vlamingen, toon nu uw ware aard!' De lansdragers forceerden een doorbraak. Alle Vlamingen riepen in koor: 'De Leeuw van Vlaanderen!' in hun moedertaal. ¶ Onze edele vorst Maximiliaan steeg van zijn paard en viel op zijn beide knieën. Deemoedig richtte hij een smeekbede tot God. 'Kinderen, ik wil dat jullie hetzelfde doen, en ook gij, machtige hoge heren!' Op hetzelfde ogenblik sloeg hij een kruis en kuste de aarde. De tranen sprongen uit zijn ogen. Alle Vlamingen riepen in koor: 'De Leeuw van Vlaanderen!' in hun moedertaal. ¶ Mijn heer van Beveren en vele andere edelen; machtige heren, die onder hun eigen banier ten strijde trokken, verwierven roem en eer door hun dappere daden. Met recht. Want zij, bijgestaan door de lansdragers, waren van onschatbare waarde voor de goede afloop.

Daer blevender wel thien duysent doot
Van tsconincx van Vranckerijc hersiers.
Hoe vrolijck dat si songen!
Si riepen alle: 'Flander de leeu!'
Met Vlaemschen tonghen.

In Oestmaent den sevensten dach,
So is den slach geschiet.
Ick bidde Maria, daer God in lach,
Ende hem, die alle dinck versiet,
Bi zijnder godlijcker cracht;
Wi willen hem om victorie bidden,
Hi heves also wel die macht,
Met handen ghedronghen.
Si riepen alle: 'Flander de leeu!'
Met Vlaemschen tonghen.

VAN KEYSER MAXIMILIAEN

Met luste willen wi singhen,
Ende loven dat Roomsche rijck
Van coninck Maximiliaen,
Gheboren uut Oostenrijck,

Maar liefst tienduizend bereden soldaten van de Franse koning legden het
loodje. Hoe vrolijk zongen de Vlamingen, zij riepen allen in koor: 'De Leeuw
van Vlaanderen!' in hun moedertaal. ¶ Dit geschiedde in de oogstmaand [au-
gustus], op de zevende dag. Hoor mij aan: Maria, die God gedragen heeft, en
hij, die alles door zijn goddelijke macht bestiert. Met ineengeklemde handen
smeken wij hem om een overwinning; het ligt binnen zijn vermogen om ons die
te geven. Alle Vlamingen riepen in koor: 'De Leeuw van Vlaanderen!' in hun
moedertaal.

•

Met genoegen zullen wij een lied zingen om het Duitse keizerrijk te loven. Over
koning Maximiliaan, geboren in Oostenrijk,

Die edel coninck, den edelen staet,
Hoe dat hi zijnder vrouwen
Uut Britanien beschreven haet.

Die brieven heeft si vernomen,
Die edel joncfrou saert:
'Die met mi wil rijden,
Die maket hem op die vaert!
Ic moet rijden na dat Duytsche lant,
Tot minen edelen heere,
Hi is mi onbekant.'

Die bruyt sadt op met eeren,
Si reedt na dat Duytsche lant,
Met suchten ende met beven;
Groot jammer quam daer van.
Dat dede die coninc van Vrancrijck,
Door zijn lant moeste si rijden,
Die joncfrou was duechdelijc.

Doen reedt si een weynich voort,
Die coninc quam haer teghen ghegaen,
Van tranen werden haer ooghen nat,
Si wert seer ongedaen.
Hi seyde: 'God groete u joncfrou teer,

een edele prins; telg uit een oud vorstengeslacht. Dit lied vertelt hoe hij zijn
vrouw in Bretagne schreef, dat zij naar hem toe moest komen. ¶ Toen de lieflijke edele vrouw de brieven gelezen had, sprak zij: 'Wie met mij meereizen
moet zich reisvaardig maken. Ik ga op reis naar Holland; naar mijn edele gemaal, die ik nog nooit heb gezien.' ¶ In volle luister steeg de bruid op haar
paard. Zij zuchtte en beefde van angst. Grote rampspoed kwam hiervan, veroorzaakt door de koning van Frankrijk. De jonkvrouw was deugdzaam, maar
zij moest een heel eind door Frankrijk reizen. ¶ Toen zij een eindje onderweg
was, kwam de Franse koning haar tegemoet gereden. Zij schrok zich dood, de
tranen sprongen haar in de ogen. Hij zei: 'God zegene u, tedere jonkvrouw.

453

U eere wil ic behouden,
Den Roomschen coninck te lee.'

Si sprack: 'Dat en wil God nemmermeer:
Ghi hebt een ander wijf,
Ic hebbe eenen coninc tot een heere,
Gheboren uut Oostenrijck.
Hi is edel ende daer toe fijn,
Ter eeren van hem willic draghen
Van goude een cranselijn.'

'Mijn wijf en was niet oudt genoech,
Si en heeft maer neghen jaren;
Si was mi teghen minen wil gegheven,
Dat segge ic u voorwaer.
Het was een joncfrou op desen dach,
Si was mi toegheschreven,
Doen si inder wieghen lach.

Die paeus nam dat ghelt van mi,
Hi scheyde mi van minen wive.
Hi scheyde ons beyde te samen,
Twee sielen ende eenen lijve.'
'Mer dat sal costen so menighen man,
Die daerom sullen sterven,
Luttel schulden hebben si daer van.'

Ik neem uw eer onder mijn hoede, tot verdriet van de Roomse koning.' ¶ Zij
sprak: 'Dat zal God nooit toestaan! Gij hebt een andere vrouw. En ik krijg een
koning tot gemaal, geboren in Oostenrijk. Hij is een edel, voortreffelijk mens.
Ter ere van hem zal ik een gouden kroon dragen.' ¶ 'Mijn vrouw is niet oud
genoeg, zij is nog maar negen jaar. Tegen mijn wil is zij mij ten huwelijk gegeven; dit is de volle waarheid. Tot op heden is zij maagd; zij is mij toegewezen
toen zij nog in de wieg lag. ¶ De paus heeft een grote geldsom van mij aangenomen om ons huwelijk te ontbinden. Hij zal ons in de echt verbinden, zodat
wij samen één geheel vormen.' 'Zoveel onschuldige mensen, die part noch deel
hieraan hebben, zullen hierom moeten sterven!'

Si schreyde nacht ende dach,
Si schreyde al om haer eer;
Van tranen so werden haer oogen nat.
Si versuchte so lancx so meer.
Si sprac: 'Dat en wil God nemmermeer,
Ic sal mijn eere behouden,
Den Roomschen coninck ter eer.'

Die dit liedeken eerstwerf sanck,
Dat waren drie ruyters fijn,
Si hebbent so lichte gesongen
Te Cuelen op den Rijn.
Si trocken al door des conincx lant,
Om buyt so souden si gangen,
Si en hadden ghelt noch pant.

◆

[RIJMSPREUKEN]

O mensche, peinst in aller tijt,
Wanen ghi quaemt, en wat ghi zijt,
En wat ghi emmer werden moet,
Als die doet comt onverhoet.

Zij schreide dag en nacht; zij schreide om haar verloren eer. De tranen stroomden uit haar ogen; naarmate de tijd verstreek verviel zij tot grote somberheid. Zij sprak: 'God zal dit nooit toestaan. Ik zal mijn eer behouden, uit eerbied voor de Roomse koning.' ¶ Degenen die dit liedje voor het eerst zongen, dat waren drie kloeke soldaten. Zij zongen zo vrolijk in Keulen aan de Rijn. Zij trokken door het hele koninkrijk, op zoek naar een flinke buit; zij hadden geen rooie cent.

•

O mens, bedenk te allen tijde waar u vandaan komt, wat ge bent en wat ge zult worden, wanneer de dood komt, onverwachts.

Saelmoen zeit, die wize heere,
Sesse dinghen haet God onse Heere,
Ende tsevende dijnc, dat wel verstaet,
Dats hoverdie, die es alte quaet,
Entie tonghe lueghenachtich,
Ende therte al quaet ghedachtich,
En die onnutte dijnc jaghet,
Ende valsche orconde draghet,
Ende die hande, des zijt vroet,
Die doen sturten donnosel bloet,
Ende stellen voet omdat zij
Aerch beloepen verre ende bij,
Entie weder ende voert
Sayen onder broeders discoert:
Dit zijn de poynte zonderlinghe,
Die Gode haet boven allen dinghen.

Ay arem maech, vremt gast,
Waer ghi comt, ghi zijt een last,
Ende daremste dijnc van eerderike,
Dats een arem mensche die was rike,
Want al den tijt datti leeft,
Te min vriende datti heeft.

De wijze vorst Salomo zegt: zes zaken haat Onze Lieve Heer, en de zevende is hovaardij, die extra slecht is; zo ook de leugenachtige tong, het boosaardige hart, en wie het nutteloze najaagt, en valse getuigenis aflegt, en handen die onschuldig bloed vergieten, en zij die her en der het kwaad najagen en tweedracht zaaien onder broeders: dit zijn vooral de zaken die God in het bijzonder haat.

•

Ach arme verwant, vreemde gast, waar u ook komt, bent u tot last; het meest armzalige schepsel op aarde is een arm mens die ooit rijk was: want hoe langer hij leeft, des te minder vrienden houdt hij.

Alle chierhede van eerderike,
En alle clergie diere ghelike,
En al eerdsche moghenthede,
En alle rijcheit van scatte mede,
En alle dijnc zonder waen,
Al staet int curte te vergaen.

Wie sijn zij daer men meest dore doet?
Minne, Vreeze, ende Deerdsche goet.

Des lijfs doet ducht men ghemeene,
Der zielen doet ducht menich cleene.

In allen landen onbekent,
Van allen minschen ongemint,
Ongetroest in allen pijnen,
Soo leeft God metten sijnen.

Alle aardse kostbaarheden, en ook alle geleerdheid, en alle macht op aarde, en alle rijkdom en bezit, en alle dingen zonder twijfel, zijn voorbestemd om eerlang te vergaan.

•

Wie zijn het om wier wille men zich het meest uitslooft? Liefde, angst en aards bezit.

•

De dood van het lichaam vreest men doorgaans, maar menigeen maalt weinig om de dood van zijn ziel.

•

Ongekend in alle landen, onbemind door iedereen, ongetroost in alle pijn — zo leeft God te midden van de zijnen.

In vele lieden es hoverdie,
Die zijn van Lucifeers paertie.

TWEE KERSTGEDICHTEN UIT HET WERDENER LIEDERHANDSCHRIFT

DERTIJNDACH EEN ANDER LOYSSE

Drij konnyngen uut Orienten
Quamen toe Jherusalem;
Sy vraechden, waer is hy gebaren
Die connynck der Joeden?
Sy saghen in Orienten
Een sterne fijn,
Sy quamen om aen te beden
Dat kijndekijn.
Een kijndekijn is ons gebaren
In Bethleem,
Des had Herodes toorne,
Dat scheen aen em.

Als Herodes dat vernam,
Dat een konnynck gebaren was,
So was hy toornich ende gram

In vele mensen huist hovaardigheid; ze zijn partijgangers van Lucifer.

•

Driekoningen, nog een geestelijk lied ¶ Drie koningen kwamen uit het oosten naar Jeruzalem. Zij vroegen: 'Waar is hij geboren, de koning der joden?' Zij zagen in het oosten een prachtige ster. Zij kwamen het kindje aanbidden. Een kindje is ons geboren in Bethlehem. Daarom was Herodes boos. Dat kon men duidelijk aan hem zien. ¶ Toen Herodes hoorde dat er een koning geboren was, toen was hij vertoornd en kwaad.

458

Ende hy vergan on des,
Dat hy verliesen solde
Sijn rijc seer groot,
Hy dacht, woe hy mocht brengen
Dat kijndekijn ter doot.
     Een kijndekijn is ons gebaren etc.

Herodes sprack den konnyngen toe:
Gaet hyn ende sueckt dat kijnt
Mit also groter werdicheit,
Ende, so men van on seget, hij is konnynck
Baven allen konnyngen;
Hy is so fijn,
Men seget, hij sal besitten
Dat rijcke mijn.
     Een kijndekijn is ons gebaren etc.

Als gy dat kyndekijn hebt gevonden,
So komt weder om tot my,
Dat ick in korten stonden
Mach weten, waer et sy,
Dat ick oeck aen mach beden
Dat kijndekijn,
Dat heft so seer doersneden
Dat herte mijn.
     Een kijndekijn is ons gebaren etc.

En hij was uit afgunst bevreesd dat hij zijn zeer grote rijk verliezen zou. Hij dacht na hoe hij het kindje ter dood kon brengen. Een kindje is ons geboren, enz. ¶ Herodes zei tot de koningen: 'Ga op weg en zoek dat kind met grote eerbied. En, zoals men van hem zegt, hij is koning boven alle koningen. Hij is zo edel. Men zegt dat hij mijn rijk zal bezitten. Een kindje is ons geboren, enz. ¶ Als jullie het kindje gevonden hebben, kom dan weer naar mij, zodat ik snel weet waar het zich bevindt. Dan kan ik ook het kindje aanbidden dat mij zo in mijn hart getroffen heeft.' Een kindje is ons geboren, enz.

Herodes vraechden de vroden,
Waer dat kijndekijn gebaren was;
Sy seyden: heer, in Bethlehem,
Als die propheet ons las,
Dat daeruut solde komen
Een here fijn,
Die noch besitten solde
Dat rijcke dijn.
      Een kijndekijn is ons gebaren etc.

Als die drije konnyngen quamen
Buten Jherusalem,
Mit vrouden sy vernamen
Die sterne staen voer om
Ter steden dat sy vonden
Dat kijndekijn,
Yn duekeren gewonden
By der moder syn.
      Een kijndekijn is ons gebaren etc.

Die konyngen aenbeden dat kijndekijn
Van dertien daegen alt,
Sy offerden on ter stonden
Wijrroick, mijrre ende golt
Mit groter werdicheiden,
Des was wal noot,

Herodes vroeg de wijzen waar het kind geboren was. Zij zeiden: 'Heer, in
Bethlehem, naar de profeet ons voorspeld heeft, dat daar een edele heer vandaan zou komen die uw rijk zou bezitten.' Een kindje is ons geboren, enz. ¶
Toen de drie koningen buiten Jeruzalem kwamen, zagen zij tot hun vreugde de
ster voor hen staan op de plek waar zij het kindje, dat in doeken gewikkeld was,
bij zijn moeder vonden. Een kindje is ons geboren, enz. ¶ De koningen aan-
baden het kindje dat dertien dagen oud was. Zij gaven hem onmiddellijk wierook, mirre en goud, met grote eerbied. Daar was wel behoefte aan,

Sy vonden on ter steden
Van haeven bloot.
    Een kijndekijn is ons geboren etc.

Als die konnyngen slapen wolden,
Sprac die engel tot om,
Dat sy niet weder kijren en solden
Al to Jherusalem.
To een anderen paeden
Sijn sy gekijrt,
Al na des engels rade,
Als men ons leert.
    Een kijndekijn is ons gebaren etc.

Nu laet ons laven dat kijndekijn,
Dat Jhesus is genant,
Dat hij ons wil bekijren
Al in dat suete land,
Daer die engelen God laven
Tot alre tijt:
Dat gun ons God hijr baven
Van hemelrijck!
    Een kijndekijn is ons gebaren etc.

want zij vonden hem daar zonder enige bezittingen. Een kindje is ons geboren, enz. ¶ Toen de koningen wilden gaan slapen, sprak de engel hen toe en zei dat ze niet terug moest gaan naar Jeruzalem. Op aanraden van de engel zijn zij een andere weg gegaan, naar men ons leert. Een kindje is ons geboren, enz. ¶ Nu laat ons loven het kindje dat Jezus is geheten. Dat hij ons wil richten op het zoete land waar de engelen God loven tot in eeuwigheid: dat geve ons God hierboven in de hemel. Een kindje is ons geboren, enz.

[ONS KOMPT EEN SCHEP, GELADEN]

Ons kompt een schep, geladen
Hent an dat hoochste boirt;
Id brengt den soon des Vaders,
Dat ewentlike wort.

Maria, Gades moder,
Gelavet moet dy sijn,
Dat du ye gedrogest
Dat werde kyndekijn.

Dat schepken dat kompt gestreken,
Id brengt ons rijken last,
Die mynne is dat seyle,
Die Heilige Geest die mast.

Die ancker is uutgeschaten,
Dat schep moet an dat lant,
Die hemel is opgeslaten,
Gaids soon is ons gesant.

Doe spraken die propheten:
Dat hebn wy langh begheert,
Dat Got den hemel ontsloete
Ind queem hijr nederwert.

Een schip komt op ons toe, tot aan de rand vol geladen. Het brengt ons de Zoon van de Vader, het eeuwige Woord. ¶ Maria, moeder van God, u zij geloofd, omwille van het feit dat u ooit het verheven kindje droeg. ¶ Afgeladen vol komt het scheepje dichterbij. Het brengt ons zijn rijke last. De liefde is het zeil, de Heilige Geest de mast. ¶ Het anker is uitgeworpen, het schip moet aan land. De hemel is geopend. Gods Zoon is naar ons toegezonden. ¶ Toen spraken de profeten: 'Wij hebben er lang naar uitgezien dat God de hemel zou openen en hier beneden kwam.'

Hij leecht daer yn der cribben,
Dat suete kijndekijn,
Id lucht recht als die sonne,
Root is sijn mondekijn.
     Maria etc.

Dit dat kyndeken mocht kussen
Voer syner roder mont,
Dat brocht hem grote laste
All yn sijns hertens gront.
     Maria etc.

Die herdkens op den velde
Den deden die engele kont,
Woe God gebaren were
Van eenre maiget yonck.
     Maria Gades etc.

Sy droech on yn den tempel
Dat sute kijndeken,
Sy offerde op den alter
Twee tortelduveken.
     Maria, Gades moder etc.

Wij is des kijndes moder?
Die dochter van Jesse!
Sy wordt een kreftlike roder,

Hij ligt daar in de krib, het lieve kindje. Het straalt als de zon. Zijn mondje is
rood. Maria, enz. ¶ Wie dat kindje op zijn rode mond mocht kussen, die zou
daardoor veel begeerte ontvangen in het binnenste van zijn hart. Maria,
enz. ¶ De engelen verkondigden aan de herdertjes op het veld hoe God uit een
jonge maagd geboren was. Maria, moeder, enz. ¶ Zij droeg hem de tempel
binnen, het lieve kindje. Zij offerde op het altaar twee tortelduifjes. Maria,
moeder van God, enz. ¶ Wie is de moeder van het kind? De dochter van Jesse!
Zij is een sterke roeier,

Sy vuert ons aver see.
        Maria Gades etc.

Men sal Marien dyenen,
Oer loff is also breet,
Ten kan gheen mynsch volschryven
Oer grote eerwerdicheit.

In den hogen hemel
Daer schyncket men guden wijn,
Daer sullen die edele sielen
Van mynnen droncken sijn.
        Maria etc.

Weer ic nu een voegeler,
Een netken wold ic slaen
Al voer die hemelsche poorten,
Heer Jhesus wold ic vaen.
        Maria etc.

Als ic Jhesum hedde,
Wat wold ic mit on doen?
Ic sloet on yn mijn herte
Ende deed id vaste toe.
        Maria etc.

zij brengt ons over zee. Maria, moeder, enz. ¶ Men moet Maria dienen, haar lofwaardigheid is zo groot. Geen mens kan helemaal opschrijven hoe eerbiedwaardig zij is. ¶ In de hoge hemel schenkt men goede wijn. Daar zullen de edele zielen dronken zijn van liefde. Maria, enz. ¶ Was ik een vogelvanger, dan zou ik een slagnetje spannen voor de poorten van de hemel. Heer Jezus zou ik willen vangen. Maria, enz. ¶ Als ik Jezus had, wat zou ik dan met hem doen? Ik sloot hem in mijn hart en deed dat vast op slot. Maria, enz.

[REFEREIN UIT MARIKEN VAN NIEUMEGHEN]

[een duenken van Emmeken:]

O rethorijcke, auctentijcke, conste lieflijcke,
Ic claghe met wanhaghe dat men di haet;
Den sinnen die u beminnen vallet seer grieflijcke.
Hem tfi, die di geen gade slaet,
Ende denghene die di eerst maecte, versmaet!
Ick puer versmade als dongheraecte selcke doren.
Maer al eest scade van selcker daet,
Ende leet hem allen die dit aenhoren:
Doer donconstighe gaet die conste verloren.

Conste maect jonste, steltmen in een parabele;
Voer fabele houdic dat woert ende niet waer.
Laet daer een constenaer comen notabele,
Donabele, van consten niet wetende een haer,
Sal claer ghehoort zijn hier ende overal daer;
Welnaer, zal dye constighe van armoede versmoren,
Vercoren, es die loeftutere allet jaer.
Maer emmer, al hebbens die selcke thoren:
Doer donconstighe gaet die conste verloren.

O retorica, vermaarde en lieflijke kunst. Ik klaag met bittere smart dat men u haat. Dit doet de harten die u beminnen groot verdriet. Schande over hem die u over het hoofd ziet en minachting heeft voor degene, die u boven alles liefheeft. Zo'n idioot veracht ik ten enenmale; ik beschouw hem als een ongeletterde. Maar: al is het zonde, al doet een dergelijke houding allen die dit aanhoren veel verdriet: die knoeiers richten de ware kunst te gronde. ¶ Kunst maakt bemind, luidt het spreekwoord. Maar dat houd ik voor leugenachtige praatjes. Ook al laat men een uitstekende vakman komen, toch zal de knoeier, die geen moer van retorica begrijpt, overal duidelijk te horen zijn. De ware kunstenaar zal van armoede bijna omkomen; de vleiers genieten altijd de voorkeur. Maar vooral, al doet dit sommigen verdriet: die knoeiers richten de ware kunst te gronde.

Tfy alle botte, plompe, slechte sinnen,
Die conste sout stellen in u verstant! Want
Reyn conste sal elck met rechte minnen,
Conste eerst ghemaect aen elcken cant, want
Conste hout in weelden menich playsant lant.
Eere geschie hem allen die consten orboren.
Tfy donconstighe die de const vander hant plant!
Te dier causen stel ic den reghel van voren:
Doer donconstighe gaet die conste verloren.

Princelijc wil ick tot consten keeren
Ende nae mijn macht altoos consten leeren,
Want niemant en es metter consten gheboren.
Maer tes alle constenaers een verseeren,
Dat donconstige die consten so luttel eeren.

◆

[HEER HALEWIJN]

Heer Halewijn zong een liedekijn,
Al die dat hoorde wou bi hem zijn.

Foei, alle botte plompe onnozele geesten die menen verstand te hebben van kunst! Want ware kunst dient door iedereen oprecht bemind te worden. Retorica dient overal de eerste plaats in te nemen, want zij bestendigt de bloei van vele welvarende rijken. Mogen zij, die de kunst beoefenen, geëerd worden, mogen zij, die de kunst verguizen, met schande overladen worden. Met het oog daarop herhaal ik mijn stokregel: die knoeiers richten de ware kunst te gronde. ¶ Prinselijk wil ik mij toeleggen op de kunst, om haar zo goed mogelijk meester te worden. Immers: niemand wordt als kunstenaar geboren. Maar het is alle kunstenaars een gruwel dat die knoeiers de ware kunst zo weinig eer bewijzen.

•

Heer Halewijn zong een liedje; een ieder die dat hoorde, wilde bij hem zijn.

466

En dat vernam een koningskind,
Die was zoo schoon en zoo bemind.

Zi ging voor haren vader staen:
'Och vader, mag ik naer Halewijn gaen?'

'Och neen, gi dochter, neen gi niet!
Die derwaert gaen en keeren niet.'

Zi ging voor hare moeder staen:
'Och moeder, mag ik naer Halewijn gaen?'

'Och neen, gi dochter, neen gi niet!
Die derwaert gaen en keeren niet.'

Zi ging voor hare zuster staen:
'Och zuster, mag ik naer Halewijn gaen?'

'Och neen, gi zuster, neen gi niet!
Die derwaert gaen en keeren niet.'

Zi ging voor hare broeder staen:
'Och broeder, mag ik naer Halewijn gaen?'

''t Is mi aleens waer dat gi gaet,

Deze tijding hoorde een koningskind. Zij was zo mooi en zo bemind. ¶ Zij ging voor haar vader staan: 'O, vader, mag ik naar Halewijn toe?' ¶ 'O, neen, dochter, dat moogt gij niet; wie daarnaar toe gaan, keren niet terug.' ¶ Zij ging voor haar moeder staan: 'O, moeder, mag ik naar Halewijn toe?' ¶ 'O, neen, dochter, dat moogt gij niet; wie daarnaar toe gaan, keren niet terug.' ¶ Zij ging voor haar zuster staan: 'O, zuster, mag ik naar Halewijn toe?' ¶ 'O, neen, zuster, dat moogt gij niet; wie daarnaar toe gaan, keren niet terug.' ¶ Zij ging voor haar broeder staan: 'O, broeder, mag ik naar Halewijn toe?' ¶ 'Het is mij om het even, waar gij naar toe gaat.

Als gi uw eer maer wel bewaert
En gi uw kroon naer rechten draegt.'

Toen is zi op haer kamer gegaen
En deed haer beste kleeren aen.

Wat deed zi aen haren lijve?
Een hemdeken fijnder als zijde.

Wat deed zi aen haer schoon korslijf?
Van gouden banden stond het stijf.

Wat deed zi aen haren rooden rok?
Van steke tot steke een gouden knop.

Wat deed zi aen haren keirle?
Van steke tot steke een peirle.

Wat deed zi aen haer schoon blond hair?
Een kroone van goud en die woog zwaer.

Zi ging al in haers vaders stal
En koos daer 't beste ros van al.

Zi zette haer schrijlings op het ros,
Al zingend en klingend reed zi door 't bosch.

Als gij uw eer maar goed beschermt, en uw kroon met recht draagt.' ¶ Toen ging zij naar haar kamer en deed haar mooiste kleren aan. ¶ Wat deed zij aan haar bovenlijf? Een hemdje fijner dan zijde. ¶ Wat deed zij aan haar mooie keurslijf? Van gouden banden stond het stijf. ¶ Wat deed zij aan haar rode rok? Bij iedere steek een gouden knop. ¶ Wat deed zij aan haar overkleed? Bij iedere steek een parel. ¶ Wat zette zij op haar mooie blonde haar? Een kroon van goud en die woog zwaar. ¶ Zij ging de stal van haar vader binnen en koos het allerbeste paard uit. ¶ Zij zette zich schrijlings op het paard. Al zingend en juichend reed zij door het bos.

Als zi te midden 't bosch mogt zijn,
Daer vond zi mijn heer Halewijn.

'Gegroet!' zei hi, en kwam tot haer,
'Gegroet, schoon maegd, bruin oogen klaer!'

Zi reden met malkander voort
En op den weg viel menig woort.

Zi kwamen bi een galgenveld,
Daer aen hing menig vrouwenbeeld.

Alsdan heeft hi tot haer gezeid:
'Mits gi de schoonste maget zijt
Zoo kiest uw dood! het is nog tijd.'

'Wel als ik dan hier kiezen zal,
Zoo kieze ik dan het zweerd voor al.

Maer trekt eerst uit uw opperst kleed,
Want maegdenbloed dat spreit zoo breed,
Zoo 't u bespreide het ware mi leed.'

Eer dat zijn kleed getogen was
Zijn hoofd lag voor zijn voeten ras,
Zijn tong nog deze woorden sprak:

Toen zij het hart van het bos bereikte vond zij daar Heer Halewijn. ¶ 'Gegroet,'
zei hij, en kwam naar haar toe. 'Gegroet, schone maagd met helderbruine
ogen!' ¶ Zij reden samen verder; onderweg hadden zij veel met elkaar te bespreken. ¶ Toen kwamen zij bij een galgenveld, waar vele vrouwen hingen te
bungelen. ¶ Toen zei hij tegen haar: 'Omdat gij de mooiste maagd zijt, moogt
ge zelf uw dood kiezen; het is nog niet te laat.' ¶ 'Als ik kiezen moet, kies ik het
zwaard. ¶ Maar trek eerst uw overkleed uit, want maagdenbloed spuit alle
kanten op. Ik zou het naar vinden om u onder te spuiten.' ¶ Voor zijn overkleed uitgetrokken was, lag zijn hoofd al voor zijn voeten. Zijn tong sprak nog
deze woorden:

'Gaet ginder in het koren
En blaest daer op min horen,
Dat al mijn vrienden 't hooren.'

'Al in het koren en gaen ik niet,
Op uwen horen en blaes ik niet.'

'Gaet ginder onder de galge
En haelt daer een pot met zalve
En strijkt dat aen mijn rooden hals!'

'Al onder de galge en gaen ik niet,
Uw rooden hals en strijk ik niet,
Moordenaers raed en doe ik niet.'

Zi nam het hoofd al bi het haer
En waschte 't in een bronne klaer.

Zi zette haer schrijlings op het ros,
Al zingend en klingend reed zi door 't bosch.

En als zi was ter halver baen
Kwam Halewijns moeder daer gegaen:
'Schoon maegt, zaegt gi mijn zoon niet gaen?'

'Uw zoon heer Halewijn is gaen jagen,
G' en ziet hem weer uw levens dagen.

'Ga daarginder in het koren, en blaas op mijn hoorn, zodat al mijn vrienden het
horen.' ¶ 'Daar in het koren ga ik niet en op uw hoorn blaas ik niet.' ¶ 'Ga
daarginder onder de galgen, en haal een pot met zalf, en smeer dat op mijn rode
hals.' ¶ 'Daar onder de galgen ga ik niet, uw rode hals besmeer ik niet; de raad
van een moordenaar doe ik niet.' ¶ Zij nam het hoofd bij het haar en waste het
in een heldere bron. ¶ Zij zette zich schrijlings op het paard. Al zingend en
juichend reed zij door het bos. ¶ Toen ze halverwege was, kwam ze Halewijns
moeder tegen. 'Mooi meisje, hebt gij mijn zoon zien rijden?' ¶ 'Uw zoon, Heer
Halewijn, is gaan jagen. Gij ziet hem van uw levensdagen niet terug.

Uw zoon heer Halewijn is dood,
Ik heb zijn hoofd in mijnen schoot,
Van bloed is mijnen voorschoot rood!'

Toen ze aen haers vaders poorte kwam
Zi blaesde den horen als een man.

En als de vader dit vernam
't Verheugde hem dat zi weder kwam.

Daer werd gehouden een banket,
Het hoofd werd op de tafel gezet.

◆

[MIJNHEERKEN VAN MALDEGHEM]

Mijnheerken van Maldeghem
Die ginc er eens uit jagen,
Hy reedt al buiten Brugghe,
Daer staen drie linden breet:
Hy vanter niet te jaghen
Dan een herderken was cleene;
Hy moest hem spreken ane,
Al wast hem lief of leet.

Uw zoon, Heer Halewijn, is dood. Ik heb zijn hoofd hier in mijn schoot. Mijn schort is rood van het bloed.' ¶ Toen zij bij de poort van haar vader kwam, blies zij als een man op de hoorn. ¶ En toen haar vader dit hoorde was hij blij dat zij was teruggekeerd. ¶ Er werd een feestmaal aangericht; het hoofd werd op de tafel gezet.

•

Mijnheertje van Maldeghem ging eens uit jagen. Hij reed een eindje buiten Brugge; daar stonden drie brede lindebomen. Hij vond niets om te jagen behalve een kleine herder. Hij moest hem aanspreken, wat er ook zou gebeuren.

'Och herder, och herderken,
Ic moet u toch eens vraghen,
Mach ict van u vernemen,
Ende onbegrepen sijn:
Waen comt u desen horen,
Dien overschoonen horen?
Als ic hem laestmael sach
Doe wast die horen mijn.'

'Mijnheerken van Maldeghem
Rijdt vrijlic uwer straten;
Wat baet u desen horen
Daer leit u luttel an.
Soo ic daerop wou blasen,
Op desen schoonen horen,
Mijn lamkens quaemen ute
En souden wesen gram.'

Mijnheerken van Maldeghem
Die deed den herder blasen:
Hij sette sijnen horen
Aen sijnen rooden mond.
Wel ses en dertig roovers
Sijn toen uit tbosch ghesprongen,
Ghelijc de hasen loopen
Gejaget door den hont.

'O, kleine herder, ik moet je toch eens vragen; kun je mij vertellen om mij van
mijn onbegrip te bevrijden hoe je aan deze prachtige hoorn komt? De laatste
keer dat ik hem zag, was hij van mij.' ¶ 'Mijnheertje van Maldeghem, vervolg
je weg in vrijheid. Wat baat je deze hoorn? Daar heb je weinig aan. Als ik op
deze mooie hoorn blies zouden mijn lammetjes te voorschijn komen; en zij
zouden weinig goeds in de zin hebben.' ¶ Mijnheertje van Maldeghem gelastte
de herder om te blazen. Deze zette de hoorn aan zijn rode mond. Wel zesendertig rovers sprongen toen uit het bos te voorschijn, zo snel als hazen die
door een hond achternagezeten worden.

'Mijnheerken van Maldeghem
Ghi sijt ons welgecomen!
Tgelaech sult ghi betalen
Wi drincken geerne wijn.
Sweert dat gijt noit sult segghen
Dat ghi in desen bosche
Met roovers hebt ghedronken
Of roovers hebt ghesien.'

Si namen sijn ghesmijde
Ende al sijn beste panden.
Hi moest sijn budel ruimen:
'Houdt daer mijn penninc rood!
Ic wil tgelach betalen
Ic sal van u niet spreken;
Maer, vrienden, u geselschap
Dat is mi al te groot.'

Mijnheerken van Maldeghem
Mach weer naar Maldeghem rijden;
Si gaven hem vry gheleide
Al om sijn edel bloet.
Hi hevet stil geswegen;
Maer op deerde neergeschreven
Te Brugghe in die stede
Metten teen van sijn voet.

'Mijnheertje van Maldeghem, gij bent welkom! Je moet het gelag betalen; wij
houden van wijn! Zweer dat je nooit zult zeggen dat je in dit bos met rovers
hebt gedronken, of rovers hebt gezien.' ¶ Zij namen al zijn kostbaarheden en
zijn mooiste goederen. Zijn beurs moest hij legen. 'Houd mijn rode goudstukken maar! Ik zal het gelag betalen. Ik zal niet over jullie spreken, vrienden,
maar jullie gezelschap is mij te groot!' ¶ Mijnheertje van Maldeghem mocht
weer naar Maldeghem rijden. Zij gaven hem een vrijgeleide, omdat hij een
edelman was. Toen hij in Brugge aankwam heeft hij niets gezegd, maar hij heeft
met zijn teen in de aarde geschreven wat er gebeurd was.

◆

[DE DRIE GESELLEN UYT ROOSENDAEL]

Wie wil hooren een nieuw liedt?
Hoort toe ik sal 't u singen,
Van drie gesellen uyt Roosendael,
Op vry buyt was 't dat sy gingen.

Sy gingen byloo by nachte niet,
Maer sy gingen op avontuure
Soo langh tot dat sy geldeloos waren,
Dat duurde een kort half uure.

Als sy ter halver wegen quamen,
Een koopman quam haer tegen:
'Legh af, legh af jou koopmans goet,
Wilt ghy der behouden u leven.'

'Ick legh niet af mijn coopmans goet
En daer toe mijn jonge leven,
Ick hebber noch silver en roode gout
En dat sal icker jou geven.'

Die coopman sijnen tas ontsloot,
En hy schoncker wel hondert kroonen:

Wie wil er een nieuw lied horen? Luister, ik zal het voor jullie zingen. Over drie kameraden uit Roosendaal die eropuit trokken om een goede buit te bemachtigen. ¶ Bij God, zij reden niet 's nachts; zij gingen er in het wilde weg op uit, net zo lang tot ze platzak waren (dat duurde een klein half uur). ¶ Toen zij een eind op weg waren, kwamen zij een koopman tegen. 'Vooruit, vooruit, leg je koopwaar neer, als je leven je lief is.' ¶ 'Ik leg mijn koopwaar niet neer en mijn jonge leven krijgen jullie ook niet. Maar ik heb zilver en rood goud; dat zal ik jullie geven.' ¶ De koopman deed zijn tas open en schonk de kameraden wel honderd kronen.

474

'Hout daer, gesellen van Roosendael,
Verteertse met vroutjes schoone.'

Doe sprack de jongste al van de drie:
'De buyt willen wy gaen klijven,
En geven den coopman sijn half goet weer,
So magh hy een coopman blyven.'

Doe sprack de outste al van de drie:
'De buyt willen wy gaen houwen;
En kopen ons elck een appel graeu ros
En rijden 't Antwerpen binnen.'

Als sy t' Antwerpen binnen quamen,
T' Antwerpen binnen de mueren,
Sy wierden op een pijnbanck geleyt:
Dat deder haer jongh hert treuren.

'Nu zijnder al ons leden lam,
Wat sullen wy gaen beginnen?
Ick wilder niet meer na Roosendael gaen,
En hooren den nachtegael singen.

O nachtegael, klein vogelkijn,
Hoe hebt ghy my bedroghen?

'Pak aan, makkers uit Roosendaal, en verteer ze met mooie vrouwtjes.' ¶ Toen sprak de jongste van de drie: 'Wij zullen de buit verdelen. Wij geven de helft aan de koopman terug, zodat hij een koopman kan blijven.' ¶ Toen sprak de oudste van de drie: 'Wij houden de buit voor onszelf. Wij kopen alle drie een grijze schimmel en daarop rijden wij Antwerpen binnen.' ¶ Toen zij binnen de muren van Antwerpen kwamen werden zij op de pijnbank gelegd, hetgeen hun jonge hart zeer verdroot. ¶ 'Nu zijn onze armen en benen lam, wat moeten wij nu beginnen? Ik kan nu niet meer naar Roosendaal gaan om de nachtegaal te horen zingen. ¶ O, nachtegaal, klein vogeltje, hoezeer heb je mij bedrogen!

Ghy placht te singen onder eenen peereboom
In veel schoon vroutjes oogen.

O nachtegael kleyn vogelkijn,
Wilt ghy my leeren singen?'
'Ik singer in 't wout, kleyn vogel stout,
Niemandt kander mijn bedwingen.'

'Bent ghy in 't wout, kleyn vogel stout,
Kan jou niemant bedwingen?
So dwingt jou de hagel, de koude snee,
Het loof al van der linde.'

◆

[HET WAS EEN KINT, SOO KLEYNEN KINT]

Het was een kint, soo kleynen kint,
En een kint van twaelef jaeren;
't Sou met zijn boochje uit schieten gaen,
Daer haesen en konijntjes waeren.

Je zong altijd onder de pereboom, gadegeslagen door vele mooie vrouwen. ¶ O, nachtegaal, klein vogeltje, wil jij mij leren zingen?' 'Ik zing in het
woud en ben voor niemand bang; niemand kan mij ergens toe dwingen.' ¶ 'Leef jij in het woud, dappere kleine vogel, kan niemand jou ergens toe
dwingen? En de hagel dan, en de koude sneeuw? Die zullen jou wel dwingen,
net zoals zij het loof van de lindeboom doen vallen.'

•

Er was eens een kind, zo'n klein kind: een kind van twaalf jaar oud. Hij ging uit
jagen met pijl en boog, waar hazen en konijntjes waren.

Het spande sijn boochjen al soo stijf,
En al in de diepste kerve,
Het schoot daer haesen, konijntjes doot,
Daerom so moestet sterven.

Dat vernam mijn heer al van Bruynswijc
En hy de dat kleyn kint vangen,
Hij settent op een soo hooghen kasteel,
Hy swoer hy soudt doen hanghen.

En dat vernam zijn moederkijn
So veer in vreemde lande;
Zy nammer haer silver ende root goudt,
Nae Bruynswijck is sy gegangen.

Als sy te Bruynswijck binnen quam
Al voor dat huys staet hooge,
Daer vont sy haer kint, so kleynen kint,
Met twee weenende oogen.

'Mijn edelen heer al van Bruynswijck,
Wou jy mijn dat kint geven,
Ick hebber noch silver ende root goudt
En dat sal ick jou gheven.'

Hij spande zijn boogje tot het uiterste. Links en rechts schoot hij hazen en konijntjes dood; en daarom moest hij sterven. ¶ Mijn heer van Brunswijk kwam dit te weten. Hij liet het kind gevangennemen en sloot hem op in een kasteel met hoge muren. Hij zwoer dat hij het kind zou ophangen. ¶ Zijn moedertje, die in een ver land woonde, hoorde dit. Zij verzamelde al haar zilver en haar rode goud, en ging op reis naar Brunswijk. ¶ In Brunswijk aangekomen reed zij tot voor het hoge kasteel. Daar vond zij haar kind, haar kleine kind; hij schreide bittere tranen. ¶ 'Mijn edele heer van Brunswijk, geef mij mijn kind. Ik heb een schat aan zilver en rood goud; die zal ik je geven.'

'Jou silver en jou rooder goudt,
En dat mach hier niet baeten;
Al wasser zijn halsje van rooder goudt,
Zyn leven mostet laeten.'

'Mijn edelen heer al van Bruynswijck,
Wou jy mijn dat kint geven,
Ick hebber noch seven ghedochters stout
En die sal ick jou gheven.'

'Jou seven ghedochters en wil ick niet,
De drie dat benne nonne,
De vier dat zijne so edel lants-vrouwe,
Sy blincke tegen de sonne.'

'Mijn edelen heer al van Bruynswijck,
Wou jy mijn dat kint geven,
Ick hebber noch seven ghesoonen stout
En die sal ick jou gheven.'

'Jou seven ghesoonen en wil ick niet,
De drie dat benne papen,
De vier dat zynder so edel lants-heeren,
Sy dragen keysers wapen.'

'Je zilver en je rode goud zullen je hier niet baten. Al was zijn hartje van rood goud; zijn leven moet hij verliezen.' ¶ 'Mijn edele heer van Brunswijk, geef mij mijn kind. Ik heb nog zeven dappere dochters; die zal ik je geven.' ¶ 'Jouw zeven dochters wil ik niet. Drie van hen zijn nonnen. De andere vier zijn zó voornaam; zij trachten de zon naar de kroon te steken.' ¶ 'Mijn edele heer van Brunswijk, geef mij mijn kind. Ik heb nog zeven dappere zonen; die zal ik je geven.' ¶ 'Jouw zeven zonen wil ik niet. Drie van hen zijn priesters. De andere vier zijn zó voornaam; hun wapenrusting zou een keizer niet misstaan.'

Als 't kint op 't eerste trapje trat,
Het keeck soo dickmaels omme,
Daer sagh het zijn seven ghesusters stout
Van verre gerede comme.

'Rijdt aen, rijdt aen, ghesusters stout,
En steect jou paert met sporen,
Had jyder een half uer langher ghebeydt
Myn leven waer al verlooren.'

Als 't kint op 't tweede trapje trat,
Het keeck so dickmaels omme,
Daer sach het zijn seven ghebroeders stout
Van verre gerede comme.

'Rijdt aen, rijdt aen, ghebroeders stout,
En steect jou paert met sporen,
Had jyder een half uer langher ghebeydt
Myn leven waer al verlooren.'

Als 't kindt op 't derde trapje trat,
Het most noch eensjes drincken;
Het lieter soo menighen natten traen
Al in de schale sincken.

Het kind klom de trap op naar de galg. Toen hij op het eerste treetje stond keek hij zo dikwijls om. Uit de verte zag hij zijn zeven dappere zusters aan komen rijden. ¶ 'Maak voort, maak voort, dappere zusters! Geef jullie paarden de sporen! Als jullie een half uur langer hadden gewacht, was ik er al geweest!' ¶ Toen het kind op het tweede treetje klom, keek hij telkens om. Hij zag zijn zeven dappere broeders uit de verte aan komen rijden. ¶ 'Maak voort, maak voort, dappere broeders! Geef jullie paarden de sporen! Als jullie een half uur langer hadden gewacht, was ik er al geweest!' ¶ Toen het kind op het derde treetje klom, moest hij nog een keertje drinken. Vele bittere tranen druppelden in de kom, die men hem voorhield.

'Mijn edele heer al van Bruynswijck,
Nou sluyt jou poorte vaste,
Morgen ochtent eer datter den dag aen komt,
Soo sel jy krijgen gasten.'

Smorghens als den dagh op quam,
De poorten ginghen open,
Doe lacher mijn heer al van Bruynswijck
Al door sijn halsje gheschooten.

'Mijn edelen heer al van Bruynswijck,
Hoe ben jy nou te moede?
Gister avont doe wasser jou halsje snee wit,
Nu ist so root als bloede.'

'Hoe dat ick nou te moede ben
Dat sal ic jou wel seggen,
Ick hebber niet eenen vriendt soo groot
Die my ter aerden wil leggen.'

'Mijn edele heer van Brunswijk, doe je poort nu maar stevig dicht. Morgen-
ochtend zul je gasten krijgen, eer de dageraad aanbreekt.' ¶ 's Morgens toen de
dag aanbrak gingen de poorten open. Daar lag mijn heer van Brunswijk; hij
was door zijn hals geschoten. ¶ 'Mijn edele heer van Brunswijk, hoe is het je nu
te moede? Gisteravond was je halsje nog zo wit als sneeuw; nu is hij rood van
het bloed.' ¶ 'Hoe het met mij gesteld is, dat kan ik je wel zeggen. Op de hele
wereld heb ik niet één vriend, die mij in de aarde wil leggen.'

◆

[VAN BRUNENBURCH]

'In eenen boemgaert quam ic ghegaen,
Daer vant ic scoene vrouwen staen,
Sy plucten alle roesen.

My dochte, dat my den hemel ontsloet,
Doe my die scoene een cransselijn boet
Mit hoer snee wytseer handen.'

Een roede ridder heeft dat vernoemen,
Tot synen heer is hy ghecoemen,
Hy brochte soe leider maeren.

'Heere,' seide hy, 'heere goet,
Dats Bruneburch draecht hoeghe moet,
Hy slaept by dinre vrouwen.'

'Dat en gheloef ic waerlick niet,
Dat Bruneburch my ontrou doet,
Hy staet my by in noeden.'

Ik liep een boomgaard in. Daar zag ik mooie vrouwen staan; zij waren rozen
aan 't plukken. ¶ Toen een van die schoonheden mij met haar sneeuwwitte
handen een kransje rozen aanbood, dacht ik dat de hemel voor mij openging. ¶ Een rode ridder hoorde dit. Hij ging naar zijn heer en bracht hem een
droevige tijding. ¶ 'Edele heer,' zei hij, 'Brunenburch is overmoedig geworden;
hij slaapt met uw vrouw.' ¶ 'Ik kan waarachtig niet geloven dat Brunenburch
mij ontrouw is. In nood kan ik altijd op hem rekenen.'

Die ridder die maecte syn clacht soe groet,
Dat Brunenburch ghevangen wort
Gheleit op eenen toernen.

Dat verhoerde dat vrouken fijn,
Sy dede sadelen hoer telderkijn,
Sy volchde hem totter toernen.

'Bruneburch, waerom hebdy my lief?
Want u van my niet warden en mach
Dan reine cuusche liefde.'

'Mocht ic hier noch ligghen seven jaer,
Aenschouwen ju met oghens claer,
Eens daechs een woert te spreken!'

'Bruneburch, ic heb een man,
Die my ter eeren wel houden sal,
Ic wil daer mede ghenoeghen.'

'Mocht ic hier leggen myn leven lanc,
Omvanghen u mit armkens blanck,
Een vriendelick kusgen mede.'

De rode ridder hield zijn aanklacht vol. Brunenburch werd in de boeien geslagen en naar een gevangentoren gevoerd. ¶ Toen de edele vrouw dit hoorde,
liet zij haar paard zadelen en volgde de stoet naar de toren. ¶ 'Brunenburch,
waarom heb je mij lief? Ik kan je niets anders geven dan zuivere, kuise liefde.' ¶ 'Al moet ik hier zeven jaar gevangenzitten; als ik jou mag zien en eens per
dag een woord met je mag spreken, kan ik mijn lot dragen.' ¶ 'Brunenburch,
mijn man eist van mij dat ik mijn eer behoud. Daar zal ik mij aan moeten
houden.' ¶ 'Al moet ik hier mijn hele leven gevangenzitten; als ik jou éénmaal
in mijn blanke armen mag houden en je mag kussen, kan ik mijn lot dragen.'

Die ridder die maecte sijn clacht soe groet,
Dat Bruneburch ghehangen wort,
Gheleit al totter galgen.

Ende dat verhoerde dat vrouken fijn,
Sy dede sadelen hoeren roes was fijn,
Sy volchde hem totten galghen.

'Sy comt gheronnen op eenen roes,
Daer ic den doet om sterven moet
Al buten mynre sculden.'

'Ic heb noch soeven broeders stout,
Die sellen wel wreken uwen doot;
Daer en sel gheen wrekens ontbreken.'

'Dat nemic op mijn heenevaert,
Dat ic hoer lijf niet sculdich en ben,
Daer ic den doot om sterve.'

'Mijn haer sel ongevluchten staen,
Mijn oghens en sellen niet meer spoellen gaen,
Mijn mont en sel niet meer lachen.'

De rode ridder dreef zijn aanklacht op de spits. Brunenburch moest hangen.
Daartoe voerden ze hem naar de galg. ¶ Toen de edele vrouw dit hoorde, liet zij
haar paard zadelen en volgde de stoet naar de galg. ¶ 'Op een paard haast zij
zich naar mij toe. Zij, om wie ik zonder enige schuld moet sterven.' ¶ 'Ik heb
nog zeven dappere broers. Zij zullen je dood wel wreken; je dood zal niet
ongewroken blijven.' ¶ 'Ik zweer bij mijn dood: ik heb haar lijf niet aange-
raakt. Ik ben niet schuldig aan hetgeen waarvoor ik nu moet sterven.' ¶ 'Mijn
haren zal ik niet meer vlechten, mijn ogen zullen niet meer spelen en lonken,
mijn mond zal niet meer lachen.'

Brunenburch die gaf den gheest,
Oft hadde gheweest eenen stommen beest;
Het mochte een man ontfermen.

♦

[HET WAREN TWEE KONINGHS KINDREN]

Het waren twee koninghs kindren,
Sy hadden malkander soo lief;
Sy konden by malkander niet komen,
Het water was veel te diep.

Wat stack sy op drie keerssen,
Drie keerssen van twaelf int pont,
Om daer mee te behouden
's Konincks soone van jaren was jonck.

Met een quam daer een besje,
Een oude fenynde bes,
En die blies uyt de keerssen
Daer verdroncker dien jongen helt.

Brunenburch gaf de geest. Als een beest werd hij geslacht. Je hart zou omdraai-
en van medelijden.

•

Er waren twee koningskinderen die veel van elkaar hielden. Ze konden niet bij
elkaar komen omdat het water veel te diep was. ¶ Wat ontstak ze? Drie kaarsen, waarvan er twaalf in een pond gaan, om daarmee de koningszoon, die jong
was, voor zich te behouden. ¶ Maar toen kwam er een oud venijnig besje dat de
kaarsen uitblies, waardoor de jonge held verdronk.

'Och moeder,' seyde sy, 'moeder
Mijn hoofje doet mijnder soo wee,
Mocht ik 'er een kort half uurtje
Spanceeren al langhs de zee.'

'Och dochter,' seydese, 'dochter!
Alleen en meught ghy niet gaen:
Weckt op u jongste suster,
En laet die met u gaen.'

'Mijn alder jongste suster
Dat is also kleynen kint;
Sy pluckt maer al de roosjes
Die sy in haer wegen vint;

Sy pluckt maer al de roosjes,
En die bladertjes laet sy staen,
Dan seggen maer al de lieden,
Dat hebben konincx kinderen gedaen.'

De moeder gingh na de kercke,
De dochter gingh haren gangh:
Zy gingh maer also verre
Daer sy haer vaders visser vant.

'Ach moeder,' zei ze, 'moeder, ik heb zo'n hoofdpijn, zou ik een half uurtje
langs de zee mogen wandelen?' ¶ 'Ach dochter,' zei ze, 'dochter, alleen mag je
niet gaan, maar maak je jongste zusje wakker en laat haar met je meegaan.' ¶
'Maar mijn jongste zusje is nog zo'n klein kind, ze plukt zomaar alle roosjes die
ze langs de weg tegenkomt. ¶ Zij plukt de roosjes, en de blaadjes laat ze staan,
en alle mensen zeggen: dat hebben de kinderen van de koning gedaan.' ¶ De
moeder ging naar de kerk en de dochter ging haars weegs, en ze ging zo ver dat
ze de visser van haar vader vond.

'Och visscher,' seydese, 'visscher,
Mijn vaders visscherkijn,
Wout ghy een weynigh visschen,
't Zoud' u wel geloonet zijn.'

Hy smeet zijn net in 't water,
De lootjes gingen te gront,
Hoe haest was daer gevisset
's Koninghs sone van jaren was jonck.

Wat trock sy van haer hande?
Een vingerling root van gout:
'Hout daer myns vaders visser,
Dat isser den loone voor jou.'

Sy nam hem in de armen,
Sy kusten hem voor sijn mont,
'Och mondelingh, kost ghy spreken!
Och hertje waert gy der gesont!'

Zy nam hem in haer armen,
Zy spronker mee in de zee:
'Adieu mijn vader en moeder,
Van u leven siet ghy my niet weer.

'Ach visser,' zei ze, 'visser van mijn vader, als je even zou willen vissen zou je daarvoor goed beloond worden.' ¶ Hij gooide zijn net uit en de gewichten zakten naar de bodem, en al snel werd de jonge koningszoon opgevist. ¶ Wat trok zij van haar hand? Een ring van rood goud. 'Neem dit aan, visser van mijn vader, dit is je beloning.' ¶ Ze nam de dode prins in de armen en kuste hem op de mond. 'Och mond, kon je nog maar spreken, en hart, was je nog maar gezond!' ¶ Ze nam hem in haar armen en sprong met hem in zee: 'Vaarwel vader en moeder, nooit, zolang u leeft, ziet u me weer.

Adieu mijn vader en moeder,
Mijn vriendekens alle gelijck,
Adieu mijn suster en broeder,
Ick vaerder na 't hemelrijk.'

◆

[DIE WINTER IS VERGANGHEN]

'Die winter is verganghen,
Ic sie des meien schijn:
Ic sie die bloemkens hanghen,
Des is mijn hert verblijt.
So ver aen ghenen dale
Daer ist ghenoechlich sijn,
Daer singhet die nachtegale,
Also menich woutvoghelkijn.

Ic wil den mei gaen houwen
Al in dat groene gras,
Ende schenken mijn boel die trouwe,
Die mi die lieveste was,
Ende bidden, dat si wil comen
Al voor haer vensterken staen

Vaarwel vader en moeder, en al mijn vrienden, vaarwel zus en broer, ik ga naar
de hemel.'

●

'De winter is voorbij. Ik aanschouw de meimaand en zie de bloemen ontluiken
waardoor ik opgetogen ben. In het gindse dal is het aangenaam toeven. De
nachtegaal zingt er en vele andere woudvogels. ¶ Ik wil mei vieren in het groene gras en trouw beloven aan mijn geliefde, die ik zo bemin. Ik smeek haar dat
ze voor haar raam komt staan

Ende ontfanghen den mei met bloemen,
Hi is so wel ghedaen.'

Ende doe die suiverlike
Sijn reden hadde ghehoort,
Doe stont si trurentlike,
Met des sprac si een woort:
'Ic heb den mei ontfanghen
Met groter eerwaerdicheit.'
Hu cust si aen haer wanghen:
Was dat niet eerbaerheit?

Hi nam si sonder truren
Al in sijn aermkens blanc.
Die wachter op der muren
Die hief op een liet ende sanc:
'En is daer ieman inne,
Die mach wel thuiswaert gaen:
Ic sie den dach op dringhen
Al door die wolken claer.'

'Och wachter op der muren,
Hoe quelstu mi so hart,
Ic ligghe in swaren truren,
Mijn herte dat lidet smert.
Dat doet die alreliefste

en de mooie meiplant met bloemen in ontvangst wil nemen.' ¶ En toen die
schoonheid zijn woorden had gehoord was ze weemoedig en sprak ze: 'Ik heb
je geschenk ontvangen in grote eerbied.' Hij kuste haar op de wangen; was dat
geen edele daad? ¶ Hij nam haar, zonder droefheid, in zijn blanke armen. De
wachter op de muur hief een lied aan en zong: 'Als er iemand binnen is kan hij
maar beter naar huis gaan: het morgenlicht breekt door de wolken heen.' ¶
'Ach wachter, waarom kwel je me zo, ik ben zo bedroefd en mijn hart lijdt pijn.
Dat komt omdat ik moet scheiden

Dat ic van haer scheiden moet,
Dat claghic God den Heren,
Dat ic si laten moet.

Adieu myn alreliefste,
Adieu schoon bloemken fijn,
Adieu schoon rosebloeme,
Daer moet ghescheiden sijn:
Hent dat ic weder come
Die liefste soudt ghi sijn;
Dat herte in minen live
Dat hoort, ja, altijd dijn.'

◆

[DIE VOGELKENS IN DER MUTEN]

Die vogelkens in der muten,
Si singen haren tijt.
Waer sal icx mi onthouden?
Ic ben mijns liefkens quijt.
Waer sal icx mi onthouden
Ende ic haer so gaerne aensie?

---

van mijn allerliefste. Ik richt mijn klacht tot God de Heer, dat ik haar nu moet verlaten. ¶ Vaarwel mijn allerliefste, vaarwel mooie en edele bloem, vaarwel prachtige roos, we moeten nu uiteengaan. Totdat ik terugkeer blijf je mijn allerliefste, en mijn hart hoort jou toe.'

●

Vogeltjes in een kooi zingen hun hele leven lang. Waar moet ik mijn toevlucht zoeken? Ik ben mijn geliefde kwijt. Wat moet ik nu beginnen? Ik wil niets liever dan naar haar kijken.

'Al spreec ic u, liefken, so selden,
Ic scenc u myn herteken is fier.'

Ic ginc noch gister avont
So heymelijc eenen ganck,
Al voor myns liefkens dore;
Si wist mi cleynen danck:
'Staet op, mijn alder liefste,
Staet op ende laet mi in;
Ic swere u op al myn trouwe:
Ic en had noit liever dan dy.

Scoon lief, laet u gedencken,
Dat ic eens die liefste was
Ende lach in uwen armen,
Nu ben ic geworden een onwaert gast.
Al hebdi mi nu begheven,
Noch drage ic eenen huebscen moet;
Die liefde bloeyt winter en somer,
Dat de coele mey niet en doet.'

Hi tooch van sinen handen
Van goude een vingherlijn:
'Hout daer, mijn alder liefste,
Daer is die trouwe van myn;

'Al spreek ik u maar zelden; ik schenk u mijn trotse hart.' ¶ Nog gisteravond
liep ik in het geheim naar de deur van mijn geliefde. Daar was zij niet zo blij
mee. 'Sta op, mijn allerliefste; sta op en laat mij binnen. Ik zweer u, op mijn
woord van eer: nooit heb ik iemand meer liefgehad dan u. ¶ Mooie lieveling, u
moet u herinneren dat ik ooit uw liefste was, en in uw armen lag. Nu behandelt
u mij als een onwelkome gast. Ook al heeft u mij in de steek gelaten, het is mij
nog altijd vrolijk te moede. In de meimaand komt alles tot bloei, maar ik ben
het hele jaar door in liefde bloeiende.' ¶ Hij trok een gouden ring van zijn
vinger. 'Pak aan, mijn allerliefste, dit is een teken van mijn trouw.

Mer oftu yemant vraghet
Wie u dat vingherlinck gaf,
Antwoort hem met huebsce woorden:
Die eens die alder liefste was.

Ic hoorde ghister avont
So lustelijck eenen sanck.
Mijn liefken die gaet houwen,
Ick en weets haer gheenen ondanck.
Al heeft si mi nu begheven,
Noch draghe ick eenen huebschen moet:
Die liefde bloeyt winter en somer,
Dat die coele mey niet en doet.'

Die dit liedeken heeft ghesonghen,
Dat was een ruyter fijn,
Sijn herteken ghinck int lichte
Met schoone vroukens fijn.
Dit liet heeft hi ghesonghen
Ter eeren der liefste zijn,
In spijt der nijders tonghen;
Sijnen naem is jonghen Stijn.

Maar als iemand u ooit vraagt wie u deze ring gegeven heeft, dan moet u vrolijk
zeggen: "Hij, die eens mijn allerliefste was." ¶ Gisterenavond hoorde ik een
vrolijk gezang. Mijn liefste gaat trouwen; ik neem het haar niet kwalijk. Al
heeft zij mij in de steek gelaten, het is mij nog altijd vrolijk te moede. In de
meimaand komt alles tot bloei, maar ik ben het hele jaar door in liefde bloeiende.' ¶ Wie dit liedje gezongen heeft is een wakkere soldaat. Hij verloor zijn hart
keer op keer in lichtzinnige avonturen met mooie, appetijtelijke vrouwtjes. Dit
lied heeft hij gezongen ter ere van zijn liefste, om jaloerse kwaadsprekers een
hak te zetten. Zijn naam is jonge Stijn.

[OCH LIEVE HERE, IC HEB GHELADEN]

Och lieve Here, ic heb gheladen
Mijn sondich schip mit volre last;
Ic moet doch reisen op u ghenaden
Ende varen wech alst u ghepast.
Mijn schip is lec, cranc is mijn mast
Ende mijn ghewant te gader al,
Ende ooc heb ic die conde niet vast,
Ic en weet niet waer ic hene sal.

Nochtan so moet ic immer voort,
Als ghijt lieve Here ghebiet,
Want voor waer ic heb ghehoort,
Dat ic dat mach laten niet.
Ic en weet niet wat mi is gheschiet;
Die vaert maect mi mijn hert so swaer,
Het is mi last ende groot verdriet,
Dat ic moet voort, ic en weet niet waer.

Leider dus bin ic seer begaen,
Dat ic van hene trecken moet;
Die reise moet immer sijn ghedaen,

O lieve Heer, ik heb mijn schip volgeladen met de last mijner zonden. Alleen met uw hulp kan ik mij nog drijvende houden. Ik zal wegvaren op het moment dat u daarvoor beschikt. Mijn schip is lek, mijn mast is wankel. Mijn scheepstuig is in een deplorabele staat. Ik ben de vaarkunst niet meester en ik weet niet waar ik naar toe moet. ¶ Toch moet ik altijd voort, indien gij mij dat gebiedt. Want ik heb voorwaar gehoord, dat ik moet doen wat u van mij verlangt. Ik weet niet wat er met mij is gebeurd, maar de vaart valt mij zo zwaar. Het is voor mij een last en een groot verdriet dat ik voort moet, terwijl ik niet weet waarnaar toe. ¶ Helaas ben ik er ten volle van doordrongen dat ik hier vandaan moet trekken. Die tocht zal ik zonder enige twijfel moeten aanvaarden.

Vaer ic behouden, dat is mi goet.
Here, door u waerde heilighe bloet
Wilt mi beschermen van verdriet,
Dat ic mach varen in u behoet:
Waer ic sal havenen, en weet ic niet.

Adieu, adieu, nu wil ic tseil,
Ic en weet ander gheen niemaren;
God gheef mi gheluc ende heil,
Dat ic behouden doch mach varen.
O lieve Here, wilt mi bewaren,
Weest mijn leitsman in mijnre vaert,
Dat ic mach seilen sonder sparen
Den wech ten ewighen leven waert.

◆

VANDEN OUDEN HILLEBRANT

'Ick wil te lande rijden,'
Sprack meester Hillebrant.
'Die mi den wech wil wijsen
Te Barnen in dat lant!

Als ik behouden aankom, heb ik er vrede mee. Heer, ter wille van uw kostbare,
heilige bloed: bescherm mij voor onheil en verdriet, zodat ik onder uw hoede
kan varen. Waar ik uiteindelijk een haven zal vinden, weet ik niet. ¶ Vaarwel,
nu ga ik de zeilen hijsen; ik heb daar niets nieuws aan toe te voegen. Moge God
mij geluk en voorspoed geven, zodat ik op mijn vaart behouden mag blijven. O
lieve Heer, houd een oogje in het zeil; wees mijn leidsman op mijn vaart. Zodat
ik zonder versagen de weg mag bevaren, die naar het eeuwige leven leidt.

•

'Ik wil terugkeren naar mijn vaderland,' sprak de oude veldheer Hillebrant.
'Laat iemand mij de weg wijzen naar Verona, de plaats waar ik vandaan kom.

Si zijn mi onbekent gheweest
So menighen langhen dach:
In driendertich jaren
Vrou Goedele ick niet en sach.'

'Wil dy te lande rijden?'
Sprack hertooch Abeloen,
'Ghi vinter op der mercken
Den jonghen helt is coen.
Ghi vinter op der mercken
Den jonghen Hillebrant:
Al quaemdi onder twaelfven,
Van hem wort ghi aengherandt.'

'Soude hi mi aenranden
Met eenen evelen moet?
Ic doorhouwe hem sinen schilt,
Ten doet hem nemmermeer goet.
Ick doorslae hem sinen schilt
Met eenen schermen slach,
Dat hijt zijn vrou moeder
Een jaer wel claghen mach.'

'Dat en suldy niet doen,'
Sprac coninc Diederick.

Ik heb lange tijd niets van de mijnen vernomen. Vrouw Goedele heb ik in
drieëndertig jaar niet gezien.' ¶ 'Wil je terugkeren naar je vaderland?' sprak
hertog Abeloen. 'Je zoon, die inmiddels een dappere jonge held is geworden,
houdt de wacht bij de grens. De jonge Hillebrant houdt de wacht. Al kom je
met zijn twaalven, je kunt erop rekenen dat hij je aanvalt.' ¶ 'Mij aanvallen?
Zou hij de euvele moed hebben om mij aan te vallen? Dat zal hem rouwen! Ik
sla zijn schild in stukken! Met één houw van mijn zwaard sla ik zijn schild in
stukken, zodat hij het nooit meer kan gebruiken; zodat hij naar zijn moeder
vlucht en een jaar lang onder haar rokken gaat zitten uithuilen.' ¶ 'Dat moet je
niet doen,' sprak koning Diederik.

'Ic heb den jongen Hillebrant
Met goeder herten lief.
Ghi sult hem seere groeten
Al door den wille mijn;
Ende dat hi u laet rijden
So lief als ic hem mach zijn.'

Al metten selven woorden
Hi die groene gaerde op ran
Tot in des mercken pleyne,
Hillebrant die oude man.
Tot in des mercken pleyne
Daer hi den jonghen vant.
'Wat doet desen ouden grijse
Hier in mijns vaders lant?

Ghi voert een harnas louter,
Al waerdi eens conincx kint.
Ghi maecte mijn jonge herte
Met sienden ooghen blint.
Ghi sout tsoheime blijven
Ende houden u ghemack.'
Met eenen huebscen geluyde
Die oude loech ende sprack:

'Soude ic tsoheime blijven

'Ik heb de jonge Hillebrant van ganser harte lief. Je moet hem zeer de groeten
doen, om mijnentwil. Zeg hem dat hij je het land laat binnenrijden met evenveel genegenheid als hij mij verschuldigd is.' ¶ Na deze woorden reed Hillebrant in snelle draf de groene hof binnen. Hij reed tot hij een open vlakte
bereikte, bij de grens van zijn rijk. Daar ontmoette hij de jonge Hillebrant. 'Wat
doet deze oude grijsaard hier in mijn vaders land? ¶ Gij draagt een schitterende
wapenrusting; gij lijkt wel een koningszoon. Mijn ogen worden verblind door
zoveel luister. Gij zoudt beter thuis kunnen blijven en van uw rust genieten.' De
grijsaard lachte vrolijk en sprak: ¶ 'Zou ik beter thuis kunnen blijven

Ende houden mijn ghemack?
Van strijden ende van vechten
Daer is mi af gesacht.
Van strijden ende van vechten,
Al op mijn henen vaert,
Dat seg ic u, wel jongen helt,
Daer wert af grijs mijn baert!'

'Den baert sal ic u af rucken
Ende daer toe seere slaen,
So dat u roode bloet
Over u wanghen sal gaen.
U harnas ende uwen schilt
Moet ghi mi gevende zijn
Ende blijven mijn gevangen,
Behoet God dat leven mijn.'

'Mijn harnas ende schilt
Daer heb ic mi met geneert.
Ic en was noyet mijn dage
Van eenen man verveert.'
Si lieten daer haer woorden,
Si gingen daer met swaerden slaen.
Wat si daer bedreven,
Dat suldi wel verstaen.

---

en van mijn rust genieten? Strijden en vechten, daar weet ik van mee te praten.
Ik verzeker u bij mijn dood: ik heb zoveel gevochten dat ik er een grijze baard
aan heb overgehouden.' ¶ 'Die grijze baard zal ik uitrukken! Bovendien zal ik u
net zo lang slaan tot het rode bloed over uw wangen stroomt. Uw harnas en uw
schild zult u aan mij moeten afstaan. Indien God mijn leven behoudt, zal ik u
gevangennemen.' ¶ 'Mijn harnas en mijn schild? Daarmee heb ik in mijn le-
vensonderhoud voorzien. Nooit van mijn levensdagen ben ik voor iemand
bang geweest.' Zij staakten hun gesprek. Zij trokken hun zwaarden en begonnen op elkaar in te hakken. Ik zal jullie vertellen hoe het gevecht verliep.

Die jonge brocht den ouden
Een so swaren slach,
Mer dat hi van al zijn dagen
Nie so seer vervaert en was.
Zijn paert spranc te rugge
Wel twintich vademen wijt.
'Den slach die ghi daer sloecht,
Heeft u geleert een wijf.'

'Soude ic van vrouwen leeren?
Dat waer mi groote schande.
Ic heb noch ridders ende heeren
Binnen mijns vaders lande.
Ic heb noch ridders ende knechten
Al in mijns vaders hof.
Wes ic niet gheleert en heb,
Daer over leere ic noch.'

Het quam so dat den ouden
Liet neder sincken sinen schilt,
So dat hi den jongen Hillebrant
Sijn swaert al onder ginck.
Hi nam hem in zijn middele
Al daer hi smaelste was,
Hi worp hem neder te rugghe
Al in dat groene gras.

De jonge Hillebrant bracht de oude een zware slag toe. Nooit van zijn leven
was de oude zo bang geweest. Zijn paard sprong wel twintig vadem achteruit.
Maar hij riep: 'Deze slag heb je zeker van een vrouw geleerd!' ¶ 'Zou een
vrouw mij hebben leren vechten? Dat zou een grote schande zijn! Ik heb nog
altijd de ridders en soldaten uit mijn vaders kasteel. Wat ik nog niet heb geleerd, kan ik van hen leren.' ¶ Toen gebeurde het volgende: de oude Hillebrant
drukte zijn schild naar beneden, zodat hij het zwaard van de jonge Hillebrant
daaronder kon vastklemmen. Toen greep hij hem bij zijn middel, waar hij het
smalst was, en smeet hem ruggelings neer in het groene gras.

'So wie hem selven aen den ketel wrijft,
Hi heeft gaerne vanden roet.
So hebt ghi gedaen, ghi jonghe helt,
Hier teghen dinen wederspoet.
Spreect nu u biechte,
U biechtvader wil ic sijn,
Dats bistu vanden wolven,
Ghenesen moecht ghi sijn.'

'Wolven dat zijn wolven,
Si loopen door dat wout.
Ic ben een jonghe deghen
Gheboren uut Griecken stout.
Mijn moeder hiet vrou Goedele,
Een hertoginne fijn.
Ende den ouden Hillebrant
Dat is die vader mijn.'

'Hiet u moeder vrou Goedele,
Een hertoginne fijn?
Was Hillebrant dijn vader?
So bistu die sone mijn.'
Hi schoot op sinen helme,
Hi custe hem aen sinen mont.
'Nu danc ic God den Heere
Dat ic u sie gesont.'

'Wie de ketel aanraakt, komt onder de roet te zitten. Jij kunt dat kennelijk niet
laten, jonge held; nu zie je wat een narigheid daarvan komt. Ik zou maar snel
biechten. Ik zal je biechtvader zijn. Als je een wolvejong bent [tot het geslacht
der Wolfingen behoort], dan zal je leven gespaard blijven.' ¶ 'Wolven zijn wolven, zij lopen door het woud. Ik ben een jonge krijger. Mijn voorvaders zijn
dappere Grieken. Mijn moeder heet vrouw Goedele. Zij is een voorname hertogin. En mijn vader is de oude Hillebrant.' ¶ 'Heet je moeder vrouw Goedele,
is zij een voorname hertogin? Is Hillebrant je vader? Maar dan ben jij mijn zoon!'
Met een ruk deed hij zijn vizier omhoog, en kuste hem op zijn mond. 'God zij
dank zie ik je gezond en wel terug!'

'Och vader, lieve vader,
Die wonden die ic u heb geslagen,
Wil ic al mijn leven lanc
In mijnder herten draghen.'
'Nu swijghet, sone, stille,
Der wonden weet ic wel raet.
Wi willen van hier scheyden,
God sterc ons op die vaert.

Nu neemt mi ghevanghen,
Alsmen eenen gevanghen doet.
Vraghen u die lieden,
Wat man dat ghi daer voert,
So suldi hen dan segghen:
This een die quaetste man
Die oeyt op deser werelt
Van moeder lijf ghewan.'

Het viel op eenen saterdach
Ontrent der vespertijt,
Dat die jonghe Hillebrant
Die groene gaerde op reedt.
Hi voerde op sinen helme
Van goude een cranselijn
Ende neven zijnder siden
Den liefsten vader zijn.

'O vader, lieve vader! De wonden die ik je heb toegebracht zullen mijn leven
lang pijnlijk in mijn hart gegrift staan.' 'Wees maar stil, lieve zoon. Met die
wonden weet ik wel raad. Wij moeten hier vandaan vertrekken; God geve ons
kracht voor de reis. ¶ Neem mij nu gevangen, zoals je met een misdadiger doet.
En als de mensen vragen wie je met je meevoert, moet je zeggen: "Dit is een van
de slechtste mensen die ooit door een vrouw ter wereld is gebracht."' ¶ Op een
zaterdag, omstreeks de vespertijd, reed de jonge Hillebrant de groene hof binnen. Om zijn helm droeg hij een gouden krans. Naast hem reed zijn liefste
vader.

Hi voerde hem gevanghen
Al sonder arghelist.
Hi sette hem bi zijnder moeder
Boven haer aen haren disch.
'Sone, wel lieve sone,
Dat gheeft mi al te vry:
Waerom ghi desen gevangen
Hier settet boven mi?'

'Moeder,' seit hi, 'moeder,
Die waerheit sal ic u saghen:
Aen geender groender heiden
Had hi mi bi na verslaghen.
Het is Hillebrant die oude,
Die liefste vader mijn.
Nu neemt hem in uwen armen
Ende heet hem willecom zijn!'

Si nam hem in haren armen,
Si custe hem aen sinen mont.
'Nu dancke ic God den Heere
Dat ick u sie ghesont.
Wi willen van hier scheyden
Ende varen in ons lant:
Te Barnen binnen der steden,
Daer zijn wi wel becant.'

Hij voerde hem mee als gevangene, maar hij was niet te kwader trouw. Hij gaf zijn vader een zitplaats aan zijn moeders tafel, op een betere plaats dan de hare. 'Lieve zoon, je bent al te vrijpostig. Waarom geef je deze gevangene een betere plaats dan mij?' ¶ 'Moeder,' zei hij, 'om u de waarheid te zeggen: hij heeft mij op de groene vlakte bijna verslagen. Dit is de oude Hillebrant, mijn liefste vader. Sluit hem nu in uw armen en verwelkom hem!' ¶ Zij nam hem in haar armen, zij kuste hem op zijn mond. 'God zij dank ben je gezond en wel bij mij terug! Wij zullen hier vertrekken en terugkeren naar ons vaderland. Wij gaan op reis naar Verona, waar iedereen ons goed kent.'

◆

[EEN OUDT LIEDEKEN]

Ic stont op hoghe berghen,
Ic sach ter see waert in,
Ic sach een scheepken driven,
Daer waren drie ruiters in.

Den alderjoncsten ruiter,
Die in dat scheepken was,
Die schonc mi eens te drinken
De coele wijn uit een glas.

'Ic brenct u, haveloos meisjen!
Dat u God seghenen moet!
Gheen ander soudic kiesen,
Waert ghi wat riker van goet.'

'Ben ic een haveloos meisjen,
Ic en bens alleine niet:
In een clooster wil ic riden,
God loons hem, diet mi riet!'

Hi sprac: 'wel schone joncfrouwe!
Als ghi int clooster gaet,

Ik stond op een hoge bergrug en keek uit over de zee. Ik zag een scheepje varen, met drie soldaten erin. ¶ De jongste soldaat uit het scheepje gaf mij ooit koele wijn te drinken, uit een glas. ¶ Hij sprak: 'Ik geef dit aan jou, armoedig meisje. Moge God je zegenen. Ik zou niemand anders kiezen, als jij wat rijker was.' ¶ 'Ben ik een armoedig meisje? Maar ik sta niet alleen. Ik ga naar een klooster; God zegene hem, die mij dit aanried.' ¶ Hij sprak: 'Wel, mooie jonk-vrouw, als jij naar het klooster gaat.

Hoe garen soudic weten,
Hoe u 't nonnencleet al staet!'

Maer doen si in dat clooster quam,
Haer vader die was doot,
Men vant in al mijns heren lant
Gheen riker kint en was groot.

De ruiter haddet so haest vernomen,
Hi sprac: 'sadelt mi mijn peert!
Dat si int clooster is ghecomen
Dat is dat mijn hert so deert.'

Maer doen hi voor dat clooster quam,
Hi clopte aen den rinc:
'Waer is de joncste nonne,
Die hier lest wijdinghe ontfinc?'

'Dat alderjoncste nonneken
En mach niet comen uit,
Si sit al hier besloten
En si is Jesus bruit.'

'Sit si hier in besloten
En is si Jesus bruit:

Wat zou ik dan graag willen zien hoe het nonnenkleed je staat!' ¶ Toen zij
echter tot het klooster toetrad, stierf haar vader. In één klap was zij de rijkste
jonkvrouw uit het hele koninkrijk. ¶ Zodra de soldaat dat hoorde, sprak hij:
'Zadel mijn paard! Mijn hart is gebroken sinds zij tot het klooster is toege-
treden.' ¶ Hij kwam bij het klooster en klopte op de poort. 'Waar is de jongste
non, de laatste die hier wijding ontving?' ¶ 'Het allerjongste nonnetje mag niet
naar buiten komen. Hier is zij afgezonderd van de wereld; zij is Jezus' bruid.' ¶
'Is zij afgezonderd van de wereld en is zij Jezus' bruid?

Mocht icse eens sien of spreken,
Si soude wel comen uit.'

Dat alderjoncste nonneken
Ghinc voor den ruiter staen,
Haer haerken was afgheschoren,
De minne was al ghedaen.

'Ghi meucht wel thuiswaert riden,
Ghi meucht wel thuiswaert gaen,
Ghi meucht een ander kiesen,
Mijn liefde is al vergaen.

Doen ic een haveloos meisjen was,
Doen stiet ghi mi metten voet;
Hadt ghi dat woort ghesweghen,
Het hadde gheweest al goet.'

◆

[VAN FIER MARGRIETKEN]

Het soude een fier Margrietelijn,
Des avonts also spade,

Als ik haar één maal kon zien of spreken, dan zou zij het klooster wel verlaten.' ¶ Het allerjongste nonnetje kwam voor de soldaat staan. Haar haren
waren afgeschoren; de liefde was helemaal voorbij. ¶ 'Gij kunt weer naar huis
rijden; gaat u maar weer naar huis. En kies maar iemand anders; mijn liefde is
helemaal verdwenen. ¶ Toen ik een armoedig meisje was, hebt gij mij weg-
geschopt. Als gij mij niet armoedig genoemd had, had ik u vergeven.'

•

Er was eens een mooi Margrietje, die er 's avonds laat

Met haren canneken gaen om wijn;
Si was daer toe verraden.

Wat vantse in haren weghe staen,
Eenen ruyter stille:
'Nu segt mi, fier Margrietelijn,
Doet nu mijnen wille.'

'Uwen wille en doen ic niet,
Mijn moerken soude mi schelden;
Storte ic dan mijnen coelen wijn,
Alleyne soude ic hem ghelden.'

'En sorghet niet voor den coelen wijn,
Mer sorghet voor u selven:
Die waert is onser beyder vrient,
Hi sal ons noch wel borghen.'

Hi namse in sinen witten armen
Heymelick al stille,
Al in een duyster camerken,
Daer schafte hi doe sinen wille.

Smorghens, ontrent der middernacht,
Si ghinc haer kanneken soecken,

---

met haar kannetje op uitging om wijn te halen. Dit plan had de duivel haar
ingeblazen. ¶ Wie kwam zij tegen op haar weg? In het geheim stond daar een
soldaat. 'Mooi Margrietje, doe nu wat ik verlang.' ¶ 'Ik doe niet wat je verlangt. Mijn moedertje zou mij ervan langs geven. Als ik mijn koele wijn uitgiet
zal ik het helemaal alleen moeten ontgelden.' ¶ 'Wees niet bezorgd om de koele
wijn; denk liever aan jezelf. De waard is ons beiden welgezind; hij zal ons wel
krediet geven.' ¶ In het diepste geheim nam hij haar mee naar een donker kamertje. Stilletjes nam hij haar in zijn blanke armen en deed wat hij verlangde. ¶ Kort na middernacht stond zij op om haar kannetje te zoeken.

Daer lach die moeyaert ende hi loech:
'Het staet daer teynden mijn voeten.'

'Mer dat daer teynden u voeten staet,
Dat sal u noch lange berouwen:
Ic hebbe noch drie ghebroeders stout,
Si sullen u dat hooft af houwen.'

'Alle u ghebroeders stout,
Die sette ick in mijn deeren,
Ick sal alle dese somer lanck
Met Grietken houden mijn scheeren.'

Ende hi nam eenen snee witten bal
Hi stackse al in haer kele,
Hi schootse tot eenderen veynsteren,
Hi schootse al in die Dijle.

Teghen stroom quam si gedreven uut
Aen sint Jans capelle,
Dat sach so menich fijn edel man,
So menich jonc gheselle.

Daar lag die schelm en lachte: 'Je kannetje staat aan mijn voeten.' ¶ 'Wat daar aan jouw voeteneind staat, zal jou nog lang berouwen. Ik heb nog drie dappere broeders; zij zullen jouw hoofd afhouwen.' ¶ 'Ik zal al je dappere broeders doen wentelen in verdriet. Ik zal de hele zomer lang met Grietje de spot drijven.' ¶ Hij nam een sneeuwwitte bal en propte die in haar keel. Hij sleepte haar naar het raam en wierp haar in de rivier de Dijle. ¶ Tegen de stroom in kwam zij naar de kapel van Sint-Jan gedreven, en spoelde daar aan land. Dit werd gadegeslagen door veel edellieden en jonge mannen.

◆

[VAN BRANDENBORCH]

Het is gheleden jaer ende dach,
Dat Brandenborch gevangen lach,
Gheworpen in eenen toren,
Van steenen waren die mueren.

Daer lach hi meer dan seven jaer,
Sijn hayr was wit, zijn baert was grau,
Sinen rooden mont verbleecken;
Vander liefste was hi gheweken.

Si leyden hem op enen disch,
Si sneden hem uut zijn herte frisch,
Si gavent der liefste teten
Tot eene morghen ontbijten.

'Nu hebbe ick gheten dat herte zijn,
Daer op wil ghedroncken zijn,
Nu schenckt mi eens te drincken!
Mijn herte wil mi ontsincken.'

Den eersten dronc mer die si dranck,
Haer herte in duysent stucken spranck:

Het is al een hele tijd geleden dat Brandenborch in de gevangenis zat. Hij was gevangengezet in een toren met dikke stenen muren. ¶ Daar zat hij meer dan zeven jaar, want hij had zijn lief in de steek gelaten. Zijn haar werd wit, zijn baard werd grijs. Zijn rode lippen verbleekten. ¶ Zij legden hem op een grote tafel en sneden zijn levenslustige hart uit zijn lijf. Zij gaven het aan zijn geliefde te eten, 's ochtends voor het ontbijt. ¶ 'Nu heb ik zijn hart opgegeten: daarop moet gedronken worden! Toe, schenk mij eens iets te drinken in; ik sta op het punt om flauw te vallen.' ¶ Bij de eerste teug die zij dronk sprong haar hart in duizend stukken.

'Nu helpt, Maria, maghet reyne,
Met uwen kindeken cleyne!'

Mer die dit liedeken eerstwerf sanc
Een vry sluymer was hi ghenaemt,
Hi hevet so wel ghesonghen
Vander liefster is hi ghedrongen.

♦

VAN VROU VAN LUTSENBORCH

Die mi te drincken gave,
Ic songhe hem een nieuwe liet,
Al van mijn vrouwe van Lutsenborch,
Hoe si haren lantsheere verriet.

Si dede een briefken scrijven
So veere in Gulcker landt
Tot Frederic, haren boele,
Dat hi soude comen int lant.

Hi sprac tot sinen knapen:
'Nu sadelt mi mijn paert.

'Maria, zuivere maagd met uw kleine kind, sta mij bij!' ¶ Wie dit liedje voor het eerst zong stond bekend als een vrije flierefluiter. Hij heeft zo mooi gezongen; van zijn liefste is hij gescheiden.

•

Voor degene die mij te drinken geeft zing ik een nieuw lied. Over de kasteelvrouwe van Luxemburg: hoe zij haar heer in het verderf stortte. ¶ Zij stuurde een brief naar het verre land van Gulik. Zij schreef aan Frederik, haar minnaar, dat hij naar haar toe moest komen. ¶ Hij sprak tot zijn schildknaap: 'Toe, zadel mijn paard voor me.

Tot Lutsenborch wil ic rijden,
Het is mi wel rijdens waert.'

Als hi te Lutsenborch quam
Al voor dat hooge huys,
Daer lach de valsce vrouwe
Tot haerder tinnen uut.

Hij sprac: 'God groet u, vrouwe,
God geve u goeden dach.
Waer is mijn here van Lutsenborch,
Dien ic te dienen plach?'

'Ic en derfs u niet wel seggen,
Ic en wil u niet verraen.
Hi is heden morghen
Met sinen honden uut jaghen ghegaen.

Hi reedt heden morghen
Al in dat soete dal
En daer suldi hem vinden
Met sinen hondekens al.'

Hi sprack tot sinen knape:
'Nu sadelt mi mijn paert,

Ik wil naar Luxemburg rijden; het is mij de reis wel waard.' ¶ Toen hij in Luxemburg bij het kasteel aankwam, stond de valse vrouwe bij de trans van de
toren op de uitkijk. ¶ Hij sprak: 'God zegene u, vrouwe. God geve u een goede
dag. Waar is mijn heer van Luxemburg, die ik placht te dienen?' ¶ 'Ik aarzel om
het u te zeggen, want ik wil u niet te gronde richten: hij is vanmorgen met zijn
honden uit jagen gegaan. ¶ Vanochtend ging hij op weg naar het lieflijke dal.
En daar zult u hem vinden, omringd door al zijn honden.' ¶ Hij sprak tot zijn
schildknaap: 'Toe, zadel mijn paard voor mij.

Ten dale waerts wil ic rijden,
Het is mi wel ridens waert.'

Als hi bider jachten quam
Al in dat soete dal,
Daer lach die edel heere
Met sinen hondekens al.

Hi sprac: 'God groet u, heere,
God gheve u goeden dach.
Ghi en sult niet langer leven
Dan desen halven dach.'

'Sal ick niet langher leven
Dan heden desen dach?
So mach ict wel beclaghen
Dat ic oyt mijn vrou aensach.'

Hi sprac tot sinen knape:
'Spant uwen boghe goet
Ende schiet mijn here van Lutsenborch
In zijns herten bloet.'

'Waerom soude ic hem scieten,
Waerom soude ick hem slaen?

Ik wil naar dat dal rijden, het is mij de reis wel waard.' ¶ In het lieflijke dal
gekomen reed hij naar de plek waar de jacht gehouden werd. Daar stond de
edele heer op zijn post, omringd door al zijn honden. ¶ Hij sprak: 'God zegene
u, edele heer. God geve u een goede dag. Gij zult niet langer leven dan deze
halve dag.' ¶ 'Zal ik niet langer leven dan deze dag? Dan betreur ik dat ik mijn
vrouw ooit met welgevallen heb bekeken.' ¶ Hij sprak tot zijn schildknaap:
'Span je boog en schiet een pijl, recht in het hart van mijn heer van Luxemburg.' ¶ 'Waarom zou ik op hem schieten; waarom zou ik hem doden?

Ick hebbe wel seven jaer
Tot zijnder tafelen ghegaen.'

'Hebdy wel seven jaren
Tot zijnder tafelen ghegaen?
So en dorfdi hem niet schieten,
Noch niet ter doot slaen.'

Hi tooch uut zijnder scheyden
Een mes van stale goet.
Hi stac mijn here van Lutsenborch
In zijns herten bloet.

Hi sprac tot sinen knape:
'Nu sadelt mi mijn paert.
Tot Lutsenborch wil ic riden,
Het is mi wel rijdens waert.'

Als hi te Lutsenborch quam
Al voor dat hooghe huys,
Daer quam de valsce vrouwe
Van haerder tinnen uut.

'Vrou, God seghen u, vrouwe,
God gheve u goeden dach.

Ik ben zeven jaar lang bij hem te gast geweest.' ¶ 'Ben je zeven jaar lang bij hem te gast geweest? Dan hoef je niet op hem te schieten; je hoeft hem niet te doden.' ¶ Hij trok zijn scherpe stalen mes uit de schede en stak de edele heer van Luxemburg diep in zijn hart. ¶ Hij sprak tot zijn schildknaap: 'Toe, zadel mijn paard voor me. Ik wil naar Luxemburg rijden; het is mij de reis wel waard.' ¶ Toe hij in Luxemburg bij het kasteel aankwam, zag hij zijn valse geliefde van achter de kantelen te voorschijn komen. ¶ 'God zegene u, vrouwe. God geve u een goede dag.

Uwen wille is bedreven,
U verraderie is volbracht.'

'Is mijnen wille bedreven,
Hebdi mijnen sin volbracht,
So doet mi sulcken teyken
Dat ic daer aen geloven mach.'

Hi troc uut sijnder scheyden
Een swaert van bloede root.
'Siet daer, ghi valsce vrouwe,
Uus edel lantsheeren doot.'

Si trock van haren halse
Van peerlen een cranselijn:
'Hout daer, mijn liefste boele,
Daer is die trouwe van mijn.'

'Uw trouwe en wil ic niet,
Ic en wille niet ontfaen,
Ghi mocht mi ooc verraen
Ghelijc ghi uwen lantshere hebt ghedaen.'

Hi troc uut zijnder mouwen
Een siden snoerken fijn:

Uw opdracht is uitgevoerd; uw verraderlijk plan is volbracht.' ¶ 'Is mijn opdracht uitgevoerd, heeft u gedaan wat ik wilde? Geeft u mij daarvan een tast-
baar bewijs, zodat ik kan zien dat u de waarheid spreekt.' ¶ Hij trok zijn mes
uit de schede, rood van het bloed. 'Kijk daar, gij valse vrouwe: de dood van uw
edele vorst.' ¶ Zij trok een snoer parels van haar hals: 'Pak aan, mijn liefste
minnaar; een bewijs van mijn eeuwige trouw.' ¶ 'Uw eeuwige trouw wil ik
niet, die kunt u houden. Gij zoudt mij ook kunnen verraden, zoals gij uw vorst
verraden heeft.' ¶ Hij trok een prachtig zijden snoer uit zijn mouw.

'Hout daer, ghi valsce vrouwe,
Ghi sulter bi bedrogen zijn.'

Te Lutzenborch op de mueren
Daer loopt een water claer,
Daer sit vrou van Lutzenborch
Int heymelic ende int openbaer.

♦

EEN OUDT LIEDEKEN

Een boerman hadde eenen dommen sin,
Daer op so schafte hi zijn ghewin.
Het voer een boerman uut meyen.
Hi brocht sinen heere een voeder houts,
Sijnder vrouwen den coelen mey.

Die boer al op den hove tradt,
Die vrouwe op hoogher tinnen lach,
Si lach op hoogher salen.
'Mocht ick een corte wijle bi u zijn,
Ich gave daer om mijn ros, mijn wagen.'

'Pak aan, gij valse vrouwe; dit zal uw ondergang zijn.' ¶ Langs de muren van kasteel Luxemburg stroomt een helder water. Daar zit de kasteelvrouwe van Luxemburg, in het geheim en in het openbaar.

•

Er was eens een boer die een dwaas plan bedacht, wat heel voordelig voor hem uitpakte. Een boer trok erop uit om het meifeest te vieren. Hij bracht zijn kasteelheer een karrevracht hout, zijn vrouwe de frisse meitak. ¶ Toen de boer het binnenplein van het kasteel opreed, bevond de kasteelvrouwe zich in de grote zaal, boven in de toren. 'Voor een korte tijd in uw gezelschap zou ik u mijn paard en wagen geven.'

Die vrouwe die reden so haest vernam,
Si liet den boerman comen an,
So heymelijc al stille,
Al in een duyster camerken,
Daer deden si twee haren wille.

Doen hi zijn willeken hadde ghedaen,
Die boer moste vander tinne gaen
Ende hi bestont te claghen:
'Ic segghe u dat het deen is ghelijc dander.
Mi rout mijn ros, mijn waghen.'

Die heere quam uuter jaechte ghereden,
Hi hoorde den boerman seere claghen,
Hi hoorde den boerman claghen.
'Ghi segt dat het een is als dander is,
Die waerheyt suldy mi saghen.'

Die boer had schier een loeghen bedacht:
'Ick hadde een voederken houts gebracht
Ende daer was een crom hout onder.
Ick seg u dat het deen als dander brant,
Als si biden viere comen.

Zodra de kasteelvrouwe die woorden hoorde, liet zij de boer bij zich komen. In het diepste geheim gingen die twee naar een donker kamertje en bedreven de liefde. ¶ Toen hij aan zijn gerief gekomen was moest de boer de toren verlaten. Hij kwam op het binnenplein en begon te jammeren: 'Ik zeg u: het is met de een net als met de ander. Het spijt mij dat ik mijn paard en wagen moet achterlaten.' ¶ De edele heer keerde terug van de jacht. Toen hij het binnenplein opreed, hoorde hij de boer tekeergaan. 'Gij zegt dat de een net zo is als de ander; wat is er gebeurd? Zeg mij de waarheid!' ¶ Snel bedacht de boer een leugen: 'Ik had u een vrachtje hout gebracht. Daar zat een krom stuk hout tussen. Ik zeg u: de een brandt net zo goed als de ander, als zij dicht bij het vuur komen.

Hierom was u vrou so gram,
Dat si mijn ros, mijn waghen nam
Om sulcken cleynen schulde.
Ic bidde u, lieve heere mijn,
Verwerft mijnder vrouwen hulde.'

Die here ginc voor zijnder vrouwen staen.
'Wat heeft desen armen boer misdaen?
Schaemt ghi u der sonden niet?
Gheeft hem zijn ros, zijn waghen weder,
Laet hem varen tot sinen kinder.'

'Vaert henen, vaert henen, goet boere mijn,
Dat eerste zal u vergheven zijn,
Vaert henen dijnre straten.
Och coemt ooc weder als ghi moecht,
Brengt ons dat crom hout vake.'

◆

EEN NYEU LIEDEKEN

Een oude man sprack een meysken an:
'Schoon lief, wildi beteren mijn verdriet?'

Hierom was uw vrouwe zo boos dat zij mijn paard en wagen in beslag nam. Om zo'n kleine vergissing! Ik smeek u, lieve edele heer: tracht mijn vrouwe tot een gunst te bewegen.' ¶ De heer ging voor zijn vrouwe staan. 'Wat heeft deze arme boer misdaan? Schaam je je niet voor deze zonde? Geef hem zijn paard en wagen terug; laat hem naar zijn kinderen rijden.' ¶ 'Ga heen, ga heen, mijn goede boer. Het eerste zal ik je vergeven. Ga jouws weegs. Kom alsjeblieft terug, zo vaak als je kunt, en vergeet niet dat kromme stuk hout mee te brengen.'

•

Een oude man sprak een meisje aan: 'Mooi lief, wil jij mijn liefdesverdriet genezen?'

'Neen ic,' seydese, 'lieve Jan,
Van uwen biere en dorst mi niet.
Tis beter dat ghi van mi vliet.
Ghi doet doch al verloren pijn.
Mijn boelken moet een jonck man zijn.'

'Schoon lief, ick soude mi geerne paren,
Waert u beliefte, nu ter tijt.'
'Spreect een oude quene van tseventich jaren,
Oudt ende verrompelt also ghi zijt!
Aen u en is doch gheen profijt,
Ghi en tapt niet dan verschaelden wijn.
Mijn boelken moet een jonck man zijn.'

'O waerde suver juecht,
Herte ende sin hanget al aen dy.'
'Stelt u te vreden oft ghi moecht,
Wi en dienen niet te samen, ick ende ghy,
Oudt ende versleten dunct ghy my.
Wat soudt ghi schrijven in mijn francijn?
Mijn boelken moet een jonck man zijn.'

'Schoon lief, wilt doch doen mijn avijs,
So sal ic u maken van goede rijc.'

'Neen, lieve Jan,' zei zij, 'ik heb geen zin in jouw bier. Het is beter dat je van mij weggaat; je doet immers toch vergeefse moeite. Ik wil een jonge man als minnaar!' ¶ 'Mooi lief, ik zou mij graag aan je binden. Nu meteen, als jij dat zou willen.' 'Zoek een oud wijf van zeventig, die net zo oud en gerimpeld is als jij! Aan jou is toch geen gerief te behalen; jij tapt niets dan verzuurde wijn. Ik wil een jonge man als minnaar!' ¶ 'O, edele zuivere jonge vrouw! Met hart en ziel behoor ik je toe.' 'Bevredig je verlangens, als je kunt. Wij passen niet bij elkaar, jij en ik. Oud en versleten lijk je mij. Wat moet jij nou schrijven op mijn perkament? Ik wil een jonge man als minnaar!' ¶ 'Mooi lief, doe toch wat ik je aanraad; dan maak ik van jou een rijke vrouw.'

'Een jonc man staet badt in mijnen prijs,
Ghelijc soect altijd zijn ghelijck.
Wat soudt ghi doeghen op eenen tijt
Dan droncken drincken als een swijn?
Mijn boelken moet een jonck man zijn.'

'Ic mach wel claghen mijn verdriet,
Ic minne ende en worde niet ghemint.'
'Nu swijghet,' seit si, 'luerefaes,
Vrijdt elders daer ghi troost ghewint.
Ic hebbe bemint een jonghelinck,
Mijn herte verblijt in zijn aenschijn,
Mijn boelken moet een jonck man zijn.'

◆

[EEN NYEU LIEDEKEN]

Het reghende seer ende ick worde nat,
Bi mijnen boel sliep ick te nacht,
   Sliep ick te nacht,
Bi mijnen boel alleyne;
Rijc God, mocht ick bi die liefste zijn!

'Ik hecht meer waarde aan een jonge man. Ieder mens zoekt toch altijd naar zijn gelijke. Waar zou jij na een tijdje voor deugen, behalve om drank te slobberen als een varken? Ik wil een jonge man als minnaar!' ¶ 'Ik mag mijn verdriet wel diep betreuren. Ik heb je lief maar jij houdt niet van mij.' 'Houd nou je mond, nietsnut!' zei zij. 'Ga je liefdesbetuigingen maar ergens anders slijten, bij iemand die je wel troost kan geven. Ik houd van een jongeling; mijn hart springt op als ik hem zie. Ik wil een jonge man als minnaar!'

•

Het regent pijpestelen en ik word nat. Ik sliep vannacht bij mijn lieveling; daar sliep ik vannacht. Wij waren alleen. Hemel, ik wou dat ik bij mijn lieveling was!

Hi clopte voor haer cleyn veynsterkijn:
'Staet op mijn lief ende laet mi in,
          Ende laet mi in;
Ic heb hier so langhe ghestanden,
Mi dunct dat ick vervrosen bin.'

Dat meysken schoot aen een hemdekijn;
Si liet er in den ruyter fijn,
          Den ruyter fijn;
In haren blancken armen
Hiet si den ruyter wellecoem zijn.

Mer snachts ontrent der middernacht,
Doen gaf die bedsponde eenen crack,
          Ende si weende seer;
Si weende also seere,
Haer docht dat si bedroghen was.

'En weenet niet, mijn soete lief,
Ick sal u schrijven eenen brief,
          En trouwen dy;
En trouwen dy tot eenen wijve,
Ghi sulter certeyn die liefste zijn.'

Hij klopte aan haar kleine raam. 'Sta op mijn lief en laat mij binnen; laat mij binnen. Ik heb hier al zo lang gestaan, me dunkt dat ik bevroren ben.' ¶ Het meisje schoot haar hemdje aan. Zij liet de mooie soldaat naar binnen; de mooie soldaat. Zij verwelkomde hem in haar blanke armen. ¶ Maar 's nachts, omstreeks het middernachtelijk uur, veerde de soldaat met een krak van de beddeplank. En zij begon te wenen. Zij weende zo smartelijk, zij meende dat zij bedrogen was. ¶ 'Schrei toch niet, mijn lieve meisje, ik zal je een brief schrijven, ik zal met je trouwen; ik maak je tot mijn vrouw. Stellig, je zult mijn liefste zijn.'

'Ghi ghelooft mi veel, ghi hout mi cleyn,
Ghi en biedt mi daer toe groot noch cleyn,
　　　　Ende ick draghe een kint;
Een kindeken alsoo cleyne,
Ick en weet certeyn den vader niet.'

'Draecht ghi een kint, so cleynen kint,
So siet dat ghi den vader vint,
　　　　Oft ghevet mi;
Oft mi oft mijnen gheselle,
Dat kint dat moet ghehouden zijn.'

Dat meysken swoer al bi Sint Jan:
'Bi mi en sliep noyt ander man,
　　　　Niet meer dan ghi;
Dan ghi, ghi valsche bedrieger,
Ghi staet so vaste in mijnen sin.'

Die dit liedeken eerstwerf sanck,
Dat was een ruyter al vander banck,
　　　　Ende hi sanghet so fijn;
Hi hevet wel ghesonghen,
By die liefste en mocht hi niet zijn.

'Jij belooft mij zoveel, je behandelt me als een kind. Daarbij heb je me eigenlijk niets te bieden. En ik draag een kind, een kind zo klein. Ik weet niet zeker wie de vader is.' ¶ 'Draag jij een kind, een kind zo klein. Zie dan maar dat je de vader vindt, of geef het aan mij. Wie de vader ook is: iemand zal voor het kind moeten zorgen.' ¶ Het meisje zwoer een eed bij Sint-Jan: 'Er heeft nooit een andere man bij mij geslapen. Nooit een ander dan jij, dan jij, jij valse bedrieger! Mijn liefde voor jou is onwankelbaar.' ¶ Degene die dit liedje voor het eerst zong was een echte kroegtijger. Hij zong zo mooi! Hij zong goed, maar zijn liefje kon hij niet behouden.

◆

EEN NYEU LIEDEKEN

In oostlant wil ic varen,
Mijn bliven en is hier niet lanck
Met eender schoonder vrouwen;
Si heeft mijn herteken bevaen.

Hi nam dat maechdeken bijder hant,
Al bider witter hant.
Hi leydese op een eynde,
Daer hi een beddeken vant.

Daer lagen si twee verborgen
Den lieven langhen nacht,
Van tsavonts totten morghen,
Tot dat scheen den lichten dach.

'Wel op, ridder coene,'
Sprack si, dat meysken fijn,
'Keert u herwaerts omme,
Mi wect een wilt voghelken!'

'Hoe soude ic mi omkeren?
Mijn hoofd doet mi so wee.'

Ik wil naar het oosten trekken. Ik kan hier niet langer blijven, bij de mooie
vrouw die mijn hart in haar netten verstrikt heeft. ¶ Hij nam het meisje bij de
hand, bij haar blanke hand; en voerde haar naar een plek waar een bedje
stond. ¶ Daar lagen die twee in het geheim, de lieve lange nacht. Van de avond
tot de morgen, tot het heldere daglicht naar binnen viel. ¶ 'Word wakker, onverschrokken ridder,' sprak het mooie meisje. 'Keer je om, naar mij toe. Een
wild vogeltje wordt in mij wakker.' ¶ 'Hoe zou ik mij kunnen omkeren? Mijn
hoofd doet mij zo'n pijn.'

En waer dat niet geschiet,
Ten schiede nemmermeer.

Had ic nu drie wenschen,
Drie wenschen also eel,
So soude ic nu gaen wenschen
Drie roosen op eenen steel.

Die een soude ick plucken,
Die ander laten staen,
Die derde soude ic schencken
Der liefster die ic haen.

Aen ghene groene heyde
Daer staen twe boomkens fijn.
Die een draecht noten muscaten,
Die ander draecht nagelkijns.

Die naghelen die zijn soete,
Die noten die zijn ront.
Wanneer so sal ic cussen
Mijns liefs rooden mont?

Die ons dit liedeken sanck,
So wel ghesonghen haet,
Dat heeft gedaen een lansknecht.
God geve hem een goet jaer.

Was het maar niet gebeurd; ik hoop dat het nooit meer gebeurt. ¶ Als ik nu drie wensen mocht doen, drie heerlijke wensen. Dan zou ik nu wensen: drie rozen op een steel. ¶ De ene zou ik plukken, de tweede laten staan. De derde zou ik schenken aan de liefste, die ik ken. ¶ Daar op het groene veld staan twee prachtige bomen. De ene draagt muskaatnoten, de andere kruidnagelen. ¶ De kruidnagelen zijn zoet, de muskaatnoten zijn rond. Wanneer zal ik de rode mond van mijn liefste kussen? ¶ Degene die dit liedje zong (en hij heeft goed gezongen) is een soldaat; God geve hem een goed jaar.

EEN AMOREUS LIEDEKEN

'Als alle die cruydekens spruyten
Ende alle dinc verfrayt,
Ick wil mi gaen vermuyten.
Ick ben mijns liefs te buyten;
Het compas gaet al verdrayt.
Tis recht, schoon lief, ic bens ontpaeyt.'

'Hebdy u boel verloren,
Wat schaden hebdy daer van?
Ick seyt u van te voren:
Een ander had ic vercoren.
Daer leyt u seer luttel an,
Al kiest ghi een ander man.'

'Wat schaedt den rijm der roosen!
Ghi veleyn door uwen hals,
Ghi waert die eerste glose
Die mi brochte in nose.
Dus leere ic nu van als:
Vlaems, spaens, duyts ende wals.'

'Nu al het groen begint te ontluiken en de hele wereld zich verheugt, wil ik een
ander lief zoeken; mijn lief ben ik kwijt. Het kompas draait alle kanten op.
Mooi lief, ik heb alle reden om kwaad te zijn.' ¶ 'Heb je je lief verloren? Heeft
jou dat zoveel kwaad gedaan? Ik heb het je van tevoren gezegd: ik had mijn
zinnen op een ander gezet. Daar heb jij niets mee te maken: kies gewoon een
andere man.' ¶ 'Kan de rijp een roos niet beschadigen? Jij schoft, door al jouw
leugens heb je mijn onbeschreven blad beklad en van commentaar voorzien. Jij
hebt mij in het verderf gestort! Eerst kende ik geen enkele taal: door jou leer ik
nu Vlaams, Spaans, Duits en Frans.'

'God groete u, schoon kersowe,
Ghi snijt mijn herte ontwee.
Ghi zijt die liefste vrouwe,
Aen u staet mijn betrouwen.
Int lant en over de zee
En leven nu geen liever twee.'

'U lof, u danc, u waerde
Neme ick nu een verdrach.
Ic weet een ander op aerde,
Een edel man te paerde,
Een rijckaert diet wel vermach,
Die vrijt mi nacht ende dach.'

'Vrijt u een man teenen boele,
Een ruyter oft een baroen?
Wacht u dat hi niet en coele,
Want ghevoelde hi dat ick ghevoele,
Hi en sou niet gaen aendoen
Een anders mans oude scoen.'

'Adieu, wel vuyl clergersse,
Tis meer dan scheydens tijt.
Al ist dat ick nu messe,

'God zegene u, mooie madelief. Gij snijdt mijn hart in tweeën. Gij bent de liefste vrouw die ik ken; heel mijn hoop is op u gevestigd. Op het land en over de zee zijn geen geliefden te vinden die elkaar vuriger beminnen dan wij twee.' ¶ 'Je loftuitingen, je dankbaarheid en de eer die je mij bewijst: die mag je houden. Ik weet een andere man, een edelman te paard. Een rijke man die tot grote daden in staat is. Hij overstelpt mij dag en nacht met liefdesbetuigingen.' ¶ 'Dingt hij naar je gunsten? Een soldaat, of zelfs een ridder? Pas maar op dat zijn liefde niet bekoelt! Want als hij er net zo over denkt als ik, dan zal hij de oude schoen van een ander niet aantrekken.' ¶ 'Vaarwel, vieze leermeesteres! Het is de hoogste tijd om te scheiden. Al is het zo dat ik je gunsten nu verlies;

Ick leerde u die eerste lesse.
Trouwen, ick kent, ick lijdt
Boven alle die werelt wijt.'

◆

EEN NYEU LIEDEKEN

'Den dach en wil niet verborghen zijn,
Het is schoon dach, dat duncket mi.
Mer wie verborghen heeft zijn lief,
Hoe noode ist dat si scheyden.'

'Wachter, nu laet u schimpen zijn
Ende laet hi slapen, die alder liefste mijn.
Een vingerlinck root sal ic u schincken,
Wildy den dach niet melden.'

'Och meldic hem niet, rampsalich wijf,
Het gaet den jongelinck aen zijn lijf.'
'Hebdy den schilt, ick hebbe die speyr,
Daer mede maect u van heyr.'

ik ben de eerste die je heeft onderricht in de liefde. Voorwaar, ik heb schuld, ik
kan dat niet ontkennen; mijn verdriet is groter dan de wijde wereld.'

•

'De dageraad wil niet verborgen blijven. Me dunkt, het is klaarlichte dag. Maar
wie zijn lief in het verborgene bij zich heeft; wat kost het hun een moeite om te
scheiden!' ¶ 'Wachter, laat je spot nu achterwege en laat mijn allerliefste slapen. Ik geef je een ring van rood goud als je de dag niet aankondigt.' ¶ 'O,
ongelukkige vrouw, als ik de dageraad niet meld breng ik het leven van de
jongeling in gevaar.' 'Heb jij het schild, ik heb de speer; neem ze mee en maak je
snel uit de voeten!'

Die jonghelinck sliep ende hi ontspranck,
Die liefste hi in zijn armen nam:
'En latet u niet so na ter herten gaen,
Ick come noch tavont weder.'

Die jonghelinck op zijn vale rots tradt,
Die vrouwe op hooger tinnen lach.
Si sach so verre noortwaert inne
Den dach door die wolcken op dringhen.

'Had ick den slotel vanden daghe,
Ic weerpen in gheender wilder Masen,
Oft vander Masen tot inden Rijn,
Al en soude hi nemmeer vonden zijn.'

◆

EEN NYEU LIEDEKEN

'Confoort, confoort sonder verdrach,
Mijn liefste boel verborghen.
Ic segge vry: ten is noch gheen dach,
Ten is noch gheenen morghen.

De jongeling ontwaakte uit zijn slaap; hij nam zijn liefste in zijn armen. 'Trek je het afscheid niet zo aan, ik kom vanavond weer terug.' ¶ De jongeling steeg op zijn geelwitte paard. De vrouw boog zich over de borstwering van de toren. Zij tuurde zo ver naar het noorden, dat zij de dageraad door de wolken zag dringen. ¶ 'Als ik de sleutel van de dag bezat, zou ik hem ginds in de woeste Maas werpen. Of nog verder, van de Maas in de Rijn; ook al zou niemand hem ooit meer vinden.'

●

'Troost, troost, geef dadelijk troost, mijn liefste die hier verborgen is. Ik verzeker je: het is nog geen dag; de ochtend is nog niet aangebroken.

Die wachter singhet zijn daghelijcx liet,
Hi can zijn tonghe wel bedwinghen.
Coemt in huys, mijn soete lief,
Wi twee wi sullen noch genoechte beginnen.'

Si leyde hem op haer borstkens ront,
Daer op so ghinck hi ligghen rusten.
Si seyde: 'schoon lief, mijn waerde mont,
Wat dinghe mach u lusten?'

Si leyde hem in haer armkens vry,
Van vruechden began therte ontspringhen.
'Bedect mijn eere, dat bidde ick dy,
Bedect mijn eere, lief, boven alle dinghen!

Dat bidde ick u, o liefste mijn,
Die alderliefste suldi blijven.
Daer twee goede lievekens vergadert zijn,
Hoe noode laten si hem verdrijven.'

'Waer mi Virgilius' conste cont,
Den lichten dach soude ic vertrecken.
Ende mijns liefs witte borstkens ront
Daer mede sal ick vruecht verwecken.

De wachter zingt zijn dagelijks lied; hij kan zijn tong wel bedwingen. Kom
binnen, mijn lieveling, wij tweeën gaan de liefde bedrijven.' ¶ Zij legde hem op
haar ronde borstjes, daar mocht hij even lekker liggen. Zij zei: 'Mijn teerbeminde, mooie jongen, wat wil je met me doen?' ¶ Zij nam hem teder in haar
armen, de vreugde deed zijn hart openspringen. 'Ik smeek je, bescherm mijn
eer, bedek mijn schoot; ik wil niets liever! ¶ Dat smeek ik je, o mijn liefste; je
bent en blijft mijn allerliefste. Waar twee gelieven samen zijn: hoe zwaar valt
het hun om te scheiden!' ¶ 'Als ik Vergilius' toverkunst verstond zou ik de
dageraad opschorten. Dan zou ik plezier maken met de blanke ronde borstjes
van mijn geliefde.

Ay lacen, neen ick niet!
Den dach die coemt, ick moet vertrecken.'
'Lief van mi vliet, lief van mi vliet,
Dat ons die nijders niet en beghecken.'

Die ons dit liedeken eerstwerf sanck,
Vrou Venus' liefde hem seer quelde.
Hi was geerne op vruechden banck,
Daer hi hem wel toe stelde.

♦

EEN OUDT LIEDEKEN

'Rijck God, verleent ons avontuere!'
Sprack daer een frisch jonghelinck,
'Dat ic mach comen binnen der muere,
Daer woont die alder liefste mijn.
Rijck God, gheeft raet:
Die wachter en is mijn vriendeken niet,
Dat dunct mi quaet.'

Die joncfrou niet so vaste en sliep,
Si hadde verhoort den jonghelinck.

Maar helaas, neen, dat kan ik niet! De dag breekt aan, ik moet vertrekken.'
'Maak dat je wegkomt, liefste, maak dat je wegkomt, zodat de jaloerse kwaadsprekers ons niet kunnen bespotten.' ¶ Degene die dit liedje het eerst zong werd
zeer gekweld door Vrouwe Venus. Hij zat vaak lol te trappen in de kroeg,
waarbij hij zich dapper teweerstelde.

•

'Almachtige God, geef ons geluk,' sprak een levenslustige jongeling. 'Zodat ik
binnen de muren van het kasteel kan komen, waar mijn allerliefste woont.
Almachtige God, geef raad. De wachter is mijn vriendje niet; het ziet er niet zo
best uit.' ¶ De jonkvrouw was niet zo diep in slaap, of ze had de jongeling
gehoord.

Seer haestelijck si ter veynster liep;
Si bant een coordeken aenden rinc.
Daer na niet lanck,
Doen si dat coordeken dale liet,
Den rinck die clanck.

Die wachter niet so vast en sliep,
Hi hadde verhoort des rincxs gheluyt,
Seer haestelijck hi ter tinnen liep,
Hi stack zijn hooft ter veynster uut.
Hi sprac: 'wie is daer?'
Die jongelinc neder ter aerden viel
Van grooter vaer.

Die joncfrou sprack met sinnen verstoort:
'Wat isser wachter, dat u deert?
Het zijn mijn veynsteren die ghi hoort:
Die herren zijn drooghe ende onghesmeert.
Maect mi niet gram!
Ic sie al na den lichten dach,
Al oft hi yet quam.'

Hi sprac: 'joncfrou, en belghet u niet,
Ick doe als een wachterkijn.
Den lichten dach daer ghi na siet,

Vliegensvlug liep ze naar het venster in de toren, en bond een koord aan een metalen ring. Niet lang daarna liet ze het koord naar beneden zakken, zodat de ring rinkelde. ¶ De wachter was niet zo diep in slaap, of hij had het rinkelen gehoord. Vliegensvlug liep hij naar de borstwering van de kasteelmuur en stak zijn hoofd door het kijkgat naar buiten. Hij sprak: 'Wie is daar?' Van schrik tuimelde de jongen naar beneden. ¶ De jonkvrouw sprak verstoord: 'Wat is er, wachter, dat u hindert? Het zijn mijn ramen die u hoort. De scharnieren zijn in tijden niet gesmeerd. Maak mij niet kwaad! Ik kijk uit naar de dageraad; of hij al in aantocht is.' ¶ Hij sprak: 'Jonkvrouw, wees niet boos. Ik doe mijn plicht als wachter. De dageraad waar u naar uitkijkt,

Dat is die alderliefste dijn.'
'Stille, heymelijck, swijcht!
Want quaemt int claer, wi waren voorwaer
Ons levens quijt.'

Die jonghelinc sprac: 'och wachter goet,
Wilt ons niet melden door u doecht:
Daer mocht of comen groot ontmoet!
Wat schadet dat wi twee zijn verhuecht?'
Hi sprac: 'ic en sal.
Nu gaet al daert die liefste begheert,
Maect gheen gheschal.'

Al inden rinck sette hi sinen voet,
Ghelijck hi dicwils hadde ghedaen.
Si haelde hem op al metter spoet;
Seer vriendelijck was hi daer ontfaen.
In corter stont
Si custe hem meer dan duysent werven
Aen sinen mont.

'Och willecome,' seyt si, 'soete lief!
Mi en quam mijn dagen noeyt liever gast.
Nu laet ons met genoechte zijn;
Wi willen gaen drincken den coelen wijn.

dat is uw allerliefste.' 'Stil toch, zwijg, dit is een geheim! Want als dit aan het
licht komt worden wij stellig ter dood gebracht.' ¶ De jongeling sprak: 'O,
lieve wachter! Laat uw goede hart spreken; verraad ons niet! Daar zou grote
ellende van kunnen komen. Het kan toch geen kwaad als wij gelukkig zijn?' Hij
sprak: 'Ik zal u niet verraden. Ga nu maar naar de plaats waar uw liefste op u
wacht; maak geen lawaai.' ¶ Hij zette zijn voet in de ring zoals hij dikwijls
eerder had gedaan. Zij hees hem dadelijk naar boven. Zeer innig werd hij daar
ontvangen; in korte tijd kuste zij hem meer dan duizendmaal op zijn
mond. ¶ 'O welkom, lieveling,' zei zij, 'nooit van mijn leven kwam hier een
lievere gast. Laat ons nu plezier maken; wij gaan de koele wijn drinken.

Wi worden gewacht:
Die wachter sal sinen horen blasen
Als coemt den dach.'

Een corte wijle was daer niet lanck,
Die wachter sanck zijn dagheliet.
In sinen armen dat hijse nam,
Het scheyden was hem een groot verdriet.
'Och leyder dach,
Ghi doet mi vander liefster scheyden
Die ic oeyt sach!'

◆

[EEN OUDT LIEDEKEN]

Verlangen, ghi doet mijnder herte pijn,
Al om te weten oft icx u bade
Om troost, om voetsel, om medecijn.
U liefde, lieveken, gaet mi te nade;
Eylaes, eylaes, eylaes, ay mijn,
Eylaes, het moet gescheyden zijn.

•

Er wordt over ons gewaakt. Wanneer de dag aanbreekt zal de wachter op zijn hoorn blazen.' ¶ Een korte tijd verstreek al snel. Toen zong de wachter zijn dagelied. Hij nam haar in zijn armen; het scheiden deed hem groot verdriet. 'O, ongelukkige dageraad! Gij dwingt mij om te scheiden van de liefste die ik ooit zag.'

•

Verlangen, gij pijnigt mijn hart. Liefste, ik weet niet of ik u moet smeken om troost, om voedsel, om genezing. Mijn liefde voor u gaat mij te zeer aan het hart. Helaas, helaas, wee mij! Helaas, wij moeten scheiden.

Ghelijck die rose wast op den doren,
Heb ick met vruechden mijnen tijt gheleyt;
Daer ic voormaels was uutvercoren,
Certeyn daer ist mi nu ontseyt;
Eylaes, eylaes, myn herte dat screyt,
O doot, coemt rasch en niet en beyt.

Ic hadde mi haer selven over ghegeven
Te doene daer haren sin toe droech;
Mer quade tonghen die hebbent bedreven
Dat ic nu lijde dit ongevoech;
Eylaes, eylaes, ten is niet genoech,
Eylaes, het scheyden coemt mi te vroech.

O lief die mi mijn herte doorknaecht,
U minne doet mi so grooten pijn;
Ic heb u so dicwils minen noot gheclaecht,
Mer u driakel is moort ende fenyn;
Eylaes, adieu die liefste myn,
Eylaes, het moet ghescheyden zijn.

Mocht ick haer noch ter sprake comen,
Als ic hier voormaels heb gedaen,
Ic soudt haer loonen, het soude haer vromen,

Zoals de roos groeit aan de doornige rozestruik, zo heb ik in vreugde mijn tijd
doorgebracht. Waar ik eerst de uitverkorene was, voorwaar, daar wordt mij de
liefde nu ontzegd. Helaas, helaas, mijn hart schreit. O dood, kom spoedig; stel
het niet uit! ¶ Ik had mij geheel aan haar onderworpen. Zij kon met mij doen
wat haar hart haar ingaf. Maar kwade tongen hebben nu bereikt dat ik deze
smart lijd. Helaas, helaas, het is niet genoeg. Helaas, het scheiden komt voor
mij te vroeg. ¶ O liefste, die mijn hart doorknaagt. Mijn liefde voor u doet mij
zo'n grote pijn. Ik heb u zo dikwijls mijn nood geklaagd, maar uw tegengif is
dood en verderf voor mij. Helaas, vaarwel, mijn teerbeminde. Helaas, wij moeten scheiden. ¶ Mocht ik haar nog te spreken krijgen, zoals ik eerder heb gedaan; ik zou het haar lonen, het zou haar van nut zijn,

Nemmermeer en soude icx haer afgaen;
Eylaes, ic mach wel myn handen slaen,
Eylaes, si heeft mi ontrou ghedaen.

Mer troost begheer ich noch aen dy:
Och hertelijck lief, mocht mi gheschien,
Mi en roecx in wat manieren dat si,
Mocht ic u voortstel noch eens aensien;
Eylaes, eylaes, wat sal myns geschien,
O doot, coemt rasch, ic sal u mi bien.

◆

EEN OUDT LIEDEKEN

Tyrannich werc, vol archs gedronghen,
Mi en twifelt niet: noeyt erger quaet!
Dat ic oyt was van Venus' discipels jonghen,
Dat maect mijn herte al desperaet.
Ick hebbe u verloren, mijn toeverlaet,
Ic en weet niet hoet gaet.
Alleen so blijve ic, boelken, inder noot,
Want trouwe is nu ter werelt doot.

ik zou haar nooit in de steek laten. Helaas, ik wring mijn handen. Helaas, zij heeft mij verraden. ¶ Nog altijd verlang ik naar uw troost. O teerbeminde, als mij dat eens te beurt mocht vallen. Het kan mij niet schelen hoe: ik zou nog één keer willen zien dat u mij uw liefde aanbiedt. Helaas, helaas, wat zal er van mij worden? O dood, kom snel, ik zal mijzelf aan u geven.

●

Een tirannieke last, doordrongen van ellende. Ik twijfel er niet aan: er is geen groter kwaad. Dat ik ooit tot Venus' volgelingen behoorde vervult mijn hart nu van wanhoop. Ik heb je verloren, mijn toeverlaat. Ik weet niet hoe het nu zal gaan. Lieveling, ik blijf alleen achter in groot verdriet, want er bestaat geen trouw meer in deze wereld.

Alle mijnen druck moet ic nu ontbinden,
Hoe wel mi tvermaen is leedt.
Gheenen troost en can ic aen u ghevinden,
Elders te soecken dat waer mi onghereedt.
Noyt scherper snede mijn herte doorsneet,
Och, noeyt spere so wreet!
Si heeft mijn herte heel doorvloghen.
Ter eeren van u, schoon lief, so wil ict gedoogen.

Gheen dinc ter werelt en dunct mi so fel,
Dat mijn jonc herte also seere deert,
Als dat si met een ander bedrijft haer spel,
Die mijn jonc herte also seer begeert.
Het is mijnder herten een snijdende sweert;
Och, ic bens onweert.
Dat ic die alderliefste moet wesen schu,
Des sterve ic thien duysentich dooden nu.

Wee mi dat ic oeyt was gheboren!
Ter droever tijt ic die werelt aensach.
Dat ic moet derven die ic heb uutvercoren,
Dat is mijnder herten een swaer gelach.
Ic mach wel roepen: o wy, o wach,

Al mijn verdriet moet ik nu vertellen, hoewel het spreken erover mij pijn doet.
Ik kan geen troost bij jou vinden en het is mij ten enenmale onmogelijk om die
troost elders te zoeken. Nooit heeft een diepere snede mijn hart doorkerfd;
nooit was een speer zo scherp. Ter ere van jou zal ik het verduren, mooi
lief. ¶ Niets ter wereld is zo wreed, niets ter wereld pijnigt mijn jonge hart
zozeer als het idee, dat zij met een ander vrijt. Zij, die zozeer begeerd wordt
door mijn jonge hart. Een vlijmscherp zwaard doorklieft mijn hart. Ik ben niet
waard dat zij mij liefheeft. Ik moet mij verre houden van mijn geliefde, daarom
sterf ik op dit moment tienduizend doden. ¶ Wee mij, dat ik ooit werd geboren! Ik aanschouwde het levenslicht op een treurig moment. Het is een bittere
teleurstelling voor mijn hart dat ik mijn uitverkorene moet ontberen. Ik moet
wel roepen: o wee, o wee,

Ende bedrijven geclach.
Coemt, doot, haelt mi uuten verdwijne!
Want langer te leven is mijnder herten pijne.

Schoon lief, als ic van deser werelt sal sceiden
Ende ghi met eenen anderen doet u gevoech,
Segt doch eens: 'God wil zijn siele geleyden.'
Hebbe ic also vele, tis mi genoech.
Die noeyt dat pack van minnen en droech,
Oft en trock die ploech
Der jalousien in swaer verdriet,
Ic rade u voor tbeste: sidyer niet en coemter niet!

◆

EEN AMOREUS LIEDEKEN

Een venusdierken heb ic uutvercoren,
Gheen schoonder en weet ic nu terstont.
Om haer so wil ic vruecht oorboren
Int aensien van haren lachende mont.
Haer keelken wit, haer borstkens ront,
Maken mi vrolijc van sinne.

en luidkeels klagen. Kom, dood, verlos mij uit mijn lijden. Want langer te leven
is een kwelling voor mijn hart. ¶ Mooi meisje, als ik deze wereld zal verlaten,
en jij met een ander de liefde bedrijft. Zeg dan eenmaal: 'God moge zijn ziel
geleiden.' Als dat mij te beurt valt, is het genoeg. Wie nooit de last der liefde
droeg, of in hevig verdriet de ploeg der jaloezie moest trekken, raad ik het
volgende aan: is het nog niet zo ver, zorg dan dat het nooit zover komt.

•

Ik heb een Venusdiertje uitverkoren; op dit moment is zij de mooiste die ik
weet. Omwille van haar wil ik mij wijden aan de vreugde, die ik voel bij het zien
van haar lachende mond. Haar blanke halsje en haar ronde borstjes doen mijn
hart opspringen van blijdschap.

Schoonder en was noyt van moeder geboren,
This recht dat icse beminne.

Ghelijc gout is haer hayr van coluere,
Twee oochskens ter amoreusheyt snel,
Twee borstkens ront, soet van natuere,
So is mijn lieveken, dat weet ic wel,
Sedich van gheest ende niet rebel.
Si is mijnder herten keyserinne.
Ic en weet ter werelt geen liever creatuere,
This recht dat icse beminne.

Noch heeft si een hoochmoedige coragie
Ende daer toe eenen fieren ganc,
Int triumpheren bedrijft si ragie.
Ic en hoorde mijn dage noeyt soeter sanc,
Dan si bedrijft met haren voys gheclanc.
Het dunct mi puer een godinne.
Ghefaetsoeneert is si als een ymagie,
This recht dat icse beminne.

Ic en can vergeten mijns liefs manieren,
Haer vriendelijc wesen, haer fier ghelaet.
Crijghe ic geen troost door haer bestieren,

Nooit heeft een moeder een mooier meisje ter wereld gebracht; het is terecht
dat ik haar bemin. ¶ Haar haar is goudkleurig, wie in haar ogen kijkt wordt
direct verliefd; zij heeft twee ronde, bekoorlijke borstjes. Zo is mijn liefje, dat
staat vast. Zij is zacht en bescheiden van aard, niet opstandig. Zij is de keizerin
van mijn hart. Op de hele wereld is geen liever schepsel dan zij; het is terecht dat
ik haar bemin. ¶ Bovendien heeft ze een trots karakter, en daarbij een fiere
houding. Plezier maken kan zij als de beste. Haar stemgeluid is het mooiste lied
dat ik ooit van mijn leven gehoord heb. Voor mij is zij niet minder dan een
godin. Zij is zo welgevormd, haar gestalte lijkt wel gebeeldhouwd; het is terecht dat ik haar bemin. ¶ De gebaren van mijn liefste kan ik niet vergeten;
haar vriendelijke manier van doen, haar mooie gezicht. Indien zij besluit om
mij geen hoop te geven,

So wert mijn herte heel desperaet.
Mocht ic met haer, mijn troost, mijn toeverlaet,
So waer ick blijde van sinne.
Vruecht ende solaes soude ic hantieren,
Tis recht dat icse beminne.

Princesse gent, die mijn vruecht doet breeden,
Al mocht ic hebben van goude swaer
Tghewichte van u, ic en sal van u niet scheeden,
Ghi blijft mijn liefste wederpaer.
Want aen u, lief, en weet ic gheenen maer
Dan alle vruecht een ghewinne.
Haer wesen reyn en mach mi niet verleeden,
This recht dat icse beminne.

◆

[VANDEN LANDTMAN]

Laet ons den landtman loven
Met sanghe ende vruecht,
Want hi gaet al te boven
Om sijn loyale duecht;

wordt mijn hart van wanhoop vervuld. Mocht ik bij haar zijn, mijn troost, mijn toeverlaat: dan was het mij vrolijk te moede. Ik zou mij overgeven aan blijdschap en genot; het is terecht dat ik haar bemin. ¶ Bekoorlijke prinses, die mijn vreugde doet groeien: al zou ik uw gewicht krijgen in puur goud, ik zou u niet verlaten. Gij bent en blijft mijn liefste vriendin, want ik zie aan u geen enkele tekortkoming, behalve dat ik mijn geluk met moeite moet veroveren. Haar zuivere wezen is niet in staat om mij pijn te doen; het is terecht dat ik haar bemin.

•

Laat ons de boer loven, met zang en jolijt. Want hij overtreft iedereen door zijn oprechte deugdzaamheid.

Landouwen, sloten, steden
Daghelijcx spijst ende voet
Met sijn sweetighe leden
Den edelen landtman goet,
Daert al by leven moet.

Hertoghen, prinsen, graven
Sullen si zijn ghespijst,
Den lantman moet beslaven,
Thes recht datmen hem prijst;
Als heeren triumpheren
En schaffen huypschen moet,
Men siet hem laboreren,
Den edelen landtman goet,
Daert al by leven moet.

Elc doet den landtman toren
Waer hi sayt ende plant:
Die mollen, blint gheboren,
Wroeten naert hem meest meshant;
Die coeyen, schapen en swijnen
Die comen metter spoet,
En doen zijn vrucht verdwijnen,
Den edelen landtman goet,
Daert al by leven moet.

Met zijn bezwete lichaam voorziet hij landerijen, kastelen en steden dagelijks
van voedsel: de goede edele boer, die iedereen in leven houdt. ¶ Indien hertogen, prinsen en graven gevoed dienen te worden, moet de boer zich afbeulen.
Het is terecht dat men hem prijst. Als de heren plezier maken en de bloemetjes
buiten zetten, is hij aan 't zwoegen: de goede edele boer, die iedereen in leven
houdt. ¶ Waar de boer ook zaait of plant, iedereen berokkent hem schade. De
mollen, van nature blind, wroeten op die plekken waar zij het grootste onheil
aanrichten. Al spoedig komen koeien, schapen en varkens om de opbrengst van
zijn land te verslinden. De goede edele boer, die iedereen in leven houdt.

Vrou Venus lacke dieren
Die doen hem groot gequel;
Sijn vruchten niet en vieren,
Als si ligghen in haer spel;
Si stommelen ende si steken,
Al waren si verhoet;
Sijn coorne deerlijc breken,
Den edelen landtman goet,
Daert al by leven moet.

Elc besicht daer zijn clauwen
Hoenders en voghels vry,
Men gaeter ter oeste houwen,
Hi en isser niet altijs by;
Men soude qualick gheloven
Hoe menich ontschamel bloet
Trecken en teesen uut sijn schoven,
Den edelen landtman goet,
Daert al by leven moet.

Dan is hi van die papen
Om zijn thiende ghequelt,
Die costers staen en gapen
Om eyeren, schooven oft gelt,
Susters ende baghijnen

Vrouw Venus' dartele dieren bezorgen hem veel last. Zijn koren kan niet rustig rijpen wanneer zij daarin liggen te vrijen. Zij drukken het koren plat op de grond en vertrappen het, alsof ze niet goed wijs zijn. Zij breken het koren deerlijk. De goede edele boer, die iedereen in leven houdt. ¶ Allerlei soorten vogels en hoenderen gebruiken vrij en ongehinderd hun klauwen. Men slaat er aan het oogsten; hij is er niet altijd bij. Het is nauwelijks te geloven hoeveel schaamteloze schepsels zijn korenschoven uitrukken en plunderen. De goede edele boer, die iedereen in leven houdt. ¶ Dan wordt hij door priesters lastig gevallen om een tiende deel van zijn oogst. De kosters azen begerig op eieren, korenschoven of geld. De nonnen en begijnen

Om hebben elc hen groet;
Dus laet hi vanden sijnen,
Der edelen landtman goet,
Daert al by leven moet.

Mulstooters, met haer rijven,
Om kiekens, koorne en vlas
Connen wonder bedrijven;
Die vier oordenen, op dat pas,
Willen hem Gods rijcke verleenen
Met huer bedinghe soet,
Mer tes hebben dat si meenen,
Vanden edelen landtman goet,
Daert al by leven moet.

Die jaghers en serganten
Die zijn oock geerne verblijt,
Want si hem voor terwanten
En boeven hebben bevrijt;
Den molenaer van den mele,
Als hi ter molen doet,
Schept diepe, God weet hoe veele,
Vanden edelen landtman goet,
Daert al by leven moet.

komen ook hun deel opeisen. Zo doet hij afstand van zijn bezittingen: de goede edele boer, die iedereen in leven houdt. ¶ Oplichters die met valse relikwieën in hun reliekenkastjes door het land trekken doen wonderen op bestelling, in ruil voor kuikens, koren en vlas. Leden van de vier rondtrekkende bedelorden bezorgen hem met deemoedige gebeden een plaatsje in de hemel, wanneer zijn tijd daar is. Maar zij hebben het gemunt op de spullen van de goede edele boer, die iedereen in leven houdt. ¶ Jagers en krijgsknechten worden ook graag met een beloning verblijd, want zij beschermen de boer tegen landlopers en dieven. Als de boer zijn koren naar de molen brengt neemt de molenaar diepe scheppen (God weet hoeveel) uit het meel voor zichzelf van de goede edele boer, die iedereen in leven houdt.

Vossen, fissauwen, fluwijnen
Doen zijn hoenders en ganssen stoot;
Die wolven, wreet om schouwen,
Bijten coeyen en schapen doot;
Wesels suypen, so si pleghen,
Sijn eyeren onghebroet;
Dus commet hem alle tseghen,
Den edelen landtman goet,
Daert al by leven moet.

Christus die, tonser vrame,
Ter eeren den lantman fijn,
Sijn bloet ende lichame
Schonc onder broot ende wijn,
En, als hi was verresen,
Quam als een landtman vroet,
Moet in zijn hulpe wesen,
Den edelen landtman goet,
Daert al bi leven moet.

Vossen, bunzings en marters houden huis onder zijn kippen en ganzen. De
wolven, gruwelijk om te zien, bijten koeien en schapen dood. Wezels slurpen
(zoals zij gewend zijn) zijn nog niet bebroede eieren leeg. Zo zit iedereen hem
dwars: de goede edele boer, die iedereen in leven houdt. ¶ Tot ons aller heil
schonk Christus zijn vlees en bloed in de gedaante van brood en wijn aan de
mensheid, ter ere van de edele boer. Na zijn opstanding verscheen Christus aan
Maria Magdalena in de gedaante van een rechtschapen boer. God moge bijstand verlenen aan de goede edele boer, die iedereen in leven houdt.

◆

EEN NYEU LIEDEKEN

Ick seg adieu,
Wy twee wi moeten sceiden.
Tot op een nyeu
So wil ic troost verbeyden.
Ic late bi u dat herte mijn,
Want waer ghi zijt daer sal ic zijn,
Tsi vruecht oft pijn:
Altoos sal ic u vry eygen zijn.

Mijns sins ghequel
Dat doet mi dicwils trueren.
Haer liefde rebel
Die doet mi therte schueren.
Tsceiden van u doet mi den noot.
Ic blijf gewont, ic segt u bloot,
Schoon bloeme minjoot:
U eygen blive ic tot inden doot.

Ic dancke u, lief,
Reyn minnelic lief gepresen.
Voor alle grief
So wilt mi doch ghenesen.

Ik zeg adieu: wij twee moeten scheiden. Tot het moment van ons weerzien zal
ik hunkeren naar verlichting van mijn smart. Ik laat mijn hart bij je achter; in
gedachten ben ik altijd bij je. Of dat nu vreugde of verdriet betekent: ik zal voor
altijd geheel de jouwe zijn. ¶ De kwelling van mijn zinnen doet mij dikwijls
verdriet. Haar weerspannige liefde rijt mijn hart aan stukken; deze scheiding
brengt mij in nood. Ik ben en blijf gewond, ik zeg het je onomwonden. Mooie
bekoorlijke bloem: ik blijf de jouwe tot in de dood. ¶ Ik dank je liefste, onvolprezen kuise beminnelijke geliefde. Wil mij toch uit mijn verdriet verlossen.

Dese niders fel met haer fenijn,
Si hebben belet ons blide aenschijn
Op dit termijn.
Altoos sal ic u vry eygen zijn.

Mijn hope, mijn troost,
Fortuyne sal noch keeren.
Lief, op mi gloost,
So sal mijn vruecht vermeeren.
Al moet ic derven mijn conroot
Ende blijven in dit lijden groot,
Swaerder dan loot:
U eygen blijf ic tot inde doot.

Adieu, van mi
So zijt ghi nu gescheyden.
Een ander met dy
Sal hem nu gaen vermeyden,
Coragieus gelijc deverswyn.
Een amoreus cranselijn,
Puer ist van dijn.
Altijt sal ic u vrij eyghen zijn.

Adieu, schoon stadt,
Adieu, prieel vol vruechden,

Op dit ogenblik hebben de boosaardige kwaadsprekers het geluk, dat op onze gezichten te lezen stond, met hun giftige lasterpraatjes kapotgemaakt. Ik zal altijd geheel de jouwe zijn. ¶ Mijn hoop, mijn troost, het fortuin zal een wending ten goede nemen. Liefste, schenk mij je aandacht, dan zal mijn blijdschap groeien. Al moet ik mijn kameraden verliezen, al blijft mij niets over dan dit grote verdriet, zwaarder dan lood: ik blijf de jouwe tot in de dood. ¶ Adieu, je bent nu van mij gescheiden. Een ander, vurig als een everzwijn, zal zich nu met je gaan vermeien. Een liefdeskransje is zuiver, als het van jou is. Ik zal altijd geheel de jouwe zijn. ¶ Adieu, mooie stad. Adieu, paradijs vol vreugden,

Reyn maechdelijck vat,
Daer wi tsamen verhuechden.
Gedenct den troost die ghy mi boet.
Ghi zijt mijn lief die ic noeyt en vloot;
Ic segt u bloot;
U eygen blive ic tot inde doot.

UIT HET LIEDBOEK VAN LIISBET GHOEYVAERS

[1]

Kinder loeft den ingel fijn.
Hi vliecht soe hoge vor Gods aenscijn
Ende es hem soe bequame
Dat hiten scierde hem selven gelijc.
Franciscus es sijn name.

Wi vinden alleen van hem bescreven
Dat hem die Gods Sone woude geven
Sijn wapen al ongebroken.
Daerom es hi hem meest gelijc,
Heeft ons scriftuere gesproken.

Nu laet ons eeren den ingelscen man
Die den hemel versieren can

---

waar wij samen gelukkig waren. Zuiver maagdelijk wezen, denk aan de troost, die je mij schonk. Je bent mijn liefste, die ik nooit ontvluchtte. Ik zeg het je onomwonden: ik blijf de jouwe tot in de dood.

•

Kinderen, loof de edele engel. Hij vliegt zo hoog voor Gods aangezicht en is hem zo lief dat hij hem sierde zoals hemzelf. Franciscus is zijn naam. ¶ Wij vinden alleen over hem geschreven dat de Zoon van God hem zijn wapens ongeschonden wilde geven. Daarom is hij degene die het meest op de Zoon lijkt, zo zegt ons de Schrift. ¶ Laat ons nu deze engelachtige man eren, die de hemel siert

Met wapenen sonder gelike.
Hi leit ons vor den ingelen rey
En ciert dat hoge rike.

Als ic doergae dat hemels lant
Ende aensie soe menegen sant
Geciert met duechden scone,
Soe en ha nieman die wonden dan hi,
Gelijc den sueten Gods Sone.

Recht armoede was sijn scat
Want hi niet en woude noch niet en besat
Van genen eertschen dingen.
Daerom es hi nu hoechst gecroent
Al daer die ingelen singen.

Niet gelijc den gemeynen sant
Es sinen loen int hemels lant,
Maer vanden hoechsten steden.
Hi heeft met siere oetmoedicheit
Den hemel al doer treden.

O suete vader o weert patroen,
Bidt uwen broeder den Gods Soen
Dat hi ons wil vergeven

met wapens die hun weerga niet kennen. Hij brengt ons voor de engelenschaar en is het sieraad van dat verheven rijk. ¶ Als ik het hemelrijk afga en zo vele heiligen bekijk, getooid als ze zijn met hun schone deugden, dan heeft niemand, behalve hij, de wonden zoals de Zoon van God. ¶ Echte armoede was zijn rijkdom. Want hij bezat geen aardse dingen en wilde dat ook niet. Daarom is hij nu als hoogste gekroond waar de engelen zingen. ¶ Zijn loon in het hemelrijk is niet zoals dat van een gewone heilige, maar de hoogste plaats is zijn loon. Hij is met zijn ootmoed door de hele hemel gegaan. ¶ O lieve vader, waarde patroon, bid uw broeder, de Zoon van God, dat hij ons

Ons mesdaden menichfout
Al in dit broesche leven.

O suete vader bewijst u duecht,
Want ghi vor alle man vermuecht
Comen ten veegevier stringe
Alle jare op uwen dach.
Bewijst aen ons u minne.

Als wi sijn in die groote noet
En liggen in die bitter doot,
O ingel vol genaden,
Toent ons dan u wondeken roet.
Ghi sijt vol caritaten.

[2]

Op wie wilt horen singen van enen tymmerman
De sancta Maria virgine.

Wi wilt horen singen
Van enen leeu seer gram
Hoe die maget Maria
Aen sine minne quam

onze vele zonden in dit broze leven wil vergeven. ¶ O lieve vader, toon uw
kracht, want u mag ten behoeve van iedereen elk jaar op uw naamdag naar het
vagevuur komen. Bewijs ons uw liefde. ¶ Als wij in de grote nood verkeren en
in het bittere stervensuur liggen, o engel vol genade, toon ons dan uw rode
wonden. U bent vol van liefde.

•

Wie wil horen zingen van een zeer woeste leeuw: hoe de maagd Maria zijn
liefde verwierf.

Dat vernam een bode
Die engel Gabriel
Hy was gesonden van Gode
Al toe der maget snel

God gruet u vol genaden
Sprac hy ter maget fijn
Die Heere is vanden troone
Wilt sijn u kindekijn

Ghy droecht negen maenden
Der engelen coninc
Van u soe was geboren
Jhesus de jongelinc

Ghy leit dat kindeken cleyne
Al in een crebbekijn
Al voer twee stomme beesten
Die ewege sone fijn

Hoe wel was u te moede
O moeder ende maget fijn
Doen u dat kindeken cleyne
Boet sijn root mundekijn

Ghy moest van vrouden beven
Dat es wel openbaer

Dat kwam een bode te weten, de engel Gabriël. Hij was door God snel naar de
maagd gezonden. ¶ 'God groet u, vol van genade,' sprak hij tot de edele
maagd. 'Hij die de heer van de hemel is, wil uw kindje zijn. ¶ U droeg negen
maanden de koning van de engelen. Uit u werd het kleine jongetje Jezus geboren. ¶ U legde het kleine kindje in een kribje, voor twee stomme beesten; die
edele eeuwige zoon. ¶ Hoe genoot u, o moeder en edele maagd, toen dat kleine
kindje voor u zijn rode mondje openhield. ¶ U moest wel van vreugde beven,
dat is wel duidelijk,

Doen op u sloech sijn ogen
Die ewige godheit claer

Ghy naempten in uwen arme
Ende gaeft hem in uwen scoot
U meechdelike borste
Al in sijn mundeken root

Sijn bruyn oegxken scone
Sloech hy in sijn aenschijn
Hy was u eygen sone
Die ewige godheit fijn

Als ghy den kindeken cleyne
O moeder wel gedaen
Met uwen handen reyne
Sijn voetken wil gaen dwaen

Verleent my scone vrouwe
Die ogen alsoe nat
Dat ic met minen tranen
Bereiden mach dat bat

Als ghijt heft uten bade
Dat proper kindeken cleyn
Wilt hem van mijnder herten
Maken een beddeken reyn

toen de stralende eeuwige godheid zijn ogen op u richtte. ¶ U nam hem in uw armen en gaf hem in uw schoot uw maagdelijke borst in zijn rode mondje. ¶ Met zijn mooie bruine oogjes keek hij op naar uw gezicht. Hij was uw eigen zoon, die edele eeuwige godheid. ¶ Als u het kleine kindje, o schone moeder, met uw reine handen, zijn voeten wil gaan wassen, ¶ geef mij dan, schone vrouw, dat mijn ogen zo nat worden dat ik met mijn tranen het badje kan vullen. ¶ Als u het schone kleine kindje uit het badje tilt, maak dan van mijn hart een mooi bedje voor hem.'

◆

[LIEDJE]

Al hadde wy vijfenveertich bedden,
Wy souden te mey een pluymken niet hebben
Om dat dus wayt.
Wy willen niet scheyden,
Wy willen noch beyden tot dat haenken krayt.
Wy willen niet scheyden,
Wy willen noch beyden tot dat haenken krayt.

◆

[LIEDJE]

Ic zie wel watter scuult.
Als goede ghezellen geen gelt en hebben,
Dan zit den weert en muult.

Ten es geleden geen langhe jaren
Dat ic heb alzo gevaren,
Ic hadde zo gerne geruult.

Al hadden we vijfenveertig bedden, in mei houden we geen enkel veertje over,
omdat ze zo worden opgeschud. Wij willen nog niet scheiden, wij willen nog
wachten tot het haantje kraait. Wij willen nog niet scheiden, wij willen nog
wachten tot het haantje kraait.

•

Ik weet wel wat er mis is. Als goede kameraden zonder geld zitten kijkt de
waard morrend toe. ¶ Het is nog niet zo lang geleden dat het mij zo verging. Ik
had zo graag gewild dat het anders was.

Myn geldekin haddic al verteert,
Ic zach onnoselic up den weert
En wart met my gedruult.

Ic zie wel watter scuult.
Als goede ghezellen geen gelt en hebben,
Dan zit den weert en muult,
Dan zit den weert en muult.

♦

[LIEDJE]

Ghisternavent was ic maecht,
Nu ben ic ghesteken.
Maer had hij mij niet wel behaecht,
Ic hadde hem wel ontweken.
Ic raet u wel, laet af,
Want anders niet sijn en mach.
Adieu, mijn lief, adieu,
En moet ic sceijden.
Want ic u niet spreken en mach,
Dat cost mijns hertsen zinnen.

Mijn centjes had ik verbrast en onschuldig keek ik de waard aan. Er werd met
mij gespot. ¶ Ik weet wel wat er mis is. Als goede kameraden zonder geld zitten
kijkt de waard morrend toe.

•

Gisteravond was ik nog maagd, maar nu ben ik doorstoken. Maar als hij me
niet was bevallen was ik hem wel uit de weg gegaan. Ik raad u aan 'laat los', het
moet nu eenmaal zo zijn. Vaarwel mijn liefste, vaarwel, ik moet van u scheiden.
Ik kan niet met u spreken, want daarvan raak ik buiten zinnen.

[LIEDJE]

Och lief gesel, ic heb vernomen,
   Des ic van herten bin verblijt:
Die wijnter ende die zomer dromen,
   Die wijnter tonder leit int strijt,
Gevangen als inder nette.
Hout an, wel lieve Lijsbette.
Bet wil dat ghi, zonder letten,
Stoelen, bancken uut die weghe gaet setten,
Pipen, tamburen mit trompetten.
Com dansen Jajojette, Jannette, Jaquette,
Corijn, Josijn, Jacomijn, Pirette.
Bet wil dat ghi vrolic sijt.
Nu hout an, Bet, ter goeder tijt.

◆

[GHEQUETST BEN IC VAN BINNEN]

Ghequetst ben ic van binnen,
   Duerwont mijn hert soe seer,

O lief vriendinnetje, ik heb iets gemerkt; en daarom is mijn hart vervuld van vreugde. De winter en de zomer strijden om de overhand en de winter delft het onderspit, alsof hij in een net verstrikt zit. Kom aan, lieve Liesbeth. Ik zie het liefst dat jij zonder dralen, stoelen en banken uit de weg zet. Fluiten, trommels en trompetten! Kom dansen Jolijte, Janette, Jaquette, Corine, Josine, Jacomine en Pirette. Ik zie het liefst dat jullie vrolijk zijn. Kom aan, Betje, dit is het juiste moment!

•

Gewond ben ik van binnen, mijn hart is zo doorwond

Van uwer ganscher minnen
Ghequetst soe lanc soe meer.
Waer ic my wend, waer ic my keer,
Ic en can gherusten dach noch nachte;
Waer ic my wend, waer ic my keer,
Ghy sijt alleen in mijn ghedachte.

◆

VAN KORT ROZIJN

'Kort Rozijn, wel lieve Neve,
Ghy zijt seer stout ende onvervaert;
Ghy sult rijden van stede tot stede,
Van Vlaenderen make ick u Ruwaert.'

'Grave van Vlaenderen, des doe ic noode,
Ick sie soo noode mijn onghevoech,
Ick leve soo node by quaden ase,
Want selve hebbe ick goedts ghenoech.'

'Kort Rozijn, u spijtighe woorden
En sullen u niet te goede vergaen:

door heel uw liefde, gewond, hoe langer hoe meer. Waar ik me wend, waar ik me keer, ik kan dag en nacht geen rust vinden. Waar ik me wend, waar ik me keer, u alleen bent in mijn gedachten.

•

'Kort Rozijn [Zegher van Kortrijk], beste vriend, u bent zeer moedig en onverschrokken, u moet alle steden langsreizen, en ik maak u tot landvoogd van Vlaanderen.' ¶ 'Graaf van Vlaanderen, dat doe ik liever niet, ik doe niet graag wat me tot schande strekt, en zie af van vuig gewin, want ik heb zelf al genoeg bezittingen.' ¶ 'Kort Rozijn, uw hooghartige woorden zullen u weinig goeds brengen:

Al voor dat huys van Repelmonde
Sal ick u doen het hooft af slaen.'

'Grave van Vlaend'ren, gy hebt een dochter
Zy toont my soo fier ghelaet,
Daer sal ick noch eenen nacht by slapen,
Al sout my namaels wesen quaet.'

De heer van Vlaender keerde hem omme,
Hy was toornigh ende onghemoet:
'Kort Rozijn, ick salt u loonen,
Desen toorne, die ghy my doet.'

'Heer van Vlaenderen, ick bid ghenade,
Den doodt hebbe ick niet verdient;
Het is gheleden een korte wijle,
Dat ick was u beste vriendt.'

'Kort Rozijn, staet achterwaert;
Als de maeltijdt is ghedaen,
Al voor dat huys van Rijpelmonde,
Daer salmen u hooft af slaen.'

'Grave van Vlaenderen, ic bidde genade
Voor mijn kindt ende voor mijn wijf,

Voor het kasteel van Rupelmonde zal ik u laten onthoofden.' ¶ 'Graaf van Vlaanderen, u hebt een dochter, die mij met haar mooie gezicht aankijkt. Met haar zou ik graag nog een nacht slapen, al zou het me daarna ook slecht vergaan.' ¶ De heer van Vlaanderen keerde zich om, hij was woedend en zeer ontstemd. 'Kort Rozijn, de smaad die u mij aandoet zal ik u betaald zetten.' ¶ 'Heer van Vlaanderen, ik smeek u om genade, ik heb de dood niet verdiend. Nog maar kort geleden was ik uw beste vriend.' ¶ 'Kort Rozijn, ken je plaats. Na de maaltijd zul je voor het kasteel van Rupelmonde worden onthoofd.' ¶ 'Graaf van Vlaanderen, ik smeek u om genade voor mijn kind en vrouw,

Voor mijn vrienden ende voor mijn magen,
Ende voor mijn jonghe, schoone lijf.'

Doen de maeltijdt was ghedaen,
Kort Rozijn was daer bereijt,
Men ginck hem aldaer sijn hooft af-slaen;
Het koste hem al sijn suyverheyt.

Fier ghelaet van schoonen vrouwen
Heeft menighen man in dolen ghebrocht,
Dat machmen aen Kort Rozijn aenschouwen:
Het heeft hem sijnen hals gekost.

Grave van Vlaenderen, gy zijt een Heere;
Ghy gaet Kort Rozijn nu dooden,
Het sal noch haestelijck weder keeren,
Dat ghy dat soud doen seer nooden.

Het gheschiede op sinte Laurens dagh,
Des morghens vroech by tijden,
Dat de Koninck van Enghelandt
Op Vlaenderen wilde strijden.

Alsser den dach ten avondt quam,
Haer en was niet bat te moede,

voor al mijn vrienden en verwanten, en voor mijn eigen jonge lichaam.' ¶ Na
de maaltijd was Kort Rozijn gereed. Men heeft hem onthoofd, en van zijn
schoonheid bleef niets over. ¶ Het fraaie uiterlijk van mooie vrouwen heeft
menig man op een dwaalweg gebracht, zoals je aan Kort Rozijn kunt zien: het
heeft hem de kop gekost. ¶ Graaf van Vlaanderen, gij zijt een heer, en gij brengt
Kort Rozijn nu ter dood, maar spoedig staan de zaken er anders voor, en zult u
hiervan spijt hebben. ¶ Het geschiedde op Sint-Laurentius [10 augustus],
vroeg in de morgen, dat de koning van Engeland ten strijde trok tegen Vlaanderen. ¶ Toen de dag ten einde liep waren ze er beroerd aan toe,

Dan of Vlaenderlandt waer sijn,
Ende Brugghe laghe in rooden bloede.

Wy willen gaen bidden Godt den Heer
Ende Maria die Gods Moeder was
Voor Kort Rozijn den schoone man,
Want hy den doodt ontschuldich was.

◆

[WAER IS DIE DOCHTER VAN SYON]

Waer is die dochter van Syon
Ick soudese blide maken
Ick soude haer een boodtscap doen
Van al so hoghen saken

Doemen die werelt al bescreef
Doen ghinc die maghet sware
Te Bethleem dat si doen bleef
Ende ghenas haers kints al dare

Een ghelas al schijnter doer
Ten breect niet vander sonnen

---

want Vlaanderen was door hem bezet en Brugge was in bloed gedrenkt. ¶ We bidden tot de Heer onze God, en tot Maria, Gods moeder, voor de goede Kort Rozijn, want hij had niets gedaan waardoor hij de dood verdiende.

•

Waar is de dochter van Sion? Ik zou haar blij willen maken, ik zou haar willen vertellen over zeer verheven zaken. ¶ Toen men de hele wereldbevolking telde, was de maagd in verwachting. Te Bethlehem beviel ze en bracht haar kind ter wereld. ¶ Glas: al schijnt de zon er doorheen, het breekt er niet van.

Dus heeft die maghet na en voer
Joncfrou een kint gewonnen

Een duysternis is ons verclaert
Een licht is ons verresen
Een maecht die heeft een kint ghebaert
Dat dunct mi wonder wesen

Nu is hi teeder ende cranck
Een maghet die sal hem voeden
Wi moghen hem wel weten danc
Van sijnder groter armoeden

Hi toont sijn goedertierenheyt
Wilen was hi verbolghen
Hi drijft so grote oetmoedicheyt
Wi en connen hem niet ghevolghen

Maria nam hem op haren scoot
Si custen aen sinen monde
Die minne had si also groot
Tot hem in allen stonden

O Heer lof moet u altoos sijn
Wilt ons dan geleyden

Zo heeft een maagd, erna even ongerept als tevoren, een kind gekregen. ¶ Een donkere nacht is voor ons gaan stralen, een licht is voor ons opgegaan. Een maagd heeft een kind gebaard. Dat lijkt mij een wonder te zijn. ¶ Nu is hij teer en zwak. Een maagd moet hem voeden. Wij mogen hem wel dankbaar zijn voor zijn grote ootmoed. ¶ Hij toont zijn goedertierenheid. Tevoren was hij verbolgen. Hij is zo ootmoedig. Wij kunnen hem niet navolgen. ¶ Maria nam hem op haar schoot. Zij kuste hem op zijn mond. Zij had voortdurend een grote liefde voor hem. ¶ O Heer, geloofd moet u altijd zijn. Wil ons dan geleiden,

Met die waerde moeder dijn
Als wi van hier al scheyden

◆

[HOE LUYDE RIEP DIE SIELE]

Op die wijse Van die leeraer opter tinnen

Hoe luyde riep die siele
Tot God van binnen
O Heer almachtich Vader goet
Wat sal ic nu beghinnen
Dat lichaem beswaert dat herte mijn
O Heer wilt mijns ghenadich sijn
Dat vleesch wil mi verwinnen

Als dat lichaem
Die siele dus hoorde claghen
Si sprac o edel siele mijn
Waer om wildi versaghen
Scout des bosen viants raet
En laet dees valsche werelt quaet
Ghi sult God wel behaghen

samen met uw waarde moeder, als wij heengaan van hier.

•

Hoe luid riep de ziel van binnen tot God: 'O Heer, almachtige, goede Vader, wat moet ik nu beginnen? Het lichaam is mijn hart tot last. O Heer wil mij genadig zijn. Het vlees wil mij overweldigen.' ¶ Toen het lichaam de ziel zo hoorde klagen, sprak het: 'Mijn edele ziel, waarom verlies je je moed? Mijd de ingeving van de kwade duivel en laat deze valse, slechte wereld los. Dan zul je God zeer behagen.'

Die siele sprac
Ic soudet gerne volbringhen.
Mer ghi o valsche lichaem mijn
En willes niet ghehinghen
Natuer en ghi ghi doet mi pijn
Nochtans so moet gestreden sijn
Ic en can u niet bedwinghen

Dat lichaem sprac
O siele die Heer der heeren
Heeft u gegeven sin en list
Om dat ghi mi soudt leeren
God heeft u gegeven reden en sin
Om mi die tot quaet gheneyghet bin
Dat ghi mi soudt regeren

Die siele die sprac
Och mocht mi dat gebueren
Dat ic mocht sterven ghelijc als ghi
So leefdic sonder trueren
Mer als ic voer doordel Gods sal staen
En daer na wercken loon ontfaen
So moet ict al besueren

Dat lichaem sprac
Als ghi dit weet te voren

De ziel sprak: 'Ik zou het graag doen. Maar jij, mijn valse lichaam, jij wil het
niet toelaten. De natuur en jij, jullie doen mij pijn. Maar toch moet de strijd
geleverd worden. Ik kan jullie niet dwingen.' ¶ Het lichaam sprak: 'Ziel, de
Heer der heren heeft je verstand en schranderheid gegeven om mij te beleren.
God heeft je rede gegeven en verstand omwille van mij, die tot kwaad geneigd
ben, om mij in toom te houden.' ¶ De ziel sprak: 'Mocht het mijn lot zijn om te
sterven zoals jij, dan zou ik onbekommerd leven. Maar als ik voor Gods oordeel zal staan en daar loon naar werken zal krijgen, dan moet ik het allemaal
bezuren.' ¶ Het lichaam sprak: 'Als je dit nu van tevoren weet —

So wie hem selven al willens wont
Of treet in eenen doren
Wie sal hem beclagen dat vragic di
Ghi moetet sorgen oec voer mi
Oft wi bliven beyde verloren

Die siele die sprac
Lichaem ghi moet wel sorghen
Want als so coemt die bitter doot
Wie sal u dan verborghen
Wat sal u dan helpen u weelde groot
Dus moeti sorghen het is u noot
Ghi en hebt doch ghenen morghen

Dat lichaem sprac
Moet ic oec sterven leeren
Ende ic en weet doch ghenen tijt
Waer toe sal ic mi keeren
Die werelt die toont mi vrolicheyt
Natuere die is daer toe bereyt
Hoe sal icse moghen verheeren

Die siele die sprac
O lichaem snode van weerden
Waer op so verlaet ghi u

wie zichzelf opzettelijk verwondt of in een doorn gaat staan, wie zal hem beklagen? Dat vraag ik je. Jij moet ook voor mij zorg dragen, anders zullen we
allebei verloren zijn.' ¶ De ziel sprak: 'Lichaam, jij moet je zorgen maken!
Want als de bittere dood nadert, wie zal dan borg voor jou staan? Wat zal je
grote weelde je dan helpen? Daarom moet jij je zorgen maken. Dat is noodzakelijk voor jou. Je hebt niet de tijd tot morgen.' ¶ Het lichaam sprak: 'Moet
ik ook leren sterven? En ik weet nog niet wanneer. Waar moet ik me naar
richten? De wereld vertoont zich aan mij als frivoliteit. Mijn natuur is daartoe
geneigd. Hoe zal ik haar de baas kunnen worden?' ¶ De ziel sprak: 'O lichaam
met je geringe moraal, waarop verlaat je je?

Wat wildi hier aenveerden
Hoe dordi bedriven eenich solaes
Arm stinckende vlees der wormen aes
Ghi moet doch inder aerden

Dat lichaem sprac
Moet ic inder aerden
Och Here God van hemelrijck
Hoe mach ic mi verblijden
Mi rout so seere mijn leven quaet
O edel siele nu geeft mi raet
Ic wil mi leeren liden

Die siele die sprac
Wildi u tot duechden geven
So sullen wi comen ic ende ghi
Int eewelike leven
Daer blischap sal wesen emmermeer
En sijn dan verlost vant eewighe seer
Daer men eewelic sal leven

Dat lichaem sprac
Ontfermt God onser beyden
Mi ende die edel siele mijn
En wilt ons doch gheleyden
Wilt doch bewaren die siele van mi

Wat wil je hier beginnen? Hoe durf je enige troost te zoeken? Ellendig stinkend vlees, voer voor de wormen, jij moet toch onder de grond.' ¶ Het lichaam sprak: 'Moet ik onder de grond? Och Here God in de hemel, hoe kan ik dan blij zijn? Ik heb zo'n berouw over mijn slechte leven. Edele ziel, geef mij nu raad. Ik wil mij leren beheersen.' ¶ De ziel sprak: 'Wil je je zetten aan de deugden, dan komen wij, jij en ik, in het eeuwig leven waar immer blijdschap zal heersen. En dan zijn we verlost van het leed waarin men eeuwig leven moet.' ¶ Het lichaam sprak: 'Ontfermt u, God, over ons beiden, over mij en over mijn edele ziel. En wil ons toch geleiden, wil toch mijn ziel bewaren.

Maect dat u ons leven behaechlic si
Wanneer wi moeten scheyden

◆

[NU LAET ONS VROLIC SINGHEN]

Dit liedeken gaet op die wise Cleve Hoorne en Batenborch

Nu laet ons vrolic singhen
Een liedeken ter eeren van haer
Maria ende haren kinde
Ic woude ic bi hem waer
So waer mijn hert in rusten
Dat nu lijt pine swaer
Dat scheyden en sou mi niet lusten
Al waer ic daer dusent jaer

Mijn hert dat leyt ghevanghen
Van minnen seer beswaert
Mi mach wel seer verlanghen
Ter minen lieve waert
Bi hem en is gheen quale
Mer hier is menich seer
Wou hi mi bi hem halen
So en truerde ic nemmermeer

Maak dat ons leven u behaagt, als wij moeten heengaan.'

•

Nu laat ons vrolijk een liedje zingen ter ere van haar, van Maria en haar kind. Ik wou dat ik bij hen was, dan zou mijn hart, dat nu zware pijn lijdt, rustig zijn. Ik zou er niet weg willen gaan, ook al was ik er duizend jaar. ¶ Mijn hart is gevangen, zwaar van minnepijn. Ik moet wel sterk verlangen naar mijn beminde. Bij hem is er geen leed, maar hier is er veel pijn. Zou hij mij bij zich halen, dan zou ik nooit meer treurig zijn.

Siel ghi moet verbeyden
Noch eenen cleynen termijn
Al sijn wi nu ghescheyden
Ten sal niet langhe sijn
Ic sal u corteliken
Al in mijn rijcke ontfaen
Daer om strijt blijdelike
Het sal saen sijn ghedaen

O lief van hogher minnen
Ic en can gheswighen niet
Mijn hert dat lijdt van binnen
Ic claghe mijn verdriet
Die derven dat si minnen
Sijn dicwil seer beswaert
En ongherust van binnen
Het is der minnen aert

Nu siel laet u ghenoeghen
En maket gheen verdriet
Wilt u tot liden voeghen
Ic en sal u laten niet
Mer blijft altoos ghestade
In mijnder minnen fijn
Dat is dat ic u rade
Mijn goelic dochterkijn

Ziel, je moet nog een korte tijd wachten. Ook al zijn we nu gescheiden, het zal niet voor lang zijn. Ik zal je binnenkort in mijn rijk ontvangen. Daarom: wees opgewekt in je strijd. Het zal vlug voorbij zijn. ¶ O edele geliefde, ik kan mijn mond niet houden. Mijn hart lijdt van binnen in mij. Ik klaag over mijn verdriet. Wie mist wat hij bemint, is dikwijls zeer neerslachtig en rusteloos van binnen. Zo is de liefde. ¶ Nu ziel, aanvaard dit en word niet verdrietig. Schik je in het lijden. Ik zal je niet alleen laten. Maar blijf steeds standvastig in de edele liefde voor mij. Dat is wat ik je aanraad, mijn beste dochtertje.

Nu wil ic altoos draghen
In mijn herte bliden moet
Waer om so soudese claghen
O Heere ghi sijt so soet
Ic hope aen u ghenade
Al sidi boven mij
U doecht sal mi beraden
Och des betrouwe ic di

◆

[SOLAES WILLEN WI HANTEEREN]

Dit liedeken gaet op die wise Cleve Hoorne ende Batenborch

Solaes willen wi hanteeren
Ende altoos vrolic sijn
Ende blijdelic hoveren
Met Jhesus mijn minnekijn
Waer om so willen wi trueren
Het en mach anders niet sijn
Ten sal niet langhe dueren
Dat ic bedruct sal sijn

In al die werelt wijde
En vindic niet so goet

Nu wil ik steeds in mijn hart opgewekt zijn. Waarom zou het klagen? O Heer, u bent zo goed. Ik hoop op uw genade, ook al staat u boven mij. U voortreffelijkheid zal mijn leidraad zijn. Daarop verlaat ik mij.

•

Wij willen plezier maken en steeds vrolijk zijn en opgewekt feestvieren met Jezus, mijn liefje. Waarom zouden we treuren? Het is niet anders. Het zal niet lang duren eer ik terneergeslagen zal zijn. ¶ In de wijde wereld vind ik niets

Dat mi mach maken blijde
Dan Jhesus mijn minnekijn
Hier om wil ic mi gheven
Hem te dienen tot alder tijt
So wert ic van u verheven
Ende eewelic verblijt

Hi is een Heer der heeren
Die schoonste diemen vint
Ic wil mi tot hem keeren
Want hi ons seere mint
Gheen herte en can versinnen
Die blischap die hi heeft bereyt
Den ghenen die hem minnen
Als die Scriftuer ons seyt

Hi is een bloem gheheten
Seer suverlic ende claer
Hi is so hooch gheseten
Al boven der enghelen schaer
Gheboren tot onser baten
Van eender maghet bequaem
Al boven honich raten
Es soeter Jhesus naem

Wanneer sal ic aenschouwen
Sijn over claer aenschijn

---

dat mij zo blij maakt als Jezus, mijn liefje. Daarom wil ik mij voor altijd wijden aan de taak hem te dienen. Zo word ik door u opgenomen in de eeuwige vreugde. ¶ Hij is een Heer der heren, de knapste die er te vinden is. Ik wil mij tot hem bekeren, want hij bemint ons zeer. Geen hart kan de vreugde bevroeden die hij bereid heeft voor degenen die hem liefhebben, zoals de Schrift ons zegt. ¶ Hij is een bloem die zeer rein en zuiver wordt genoemd. Hij is zo hoog gezeten, boven de engelenschaar, geboren ten behoeve van ons, uit een lieflijke maagd. De naam van Jezus is zoeter dan honing. ¶ Wanneer zal ik zijn overlichte aanschijn zien?

Och mochte ic hem behouwen
Al inder herten mijn
Wat mi mocht overcomen
En soude ic achten niet
Waert so het soude mi vromen
So en had ic gheen verdriet

Och God wilt mijns ontfermen
Doer uwen name fijn
Ende wilt ons doch beschermen
Al van die eewighe pijn
Ende wilt ons doch gheleyden
Ende brengen int eewighe rijck
Als wi van hier al scheyden
Dat bidden wi al ghelijck

◆

[ANNUNCIATIE]

Het was een maget uutvercoren,
Daer Jesus af woude sijn gheboren.
Dies ben ick vro,
O, o, o; benedicamus Domino!

Och, mocht ik hem in mijn hart ontvangen. Ik zou geen acht slaan op hetgeen
mij overkwam. Als het zo was, zou het mij sterken; ik zou geen verdriet hebben. ¶ Och God, wil u ontfermen over mij omwille van uw edele naam. En wil
ons toch vrijwaren van het eeuwig leed en wil ons toch geleiden en brengen in
het eeuwige rijk als wij van hier heengaan. Dat bidden wij allemaal.

•

Het was een uitverkoren maagd, waar Jezus uit geboren wilde worden. Daarom ben ik blij, o, o, o, laten wij de Heer prijzen.

Heer Jesus sprac tot Gabriel schoon,
Hi seyde 'Vaert neder uuten troon,

Al totter stede van Nazareth,
Dair woont een maget onbesmet.

Groetse mi metten name mijn
Ende segt dat ic haer kint wil sijn.'

Die engel was een bode goet.
Hi quam neder metter spoet

Te Nazareth al in die stede,
Daer si lach in haer ghebede.

Hi seyde 'God groet u suver maghet;
Ghi sijt die Gode wel behaghet.

Hi wil van u gheboren sijn,
Jesus Christus, die meester mijn.'

Als Maria dat verstoet,
Wert si vervaert in haren moet

Ende si sprac 'Hoe mocht ick hem bekinnen,
Want ic noyt man en begheerde om minnen?'

Heer Jezus sprak tot de schone Gabriël, hij zei: 'Daal af uit de hemel, ¶ naar de
stad van Nazareth. Daar woont een onbevlekte maagd. ¶ Groet haar met mijn
naam en zeg dat ik haar kind wil zijn.' ¶ De engel was een goede bode en kwam
vlug omlaag. ¶ Naar de stad van Nazareth, waar zij in gebed geknield
lag. ¶ Hij zei: 'God groet u, zuivere maagd. U bent het die God behaagt. ¶ Hij
wil uit u geboren worden, Jezus Christus, mijn meester.' ¶ Toen Maria dat
hoorde, werd zij bevreesd in haar hart. ¶ En zij sprak: 'Hoe zou ik hem kunnen
geloven? Ik heb immers nooit een man uit liefde begeerd.'

'Die heylighe Gheest sal in u comen,
Ghelijc den dau valt op die bloemen.

Maria, weset onversaecht,
Het is die Gods Sone dyen ghi draecht.

Jesus heeft u uutvercoren,
Hi wil verlossen, dat was verloren.'

'Van allen seere ben ick ghenesen,
De deerne Gods wil ick wesen.'

Maria viel neder op haer knien,
'Den wille Gods moet mi gheschien.'

◆

[KERSTGEDICHT]

Ons is geboren een kindekijn
Daer om so willen wi vrolic sijn
Laet ons hem dienen met herten
Want sinen naem die is Jhesus
Vale sus sus sus
Sprac Maria tot Jhesus

'De heilige Geest zal in u komen, zoals de dauw op de bloemen valt. ¶ Maria, vrees niet. Het is de Zoon van God die u draagt. ¶ Jezus heeft u uitverkoren. Hij wil verlossen wat verloren was.' ¶ 'Van alle smart ben ik genezen. Ik wil de dienstmaagd van God zijn.' ¶ Maria zonk op haar knieën neer. 'Gods wil moet mij geschieden.'

•

Ons is een kind geboren. Daarom willen wij vrolijk zijn. Laat ons hem van harte dienen, want Jezus is zijn naam. 'Vale sus sus sus,' sprak Maria tot Jezus.

Als ghi ghelaghet maghet Marij
So en wasser nyemant bij
Dan Joseph ende Anastasij
Haer handen hadden si gelaten thuys

Als si den Gods sone ontfangen soude
Doen wiessen haer handen also boude
Ghelijc den roden goude
Si hadden wel een groot abuys

Als onse Here gheboren was
Ende Maria daer af ghenas
Als men inder Scriftueren las
Van eenigen man en hadde confuys

Men ley den Heer inder cribben
Van hoey was ghemaect sijn bedde
Aen bey sijden quetste hi sijn ribben
Nochtans bleef hi Dominus

Een osse ende een cleyn ezelken
Verwermden hem die leden sijn
Van couden weenden dat kindekijn
Nochtans was hi Dominus

Die herdekens opten velde lagen

Toen u in het kraambed lag, maagd Maria, was er niemand anders bij dan Jozef
en Anastasia, die geen handen had. ¶ Toen Anastasia de Zoon van God aannemen zou, toen groeiden haar handen snel aan, zoals rood goud. Zij waren er
stomverbaasd over. ¶ Toen onze Heer geboren was en Maria hem gebaard
had, was zij door geen enkele man in opspraak gebracht, zoals men in de Schrift
leest. ¶ Men legde de Heer in de krib. Zijn bed was gemaakt van hooi. Hij
kneusde zijn ribben aan elke zijde, maar toch bleef bij de Heer. ¶ Een os en een
klein ezeltje verwarmden hem de ledematen. Van kou huilde het kindje, maar
toch was hij de Heer. ¶ De herdertjes lagen in het veld.

Si begonsten hem te versaghen
Van eender claerheyt diese sagen
Si hadden gewilt wel wesen thuys

Die enghel sprac weset niet vervaert
Ons is geboren eenen nieuwe standaert
Hi sal den viant maken confuys

Die herdekens songhen ha ha ha
Ons is gheboren so ic versta
In excelsis gloria
Et in terra pax hominibus

Amen

◆

[MET DESEN NIEUWEN JARE]

Met desen nieuwen jare
So willen wi vrolic sijn
Ons heeft een maghet clare
Ghebaert een kindekijn
In Bethleem vercoren
So ons die Schiftuere verclaert

Zij schrokken van een licht dat ze zagen. Zij hadden wel thuis willen zijn. ¶ De engel sprak: 'Vrees niet. Ons is geboren een nieuwe held en hij zal de duivelse vijand te schande maken.' ¶ De herdertjes zongen: 'Ha ha ha, ons is geboren, naar ik versta, glorie in den hogen en vrede op aarde voor de mensen.' Amen.

•

In het begin van het nieuwe jaar willen wij vrolijk zijn. Een edele maagd heeft ons een kind voortgebracht. In het uitverkoren Bethlehem, zoals ons de Schrift vertelt,

Es ons een kint gheboren
Die maecht bleef onbeswaert

Hier boven uten throne
Wert Gabriel ghesant
Al totter maghet schone
Al in dat joetsche lant
In Nazareth ter steden
Vant hi die maghet alleyn
Hi sprac God gheve u vrede
God si met u ghemeyn

Ghi sijt boven alle vrouwen
Van Gode ghebenedijt
Bi u wort noch behouden
Dat Adam heeft ontvrijt
Ghi sult in uwen lichame
Een edel vrucht ontfaen
Ende bliven al sonder blame
En twijfelt daer niet aen

Die maecht wert seere van binnen
Verscrict in haren moet
Si dacht in haren sinne
Hoe comen mocht die groet
Die haer die enghel brochte

is ons een kind geboren. De maagd bleef zonder pijn. ¶ Hierboven uit de hemel
werd Gabriël tot de schone maagd gezonden. In het land van de joden, in de
stad Nazareth vond hij de maagd in eenzaamheid. Hij sprak: 'God geve u vrede, God zij met u. ¶ Door God bent u gezegend boven alle vrouwen. Dankzij u
zal wat Adam onvrij heeft gemaakt, gered worden. U zult in uw lichaam een
edele vrucht ontvangen, maar u zult zonder schande blijven, twijfel daar niet
aan.' ¶ Binnen in haar hart werd de maagd zeer beangstigd. Zij overlegde bij
zichzelf waar de groet die de engel haar bracht, vandaan mocht komen.

Si en hads noyt ghesien
Si dacht in haren sinne
Och hoe sal dit geschien

Die enghel sprac o reyn
Waer om sidi versaecht
Ghi sult ontfaen een greyn
Ende bliven een suver maecht
Ende baren sonder pine
Dat licht der engelen broot
Der werelt medicine
En sal sijn sijns ghenoot

Hoe soudic kint gedraghen
En kende noeyt ghenen man
Noch en hebbe in mijn behaghen
Hoe soude dat wesen dan
Het is boven natueren crachten
Te sine moeder ende maecht
Hier om trueren mijn ghedachten
Hier om ben ic versaecht

O hoghe maecht van prise
Waer om side ghi versaecht
Die heilighe Gheest sal rijsen
In u wel suver maecht

Zij had zoiets nog nooit gezien. Zij dacht bij zichzelf: o, hoe zal dat gebeuren? ¶ De engel sprak: 'O reine, waarom bent u bevreesd? U zult een parel ontvangen en een zuivere maagd blijven en zonder pijn het licht baren, het brood der engelen, het medicijn voor de wereld. Zijns gelijke zal er niet zijn.' ¶ 'Hoe zou ik dit kind kunnen dragen? Ik heb nooit omgang met een man gehad, en ik heb er ook niet het voornemen toe. Hoe zal dat dan kunnen? Tegelijk moeder en maagd te zijn gaat de krachten van de natuur te boven. Daarom ben ik treurig en ontmoedigd.' ¶ 'Hooggeprezen maagd, waarom bent u ontmoedigd? De Heilige Geest zal in u komen, zuivere maagd.

Gods crachten uutvercoren
Die sullen u om vaen
Dat van u wort gheboren
Sal Adams sonden dwaen

Elizabeth heeft ontfanghen
In haerder ouder tijt
Haer daghen sijn verganghen
O maghet ghebenedijt
Het es in Godes vermoghen
Dat es ende wesen sal
Nu blijft in goeden hoghen
Vertroost dit jammer al

Die Sone des alre hoochsten
So sal hi sijn ghenaemt
Hi sal die werelt verlossen
Ende ghi blijft onbescaemt

Gods uitverkoren krachten zullen u omvangen. Hetgeen uit u geboren zal worden, zal de zonde van Adam goedmaken. ¶ Elizabeth is in haar ouderdom nog
zwanger geworden, hoewel haar jaren voorbij zijn. Gezegende maagd, hetgeen
is en zal zijn, ligt in Gods macht. Nu blijf welgemoed en wees vertroost van al
deze droefheid. ¶ De Zoon van Allerhoogste zal hij heten. Hij zal de wereld
verlossen en u blijft zonder schande.'

◆

[IC BEN BEDRUCKT WIE SAL MY TROOSTEN]

Op die selve wise

Ic ben bedruckt wie sal my troosten
Waer sal mijn hertken om drincken gaen
Druyfkens sijnder voer mi ghesneden
Den wijn is in den kelder ghedaen

Den kelder is voer mi ghesloten
Och lacy ic mach wel droevich sijn
Hoe soude ick aen den slotel gheraken
Ick dronck so gaerne den edelen wijn

Hoe soude ic aen den slotel gheraken
Ic dronc so gaerne den edelen most
Waer sidy vrou der ootmoedicheden
Ghi sijt altijt den slotel daer of

Ghehoorsaemheyt ontdoet de duere
Ghestadighe minne sonder verganck
Laet ons gaen drincken den edelen viane
Och ewich doot het is so lanc

Op dezelfde wijze [nl. 'Had ick eenen getrouwen bode'] ¶ Ik ben bedroefd. Wie zal mij troosten? Waar zal mijn hart zich laven? Druifjes zijn er voor mij geplukt. De wijn is naar de kelder gebracht. ¶ De kelder is voor mij gesloten. Och, helaas, ik mag wel bedroefd zijn. Hoe zou ik aan de sleutel kunnen komen? Ik zou zo graag die edele wijn drinken. ¶ Hoe zou ik aan de sleutel kunnen komen? Ik zou zo graag dat edele druivenat drinken. Waar bent u, vrouw der ootmoed? U bent immer de sleutel daarvan. ¶ Gehoorzaamheid opent de deur, standvastige liefde die niet vergaat. Laat ons drinken van de edele wijn van Bearn. Och, de eeuwige dood duurt zo lang.

Ten baet gheen suchten ten baet gheen clagen
Die rekeninge moeter ghehouden sijn
Ick werpe nu alle mijn minne brieven int asschen
Ick vinde mi selven so cleynen wormkijn

Ick en wil mi selven noch niet mistroosten
Ick wil mi gaen gheven goeden moet
Ic wil gaen vlieghen aent cruys Ons Heeren
Dat is dat slotelken dyet al op doet

O edel siel hoe is u te moede
Als ghi aent cruce sijt ghestaen
Ende u die coninc uut alder minnen
Den kelder hevet op ghedaen

Hi gaet daer schincken wij gaen daer drincken
Och droncken moeten wij alle sijn
Wie sal daer tghelach betalen
Die coninc die aent cruce hinc

Zuchten helpt niet. Klagen helpt niet. De rekening moet betaald worden. Ik
verbrand nu al mijn liefdesbrieven tot as. Ik vind mijzelf zo'n miezerig onder-
kruipseltje. ¶ Ik wil mij niet mistroostig maken. Ik wil zorgen dat ik goede zin
krijg. Ik wil mij haasten tot aan het kruis van onze Heer. Dat is het sleuteltje
waarmee alles opengemaakt wordt. ¶ O edele ziel, hoe is het je te moede, nu je
bij het kruis staat en de koning uit alle liefde de kelder voor je heeft opengemaakt? ¶ Hij gaat daar schenken, wij gaan daar drinken. We moeten allemaal
dronken worden. Wie zal het gelag betalen? De koning die aan het kruis hing.

◆

[HET STAET EEN CASTEEL EEN RIJC CASTEEL]

Op de selve wise oft Op eenen palm avont is dat geschiet.
Si souden trecken doer der heyden

Het staet een casteel een rijc casteel
Een casteelken op hooger tinnen
Daer singhen die engelen so soeten lof
Heer Jesus woont daer binnen.

Tot desen casteele quamen wi gaerne
Conden wi daer toe gheraecken
Het blinct daer al van pueren gouwe
Die mueren en oock die daken

Tot desen casteele en comen wij niet
Wi moeten vromelijck striden
Die wilde zee vlack en diep
Die moeten wij over liden

Die boose gheesten comen ons aen
Met temptacien willen si ons verladen

Op dezelfde wijs [nl. 'Had ick eenen getrouwen bode'] of 'Op een zaterdag
voor Palmpasen is het gebeurd dat zij door de hei zouden trekken' ¶ Er staat
een kasteel, een groot kasteel, een kasteeltje met hoge tinnen. Daar zingen de
engelen zo'n zoete lof. Heer Jezus woont daarin. ¶ Wij zouden graag naar dit
kasteel komen, als ons dat zou lukken. Het blinkt van zuiver goud, de muren en
ook de daken. ¶ Wij komen niet in dit kasteel, of wij moeten een dappere strijd
leveren. De woeste zee, uitgestrekt en diep, moeten wij oversteken. ¶ De boze
geesten komen tegen ons op. Met bekoringen willen zij ons bezwaren.

Sij hebben daer so menigen te gronde gheseylt
Met hare valsce raden

Sij wenschen ons dicke inden gront
Sij souden ons gherne verdrincken
Wij anckeren ons herte in Jesus wonden
Wij latent daer inne sincken

Laet ons die wilde zee over varen
Met also blide sinnen
God die Heere wil ons ghesparen
Dat wi dat casteel mogen winnen

◆

[AL BINNEN DER HOOGER MUEREN]

Al binnen der hooger mueren
Al van Hierusalem
Daer woont een jongelinc binnen
Mijn herte stel ic aen hem
Want hi is al so schone
Want hi voert eenen name
Die hem soe wel betaemt

Zij hebben menigeen aan de grond laten lopen met hun valse ingevingen. ¶ Zij wensen ons dikwijls op de bodem van de zee. Zij zouden ons graag verdrinken. Wij werpen ons anker uit in Jezus' wonden en laten het daarin zinken. ¶ Laat ons blijgezind de woeste zee overvaren. God de Heer moet ons sparen, zodat wij het kasteel kunnen veroveren.

●

Binnen de hoge muren van Jeruzalem woont een jongeman. Mijn hart gaat naar hem uit, want hij is zo knap en hij draagt een naam die zo goed bij hem past.

Jesus heet hi
Hi spant der maechden crone jae croone

Hi heeft twee schoon bruyn ooghen
Si lichten also claer
Daer mede heeft hi ghetoghen
Mijn hertken in hem so naer
In sijnder hoogher conde
Al ben ick hier ghelaten
In deser nederheyt
Sijn aenscijn blinckt veel claerder dan die sonne

Hi heeft ·ii· blosende wangen
Ghelijck die schoon roset
Daer mede ben ick bevanghen
Al inder minnen net
Waer om soude ick dan trueren
Ick sal mi selven laten
In dieper ootmoedicheyt
So mach mi Jesus mijn lief te wille ghebueren

Ghi maechdekens sult weten
Dat ghi hebt eenen brudegom fijn
Al is hy hooghe ghesetem
Een lief is hi ghemeyn

Jezus heet hij. Hij zet de maagden de kroon op, ja de kroon. ¶ Hij heeft twee
mooie bruine ogen. Die lichten zo helder op. Daarmee heeft hij mijn hartje naar
zich toe getrokken, zo dichtbij in zijn hoogverheven natuur, ook al ben ik zelf
hier beneden in dit dal achtergebleven. Zijn gezicht straalt feller dan de
zon. ¶ Hij heeft twee blozende wangen, als een mooie roos. Daardoor ben ik
verstrikt geraakt in het net van de liefde. Waarom zou ik dan treuren? Ik zal mij
zelf verloochenen in diepe ootmoed. Dan zal Jezus, mijn lief, mij welgezind
zijn. ¶ Meisjes, jullie moeten weten dat je een edele bruidegom hebt. Al is hij
hooggeplaatst, hij is een minnaar voor iedereen.

Hi is die schoonste veltbloeme
So soet is hi van ruecke
Ghelijck dat paradijs
Mijn herteken is te bat dat ick hem noeme

Ghi hertekens van seden
Sijt Jesum u lief ghetrouwe
Al laet hi u noch beneden
Ghi sult hem namaels aanscouwen
Stelt u in sijnder proeven

Hi is so soeten minnaer
Hi is van groter machten daer
Daer mede sal hy u herteken noch doergroeven

◆

[DEN TIJT IS COMEN DEN TIJT IS LEDEN]

Op die selve wise oft op Smorgens vroech bi tide drie uren
voer den dach so soude Maria Magdalena. &c. Ende is
ghemaect opten LXIIII psalm

Den tijt is comen den tijt is leden
Och niet so edel als den tijt

Hij is de mooiste veldbloem, hij geurt zo zoet als het paradijs. Mijn hartje
wordt er beter van als ik hem prijs. ¶ Jullie, deugdzame hartjes, wees Jezus, je
lief, trouw, ook al laat hij je nog hier beneden. Later zul je hem zien. Schik je in
zijn beproeving. ¶ Hij is zo'n zoete minnaar. Hij heeft een grote kracht en daarmee zal hij u hartje nog verwonden.

•

Op dezelfde wijze [nl. 'Meisje, wil je geestelijk leven'], of op ''s Morgens vroeg,
zeer bijtijds, drie uur voor de dag, zou Maria Magdalena, enz.' en het is geschreven op de 64ste psalm ¶ De tijd komt en de tijd gaat. Niets is zo verheven
als de tijd.

Mer wee hem die sijn jonghe leden
Qualijc besteet ende over lijt

Naect ende arm quam ick ter aerden
Nature verhief dat leven mijn
Nu moet ick weder ter aerden neder
Ende volgense na die voer mi sijn

Het gaet met mi ten avonde waert
De sonne die daelt so seere
Ick heb den wech al qualijck ghegaen
Tis tijt dat ic weder om keere

Het gaet met my ten avont waert
Als ick my selven wel besie
Ick heb den wech al qualijck ghegaen
Och lacy dat mach wel rouwen mi

Wee den kinderen van tsestich jaren
Die leven naden lusten sijn
Sij moghen wel leven in grooter varen
Cort salt met hen te rekenen sijn

Nu bid ic alle jonghe herten
Dat si henselven nemen waer
Ende blidelijc nemen op haer liden
Ende volgen trouwelijc Jhesum na

Maar wee degene die zijn jonge lijf ten kwade aanwendt en sterft. ¶ Naakt en
arm kwam ik op de aarde. De natuur bracht mijn leven tot bloei. Nu moet ik
weer in de aarde en moet ik hen achterna die mij voor zijn gegaan. ¶ De avond
nadert voor mij, de zon is al ver gedaald. Ik ben de verkeerde weg gegaan. Het is
tijd mij weer om te keren. ¶ De avond nadert voor mij, als ik mijzelf eens goed
bezie. Ik ben de verkeerde weg gegaan. Helaas, dat zal mij wel berouwen. ¶ Wee de kinderen van zestig jaar die naar hun lusten leven. Zij mogen
wel in grote angst leven. De afrekening zal snel komen. ¶ Nu vraag ik alle jonge
harten dat ze zichzelf eens bekijken en opgewekt hun lijden op zich nemen, en
Jezus trouw navolgen.

[OCH MENSCHE WAER TOE WILDY U VERLATEN]

Op die selve wise

Och mensche waer toe wildy u verlaten
Ghi moet doch sterven dat weet ghi wel
Die doot coemt so haestelijcke
Seer onversienlijc ende so snel
Oft ic dit altijt had in minen sin
Te bedwingen mijn vlees rebel
Maer lacy ic blive die ick bin
Idel van herten ende licht van sin

Och wonder ghevet mi ende meer dan wonder
Dat wi dus licht van herten sijn
Dat wi niet altijt en overdencken
Die bitter doot ende sware pijn
Oft ic dit altijd had in minen sin
Mijn lichaem te gaen crencken
Maer lacy ick blive die ic bin
Idel van herten ende licht van sin

Wat vruechden oft bliscap mach ons lusten
Als ons aen coemt die bitter doot

Op dezelfde wijs [nl. 'Al mijn gepeins doet mij zo'n pijn'] ¶ O mens, waarop wil je je verlaten? Je moet toch sterven, zoals je weet. De dood komt zo snel, geheel onverwacht en zo vlug. Hield ik dit maar altijd voor ogen, om mijn weerspannige vlees te bedwingen. Maar helaas, ik blijf wat ik ben: een leeghoofd en een losbol. ¶ Het verwondert mij zelfs meer dan dat, dat wij zo lichtzinnig zijn dat wij niet altijd denken over de bittere dood en de zware pijn. Hield ik dit maar altijd voor ogen, om mijn lichaam te beteugelen. Maar helaas, ik blijf wat ik ben: een leeghoofd en een losbol. ¶ Welke vreugde of blijdschap zal ons plezieren als de bittere dood ons treft

Ende alle vrienden ons begheven
Ende laten inden grooten noot
Oft ic dit altijt had in minen sin
Mijn vlees soude hem tot duechden gheven
Maer lacy ic blive die ick bin
Idel van herten ende licht van sin

Aylacy hoe bitter salt sceyden wesen
Als de siele uuten lichaem gaet
Ende moet in vreemde landen reysen
Daer si niemant en heeft die haer bestaet
Oft ic dit altijd had in minen sin
Mijn vlees te lossen van svyants banden
Maer lacy ick blive &c.

Maer als dat lichaem doot sal ligghen
So yst seer vreeslic om te aensien
Ende wat vrienden dat wi daer hebben
Sij sullen so haestelijc van ons vlien
Oft ic dit altijt had in minen sin
Mijn lichaem tot duechden te trecken
Maer lacy ic blive &c.

De siele die reden moet gheven
Van al dat dlichaem heeft misdaen

en alle vrienden niets meer om ons geven en ons in het grote lijden achterlaten?
Hield ik dit maar altijd voor ogen, dan zou mijn lichaam zich aan de deugden
wijden. Maar helaas, ik blijf wat ik ben: een leeghoofd en een losbol. ¶ Ach, hoe
bitter zal het afscheid zijn, als de ziel het lichaam verlaat en in vreemde landen
moet trekken, waar zij niemand heeft die haar bijstaat. Hield ik dit maar altijd
voor ogen, om mijn vlees los te maken uit de boeien van de vijand. ¶ Maar als het lichaam dood terneer zal liggen, dan is
het zeer angstaanjagend om te zien. En de vrienden die wij hebben, zullen zich
van ons weg haasten. Hield ik dit maar altijd voor ogen, om mijn lichaam tot de
deugd te brengen. Maar helaas, ik blijf enz. ¶ De ziel, die rekenschap moet
geven van al wat het lichaam heeft misdaan,

Hoe droeveliken sal si weenen
Als si voert ordeel Gods sal staen
Oft ic dit altijt had in minen sin
Ich soude van vreese beven
Maer lacy ic blive die ic bin &c.

Het lichaem dat hem plach te vercieren
Met groter ghenoechten ende wellusticheyt
Dat moet hem nu te vreden stellen
Met een verworpen linen cleyt
Oft ic dit altijt had in minen sin
Om mijn lichaem te quellen
Maer lacy ick blive &c.

O mensche wat salt u mogen helpen
Dat ghi nu sijt soe groot gheeert
Want ghi moet onder die swerte eerde
Dat is dbeste dat ons geschiet
Oft ic dit altijt had in minen sin
Om mijn sinnelicheyt te bekeeren
Maer lacy ick blive &c.

Ghi jonge maechden wilt dit bedincken
Wat u int eynde ghebueren sal
Een houten kiste van seven voeten

---

hoe droef zal zij wenen als zij voor Gods oordeel zal staan. Hield ik dit maar altijd voor ogen, ik zou van angst beven. Maar helaas, ik blijf wat ik ben enz. ¶ Het lichaam, dat gewend was te baden in grote genoegens en wellust, dat moet zich nu tevredenstellen met een afgedankt linnen laken. Hield ik dit maar altijd voor ogen, om mijn lichaam te kwellen. Maar helaas, ik blijf enz. ¶ O mens, wat zal het je helpen dat je nu zo hooggeëerd bent, want je moet onder de grond. En dat is dan nog het beste dat ons overkomt. Hield ik dit maar altijd voor ogen, om mij van mijn zinnelijkheid te bekeren. Maar helaas, ik blijf enz. ¶ Jullie, jonge meisjes, denk erom wat er aan het eind gebeuren zal: een houten kist van zeven voet

Ende het luyden der clocken snel
Oft ic dit altijd had in minen sin
Om den strijt des vlees te versoeten
Maer lacy ick blive &c.

Sij sijn wijs die dit connen versinnen
Ende latent hen ter herten gaen
Al yst dat wij de werelt beminnen
Het sal hier wesen seer haest ghedaen
Oft ic dit altijt had in minen sin
Ic soude weenen menigen traen
Maer lacy ick blive die ic bin
Idel van herten ende licht van sin

◆

[BLOEMKENS BLAUWE STAEN INT COREN]

Op die selve wise

Bloemkens blauwe staen int coren
Si staen ghevervet ghelijc lasuere
Die alle maechdekens toe behoren
Ende alle reyne creatueren

en even klokgelui. Hield ik dit maar altijd voor ogen, om de strijd met het vlees
te verzoeten. Maar helaas, ik blijf enz. ¶ Wijs zijn zij die dit kunnen beseffen en
ter harte nemen. Al is het dat wij de wereld liefhebben, het zal hier zeer snel
afgelopen zijn. Hield ik dit maar altijd voor ogen, ik zou menige traan laten.
Maar helaas, ik blijf wat ik ben: een leeghoofd en een losbol.

•

Op dezelfde wijs [nl. 'Al mijn gepeins doet mij zo'n pijn'] ¶ Blauwe bloemetjes
staan in het koren. Zij hebben de kleur van lazuur, de kleur die toebehoort aan
alle maagden en alle zuivere schepsels.

581

Och rijcke Heer God mocht mi ghebueren
Te rusten in die wonden dijn
So soude mijn siele in vruechden leven
Ende altoos in bliscap sijn

O schoon kerssouwe als ghi comt voort
U verwe die is so menighertiere
Die voghelkens vlieghen inder locht
Die visschen vlieten in die riviere
Aldus sidy ghedeelt in vieren
Wit ghelu root ende daer toe groen
Mocht ick bi u wesen
Ende verbliden met uwen soen

O schoone violette als ghi staet blauwe
Mer dan staen alle dese meersschen groen
Ghi hebt mi dicwil leet ghedaen
Mocht ic bi u wesen het waer al soen
Ghi hout mijn herte in u prisoen
Veel meer dan ic oyt dede om eenich dinck
Al soude icker duysent dooden om sterven
Ick en can gheenen troost ghecrigen van dy

O schoon akeleye moy ende frisch
By u verhuecht dese werelt wijt

Och, machtige Heer, God, mocht ik rusten in uw wonden, dan zou mijn ziel in vreugde leven en altijd blij zijn. ¶ O mooi madeliefje, als men jou ziet staan; je bent zo bontgekleurd. De vogeltjes vliegen in de lucht, de vissen zwemmen in de rivier en zo ben jij gedeeld in vieren: wit, geel, rood en ook nog groen. Mocht ik maar bij jou zijn en me verheugen in je verzoening. ¶ O mooi viooltje, zoals jij in het blauw staat, staan al deze weiden in het groen. Je hebt me dikwijls verdriet gedaan. Mocht ik bij jou zijn, dan zou het een grote verzoening zijn. Je houdt mijn hart gevangen, veel meer dan ik ooit om iets gaf. Al zou ik er duizend doden om moeten sterven, ik krijg toch geen troost van jou. ¶ O mooie akelei, schoon en fris, over jou verheugt zich de hele wereld.

Mocht ic ontgaen des viants listen
So soude Jesus mijn herte verlichten
Mocht ic noch comen daer ghi sijt
Mocht ic u noch sien ende met u spreken
So soude verbliden die siele mijn
Ende minen rouwe waer al vergheten

O schoon goutbloemken noch bijnt ghi boven
Dat doet uwen roke hi is so soet
Ghi sijt van die nagelkens ghewassen
Die Maria corte van haren voet
Wanneer ic come in u ghemoet
Dan worde ic blide seer onghedaen
Mijn tonge die vout ic en can nyet spreken
Soe seere hout mi u minne bevaen

O schoone roode roose noch bijnt ghi al boven
Boven alle bloemkens dat dunct mi
Dat doet u verwe si is so schone
Dats mijnder herten melodie
O Jesu lief ghi verwerft aen mi
Mit mi moechdy doen uwen wille
Ick en can niet meer ghespreken
Daer om swighe ick al stille

Mocht ik ontsnappen aan de listen van de duivel, dan zou Jezus mijn hart
verlichten. Mocht ik eens komen waar jij bent, mocht ik jou nog zien en met je
spreken, dan zou mijn ziel zich verblijden en mijn verdriet zou geheel vergeten
zijn. ¶ O mooi zonnebloempje, jij staat er nog boven. Dat is te danken aan je
heerlijke geur. Je bent gegroeid uit de nageltjes die Maria van haar voet knipte.
Wanneer ik jou tegenkom dan word ik gek van blijdschap, mijn tong slaat
dubbel, ik kan niet spreken. Zozeer heeft de liefde voor jou mij bevangen. ¶ O
mooie rode roos; jij staat boven alle andere, boven alle bloemetjes; dat vind ik.
Dat is te danken aan je kleur, die zo mooi is. Dat is het lied van mijn hart. O
Jezus lief, je hebt mij in je macht. Met mij mag je doen wat je wil. Ik kan niet
meer spreken en daarom zwijg ik stil.

Die lelie is een die schoonste bloeme
Diemen in deser werelt vinden mach
Si is uut eender fonteyne ghesproten
Daermen gheen bloemkens uut spruyten sach
Ick mach wel roepen o wi o wach
Aylacy wat dede ick oyt gheboren
Ten is niet dan eenen droeven dach
Want wat ick minde het was al verloren

◆

[KERSTLIED]

Op die selve wise

Die soete Jesus lach int hoy
Ootmoedelijc voer twee stomme beesten
Al en was tlogijs niet alte moy
Nochtans hielt hi daer in sijn feeste
Met haer die alder ootmoedichste van gheeste
Sijn moeder dat suyver maechdekijn
Dies singhen wij nu die minste en oock die meeste
Ghebenedijt moeten si beyde sijn

De lelie is de mooiste bloem die er op deze wereld te vinden is. Zij is uit een fontein gegroeid waaraan men die bloemetjes zag ontspruiten. Ik kan wel roepen: o, o wee, och waarom werd ik ooit geboren? Het is alleen maar een droevige dag, want wat ik beminde, is helemaal verloren.

•

Op dezelfde wijs [nl. 'Ick heb gejaecht al mijn leven lanc'] ¶ Voor twee stomme beesten lag de lieve Jezus ootmoedig in het hooi. Al was de stal niet al te mooi, toch hield hij daar zijn feest met zijn moeder, de zuivere kleine maagd, die de allerootmoedigste van geest was. Daarom zingen we nu, de geringste maar ook de belangrijkste: gezegend moeten ze allebei zijn.

Als Jesus lach int open huys
Ende beefde met sijn leden cout
Maria aensach dat groot abuys
Si dancte hem seer menichfout
Dat hi die vaders jonc ende out
Verlossen soude uuter hellen pijn
Des singhen wij nu met herten stout
Ghebenedijt moeten si beyde sijn

Maria nam in corter stont
Haer lief kint op haren schoot
Si leyde hem aen haer borstkens ront
Die si hem minnelijc boot
Si custe hem aen sijn mondeken root
Ende seyde willecoem sone mijn
Des singen wi nu cleyn ende groot
Ghebenedijt moeten si beyde sijn

Een cribbeken stont daer ghemaect
Te Bethleem tot dyer tijt
Daer leyde si hem in al naect
Jesus Gods Sone ghebenedijt
Ende verlosser van alle der werelt wijt
Met sinen bloede met sijnder pijn

Toen Jezus in het open bouwsel met zijn koude leden lag te beven, zag Maria
dat grote onrecht aan. Zij dankte hem vaak dat hij de voorvaderen uit de jonge
en oude tijd zou verlossen uit de pijn van de hel. Daarom zingen wij nu van
ganser harte:gezegend moeten ze allebei zijn. ¶ Maria nam snel haar lieve
kindje op haar schoot en zij legde hem aan haar ronde borstjes, die ze hem
lieflijk gaf. Zij kuste hem op zijn rode mondje en zei: 'Welkom mijn zoon.'
Daarom zingen we nu, groot en klein: gezegend moeten ze allebei zijn. ¶ Een
kribje stond daar te Bethlehem op dat moment klaar. Daar legde ze hem helemaal naakt in. Jezus, de gezegende Zoon van God, met zijn bloed en leed de
verlosser van de hele wereld.

Dies singhen wij nu met groten jolijt
Ghebenedijt moeten si beyde sijn

Joseph maect ons een papken soet
Haestelijck in corter tijt
Laet mi doch voeden dit onnosel bloet
Het is Gods Sone ghebenedijt
Hi sal verlossen dies seker sijt
Adams geslachte uut haer gepijn
Dus singen wij nu ende talder tijt
Ghebenedijt moeten si beyde sijn

Joseph sprack met haesten groot
Al tot die maget goedertieren
Ey lacy hier en is melck noch broot
Wat soude ick doen ten viere
Doen verscricte die maghet al so schiere
Vol tranen quam haer vriendelijck aenschijn
Dus singhen wi nu in goeder manieren
Ghebenedijt moeten si beyde sijn

Si die dit liedeken heeft ghedicht
Was seer bedruct van sinnen
Eylaes sy en was niet wel verlicht
In goddeliker minnen

Daarom zingen wij nu met grote blijdschap: gezegend moeten ze allebei
zijn. ¶ Jozef maak eens vlug een lekker papje voor ons. Laat mij toch dit onschuldige bloedje van een kind voeden. Het is de gezegende Zoon van God.
Wees er zeker van dat hij Adams nakomelingen uit hun pijn zal verlossen.
Daarom zingen wij nu en altijd: gezegend moeten ze allebei zijn. ¶ Jozef sprak
met grote haast tot de goedertieren maagd: 'Hemeltje, er is hier geen melk of
brood. Wat moet ik op het vuur zetten?' Toen verschrikte de maagd zo schielijk. Haar vriendelijke ogen schoten vol tranen. Daarom zingen we nu, zoals
het hoort: gezegend moeten ze allebei zijn. ¶ Zij die dit liedje geschreven heeft,
was zeer bedrukt. Helaas was zij niet zeer verlicht in de liefde tot God.

Mer si droech doleur int herte binnen
Ende daer toe menich swaer ghepijn
Maer si sanghet om troost te ghewinnen
Ghebenedijt moeten si beyde sijn

◆

[DEN GHEEST IS GHEWILLICH MAER TVLEESCH IS CRANK]

Op die selve wise oft op die wise van Pavien

Den gheest is ghewillich maer tvleesch is cranck
Dat mach ick wel beclaghen
Want ic heb al mijn leven lanck
Na de werelt gonste ghedragen
Ic en weet nyet wat ic sal bestaen
Ick vinde mi vol ghebreken
Ic heb haer soe menigen dienst ghedaen
Doer haer wellustighe treken

Vander werelt en can ic mi niet ghesniden
Nature en wil dat niet ghedogen
Vruecht en solaes doet mi verbliden
Daenscouwen met minen ooghen

Maar zij droeg verdriet en ook veel zielepijn in haar hart. Maar zij zong dit om
vertroost te worden. Gezegend moeten ze allebei zijn.

●

De geest is willig maar het vlees is zwak; dat mag ik wel betreuren. Want ik heb
mijn hele leven lang een hang naar wereldse geneugten gehad. Ik weet niet wat
ik moet beginnen; ik zie dat ik vol gebreken ben. Ik heb mij zo vaak door haar
laten knechten, als slachtoffer van haar zinneprikkelende listen. ¶ Ik kan mij
niet van de wereld afzonderen; mijn menselijke natuur laat dat niet toe. Bij het
zien van vreugde en plezier is het mij blij te moede.

Venus kinderen houden mi int bedwanck
Om dat ick ben onghebonden
Gheen vruecht en dunct mi wesen lanck
Jonckheyt trect my altijt tot sonden

De kennisse die ic had ontfaen
Heb ick inder aerden ghegraven
Ghelijc die quade knecht heeft ghedaen
Ende ben gheworden der sonden slaven
Ic diene de werelt om haer eer
Dat wort mi nu mispresen
O Vader ic en ben niet weerdich meer
Dat ic u sone sal wesen

Die werelt hebdy in u ghewelt
Haer machte hebdy benomen
Mit haer ben ic so seer ghequelt
Ick en can van haer niet comen
Sy is in mi ende ick in haer
Alleen hebdyse verwonnen
O Heere den strijdt valt my te swaer
Want ick en hebs noyt recht begonnen

O Heere mijn gheest een wapen begheert

Venuskinderen hebben mij in hun macht, omdat ik vrij en ongebonden ben.
Geen enkele vreugde acht ik van lange duur; mijn jeugd maakt dat ik tot zonden geneigd ben. ¶ De kennis die ik had verworven heb ik in de aarde begraven,
net zoals de slechte dienaar. Ik ben een slaaf geworden van mijn zonden. Ik dien
de wereld om haar eer; dat wordt mij nu aangerekend. O Vader, ik ben niet
langer waard om uw zoon te wezen. ¶ U heeft de wereld in uw macht; u heeft
een einde gemaakt aan haar heerschappij. Zij kwelt mij zozeer; ik kan niet aan
haar ontkomen. Zij is in mij, en ik in haar. Alleen u hebt over haar gezegevierd.
O Heer, de strijd valt mij te zwaar, want ik ben er nooit werkelijk aan begonnen. ¶ O Heer, mijn geest verlangt naar een wapen

Al om die werelt te bestriden
U godlijck woert tot een vierich sweert
Scerp wesende aen alle siden
Een vast geloove tot eenen scilt
Ende haer verwinnen als ghi wilt
So waer ick gans ghenesen

Prince der princen nu staet mi bi
Dat ic victorie mach verwerven
Dese drie vianden bestormen mi
Mijn siele willen si bederven
Die werlt de duvel ongevreest
Ende mijn eygen lichaem mede
Sijn altijt rebel tegen den geest
Dus is mijn siele tonvreden

Die dit liedeken heeft gheordineert
Sijn herte dat leyt bedwongen
Sijn sinnekens sijn gecorrumpeert
Uut fantasien heeft hijt ghesonghen
Die weerelt en can hi niet wederstaen
Bidt voer hem tallen tiden
Dat hi rechte kinnisse mach ontfaen
Al soude hi daer om liden

om de wereld te bestrijden. Uw goddelijke woord tot een vlammend zwaard
dat snijdt aan alle zijden. Een vast geloof bij wijze van schild: zo kan ik haar
overwinnen, indien gij wilt. Zo zou ik geheel behouden blijven. ¶ Prins der
prinsen, sta mij nu bij, zodat ik een overwinning kan behalen. Deze drie vijanden bestormen mij; zij willen mijn ziel in het verderf storten. De wereld, de
vermetele duivel en mijn eigen lichaam komen telkens in opstand tegen mijn
ziel. Daarmee verstoren zij haar gemoedsrust. ¶ Degene die dit liedje heeft gemaakt: zijn hart is terneergedrukt, zijn zintuigen zijn verdorven. In een vlaag
van zwaarmoedigheid heeft hij dit gedicht. Hij kan geen weerstand bieden aan
de wereld. Bidt voor hem tot in de eeuwigheid, opdat hij tot ware godskennis
mag komen, ook al zou hij daarom moeten lijden.

[UIT DER SCAEPHERDERS KALENGIER]

[Hier na volcht die natuere vanden .vii. planeten]

Saturnus ben ic over al ghenaemt
Mijn natuere es cout met droecheyt versaemt
Hert ende quaet es al mijn wesen
Draghende altijt swert ghepresen
Ende in dertich jaren of daer ontrent
So loop ick omme alle tfirmament
Dats binnen dertich daghen eenen graet
Ic bid u dat ghi mi verstaet
Wildi weten waer bescheyt

Overal sta ik bekend als Saturnus. Mijn wezen bestaat uit kou en droogte. Van aard ben ik hardvochtig en kwaadaardig, waarbij ik gekleed ga in prachtig zwart. In ongeveer dertig jaar doorloop ik het hele firmament, dat betekent één graad in de dertig dagen, als u begrijpt wat ik bedoel. Ik neem aan dat u precies wilt weten

Die differencie van mijnder hoocheyt
Als ick ben alder naest eertrijcke
So ben ick hooghe sekerlijcke
Cccc werf hondert duysent milen ick seg u hoe
Ende noch .lxiiii. milen daer toe
Twee hondert vijftich milen mede
Dits die naeste plaetse mijnder stede
Mijnen lichaem es grooter sijt seker des
Dan .xcix. werf eertrijcke es

Alle die onder mij sijn gheboren
Sijn melancolijck willet aenhoren
Crighel ende sterch mense vonden heeft
Veel elende des daer aencleeft
Lantwinninghe si gheerne hanteren
Ende met alle eerdighe dinghen si hem gheneren
Vergaderinghe van volcke si gheerne maken
Eewighe viantscap si smaken
Altijt stridende ick segt u bloot
Pelgrimagie gaen si dicwils groot
Magher sijn si ende daer toe lanck
Nederwaert siende dlijf seer swanc
Tellende sijn voetstappen op elcke vaert

hoe mijn verhevenheid te onderscheiden valt. Wanneer ik vlak bij de aarde ben,
sta ik toch nog minstens vierhonderdduizend mijlen weg plus 64 en nog eens
tweehonderdvijftig mijl daarbij. Dan ben ik het dichtst bij. En de omvang van
mijn lichaam bedraagt zeker meer dan 99 keer die van de aarde. ¶ U moet zich
realiseren dat allen die onder mijn gesternte zijn geboren melancholiek zijn, en
tevens koppig en sterk bevonden worden. Daaruit spruit veel ellende. Ze houden zich graag bezig met de landbouw, zoals ze zich bij voorkeur op alle aardse
bedrijvigheden werpen. Ook trekken ze graag de aandacht. Ze hebben een
talent voor vijandschap voor het leven door er voortdurend overal bovenop te
slaan, ik wil er geen doekjes om winden. Graag en dikwijls begeven ze zich op
pelgrimstocht. Ze zien er mager uit en zijn bovendien lang, maar zeer gespierd
met een afgemeten tred.

Cleyne ooghen drooghe huyt huynne baert
Bedrieghere verradere wilt hier na haken
Ende dootslagher es hi wilt dat wel vaten
Dul opsien ende cromme voeten
Leelijcke tanden quaet om boeten
Van ledene werden si goede werck lieden
Dit en can Saturnus sinen lieden niet verbieden

Jupiter so es minen name
Mijn natuere die wort u bequame
Heet ende nat es mijn natuere
Nu sal ick u vertellen die statuere

Verder hebben ze kleine ogen, een droge huid en een reusachtige baard, want
weet wel en laat goed tot u doordringen dat het allemaal bedriegers zijn, verraders en moordenaars. Ook kijken ze je steels aan, ze hebben kromme voeten
en rotte tanden waar niets meer aan te doen valt. Door hun lichaamsbouw zijn
ze geschikt als handwerkslieden. Dat kan Saturnus zijn kinderen niet verbieden. ¶ Mijn naam luidt Jupiter. Van aard ben ik zeer aangenaam, namelijk heet
en vochtig. Over de situatie

Van mijnen loope int firmament
Binnen twalef jaren oft daer ontrent
So loopick doer een teeken int vermonden
Twintich minuten ende .xxix. seconden
Ick ben hooghe van eertrijcke wildijt weten
Ten zijn gheen fabulen maer tsijn secreten
Drie hondert werf hondert duysen milen ende daer toe
Xxvii. duysent milen ick seg u hoe
Dese hoocheit is dits practijcke
Tusschen Jupiter ende eertrijcke
Noch so moettijt weten principale
Die grootheyt mijns lichaems alte male
Xcv. werf meerder is dlichaem mijn
Dan gheheel eertrijck mach sijn

Alle die onder mi zijn gheboren
Sijn sangwijn suver uutvercoren
Soeckende leeringhe tot Gods eeren
Om altijt zijnen lof te vermeeren
Wijsheyt soecken si boven maten
Dienende int recht wilt dit wel vaten
Eneghe suecken musike niet als sanck

van mijn omloop door het firmament kan ik u vertellen dat die minder dan twaalf jaar bedraagt. Bovendien moet u weten dat ik in twintig minuten en 29 seconden een teken van de dierenriem doorloop. Mocht u willen weten hoe ver ik van de aarde sta, dan zeg ik u ongelogen en met het gezag van de wonderen der wetenschap dat het om driehonderd maal honderdduizend mijlen gaat, met daarbovenop nog eens zevenentwintig duizend mijl. Zo liggen de zaken tussen de aarde en mij, ik laat u die graag weten. In het bijzonder moet u vernemen hoe groot mijn omvang is in totaal. Mijn omvang bedraagt 95 keer die van het gehele aardrijk. ¶ Allen die onder mijn sterrenbeeld zijn geboren behoren tot de bijzonder uitverkorenen van de sanguinici, die zich voortdurend toeleggen op het eren van God en altijd zijn lof vergroten. Voortdurend zoeken zij de hoogste wijsheid om rechtvaardig te kunnen optreden, als u mij kunt volgen. Sommigen zijn gericht op muziek, niet in de vorm van zang

Maer als der Instrumenten gheclanck
Als herpen orghelen velen luyten
Sanctorien bommen ende fluyten
Misterien der nigromantien
Daer si luttel mede bedien
Maer sommighe gheneren hem met astronomie
Aritmetike ende philosophie
Geometrie si oeck gheerne plien
Die mate der wateren si oeck niet en vlien
Si zijn wit die onder mi zijn gheboren
Met rootheit int aenschijn wilt dit wel hooren
Die ooghen zijn niet te male swert
Inclauwich so heeft hi wat den tert
Oneffen ende nauwe sijn die nuese gaten
Hooghe wintbrauwen wilt dit wel vaten
Aldus ghedaen ende niet el
Soe sijn Jupiters kinderen voerstaghet wel

maar van melodieuze instrumenten zoals harpen, orgels en vele luiten, tafelor-
gels, hobo's en fluiten. Met de mysteriën van de zwarte kunst laten zij zich
nauwelijks in, maar sommigen houden zich wel bezig met astronomie, reken-
kunde en filosofie. Ook bedrijven ze graag geometrie en gaan het meten van
zeeëngten zeker niet uit de weg. Mijn kinderen zien er wit uit, met rode blosjes
in hun gezicht. Hun ogen zijn nooit donker, en met hun voeten lopen ze enigszins naar binnen. Hun neusgaten zijn ongelijkmatig en smal, en hun wenkbrauwen zitten hoog boven hun ogen, als u mij begrijpt. Zo en niet anders
zitten Jupiters kinderen voor de goede verstaander in elkaar.

Mars so ben ick al omme ghenaempt
Mijn natuere sal hier worden befaempt
Heet ende droghe ben ick dits claer
Ende colerijn soe ben ick sonder vaer
Noch so wil ick u oeck doen weten
Waer ick int firmament ben gheseten
Onder Jupiter es mijn accoort
Boven der sonnen mi wel aenhoort
Tusschen beyde soe es mijnen ganck
Hoe cort ic loope oft hoe lanck
Om tfirmament dit suldi weten

Over de planeet Mars ¶ Overal sta ik bekend als Mars, en ik zal een boekje opendoen over mijn wezen. Duidelijk mag zijn, dat ik heet en droog ben, en dus een onverschrokken cholericus. Verder wil ik u ook graag doen weten welke plaats ik inneem in het firmament. Ik vind mijn weg onder Jupiter, maar boven de zon. Tussen hen in doe ik mijn omloop. Hoe kort of hoe lang ik daarover doe, moet u ook weten.

In twee jaren wilt mi vergheten
Soe loop ic omme in ware saken
Noch wil ic u corter maken
Binnen eenen Jare zijt seker des
So loop ick twee graden ende ter teekenen ses
Nu wil ick u segghen een ander practijcke
Hoe hooghe ick ben van aertrijcke
Als ick ten naesten ben daer
Soe eest .C. werf .C. duyst milen voerwaer
Ende vier dusent milen mede
Dits die hoocheit van mijnder stede
Wildi nu weten zijt seker des
Hoe groot dat mijnen lichaem es
Onder half eertrijcke al geheel
So ben ick groot ende tachentichste deel
Nu hebdi die ghedaente mijn
Dwelck seer nut es den astronomijn

Alle die gheboren zijn onder mi
En zijn van colerica niet vri
Alle haer wercken zijn metten viere
Met yser met stale menighertiere
Smeden mesmakers ick segt u bloot

In twee jaar maak ik naar waarheid een omloop. Maar ik kan het ook korter aangeven: in een jaar doorloop ik twee graden en zes tekens van de dierenriem. Van een andere hoedanigheid stel ik u ook graag op de hoogte, namelijk hoe ver ik van de aarde verwijderd ben. Wanneer ik het dichtst bij ben, gaat het om 100 maal honderdduizend mijlen plus nog vierduizend mijlen. Zo ver ben ik verwijderd. Wilt u vervolgens ook weten hoe groot mijn omvang is? Van de helft van het aardrijk omvat ik een tachtigste deel. Nu weet u hoe ik eruitzie, hetgeen zeer nuttig is voor de sterrekundige. ¶ Allen die onder mijn gesternte geboren zijn, kunnen door hun cholerische aandoening niet dik heten. Hun werkterrein ligt bij het vuur rond ijzer en allerhande staal. Als smeden en messenmakers

Hier met so winnen si haer broot
Met roovene si hem oeck gheneren
Met bran stichten si menighen deeren
Moorden si gheerne plien
Oorloghe destructie si niet en vlien
Met loosheden si altoos ommegaen
Bedrieghende yeghelick wilt mi verstaen
Onvervaerlijcke ghepeysen hebben si
Dit wort u vertelt van mi
Grooten hooftsweer es hem nakende
Vanden wonder dat si sijn makende
Die forme des lichaems wildijt weten
Es rootheyt int aensichte onghemeten
Seer ront es daensichte boven maten
Vreeslijc opsien wilt dit wel vaten
Ghelue ooghen ende ros haer
Dat scrijft Messehalo voerwaer
Een smette heeft hi inden voet
Wien aensiet hem verscrict zijn bloet
Dit zijn die saken ick segt u voert
Dat Mars kinderen toebehoort

verdienen ze hun brood. Maar ze houden zich ook op met roven, terwijl ze menigeen kwaad berokkenen met brandstichten. Echt verzot zijn ze op moorden, terwijl ze oorlog en afbraak evenmin uit de weg gaan. Altijd bedienen ze zich van oplichterijen, waarmee ze iedereen bedriegen. Maar ze beramen van tevoren geen vreeswekkende dingen. Dit vertel ik u allen graag. Zware hoofdpijn ligt steeds op de loer door de extase waarin ze vaak geraken. Hun uiterlijk treft meteen door hun onmiskenbare rode hoofd. Hun gezicht is uitzonderlijk rond van vorm, en er straalt een angstige blik uit. Geelgroene ogen en rossig haar luidt de beschrijving van Monsieur Halo. Verder hebben ze een horrelvoet, wat een akelig gezicht is. Zo is het gesteld met de kinderen van Mars.

Vander planeten Sol

Sol so es minen name
Seer schoon ben ick ende bequame
Heet ende drooghe es mijn natuere
Hebbende een middelbaer statuere
Int firmament so ben ic boven Venus
Ghelijc dit bescrijft Tholomeus
Minen loop die suldi weten
Ende waer ick int firmament ben gh) eseten

In eenen jare oft daer omtrent
So loop ick omme alle tfirmament
Want altoos moetti tellen mi wel verstaet
Alle daghe eenen graet

Over de planeet Sol ¶ Mijn naam luidt Sol, prachtig van uiterlijk en heel lieflijk.
Mijn aard is heet en droog, en ik neem een centrale positie in. Zo sta ik in het
firmament boven Venus zoals Ptolemeus beschrijft. Ook licht ik u in over mijn
omloop en mijn precieze plaats in het firmament. ¶ In een jaar ongeveer doorloop ik het hele firmament, wat als u mij volgt betekent dat ik elke dag een
graad afleg.

Nu wil ick u maken vroet
Dwelck u sal duncken wesen goet
Hoe hooghe ick ben van eertrijcke
Dit sal wesen een practike
Lxxxvi. hondert duysent milen ick sta
Van eertrijcke hoort hier na
Dits de rechte plaetse daer die sonne staet
Als si ons ten naesten gaet
Wildi nu weten ander saken
Die ic u vroet sal gaen maken
Dats hoe groot minen lichaem es
Ick wane u verwonderen sal des
Neemt hondert werven eertrijcke
Ende .lxvi. werf dies ghelijcke
So hebdi die groote van minen lichaeme
Dit sal menighen wesen bequame

Alle die onder mi zijn gheboren
Hebben die netuere willet hooren
Van colerica wildijt weten
Dit zijn warachtighe secreten
Die gheboren worden onder mij
Die zijn rijc edel ende vrij
Tot hoghen state si gheer comen

Vervolgens zal ik u naar uw believen inlichten hoe ver ik van de aarde verwijderd ben. Dat komt neer op 86 honderdduizend mijlen. Precies op die afstand staat de zon, wanneer ze het meest nabij is. Waarschijnlijk wilt u ook weten hoe groot de omvang van mijn lichaam is. Ik denk dat u dat zal verbazen. Neem honderdmaal de aarde en nog eens 66 keer van hetzelfde, dan komt u op mijn omvang uit. Dit zal menigeen wel bevallen. ¶ Allen die onder mijn gesternte zijn geboren zijn cholerisch van aard, ik mag dat graag onthullen. Die onder mij zijn geboren zijn rijk, edel en vrijgevochten. Tot hun nut en voordeel proberen ze omhoog te komen in de maatschappij.

Tot haerder baten ende vromen
Subtile wijsheyt dat si begheren
Tot Gods dienste si hem gheneren
Meesters van rechte hoor ick ghewaghen
Tot selcker wijsheyt si hem meest draghen
Sommighe jaghen ooc met honden
Subtijl zijn si van allen vonden
In medicinen si hem oeck gheneren
Daer si met winnen dat si verteren
Dit zijn die ghedaente der sonnen heet
Dat ic achter liete waer mi leet
Die ghedaente des lichaems maec ic u vroet
Es bruyn met rootheden seer goet
Cort van persoone wilt dit wel versinnen
Die ooghen te gelu boven maten
Dit zijn die manieren ende secreten
Van mijnen kinderen wildijt weten

Ze streven naar een intellectuele behendigheid, maar begeven zich ook in dienst van God. Juristen voelen zich het meest aangetrokken tot die praktische wijsheid. Sommigen gaan ook met honden op jacht. Ze worden door iedereen slim gevonden. Ze houden zich eveneens bezig met medicijnen, waarmee ze evenveel verdienen als opmaken. Zo zijn de hoedanigheden van de hete zon. Het spijt me wanneer ik iets vergeten ben. Wel vertel ik nu nog over hun lichamelijke uiterlijk. Ze zien er gezond uit, namelijk diepbruin. Verder zijn ze kort van postuur, terwijl hun ogen zeer licht zijn. Zo gedragen mijn kinderen zich in het openbaar en privé.

Van die planete Venus

Venus es die name mijn
Edelder so en mach niemant zijn
Fleumatijc es mijn natuere
Vrouwelijc so es mijn statuere
Heet ende nat ben ik mede
In allen dinghen gevick vrede
Nu verstaet hier een ware sake
In hoe langhe ick om tfirmament gherake
Die waerheit sal ick u doen verstaen
In eenen jare mach ic omme gaen
Ghelijc die sonne oft daer omtrent
Ooc so ben ick vander aerden aen tfirmament
Vijfhondert duysent milen daer toe

Over de planeet Venus ¶ Mijn naam luidt Venus, en aanzienlijker kan niemand zijn. Van nature ben ik flegmatisch, terwijl ik het voorkomen van een vrouw heb. Verder ben ik ook heet en nat. In allerlei zaken sticht ik vrede. Noteer hoe lang ik erover doe om in het firmament rond te draaien. Mijn omloop bedraagt naar waarheid ongeveer een jaar, evenals de zon. En ik ben van de aarde wel vijfhonderdduizend mijl verwijderd,

Noch .xlii. duisent milen ick seg u hoe
Vii. hondert ende .xv. daer mede
Dits die hoocheit van mijnder stede
Minen lichaem oeck grooter es
Dan .xxxviii. werf eertrijc es
Dit bescrijft ons die wise aldus
Die ghenoemt wort Ptholomeus

Alle die hier onder mi zijn gheboren
Sijn flumatijc wilt mi aenhoren
Vrouwen si gheerne hanteren
Ende met dobbelsteenen si hem gheneren
Scaeck spel spelen si gheerne alteen
Si worstelen ende worpen den steen
Si spelen op herpen op luyten
Si dansen si spelen op fluyten
Alle ghenuechte si gheerne pleghen
Niet vele te wercken dats de seghe
Musike van sanghen wel bedinct
Ghelijc die metsers oft timmerman sinct
Oec musike als sanck vander kercken
Dit machmen aen Venus kinderen mercken
Schonen lichaem inder waerheyt
Hebben si soe Dorocius seit

plus 42 duizend mijl daarbovenop en nog eens 7 honderd en 15. Dat is de hoogte van mijn plaats. Mijn omvang bedraagt meer dan 38 keer die van de aarde. Zo wordt die informatie beschreven door niemand minder dan Ptolemeus. ¶ Allen die onder mijn gesternte zijn geboren gedragen zich flegmatisch. Ze maken graag gebruik van de gunsten van vrouwen en laten de dobbelstenen klinken. Schaken doen ze graag aan één stuk door. Ook worstelen ze, spelen triktrak, maken muziek op harpen en luiten, en dansen en spelen op fluiten. Voor elke vorm van plezier zijn ze te vangen, en hun leus luidt om niet veel te werken. Vooral zijn ze gericht op zang, zoals metselaars en timmerlieden die laten horen in de kerk. Zoveel valt er over Venus' kinderen op te merken. Ze hebben naar Dorocius beweert zonder meer fraaie lichamen,

Een ront aensicht schoon ooghen
Cleyn wanghen moet hi ghedoghen
Meer swaerheyt der ooghen dant noot es
Hebben Venus kinderen zijts ghewes

Vander planeten Mercurius

Mercurius so es minen name
Seer suverlijc ende bequame
Ende ben ghemeyn inder statueren
Metten heeten heet inder natueren
Metten couden cout dit moetti weten
Mine hoocheit en moechdi niet vergheten
Twee hondert duisent milen hooghe
Mij ware leet dat ic u loghe
Ende acht duysent vijf hondert daer mede
Xlii. milen dits die stede
Van eertrijcke tot Mercurius
Dus bescrivet Ptholomeus
Minen ommeloop int firmament
Es ghelijc Venus oft daer omtrent
Nu moetti weten inder waerheit
Van minen lichame die grootheit
Deylt eertrijc ick segt u waerlijc
In .xxii. deelen secretelijck

met een rond gezicht, mooie ogen, ingevallen wangen (het lijkt wel alsof ze lijden), en tot slot wel erg zwaar luikende oogleden. ¶ Over de planeet Mercurius ¶ Mijn naam luidt Mercurius en ik ben heel onbedorven en aangenaam. Verder heb ik een normaal postuur en pas me aan bij iedereen. Tweehonderdduizend mijl hoog sta ik in de hemel, zonder liegen, plus achtduizendvijfhonderd en nog eens 42 mijl daarbij: dat is de afstand tussen de aarde en Mercurius zoals Ptolomeus die heeft berekend. De duur van omloop in het firmament is ongeveer gelijk aan die van Venus. Over de omvang van mijn lichaam is het volgende te vertellen. Verdeel het aardrijk precies in 22 delen,

Ende deen deel hier af sonder fame
Es die grotte van minen lichame

Alle die onder mi worden gheboren
Die zijn middelbaer wildijt horen
Van allen natueren ick segt u bloot
Si ghecrighen oock wijsheyt groot
Meesters worden si in secreten
In die seven arten wildijt weten
Godlijcke boecken si hanteren
Met disputacie si hem gheneren
Veel ghepeysen hebben si int ghedachte
Lerende wijsheit met groter machte

dan is een deel daarvan precies gelijk aan de grootte van mijn lichaam. ¶ Allen
die onder mijn gesternte zijn geboren voldoen aan het gemiddelde. Niettemin
kunnen zij ook tot grote wijsheid stijgen, want ze worden zeergeleerde meesters
in de zeven kunsten. Ze kunnen goed overweg met theologische boeken en
geven zich ook over aan disputen. Hun hersens malen altijd maar door, om
steeds grotere wijsheid te verwerven.

Het worden werclieden ick segt u bloot
In haren consten herde groot
Tot priesterscape si dicwils comen
Dit sal hem allen comen te vromen
Die condicie haers lichaems moetti weten
Dat en wil ick emmers niet vergheten
Wat bruyn so es die lichaem van desen
Een langhe kinne soe wijt lesen
Een verheven voerhoeft dits waer
Seer weynich baerts ende oeck haer
Scoone oghen niet gheheelijc swert
Hebbende eenen inghen tert
Langhe vingheren heeft hi met
Dit is van Mercurius kinderen gheset

Ook worden ze handwerkslieden, technisch zeer bedreven. Dikwijls voelen ze
zich aangetrokken tot het priesterschap, waarin ze uitstekend functioneren.
Verder moet u weten dat ik niet zal vergeten om over hun lichamelijke toestand
te spreken. Ze hebben een bruine huid, een brede kin, een lang voorhoofd, zeer
weinig baardgroei en evenmin haar, mooie donkere ogen en een bescheiden
tred. Ook hebben ze lange vingers. En dat is er over Mercurius' kinderen te
vertellen.

Luna so es minen name
Schoone net suver ende bequame
Cout ende nat es mijn natuere
Fleumatijc es die statuere
Om tfirmament so loop ick mede
In .xxviii. daghen dits waerhede
Luttel meer oft daer omtrent
Soo loop ick al omme tfirmament
Nu doe ick u weten een ander practijcke
Hoe hoghe ic ben van eertrijcke
Als ic daer naest ben gheseten
Dit moetti emmers van mi weten
Hondert duysent milen des zijt vroet
Daer toe neghen duysent milen goet
Ende .xxxviii. noch daer mede
Ende een halve dits waerhede
Nu wil ick u noch laten weten
En wilt doch niet vergheten
Die grootheyt van minen lichame
Die wort u om horen herde bequame
Ghi sult eertrijcke in .xxxix. deelen maken
Deen daer af in ware saken
Es dat lichame ick segt u vri
Dit wort u dus ghespelt van mi

Mijn naam luidt Luna, en ik ben mooi, fatsoenlijk, kuis en aangenaam. Van nature ben ik koud en nat, en flegmatisch van aard. Mijn omloop door het firmament bedraagt 28 dagen of daaromtrent. Verder laat ik u weten hoe hoog ik boven het aardrijk sta, wanneer ik het dichtst in de buurt ben: honderdduizend mijl moet u weten, plus negenduizend en nog eens 38 daarbij, en om precies te zijn daar nog een halve mijl bovenop. Tot slot licht ik u in over de omvang van mijn lichaam. Daarvan zult u opzien. Wanneer u het aardrijk in 39 stukken opdeelt, dan bestaat mijn omvang uit één deel daarvan. Zoveel heb ik u mee te delen.

Alle die onder mi worden gheboren
Sijn fleumatijc wildijt aenhoren.
Te watere datse hem meeste gheneren
Si vanghen visschen die si verteren
Solen scoenen leersen ende dies ghelijcke
Dits oec een ambacht van haerder practijcke
Si hanteren oec lant sonder falen
Daer si haer schuldenaers mede betalen
Sciplieden dit oec somtijts werden
Als si haer leven connen volherden
Het zijn oeck lieden van swaren gheesten
Si gheneren hem oeck onder beesten
Nu wil ic u maken vroet
Die condicie haers lichaems goet
Eenen witten mensche over al
Wat rootheden int aensichte hi hebben sal
Toeghevoecht heeft hi die wimbrouwen
Goede ooghen in gherechter trouwen
Ront aensicht ende een scoon statuere
Thaer niet swert van coluere
Alle dese condicen wil dijt weten
En zijn aan der manen kinderen niet vergheten

Allen die onder mijn gesternte worden geboren, zijn flegmatisch van aard.
Meestal houden ze zich op bij het water. Ze leven van de visvangst, maar vinden ook werk in de bereiding van zolen, schoenen, laarzen en dergelijke. Ze
handelen ook in grond om hun schulden af te lossen. Zijn ze bestand tegen het
harde leven van de zeeman, dan kiezen ze ook wel eens daarvoor. Het zijn ook
mensen die vaan sterke verhalen houden. Tevens houden ze zich met beesten
bezig. Verder zal ik u informeren over hun lichamelijke staat. Ze zijn over hun
hele lijf blank, behalve wat blozend in hun gezicht. Hun wenkbrauwen groeien
door. Verder hebben ze een vaste blik in scherpe ogen, een rond gezicht en fraai
postuur, en geen donker haar. Zo zien de kinderen van de maan eruit.

UIT EEN RETHORICAAL
ORAKELBOEK

Sagittarius, dat teken, sijn geschut is fel,
Sijn boge is sterc, sijn inclinatie rebel.
Ic moet antwoerden al op u vraghen,
Daer om en wilt u niet versaghen,
Al is die toeneyghentheyt int quaet gheleghen,
Dat wert van God wel anders ghevleghen.

Dat ongheluck sal u soe overvallen,
Dat ghi selden in rijcheit sult vallen,
Ghi sult wel connen wercken met uwen handen,
Ghi sult oec groot sijn van verstande,
Dat ghi wel ghelt sult winnen met hopen,
Ende niet suldijt achten, mer al verlopen.

Als ghi sult hebben ghelt ghewonnen,
Dan suldi gaen wandelen inder sonnen,
Tot dattet gheldeken al is verdaen,
Dan suldi ten lesten aen die bedelsack staen.

Soe veel ghelucx sal u sijn ghewronghen,
Als ghi haers hebt op uwer tonghen,
Ende ghi sult soe rikelick nae uwen state gaen,
Dat beyde u schoen sullen vol gaten staen.

Het teken Boogschutter toont een forse pijl, een sterke boog en een opstandige
aard. Ik moet compleet antwoord geven op uw vragen, maar schrik niet wanneer zijn eigenschappen naar het kwade neigen: God zal dat varkentje wel
wassen. ¶ U zult dermate door ongeluk worden overvallen, dat rijkdom u zelden ten deel zal vallen. Wel bent u in staat om handwerk te verrichten. En u zult
heel verstandig optreden, zodat u veel geld zult maken, niet om het op te potten
maar om het er meteen door te draaien. ¶ Wanneer u geld verdiend hebt, dan
zult u daarna de bloemetjes buiten gaan zetten, totdat al uw geld weer op is:
uiteindelijk loopt u met de bedelzak. ¶ Zoveel geluk zit er voor u in het vat als u
haren telt op uw tong. En u zult zo voornaam naar uw staat paraderen, dat
allebei uw schoenen vol gaten komen te zitten.

Ghi sult traech ende een arm catijf sijn,
Met gheschoerde clederen veel luysen op u lijf sijn,
Uten schotel metten knope sal sijn u teringhe,
Onder den rabauwen sal sijn u neringhe.

Ghi sult niet achter dencken, noch wat houden dan,
Om te sparen teghens den ouden man,
Dan en suldi niet hebben waer op te leven,
Doer ghebreck suldi u int gasthuys begheven.

Dijn gheluck en wil ic niet verwijten,
Want ghi sult noch wel so veel stronts schijten,
Ende waert dat ict segghen dorst,
Ghi sult van vollen darmen maken ydel worst.

PROGNOSTICATIES UIT ULENSPIEGHEL

VAN DEN ECLIPSIS DER MANEN

Eclipsis, mipsis, hipsis, pripsis, calipsis,
In 't hooghe schaelliënhuys, sittende op den tripsis,

U zult lusteloos zijn, een arme sloeber, en rondlopen met gescheurde kleren en een massa luizen op uw vel. Uit de bedelnap moet u uw leeftocht halen en te midden van zwervers moet u die vergaren. ¶ U zult niet stilstaan bij uw oude dag noch daarvoor iets achterhouden om te sparen. Is het zover, dan hebt u niets meer om van te leven, waardoor u zich bij het zwerverstehuis moet laten inschrijven. ¶ Op je geluk ben ik niet jaloers, want veel anders dan stront schijten zult u niet doen. En zou ik het durven zeggen, dan beweerde ik dat je van die volle darmen nauwelijks een worst kunt draaien.

•

Over de maansverduistering ¶ Eclipsis, mipsis, hipsis, pripsis, calipsis, zowaar ik in het hoge huis met de dakpannen op mijn driepikkel zit,

Driëndertich halve mijlen van 't Drakenhoot,
Ontrent van sesthien scherpe puncten groot.
Ick en weet van naelden, messen oft spellen;
Gheraedt ghij er selve naer, ick en can niet tellen.
Den eclips sal dueren in 't keeren en in 't wenden al
Van dat hi beghint totdat hi voleynden sal,
Tsanderdaechs voor Bamisse, te vijfthien uren
Voor de noene, sal men dit al sien ghebueren.
Seer groot ende wonderlijck wort sijne operatie
In kisten, tesschen, borssen en lappen t'elcker spatie,
Sonderlinghe in de mijne, dies ben ick onverdult.
God betert, sey vrouw Backers, en het was huer schult.
Noch sal hy causeren veel siecten ende plaghen,
Door veel slampampens verquaedde maghen,
Leepe ooghen, roode nuesen en bevende handen.
D'oude wijfkens hebben ghemeenlick quade tanden.

VAN DIE REGERENDE HEEREN DES JAERS

Venus en Mars sullen dit jaer meest regneren:
Mars in 't oorloghen en Venus in 't boeleren.
Ende in de winter comender noch drie in 't lant:

drieëndertig halve mijlen van het Drakenhoofd, dat voorzien is van zestien scherpe spitsen. Ik weet niets van naalden, messen of spelden: raad er zelf maar naar, ik kan ze niet tellen. De verduistering zal al met al duren van het begin tot het einde: men zal deze de volgende dag voorafgaand aan Sint-Bavo 's middags om drie uur voor het middageten kunnen waarnemen. Deze afgang zal op grote schaal wonderbaarlijk huishouden in kisten, tassen, beurzen en zakdoeken, op elke plaats en in het bijzonder bij mij, waarover ik zeer ontstemd ben. God-betert, zei mevrouw Bakkers, maar het was haar eigen schuld. Ook zal hij vele ziekten en plagen veroorzaken, alsook door veel geslemp bedorven magen, druipende ogen, rode neuzen en trillende handen. Oude vrouwtjes hebben gewoonlijk rotte tanden. ¶ Over de regerende planeten van het jaar ¶ Venus en Mars komen dit jaar het meest aan bod: Mars met strijd voeren en Venus met vrijen. Van de winter komen daar nog drie bij in het land,

Monsieur Blaeubeck, Druypnuese en Clippertant.
Die niet en wil betalen, schabbeken is goet pant.

[...]

VAN PAYS ENDE OORLOGHE

't Wort oorloghe, 't wort pays: 't wort al dat men wille.
Raept op, knecht, sey de vrou, daer ontvalt mijn spille.
Door Martis' oppositie salder veel ghedrays wesen,
Maer door Venus' conjunctie sal 't wederom pays wesen.
Dit jaer en sal men niet veel kijven sonder spreken.
De vorsch sal dicwils teghen die crane willen steken.
De man sal op 't wijf dickwils vergrammen.
D'wijf sal 's mans hooft met eenen stoele kammen.
't Is tweëndertich jaer leden, luttel meer oft min,
Datter een oorloghe sal nemen haer beghin,
Daer sooveel ruyters sullen blijven ende knechten,
Datter seven vrouwen om een broeck sullen vechten.
Byloye, ick wil mijn broecken wel nauwe bewaren
Om daer eenen hoop vrouwen mede te vergaren!
Hoe ruyterlick sullen se malcanderen trommelen!
Dan sal ick in den hoop met al mijn broecken sommelen.

te weten de heren Blauwbek, Druipneus en Klippertand. Wie niet wil betalen
weet dat er altijd wel wat te verpanden is. ¶ Over vrede en oorlog ¶ Het wordt
oorlog, het wordt vrede, het wordt alles wat men wil. Raap op, knecht, zei de
vrouw, ik mis mijn spil. Door de oppositie van Mars zal er veel onrust komen,
maar door Venus' samenstand zal er weer vrede zijn. Dit jaar zal men niet veel
kijven zonder te spreken. De kikvors zal dikwijls tegen de kraanvogel willen
strijden. De man zal geregeld kwaad worden op de vrouw. De vrouw zal met
een kruk op het hoofd van de man beuken. Het is min of meer tweeëndertig jaar
geleden, dat een oorlog zijn aanvang zal nemen, waarin zoveel ruiters en lansknechten zullen sneuvelen, dat zeven vrouwen om een broek gaan vechten.
Mijn God, ik mag mijn broeken wel zorgvuldig gaan bewaren om er later een
heleboel vrouwen mee aan te trekken! Hoe dapper zullen ze elkaar op hun kop
slaan! Dan frommel ik in die kluwen al mijn broeken naar binnen.

Ha ha, hoe sullen se onder die wijfs ghesletert sijn!
Een goey eerlijc vrouwe en mach niet verbetert sijn.

[...]

VAN DIE VERANDERINGHE DES WEERS

Als 't schoon weer is en die quaey wijfs niet en kijven,
't En sal niet haest veranderen, willet alsoo blijven.
Maer als 't verandert en nat beghint te vallen,
Dan sal 't reghenen, haghelen oft seer sneeuballen.
Maer al siet de locht leelick, en vervaert u niet,
't En is niet al reghen dat altemet leelick siet.
Want waer 't al reghen dat leelick siet op malcanderen,
Veel vrouwen souden dickwils in reghen veranderen,
Dies die mans hen drincken souden van droefheyt sat.
Vrouwe, wat lofdy u eyeren? De korf heeft een gat.

VAN DIE PRINCIPALE STEDEN

VAN ANTWERPEN

T'Antwerpen sal 't in den winter op 't strate vuyl sijn.
Veel sullender spelen van cust nu mijnen cuyl fijn,
Laten hen lappen sien en 't gat aen de poorte vaghen.

Haha, wat zullen ze door die vrouwen aan flarden gescheurd worden! Er gaat niets boven een oprechte, eerlijke vrouw. ¶ Over de veranderingen van het weer ¶ Als het mooi weer is en de kwaadaardige vrouwen zien af van kijven, dan zal er weinig veranderen wanneer iedereen wil dat het zo blijft. Maar als het weer omslaat in nattigheid, dan zal het gieten, hagelen of sneeuwballen regenen. Doch al ziet de lucht zwart, wees niet bang want het is niet alleen regen die er wel eens dreigend uitziet. Want zou het alleen regen zijn die er dreigend uitziet, dan zouden heel wat vrouwen dikwijls in regenbuien veranderen, wat hun echtgenoten van droefheid aan de fles zou brengen. Mevrouw, waarom prijzen jullie je eieren? De korf heeft een gat! ¶ Over de hoofdsteden ¶ Over Antwerpen ¶ In Antwerpen zal het op de straten smerig zijn. Velen zullen de houding aannemen van 'je kunt mijn kont kussen', terwijl ze iedereen de rug toekeren en met alles hun gat afvegen.

Veel meyskens sullender nae d'oude behoorte waghen
Huer casteelkens te bestormen met cleen ghewelt.
Dan sal die vrouwe segghen: 'Meysken, daer is u ghelt.'
En als si sullen gheproeft hebben dat lecker morseel,
Dan sullen si gaen sitten in eenich bordeel
En crijghender dan die pocken door alsulck gheploch.
Gheraedt waer si varen? In 't gasthuys. Doen se? Jae, si toch.
Elck sal daer doen, maer 't wort in 't drinken goet bescheet.
'Beso los manos, seinnor de vuestra merceed.'
Die vroukens sullen gaen op si joffrouschs met doecken fijn.
'Car j'ay veu son robin, ma mere, je veulx Robijn.'

[...]

VAN LUEVEN

Vis disputare? Ita. Quid est ita? Ick en weet 's niet.
Soo sijdy dan victus; 't is een schotel bescheets, siet.
Soo sullen achter straten loopen dees jonghe clercxkens.
Maer die groote sullen maken seer luttel wercxkens
Van in huyskens van luxuriën 's nachs te loopen,

Veel meisjes zullen het volgens de traditie erop wagen om hun poortjes zonder
tegenstand te laten bestormen. Daarop zal de hoerenwaardin zeggen: 'Meisje,
hier heb je je geld.' En als ze eenmaal de smaak te pakken hebben van zo'n
pretpaal, dan willen ze niets anders dan werken in welk bordeel ook, waar ze
vervolgens syfilis oplopen door al dat gewip. Waar denken jullie dat ze terechtkomen? In de zwerversopvang. Echt waar? Nou en of. Eenieder zal daarheen
gaan, maar reken maar dat ze het daar op een zuipen zetten. 'Ik kus de handen
van mijnheer uwe genade.' De hoertjes zullen als echte dames in prachtige
kleren verschijnen. 'Want ik heb zijn stengel gezien, moeder, ik wil nu een hele
paal.' ¶ Over Leuven ¶ Wilt u disputeren? Ja. Wat is ja? Ik weet het niet. Dan
bent u overwonnen; het is niet meer dan een bord stront. Ongetwijfeld zullen
die jonge studentjes langs de straten zwerven. Maar de ouderejaars zullen heel
weinig uitvoeren doordat ze 's nachts bordelen bezoeken,

Al souden si boecken, cleeren en credit vercoopen.
Ende want se van den Keyenberch soo sijn besmit,
Daeromme so sijn se op dees dillekens temeer verhit,
Soodat kappe en kuevel dicwils blijft voor 't ghelach.
Hou seg, hou! Is moeyer niet thuys? Alle goeden dach!

VAN GHENDT

't Sal dit jaer te Ghendt dicwils al over noene gaen.
Want die clocke salder een telcken saysoene slaen.
Veel sullender maken den poyaert en den moyaert,
Maer de waghens sal men vinden ontrent den Hoyaert.
D'wijf die den tol ontfangt spreect beter dan een stomme;
Conde se niet spreken, ick gaver noch twee corten omme.
Waerdy te Ghendt by een meysken alleen in haer celle,
Wat soudy se doen? Omhelsen! Soudy? Ja ick. Dat 's een gheselle!
Preut, sey de duyvel, en hi werp eenen Wael in de helle.

VAN BRUGGHE

't Is daer oock: 'Beso les manos', 'Jan, coemt, cust mi nou'.

al gaan hun boeken, kleren en complete kredietwaardigheid daarvoor naar de maan. Ze zijn namelijk dermate op hun hoofd gevallen dat ze nog meer verhit raken op die dellen, waardoor hun hele hebben en houwen aan de kroeg opgaat. Hallo, hallo! Is moeder niet thuis? Ieder een goedendag gewenst! ¶ Over Gent ¶ Vaak zal in Gent het middaguur overschreden worden, want de klok zal er ieder uur slaan. Velen zullen daar de zuiplap en de fat uithangen, maar hun wagens zal men aantreffen bij de Hooimarkt. De vrouw die het tolgeld in ontvangst neemt spreekt beter dan een stomme. Zou ze niet kunnen spreken, dan zou ik haar toch twee stuivers geven. Als je alleen zou zijn bij een meisje op haar kamer, wat zou je dan met haar doen? In mijn armen nemen! Echt? Nou en of! Jij bent me er een eentje! Proost, zei de duivel en hij wierp een Fransoos in de hel. ¶ Over Brugge ¶ Daar luidt het ook: 'Ik kus u de handen'; 'Kom nou Jan, geef me een kusje';

't Isser al berockelt! Dies gheve ick hem eenen jou.
't Sal te Brugghe redelijck al goeden spoet hebben,
Maer die rijcke lieden sullen d'meeste goet hebben.
Dees meyskens wordender seer haestelijck vlugghe:
Gheeft men se eens de nope, si vallen op den rugghe.
Alle bate helpt, sey de zee, en si piste in de mugghe.

PROGNOSTICATIE UIT KNOLLEBOL

VAN SIECTEN EN STERFTEN VAN DESEN JARE

In dit teghenwoordich jaer, het is te grof,
Salder meer sterven aen die galghe dan op 't kerckhof.
En ontrent Halfoochts, 't en baet gheen lueren,
Soo moeten 't die gansen deerlijck besueren.
En te Paesschen, seg ick sonder duchten,
Sullen veel calveren sterven in alle ghehuchten.
En t'Alderheylighen oft daer ontrent
Soo sullen deerlijck worden gheschent
Ossen en verckens in alle wijcken,

---

je zit helemaal onder het snot! Daarom geef ik hem een uitbrander. Het zal in Brugge redelijk voor de wind gaan, maar de rijkaards zullen het grootste bezit hebben. De meisjes worden daar heel gauw rijp voor geslachtsverkeer. Geeft men ze één keer een stootje, dan vallen ze meteen op hun rug. Alle kleintjes helpen, zei de zee, en ze piste in de mug.

·

Over ziek zijn en sterven in het komende jaar ¶ Het is te gek, maar in het komende jaar zullen er meer aan de galg sterven dan op het kerkhof. En er hoeft niet omheen gedraaid te worden, maar rond half augustus zullen de ganzen het lelijk moeten bezuren. En zonder een blad voor de mond te nemen durf ik te beweren, dat met Pasen tot in de kleinste uithoeken vele calveren zullen sterven. Met Allerheiligen of daaromtrent zullen ossen en varkens in alle hoeken en gaten het zwaar te verduren krijgen.

Maer principael onder die rijcken
Sullen sij 't te lijden hebben, ick seg 't u vast,
Want die hebben 't ghelt met hoopen ghetast.
Ende dan sullen oock diveersche siecten wesen,
Maer principael, ick seg 't sonder vesen,
Onder die gasten die buyten gaen knollen,
Want dees sullen dick sieck sijn en haer broeck volprollen,
Jae, en na Enghelant schieten en spouwen
En 's morghens van pijnen haer hooft moeten houwen.
Ende dan crijghen si den losschen hooftsweer door 't verstooren
Van 't sermoon dat si moeten hooren.
En dan dees moosjanckers groot en smal,
Die sullen van liefden oock worden mal,
Dies men se na Gheel, seg ick, al worden si erre,
Wel sal moghen voeren op een vulniskerre.
En dan dees dicspillekens, in wiens hoven
Nyemant backen en mach, onder oft boven,
Dan kassiers en Spaenjaerts. Och, dees arm slooren
Sullen, sorch ick, van die mieren moeten smooren.
En dees speelvoghelkens sullen crijghen leepe ooghen
En druyperkens, clapoorkens sullen si moeten ghedooghen

Ik verzeker u dat ze in het bijzonder bij de rijken te lijden zullen hebben, want die zwemmen in het geld. Daarbij zullen verschillende ziekten uitbreken, eerlijk gezegd vooral onder de drinkebroers die op het platteland gaan slempen, want ze zullen hun broek volpoepen, erger nog, compleet aan de schijterij raken en de volgende morgen niet meer uit hun ogen kunnen kijken van de hoofdpijn. En dan krijgen ze de schele hoofdpijn van het protesteren tegen de preek die ze moeten aanhoren. En verder zullen alle hopeloos verliefden, jong en oud, ook stapelgek worden van hun bezetenheid, zozeer dat men ze naar mijn mening op een mestkar naar het gekkenhuis in Geel zal moeten voeren, ook al spartelen ze tegen. En dan zijn er weer de lichte vrouwtjes in wier oventjes van boven en beneden alleen mannen met geld en macho's iets klaar mogen maken. Ach, ik ben bang dat die arme sloebers zullen stikken in de syfiliskorsten. En die speel-popjes zullen tranende ogen krijgen, terwijl ze moeten leren leven met druipers, klaporen

En eenen crancken rugghe tot elcker stont.
Dus wacht er u voor, wildy blijven ghesont.
En, als ander doen om een verschoonen,
Hant van den teerlinck, oft hi sal u hoonen!

DRIE HISTORIELIEDEREN

[VAN DEN HERTOG VAN GELDER]

'O Hartogh van Gelder bint ghy er in huys,
So steeckter u hooft te venster uyt,
    In also koelen Meye;
Ghy hebter de Hollantse koeyen gehaelt,
Sy komen om gelt, schickt dat ghyse betaelt
    Of brengtse weer ter weye,
      Weer ter weye.'

Den Hartogh al op sijn bedde lagh,
En hy tot den schilt-knecht sprack al sacht:
    'Wat hoor ick daer voor knechten?'
Hy seide: 'Wel-Edel Heere goet,
Dat is er Bourgonje, dat edel bloet

---

en altijd maar een weke rug. Wees dus maar op uw hoede zolang u gezond wilt
blijven. En wanneer anderen het voor de lol doen, houd jij dan je hand van de
klepel, anders drijft iedereen de spot met je!

•

'O hertog van Gelder, bent gij in uw kasteel? Steek dan uw hoofd eens uit het
venster, op deze frisse dag in mei. Gij hebt de Hollandse koeien buitgemaakt.
Wij komen om geld, maak dat u ze betaalt, of breng ze weer terug naar de
weide. Terug naar de weide.' ¶ De hertog lag in zijn bed. Zachtjes sprak hij tot
zijn schildknaap: 'Wat zijn dat voor soldaten?' De knecht sprak: 'Weledele
goede heer, dat zijn de soldaten van het edele huis Bourgondië.

Bourgonje al gemeyne,
            Groot en kleyne.'

'Nu zadelt my mijn beste paert!
Mijn harnas ende mijn blancke swaert!
        Na Vrankrijck wil ick rijden:
Den Koningh dat isser mijn vrient so groot;
Ick hebber so langhe ghegeten sijn broot;
        Hy laet my in het lijden,
                tGenen tijden.'

Alsser den Hartogh in Vrankrijck quam
Den Koninck dat oock seer haest vernam:
        'Weest wellekom, Hooghgheboren!
Ick siender aen uwe bruyn oogen so wel,
Dat lantje van Gelder dat leyt er rebel:
        Het gaet met u verloren,
                Ja verloren.'

'O Koninck van Vrankrijck, mijn lieve neef,
Ick souder u bidden om eene beed,
        Om twintigh duysent knechten;
Daer soud ick mee trecken na Gelderlant,
En winnen mijn sloten met elcker handt,

De voltallige legermacht van Bourgondie staat voor de poort, groot en
klein.' ¶ 'Zadel nu mijn beste paard voor mij. Geef mijn harnas en mijn blin-
kende zwaard. Ik moet naar Frankrijk vertrekken. De Franse koning is zo'n
goede vriend van mij, ik ben zo lang bij hem te gast geweest; hij zal mij nooit
laten zitten in deze ellende.' ¶ Het bericht dat de hertog in Frankrijk was aangekomen, bereikte al spoedig de Franse koning. 'Wees welkom, hooggeboren
man. Ik zie heel goed aan uw bruine ogen dat het landje van Gelder in opstand
is gekomen. U bent verloren, ja verloren.' ¶ 'O koning van Frankrijk, mijn lieve
neef. Ik smeek u op mijn beide knieën: geef mij in 's hemelsnaam twintigduizend soldaten. Daarmee zou ik naar Gelderland trekken en links en rechts met
krachtige hand mijn kastelen terugveroveren.

Wij souden lustigh vechten,
        Mitten knechten.'

'O Hartogh van Gelder, dat doe ick niet;
Ick mochter my brenghen in swaer verdriet,
        In alsoo groote ellenden:
Den Keyser, dat isser so machtigen man,
Mocht teghen my nemen den oorlogh an,
        Bourgonje algemeyne,
                Groot en kleyne.'

[GROOTE PIER]

Ick Groote Pier,
Coninck van Frieslandt,
Hertoch van Sneeck,
Graef van Sloten,
Vrij-heer van Hindelopen,
Capiteijn-Generael van de Zuyder-Zee,
Een Stuyrman ter doodt
Acht de Hollanders bloot:
Al sijnse groot van rade,
Sij zijn slap van dade,
Sterck van partijen,

Wij zouden heerlijk vechten, die soldaten en ik.' ¶ 'O hertog van Gelder, dat
doe ik niet. Ik zou mij de grootste moeilijkheden op de hals halen. De keizer is
zo'n machtige man. Hij zou mij de oorlog kunnen verklaren. Heel Bourgondië,
heel Bourgondië tegen mij.'

·

Ik, Grote Pier, koning van Friesland, hertog van Sneek, graaf van Sloten, vrij-
heer van Hindelopen, kapitein-generaal van de Zuiderzee, een stuurman ter
dood, meen dat de Hollanders kale neten zijn. Al maken zij grote plannen; zij
zijn slap wanneer het op daden aankomt. Zij hebben een grote aanhang,

Cranck int strijen,
Hoogh van glorie,
Cranck van victorie.
Maer die Gelderschen sterck van teringe,
Slap van neeringe,
Cloeck in den velde,
Maer dorre van gelde,
Vroom van moede,
Maer cleyn van goede,
Doch onversaegt int strijden,
Dies wilt u verblijden
En de Hollanders niet achten:
Want zij moeten versmachten.
Want zij zouden 't bekopen,
Waar 't bestant uitgelopen;
Tegens mijnen dank
Is 't zes maanden bestant.

VAN DEN KEYSER

Lof toeverlaet, Maria sonder sneven,
Dies mogen wi wel loven sonder respijt:

maar ze zijn weinig waard in de strijd. Maar de Geldersen, die goed met geld kunnen smijten, zijn slechte kostwinners. Zij zijn dapper op het slagveld, maar zitten altijd zonder centen. Moedig van aard, maar kaal als een kerkrat. Doch zij zijn onverschrokken in de strijd; dat is een goede zaak! Zij zijn niet bang voor de Hollanders; die zullen een wisse dood vinden. Want de Hollanders zouden het ontgelden wanneer de wapenstilstand werd opgeheven. Tegen mijn zin is er een wapenstilstand van zes maanden!

•

Geloofd zij Maria, onze toeverlaat die altijd over ons waakt. Wij mogen haar wel onophoudelijk loven.

Den keyserliken hoet, die is ons coninc bleven,
Dies moghen wi wel maken groot jolijt
In desen tijt,
Ende al met hem verblijden,
Ende laten trueren lijden.
Van grave Jan, den vierden man
So is hi dan, segt so wie can
Aloncius prophecie.

Den Arent coen quam eerst uut Oostenrijck,
Met een leewinne was hi eerst ghepaert,
Een stout baroen, men vant niet zijns gelijc,
Der leeuwen dieren heeft hi wel bewaert,
Sijn volc geschaert,
Stelde hi in ordinancien
Met wapenen ende lancien;
Hi en vant noeyt lien, die were bien,
Si en mosten vlien voor het wijze engien,
Ghemoet waren alle zijn cansen.

Den Arent snel heeft ons geweest ontsprongen,
Mer den Heyligen Geest heeft ons so wel versien
Ende niemant el, met een van sinen jonghen.

Onze koning wordt tot keizer gekroond; dit moet ons wel met grote vreugde vervullen. Dit is het moment om de blijdschap van de koning te delen, en alle verdriet te laten varen. Hij is de vierde man; de vierde afstammeling van graaf Jan. Dit betekent dat hij de profetische woorden van Alfonsus in vervulling doet gaan. ¶ De dappere adelaar kwam oorspronkelijk uit Oostenrijk. Eerst trouwde hij met een leeuwin. Hij was een onverschrokken ridder, enig in zijn soort. Hij heeft de leeuwen jongen altijd goed beschermd. Zijn soldaten hield hij duchtig in de hand. Hij stelde ze op in slagorde en voorzag ze van zwaarden en speren. Er was geen leger dat tegenstand kon bieden aan het zijne; zij sloegen altijd op de vlucht voor deze wijze geest. Iedere schermutseling pakte gunstig voor hem uit. ¶ De snelle adelaar is ons ontvallen, maar de Heilige Geest (niemand minder) heeft ons verlies mooi hersteld met een van zijn nakomelingen.

Groote victorie sal hem geschien,
Somen mach sien,
In boecken, diet wel weten,
Gheschreven van propheten.
Int aertsche dal, heeft hi gheval
Ende tvolc int stal, heere boven al
Mach hi hem wel vermeten.

Der leeuwen stoc is nu seer hert om biten,
Want den edelen Arent is ons comen bi
In zijn belock, tot onser alder profijten,
Wi hopen Vlaenderen wort van oorloghen vry.
Verstaet wel mi,
Mi heeft gedocht in droome,
Den edelen Keyser van Roome
Den grooten Kan, des heydens soudaen,
Sal hi verslaen, ende voortwaert gaen
Al totten drooghen boome.

O princelic graen, ghi zijt souvent idone,
Want den oppersten Coninc heeft u so wel versint,
Ghi sult ontfaen die keiserlicke crone,
En acht dese nijders tonghen niet en twint.

Je zult zien: grote overwinningen zullen hem ten deel vallen. Dit wordt voorspeld in een voortreffelijk boek, geschreven door een profeet. In dit aardse
tranendal zal hij voorspoed kennen. Hij zal heersen over zijn volk; hij zal het in
stand houden. Later zal hij zich daarop kunnen beroemen. ¶ Het is nu zeer
moeilijk om de stam van de leeuw door te bijten. Want de edele adelaar heerst
nu over ons; wij wonen op zijn grondgebied, tot ons aller profijt. Wij hopen dat
Vlaanderen nu gevrijwaard zal worden van oorlogen. Luister goed: in een
droom is mij geopenbaard dat de edele keizer van het Roomse rijk de grote
Khan, de sultan der heidenen, zal verslaan en achternazitten tot aan de droge
boom in de woestijn. ¶ O prinselijke geest, gij zijt goed en verheven. Want de
opperste Koning is u zo welgezind. Gij zult tot keizer worden gekroond; trek u
geen zier aan van kwade tongen;

Ghi zijt gemint;
Wil u noch yemant deren,
Wi sullent helpen weren
Met lijf ende ghelt; als ghi opt velt
U tenten stelt, der leeuwen moet swelt
Met schilden ende met speren.

UIT HET VOLKSBOEK VANDEN ,X, ESELS

REFEREYN

O menschelijck pack vol stinckende hooverdije,
Broosch lichaem, vuyl sac, vol moren, wiens weerde
Is alte cleyn, als tleven verscheyden is.
Ghy zijt seer wack, haest die verteerde.
Twij soecty ghemack dan soo seer op deerde?
Ick segghe certeyn dat svijants verleyen is.
Weeldich voedy tlichaem, dat een verbeyen is
Van drucke, contrarie der sielen claer:
Want hoverdije een recht bereyen is
Om vervult te zijn metten seven dootsonden swaer.
Wat volchter dan naer? verdriet, anxt en vaer.

gij zijt geliefd. Als iemand u evenwel wil deren, zullen wij dat helpen beletten met ons geld en ons leven; met schilden en speren. Als gij uw tenten opslaat op het slagveld zal de Vlaamse leeuwemoed stijgen tot ongekende hoogte!

•

O mens, pak vol stinkende hoogmoed, broos lichaam, vuile zak vol modder, waardeloos zodra het leven verdwijnt. Je bent zeer fragiel en vlug verteerd door de wormen. Waarom zoek je dan zozeer je gemak op de aarde? Dat is volgens mij een ingeving van de duivel. Zorgvuldig voed je het lichaam, dat een verblijfplaats van ellende is en tegengesteld aan de onstoffelijke ziel. Hoogmoed is een echte voorbereiding op de zeven hoofdzonden. Wat volgt daarop? Verdriet, angst en schrik.

Dat tlichaem misdoet, wort geweten met nije
Der sielen voorwaer: Dus seg ick eenpaer,
Als die siele scheyt, blijfdy (soo ick belije)
Een sack vol moren, een stinckende prije.

Een hooverdich vat is voor Gode stinckende
Soo walghelijck, dat door dyen is minckende
Die gracie die ons God soude verleenen.
Wat helpt ons den schat. als ons is crinckende
Die doot? niet, dats plat. dus sijt u bedinckende,
Die spacie is hier, hebt duechdelijck meenen,
Volcht den Coninck van Juda int beweenen
Der sonden, denct hoe Nabugodonosor was
Door zijn hooverdije van Gode tot eenen
Beeste verschepen, die naemals ghenas
Door tberou, dat ras hem cureerde soo ick las,
Dede dit tlichaem? wat achty dan hooverdye?
Gaert duecht op elck pas: al slichaems ghebras
Is min dan niet: doot zijnde soo blijft ghye
Een sack vol moren, een stinckende prye.

Wat wildy cleeden tlichaem met grau en bont?
Ghy moet doch scheeden, al schijndy nu ghesont.

Wat het lichaam misdoet, wordt de ziel streng aangerekend. Dus zeg ik altijd,
als de ziel heengaat, blijf jij (zo zeg ik) achter als een zak vol modder, een
stinkend kreng. ¶ Een hoogmoedige doet God zozeer walgen, dat door hem de
genade afneemt, die God ons zou verlenen. Wat helpt ons een schat, wanneer
de dood ons overvalt? Niets, dat is duidelijk. Bedenk je dus. De gunstige tijd is
hier, kom tot inkeer, volg de koning van Juda in het bewenen van zijn zonden,
bedenk hoe Nebukadnezar om zijn hoogmoed door God in een dier veranderd
werd; hij genas door het berouw, dat hem vlug herstelde, naar ik las. Heeft het
lichaam dit bewerkstelligd? Wat geef je dan om hoogmoed? Verzamel voortdurend deugden; de losbandigheid van het lichaam is minder dan niets; als je
dood bent, ben je slechts een zak vol modder, een stinkend kreng. ¶ Wat wil je
het lichaam bekleden met soorten bont. Je moet toch sterven, al schijn je nu
gezond.

Tis haest verkeert, alst Gode belieft.
Ghy doet bereeden leckernije voor den mont,
Solasheyt breeden, twelck die siele doorwont
Dus blijft verseert die siele en ghegrieft.
Wat baet dat ghy u noch soo seer verhieft,
Die doot sal die siele uuten lichaem drijven,
Die ten hemel oft ter hellen, dats cort ghebrieft
Nae verdienste moet varen: ten baet geen kijven.
Want hier gheen blijven en is, zoo ons schrijven
Alle doctoren, en wij sient oock telcken tije.
Wat zijn die lijven der sondigher katijven
Voor Gode gherekent, dan aen elcken zije
Een sack vol moren, een stinckende prije.

Prince

Dlichaem vol sonden, is een sack vol moren,
Die tallen stonden dat hier houwen vercoren,
Die zijn veel meer met vuylheden besmet,
Om fraey oorconden, dan swijnen die sporen
Tvuyl te doorgronden. dus blijft verloren
De edel siele die van Gode is gheset
By dlichaem als een uutvercoren let.
Dus achtet tlichaem cleyn, maer die siele groot:

Het is vlug anders, als het God belieft. Jij doet lekkers voor de mond klaarmaken en genoegens bereiden, die schadelijk zijn voor de ziel; zo blijft de ziel
gekwetst en gekrenkt achter. Wat helpt het, dat je je nog zo opblaast. De dood
zal de ziel uit het lichaam drijven, die, kort gezegd, volgens verdienste naar
hemel of hel moet trekken; jammeren helpt niet. Want wij hebben geen vaste
plek hier, zoals de theologen ons verzekeren, en zoals wij ook telkens zien. Wat
zijn de lijken van de zondaars voor God anders dan slechts een zak vol modder,
een stinkend kreng. ¶ Prins ¶ Het lichaam vol zonden is een zak vol modder.
Wie dat hier steeds keurig verzorgt, zit voorwaar meer onder de vuiligheid dan
varkens die in de mest rondneuzen. Zo gaat de edele ziel verloren, die door God
als een uitverkoren deel bij het lichaam gevoegd is. Acht dus het lichaam gering,
maar de ziel hoog.

Overdenckende dijn vier uutersten altemet,
Die helle, Doordeel, Hemelrijck ende Doot.
Doet dit, tis noot, want als ghy zijt bloot
Sonder siele, ende u die wormen te strije
Sullen doen aenstoot, doorknaghende tconroot,
So en wordy maer gherekent inden eertschen crije
Een sack vol moren, een stinckende prije.

JAN VAN DEN DALE

DE UURE VANDER DOOT

[fragment]

[...]
Och tijt hoe sidi mi ontslopen
Och tijt sidi in deerde ghecropen
Och tijt hoe cleyn heb ick u gheacht.
Och tijt tijt ick en derf op u niet meer hopen
Och tijt doen ghi voer mi stont open.
Hoe jammerlijck hebbick u overbracht
Ick hebbe ghesocht ghepeyst ghedacht
Om u tijt te cortten, arm dwaes en gheck
Eylacen als ick u dus heb versmacht

Overdenk aanhoudend je vier uitersten: hel, oordeel, hemel en dood. Doe dit,
het is noodzakelijk, want als je naakt zult zijn, zonder ziel, en de wormen je
zullen aanvallen en je lijk doorknagen, dan word je hier op aarde maar beschouwd als een zak vol modder, een stinkend kreng.

•

Ach tijd, hoe ben je me ontglipt. Ach tijd, ben je in de aarde weggekropen? Ach
tijd, wat heb ik je geminacht. Ach tijd, tijd, van jou durf ik niets meer te vragen.
Ach tijd, toen je nog voor mij openstond. Hoe armzalig heb ik je doorgebracht.
Steeds heb ik, arme dwaas en gek, mogelijkheden gezocht en overdacht om de
tijd te korten. Helaas, indien ik je

Alst blijct, ick en hadder mi niet voer ghewacht
So hebbick uus jammerlijck seer groot ghebreck
Och tijt tijt ghi hebt nu u vertreck
Ghenomen, mi latende als heel vervloect
De sulcke veracht dat hi na seer soect.
Och tijt, die mi heel ontvrempt nu wort
Och tijt, tijt, ghi valt mi nu veel te cort
Tijt die mi voermaels waert vele te lanck.
O tijt hoe hebbick u ghequist ghestort
Costelijck tijt, die mi nu wort ghegort
Zeeringhe, och teghen minen danck.
Wat hebbick meneghen verlorenen ganck
Ghedaen om u eel tijt te verghetene
Om u tijt te cortten, ick spranck, ick dranck
Ick sanck, ick clanck, ick dichte, ick sanck
Eylacen nu beghin ick u duecht te wetene.
Maer des lesten scakel vander ketene
Es hier tontie, eer icker op ghiste
Hi waer wijs die alle dinck te voren wiste.
[...]

zoals blijkt zozeer zonder enige aarzeling heb gesmoord, dan heb ik nu jammerlijk gebrek aan je. Ach tijd, tijd, je bent nu vertrokken, terwijl je mij geheel
vervloekt achterlaat als iemand die eerst verachtte waar hij nu alles voor over
zou hebben. Ach tijd, die nu geheel van mij weggenomen wordt, ach tijd, tijd, er
is nog maar zo weinig van je, terwijl je vroeger zo lang kon duren. O tijd, wat
heb ik je verspild en weggeworpen, kostbare tijd die mij nu opbreekt, geheel
tegen mijn zin. Wat ben ik vaak maar raak gelopen om jou, edele tijd, te vergeten. En om jou, tijd, te korten danste ik, dronk, maakte plezier, dichtte en
zong. Helaas, pas nu krijg ik oog voor je goede eigenschappen. Maar de laatste
schakel van de keten komt nu te vroeg, zonder dat ik erover kon nadenken.
Wat zou iemand wijs zijn, die alles van tevoren wist.

CORNELIS CRUL

ca. 1500 - ca. 1550

[UIT DEN GEESTELIJCKEN ABC]

Besiet mijn allende, aenhoort mijn kermen;
Mijn ghebet laet in u ooren clincken:
Ic roupe tot u, wilt mijns ontfermen;
O Heere, wilt mijns doch vroech ghedincken.
Overvloedich mij die tranen ontsincken;
Ontfanct mijn crijschen, mijn suchten, mijn beven;
Ic en can gherusten, eten noch drincken;
Die wateren des drucx zijn hooch verheven;
Mijn ghebeenten verdort, mijn crachten begheven;
U pijlen hebben mij alte zeere ghewondt.
Haest u gheringhe, vernieut mijn leven;
Mijn wederpartye zouckt zoe menighen vondt;
Maer, Heere, al ghij wilt, zoe ben ic ghesont.

En es dit niet wel een zelsaem wondre
Dat ze heur tanden dus hebben ghewet?
Zij spannen heur boghen, secreet bijsondre,

Zie mijn ellende aan, hoor mijn gekerm. Laat mijn gebed in uw oren klinken: ik roep u aan, ontferm u over mij. O Heer, wil mij toch spoedig gedenken. Tranen ontvallen mij in stromen. Wees ontvankelijk voor mijn schreien, zuchten en beven. Ik kan geen rust vinden, eten noch drinken. Het water staat mij aan de lippen. Mijn botten krimpen, mijn krachten slinken. Uw pijlen hebben mij zeer diep gewond. Haast u spoedig, vernieuw mijn leven. De tegenpartij zint op menige list. Maar, Heer, zo u wilt, dan ben ik gezond.

•

Is het niet een zeldzaam wonder, dat de aardse verleidingen hun tanden zo scherp hebben gewet? Zeer heimelijk spannen ze hun bogen,

Heur schutten nijdich op mijn ziele gheset;
Zij spreyen behendich een bedieghelic net;
Om mij te vanghen zij neerstich waken.
Maer, Heere, aenhoort doch mijn ghebet,
Helpt mij vernielen dees aertsche draken;
Op u wil ic mijn hope staecken,
Anders moest ic heur hope subject zijn;
Gheeft mij den wille en tvolbrengen der zaken,
Zoe zullen ze van u deur mij beghect zijn.
Uut hem selven en can gheen vlees perfect zijn.

Laet u ghenueghen mijn theere complecxie:
Mijn moeder heeft mij in sonden ghebaert,
En niet dan boosheit en es mijn affectie.
Ic ben metter broerscher natueren bezwaert;
Tgoet dat ic wille, hebbe ic ghespaert,
En tquaet dat ic hate, dicwils vulbrocht.
Dus hebbe ic deur mij selven de zonden vergaert
En deur u gracie de deucht ghezocht.
Mijn vleesch en hadde dat noyt ghedocht,
Want alle menschen zijn als hoy ghemeene;
Ghij hebt ghedaen dat ic niet en vermocht,

hun pijlen boosaardig op mijn ziel gericht. Behendig spreiden ze een bedrieglijk net en staan klaar om mij te vangen. Maar, Heer, aanhoor toch mijn gebed. Help mij deze aardse draken te vernietigen. Op u wil ik al mijn hoop vestigen, anders zou ik onderworpen moeten zijn aan hun verwachtingen. Geef mij de wil om hier zelf een eind aan te maken, dan zullen ze met hulp van u door mij bespot worden. Van zichzelf kan het aardse lichaam niet volmaakt zijn.

•

Laat mijn zwak karakter voldoende verklaring zijn: mijn moeder heeft mij in zonden gebaard en van meet af aan ben ik slechts op boosheid gericht. Ik ga gebukt onder mijn kwetsbare natuur. Goed dat ik zou willen doen heb ik verzuimd, maar het kwaad dat ik hoor te haten heb ik dikwijls gepleegd. Daarom ben ik zelf verantwoordelijk voor al mijn zonden, maar alleen door uw genade heb ik de deugd gezocht. Mijn vlees was daarop nooit gekomen, want alle mensen zijn even vluchtig als hooi. U heeft gedaan wat ik zelf niet kon,

Onse rechtveerdicheit es besmet onreene.
Daer en es niemant die goet doet, oock niet eene.

Mij selven mach ic dan wel verfoyen,
Als ic mij spieghele in dijne wet.
Om heur te volbrenghen wil icx mij moien,
Maer tvlees es tghene dat mij belet;
Zij leert ons een leven reyn ombesmet,
Publicerende, Heere, wat ghij begheert,
Heyschende dwerck en den wille met;
Och, zij es zoo goet en zoe eel expeert,
Maer, laessen, als een tweesnijdende zweert,
Slaet ze mij misdadich heel te gronde.
Als overtredere, zoe ben ic weert
Verdoemt te zijne tot elcken stonde.
Doer de wet en compt maer kennisse van zonde.

Slaet op trompetten, maect groot gheclanck,
Mijn vianden beghinnen voer mij te vluchten;
Ic crijghe victorie jeghen heuren danck

want onze rechtschapenheid is besmet met onreinheid. Niemand doet goed,
zelfs niet één.

•

Wanneer ik mij uw gebod voorhoud, mag ik mezelf wel verfoeien. Om dat te
volbrengen wil ik mij inspannen, maar het vlees staat me in de weg. Het leert
ons een zuiver, onbesmet leven door te verkondigen wat u, Heer, van ons begeert, de daad en de wil samen eisend. Och, het is zo goed en zo degelijk, maar
helaas, als een tweesnijdend zwaard slaat het mij zondaar geheel tegen de
grond. Als overtreder verdien ik het om op elk moment verdoemd te worden.
Door het gebod komt ook kennis van zonde tot stand.

•

Steek de trompetten, maak groot lawaai, want mijn vijanden beginnen voor
mij te vluchten. Huns ondanks behaal ik de overwinning

En jaegh ze naer in allen ghehuchten.
Die Heere heeft verstoort al heur gheruchten.
Zij worden te schanden, die mij benijden;
Hij heeft in vreucht verkeert mijn suchten.
In Jacops stercheit wil ic verblijden.
Hij leert mij stoutelijck int her nu rijden,
Mijn hooft opheffen, mijn voeten rueren,
Mijn vingheren oorloghen, mijn handen strijden;
Ic springhe met mijnen God wel over die mueren.
Wie mach teghen zijn mueghende hant ghedueren?

Zonne, mane ende tfirmament,
Looft hem, ghij sterren ende alle planeten;
Blicxem, dondre, uuten wolcken ghesent,
Doen ons die moghentheit des Heeren weten.
Dlicht, duysternisse, alle hooghe secreten,
Reghen, wint, dau, mist, haghel, sneu, ijs,
Berghen, dalen, dafgronden om meten,
Vier, water, lucht, aerde gheeft lof en prijs;
Cruyden, vruchten, elcken boom oft rijs,
Alle metalen, gemmen, hoe vaste ghestaect,

en jaag ze na tot in alle uithoeken. De Heer heeft al hun rumoer verstoord en zij die mij kwaad doen moeten het bezuren. Hij heeft mijn ellende in vreugde veranderd. In God wil ik mij verheugen. Hij leert mij dapper ten strijde te trekken in zijn leger, mijn hoofd op te heffen, mijn voeten in beweging te zetten, mijn vingers vechten, mijn handen strijden. Met mijn God kan ik de hele wereld aan. Wie kan standhouden tegen zijn almogende hand?

•

Zon, maan, firmament, loof hem, sterren en planeten. Bliksem en donder, gezonden uit de wolken, doen ons de macht van de Heer kennen. Licht, duisternis, alle verheven wonderen, regen, wind, dauw, mist, hagel, sneeuw, ijs, bergen, dalen, peilloze afgronden, vuur, water, lucht en aarde, geef alle lof en roem. Kruiden, vruchten, elke boom, ieder takje, alle metalen, edelstenen, hoe vast ook gevestigd,

Loven, dancken en maken ons wijs
Hoers scheppers werck, dwelc niemant en laect,
Want zijn handen hebben dit al ghemaect.

RETROGRADE

Confoorteert mij nu, och Heer laudabel,
Ontrent ons zijn die vianden fier;
Regeert doch tvleesch, ghenesende curabel;
Negligent en onachtsaem zijn wij schier.
Exellent prinche, ghij bevrijdt tangier,
Leeft ons inwendich ende smenscheit spaert,
Inprent liefde deur tgheloove hier,
Sneeft ons van boosheit, alle quaetheit verhaert,
Cleeft aen ons vastelick, wij sijn bewaert;
Rustich voorvechtere, thoevlucht ghemeene,
Vergheeft zonde, die bermherticheit baert;
Lustich domineert ghij, o God, alleene.

loven, danken en verduidelijken ons het werk van hun schepper, waar niemand
op afdingt, want zijn handen hebben dit alles geschapen.

•

Keerdicht ¶ Troost mij nu, o lofwaardig Heer, wij worden omringd door trotse
vijanden. Bedwing toch het vlees, als een zorgvolle geneesheer. Wij zijn nu
eenmaal nalatig en zorgeloos. Verheven vorst, u weert het gevaar af. Leef binnen in ons en bewaar de mensheid. Prent ons hier liefde in door het geloof, doe
ons de boosheid verlaten, verdelg al het kwade, zit dicht op onze huid, dan
blijven we bewaard. Strijdvaardige beschermer, toevlucht voor iedereen, vergeef ons onze zonden, u die barmhartigheid voortbrengt. U, o God, domineert
alleen en in schoonheid.

CORNELIS CRUL [?]

EEN GRACIE

Ghij die appelkens peerkens en nootkens maect
Sijt ghelooft van uwer goeder chyere
Van vlees van visch dat zoo wel smaect
Van broot van botere van wijne van biere
Ghij cleet ons ghij licht ons ghij wermt ons met viere
Ghij gheeft ons ruste blijscap en ghesonde
Ghij spaert ons ghij bewaert ons Heere goedertiere
En leert ons metten woorde van uwen monde
Tleeft al bij u dat is in swerelts ronde
Tsij zyerken tsij mierken tsij vloe tsij das
Dies segghen wij u Heere uut goeden gronde
Benedicamus Domino, Deo gracias.

Ja slanghen padden wormen en mollen
Leeuwen draken serpenten inde woestijne
Versiedt ghij van nesten speluncken en hollen
Van proye van ase, elck int tsijne
Vischen inde see, oft inde maryne
Ontfanghen haer spijse van uwer hant
Elck naer tsijne natuere ende termijne

Een dankzegging ¶ U die appeltjes, peertjes en nootjes maakt, ook vlees en vis
die zo goed smaken, brood, boter, wijn en bier, wees geloofd om uw lekkere
spijzen. U kleedt ons, schenkt ons licht, geeft ons warmte van het vuur. U geeft
ons rust, blijdschap en gezondheid, u spaart ons, bewaart ons, goedhartige
Heer, en onderwijst ons met de woorden van uw mond. Alles op de wereldbol
leeft door u, of het nu een vliegje is, een miertje, een vlo of een das. Daarom
zeggen wij u, Heer, uit het diepst van ons hart: laten wij de Heer prijzen, God zij
dank! ¶ Zelfs slangen, padden, wormen en mollen, leeuwen, draken, hagedis-
sen in de woestijn, allen voorziet u van nesten, spelonken en holen, van prooi en
aas, ieder naar zijn behoefte. Vissen in zee en in andere wateren ontvangen hun
voedsel uit uw hand, elk volgens zijn natuur en op zijn tijd.

Hoe soudt connen begrijpen eenich verstant
Alle voghelen inde lucht picken van haren cant
Dies vlieghen zij vro deur boom deur gras
Dies segghen wij u goet Vader tryumphant
Benedicamus Domino, Deo gracias.

Dinghelen des hemels voedt ghij met glorien
Bij dijns selfs ghebruycken ende verthooghen
Deurschijnende die gheesten ende memorien
Met kennisse die hem lieden doet verhooghen
Onse siele doet ghij uut u selven soghen
Die zoetheit haers slevens dwelck ghij zelf zijt
Den droevighen menschen vol lijdens en dooghen
Ghij inwendich met troostlich voetsele verblijt
Den crancken ghij cracht gaeft talder tijt
Als hij alzoe op u roupende was
Dat hij in u gheloofde, dies met jolijt
Benedicamus Domino, Deo gracias.

Prinche

Prinche der princhen van principaten en throonen
Die alle dijn creatueren regeert en bewaert
Wij loven u eenich God in drie persoonen

Hoe zou enig verstand dit ooit kunnen begrijpen? Alle vogels in de lucht vinden
overal wat te pikken. Daardoor vliegen ze vrolijk door bomen en gras. En
daarom zeggen wij u, goede en overal heersende Vader: laten wij de Heer prijzen, God zij dank! ¶ De engelen van de hemel voedt u met heerlijkheid door de
manifestatie en de openbaring van uw eigen wezen, hun geest en memorie ver-
lichtend met kennis die hen verheugt. Uit uzelf doet u onze ziel de zoetheid van
haar leven zuigen, die u zelf bent. De droevige mens, vol pijn en lijden, verblijdt
u inwendig met troostrijk voedsel. U geeft de zieke altijd kracht, wanneer hij u
aanroept vol geloof. Vandaar met vreugde: laten wij de Heer prijzen, God zij
dank! ¶ Prins ¶ Vorst der vorsten van vorstendommen en tronen, die al uw
schepselen regeert en behoedt, wij loven u, enig God in drieën,

En bidden u dat ghij alle doncker herten verclaert
En bekeert alle die met zonden zijn bezwaert
Den gherechtighen wilt in deuchden stercken
Keijsers en coninghen van eedelder aert
Spaert en bewaert oick bischops en clercken
Gheeft gracie en pays der heyligher kercken
Levende en doo deur die ons ghenas
Op dat wij eewich segghen in u bemercken
Benedicamus Domino, Deo gracias.

TOEGESCHREVEN AAN
(VANDER) NOODT

[REFREIN]

[NOYT LIEFLYCK LIEF EN HAD SO LIEF]

De jacht Narcissus noyt so seer en minde,
Noch Octavien de schoone peerden;
Noch noyt zo zeer schoon vogel versinde,
Noch Hercules den boghe van weerden.
Nero en hadde noyt so lief de sweerden,
Noch Alexander die vergulde sporen op der eerden;

en bidden dat u alle duistere harten verlicht en allen bekeert die gebukt gaan
onder zonden. Sterk de rechtvaardige in deugden, spaar keizers en koningen
met hun nobele inborst, en bescherm ook bisschoppen en andere geestelijken.
Verleen genade en vrede aan de heilige kerk, aan levenden en doden, omwille
van de verdiensten van hij die ons verloste, opdat wij eeuwig kunnen zeggen
onder uw toezicht: laten wij de Heer prijzen, God zij dank!

•

Nooit hield Narcissus zo van de jacht, Octavianus zo van mooie paarden en
vogels, Hercules zo van de krachtige boog, Nero zo van zwaarden, Alexander
van vergulde sporen;

Sampson en hadde noyt so lief Dalila,
Noch Virgilius die schoone Galathea,
Noch Leander Hero;
Troylus en had so lief Bresida,
Noch Eurealus die schoone Lucretia,
Noch Jupiter Juno;
Priamus en minde noyt Thisbe soo,
Noch Eneas Dido;
Noyt en was lief tot sliefs gebo
Hoe dit lief sijn lief tot liefden verhief.
Ick heb se liever met herten vro
Als die schoone Echo,
Noyt lieflyck lief en had so lief.

Noyt lief en had so lief dats tpropoost,
Ick prijse haer voer alle keyserinnen,
Zij is mijn hope, mijn vreucht, mijn troost,
Paradijs vol weelden, paleys vol minnen,
't Licht mijnder ooghen, tfirmament mijnder sinnen,
Den tempel, daer mijn herte rust binnen,
Mijn streven, mijn leven,
Die weerste boven alle Venus coninginnen,
Die soete boven alle Pallas godinnen
Op d'eerde verheven;

nooit beminde Samson zo Delila, noch Vergilius de mooie Galathea, noch
Leander Hero; Troïlus had Bresida niet zo lief, noch Euryalus de mooie Lucretia, noch Jupiter Juno; nooit beminde Pyramus Thisbe zozeer, noch Aeneas
Dido; nooit was een minnaar zo paraat voor zijn geliefde, zoals ik haar met
liefde aanbid. Ik zie haar liever, met vreugdevol hart, dan de mooie Echo. Nooit
had een lieflijk lief zo lief. ¶ Nooit had een minnaar zo een geliefde, dat is mijn
boodschap. Ik prijs haar boven alle keizerinnen, zij is mijn hoop, mijn vreugde,
mijn troost, een weelderig paradijs en lieflijk paleis, het licht van mijn ogen, het
uitspansel van mijn zinnen, de tempel waarin mijn hart rust, mijn streven en
leven; zij is hier op aarde verheven als de beste boven alle vorstinnen van Venus
en de zoetste boven alle gezellinnen van Pallas.

Sij staet in mijnder herten geschreven,
Sonder sneven,
Al dat mijn es heb ick haer gegeven,
Niet achtende vrint, maech, vreucht ofte grief.
Nimmermeer en macht zijn uut gedreven,
Maer zij es bleven,
Noyt lieflyck lief en had zo lief.

't Is recht dat ick se begracie
Om haer schoonheyt, om haer reynicheyt,
Om haer eerbaer minnelijcke visitatie,
Om haer gestadicheyt, om haer certeynicheyt,
Om haer soete secrete alleynicheyt,
Versmadende tallen tijden villeynicheyt
Ende quade manieren
Ende haer simpel vreesende gemeynicheyt,
Haer eerbaer treden sonder eenige cleynicheyt,
Seer goedertieren;
Sij gaet boven alle Venus kamenieren,
Die de banieren
Der liefde te verspreyen stieren,
Om den amoureusen te doen gerief,
Met reynder vertroostinge glorificeren
Deur dit hanthieren.
Noyt lieflyck lief en had so lief.

Zonder mankeren staat zij in mijn hart gegrift, al wat van mij is heb ik haar
gegeven, zonder acht te slaan op vriend, verwant, vreugde of leed. Nooit kan zij
uit mijn hart worden verdreven, zij is daar standvastig gevestigd. Nooit had een
lieflijk lief zo lief. ¶ Terecht prijs ik haar om haar schoonheid, om haar ongereptheid, om haar lieve bezoekjes, om haar standvastigheid, om haar zekerheid, om haar zoete intimiteit, altijd zonder ondeugd, om haar eenvoud, die
gemeenheid schuwt, om haar eerbaar en lief optreden zonder enige kleinheid.
Zij overtreft alle mooie vrouwen, die liefde verspreiden om de minnaar troost
te geven en zich verheugen in dit werk. Nooit had een lieflijk lief zo lief.

Princesse

Glorieuse princesse princelyck,
Princesse onder alle princessen joyeust;
Edel princesse der princessen troostelyck
Van alle princessen princesse precieust,
Die princesselycke princesse amoreust,
Als princelycke princesse glorieust,
Princelyck bekent,
Heeft als de princesse melodieust
Princelyck regiment,
Mits haerder princesselyckheyt excellent
Als princesse jent.
Princelyck mijn jonste geproeft
Deur haer princesselyckheyt in haren brief,
Dus blijf ick deser princessen obedient,
Present oft absent,
Noyt lieflyck lief en had so lief.

Prinses ¶ Glorievolle vorstelijke prinses, vriendelijkste prinses onder alle prinsessen, edele prinses met de meeste troost onder alle prinsessen, meest kostbare prinses onder alle prinsessen, meest liefdevolle vorstelijke prinses, zij staat als glorievolste vorstelijke prinses vorstelijk bekend; zij voert als meest lieflijke prinses de scepter dankzij haar uitnemende vorstelijkheid. Vorstelijk heeft zij mijn liefde gewikt, als prinses, in haar brief; daarom blijf ik deze prinses onderdanig, of zij nu hier is of afwezig. Nooit had een lieflijk lief zo lief.

MEESTER FRANSOYS STOC

[REFFEREIJN]

[LOFF STOCK DAER ELCK MOIDE HERT OP RUST]

Hoe sal ic dorren vuyl sondich stof
Misdadich grof ende min dan niet
U alder Goods liefste toesegghen den loff
Des drievoldicheyts hoff daert al toe vliet
Wat duecht bespiet ick onwerdich ijet
Scoonste werdtste suverste moider ende maecht
Ick erm worm verrot ende een ydel riet
Sin cracht verstant this hier al in versaecht
Niet te min want ghi die ontfermherticheyt draecht
Onder dy duyck ic bueghende ghestreckt
Want u ghenade niemant en verjaecht
Hier op roipick in hopen ontweckt
Tot u die al swerlts moijte sust
Loff stock daer elc moyde hert op rust

U stock die boven natueren bloijede
Ende groijede Goods sone was die vrucht
O stock die dwanck hem diet al moijede

Hoe zal ik, vuil zondig stof, zeer misdadig en minder dan niets, hoe zal ik u,
Maria, Gods allerliefste, lof durven toezingen? U bent de lusthof van de Drie-
vuldigheid, bij wie iedereen die deugd nastreeft, zijn toevlucht zoekt, mooiste,
waardevolste, zuiverste moeder en maagd. Ik daarentegen ben iets onwaardigs,
een arme rottende worm, een nietig riet. Zin, kracht en verstand zijn bang bij
het voornemen u te bezingen. Toch, omdat u Christus draagt, de barmhartigheid zelf, buig ik mij diep voor u, want uw genade verjaagt niemand. Hierom
roep ik, met nieuw gewekte hoop, tot u, die alle verdriet van de wereld stilt: lof
aan de stok, waarop elk moe hart rust. ¶ Uw stok bloeide en groeide in strijd
met de natuur: de vrucht was Gods zoon. O stok, die de duivel bedwong, die
alles teisterde,

Want ghy royde tscip al duer sonder ducht
O stock wiens plucht payt al dat sucht
Ende als palster ten rechte paede
O stock die wijst den lustighen lucht
Ende treckt den dolende van misdaden
O stock van trooste van rechten rade
Ghy buecht des rechters onbueghelick recht
O stock daer des opperste princen ghenade
Neder ghevallen is int gehecht
O brugstock daer elc die hant aen lecht
Dies roep ick mit alle mynre herten lust
Loff stock daer elc moide hert op rust

U roepen alle die nae troost verlanghen
Die in sieckten verstranghen dyen pynt swaer last
U roepen alle die ligghen ghevanghen
Die langhe hanghen eert recht of wet past
U roepen oeck vast dien druck toe wast
Die van quade tonghen bijnae sijn tondere
U roepen oeck aen by plaghen ghetast
Die dolen te lande of ter zee bysondere
U roepen wy aen ligghende hier ondere

u roeide vastberaden het schip; o stok, waarvan de verering elke bedroefde troost en die een pelgrimsstaf is op het juiste pad; o stok, die de opgeluchte de lucht aanwijst en de dolende van misdaad aftrekt; o stok van troost en van goede raad, u buigt het onbuiglijke recht van de Rechter; o stok, waarin de genade van de opperste majesteit neergedaald is en zich vastgezet heeft; o brugleuning, waarop ieder de hand legt; daarom roep ik met alle kracht van mijn hart: lof aan de stok, waarop elk moe hart rust. ¶ U wordt geroepen door allen die naar troost verlangen, die in ziekte gevangen zijn en die door een zware last terneergedrukt worden. U wordt geroepen door allen die gevangen liggen, die geketend werden, lang voor recht en wet dit eisten. U wordt ook dringend aangeroepen door degenen die druk ondervinden, die door kwaadsprekerij bijna ten onder zijn gebracht. U wordt ook aangeroepen door degenen die met plagen belast zijn, die door het land of op zee dolen. Wij, neerslachtigen, roepen u aan.

U aenroepen pelgrims moyde en mat
U aenroepen oude crancke mit wondere
U aenroepen ballinghen buten der stadt
U aenroepen wy sondaers als segghende dat
Tot u wiens jonste alle herten cust
Loff stock daer elc moede hert op rust

Princhesse

Ick verrott onvruchtbaer stock
Kenne mij selven mat en moijde
Puer naect en sonder brulofs rock
Myn hope sijdij o Jesses roijde
Ontbint myn pack met uwen goide
Ghij weet mijnder herte ijnnighe noot
O reijne Maria neemt my in hoide
Anders ist tleven hier een doot
Die last myns ghebrecks is swaer en groot
Mer uwe ghenade is sonder ghetal
Ick stel mij in uwer ghenaden scoot
Och op dien stock soe rustet al
Ende want ick ymmer sterven sal
Den helschen hont doch van my hust
Loff stock daer menich moide hert op rust

U wordt aangeroepen door pelgrims, moe en afgemat. U wordt met verwonde-
ring aangeroepen door ouden en zieken. U wordt aangeroepen door ballingen,
die uit hun stad verdreven zijn. U wordt aangeroepen door ons, zondaars, die
allen dit tot u zeggen, wier gunst alle harten omhelst: lof aan de stok, waarop
elk moe hart rust. ¶ Prinses ¶ Ik, verrotte en onvruchtbare stok, ken mijzelf:
moe en afgemat, gans naakt en zonder bruilofskleed. U bent mijn hoop, stam
van Jesse. Maak mijn last licht door uw goedheid. U kent de diepste nood van
mijn hart. O reine Maria, neem mij onder uw hoede, anders is het leven hier een
dood. De last van mijn kwaad is zwaar en groot, maar uw genade is eindeloos.
Ik wil rusten in de schoot van uw genade. Ach, op die stok steunt alles. En
omdat ik ooit sterven zal: jaag de hellehond van mij weg. Lof aan de stok,
waarop elk moe hart rust.

MEESTER FRANSOYS STOC [?]

[REFEREYN]

[GHEEN PYNE EN GAET BOVEN JALOZYE]

Gheen last zoe zwaer alst pack van minnen,
Gheen duecht vervult es boven trouwen,
Gheen quets gaet boven druck van sinnen,
Gheen dinck zoe bedwelmt als sin tot vrouwen,
Gheen vruecht ghenuechelycker voer daenschouwen,
Gheen eerbaerheyt mint viloneye,
Gheen meerder schande dan duecht berouwen,
Gheen pyne gaet boven jalozye.

Hootsweere, butse, pyne van tanden,
Wonden, cortsen, teters oft buylen,
Artycke, puysten, bladeren, branden,
Senen, pocken, mazelen, muylen,
Suchten, stenen, weenen, huylen,
Stom, blint, zinzich oft lazarye,
Cruchen, hoesten, claghen, tuylen,
Tes al gheen pyne voer jalozye.

Tes pyne langhe nae lief verlanghen,
Jae daermen al etende niet en beydt;

Geen last zo zwaar als de last der liefde, geen volbrachte deugd overtreft de
trouw, geen wonde is pijnlijker dan druk van de hartstocht, geen ding bedwelmt zo, als zin tot de vrouwen, geen vreugde is groter dan ze te zien, geen
eerbaarheid bemint schanddaad, geen groter schande dan verloren deugd, geen
pijn overtreft jaloersheid. ¶ Hoofdpijn, gezwel, tandpijn, wonden, koorts, uit-
slag of bobbels, jicht, puisten, blaren, ontstekingen, zenuwpijn, pokken, mazelen, eelt op de hielen, zuchten, klagen, wenen, huilen, stomheid, blindheid, jeuk
of melaatsheid, kuchen, hoesten, klagen, huilen, dat alles is geen pijn naast
jaloersheid. ¶ Het is pijnlijk om lang naar de geliefde te verlangen, terwijl wie
geniet daar niet op wacht.

Tes pyne te zyne metter mutsen bevanghen,
Daerse te deghe wel es ghebreydt;
Tes oeck pyne zware te zyne gheleydt,
Daer nummermeer nae en volcht melodye
Oft troost; nochtans, voer waer gheseydt
Gheen pyne en gaet boven jalozye.

Tes pyne minnen en niet ghemint zijn,
Tes pyne, druck tsherten scryne binnen,
Tes pyne telcken qualyck ghesint zyn,
Tes pyne van cleenen ghehaet te zyne,
Tes pyne sieck zyn sonder pyne,
Tes pyne gheleert zyn sonder clergye,
Tes pyne dat droefheyt blyscap schyne,
Maer gheene pyne gaet boven jalozye.

Waer ick bemercken mach yemant weenen,
Oft waer ick druck bevinden can,
Zoe grooten mesbaer en can ick meenen,
Deze pyne heeft veel meer pynen an;
Hoe vroom een wyf zy, hoe sterck een man,
Dese pyne vernietse al waert een prye;
Aldus zoe seg ic met rechte dan:
Gheen pyne en gaet boven jalozye.

Het is pijnlijk om verliefd te zijn, en wel smoorverliefd. Het is ook pijnlijk om de tuin te zijn geleid, zodat er nooit plezier of troost volgt; nochtans moet ik voor waarheid zeggen: geen pijn overtreft jaloersheid. ¶ Het is pijnlijk te beminnen en niet bemind te worden, het is pijnlijk druk in zijn hart te voelen, het is pijnlijk om boos te zijn op iedereen, het is pijnlijk door kleingeestigen gehaat te zijn, het is pijnlijk ziek te zijn zonder pijn, het is pijnlijk geleerd te zijn zonder geleerdheid, het is pijnlijk dat droefheid de schijn heeft van blijdschap, maar geen pijn overtreft jaloersheid. ¶ Waar ik iemand zie wenen of waar ik druk bemerk, ik kan nooit zo'n groot lijden waarnemen of deze pijn vertegenwoordigt veel meer pijn. Hoe krachtig een vrouw mag zijn, en hoe sterk een man, deze pijn vernielt ze, als was zij een besmettelijk kreng. Daarom mag ik terecht zeggen: geen pijn overtreft jaloersheid.

Men seghet dat minne een groot verdriet zy,
Alsmense vierichlycke useert;
Ic segghe dat alle dees pyne een niet zy,
Teghen dees pyne ghecompareert;
Noyt en was therte ghetribuleert
Alst es met deser melancolye;
Wee hem die daer af es ghetempteert!
Gheen pyne en gaet boven jalozye.

Slapende, wakende, eetmen oft drinctmen,
Altoos vreestmen oft recht lief lief zy
Sprectmen, leestmen, peystmen, oft dinctmen,
Altoos dinct men datter een dief zy;
Hoe groot dat enich anders meskief zy
Dit es altoos de archste partye;
Aldus wat pynen dat inden brief zy,
Gheen pyne en gaet boven jalozye.

Jalozye doet levende duisentwerf sterven,
Ende van vruechden maect zy verdriet;
Jalozye doet ziele en lyf duerkerven,
Int eynde dul ende anders niet;
Jalozye scaempte noch doot en ontsiet,
Want wanhope esser tresorye;

Men zegt dat liefde een groot verdriet is, wanneer men haar vurig hanteert; ik
zeg dat al deze kommer niets is, vergeleken met die pijn. Nooit was het hart zo
in verwarring als het door deze melancholie is. Wee de mens, die daarmee
gekweld wordt! Geen pijn overtreft jaloersheid. ¶ Of men nu slaapt, waakt, eet
of drinkt, altijd vraagt men zich af of de geliefde oprecht is. Of men spreekt,
leest, overlegt of nadenkt, altijd denkt men dat er een dief is. Hoe groot enig
ander ongeluk is, dit is de ergste kwelling. Daarom, welke pijnen opgesomd
kunnen worden, geen pijn overtreft jaloersheid. ¶ Jaloersheid doet een levend
mens duizendmaal sterven en van vreugde maakt zij verdriet. Jaloersheid door-
kerft ziel en lichaam; zij leidt tot razernij en tot niets anders. Jaloersheid stopt
niet voor schaamte noch dood, want wanhoop is er overvloedig.

Jalozye van allen duechden vliet;
Gheen pyne en gaet boven jalozye.

Jalozye es een venynich serpent,
Jalozye es een verwoedde doot,
Jalozye es een helsche torment,
Jalozye es duysterste wederstoot,
Jalozye es een ontroostelyck noot,
Jalozye es rechte duvelye;
Hier om seg ick u claer en bloot:
Gheen pyne en gaet boven jalozye.

Sichten mynder herten vroetscepe tyden
Tot nu, dat wil ic claerlyc ontbinden:
Onder al dat lydt oft oyt mochte lyden,
Constich gheen meerder pyne bevinden.

τελος

Jaloersheid vlucht weg van alle deugden. Geen pijn overtreft jaloersheid. ¶ Jaloersheid is een giftige slang, jaloersheid is een heftige dood, jaloersheid is een
helse kwelling, jaloersheid is de opperste tegenstand, jaloersheid is een ontroostbaar leed, jaloersheid is waarachtige duivelarij; daarom zeg ik u klaar en
duidelijk: geen pijn overtreft jaloersheid. ¶ Sinds de tijd dat ik verstand in mijn
hart verwierf — en dat wil ik duidelijk zeggen — onder al wat lijdt of kan
lijden kon ik tot nu toe geen grotere pijn vinden. Einde.

'ARNOLD' [?]

[REFFEREYNE]

[AL SIJDIJ GHEBETEN GHIJ EN SIJT NIET GHEGETEN]

Och amoreus vrouken als ic u aenscouwe
Traenkens van compassien ben ic u scinckende
U hert mocht bersten mits groten rouwe
Waerdi uus selfs sondich leven bedinckende
Wel ruijkende bloymken ghy wert vast stinckende
Verdoijmt al lachende ter hellen sinckende
U selven u vrienden u maghen bescaemdi
Swert is u siele al is u lichaem blinckende
Meer gallen dan honichs in liefden drinckende
U selven die maecht hiet, een licht vrouken naemdi
Alle vroukens mit uwer oneeren bescaemdi
Nochtans is uws raet nae twoort der propheten
Goods ontfermherticheit ontfinc u quaemdi
Neemt toch tuwerts dese mate vol troosts gemeten
Alsidi ghebeten ghi en syt niet ghegeten

Al sijdi in Asmodeus clouwen gheraeckt
Al sydy sviants net om zielen te vane

Och mooi vrouwtje, als ik je bekijk, ween ik van medelijden; je hart zou het
begeven uit groot verdriet, indien je je eigen zondig leven zou bedenken. Fris
ruikend bloempje, stellig verrot je; al lachend zink je verdoemd in de hel. Je
doet jezelf, je vrienden en verwanten schande aan. Zwart is je ziel, al blinkt je
lichaam. In je liefde drink je meer gal dan honing. Jij, die eens maagd was,
noemt jezelf een licht vrouwtje. Je beschaamt alle vrouwen door je gedrag.
Nochtans geldt ook voor jou het woord van de profeten: Gods barmhartigheid
zou je omvangen, indien je tot hem zou gaan. Neem toch deze beker, gevuld
met troost, tot jou: al ben je gebeten, je bent nog niet verslonden. ¶ Al ben je in
de klauwen van Asmodeus geraakt, al ben je verstrikt in het net waarin de
duivel zielen vangt,

Al sydy als Dyna wylen van Cychem ontscaect
Al ligdi nu vrouken ghy pleecht te stane
Al hebdi Thamars cleet van onneeren ane
Al bestadi als Raab gasten tontfane
Al sydi als Putifer op Joseph verblint
Al sydi bedroghen by schoonen vermane
Al sydi cloick als Judith int heer te gane
Al sydi als Barsabee van David bekint
Al heeft Amon die schone Thamar ghescent
Die ocsuyn uus vals is quaets is syn vermeten
Maect dat ghi mit Magdaleene noch vint
Siedi noch toe u scande blyft onverweten
Al sijdij ghebeten ghij en sijt niet ghegheten

Spiegelt u aen Pelagiam peijsende
Daer sy gheciert quam als een godinne
Dat Neronus die biscop hem wort vreijsende
Als hyse ghemuëte, verscricte van binnen
Want ic sulck minne tot mijnen ghewinne
Noyt tot God als dees totter werlt droich
Denct toch al was Thaijs woist en wilt van sinne
Ende toonde oec eerloos quaij liefde inne

al ben je als Dina eertijds door Sichem geschaakt, al lig je nu neer, jij die vroeger recht stond, al draag je nu als Thamar het kleed van oneer, al waag je het nu als Rachab gasten te ontvangen, al ben je net zoals de vrouw van Potifar op Jozef verliefd, al ben je bedrogen door mooie woorden, al ben je zo dapper als Judith om je in het vijandelijk leger te begeven, al ben je als Bathseba door David bemind, al heeft Amnon de mooie Thamar verkracht, wie ook de oorzaak van je diepe val is, zijn voornemen was zeer verfoeilijk. Zorg dat je bij Maria Magdalena komt; als je je nog in acht neemt, wordt je schande je niet aangerekend: al ben je gebeten, je bent nog niet verslonden. ¶ Spiegel je aan Pelagia, die als een godin opgedirkt voorbijkwam, zodat bisschop Neronus schrok, toen hij haar ontmoette. Zij begon na te denken: ik heb zo'n ijver voor mijn eigen voordeel en geen voor God! En jij koestert dezelfde liefde voor de wereld. Denk toch aan Thaïs, die zo uitgelaten en gul met haar gunsten leefde,

Soe datmen nacht ende dach om haer vocht en sloich
Merct Mariam van Egipten this al ghenoich
Volcht Magdalenen ten voeten Goods gheseten
Dees hebben hen noch salich tsamen gherete
Al sijdi ghebeten ghi en sijt niet ghegeten

Peynst doch euwich lyen coomt nae cort verblyen
Peyst die doot doet alle amoruesheyt laten
Peyst u liefs die u nu beminnen en vrijen
Sullen dan die scoonheyt uws lichaems haten
Peyst alle liefde smelt buten caritaten
Peyst dat die dwase maechdekens mit ydelen vaten
Ghesloten worden uut der brulofs feesten
Kee wordi een meshoop nu vander straten
Een voetsel voer heren ende ondersaten
Peyst vrouken oude sonders syn vanden meesten
Peyst Venus ende alle amoruese geesten
Wordi van God int ordel int vuer ghesmeten
Daer sy ligghen in swaerder foreesten
Al hebdi lacen u scaemscoijn versleten
Al sijdi ghebeten ghi en sijt niet ghegeten

dat er dag en nacht om haar gevochten werd! Let op Maria Aegyptiaca en haar
inkeer: dat is passend. Volg Magdalena na, die aan de voeten van Christus zat.
Al die zondaressen zijn nog heilig geworden. Al ben je gebeten, je bent nog niet
verslonden. ¶ Bedenk toch dat na korte blijdschap eeuwige pijn volgt, bedenk
dat de dood aan alle liefde een einde maakt, bedenk dat je minnaars, die nu met
je vrijen, je schoonheid dan zullen haten, bedenk dat alle liefde, behalve naastenliefde, verdwijnt, bedenk dat de dwaze maagden met hun lege lampen buitengesloten worden uit het bruiloftsfeest. Bedenk dat je nu bent als een mest-
hoop op straat, een voetveeg voor iedereen. Bedenk, vrouwtje, dat je onder de
ergste zondaars geteld wordt. Denk aan Venus en alle minnaars, wanneer je
door God in het oordeel tot het vuur veroordeeld wordt, waarin zij in grote pijn
liggen. Al heb je helaas je onschuld verloren: al ben je gebeten, je bent nog niet
verslonden.

Princesse

Ghy waert een cameriere
Een schoon maecht nu sydi vanden beroocten santen
Mit meijkens behanghen met netelen met vliere
Machmen u huysken wel besteken tallen canten
Een verflout bloimken ende verdroocht planten
Tcroonken der maechdekens hebdi verloren nu
Ghebroken potkens syn nu u dyamanten
Storfdi dus ghy soudt versmoren nu
Die papegaij is af die roy is te voren nu
Leefden u ouders thert waer haer ghespleten
Och bid ghenade en ontsiet Goods toren nu
By weldoen wordt alle misdaet ghequeten
Al sydi ghebeten ghy en syt niet ghegeten

TOEGESCHREVEN AAN JAN DE HAESE

[REFFEREIJN]

[DE BATE ES SYNE, DIE SCAYE ES MIJNE]

Wat macht hem scaijen diet niet en cost

Prinses ¶ Je was ooit een model van een mooi meisje, nu ben je verlept. Met netels en vliertakken in plaats van meigroen mag men je woning overal versieren, want je bent een verdorde bloem, een verdroogde plant. De maagdenkroon ben je nu kwijt. In plaats van diamanten heb je nu gebroken potten. Als je zo zou sterven, dan zou je recht naar de hel gaan. De vreugde is voorbij, nu komt de straf. Leefden je ouders nog, hun hart zou breken. Och, bid om Gods genade en vrees zijn toorn. Door goed te doen wordt elke schanddaad uitgewist. Al ben je gebeten, je bent nog niet verslonden.

•

Wat mag het hem schaden, aan wie het niets kost!

Al wordt van my der werlt vruecht begost
Daer Venus discipulen altemet sijn
Al schenck ic by wylen den Rynschen most
Den schoone vrouwen dies hebben lost
Daer wy secretelic in enich bancket sijn
Al mach ic boelerende duert bruesch opset sijn
Mit lodderlyke meijskens subtyl van liste
Moet my van hen dat een verwet sijn
Die niet en betalen wat ick verquiste
Heeft niemant ghebreck van sulcken twiste
De bate es syne
Nonfortse al verteer ick gelt en kiste
Die scaye es mijne

Wien lett, wien scayt, wien macht hinderen
Al volchick meest den verloren kinderen
Den leest moet my van dien bevolen syn
Al machic in stoven in bordelen slinderen
Daer gelt scat en goet by mach minderen
Moetic daer by tvuylste kint vander scolen syn
Al mach mynen geest gestelt om dolen syn
En werpen den terlinc hazaer of gemoet
Moet dus my eere en welvaert gestolen sijn
Van tonghen die ergher syn dan slanghen bloet

Al proef ik de vreugde van deze wereld waar de leerlingen van Venus samen zijn, al laat ik rijnwijn schenken aan daarop beluste schonen bij een intiem etentje, al vrij ik met aanlokkelijke maar listige meisjes, moeten zij mij dat verwijten, zij die niet betalen wat ik verkwist? Indien niemand gebrek overhoudt van zulke twist, dan is de winst voor hem. Wat geeft het, dat ik geld en goed verteer? De schade is voor mij! ¶ Wie deert het, wie schaadt het, wie hindert het dat ik verlopen kerels opzoek, die zijn nu eenmaal mijn modellen. Al mag ik in badstoven en bordelen rondhangen, waardoor geld en goed vermindert, en ben ik daarbij het vuilste kind van de hele school, al mag mijn geest verward zijn en mag ik graag dobbelen, moet mij daarom eer en welvaart ontstolen zijn door kwade tongen, giftiger dan slangen?

Non fortse doe ic qualic die altyt wel doet
De bate es syne
Laet my dan ghewerden al bin ick onvroet
Die scaije es mijne

Elc es ghegeven synen vryen wille
Te doene te latene tsy luyde of stille
Weert goet, of quaet al sout leet of danc syn
En mach ic dan niet sonder enich ghescille
Verdoen vlas gaern haspel en spille
Met mynen quantkens die op die banck syn
En mach ic by wylen niet inden dranc syn
En drincken vry als Bachus droncken daer jouwe
Ten moet van scimpers enen gemenen ganc syn
Al ghebuert hen dusentwerf meer dant mij souwe
Suyct niemant dit beenken daer ic aen knouwe
De bate es syne
Verdrinck ic tbier dat ic selver brouwe
Die scaye es mijne

Prinche

Alst gheseijt is men derft niet vraghen
Elc sal alleen sijns selfs packsken draghen
Hoe wys hoe sot dat hy mach int leven syn

Wat geeft het dat ik kwaad doe, voor wie altijd goed handelt, voor hem is het voordeel! Laat mij dan begaan, al ben ik dwaas. De schade is voor mij! ¶ Aan ieder is zijn vrije wil gegeven om te doen of te laten, luid en stil, goed en kwaad, lelijk en mooi. Mag ik dan niet zonder gezeur alles met mijn vrienden aan de tapkast verspillen? En mag ik soms niet in de drank zijn, en mij bedrinken, ja als Bacchus zelf? Vitters moeten dit altijd beknibbelen, al zijn zij duizendmaal erger dan ik. Als niemand het been uitzuigt waaraan ik peuzel, dan is de winst voor hem. Drink ik het bier dat ik zelf brouw, dan is de schade voor mij! ¶ Prins ¶ Als het gezegd is, hoeft men het niet meer te vragen. Iedereen moet zelf zijn eigen pak dragen, hoe wijs of dwaas hij ook in het leven mag zijn.

Wien mach dan letten myn bruesche vlaghen
Al heb ic ghedoolt in myn jonghe daghen
Dies male fortune my mach becleven sijn
Moet ic daerom bi tvolc veracht verdreven sijn
Verstoten beghect worden, mit scaemten groot
Moet ick derchste van hem bescreven syn
Wien ic ter werlt noyt dan duecht en boot
Es hy een vat daer noyt gebreck uut en vloot
De bate es syne
Al verliese ic tspel laet doch rollen den cloot
Die scaye es mijne

COLIJN VAN RIJSSELE

[REFEREIN]

[O DOOT DU MOETS WEL EEN BITTER MORSEEL SIJN]

Als ick bemercke hoe alle diversche diere
Soe haest faelgieren
Dan ghevoil ic eerst dat ick bin verblent
Want voghelen vischen der zee rivieren
Hoe wilt van manieren

Wie kan mijn wispelturige buien iets schelen? Al heb ik in mijn jeugd gedwaald,
waardoor ik tegenspoed ondervond, moet ik daarom bij het volk veracht zijn,
en vol schaamte weggejaagd, verstoten en bespot worden? Moet ik als het
ergste uitschot beschreven worden door iemand, die ik enkel goed deed? Als hij
een vat is, waaruit nooit enig gebrek vloeide, dan is het voordeel voor hem! Al
verlies ik het spel, laat de zaken op hun beloop, de schade is voor mij!

•

Als ik zie hoe de verschillende dieren zo vlug vergaan, dan pas voel ik dat ik
verblind ben. Want vogels, zee- en riviervissen, hoe wild van aard ook,

Die worden hier al byder doot gheent
Baseliscus coninck des fenyns bekent
Die de voghelen dootwondich duerschiet
Cerastes tvenijnich ghehoorende serpent
Hyrena die den mensche mitter stemmen scent
En Tygris daer soe menich dier voer vliet
Salamandra dat venijnich spusel schiet
Vijpra dat den mensche tallen weghe wacht
Dispas die tvolck doet mit dorst verdriet
Scorpio dat den steert altijt om steken biet
En Aspis dat den mensche mit sijnder hetten versmacht
O doot uwe macht
Is veel meerder gheacht
Ghy myneert daer ghy u oghen op scacht
Out, jonck, goet, quaet, tes al dyn vracht
Ick en cans niet bevroeden wie dat ghi slacht
Wilt ghyse al te niete doen die in swerlts prieel syn
Soe moghen wy segghen dach en nacht
O doot du moets wel een bitter morseel sijn.

Die philozophen veel diversche cruden vonden
Die in alle monden
Een smake behouden seer bitter van minnen
Ghelijc Aloe Calabinum in allen stonden

worden hier allemaal door de dood getroffen: de basilisk, die bekendstaat als koning van het gif en vogels dodelijk treft, Cerastes, de giftige, gehoornde slang, Hyrena, van wie de kreet voor de mens dodelijk is, de tijger, voor wie zo menig dier vlucht, de salamander, die giftig speeksel spuwt, de adder, die allerwege op de mens loert, Dispas, die het volk met dorst kwelt, de schorpioen, die de staart altijd gereedhoudt om te steken en Aspis, die de mens door zijn hitte doodt. O dood, je macht wordt als veel groter beschouwd! Jij verdelgt waarop je de ogen slaat. Oud, jong, kwaad, goed, alles is jouw buit. Ik kan niet inzien wie jouw gelijke zou zijn. Als jij iedereen kan verdelgen, die op de wereld woont, dan moeten wij wel steeds zeggen: o dood, jij moet wel een bittere brok zijn. ¶ De natuurfilosofen hebben zeer diverse kruiden ontdekt, die in elke mond een smaak van zeer bittere aard achterlieten. Zo is Aloë Calabinum altijd

Bitter es int gronden
Nochtans haer cracht nut es ter medicijnen
Colloquintida gheen bitterder en mach sonne bescijnen
Die bitterheyt van Edra en mach soe niet verdwijnen
Absintheum remedeert veel diversche pynen
Aloe exacticum doet passyen verdwynen
Mer Aloe cicotrium es van meerder weerden
Aristologia oyt men ter ghesonde begheerden
Genesta veel diversche plaghen ontsluijt
Cucurbita die de apotekers aenveerden
Ende al heetmen Centaurea galle der eerden
Nochtans haer wercken van groter virtuijt
Mer tbitterste cruijt
Dat uwter eerden spruijt
Dat bistu o doot boven tparadijsche fruijt
Dyn bitterheyt vreest elc, noort oost west zuijt
Salder niemant graci hebben brugom noch bruijt
Weder sij in eenen thoren of in een casteel sijn
Soe machmen dan wel roepen overluijt
O doot du moets wel een bitter morseel sijn.

O pusonighe doot dijn regalich aencleven
Doet my altoos beven

intens bitter, en toch is haar kracht nuttig als geneesmiddel. De zon beschijnt
geen bitterder kruid dan Colloquintida, de bitterheid van Edra verdwijnt niet
vlug. Absintheum helpt veel verschillende pijnen, Aloë exacticum stilt lijden,
maar Aloë cicotrium is krachtiger, Aristologia begeerde men steeds voor de
gezondheid, Genesta beëindigt veel kwalen, Cucurbita is door apothekers aanvaard, en al noemt men Centaurea gal van de aarde, toch is haar nawerking van
grote kracht. Maar het bitterste kruid dat uit de aarde voortkomt, dat ben jij, o
dood, boven de appel uit het paradijs. Iedereen vreest overal jouw bitterheid.
Indien dan niemand genade mag ondervinden, bruidegom noch bruid, of men
in een toren of in een kasteel beschutting zoekt, dan moet men wel zeer luid
uitroepen: o dood, jij moet wel een bittere brok zijn. ¶ O giftige dood, jouw
bittere aanwezigheid doet mij steeds beven.

Nemmermeer en can ic natuerlick verblyden
Want Adam ons vader alder wyst beseven
Dien roofde ghy tleven
Hoe salick dyn stranghe bitterheijt ghelijden
Du ghinghes Abraham Isaack ende Jacob bestryden
En Caleph die de ghesontste was inder natueren
Al hinc Moyses tserpent op in synen tijden
Om dat tvolck vredelic sou gaen en rijden
Nochtans moest hy selve dyn bitterheyt besueren
Daldersterscte Sampson deetstu therte scueren
Die outste Mathusalem hebstu niet verghreten
Absolon die tscoonste was boven alle figueren
En mochte van dy gheen gracie ghebueren
Noch Achitophels listicheyt en was dij niet ontseten
Patriarchen propheten
Oratoren poeten
Ja Cristus ghebenedyt inde hoochste secreten
Dien hebdi mitter selver mate ghemeten
Mer Elyas hebdi alle dese voerseyde verbeten
Mach teghen dyn sentencie gheen appeel sijn
Soe moghen wy wel segghen die reden weten
O doot du moest wel een bitter morseel syn.

Nooit kan ik, zoals toch natuurlijk is, blij zijn. Want onze vader Adam, de
meest wijze man ter wereld, heb jij van het leven beroofd. Hoe kan ik je strenge
bitterheid verdragen? Je bestreed Abraham, Izaäk en Jakob, en Kaleb, die de
meest gezonde man van zijn tijd was. Al richtte Mozes in zijn tijd de ijzeren
slang op, opdat het volk in vrede zou voorttrekken, nochtans moest hij zelf
jouw bitterheid proeven. De allersterkste Samson deed je het hart bezwijken,
de oudste mens, Methusalem, heb je niet overgeslagen, Absalom, de mooiste
man in Israël, kon van jou geen genade verkrijgen, en de listigheid van Achito-
fel kon aan jou niet ontsnappen. Patriarchen, profeten, redenaars en dichters,
ja, Christus, vertrouwd met de heiligste geheimen, die allen heb je met dezelfde
maat gemeten. Alleen Elia heb je tegenover alle genoemden gespaard. Indien
tegen jouw vonnis geen beroep mogelijk is, dan mogen wij, die de oorzaak
daarvan kennen, wel zeggen: o dood, jij moet wel een bittere brok zijn.

Prinche

Rypelic roepic Prinche om u opperste goet
Ic valle u te voet, mit groter ootmoet
Slaet niet u oghen op myn sondich besmetten
Het is u propre natuere dat ghi graci doet
Laeft my mitter vloijt van dyn preciose bloet
Ende laet my nae dit leven u glorie besitten.

Amen

UIT DE REFEREINENBUNDEL VAN JAN VAN STIJEVOORT

EEN ANDER REFEREYN

[GOD WEET WIE DIE GEEN IS DAER ICT OM LYE]

Mijn moit myn bloit is my ontsoncken
Myn juecht myn vruecht heeft my begeven
Mijn oghen betoghen myn herte ontsoncken
Mijn macht myn cracht is my ontdreven
Mijn sinnen in minnen soe jammerlijc sneven
Myn oren die horen van u als niet

Prins ¶ Hevig roep ik, Heer, om uw opperste goed, ik val u te voet met grote ootmoed, sla uw ogen niet op de smetten van mijn zonde, het is uw eigen natuur, dat u genade schenkt. Voed mij met de vloed van uw kostbaar bloed en laat mij na dit leven uw glorie bezitten. Amen.

•

Ik heb geen moed meer, geen levenskracht; mijn fut en blijdschap ben ik kwijt; mijn ogen tonen mijn hartepijn; mijn macht en kracht hebben me verlaten; mijn geest doolt zo triest in liefde rond; mijn oren horen nauwelijks iets van u:

Mijn wesen mits desen doer u moet beven
Myn leden ontgleden noijt dus misschiet
Myn seenen versteenen doert swaer verdriet
Myn handen myn tanden hebben ghenen macht
Myn bloyen myn groijen ghy my verbiet
Myn gaen myn staen myn benen versmacht
Myn haren by paren ontvallen mij vrije
Myn suchten myn duchten hebbent lichaem vercracht
God weet wie die geen is daer ic om lye

Hoe gae ic hoe stae ic in druc en verdwyne
Hoe raep ic hoe scraep ic tlyf vol dolueren
Hoe steen ic hoe ween ic om bi u te syne
Hoe waec ic hoe braec ic boven natueren
Hoe out bin ic hoe crom ic achter ende vueren
Hoe magher als een jagher die niet en rust
Hoe vlitich hoe hittich hout ghi mi int labueren
Hoe strac hoe mack dat my niet en lust
Hoe veys ic hoe peys ic om te werden geblust
Hoe roep ic hoe hoep ic om te werden genesen
Hoe mach myn geclach aldus werden versust
Hoe wen ic hoe ben ic van u lief gepresen

zodoende sidder ik om u met heel mijn wezen. Ik heb mijn lichaam niet meer
onder controle, zo erg was 't nooit met me gesteld: mijn spieren verkrampen
door 't zwaar verdriet; mijn handen en tanden zijn krachteloos; gij verhindert
mijn groei en bloei; gij verlamt mijn benen, mijn gaan en staan; mijn haren
vallen uit, zomaar per twee; mijn zuchten en angsten hebben het lichaam van
zijn kracht beroofd. God weet wel wie het is om wie ik lijd. ¶ Hoe leef ik in
droefheid en hoe verkommer ik! Hoe is mijn lichaam van smarten vervuld! Hoe
klaag ik en ween ik om bij u te zijn! Hoe word ik door slapeloosheid gekweld, 't
is niet normaal! Hoe oud voel ik me, helemaal verkromd! Hoe mager ben ik, als
een rusteloze zoeker! Hoe hard en fel jaagt gij mij op! Hoe streng en stil houdt
gij u, tot mijn ongenoegen! Hoe fantaseer ik en denk ik eraan om door u tot
bedaren te worden gebracht! Hoe roep ik, hopend op genezing! Hoe kan mijn
geklaag zo zonder reactie blijven! Hoe ben ik van uw lofprijzingen gespeend,
liefste!

Hoe spaerlic hoe caerlic coemt vruecht geresen
Hoe leef ic hoe beef ic selden bin ic blye
Hoe ghescent hoe verblent bin ic sonder vresen
God weet wie die geen is daer ict om lije

Noijt herte in smerte soe seer ghequelt
Noijt lief in grief was soe ghevaen
Noyt grave van have soe neder ghestelt
Noyt lant noch sant soe seer vergaen
Noyt crancker jancker bescheen son noch maen
Noyt minre verwinre en wist myn leven
Noyt hout soe verout int bosch men vant staen
Noyt clerc sulc werc en vant bescreven
Noyt surgyn medecyn my en conste gheven
Noyt prelaet advocaet my en wiste te raden
Noyt aventuer soe suer men macht beseven
Noyt last soe vast sonder tonladen
Noyt juechden in vruechden sulcken pat intraden
Noyt vrou soe trou en quam ic by
Noyt goden my verboden die minne te versmaden
God weet wie die gheen is daer ict om ly

Hoe spaarzaam en karigjes valt mij de vreugde ten deel! Hoe leef ik en beef ik,
zelden verheugd! Hoe ben ik zonder schroom geschonden en blind gemaakt!
God weet wel wie het is om wie ik dit verduur. ¶ Nooit was een hart zozeer
door smart gekweld; nooit was een geliefde zo in pijn gevangen; nooit was
iemand zo van zijn bezit beroofd; nooit is iets of iemand zo vlug tenietgegaan.
Een ellendiger verliefde heeft nooit bestaan. Nooit heeft iemand die de liefde
ervaren heeft, ondervonden wat ik beleef. Nooit vond men in het bos een boom
zo verouderd als ik ben. Nooit heeft een geleerde iets gelijkaardigs beschreven
gevonden. Geen enkele heelmeester wist een medicijn voor me; geen enkele
geestelijke of advocaat kon mij raad geven. Een bitterder lot valt niet te bedenken; geen zwaardere, niet af te leggen last! Nooit hebben jongelui zich voor hun
plezier op dit pad begeven; nooit heb ik een vrouw met zoveel ernst en eerlijkheid benaderd; nooit eerder hebben de goden het mij zo onmogelijk gemaakt
om mijn liefdesgevoelens te verloochenen. God weet wel wie het is waarvoor ik
het verduur.

Prinche

Prinche beghintse my geen troost te geven
Paytse verdraytse my niet ter stont
Pynlic verdwynlic moet ic leven
Pachtende verwachtende te syn ghewont
Pacienci penitenci doet my oircont
Principalick ongenalic heeft sy my doerscoten
Pretenderende begerende haren roden mont
Puerlic natuerlic hout sy mij besloten
Pena venenosa heb ic ghenoten
Propterea miseria staet my by
Pairt ons vergaert mitte musyck begoten
God weet wye die geen is daer ict om ly

REFEREYN

[ICK LOICH IC EN CONSTE MY NIET BEDWINGHEN]

Een haenken alte frischen crayere
Dat synen tyt wel hielt ende sanc den dach
Ic meen int lant en was geen frayere

Prins ¶ Als ze mij geen troost zal gaan schenken, mij niet direct helpt en in een andere stemming brengt, dan moet ik in pijn wegkwijnen, smachtend mijn verwonding verduren en mij bewust aan lijdzaamheid en zelfkastijding overgeven. Geheel genadeloos heeft ze mij met de pijl der liefde doorschoten, met als gevolg dat ik haar rode mond begeer. Zij maakt mij geheel tot slaaf van mijn verlangens. Ik heb vergiftigde spijs tot mij genomen. Moge de ellende waarvan dit gedicht op muzikale wijze getuigt, mij bijstaan en ons samenbrengen. God weet wel wie het is om wie ik 't lijd.

•

Een haantje, een wel erg levenslustige kraaier, heel stipt in het luidkeels aankondigen van de dag (geen was er, volgens mij, in den lande die in flinkheid

Diemen daer by gheliken mach
Dat quam eens dairt die mater sach
In een susterhuys ende vlooch op die hinne
Die susterkens hoerden den veder slach
Sy riepen Jesus Jesus wel lieve minne
Wilt ophouwen sprac sy van desen beghinne
Want ghy ontsuvert ons geestelic convent
Tscheen dat die mater quam uut haren sinne
Om dat hi daer op sat als een ghent
Sy dochten dat hy tconvent hadde gescent
Doen hoordicse Veni Creator singhen
Ic loych ic en conste my niet bedwinghen

Die mater als die opperste vanden tempele
Sprac siet doch hier wat sals gheschien
Dits voer myn susteren een quaet exempele
Die dese onghestichticheyt hebben ghesien
Ic duchte dat si becoirt sellen worden mits dien
My en lust drincken noch te eten
Si riepen alle mater laet hem dit hof verbien
By ghehoersaemheyt twaer quaet vergheten
Thaenken wordt gevanghen ende seer gesmeten
Twort ghescouwen om den overlast

aan hem tippen kon), dat kwam eens, terwijl moeder-overste het zag, in een nonnenklooster en vloog er op de hen. De zustertjes hoorden de vleugelslag en schreeuwden: 'Jezus, Jezus, wel hemellief!' 'Hou daar mee op,' zeiden ze, 'want je bezoedelt ons heilig convent!' Moeder-overste leek wel buiten zinnen omdat hij daar opzat, zo stoer als een gander. Ze vonden dat hij 't klooster ontwijd had. Toen hoorde ik ze 't Veni Creator zingen. Ik kon me niet houden van het lachen! ¶ De moeder zei, als overste van het klooster: 'Zie dit nu toch, wat zal daarvan komen! Dit is voor mijn zusters een slecht voorbeeld. Ik vrees dat zij die deze ontucht gezien hebben in verzoeking zullen worden gebracht; ik kan er niet meer van eten of drinken!' De zusters riepen allen: 'Moeder, verbied hem de toegang tot dit hof; met respect voor de gehoorzaamheid die we u door onze gelofte verplicht zijn, menen we toch dat 't fout zou zijn om dit niet te doen.' 't Haantje werd gevangen en hard geslagen; 't werd om de overlast berispt.

Sy dreychdent dat syt souden speten
Waer dat hyt meer dede die onsuver gast
Hy stont ende swech als een hont die bast
Int laetste lieten sij thaenken springhen
Ic loich ende ic en conste mij niet bedwinghe

Die mater ghinc haer op dit stick beraden
Om te horen elc syn vermaen
Sy grepen alle scuppen ende spaden
Ende wouden daerde op graven gaen
Sy seyden ten mocht alsoe niet staen
Oec liepen sy om een pipegale
Donsuver aerde woert daer wech ghedaen
Drie voeten ront al omme te male
Deen croyt te berghe dander te dale
Want daer veel werc was God weet
Ic segghe wat vintmen menich drale
Die een cleyn sake maken herde breet
Die mater stont roepende ende creet
Ende si ghinc droeflick haer handen wringhen
Ic loijch ende ic en conste mij niet bedwingen

Ze dreigden hem aan 't spit te zullen rijgen als hij het nog eens zou doen, de smeerlap. Je kan wel denken dat het haantje zijn lot niet gelaten onderging: ten slotte lieten ze het ontspringen. Ik kon me niet houden van het lachen! ¶ Moeder-overste beraadde zich over deze zaak door ieder naar haar mening te vragen. Ze pakten allen schoppen en spaden beet om de aarde op te graven. Ze zeiden dat het daar zo niet mocht blijven liggen. Ook een kruiwagen haalden ze erbij. De bezoedelde grond werd drie voet in het rond geheel verwijderd. De ene kruide bergop, de andere bergaf, want er was daar waarlijk aan werk geen gebrek. Ik zeg maar zo: 'Wat vindt men toch veel rare mensen die van een scheet een dondersslag maken!' Moeder-overste stond te roepen en te schreeuwen en droevig te gebaren, maar ik kon me niet houden van het lachen!

Prince

Prinche dat henneken quam in groten node
Om dattet geleden had die violencie
Twaert gesedt te water ende te brode
In een doncker kerckere was haer sentencie
Daer dedese xl daghen penitencie
Om dat syt sonder cryten liet gehinghen
Ic leet verby ende dede reverencie
Ic loich ende ic en conste my niet bedwinghen

ALIUD

[HET IS EEN GOET SCUTTER DIET AL GHERAECT]

Een voetbooch scutter slap int gereck
Ende qualick gestelt liep sonder toeven
Tot eenre vrouwen ende claechde syn gebreck
Segghende hi soude haer bystant behoeven
Dat is dat hi een scoet of twe mocht proeven
Opten doil die voer onder stont
Het vrouken sprack God wil u bedroeven

Prins ¶ Het hennetje kwam in grote moeilijkheden omdat het de gewelddaad geduldig had verdragen. Ze werd voor haar straf in een donkere kerker op water en brood gezet. Daar deed ze veertig dagen penitentie omdat ze 't zonder misbaar had laten gebeuren. Ik stapte voorbij en groette, maar ik kon me niet houden van het lachen!

•

Een voetboogschutter, slap in 't spannen van de pees en kwalijk van het nodige voorzien, liep zonder dralen naar een vrouw toe om over zijn gebrek te klagen. Hij zei dat hij haar hulp nodig had, met name bij het uitproberen van een of twee schoten op de schietbaan die zich onder aan de voorkant bevond. Het vrouwtje zei: 'Ach man, hou toch op.

Soudi daer om bidden dats my een vont
Proeft dick genoech sydi anders speels cont
Mer hout den doil vast wat ghi doet
Schiet niet besyden ic segt u goet ront
Men soude u scelden ic bens wel vroet
Stelt u naden rinck dat dunckt my goet
Ghi wint den prys ist dat ghi die pinne genaect
Ende of ic eens misse sprack hy erm bloet
Sout ghy my begripen om enen voet
Het is een goet scutter diet al gheraect

Hi spien vrolicken ende liet hem den coker houwen
Hy leyde in mer syn pyl was veel te cleene
Si meende hem den steec te gaen wysen in trouwen
Mer tquammer al qualic tslot ginc alleene
Hi scoot buten doil ten docht haer niet reene
Si wort gram ende stoorden haer boven maten
Tis recht sprac tvrouken dat ic u verbeene
Soe veel te cort te scieten soudic haten
Beyt vrouken sprac die scutter wilt u saten
Ic salt saen beteren soe ic wane

Meen je daar toestemming voor te moeten vragen, dat ben ik heus niet gewend. Probeer het maar zoveel als je wilt op jouw manier, maar, wat je ook doet, richt je altijd goed op het doel. Schiet er niet naast, ik zeg 't je ronduit, want ik weet heel goed dat men je daarvoor uit zou kafferen. Richt je naar de ring, dat lijkt me 't best. De prijs win je wanneer je de pin weet te raken.' 'En als ik er eens een voetlengte naast zou zitten, zou je me daar dan voor berispen?' vroeg de arme sukkel. ''t Moet wel een goede schutter zijn die altijd raak schiet.' ¶ Lustig spande hij de boog en liet haar de koker vasthouden. Hij voegde zijn pijl in de groef, maar hij was veel te klein. Zij wou hem gaan tonen hoe hij de pijl er precies in moest steken, maar 't ging helemaal verkeerd: de boog ging vanzelf af en hij schoot buiten de baan. Dat leek haar niet pluis. Ze werd boos en ergerde zich uitermate. 'Het is met recht en reden dat ik je uitscheld,' zei 't vrouwtje, 'zoveel te kort te schieten, vind ik afschuwelijk.' 'Wacht, vrouwtje,' zei de schutter, 'kalmeer je. Ik maak 't onmiddellijk weer goed, zeker weten.'

Hi weder scoot mer luttel tot synre baten
Twas sleeps dus bestont si scimp tontfane
Nu raect my sprac sy tisser nau ane
Schiet bat of ghi woert hier confuys gemaect
Beit vrouken sprac die scutter hoert my vermane
Tes selden daer en pleech yemant wel mis te gane
Het is een goet scutter diet al geraect

Hi spien noch eens doen riep sy ou maetken
Keert u om leert hier die maniere
Als ghi den pyl treckt soe stopt dat gaetken
Soe en ist gheen noot datmen u calengiere
Wel vrouken sprac die scutter hoe dat ic my tiere
Ic sal my van sulcken fouten scuwen
Hy stelde hem soot bleec om te scieten sciere
Staet vast riep hi elc mochter af gruwen
Mer lacen hi en constet niet of geduwen
Hi bleef daer staen tslot hiel te vaste
Al haddi den doel mit oghen aenscuwen
Ten baten niet wat hi duden of taste
Vertrect seydsi blou scutter ghi maect mi tonraste
Ghi en syt niet doilvast wat batet gehaect

Hij schoot opnieuw, maar het baatte hem weinig. 't Was ernaast en daarom begon ze te schimpen. 'Nu, schiet maar op mij,' zei ze, ''t komt toch nauwelijks in de buurt. Schiet beter of je wordt hier te schande gemaakt.' 'Wacht, vrouwtje,' zei de schutter, 'hoor wat ik zeg: 't gebeurt maar zelden dat er niet eens iemand mist. 't Moet wel een heel goede schutter zijn die 't altijd treft.' ¶ Toen hij de boog weer spande, riep ze: 'Hé makker, kom hier eens kijken hoe 't moet. Als je de pijl trekt moet je dat gaatje stoppen. Dan zal men je niet meer berispen.' 'Oké vrouwtje,' zei de schutter, 'in alles wat ik doe zal ik me wachten voor dit soort fouten.' Hij posteerde zich duidelijk om direct te gaan schieten. 'Hou je vast,' zei hij, 'men zal er de stukken van af zien vliegen,' maar helaas, hij kreeg het er niet uitgestoten. Hij bleef daar maar staan, het slot kwam niet los. Al had hij het doel duidelijk voor ogen, hoe hij ook neep of kneep, het mocht niet baten. 'Trap het af,' zei ze, 'mislukte schutter, je werkt me op de zenuwen. Je bent niet doelvast, hoe graag je ook wilt.'

Beyt vrouken sprac hi legt mij niet te laste
Al wast dat ickes niet en paste
Het is een goet scutter diet al gheraect

Prinche

Tusschen hem beyden is grote twist geresen
Om tort dat hi dede eer hi ghinck
Hy scoot achternae mit die loeghepeese
Dat speet haer meer dan enich dinck
Sciet ghi mitter loghepeesen naden rinck
Sprac tvrouken snoy vuyl kalant
Van alle scutters die ic oyt vinck
En quammer noyt gheen aen mynen cant
Sy nam synen coker in haer hant
Si deden onder haer slippen poten
Vertrect seydsi blou scutter ic heb verstant
Ghi moecht wel elders om proeven coten
Want ghi hebt uwen besten pyl verscoten
U booch is crepel ende u windaes craect
U pyl is verteent si valt uuter noeten
Dus seg ict diet lang heeft verdroten
Het is een goet scutter diet al gheraect

'Heb nog wat geduld, vrouwtje,' zei hij, 'beschuldig me niet. Heb ik het niet reglementair gespeeld, weet dan dat het een heel goede schutter moet zijn die in alles slaagt.' ¶ Prins ¶ Voor hij wegging, heeft hij nog iets uitgespookt waar grote ruzie van kwam en dat vond ze helemaal niet leuk. 'Schiet jij met de "urinepees" naar de ring?' zei 't vrouwtje. 'Gemene viezerik! Van alle schutters die ik ooit ontving, heeft er zich geen zo tegenover mij gedragen.' Zij nam zijn koker in de hand en plantte hem onder haar slippen. 'Scheer je weg, valse schutter,' zei ze, 'ik heb je door. Je mag het wel ergens anders gaan proberen, want je beste pijl heb je verschoten. Je boog is gebroken en je windas is versleten; je pijl is slap geworden, hij valt los neer van de noot [pijlsteun aan boog]. Daarom zeg ik, voor wie er schoon genoeg van heeft: 't moet een goede schutter zijn die altijd raak schiet.'

REFEREYN

Veel vreemder geestgens syn in dese werlt
Dusentich duyst soumer wel in vinden
Som geestgens quellinge is om tsyn beperlt
Som geestgens lopen nae herten en hinden
Verwaende geestgens hem onderwinden
Om veel officien ende groot regiment
Som geestgens willen die mutse vast binden
Som geestgens tspit heel in daschen wendt
Som geestgens hem selven niet en kent
Som geestgen is puer vol sotternijen
Som lecker droncken geestgen den hoep al schent
Som geestkens fantaseren in allen tijen
Som geestkens en moghen hier niemant lijen
Dus waermen gaet of coomt tis wel ghespelt
Elc heeft een vreemt geestgen dat hem quelt

Om nu te vinden van dees vreemde geesten
Ende boirdelyken daer of te spreken
Sy bedriven soe menigherhande jeesten
Daghelicks in maenden jaren of weeken

Er spoken velerlei rare gedachten rond in deze wereld, duizendmaal duizend
zou men er wel in vinden. Sommigen worden er door hun kwelgeestje toe gedreven om zich met parelen te tooien; anderen zijn verzot op de hertejacht.
Verwaande geesten doen hun best om vele ambten en grote macht te verwerven. Sommigen zijn gauw tot over hun oren verliefd en sommige geestjes doen
alles helemaal mislukken. Sommigen kennen zichzelf niet en sommige geestjes
zitten vol gekke deugnieterij. Sommige wellustige dronken geestjes verpesten
de hele boel en sommige geestjes zijn altijd droef. Sommigen kunnen hier niemand uitstaan. Waar men dus ook komt of gaat, 't is duidelijk dat iedereen met
een vreemd kwelduiveltje opgescheept zit. ¶ Om nu over deze vreemde geesten
verder te dichten, wil ik er een grappig verhaal over vertellen. Het hele jaar
door zijn ze dagelijks op allerlei manieren actief.

Daer quam eens een geestken mit loze treeken
Heijmelick bi nachte in een schoon huys
Tbegonster te rommelen ende te steeken
Die binnen thuys waren bleven al confuijs
Doen seyder een ic sie een vreemd abuys
Van dit geestken ic en hoors nochtan niet meer
Tis wel soe stille al waert een getemde muijs
Ic hope dit geestken en doet ons geen seer
Ic hebbe dicwil horen segghen eer
Vreemde sinnekens sijn haest neder ghevelt
Elc heeft een vreemt geestken dat hem quelt

Noch synder geestkens die vreemdelyck rommelen
Alsser den haselaer is in gesmeten
Sy steken hoeren tee sy knorren sy stommelen
Eerse byden viere syn geseten
Dan soudmen dat geestken uut haer noemen meten
Mit scelden en kyven gaetmen dan slapen
Dan synder noch geestkens die wonder weten
Mitten monde mer ten is niet dan gapen
Sij weten veel raets voer heren en knapen
Het syn montrovers voer lien van verstande

Zo wist een sluw geestje eens heimelijk 's nachts een mooi huis binnen te dringen. 't Ging er zo aan 't rommelen en stommelen dat de bewoners geheel in
verwarring geraakten. Een van hen zei toen: 'Ik zie dit geestje vreemd bezig en
toch hoor ik het niet meer. 't Is zo stil, 't lijkt wel een getemde muis. Ik hoop dat
het ons geen leed bezorgt. Ik heb vroeger dikwijls horen zeggen dat vreemde
zinnetjes gemakkelijk verslagen kunnen worden.' Iedereen wordt wel door een
vreemd geestje geplaagd. ¶ Ook zijn er geestjes die vreemd tekeergaan als ze in
hun wiek zijn geschoten. Ze maken zich boos, ze mopperen en maken misbaar
nog voor hun het vuur aan de schenen is gelegd. Zulke geestjes zijn aan hun
woorden te herkennen: er wordt gescholden en gekeven tot men gaat slapen.
Dan zijn er nog geestjes die wonderlijke dingen weten te vertellen, maar 't is
alleen maar lucht uit een grote mond. Zij weten iedereen uitvoerig raad te
verschaffen en ontnemen verstandige lieden het woord.

Dan synder geestkens onder monicken en papen
Die quellen hem selven van lande te lande
Die pelgeroms geestkens gaen doer bergen van zande
Dus syn die geestkens menigerhande gestelt
Elc heeft een vreemt geestken dat hem quelt

Prinche

Som ghierich geestken is selden te vreden
Som arm geestken soude gern ryck wesen
Som geestken is blide in allen stede
Som geestkens quellinghe is quaet te genesen
Som geestkens callen van die van desen
Som geestken brengt alle onruste by
Som geestken wil oec die boenen lesen
Om dat haer vroukens syn milde en vry
Som geestkens spreken boevery waert sy
Synse edel wys cleyn ofte groot
Tsusterkens geestken seyt lichte aij mij
Horen sy een muijs rommelen therte lydt noot
Dese bancgeestkens comen licht in den doot
Tis wel geseyt waer datment voert vertelt
Elck heeft een vreemt geestken dat hem quelt

Ook zijn er geestjes onder monniken en pastoors die zichzelf overal gaan af-
pijnen, en bedevaartgangers die bergen zand doortrekken. De menselijke obsessies zijn dus van velerlei aard; iedereen heeft immers een vreemde kronkel
die hem drijft. ¶ Prins ¶ Menig gierig geestje is zelden tevreden; menig arm
geestje zou graag rijk zijn; sommigen zijn altijd vrolijk. Sommige obsessies zijn
moeilijk te genezen. Sommige geestjes roddelen over iedereen, sommigen stichten overal onrust. Sommige geestjes zijn op seks uit omdat hun vrouwtjes gewillig en vrijmoedig zijn. Sommige geestjes vuilbekken overal, hoe edel, wijs,
gering of machtig ze ook zijn. Een kwezelachtig geestje roept al vlug 'oei, oei',
in alle staten zijnde als het een muis hoort rommelen. Deze bange hartjes besterven het algauw. Wie het zou doorvertellen, zegt terecht: 'Iedereen wordt
door een vreemd geestje geplaagd.'

REFEREYN

Als therte volmaect in liefs accoort is
Als scaemte mit beijden oghen blint is
Als wille in wille en dwoert int dwoert is
Als vrese ende anxt daer onbekent is
Als vierighe appetijt present is
Als therte werct in een jonstich besueren
Als dooghe der ooghen obedient is
Hoe mach ijemende meer ghelucks gebueren

Als damoruese geert plaetse en stonde
Daermen tbedstroe in silveren scalen siet scinken
Ende elc den anderen steelt uuten monde
Dat hij selve waent eten ende drincken
Als tghepeyns der herten doet gedincken
Die groete begeerlicheijt der natueren
Ende doochskens malcanderen te bedde waert winken
Hoe mach ijemende meer ghelucks gebueren

Als dan die amoruese ghelieven
Dencken wie sal voer ons gaen

Hoe zou iemand meer geluk te beurt kunnen vallen dan wanneer: het hart
geheel hetzelfde voelt als het hart van de geliefde; men zich tegenover elkaar
voor niets hoeft te schamen; beider wil en woord onderling verweven zijn;
angst en vrees onbekend zijn; vurige lust present is; het hart door eenzelfde
genegenheid gedreven wordt en het oog van de een het oog van de ander volgt.
Hoe zou iemand meer geluk te beurt kunnen vallen ¶ dan wanneer geliefden
een gelegenheid hebben gezocht waarbij alles overheerlijk is toebereid en men
dat wat men uit de mond van de ander heeft gesnoept als z'n eigen eten en
drinken beschouwt, of wanneer het hartsverlangen een groot lichamelijk begeren opwekt en de oogjes elkaar naar 't bed toe lokken. Hoe zou iemand meer
geluk te beurt kunnen vallen ¶ dan wanneer verliefden zich afvragen wie van
hen de eerste stap zal zetten

Ende sij beij naect syn als Adam ende IJeven
Ende hyse in een gulden kevie siet staen
Mit haren ghelen vlechtkens ontdaen
Mit twe wanxkens bloesende als roseflueren
Ende si mit luste dus te bedde gaen
Hoe mach ijmende meer lucks ghebueren

Tvechten tocken thertelyck scachen
Dmeersman moet draghen tlieflijck fletsen
Thelsen tcussen tborderen tlachen
Dloiroghen tketelen tjaghen tketsen
Ende sij malcanderen aen tsteertbeen pletsen
Dat sij jonst ende jonst vast willecueren
Ende hijse kittelt ende sij wilten cretzen
Hoe mach ijemende meer ghelucks gebueren

Prinche

Als dees minlyke goddinnen
Eerwerdich boven der werlt scat syn
Daer sij mit trouwen malcanderen minnen
Elc minnende thertken mach te bat sijn
Alle die verdoolt in Venus pat sijn
Laet God confoort van lieve bespueren

terwijl ze beiden naakt als Adam en Eva zijn en hij haar, met haar blonde
vlechtjes ontbonden, als in een gouden kooitje ziet staan blozen met wangetjes
als rozen, waarna ze lustig het bed ingaan. Hoe zou iemand iets gelukkigers te
beurt kunnen vallen ¶ dan het worstelen, stoeien en hartelijk schateren, het
hop-paardje-hop spelen, het lieflijk vleien, het omhelzen, kussen, grappen en
lachen, het ondeugend lonken, het kietelen, het elkaar achternazitten en opjagen en het kontgeklets dat ze elkaar om beurten steeds weer gunnen, terwijl
hij haar kietelt en zij hem wil krabben. ¶ Prins ¶ Meer waard dan aardse kostbaarheden zijn deze beminnelijke godinnetjes; wanneer zij en hun liefjes elkaar
in trouw beminnen, kan 't minnende hartje niet gelukkiger zijn. Moge God
allen die op Venus' pad het spoor bijster zijn, troost bij hun geliefde doen
vinden,

Tot sij mit jonsten aent hoechste blat sijn
Hoe mach iemende meer gelucks ghebueren

REFEREYN

[MER LACEN HOE SAEN IST AL VERGHETEN]

Ach meer dan ach vindic die sulke
Als ic ghemeent hadde ey lacen neen ick
Als blyct het zeylt menich in Venus hulke
Die hem luttel sceeps verstaende is meen ick
Van dien bin ic een ey laes dies ween ick
Noyt dinck mynder herten soe seer en deerde
Vol drucks ghelyc den steene versteen ick
Dat ic te minnen ye begeerde
Myn liefste myn wertste noyt soe werde
Vervreemt nochtans nae haer vermeten
Tscheen sy en wist geen liever op derden
Mer ey lacen hoe saen ist al vergheten

Al vloghe die kercke dat op dat neder
Al saghe ic in die zee molensteenen swemmen

tot en met de genadegave van het hoogste genot. Hoe zou iemand meer geluk
ten deel kunnen vallen.

•

Treurig, meer dan treurig is het. Blijkt zij te zijn zoals ik dacht dat zij was?
Neen, helaas! Het lijkt erop dat velen meezeilen in Venus' schip zonder daar,
denk ik, veel verstand van te hebben. Ik ben er zelf zo een, helaas; daarom ween
ik. Nooit werd mijn hart zozeer gekweld. Vol angst ben ik en geheel verlamd,
omdat ik me eens op vrijersvoeten heb willen begeven. Zij die, hoewel vervreemd van haar eigen woorden, nog steeds mijn liefste, mijn allergrootste
schat is, deed het voorkomen alsof zij op aarde niemand liever had dan mij,
maar, helaas, hoe vlug is 't allemaal vergeten! ¶ Een kerk die ondersteboven
vliegt; twee molenstenen in zee zien zwemmen;

Al liep ic die husen wech ende weder
Al saghe ic oude wolven timmen
Al saghe ic coijen op bomen climmen
Al saghe ic twe swynen vollen ende weven
Al songhen mordenaer mit claren stemmen
Al saghe ic ghebraden duven leven
Soe en sout my nouwe sulc wonder gheven
Al saghe ic een plumeloose gans vlieghen
Als dat twe ghelieven soe hoghe verheven
In minnen soe saen vervreemden moghen

Och vrouwe hoe saen ist al vergheten
Dat minlic handelen dat lieflic ontfanghen
Dat hertelic lyden der minnen smerten
Het scheen men mocht doch niet verstranghen
Al meer al soude men ons hebben gehanghen
Die lieve partyen dat soete benamen
En mocht u spraecti mer verlanghen
Al hadden wy ewelyck ghebleven tsamen
Gheen liever soet scheen te gader en quamen
Wes den anderen deerde liet elc doch weten
Malcanderen troostende nae tbetamen
Mer lacen hoe saen ist al vergheten

huizen heen en weer doen lopen; oude wolven zien temmen; koeien in bomen zien klimmen; twee zwijnen zien vollen en weven; een moordenaar die met een klare stem aan de galg zijn laatste adem uitzingt; gebraden duiven zien leven; een pluimloze gans zien vliegen: dit alles zou me nauwelijks minder verwonderen dan dat twee geliefden die elkaar zulke grote liefde toedroegen, zo vlug van elkaar kunnen vervreemden. ¶ Och, meesteres van mijn hart, hoe vlug ben je het allemaal vergeten: de minnelijke omgang, de liefdesbetuigingen, de hartepijn, de liefdessmart die zo hevig leek dat men haar zelfs niet zou hebben kunnen vermeerderen door ons aan de strop te hangen. Naar niets ging je verlangen, zo zei je, meer uit dan naar onze amoureuze ontmoetingen en zoete woordjes. Al zou ons samenzijn eeuwig duren, nooit zou er, zo scheen het, iets zoeters te vinden zijn. We lieten elkaar toch weten wat elk van ons op het hart had: zo schonken we elkaar op gepaste wijze troost. Maar, helaas, hoe vlug is het allemaal vergeten.

Goeden dach goeden avont is alle den troost nu
Daer claghen ende suchten te syne plach
Niet meer eylaes sy op my en geeft nu
Dan op den vreemtsten die sy oyt sach
Het scheelt veel meer dan nacht ende dach
Daer minne soe groot scheen tusschen ons beijden
Dus roip ic ach ende meer dan ach
Dat wy soe corts sy ghesceyden
Wat batet bewimpelen oft vercleeden
Wie sal op yemants woert verhoghen
Daer wi twe van dalderliefste beelden
In minnen soe saen vervreemden moghen

Het nieu geselscap is ommer verhoechlic
Dat dus in rouwen heeft tonderbrocht
Nae uwen woorden scheent ommoeghelic
Dat ghy myns ommer vergheten mocht
God lof ghy syt nu anders bedocht
Al moet ic eylaes blive inden commere
Doet ghelyc ghy voren ende achter plocht
Wel moetti varen dat bidde ic u ommere
Gaet liever rechter mer gheen tyt crommere
Gods geefs u gracie ende die ongespleten

In plaats van het vroegere smeken en zuchten krijg ik van haar nu nog slechts
een beleefde groet. Ze geeft nu, helaas, niet meer om mij dan om de eerste de
beste vreemde. Tussen nu en toen onze liefde zo groot leek is een groter verschil
dan tussen dag en nacht. Daarom roep ik: 'Treurig, meer dan treurig is het dat
wij zo plotseling gescheiden zijn.' Aangezien zelfs wij, de twee meest voorbeel-
dige minnaars, zo vlug in de liefde van elkaar vervreemd zijn geraakt, is de
conclusie onloochenbaar dat niemand op andermans woord kan vertrouwen. ¶ Ik neem aan dat je nieuwe relatie, die een andere in rouw doet vergaan,
je wel vrolijk zal stemmen. Naar wat je zei, leek het onmogelijk dat je me ooit
zou vergeten. Mij goed dat je er nu anders over denkt, al blijf ik, helaas, met de
gebakken peren zitten. Doe maar verder zoals je gewend bent; ik wens je in elk
geval veel geluk. Ga toch maar liever rechte en nooit meer kromme wegen,
zodat je volkomen in Gods vreugde mag delen.

Hier mede adieu ghy wert der nommere
Nae dien dat soe saen is al vergheten

Prinche

Noch bid ic voer u myn liefste lief
God wil u bewaren van dorpers monde
Die roymen aenbrenghen menich grief
Want vrouwen blameren en dunct my geen sonde
Betrout voert niemant tot geender stonde
Den bloesem van eeren is saen vergheten
Noch blive ic secreet getrou van gronde
Al bin ic ey lacen mit u vergheten

REFEREIJN

[DIE LOON SAL U DIE PYN VERSOETE]

Een lappighe vrouwe van daghen out
Quam tot een scoinlappers huys ghegaen
Scoinlapper seyt si van herten bout
Soudi my willen een werck bestaen
Ja ic in trouwen ic wilt gern ontfaen

Omdat je het allemaal zo gauw bent vergeten, wordt je hierbij adieu toege-
wenst. ¶ Prins ¶ Ook bid ik voor je, mijn liefste lief, dat God je voor gemene
lasterpraat mag bewaren. Zij die hoog opgeven van hun lief, veroorzaken veel
verdriet, want velen blijken het geen zonde te vinden oneerbare dingen over
vrouwen te vertellen. Vertrouw verder nooit iemand je geheimen toe, want
respect voor iemands eer duurt vaak niet lang. Op mijn discretie kun je echter
rekenen, trouw van aard als ik ben, al liet je me, helaas, in de steek.

•

Een verlepte, oude vrouw kwam eens langs bij een schoenmaker. 'Schoenlap-
per,' zei ze stoutmoedig, 'zou je een werkje voor me willen opknappen?' 'Ja
zeker, graag neem ik het aan;

Ghenen last en mach mij verdrieten
Brengt dat ghi hebt het wort gedaen
Al soudicker half den aerbeit in schieten
Neen ghi lapperken ghi selter aen ghenieten
Doeghet wel ende mit goeder moeten
Dleer is droghe ghi moetet beghieten
Meesterlic nayen ende een stuck in schieten
Den loon sal u die pyn versoeten

Die lapper sprack legghet werck voer oghen
Mynen meester soudi qualic connen vinden
Die lovije vrouwe sprac ic wilt u toghen
Soe wilt u te stoppen bevinden
Byloy vrouken ghi moech wel elders toghen
Dleer is mij veel te droghe ende te hert
Oec soude ic daer alle myn naelde in schinnen
Oec ist also droghe al waert een bert
Smoutet tot datter mouter wert
Uwen aerbeyt sal myn pyn versoeten
Nayt herwaerts lapperken aen die schoere
En nayter een stuckskens leers voere
Die loon sal u die pyn versoeten

geen last is me te veel. Breng maar wat u hebt, het wordt gedaan, al zou ik er de
helft van mijn tijd in moeten steken.' 'Neen, lappertje, je zal er plezier aan
beleven. Doe het goed en neem rustig je tijd. Het leer is droog, je moet het natmaken, vakkundig naaien en er een stuk in zetten. Het loon zal je de last tot lust
doen zijn.' ¶ De lapper zei: 'Laat me 't werk maar eens zien; een betere lapper
zal u niet gemakkelijk vinden.' Het versleten vrouwtje zei: 'Ik zal 't je tonen.
Voilà, begin maar te naaien.' 'Potverdorie, vrouwtje, u kunt beter elders gaan.
Het leer is mij veel te droog en te hard. Ik zou er ook al mijn naalden op breken.
't Is ook zo droog als een plank.' 'Smeer het tot het soepel wordt; uw werk zal
mijn gebrek verhelpen. Naai hier, lapper, aan de scheur en naai er een stukje
leer aan. Het loon zal je de last tot lust doen zijn.'

Oude leer lappen tis groot pijne
Mij heeft wonder dat die menighe besuert
Tjan ic lietse legghen al waersij mijne
Twerck heeft mij te langhe gheduert
Het is gherompelt ende seer gheschoert
Wat batet datmen seer lapt of loort
Hoe meer ghenaijt hoe groter gat
Och lapperken sydi nu nayens mat
Ic hadde gern wat bad gehadt
Mer ic moet my lyden goy scamel loiten
Ghy syt wel moede ende nat
Die loon sal u die pyn versoeten

Prinche

Crancke lendenen ende doncker oghen
Soude ic van sulcke wercke layen
Biloi vrouwen ghi moecht u leer wel elder toghen
Want ic en sal u nemmermeer naijen
Myn oghen besijpen mij myn hooft gaet drayen
Quader werc en quam my noit te handen
Swicht lapperken spelt tonghen van tanden
Peynst vriendelike wercken gaen voer groeten

'Oud leer lappen is een lastig karwei. 't Verwondert me dat menigeen daar
moeite voor doet. Zo'n versleten lap zou ik verdorie liever laten voor wat hij is,
ook al was 't die van mij. 't Werk heeft me te lang geduurd. Het leer is gerimpeld
en erg gescheurd. Hoe men ook lapt of trekt, het mag niet baten: hoe meer
genaaid, hoe groter het gat.' 'Och, lappertje, ben je nu moe genaaid; ik had
graag wat beters gehad, maar ik zal geduld oefenen, arme lieve schat, want ik
zie wel dat je moe bent en nat. Het loon zal je de last tot lust doen
zijn.' ¶ Prins ¶ 'Gebroken lendenen en zwartomrande ogen zou ik van zulke
inspanningen krijgen. Verdorie, vrouwtje, u kunt uw leer beter elders gaan
brengen, want ik zal nooit meer voor u naaien. Mijn ogen tranen verschrikkelijk, mijn hoofd gaat aan 't draaien, nooit kreeg ik een lastiger werk onder
handen.' 'Zwijg, lappertje, hou je bek maar dicht en bedenk dat vriendschappelijke handelingen boven beleefde woorden gaan.

Lapperken weest goederhande ic sal u lonen als ic can
Al soudic versetten al myn pant
Die loon sal u die pijn versoeten

REFFEREIJN

Hoe pomposer geesten hoe hogher coragijen
Van princen ridders jonckers of pagijen
Oft wat blyscap dat onder de stagyen
Der hemelen ghesciet
Hoe vroliker geesten hoe reynder usagyen
Van spelen op waghen of op stellagyen
En syndaer gheen vrouwelyken personagijen
Soe eest al niet
Mer this jammer dat hen therte buecht als riet
Sy blussen soe menich minnaer verdriet
Uut compassieusheden
Die de ardighe vrouwen aensiet
Soe synse een zee een stroemende vliet
Vol melodieusheden
Sy verwecken den slapenden tot dyeusheden

Lapper, toe, doe me een lol, ik zal je belonen zoveel ik kan, al zou ik er al mijn
bezit voor verkopen. Het loon zal je de last tot lust doen zijn.'

•

Hoe praalziek de geesten, hoe hooggestemd het gemoed van prinsen, ridders,
jonkers of pages, of welke vrolijkheid men onder 's hemels dak ook bedrijft,
hoe vrolijk de geesten, hoe fraai ook het spel in toneel op wagens of stellages,
als er geen vrouwelijke personages zijn, heeft het allemaal niets te betekenen.
Maar 't is jammer dat hun hart buigt als riet. Zij stelpen de droefheid van menig
minnaar uit medelijden. Voor degene die leuke vrouwen bekijkt, zijn ze een zee,
een stromende rivier vol genoeglijkheden. Zij wekken de slapende op tot grootse activiteiten,

Den vrecken tot miltheden dit woort moet claer syn
Den cleijnmoedighen tot coragieusheden
Sij sijn een werlt vol amoruesheden
Mer this jammer datse soe wanckelbaer sijn

Sy die bewandelen der werlt dycken
Provincien landouwen oft coninckrijcken
Wat soiticheyt souwense connen ghelyken
Tegen soit aenschouwen
Der vrouwen wiens schoonheyt moet boven stryken
Alle rethoryken oft soite musijken
Daer en can gheen rechte blyscap blyken
En sijnder gheen schoon vrouwen
Sy syn een sucoors den mannen vol rouwen
Sy doen steken tornoyen mit swerden houwen
Verliesen en winnen
Sy syn een soit lustich hemels bedouwen
Mar this jammer datmense niet en mach betrouwen
Int werck van minnen
Sy doen wel een werlt vol wercks beginnen
Mer wat icse pryse daer sal een mer sijn
Sy hebben wel aensichten als goddinnen
Eloquencie als ingelijken sinnen
Maer this jammer datse soe wanckelbaer syn

de gierigaard tot gulheid, dit is duidelijk, de bangeriken tot moed. Ze zijn een
en al lieflijkheid, maar 't is jammer dat ze zo wankelbaar zijn. ¶ Zij die naar de
uiteinden van de wereld trekken, provincies, landen of koninkrijken door, wat
voor genot zouden ze kunnen plaatsen tegenover het zoete bekijken van vrouwen, van wie de schoonheid alle dichtkunst of lieflijke muziek overtreft. Bij
afwezigheid van mooie vrouwen kan er geen echte vreugde zijn. Ze zijn een
troost voor mannen die geheel bedroefd zijn. Zij doen steekspelen houden,
toernooien, vechten met zwaarden, verliezen en winnen. Ze zijn een zoet, heerlijk, hemels manna, maar 't is jammer dat men ze, wat de liefde betreft, niet kan
vertrouwen. Zij zijn het om wie zowat alles gaat, maar hoe ik ze ook prijs, er is
één probleem: ze hebben wel gezichten als godinnen en ze zijn welsprekend als
engelen, maar 't is jammer dat ze zo wankelbaar zijn.

REFFEREIJN

Hoe moghen ons dees langhe ribben dus verachten
Om dat wy cleyn mannekens syn cleyn van thoone
Daer wy nochtans den vromen David slachten
Die Goliam versloich lanck van persoone
Men acht ons niet groot ghenoech voer een bone
Mer cleyn critse boonkens die qualick smaken
Als syn wy gehert als poortmispels schoone
Men hoort jannes papen stront van ons maken
Dan ist Nicodemus cleyn hoebel van spraken
My dunct ghi sout op een helm wel micken
Erm hutteghetut waer wildi henen braken
Blyft thuijs dat u die crayen niet op en slicken
Tschijnt al soumen ons als cleyn lusekens knicken
Mer ic souwer eer thien self brenghen in weene
Een man es een man wat leyt aen die langhe beene

Al en syn wy soe lanck niet als die langhe fluyten
Wy syn proper en teerkens en smal van leden
Ja men mocht ons tusschen twe handekens sluyten

Hoe kunnen die lange slungels ons, kleine mannetjes, om onze kleine gestalte
zo verachten, terwijl wij toch als de dappere David zijn die de reus Goliath
versloeg! Men vindt ons maar te verwaarlozen, kleine, mislukte, smakeloze
boontjes. Al zijn we mooi gespierd als een [bepaald soort] mispel, het janhagel
spreekt over ons als over 't vuil van de straat en men zegt, niet bepaald fraai:
'Hé, Nicodemus, jij lijkt me wel een helm te kunnen gebruiken, arm klein grut,
waar wil je toch naar toe? Blijf liever thuis zodat je niet door de kraaien wordt
opgeslokt!' Men doet alsof men ons als kleine luisjes zou kunnen knakken,
maar ik zou er eerder zelf wel tien om genade doen janken. Een man is een man,
wat doen lange benen ertoe? ¶ Al zijn we niet zo groot als die lange bonestaken,
we zijn goed gebouwd en fijn en slank van leden. Ja, men zou ons wel

Die als fray leuwercxkens op cluytkens treden
Al dat lichtverdich is dat syn ons seden
Tschynt dat wy vlieghen sullen nae ons ghelate
Daer grote clontvoeten gaen henen kneden
Al souwen sy ertrijck met een duergaten
Wy gaen critse critse snap snap achter straten
Al wrinckeersende al waer woutke ganc hier
Dies jaghen wy die meyskens boven maten
Den crevele inden eers doer ons bestier
Want wy dapper te bedde syn voer ons bestier
Al syn ons stylkens cort tcorpus es reene
Een man es een man wat leyt aen die lange beene

Als wy inden wech staen desen langhe meesen
Dan ist ghy croocbuskens bootkens op een veele
Sietse my hier staen dese langhe resen
Wat doen dese boonschoofkens hier te speele
Dan segghen dese spibbeenkens swack als een seele
Die als goy oijevaers achter straten scryen
Mer waer ic als Ons Heer is van bevele
Ic souwer al gaern royen of doen snijen
Om kersen uut te doene tot allen tyen
Hun haetelick snotgat souwer plats toe moeten

als fraaie, over akkers trippelende leeuwerikjes tussen twee handjes kunnen
houden. Onze manieren zijn geheel lichtvoetig van aard, 't is of we zullen gaan
vliegen, zo zijn onze bewegingen. Terwijl grote lummels met zware klomp-
voeten lopen alsof ze de aarde helemaal willen doorploegen, lopen wij, klits
klets, met ons kontje schuddend, heel gezwind over straat. Daarmee jagen we
de meisjes de kriebel in het gat, want in bed zijn we dapperder dan men zou
denken. Al zijn onze piekjes kort, ze zijn wél stevig. Een man is een man, wat
doen lange benen ertoe. ¶ Als wij in de weg staan van deze lange vlerken, dan is
't: 'Jullie onbenullige, nutteloze struikelstenen! Zie ze hier staan, die lange reuzen!' 'Wat doet die rits bonen hier!' zeggen deze slappe spillebenen dan, die als
ware ooievaars door de straten schrijden. Maar als ik het, als God, voor het
zeggen zou hebben, zou ik hen maar al te graag tot stokken laten versnijden om
er voortdurend kersen mee uit bomen te slaan. Hun hatelijke bek dient helemaal gestopt te worden,

Want waer wy gheseten syn tes quaet om lyen
Soe roept daer een groot sassem loeten
Brengt hem een pampierken onder sijn voeten
Om dat wy cort syn dan roept daer noch eene
Een man es een man wat leyt aen die langhe bene

Ghy en syt nouwe eenen sack hoppen groot
Dats tsegghen van enen langhen wappere
Ick sou wel pap eten boven op u hoot
Roept dan een ander lanc loeghen tappere
Wat syn sy dan daghelicks lancks soe slappere
Dese langhe gaernpapen van herten flouwe
Mer wy cleyn mannikens soe lancs soe dappere
Wy vlieghen te beddewaerts by een vrouwe
En spelen smoc smoc mit lichten ghetouwe
Daer dees langlijfs hob hob mit gaen te wercke
Sy mochten doot ligghen ja op myn trouwe
Die proper cleyn meyskens in elcke percke
Al syn wy soe groot niet als Sampson de stercke
Tes een ghemeen segghen soe ick meene
Een man es een man wat leyt aen die langhe beene

want waar we ook zijn — 't is bijna niet te verdragen — er is altijd wel een
lange lomperik die roept: 'Schuif wat papier onder zijn voeten', en dat omdat
we klein van stuk zijn; een ander roept dan: 'Een man is een man, wat doen
lange benen ertoe.' ¶ 'Je bent amper een hopzak groot,' zegt bijvoorbeeld een
lange wapper. 'Ik zou op je hoofd wel een bord pap kunnen eten,' roept nog een
andere lange leugentapper. Wat zijn deze lange lafhartige hunkeraars anders
dan met de dag alsmaar slapper wordende slapjanussen; maar wij, kleine mannetjes, worden alsmaar flinker, duiken met een vrouw in bed en spelen er kwiek
het minnespel, in tegenstelling tot die lange lummels die daar zo zwaar aan
laboreren dat die mooie kleine meisjes verdorie telkens weer het leven erbij
dreigen te verliezen. Al zijn we niet zo groot als de sterke Samson, in 't algemeen
mag men volgens mij toch zeggen: 'Een man is een man, wat doen lange benen
ertoe.'

Prinche princesse cleyn int begrypen
Coomt laet ons tsamen enen strijt beslechten
Teghen dees langlyfs die ons dus vernijpen
Ick sal self capiteyn syn vande corte knechten
Wy willen dese langhalsen gaen uut rechten
Die ons dus verachten in elcken saysoene
Coomt al dat cort gebeent is en helpt mij vechten
Wy sullen in een bachoven monster doene
Want souwen wy eens gaen in Venus lamoen
By een vrouken die lancachtich es van rebben
Tscijnt souwen wy daer me spelen nae tbevroen
Wy souwen daer moeten een leerken toe hebben
Mer ic segghe al souwer die zee by ebben
Hoe seer dat veracht wort een manneken cleene
Een man es een man wat leyt aen die langhe beene

Prins ¶ Minzame prins of prinses, kom, laat ons samen de strijd aanbinden tegen deze lange lijven die ons zo verdrukken. Ik zal zelf de aanvoerder zijn van de kleine ventjes; wij zullen deze langhalzen die ons altijd zo verachten een lesje leren. Komt allen, gij kortgebeenden, en helpt mij vechten; we zullen laten zien hoe wij 't bakken, want willen wij eens met een ietwat lang uitgevallen vrouwtje gaan vrijen, dan lijkt men wel te denken dat we daar bij 't minnespel een laddertje nodig hebben. Ik echter verklaar, al zou iedereen me de rug toekeren en al kijkt men ook zeer op kleine mannetjes neer: 'Een man is een man, wat doen lange benen ertoe.'

REFFEREYN

Die tkoorntgen mitten conynen groin eten
Ende vanden terlinck allet bevroyen weten
Gehuyde die te metten tyt lucht gaen rapen
Makelaers die mitten jonghers thoijn speten
Muijlstoters die de bellen uuten caproen meten
Ende priesters die hem mitten vuylkens betrapen
Jongkers die dy van Peemont dick verknapen
Weukens die drincken gaen tallen ghelaghen
Jongwijfkens die uut lopen als meesters slapen
Ouders die nae gheen ghiericheyt en vraghe
Jongherkins die vercopen beemden en haghen
Haer patrimonij goet min dan die helft gheven
Dees syn werdich in die ghilde ghescreven

Scutters die tallen spelen nae conroot spien
Vroukens die elcken haren schoot bien
Werdinnekens die gheveynsde tranen wenen
Baghynkens die haer borstkens laten bloot sien

Zij die steevast hun geld verdoen nog voor ze 't gekregen hebben en alle gehei-men van de teerling kennen; getrouwde lieden die 's nachts een luchtje gaan scheppen; koppelaars die zelf als jongelingen een kippetje aan 't spit weten te rijgen; bedriegers die mensen voor de gek houden met hun valse relikwieën en priesters die 't gezelschap van hoertjes opzoeken; jonkers die vaak de bewoners van Piémont aan zich onderwerpen [dit wil zeggen dat ze veel aan *mond*behoef-ten betalen (*payer*), dus veel verteren]; weduwtjes die bij iedere gelegenheid gaan drinken; dienstboden die uitgaan als hun meesters slapen; ouderen die allesbehalve gierig zijn; jongelui die heel hun erfgoed verkopen aan wie er min-der dan de helft voor geeft: dezen zijn waardig om als lid van het zottengilde te worden opgenomen. ¶ Schutters die in elke wedstrijd willen samenspannen; vrouwtjes die iedereen hun schoot aanbieden; waardinnetjes die krokodille-tranen wenen; begijntjes die hun blote borstjes laten zien;

Pachtenaers die doutbacken broot vlien
Moniken die dicwils haer cappen beleenen
Papegaykens die inder proye beenen
Maechdekens die spinnen connen dubbel garen
Cruepele die in de ryse syn alteenen
Clercken die de vrouwen minnen ende hen boeken sparen
Cooplieden die gherne maekelaers waren
Drinckebroirs die tsamen nacht en dach leven
Dees syn werdich in die ghilde ghescreven

Die smaendaechs altijt Sinte Crispiaen vieren
En hem altyt inde baen stieren
Houwende Anfra heerlick in eeren
Fynanci makers die hem om tverstant chieren
Amorueskens die dickwil te Bordeus gaen bieren
Flinckerders die proncken al warent heeren
Daghelicks draghende hen beste cleeren
Diet al doen halen mitten sattijne
Sonder renten sijn in Venus vermeeren
Ambachts volck die dicwils gaen te wijne
Nochtans wel betalende ten fijne

huurders die altijd wat nieuws willen; monniken die vaak hun kap verpanden; kwaadsprekers die niets of niemand heel laten; meisjes die het ervan nemen en zich als onschuldige maagden weten voor te doen; (schijn)kreupelen die altijd buiten in de natuur gaan wandelen; studenten die de vrouwen beminnen en hun boeken onaangeroerd laten; kooplieden die graag iemand zouden afzetten; drinkebroers die zowel 's nachts als overdag leven: dezen zijn waardig om als lid in het zottengilde te worden opgenomen. ¶ Zij die 's maandags altijd hun leren tong smeren [Sint-Crispianus is de patroonheilige van de schoenmakers] en altijd op weg [bedevaart] zijn om (de) 'Amfora' te vereren; woekeraars die zich te goed doen om een transactie; vrijers die vaak in Bordeaux [het bordeel] hun dorst gaan lessen; snoeshanen die pronken als heren en alle dagen hun beste kleren dragen; zij die zich alles, tot het kleinste toe, laten bezorgen; verliefden die bij Venus in aanzien zijn, maar zonder respons moeten blijven; ambachtslieden die vaak wijn gaan drinken waar ze,

Al moeter den lesten penninck om beven
Dees syn werdich in die ghilde ghescreven

Prinche

Mijn heren ick mach wel onder correxie lesen
De gilde moet van eelder complexie wesen
Edele van vier quartieren seer rijckelick
Barmhertich syn haerder affectien peesen
Verstekende die sonder haer protectie resen
Want sij minnen musica rethorica tes blikelick
Sy en syn niet gierich this autentykelick
Want wanneer sij sterven tsij leeke of clercke
Haer sepulture es elcken onghelyckelick
Dier omtrent es die nemes mercke
Sy ligghen begraven onder een yseren zercken
Dan segghen sy die daer gaen beneven
Dees syn werdich in die gilde ghescreven

al moet de laatste penning eraan, goed voor betalen: dezen zijn waardig om als
lid in het zottengilde te worden opgenomen. ¶ Prins ¶ Mijne heren, ik meen,
met uw goedvinden, te mogen verklaren dat dit gilde edel van aard moet zijn,
edel in zijn vier zeer kostbare kwartieren. De leden zijn elkaar onderling zeer
genegen, waarbij zij die blijkens hun liefde voor muziek en literatuur buiten
hun bescherming zijn opgegroeid, uitgesloten worden. Zij zijn werkelijk niet
vrekkig, want wanneer zij sterven krijgt ieder van hen, zonder uitzondering,
een onvergelijkelijk mooi graf: wie in de buurt is, moet het maar eens gaan
bezien. Ze liggen onder een ijzeren zerk begraven en wie daarlangs komt, zal
zeggen: 'Dezen zijn terecht in het gilde opgenomen!'

REFEREIJN

[RAPEN MOET WEL SYN EEN GHESONDE SPIJS]

Het wil al rapen dat van Adam leeft
Datse goijen coop sijn mij wonder geeft
Paus en biscop abt ende deken
Tcoomt al ghelyc int raepvelt ghestreken
Keyser coninck heeren alle edelen mede
Die buten int dorp wonen of in stede
Priesters religiose canoniken ende clercken
Het wil al rapen sonder laboreren of wercken
Rechters advocaten comen ooc wel totten horen
Want syt groffelic nemen daert hoer mach ghebueren
Aldus neemick voer mynen reghel ende avijs
Rapen moet wel syn een ghesonde spijs

Ambachsmans souden wel nemen u virendeel voer ellen
Ackermans oeck mochten sy den ommeganc stellen
Jan derm sou wel eten van een gheroofde coe
Dat vel naem hy mede dat calf daer toe
Metten scellen moeten die arme gheneren
Die niet beters en heeft moet hem contenteren

Het hele mensdom wil 'rapen': het verwondert me dat rapen nog zo goedkoop
zijn. Paus en bisschop, abt en deken, allen zonder onderscheid komen ze waar
wat te rapen valt. Keizer, koning, heren, alle edelen ook, plattelanders of stede-
lingen, priesters, monniken, kanunniken en andere geestelijken, allen willen ze
rapen zonder zich te hoeven inspannen of te werken. Ook rechters en advocaten vinden het hunne, want waar ze kunnen nemen ze het ruim. Daarom neem
ik als mijn keervers en thema de regel: 'Rapen moeten wel gezond voedsel
zijn.' ¶ Ambachtslieden zouden uw kwart wel als driekwart aanrekenen; ook
boeren zouden dit doen wanneer ze de omvang zelf te bepalen hadden. Arme
Jan is niet vies om van een gestolen koe te eten en ook niet om tevens het vel en
het calf mee te nemen. De armen moeten zich met schillen voeden; wie niets
beters heeft, moet daarmee maar tevreden zijn.

Mer die biddende oorden syn van beter aventueren
Want sy di cleyn raepkens bat van hem ghetueren
Die minrebroers mit haer ghelapte scoen dat bat ondecken
Den honger de wolf uuten bosch jaecht tot veel plecken
Sy manen haer daghelicx renten cleyn van prys
Rapen moet wel syn een ghesonde spys

Buten opt velt luttel vinden de scapen
Want de wolven allesins te tylick rapen
Rou en onghecooct die sommighe brassen
Als hongherighe diet in slicken sonder handen te wassen
Die de crop vol hebben alderghierichste opt spelen
Dits horens wert ende niet om helen
Die meest besueren minst ghenieten
Dus mach den arbeyt enen wel verdrieten
Want veel willen plucken sonder raepsaet te saijen
Grotelic in vueren sonder picken of mayen
Waer van seer besmet syn die gheleerdt syn en wijs
Rapen moet wel syn een ghesonde spijs

Rapen syn gesont seyt meester Kempenaer gebraden
Waerom tvolc te bet hem laet beraden

Maar de bedelorden staan er beter voor, want zij weten zich wel ver van de kleine raapjes te houden. Dat blijkt het duidelijkst aan de minderbroeders met hun gelapte schoenen. De honger maakt velen tot wolven die dagelijks op een weinig lovenswaardige manier hun porties opeisen. Rapen moeten wel gezond voedsel zijn. ¶ Buiten op 't veld is voor de schapen weinig te vinden omdat de wolven hun steevast te vlug af zijn. Sommigen eten de rapen rauw en ongekookt zoals hongerigen die hun voedsel haastig met ongewassen handen naar binnen werken. Zij die hun keel vol hebben, zijn nog het hebzuchtigst van allemaal. 't Mag gehoord worden, men hoeft het niet te verzwijgen: zij die zich 't meest inspannen, profiteren het minst. Op die manier zou werken je wel gaan tegenstaan, want velen willen oogsten zonder zaaien en ruim binnenhalen zonder pikken of maaien. Vooral gestudeerden en intellectuelen hebben daar een handje van. Rapen moeten wel een gezonde spijs zijn. ¶ Gebraden rapen zijn gezond, zegt dokter Kempenaer en men volgt zijn raad maar al te graag op,

Inden pot gesmoort en syn nochtans niet te vermuylen
Mer inde kiste vermoort moghen niet vervuijlen
Sy moeten wel goet ende ghevallich wesen
Want sy die sieck syn inde borse ghenesen
Sy laxeeren ende verdryven couwe
Die wel by rapen is laet varen rouwen
Tot dat broot gheen beter spys int ghemene
Want her omnes begheert groot en cleene
Sy spannen die crone boven suker of rys
Rapen moet wel syn een ghesonde spijs

Laet varen het rapen versmaet goet en gelt
Waerom ghi alle die werlt int verweer stelt
Want om rapen coomt alle verdriet en misval
Die alle die Brabantse rapen had die en hadse niet al
Sy doen den buyck pyn ende lichtelic op swellen
Die meer rapen dan broot eten wie salse tellen
Om rapen studeren medicyns juristen practyken
Om tgelt te cryghen vanden armen en ryken
Om rapen die cassenaers lieghen men sout tasten
Om rapen comen sy op feesten inde vasten
Om rapen coomt Arnout int velt ghelopen

hoewel ze in de pot gestoofd ook niet te versmaden zijn. Goed opgeborgen in een kist echter kunnen ze niet bederven. Ze moeten echt wel nuttig en heilzaam zijn, want ze genezen wie ziek is in de beurs. Zij zijn laxatief en verdrijven de kou. Wie veel rapen heeft, is niet langer bedroefd. Er is kennelijk geen beter beleg voor op de boterham, want van klein tot groot wil iedereen het hebben. Rapen gaan boven suiker of rijst. Rapen moeten wel gezond voedsel zijn. ¶ Hou op met rapen, versmaad het goed en geld waarvoor je alles in beroering brengt, want rapen zijn de oorzaak van alle ellende. Wie al de rapen van Brabant had, zou er toch altijd nog meer willen hebben. Rapen veroorzaken pijn in de buik en doen hem enigszins opzwellen. Ontelbaar zijn zij die meer op rapen dan op brood belust zijn. Om 'rapen' leren doktoren en advocaten de knepen waarmee ze van iedereen, arm of rijk, geld loskrijgen; om 'rapen' liegen de boeven die met de relikwiekastjes rondlopen er zodanig op los dat het niet mooi meer is; om 'rapen' zoeken zij in de vasten feestgezelschappen op; om 'rapen' trekt de vagebond met zijn bedelzak

Wackerlic mit synen netten ende synen knopen
Die rapen syn gepresen boven haes of patrys
Dus moeten rapen wel syn een ghesonde spijs

REFFEREIJNE

[ELC DOE SIJN NERINGHE ENDE SWIJCH AL STILLE]

Een fantazije es mij corts int hooft ghedraijt
Van gramscap en const ick nau eten
Om datmen rethorijcke nu achter straten saijt
Ende elcken nu mit groten cluijten paijt
Tfij diet ghelooft hij es sot gheseten
Tgheeft mij vreemt oft dees cluijtenaers weten
Tsecreet vanden heeren nae tgheen dat sij singhen
Sij waren al werdich mit stocken ghesmeten
Ende leerden hemlien cluyten voort bringhen
Thes scande groot datment laet gehinghen
In een lant daer pays rust vry ten hille
Ick seg elc moet syn tonghe bedwinghen
Elck doe sijn neringhe ende swijch al stille

en zijn gelapte kleren welgezind langs beemd en veld. Rapen worden meer
gewaardeerd dan haas of patrijs: ze moeten dus wel gezond voedsel zijn.

•

Een sombere gedachte is onlangs bij me opgekomen; van ergernis kreeg ik bijna
geen hap door mijn keel, want de dichtkunst wordt nu op straat verkwanseld
en men komt bij iedereen met grote zottigheden aan. Bah! Wie er geloof aan
hecht, is niet goed bij zijn hoofd. 't Lijkt me al te gek dat deze potsenmakers
werkelijk bekend zouden zijn met de persoonlijke motieven van de heren waarover ze zingen. Stokslagen verdienen ze, 't zou hun leren met onzinnigheden
voor de dag te komen. 't Is een grote schande dat men dit toelaat in een land
waar de vrede een veilige plek heeft gevonden. Ik vind dat iedereen zijn tong in
bedwang moet houden. Laat iedereen zich maar met zijn eigen zaken bemoeien
en zich van commentaar op anderen onthouden.

Ist datse connen cluijten versieren
Van princhen heren coninghen graven
Sy soecken grote list ende nouwe manieren
Om liedekens te maken om sgelts vertieren
Daer sy int gasthuys haer kelen met laven
Sij doent tvolc mitten mont te deghen draven
Ende mitten ganghe weten sij min dan niet
Sy singhen sy crytten al warent raven
Tsa tsa coopter niemant een nyeuwe liet
Tvolc staet en gaept ten es gheen bediet
Vol schimpich sanchs brinct die gheen int ghescille
Dus segic elc merck vrij sijns selfs verdriet
Elc doe sijn neringhe ende swijch al stille

Deen singht den Aern sal syn vlueghelen slaen
Dander singt den leuw salt noch wreken
Deen singt die lelye heeft veel misdaen
Dander singt die rose es ons ontgaen
Deen singt men salder scermutsen en steken
Dander singt men salder veel lancen breken
Tes wonder hoe sy spelen mitten mont
Die heren synt dier minst of spreken

Wanneer ze ook maar kunnen, fantaseren ze over vorsten, heren, koningen, graven. Zij scherpen hun vernuft en leggen het erop aan om liedjes te maken voor geld, waarmee ze in hun logement hun dorst lessen. Zij leveren het volk gespreksstof genoeg, maar van de werkelijke gang van zaken weten ze geen sikkepit. Ze zingen en schreeuwen als raven: kom op, koopt er niemand een nieuw lied? Het maakt de mensen zonder meer nieuwsgierig en een lied vol kwaadwillige spot maakt sommigen opstandig. Daarom zeg ik dat iedereen maar op zijn eigen tekortkomingen moet letten. Laat iedereen zich maar stilletjes met zijn eigen zaken bemoeien. ¶ De een zingt: 'De arend [keizer] zal zijn vleugels uitslaan'; de ander: 'De leeuw [Vlaanderen] zal 't nog vergelden'; de een zingt: 'De lelie [Frankrijk] heeft veel misdaan'; de ander: 'De roos [Engeland] heeft ons in de steek gelaten.' De een zingt: 'Men zal er gaan vechten en doden'; de ander: 'Men zal er veel lansen gaan breken.' 't Is wonderlijk wat ze allemaal weten te vertellen. Waar de regeerders zich het minst over uitspreken,

Dese clapaerts wetent al gheseijt goetront
Laet den Aern gheworden ende blyft ghesont
Moetet tvlas ghesponnen sijn hij weet die spille
Wy maken den leeu mit clappen duerwont
Elc doe syn neringhe ende swijch al stille

Prinche

O princelic engien van hogher namen
Mit uwen edelen voersinighen staet
Dat wij veel clappen thes cleijn betamen
Ist datter ijet scuijlt Aernt vol vramen
Ghij sijt wijs ghenoich ghij weet altijt raet
Wat helpt dat menich quaet sot saijt sijn saet
Die nerghens mede en hebben te doene
Ter aventueren daer en es gheen misdaet
Al est dat tvolck nu hem kent soe koene
Cluyten te singhen tot sulcken saijsoene
Ic hopet pays bliven sal binnen onsen hille
Ic segt voor al alst mij staet te doene
Elc doe sijn neringhe ende swijch al stille

daarover weten deze babbelaars alles onomwonden te vertellen. Laat de arend
doen en wees gerust: hij weet wel wat er op 't gepaste moment gedaan moet
worden. Met ons gebabbel brengen we de leeuw alleen maar schade toe. Laat
iedereen zich maar stilletjes met z'n eigen zaken bemoeien. ¶ Prins ¶ O vorstelijke, hooggeboren geest, edel en wijs van aard: ons overvloedig gebabbel is
weinig gepast. Als er iets schort, weldoende arend, zijt gij wijs genoeg: gij weet
altijd raad. Wat hebben de rondgestrooide praatjes van menige kwade zot die
nergens enige verantwoordelijkheid draagt, te betekenen? Met name nu er juist
niets misgaat, al is het volk stoutmoedig genoeg om dwaze tijdzangen te zingen.
Ik hoop dat er vrede in ons land mag blijven. Voor allen zeg ik, zoals dat van mij
verwacht mag worden: 'Laat iedereen stilzwijgend bij zijn eigen zaken blijven.'

REFFEREIJNE

[IST NIET EEN HELLE OP AERTRIJKE]

Als int huwelick die twe ghepaerde
Sdaechs driewerf om tprioorscap vechten
Ende twijf den man grijpt bijden baerde
Die man twijf wederom bijden vlechten
Ende sij malcanderen alsoe berechten
Datmer of scriven mocht een cronijke
Die al haer leven met sulcke werc beslechten
Ist niet een helle op aertrijke

Ghelijc die steen uuls opden dach verbolghen
Hen selven berghen voer tschyn der sonnen
Soe doen dees liefkens die niet en volghen
Thuwelick alsoot eerst was begonnen
Als die mans den vrouwen gheen vrientscap jonnen
Mer ewich druc vol van versijke
Ende die wijven die niet lijden en connen
Ist niet een helle op aertrijke

Daermen altoos botten vint mitten veriuijse
En knoterpeeren om tontbijten
Daer volle croppen gaen achter huijse

Echtgenoten die dagelijks driemaal vechten om de baas in het huishouden te
zijn, waarbij de vrouw de man bij de baard grijpt en de man van zijn kant de
vrouw bij de vlechten en waarbij zij elkaar zo toetakelen dat men een kroniek
erover zou kunnen schrijven... is het voor hen die hun hele leven op deze manier
verzieken geen hel op aarde? ¶ Liefjes die het huwelijk niet meer beleven zoals
ze dat begonnen zijn, gedragen zich als steenuilen die zich wegstoppen voor de
zonneschijn omdat ze het daglicht niet verdragen. Als mannen hun vrouwen
geen liefde bewijzen, maar hun altijd met niets dan ellende het leven lastig
maken en wanneer de vrouwen dit niet lijdzaam dragen kunnen, is dat dan geen
hel op aarde? ¶ Waar men altijd 'bot in zure saus' en 'knoterperen' te eten
krijgt; waar men met opgekropte kelen

Ende handen wel bereet om smyten
Wanneer sijt die pot ende die panne wijten
Ende elc van werpen toont sijn practyke
Soe dat sy haer handen vol blous verslijten
Ist niet een helle op aertrijke

Daermen smorghens gardijn metten leest
Ende alle den dach verwerde ghetijden
En al heeftmen te preken niet gheweest
Elders dan daer tmach redelic lijden
Daer sij tsavonts sonder vermijden
Die dommelmetten doen beij ghelijke
Ende stellen dus alle vruecht besijden
Ist niet een helle op aertrijke

Oft dan dees liefkens een lijni trocken
Maer elc heefter een op hem selven
Als die haer melck in deijers brocken
Varense of nae die voghels delven
Daer die man die liefste es nae elven
Ende twijf donwertste van thienen alst blijke
Die tschyn van duechden dus op hem welven
Ist niet een helle op aertrijke

en smijtgrage handen door het huis loopt en waar de pot de ketel verwijt en beiden tonen hoe goed ze kunnen slaan, zodat hun handen geheel blauw en onbruikbaar worden, is het daar geen hel op aarde? ¶ Waar men 's morgens een bedsermoen houdt en de godganse dag ontstemde getijden bidt en waar het niet geeft dat men niet ergens anders naar een preek is gaan luisteren omdat men er elkaar 's avonds, zonder mankeren en met terzijdestelling van alle vreugde, de (lawaaierige) metten (van Goede Vrijdag) leest, is het daar niet een hel op aarde? ¶ In plaats van samen één lijn te trekken, volgen deze liefjes elk hun eigen spoor. Ze pakken het helemaal verkeerd en averechts aan, alsof ze melk in eieren zouden gaan breken of in de grond naar vogels spitten. Waar men elkaar zo appreciëert dat de man als meest geliefde op de twaalfde plaats komt en de vrouw van tien versmaden het minst gewaardeerd blijkt te zijn, is het daar niet een hel op aarde?

Prinche

Ick segt al sout hielen costen
Sulc beluijct des werlt cinghele
Hij wunst sijn wijf also stijf als posten
Daermen die duer sluijt metten grindele
Sulc vintmen oeck sij schijnt een Inghele
Sij woude wel dat haer man waer onder ertrijke
Overdinc toch prinche wat ick ringhele
Want het es een helle op aertrijke

REFFEREIJNE

[IST NIET OP DERDE EEN HEMELRIJKE]

Als lief met lieve es lief en wert
Als lief ende lief by malcanderen drincken ende eten
Als lief al doet dat lief begheert
Als lief mit lieve mach sijn ghesETEN
Als lief syn lief niet en can verghETEN
Als lief mit lieve es liefs ghelijcke
Als lief syns liefs secreet mach weten
Ist niet op deerde een hemelrijke

Prins ¶ Ik zeg, al zou ik ervoor weggejaagd worden, dat er mannen in de wereld zijn die hun vrouw het liefst van al zo roerloos zouden willen zien als een deurpost waar je de grendel in schuift. Men vindt ook vrouwen die een engel lijken te zijn, maar hun man wel onder de aarde wensen. Bedenk toch, prins, wat ik vertel, want het is een hel op aarde.

•

Als geliefden lief en vriendelijk zijn voor elkaar; als ze samen drinken en eten; als de een alles doet wat de ander begeert; als ze bij elkaar mogen zitten; als ze altijd aan elkaar denken; als ze elkaar als gelijken zien; als ze elkaars geheim mogen weten: is dat niet een hemel op aarde?

Als die vriendelijke oochskens malcanderen wincken
Ende op gheen ander minne en gloosen
Als lief van liefkens monde mach drincken
Ende bancketteeren als sorgheloosen
Als lief bij lieve rust bij posen
Als lief sijn lief begheert ter tijcke
Tsamen badende in een badt met roosen
Ist niet op deerde een hemelryke

Wanneer sij dan uut minnen puere
In een beddeken gaen al moedernaeckt
Ende scaemte ghesloten es buten duere
Ende elc nae sanders ghebruijken haect
Alsmen dan doorcussen vandie borstkens maect
Rustende in weelden vrij van versyke
Laborerende soe dat die koitse craeckt
Ist niet op deerde een hemelrijke

Of sij malcanderen alsoe verrommelen
Dat sij tdecsel vanden hoofde totten voiten
Werpen ende vanden bedde stommelen
Dat sij driemaal snachs verdecken moeten
Of sy malcanderen alsoe doerwroeten
Dat hem die azem bijcans beswijcke

Als de lieve oogjes elkaar toewenken en geen andere liefde zoeken; als ze zich
aan elkaars mond kunnen laven en zorgeloos feestvieren; als ze geregeld samen
uitrusten; als ze met elkaar naar bed willen, samen zittend in een bad met
rozen: is dat niet een hemel op aarde? ¶ Wanneer zij dan, uit pure minne, poe-
delnaakt in een bedje kruipen en zonder enige schaamte naar elkaars genot
verlangen; en wanneer men dan de borstjes als oorkussen gebruikt, heerlijk
rustend, zonder angst, en het bed doet kraken onder het gestoei: is dat dan niet
een hemel op aarde? ¶ Als zij elkaar zo onder handen nemen dat zij de dekens
helemaal van het hoofd tot de voeten van zich afwerpen en uit het bed stommelen, zodat ze het 's nachts tot drie keer toe weer op moeten maken, en als ze
elkaar zo doorwroeten dat ze bijna geheel buiten adem geraken

Ende sij die quale mit helsen versoeten
Ist niet op deerde een hemelryke

Daermen dus vechten mach sonder quetsen
Ende niemant en hoort van grieve claghen
Of sy malcanderen op die billen pletsen
Ende al ketelende uuten bedde jaghen
Of sij malcanderen int maenschyn saghen
Al moedernaect in Venus cronijke
Ende hyse weder te bedde gaet draghen
Ist niet op deerde een hemelryke

Prinche

Als ghij princelic moecht ghebruijcken
U prinselic lief nae Venus practijke
Wilt scaemte buten der doeren sluijten
En rust in vreden sonder versyken
Want daer twe ghelieven tsamen duken
Onder een decksel bij ghelijcke
Ende soe vriendelic ligghen tutebuken
Ist niet op derde een hemelrijke   Jaet

en daar, elkaar omhelzend, weer van herstellen: is dat niet een hemel op aarde? ¶ Waar men zo kan vechten zonder elkaar te verwonden en men niemand over pijn hoort klagen; wanneer ze elkaar op de billen kletsen en kietelend het bed uit jagen en wanneer zij elkaar naakt in de maneschijn verliefd bekijken en hij haar weer naar bed toe draagt: is het daar niet een hemel op aarde? ¶ Prins ¶ Als ge als een vorst volgens de kunsten der liefde over uw vorstelijke geliefde kunt beschikken, sluit dan alle schaamte buiten de deur en geniet gerust, zonder vrees, want is het niet de hemel op aarde waar twee geliefden samen bij elkaar onder één deken duiken en daar lieflijk liggen te minnekozen? Ja zeker!

REFFEREIJN

Bi avont spade nam ic een ganxken
Ende sloich mij neder onder een banxken
Daer menich Venus jancker voerbij liep
Daer quammer een ende gaf een janxken
Hy had ghern ghesonghen een sanxken
Voor tveynster daer sijn amoruese sliep
Hy fluijten voer tspleetgen en seijde piep
Ende sach een ander sitten opt betspondeken
Peyst wat vruechden hij int herte sciep
Doe hyse sach moddermulen mont aen mondeken
Sij wou haer weijgheren dat dobbel grondeken
Hij sach haer borstgens daer ontrijghen
Vrolic ghinckmer worstelen een stondeken
Siet seij hij is mij dit niet een groot lijen
Ic loich duer thoren der melodijen

Hij sachse beij int hemdeken dansen
Twijfelende men sou corts spelen bi cansen
Hij sach datmer ter stont tkersken uut blies
Hij hoorden dattet ernst gaf int inleggen der lancen

Tijdens een late avondwandeling ging ik eens op een bankje zitten waar menige hopeloze vrijer passeerde. Zo kwam er een kermend aan die zijn lief graag een serenadetje had gegeven voor het raam waar ze sliep. Hij floot door het kiertje en zei 'piep', maar zag een andere vrijer op 't bed zitten. Je kan wel denken hoe blij hij was toen hij hen zag tongkussen, mond aan mond. Het dubbelhartige meisje deed alsof ze zich niet helemaal wou overgeven. De bedrogen minnaar zag hoe haar borstjes uit het keursje werden losgemaakt. Men begon er een poosje lekker te worstelen. 'Zie,' zei hij, 'dit is voor mij wel heel erg pijnlijk,' maar ik moest lachen om wat ik van het blije gestoei te horen kreeg. ¶ Hij zag beiden in hun hemdje dansen en vroeg zich af of ze ook algauw hun kans zouden grijpen. Hij zag dat men er ineens 't kaarsje uitblies. Hij hoorde dat ze zich serieus op het steekspel gingen voorbereiden.

Hij stont en swoir ghelijc die grote hansen
Hij hoorde dat den paijs totten moet weder wies
Men campter soe hem docht om tgulden vlies
Hij hoorden knorren om tvoor ondergaen
Sou ic die lakens sijn cout acht dies
Wij sullen die cortse die coude doen verslaen
Twasser al heijda heij wel aen wel aen
Hij hoorde tdecksel al oper ter sijen
Syn hert ontsanc hem hij en const nau staen
Daer peysde hy sal hem die ziel ontgaen
Ic loich duer thoren der melodijen

Hij hoordse sammelen sollen ende bolleken
Hij hoordese piepen als die muijs int holleken
Hij hoorde vespereijt by tharnas gheclasse
Hij hoorde die schichtinghen plat als een molleken
Hij hoorde dat sij hem nam bij sijn bolleken
Datmer tornoijden al metter tasse
Dat bedsponneken gaen kisse casse
Hij hoorden dlessement der ademkens corten
Hy las haer deijndelveers corts ghenasse
Hy hoorde wederom steken en horten

Hij stond te vloeken als een man van gewicht. Hij hoorde de onderlinge vrede weer tot een hartstochtelijk hoogtepunt rijzen: men vocht er, zo leek het hem, om 't gulden vlies. Hij hoorde disputeren over wie er eerst in bed zou gaan. 'Br, voel eens hoe koud de lakens zijn'; 'Wij zullen de kou met ons vuur wel doen wijken.' Men hoorde er niet anders dan vrolijke kreten en 'vooruit nu, toe'. Hij hoorde de dekens aan de zijkant openslaan. De moed ontzonk hem, hij bleef nauwelijks overeind. Hij dacht dat hij het zou besterven, maar ik lachte om 't vrolijk gestoei. ¶ Hij hoorde hen rommelen, sollen en rollen; hij hoorde haar piepen als een muis in zijn hol; aan 't geklets van het harnas hoorde hij dat er een steekspel aan de gang was; hij hoorde het geschut, zo precies als een mol het zou horen; hij hoorde dat ze hem bij zijn knikker nam en dat men er toernooide, voorzien van een buidel. Het bed piepte en kraakte; hij hoorde hoe 't gehijg tot een einde kwam. Hij gaf haar het laatste dat ze kon wensen. Spoedig echter herstelde ze zich en hoorde hij weer steken en stoten.

Hy swoir bi doghen dermen ribben en storten
Wort ic dus versteken als prye der prijen
Ick peysde hem waer goet een bryken van gorte
Die hem die hersenen mocht bevrijen
Ic loich duer thoren der melodijen

Prinche

Twaengewaersken viel vol van hopen
Die oesenen hem inden neck vast dropen
Dies hem lacen taenschyn vol tranen swam
Hij stont al versch men dorst hem niet versopen
Dus is hy swijmelende wech ghecropen
Noch custe hy tveijnsterken eer hy orlof nam
Hij jancte hij snercte hij ghinc soe hy quam
Coomt uut sey hi ic steeck vol gheckernijen
Duert sien myn hert in vruechden clam
Ic loich duer thoren der melodijen

Hij vloekte in alle toonaarden: 'Word ik zo, als het meest verachtelijke kreng, verstoten!?' Ik stelde me voor dat hij nog beter af zou zijn met wat gortepap dan met zijn hersenen. Ik moest lachen door wat ik voor vrolijks hoorde. ¶ Prins ¶ De ingebeelde minnaar liet alle hoop varen. De regen gutste van het afdak helemaal in zijn nek, waardoor, och God, zijn gezicht vol tranen kwam. Hij was helemaal nat, men hoefde hem niet meer te verzuipen. Zo is hij zwijmelend afgedropen. Voor hij afscheid nam, kuste hij 't venstertje nog. Hij jankte en maakte misbaar; hij ging zoals hij gekomen was en zei: 'Kom naar buiten, ik ben door het dolle heen!' Het was voor mij een komisch gezicht; ik lachte om de pret die ik hoorde.

REFFEREYNE

Soudse haer selve oeck laten verleijen
Soudse moeghen syn soe die luden seijen
Dat sij die ic beminne mij bedrooch
Soudese oeck opten rugghe aerbeijen
Of soudse in vreemde broixkens weijen
Die mij therte uutten lijve tooch
Soe mach ic wel segghen datse looch
Ghelijc alst lof mitten winde vlooch
Of die plume wentelt ghelooft mij des
Soe vliecht haren wil duer truijm gedooch
Mits datse den tuijt soe hemelic sooch
Isse sulc soe isse soos es

Luijstertse nae jonghe domme sanghen
Wilsij mij soe die blou huijck omhanghen
Canse mij sdaechs twe trapkens ontellen
Gaetse int vleeschuijs blinde stomme vanghen
Wilse alsoe vast lopen cromme ganghen
Laetse haer tot allen leesten stellen
Looptse die rechte lancen vellen
Isse ontfermhertich onder die ghesellen

Zou ze zich werkelijk laten verleiden? Zou het waar zijn wat de mensen van haar zeggen, dat zij die ik bemin mij bedriegt? Zou ze ook op haar rug liggen werken of plezier in andere mannen vinden, zij die mijn hart gestolen heeft? Als 't zo is, mag ik wel zeggen dat ze me belogen heeft. Zoals het blad waait met de wind of zoals een pluim zich keert, neem dat maar van mij aan, zo veranderlijk is haar verlangen door de grote vrijheid die ze zich kan permitteren. Omdat ze zo in 't geheim van de pijpkan zoog, mag ze zijn wat ze is. ¶ Luistert ze naar onnozele minnezangen van jongelui? Wil ze mij zo tot hoorndrager maken? Probeert ze me dagelijks twee keer te bedriegen? Vangt ze in haar vleeshuis blinden en stommen? Wil ze zo altijd een scheve schaats gaan rijden? Laat ze zich op alle leesten schoeien? Haalt ze de opgerichte pieken neer? Is ze barmhartig voor vrolijke jongens,

Dat is lacen een blou gheles
Machse elc soe horten en quellen
Worsteltse dat haer die borsten swellen
Isse sulc soe isse soos es

Leertse dan thoirisoenken luijsen
Canse meesterlic den aessack pluijsen
Mintse wijn gelt meer dan myn lyf
Looptse vast nae tallen huijsen
Can sy nae dubbele ghesellekens muijsen
Teghen stoilen en bancken even stijf
Maecse mij dan een nyeuw ghekijf
Tsavons als ic jocke om tbedryf
Sy seyt wat ic doe tis al exces
Noijm icse liefken sij heet mij katijf
Tierende als een dobbel wyf
Isse sulc soe isse soos es

Princhesse

Sterck fraij ende vlugghe
Soe bin ick seker ende ghewes
Hoe dat sij smeect sij gect achter ʀugghe
Dies ic claerlic stae op een wanckel brugge
Isse sulc soe isse soos es

volgens een apocrief evangelie helaas? Zou ze iedereen zo stoten en aanklampen en worstelt ze dat haar borsten ervan zwellen? Is ze zo, dan is ze maar zo. ¶ Leert ze dan de precieze knepen van het hoerenvak? Weet ze vakkundig de knapzak leeg te maken? Bemint ze mijn geld meer dan mijn lijf? Doet ze steeds allerlei adressen aan? Weet ze bedrieglijke gezellen op verschillende manieren steevast in de val te lokken? Begint ze me steeds opnieuw uit te kafferen als ik 's avonds schertsend iets opmerk over haar gedrag en zegt ze dat ik altijd zo overdrijf? Noem ik haar liefje, mij noemt ze schurk, roepend voor twee. Is ze zo, dan is ze maar zo. ¶ Prinses ¶ Sterk, knap en vlug als ze is, mag ik er zeker van zijn dat ze, hoe ze ook fleemt, achter mijn rug met me gekt. Ik bevind me dus duidelijk in een twijfelachtige positie. Is ze zo, dan is ze maar zo.

REFFEREIJNE

[KE LIEFKEN DAT EN HAD IC U NIET TOE BETROUT]

Och troost van blijscapen est al vergheten
Die liefte die wij tsamen hebben gheploghen
Ick heb soe menighen dach gheseten
Int straelken van dijnen sueten oghen
Alle droefheyt was mij uuter herten ghevloghen
Als ons banckettere gaf tijt en stonde
Oec heb ick menighen dronck ghetoghen
Duer tcruijxken van dijnen roden monde
Het docht ons al specie ter herten ghesonde
Die spijse die wij te samen aten
Est al ghij lodderoochskens van gronde
Vergheten dat wij te samen saten
Hebdi u vrientscap uut ghelaten
Om van mij te sceijden sonder scout
Moetghi wanckelbaer wesen of mij haten
Ke liefken dat en hadic u niet toe betrout

Och hoe ontploken wy tsamen ons aderkens
Den tijt en mocht ons niet verdrieten
Als wij int baijken mit rosebladerkens
Polsden soe die endekens int water vlieten

Och, vreugdeloze troost, is de liefde die we samen kenden geheel vergeten? Ik heb zo vaak in jouw lieflijk bijzijn vertoefd. Mijn hart was van alle droefheid verlost toen we tijd en gelegenheid vonden om feestelijk samen te zijn. Ook heb ik vaak uit het kruikje van je rode mond gedronken. De spijzen die we samen aten, leken ons niet anders dan kruiden die het hart genezing gaven. Ben jij, lodderoogje, helemaal vergeten dat wij samen waren? Heb jij je vriendschap afgelegd om mij zonder plichtplegingen te kunnen verlaten? Zou je onbetrouwbaar zijn of mij haten, Jezus, liefje, dat had ik niet van je gedacht. ¶ Och, hoe luchtten wij samen ons gemoed; wij konden ons geluk niet op. Toen wij als zwemmende eendjes in het badwater plonsden dat met rozeblaadjes bestrooid was,

Dan ghingen wij malcanderen beghieten
Dat wij naect ten bedde spronghen
Woude natuere Venus vruchten ghenieten
Malcanderen dan wy ten bedde waert dronghen
Dat decksel wij vanden bedde swonghen
Doer tminlic boirderen tlachen en tocken
Mer lacen dat liedeken is uut ghesonghen
Den bant van liefden hebdi ghebroken
Uwe witte ermkens hebdi ontloken
Om eenen anderen mijn bier is cout
Een ander sal aen u witte borstkens smoken
Ke liefken dat en hadic u niet toe betrout

Wat mach u ghebreken aen mijn persone
Dat ghij dus ander bier wilt tappen
Ick leerde u reijen alderschoonste scone
Den oeijvaers dans ende die scuijten lappen
Ick leerde u oeck spelen op maten
Den tumelaer ende oeck den hoender draff
Daer ic tscoonste besken vander crappen
Tot uwen outaer int offerhande gaf
Al gaefdi mij voer terwen greijn doe caf
Puer willens ic duer die vingheren keeck

gingen we elkaar zitten begieten totdat we naakt het bed insprongen. Wanneer de natuur ons appetijt deed krijgen, drongen we elkaar naar bed. Door het minzaam grappen, lachen en stoeien slingerden we de dekens van het bed. Maar helaas, dat liedje is uit. Jij hebt de liefdesband verbroken. Voor een ander heb je je blanke armpjes geopend; mijn bier is verschaald. Een ander zal zich heimelijk aan je witte borstjes koesteren. Jezus, liefje, dat had ik niet van je gedacht. ¶ Wat vind je mis aan mijn persoon dat je nu uit een ander vaatje wilt tappen? Ik leerde je, allermooiste schoonheid, de balderdans dansen en schoenen lappen. Ik leerde je ook op het gepaste ritme tuimelen en driftig draven terwijl ik het mooiste druifje van de tros op je altaar offerde. Ook al gaf je me maar kaf in plaats van tarwekorrels, ik nam het uit louter welwillendheid voor lief.

Mit groijnen houte heijdi mij af
Een ander cust nu u caecskens bleeck
Hoe moghen u leden sij sijn soe weeck
Verdraghen twonder dat ghij nu brout
Ghij en mocht nou lyden dat ick u bestreeck
Ke liefken ic en hads u niet toe betrout

Princesse

Dubbel princesse ghij sijt te lack
Ghij sijt veel bracker dan pekel sout
Doer twriessen ende theffen aenden sack
Ke liefken dat en had ic u niet toe betrout

REFFEREIJNE, ANTWORDE

[BENEDICITE WIE MACH DESE LOGHENE LIEGHEN]

O decksel sprack sij van mijnen borstkens
Souden mij u pencen soe haest verleet sijn
Ic en vergader voer mij gheen ander worstkens
Lief dan tuwer coekenen bereet sijn
Soudick slachten die dobbel ghecleet sijn

Veel te vroeg sluit je je van me af. Een ander kust nu je blanke wangen. Hoe kunnen je o zo kwetsbare leden de vreemde dingen verdragen die je nu uitspookt: een streling van mij was je al bijna te veel. Jezus, lief, dat had ik niet van je gedacht. ¶ Prinses ¶ Valse vrouw, jij bent me te los. Bitterder dan zout ben je voor me geworden met al je geile getast en gekeur. Jezus, liefje, dat had ik niet van je gedacht.

•

'O deksel,' sprak zij, 'van mijn borstjes. Zouden jouw pensen me zo gauw tegenstaan? Ik zoek geen andere worstjes dan die die uit jouw keuken komen. Zou ik zijn als zij die zich anders voordoen dan ze zijn

704

Ende gaen lopen van bancken tot stoilen
Ocherme soudic daer om van u gheveet syn
Soe hebdi mijnder liefden een cranck bevoilen
Mer om dat uwe minne slaet int vercoilen
Soe wildi mij vander hant nu slaen
Ic sal die onneer van mynen halze spoilen
Want ic en heb noyt tot sulcke fame ghestaen
Soudic om een lose bootscap uut gaen
Ende ander liens kinderkens lopen wieghen
Daer ic mach duecht ende eer ontfaen
Benedicite wie mach die loeghene lieghen

Wie mach segghen dat ic u niet en minne
Daer ick noyt liever man en sach
Wie mach segghen dat ic quaet gaern spinne
Daer ic u soe vriendelick bin alden dach
Wie mach segghen dat oyt man lach
In mijn ermkens dan u persoon alleene
Daer ic hondertwerf u absent voer cussen mach
Mijn oorcussen mer lacen ghy achtet cleene
Thes wel redene dat ickt beweene
Die ontrouwe die ghij mij legt voer oghen
Mer men seijt daghelics en this ghemeene

en van hier naar daar gaan lopen? Och god, als dat de reden is waarom je me
haat, dan heb je van mijn liefde maar weinig begrepen. Maar 't is omdat jouw
liefde verkoelt dat je me nu wilt afdanken. Deze schande laat ik niet op me
zitten, want ik heb nooit zo'n naam gehad. Zou ik er heimelijk van onder
muizen en andermans kindertjes gaan wiegen terwijl ik deugd en eer verdien?
Wie mag in godsnaam die leugen smeden? ¶ Hoe kan iemand zeggen dat ik je
niet bemin, terwijl ik nooit een man liever heb gezien. Hoe komt men erbij dat
ik niet te vertrouwen zou zijn, terwijl ik heel de dag zo vriendelijk voor je ben.
Wie komt erbij te beweren dat er buiten jou nog wel een man in mijn armpjes
gelegen heeft, terwijl ik in jouw afwezigheid wel honderdmaal in jouw plaats
mijn oorkussen kus. Maar helaas, daar heb je weinig aandacht voor. Ik vind het
echt treurig dat je me zo van ontrouw beschuldigt. Maar 't is een algemeen en
dagelijks gezegde

Mit weldoen blijft die menighe bedroghen
Heb ic den dobbelen aert gheploghen
Die onnoselick achter huijs moet vlieghen
Heb ic tlanghe mammeken elders ghesoghen
Benedicite wie mach dese loeghene lieghen

Soude ic u die blouwe huijck om hanghen
Ende u mit eender fouten paijen
Soudick die nachtrenten van u ontfanghen
Ende elders gaen mitten naycort uut naijen
Soudi myn hoofken comen besaijen
Ende verliesen tbeste bloijmken van al
Soudi mij aent draijboomken leren draijen
Daer ic een ander die const of wijsen sal
Soudick soe tcalfken leijt inden stal
Ligghen luijroghen sonder yet te doene
Neenick liefken twaer groot ongheval
Ic en deets niet ic en was noijt soe coene
Soudic mijn rospruyme al esse groene
Om enen stoter gheven ende u bedrieghen
Ben ic tpaesbort van Venus compaenioene
Benedicite wie mach dese loghene lieghen

dat menigeen stank voor dank verkrijgt. Ik, die onschuldig thuis druk in de
weer moet zijn, ben ik te kwader trouw geweest? Ben ik elders de lange uier
gaan zuigen? Wie mag in godsnaam deze leugen verzinnen? ¶ Zou ik jou bedriegen en je met schijntjes paaien? Zou ik 's nachts bij jou aan mijn trekken
komen en elders uit naaien gaan? Zou jij mijn tuintje komen bezaaien en het
beste bloempje van al ontberen? Zou jij me gaan leren wanneer en hoe men zich
dient te beheersen terwijl ik die kunst zelf veel beter aan anderen kan leren?
Zou ik als een kalf in de stal niets anders doen dan liggen loeren? Neen liefje,
dat zou al te grof zijn: ik heb niets van dit alles gedaan, nooit ben ik zo stout
geweest. Zou ik mijn (goudgele) pruim, al is ze vers, om een piek verkopen en
jou bedriegen? Ben ik het kusplaatje van alle vrijers? Wie mag in godsnaam
deze leugen verzinnen?

Prinche

Princelijke mutsaert reijn minnen knoop
Gheacht int herte als moesyen oft vlieghen
Soudic u doen swadderen int achter loop
Benedicite wie mach dese loeghene lieghen

REFFEREIJNE

[AL LACHENDE WORDICK MYNS GHELDEKENS QUIJTE]

Onlancks ten es niet langhe leden
Was ick tot een bancketgen ghebeden
Daer Venus was ende haer ghesinde
Twasser cijraet weest des te vreden
Sprack tmeijsken twordt in vrolicheden
Coomt tavont ghij sijt daer die gheminde
Ic scickte mij derwaert mitten winde
Mij docht twas voer mij een vont
Daer comende binnen ende ickse kinde
Ho ho dacht ic dit wert goet int inde
Valt mij te dele dit meijsken ront
Sij seijde sit neder mijn liefste mont

Prins ¶ Waarde minnaar, zuivere liefdeband die ik waarlijk zoals muggen of vliegen waardeer, zou ik jou in een wankele positie brengen door je achter je rug te bedriegen? Wie mag in godsnaam deze leugen liegen?'

•

Onlangs, 't is niet lang geleden, was ik geïnviteerd op een feestje waar 'Venus' en haar dienaressen waren. 't Zou er prachtig zijn. 'Stem er maar in toe,' zei het meisje, ''t zal er vrolijk aan toe gaan. Kom vanavond, je bent meer dan welkom.' Ik trok er in vliegende vaart naar toe; het leek me een buitenkans. Toen ik binnentrad, zag ik haar en dacht: 'Holala, als dit vlotte meisje mij ziet zitten komt het wel goed.' Zij zei: 'Ga zitten, mijn liefste schat;

Hier isser men en cochtse om een mijte
Aerdighe quackernellekens al ghevet u bont
Al lachende wordick myns geldekens quijte

Doen ick mit vruechden alsoe ontscaect was
Ende alle onghenuechte daer ghelaect was
Dat discordeerde van dien sy songhen
Doen seydse reijckter van datter ghemaect was
Een droncsken daer lang nae gehaect was
Die vroukens sellen daer by verjonghen
Twas Ypocras die quam ghespronghen
Nu weet ghyt mer wy en willens geen vermaen maken
Man scancker men sancker mit blyden tonghen
Mer ick was in groten anxt gheswonghen
Want ic dachte het souder op mij seer craken
Tvrouken sprac maect moet laet den haen waken
Wij willen leven mit jolijte
Wat ghij begheert sult ghij dan smaken
Al lachende wordic myns geldekens quijte

Dien nacht bleef ick daer inder muten
Tot smorghens vroich hoort doch dees cluten
My stont te horen een groot relaes

hier zijn leuke, dartele meisjes die niet om een appel en een ei te koop zijn, al
vind je 't misschien wat extravagant.' Al lachend werd ik van mijn geld ontvreemd. ¶ Toen ik me zo lustig had laten overhalen en alle verdriet, dat daar,
zoals zij zongen, niet paste, was weggehoond, zei ze: 'Neem van wat er bereid
is; een dronk, daar kijkt men al lang naar uit: de vrouwtjes zullen er door
verkwikken.' 't Was dure Griekse wijn waar men mee aankwam: zo zie je
maar, al willen we daar niet over mopperen. Men schonk en men zong vrolijke
liederen, maar ik was er helemaal niet gerust op, want ik dacht dat het me lelijk
zou opbreken. 't Vrouwtje zei: 'Amuseer je. Laat de haan maar op de tijd letten,
wij willen vrolijk leven. Krijgen zul je wat je hartje lust.' Al lachend werd ik van
mijn geld ontvreemd. ¶ Die nacht bleef ik daarbinnen, tot mij — moet je horen! — 's morgens vroeg een heel verhaal werd opgedist.

Sy seyd betaelt gheringhe legt uute
Van broot van wyn van spijs van fruijte
Ghy moet verharen by sinter Claes
Ick vraechde hoe veele sij seijde bij naes
Thien scellinghen deffen ghelt
Ick ghinck ter borsen onnosel baes
Sij en liet mij niet een inckel aes
Ic was soe net als een eij ghepelt
Ic seij ick en was noijt dus ghestelt
Sij loich ic en segt u tot ghenen verwijte
Al jockende soe creech sij alle myn gelt
Al lachende werdick mijns geldekens quijte

Prinche

Ic moste daer spelen bot uut roelken
Ende ic en wasser niet meer tliefste boelken
Mits dat mij den budel qualic ghevult was
Een ander sit daer nu opt stoelken
Of hi ghepeerlt oft vergult was
Ick en weet hoe ick verdult was
Sij maecte mij een Romeyns baer tot mijnen spijte
Daer ick mit Venus doen ghehult was
Al lachende wardick mijns geldekens quijte

Zij zei: 'Vlug, betaal! Tel neer voor brood, wijn, voedsel en fruit. Speel nu maar de goede sint.' Ik vroeg: 'Hoeveel?' Zij zei: 'Bijna de ronde som van tien schellingen.' Ik haalde mijn geld boven, de onnozele hals die ik was. Ze liet me geen enkele cent behouden. Ik werd zo grondig gepeld als een ei. Ik zei dat me dit nog nooit was overkomen. Ze lachte. Ik vertel het u niet om iemand de schuld te geven, maar al schertsend wist ze al mijn geld te bemachtigen. Al lachend werd ik van mijn geld ontvreemd. ¶ Prins ¶ Ik moest er ophoepelen; ik was er niet meer geliefd omdat mijn portemonnee allesbehalve gevuld was. Iemand anders wordt daar nu verwend met alles wat schitterende luxe lijkt. Ik begrijp niet dat ik zo dwaas ben geweest. Omdat ik me daar toen aan Venus heb overgegeven, maakte ze, tot mijn spijt, een blote Romein van mij. Al lachend werd ik van mijn geld ontvreemd.

REFFEREIJN

Een meijsken omtrent xv jaren out
Lanck proper smal bruijn ghewijnbraut
Soe cloick soe stout sijnde boven screven
Van consten doerstickt menich fout
Claechden laesten hoet was haer moeder scout
Datsij onghetrout ende meecht was bleven
Sonder man en woudse niet langher leven
Want haer meechdom viel haer te swaer
Dus heeft sijt haer te kennen ghegeven
Ende seijde haer meninghe openbaer
Die moeder versuchte ende seij voerwaer
Lief kint ghi syt noch veel te cleyn tot sulc laboer
Doet mynen raet en beijt noch een jaer
Beyden seydse Ja ic en hebs ghenen wille maer
Daer heb ick luttel sorghen voer

Die moeder seyde hoe geck is u thoot
Dochterken waert dat ghi sorchdet bloot
Voorden achtersten cloot ghi soud anders spreken

Een meisje van een jaar of vijftien, groot, net en slank, met donkere wenkbrauwen, heel erg slim, ook helemaal niet verlegen en van allerlei zaken goed
op de hoogte, deed onlangs haar beklag over haar moeder, die ze er de schuld
van gaf dat ze nog altijd maagd was en niet getrouwd. Zonder man wou ze niet
langer leven, want ze vond het veel te moeilijk om maagd te blijven. Dit heeft ze
haar moeder onomwonden te kennen gegeven. De moeder zuchtte en zei: 'Mijn
lieve kind toch, voor dat karwei ben je nog veel te klein. Volg mijn raad op en
wacht nog een jaar.' 'Wachten,' zei ze, 'neen, daar heb ik geen zin in; overigens
zie ik tegen dat karwei ook helemaal niet op.' ¶ De moeder zei: 'Ben je niet
goed bij je hoofd? Dochtertje, als je goed zou beseffen hoe mannen eigenlijk tekeer kunnen gaan, zou je wel anders piepen.

Oec soudi bedwinghen bet uwen noot
Ghij sijt seer teer ende den wederstoot
Valt swaer en groot ende vreemt van treken
Dus sorchick oftmen u mochte breken
Het waer mij leet missquame u ijet
Moeder seyde ic sal mij selven wel wreken
Ende oeck wel lijden wat mij gheschiet
Alsoe niet dochterken hoort mijn bediet
Ghij sijt te jonck sij seijde niet een loere
Soudick te jonck sijn neenick niet
Ja ghij een cleyn lutsken sij seijd siet toch siet
Daer heb ick luttel sorghen voere

Sij seij dochter ic sorgher meer voer dan ghi
Want vieldi te cleijne elc seyde tfij
Ende dan wordi wederom thuijs ghewesen
Ke moerken seydse stelt u te vreden hoet sij
Want gheen ghebreck en wordt ghevonden in my
Dat weet ick vry ick sals wel ghenesen
Ghij moecht exempel nemen by desen
Een jonghe couwe is soe wyde ghebeckt
Als een ouwe oeck wordt ghepresen
Jonck leer want them seer wel reckt

Je zou je verlangens dan ook wel meer intomen. Je bent erg kwetsbaar en de
aanval kan zwaar en fel en onberekenbaar zijn. Ik ben dus bang dat men je zou
breken. 't Zou me spijten als er iets met je zou misgaan.' 'Moeder,' zei ze, 'ik zal
me wel verweren en wat er ook gebeurt, ik weet het wel op te vangen.' 'Toch
niet, dochtertje, luister nu naar me: je bent te jong.' Het meisje zei, zonder
verpinken: 'Zou ik te jong zijn? Neen, dat ben ik niet.' 'Ja toch nog een beetje,'
probeerde de moeder, maar zij zei: 'Ach wat, daar maak ik me weinig zorgen
over.' ¶ De moeder zei: 'Kind, ik ben er minder gerust op dan jij, want als men
je te klein zou vinden, zou iedereen schande van je spreken en zou je terug naar
huis worden gestuurd.' 'Jezus, moeder,' zei ze, 'wees maar gerust. Ik weet maar
al te goed dat er aan mij niets mankeert. Ik sla er me wel doorheen. Je moet
maar denken dat een jonge koe even wijd gebekt is als een oude; ook is jong leer
in trek omdat het erg elastisch is.

Thouwelic niet langher en vertreckt
Oft ic sie selver toe dus hebdi den koere
Dit is dat ghene dat my ghebreckt
Datmen mij thuijs seijnde so ghij segt
Daer heb ic luttel sorghen voere

Prinche

Nae dat die werelt nu geet
Soe vallen die meijskens veel te heet
Ist lief of leet sij willen den steert hebben
Hoe jonc sij sijn mij dunct dat elc weet
Van sulcken saken nu beter bescheet
Dan douders die tspel ghereets anveert hebben
Tdunct hen al goet als sij haer begheert hebben
Voer tveijnsterken daer sij tvissop uut ghieten
Thes hen alleens als sij swercks moghen ghenieten
Die hertgens sietmen in vruechden vlieten
Als men clopt voer haer coekendoere
Elc seijt soud mij sulck werck verdrieten
Oft soudick voer sulck werck verschieten
Daer heb ic luttel sorghen voere

Laat me niet langer ongetrouwd blijven of ik pas er zelf een mouw aan. Het is
aan jou, je weet nu wat ik wil. En dat men mij terug naar huis zou zenden, zoals
je zegt, daar maak ik me weinig zorgen over.' ¶ Prins ¶ De meisjes van tegenwoordig zijn veel te hitsig. Ze willen kost wat kost over een staart beschikken.
Hoe jong ze ook zijn, ze lijken me nu allemaal beter op de hoogte dan ouderen
die reeds in het spel ervaren zijn. Ze willen niet liever dan dat hun lust wordt
gestild aan 't raampje waarlangs ze 't vissop lozen. Wat ze ook doen, 't is hun
om het even, als ze er maar van kunnen genieten. Men ziet hun hartjes van
vreugde opspringen als men op hun keukendeur klopt. Allen zeggen ze: 'Zou
zo een bezigheid mij tegenstaan of afschrikken? Daar maak ik me weinig zorgen over.'

REFFEREIJNE

Wats my o wach laes sterfick of leefick
Hoe deerlic sneefick alle vruecht begeefick
Slaepick waeckick droom ick of reef ick
Waer bin ic wat maeckic sit ick of stae ick
Al quamen alle goden in drucke bleefick
Ay my hoe bin ick wat helpt al keefick
Mocht baten eens deels myns lyden screefick
Mer lacen nemmermeer troost en ontfae ick
Clim ic of dael ic ry ick of gae ick
Ic en weet nou oft doncker oft claer es
Waer sit ic maec ick wat dinghe vae ick
Sij es mij seer verre lief die u seer naer es

Waert moeghelic dat ic bij haer gheraken mochte
Dat Venus wrochte mij en rochte
Oft mij daer God of die viant brochte
Ick wouder wel een ramp om lijden
Weer icker om doolde strijde oft vochte
Hoe ickt becochte tis mijn ghedochte

Wat overkomt me? O wee, sterf ik of leef ik, helaas? Hoe deerlijk verkwijn ik,
van alle vreugde moet ik scheiden. Slaap ik, waak ik, droom ik of ijl ik? Waar
ben ik, wat doe ik, zit ik of sta ik? Al kwamen alle goden mij te hulp, ik bleef in
droefheid versteend. Wee mij, hoe ben ik eraan toe; wat zou 't mij helpen als ik
me verzette? Mocht het iets baten, ik zou mijn leed gedeeltelijk beschrijven,
maar ik zal helaas nooit troost ontvangen. Klim ik of daal ik, rij ik of ga ik, ik
ben me nauwelijks bewust van het onderscheid tussen nacht of dag of waar ik
ben, wat ik uitvoer of onder handen heb. Liefste, gij zijt zeer ver van mij, die u
zeer nabij ben. ¶ Als Venus ervoor zou kunnen zorgen dat ik bij haar geraakte,
zou het mij niet kunnen schelen of dit door middel van God of de duivel gebeurde. Ik zou er de meest verschrikkelijke dingen voor overhebben! Hoe ik het ook
bezuur, al zou ik er om moeten dolen, strijden of vechten, het is volgens mij

Tis beter eens paijs dan altoos te strijden
Die eens weelde heeft leeft altoos niet onsochte
Eens den buyck vol doet tlyf verblyden
Een mit myn lief ten bedde te stryden
Hij wort gheconfortert die hongherich al tjaer es
Als hy een spys nutten mach by tyden
Sy es my seer verre lief die u seer naer es

Vermaledijt sijt tot euwijgher uren
Veijnsteren duere sloten mueren
Die dus bestoppen tvier der flueren
Dat icse secretelick niet en mach spreken
Ic en machse niet besuecken of besueren
Dies moet ic trueren vol van dolueren
Mocht ick thuijs mitten tanden scueren
Al souder noch tavont een gat in breken
Mer lace ic en vinde practijke noch treken
Om daer te comen dies therte swaer es
Wat baet myn clachten sorghen of spreken
Sij es mij seer verre lief die u seer naer es

beter eens vrede te hebben dan voortdurend gekweld te zijn. Wie het een enkele
keer goed heeft, leeft tenminste niet altijd in ellende. Het lichaam heeft er deugd
van wanneer de buik eens vol is. O, eens met mijn lief in bed te mogen stoeien!
Wie het hele jaar hongert, is tevreden wanneer hij soms eens iets te eten krijgt.
Liefste, gij zijt zeer ver van mij, die u zeer nabij ben. ¶ Eeuwig vervloek ik de
vensters, deur(en), sloten en muren die mijn vuurbloem zo afsluiten dat ik haar
niet in 't geheim kan spreken. Ik kan haar niet bezoeken of bij haar geraken.
Daarom mag ik wel treuren, vol smart. Kon ik het huis met mijn tanden open-
rijten, ik zou nog vanavond een gat erin breken. Maar, helaas, ik zie geen
middel of list om daartoe te komen, wat mij het hart bezwaart. Wat baet mijn
geklaag, gepieker of gepraat. Liefste, gij zijt zeer ver van mij, die u zeer nabij
ben.

Prinche

Prinche suet als honichrate
Boven den garnaten hoochste van state
Sijdi verheven als gulden plate
In mij boven alle schone vrouwen
Bewijst u caritate na tvrindelic woort tmynder bate
Vloijende uut uwen monde uwer trouwen
Laet vrient mit vrienden vrintscap houwen
En kent mij u eijghen alst openbaer es
Dwoort des regels doet mij den druc vernouwen
Sij es mij seer verre lief die u seer naer es

UIT HET LIEDBOEKJE
VAN MARIGEN REMEN

[IC DRACH DAT LIJDEN VERBURGHEN]

Op die wijs als beghint

Ic drach dat lijden verburghen,
Besloten in mijn gront.
Van savens tot den moerghen
Waerd ic daerof ghewont.

Prinses ¶ Prinses, zoet als honingraat en zoeter dan granaatappelen: in mij zijt gij, als met bladgoud bedekt, boven alle mooie vrouwen tot de hoogste staat verheven. Betoon uw genegenheid door een vriendelijk woord, gesproken tot mijn heil, vloeiend uit uw rechtschapen mond. Sta toe dat vrienden elkaars vriendschap onderhouden en erken mij als uw dienaar die ik daadwerkelijk ook ben. De regel die volgt vat samen wat mij bedrukt: liefste, gij zijt zeer ver van mij, die u zeer nabij ben.

•

Ik draag het lijden verborgen, in mijn binnenste besloten. Van 's avonds tot de morgen word ik daardoor gepijnigd.

715

Mijn hart dat leit in sorghen,
In groeter banicheit.
Van savens totten moerghen
Is mijn dat lijden bereit.

Daer comt soe menich versuchten
Al uut mijns hartsen gront.
Och waerwaert soe sel ic vluchten?
Onttrou heeft mijn ghewont.

Mijn jonghe bloeiende haerten
Dat lijt soe groete ghewelt,
Ende alsoe groete smaerte;
Van rouwen ist onghestelt.

Ic ben alleijn int lijden,
Och lacij, ic ben alleijn.
Hoe soud ic mijn verblijden?
Des menschen troest is cleijn.

Och wije mach ic dat claghen
Dan diegheen die troest verlient?
Hij selt mijn helpen draghen:
Hij is soe trouwen vrient.

Mijn lijefen die woent hier boven,
Die alle harten kent.

Mijn hart gaat gebukt onder zorgen en verkeert in grote angst. Van 's avonds
tot de morgen is mij lijden toebereid. ¶ Er komt zo menige zucht uit het binnenste van mijn hart. Waarheen moet ik vluchten? Ontrouw heeft mij gewond. ¶ Mijn jonge, bloeiende hart lijdt onder zo'n groot geweld en al even
grote pijn. Het is ziek van droefheid. ¶ Ik sta alleen in dit leed, och hemel, ik sta
alleen. Hoe zou ik blij kunnen zijn? Een mens vindt maar weinig troost. ¶ Wie
anders kan ik dat verwijten dan degene die ook de troost verleent? Hij zal het
mij helpen dragen. Hij is zo'n trouwe vriend. ¶ Mijn liefje woont hier boven;
hij doorgrondt alle harten.

Die wijllen wij altijt loven,
Als hij ons lijden aensent.

Ic hoep, sent hij mijn lijden,
Hij en sal mijn laten niet.
Hij sal mijn verblijden
Ende corten mijn verdriet.

Een vrient had ic vercoeren
Ende nu en heb ic niet.
Die vrienscap is al verloeren,
Ontrou is mijn ghesciet.

'Joncfrou, is wijl ju prijsen,
Ghij hebt des weel verdient.
Voerwaer, in alre wijsen
Sint ghij mijn beste vrijent.'

Wanneer ic was in lijden,
Quam ic tot ju om troest.
Eerst quaemt dij mijn betijden,
Nu slae dij mijn al loes.

Ich, mijnne der creiatueren,
Wat hebste u mijn ghedaen?
Om ju soe moet ic troeren
Ende stoerten soe menighen traen.

Wij loven altijd de momenten dat hij ons lijden toezendt. ¶ Ik hoop dat hij mij
niet zal verlaten, als hij mij lijden zendt. Hij zal mij verblijden en mijn verdriet
verkorten. ¶ Een vriend had ik uitgekozen en nu heb ik niets. De vriendschap is
verloren. Mij is ontrouw aangedaan. ¶ 'Jongedame, ik wil u prijzen, u hebt het
wel verdiend. Voorwaar, u bent alleszins mijn beste vriendin.' ¶ Als ik in lijden
verkeerde, kwam ik tot u om troost. Eerst kwam u mij gerust stellen, nu slaat u
mij met ontrouw. ¶ Och, liefde voor de schepselen, wat heb je mij aangedaan?
Om jou moet ik treuren en menige traan storten.

Hierom hebt mededoechen
Mit diegheen die in lijden sijn.
Hebt God altijt voer oghen:
Des menschen troest is cleijn.

[AENSIJET HOE LUSTELIJC IS ONS DIE KOELE MEIJ ONTDAEN]

Op die wijs alst beghint

Aensijet hoe lustelijc is ons die koele meij ontdaen,
Het spruten ghele bloemgens menigherleien.
Soe wije mit druck, mit lijden is bevaen,
In Jhesus' wonden sal hij hem gaen vermeijen.) bis

Nu sijn des meijen telghen uutghespreit
Ende bloeien scoen ghelicken die roede roesen.
Soe wije sijn sonden, sijn ghebreken hier bescreit,
Onder desen boem soe sal hij hem gaen verpoesen.) bis

Die meij is ons al bij die weghen gheset
Op eenen berch ende die staet alsoe hoghen,
Opdat een ighelick soude sonder let
Vrilicken desen ghecrusten meijn aenscouwen moeghen.) bis

Heb daarom mededogen met degenen die in lijden verkeren. Heb God altijd
voor ogen. Een mens vindt maar weinig troost.

•

Zie hoe ons de frisse mei ontloken is; er ontspruiten allerlei gele bloemen. Wie
gebukt gaat onder zorg, onder leed, moet zich in Jezus' wonden gaan vermeien. ¶ Nu strekken de takken van de meiboom zich uit en bloeien zo schoon
als rode rozen. Wie zijn zonden, zijn gebreken hier beschreit, moet onder deze
boom verpozen. ¶ De meiboom is op een berg langs de wegen gezet en hij staat
daar zo hoog dat iedereen deze kruisvormige meiboom vrijelijk en ongehinderd
zou kunnen bekijken.

Recht opghewassen soe is dat edele greijn
Ende is gheplant in een alsoe diepen daelen,
Dat is Maria, die suvere maghet rein.
Van mijnen soe staerf die fiere nachtegaelle.) bis

Die edele nachtegaele des cruces boem opclaem
Ende hadde sijn vederkijns alsoe wijt ontloken;
Hij sanck soe luide die soeven noeten hoech,
Soedat sijn edele hargen is ghebroeken.) bis

Dus soe is die nachtegael ghebleven doot,
Al om die mijnne van eenen suveren joncfrouwen.
Hij is ghecomen al uut sijn vaders scoet.
Waer hoerde men je ghelicken desen trouwen?) bis

Soe wije sijn sinnen noch onghestadich sijn
Ende wije noch rust op aertsche creatueren,
Die mercke aen dese nachtegaelle fin,
Hoe hij den doot om onsentwijllen woude besueren.) bis

Amen

De edele zaadkorrel is recht omhoog gegroeid en hij is geplant in een zeer diep dal, te weten Maria, de zuivere reine maagd. Uit liefde stierf de schone nachte-gaal. ¶ De edele nachtegaal klom op de kruisboom en hield zijn vleugels wijd uitgespreid. Hij zong luid de zeven hoge noten, terwijl zijn edele hartje brak. ¶ Zo is de nachtegaal gestorven, om de liefde van een zuivere maagd. Hij is uit de schoot van zijn vader gekomen. Waar heeft men ooit van zo'n grote trouw gehoord? ¶ Wie nog wankelmoedig is en wie nog steun zoekt bij aardse schepselen, die moet aan deze edele nachtegaal denken, hoe hij de dood wilde lijden omwille van ons. Amen.

Die mijnne is blint ende onbekent,
Sij gaet al daer mense niet en sent.

◆

EEN LIEDEKEN VAN WEYNKEN CLAES DOCHTER

Na de wijse: Het was een Joden Dochter

De Heer moet zijn ghepresen
Van zijn goedertierenheyt
Dat hy altijt wil wesen
By die nieu zijn verresen
En hebben tquaet afgheleyt.
    Dit machmen claerlijck sporen
Aen die vrouwe Weynken Claes
Uut God zijnde gheboren
Wiens woort sy had vercoren
Tot haerder troost ende solaes.
    Gevaen lietmen haer bringen
In den Haech voor dOverheyt
Met vragen sy haer aenginghen

De liefde is blind en onbegrijpelijk; zij duikt op waar men haar niet heen stuurt.

•

De Heer moet geprezen worden om zijn goedertierenheid, omdat hij altijd degenen bijstaat die opnieuw zijn opgestaan en het kwaad hebben afgelegd. ¶ Dit valt duidelijk op te merken aan vrouwe Weynken Klaas, geboren in God, wiens woord zij volgde voor troost en verlichting. ¶ Maar ze werd gevangen voorgeleid bij de Haagse overheid. Daar werd zij bestookt met vragen

Of sy bleef by die dingen
Die sy voor heen had gheseyt.

   Tgeen dat ick heb gesproocken
Blijf ick vast by, heeft sy verclaert
Sy mochten tvyer wel stoocken
Om branden ende roocken
Sy was daer niet voor vervaert.

   Een wasser die daer taelde
Vraechde noch vant Sacrament
Daer op Weynken verhaelde
Dat meel was datmen maelde
En tbroot eenen Duyvel blent.

   Hij seyde: Ghy moet sterven
Ist saeck dat ghy hier by blijft
Maer om tRijck Gods te erven
En die Croon te verwerven
Was sy door Gods cracht gestijft.

   Dus ist oordeel gegeven
Dat sy sou worden verbrant
Maer duer Gods geest gedreven
Gaf sy willich haer leven
Over in des Heeren hant.

   Die Monick sachmen loopen
Om die vrouwe met zijn cruys

of zij bij haar woorden bleef die ze voorheen had gesproken. ¶ 'Ik blijf pal achter mijn woorden staan,' heeft ze verklaard. En ze konden rustig het vuur opstoken om haar te doen branden en roken, het boezemde haar geen angst in. ¶ Een was er die nog wat talmde: hij vroeg haar over het Sacrament. Daarop verklaarde Weynken, dat het meel was dat men maalde en dat het brood duivelswerk was. ¶ Toen zei hij: 'U moet sterven, wanneer u hierbij blijft.' Maar om het rijk Gods te erven en de hemelse kroon te krijgen, stond zij sterk door Gods kracht. ¶ Daarom is zij veroordeeld om te worden verbrand. Maar gedreven door goddelijke inspiratie gaf zij haar leven gewillig over in de hand van de Heer. ¶ Toen zag men een monnik de vrouw belagen met zijn kruis.

Die lueghenen met hoopen
Ginck hy aldaer ontknoopen
Om haer brengen tot confuys.

Hy haer also seer quelden
Dat jammer was en verdriet
De Buel dies oock ontstelden
Moeder (was zijn vermelden)
Laet u van Godt trecken niet.

Sy halp den pulver steecken
Selfs tot haren bosem in
Siet wat daer is gebleecken
Van selfs is sy ghestreecken
Totten pael als een Heldin.

Sprack: sal ick niet afvallen
En staet de bancke oock vast
Daer ginck de Monick rallen
En had met zijn loos callen
Die vrouwe noch geern verrast.

Mer sy ginc haer selfs voegen
Seer blijdelijc aen den pael
Wel ginct na haer genoegen
Maer die Sophisten wroegen
En Godloosen altemael.
De Buel trat aen om worgen

Hij probeerde haar talloze leugens aan te praten om haar in verwarring te brengen. ¶ Hij kwelde haar zozeer dat het schrijnend was en deerniswekkend. De beul raakte daardoor ook van zijn stuk. 'Moeder,' zou hij gezegd hebben, 'laat u niet van God vervreemden.' ¶ Zelf hielp ze het kruit in haar boezem steken. Zie wat een moed daar naar voren kwam! Uit eigen beweging is zij als een heldin tegen de paal gaan staan. ¶ Toen sprak zij: 'Zal ik er niet af vallen, staat het bankje wel vast?' Daarop begon de monnik weer te raaskallen, want hij wilde de vrouw nog zo graag van haar stuk brengen met zijn ijdele kletspraat. ¶ Maar zij schikte zichzelf zeer blijmoedig aan de paal. Zo verliep alles naar haar wens, terwijl de waanwijzen en goddelozen knarsetandden. ¶ De beul trad naar voren om haar te wurgen.

Doen sloot sy haer oogen fijn
Hebbende int hert verborghen
Een trooster niet om sorgen
Verlangende thuys te zijn
   Dus lieffelijck ontslapen
Is Wendelmoe in den Heer
Maer Monicken en Papen
Die naet Christen bloet gapen
Versaet worden sy nemmermeer.

FINIS

◆

NOTA

Hanct die heuycke na den wint
   En ghelaet u als een kint,
Sijt alomme siende blint,
    Haspelt al datmen u spint,
Mer emmers altoos sijt coel ghesint
Wildi ter werelt wel sijn ghemint.

Toen sloot ze haar heldere ogen, in haar hart getroost om geen vrees te hebben dat ze haar bestemming zou bereiken. ¶ Zo is Wendelmoet vredig ontslapen in de Heer. Maar monniken en priesters die azen op het bloed der christenen raken nooit verzadigd. Einde.

•

Let op ¶ Hang de huik naar de wind, doe u als een kind voor, wees alom ziende blind, wind alle draden keurig op die men u spint, maar houd vooral het hoofd koel, als u zichzelf in deze wereld geliefd wilt maken.

723

TOEGESCHREVEN AAN JAN DE BRUYNE

[REFEREIN]

[AY! STERVEN, STERVEN IS EEN HERT GELACH!]

Tfy weirelt uut alder allendicheyt,
Tfy glorie, tfy welde, tfy uutwendicheyt,
Als Judas cussende, condy ons doerwonden.
Tfy pompiues broos leven, sondige blendicheyt,
Tfy schoonte, tfy wellust, tfy behendicheyt,
Tfy tytlyc spel, musicke, tfy tafel ronde,
Corruptie heeft ons menschen gevonden,
Ter cause van sonden.
Twoort eerde, dat naeckt quam, scheyt bloot;
Misdaet heeft de felheyt des doots ontbonden,
Sy liggen, die stonden.
Voetsel der wormen wert elcx lichaem : tis noot;
Hoe wys, hoe sterck, hoe schoone, hoe groot,
Dafgryselycke doot, neemtse in haer bejach;
Fel is sterven tytlyc, quader deeuwige doot.
De siele grouwelt, dlichaem wort swaer als loot:
Ay! sterven, sterven is een hert gelach!

Foei wereld vol ellende, foei aardse glorie, uitwendige weelde, met de kus van
Judas kom jij ons verraden. Foei pompeus maar broos leven, zondige verblind-
heid; foei schoonheid, foei wellust, foei handigheid, foei spel, muziek en tafel-
genoegens. Bederf heeft ons, mensen, aangetast om onze zonden. Het lichaam
wordt aarde; wat naakt kwam gaat naakt heen; ons misdoen heeft de grimmige
dood op ons losgelaten; zij, die eertijds stonden, liggen thans. Ieders lichaam
wordt voedsel voor de wormen, dat is onontkoombaar, hoe wijs, hoe sterk, hoe
schoon, hoe groot de mensen ook zijn. De afgrijselijke dood jaagt ze op; het
tijdelijke sterven is erg, maar de eeuwige dood is slechter. De ziel huivert, het
lichaam wordt loodzwaar: ach, sterven, sterven is een hard lot!

Och! wy leefden geerne & wy moeten sterven!
De weirelt behaecht ons & wy moetense derven!
Ons en baet banddoeck, plaester noch medesynen.
Wat baet ons hoocheyt, ons gronden van erven,
Daer wy Godt om vertoornen menichwerven,
Ons dienstvolk, ons gelt, ons kisten, ons schrynen?
Wy moeten al sterven, o see vol pynen!
Ons geesten verdwynen,
Tgesichte traent, de borst sucht, de mont crocht,
Elck sorcht, vliet, vreest, hoe heylich sy schynen,
Elck beclaecht dan den synen.
Godts sweet wert bloedich, doen hy te sterven bedocht;
Wy clagen thoot, rugge, leden & schocht,
Wy roepen: Jesus! oft ay my! lasen! o wach!
Dan wordet teeken des heylich cruys ghesocht;
Waslicht, wywater wert dan bygebrocht:
Ay! sterven, sterven is een hert gelach!

O doot! ghy doet alle myn crachten flouwen;
Want niemant, hoe hert, en ontfliet u clouwen;
U strange passie maeckt ons vervaerlyc;
Cout sweet doedy tgeheel lichaem douwen;

Och! Wij leefden graag en wij moeten sterven! De wereld behaagt ons en wij
moeten die achterlaten. Ons helpen geen zwachtels, pleisters noch geneesmid-
delen. Wat helpt ons aanzien, onze erfgronden, waardoor wij God dikwijls
vertoornen, wat helpt ons dienstvolk, ons geld, onze kisten en kasten? Wij
moeten allemaal sterven; o zee vol pijn! Onze geest dwaalt af; de ogen tranen,
de borst zucht, de mond kreunt; iedereen is bezorgd, wil vluchten, is bang – hoe
heilig hij ook lijkt — iedereen beklaagt dan zichzelf. Christus zweette bloed,
toen hij aan zijn dood dacht. Wij beklagen hoofd, rug, ledematen en schouders.
Wij roepen: 'Jezus' of 'wee mij', 'helaas', 'o wee'. Dan wordt het kruisbeeld
gezocht, dan worden kaars en wijwater aangebracht: ach, sterven, sterven is
een hard lot! ¶ O dood, jij doet al mijn krachten afnemen, want niemand, hoe
krachtig ook, kan jouw klauwen ontvluchten; je strenge optreden maakt ons
bang; je doet het hele lichaam in koud zweet uitbarsten,

De wangen ontblixemen, de lippen blauwen;
De kele doede ruetelen misbaerlyc.
Int sterven ghemist men syn sinnen eenpaerlyc;
Thoot hangt seer swaerlyc;
De aderen bersten, de senuen recken;
Tcorpus wert cout, den polst jaecht claerlyc;
Doogen staen stuerlyc;
Armen, beenen sietmen van pynen strecken;
Sprake, verstant & memorie vertrecken.
U presencie, doot, ons sonder verdrach;
Tgebeente faelgeert, dlichaem bleeckt met plecken;
Dees punten, o doot, u felheyt ontdecken:
Ay! sterven, sterven is een hert gelach!

Peyst hoe de doot int sterven therte duersnyt,
Peyst hoe de pyne dinwendige leden duerryt,
Peyst hoemen tvolck om hebben siet wroeten en grielen,
Peyst hoe derfgenamen dan om tgoet verblyt,
Peyst hoe de vyant om de siele stryt,
Peyst hoe de wormen den lichaem vernielen,
Peyst hoe de pristers roepen & knielen
Om troost der sielen,
Prekende perfortse patientie;

je doet de wangen bleek en de lippen blauw worden en de keel deerniswekkend
reutelen. Tijdens het sterven verdwijnen de zinnen geheel; het hoofd hangt
scheef; de aders barsten, de pezen trillen; het lichaam wordt koud, de polsslag
jaagt heftig; de ogen staan star; armen en benen ziet men van pijn strekken;
spraakvermogen, verstand en geheugen verdwijnen. Door jouw onverbiddelijke aanwezigheid, dood, begeeft het gebeente het, wordt het lichaam op plekken
bleek; al deze tekens, dood, wijzen je wreedheid aan: ach, sterven, sterven is
een hard lot. ¶ Bedenk hoe de dood bij het sterven het hart doorklieft, bedenk
hoe de pijn de inwendige organen doortrekt, bedenk hoe men de omstanders
ziet wroeten en grabbelen om iets buit te maken; bedenk hoe de erfgenaam blij
is om het geld; bedenk hoe de duivel om de ziel strijdt, bedenk hoe de wormen
het lichaam vernielen, bedenk hoe de priesters roepen en knielen om troost
voor de ziel en aanhoudend geduld preken;

Peyst die noyt eeuwen noch wet en hielen,
Noch cranck en misvielen,
Hoe dat sy dan jagen om penitentie;
Medesyn, biechtvader crycht dan al credencie.
Een elck wapen hem voor desen slach.
O schoudy pocken, cortsen & pestilencie,
Ghy moet sterven; dit leert experiencie:
Ay! sterven, sterven is een hert gelach!

Prinche

Dit sterven soo divers is van manieren,
& smenschen henenvaert soo menigertieren,
Dat smaect mynder herten als galle dranck.
Synt schoone princhersen oft princieren,
Oft kinders inder wiegen, men sietse niet vieren,
Tmoet al aen Machabeus dans; tis bedwank.
Ten baet schreyen, kermen oft handen ghewranck;
Wat gesont is twort cranck;
Mont, oogen, ooren worden stinckende gaten;
Als een gebluste keerse gevet lichaem stanck,
Hoe wellustich, hoe blanck,
Alst vander eelder sielen wort gelaten.

bedenk hoe mensen, die nooit een wet onderhielden en steeds geluk hadden, hoe zij dan om boetedoening jagen; dokter en biechtvader krijgen dan alle geloof. Iedereen moet zich voor deze slag wapenen. Of jij nu pokken, koorts en pest weet te vermijden, je moet sterven; dat leert de ondervinding: ach, sterven, sterven is een hard lot. ¶ Prins ¶ Dit sterven is zo gevarieerd en het heengaan van de mensen zo verschillend, dat het bitter als gal is voor mijn hart. Of het nu mooie vorsten en vorstinnen treft, of kinderen in de wieg, men ziet ze niet sparen, iedereen moet mee met de dodendans; het is verplicht. Schreeuwen, kermen of handenwringen helpen niets; wat gezond is, wordt ziek; mond, ogen en oren worden stinkende gaten; hoe mooi, hoe blank het lichaam ook was, het geeft een stank af als een gebluste kaars, wanneer het door de edele ziel wordt achtergelaten.

Die dléven meest minnen, tsterven meest haten,
Soomen dagelycx aent volck wel mercken mach;
Noyt vrouwen, prelaten, noch ondersaten
Bitterder morseel dan de doot en aten:
Ay, sterven, sterven is een hert gelach!

TOEGESCHREVEN AAN JAN MES

REFREYN

[HI EN DERF ALTIJT NIET CLAGEN DIE EENS VERHUECHT]

Een sot Zeeuken hoort mi bisondere,
Bleef thuys en quam hier ter feeste.
Hi bracht veel volcs, het was een wondere,
Dier hier niet en sijn met blijden gheeste
Waren int voor reyen die alder meeste,
En sprongen al vrolic die stille stonden.
Die daer swegen seiden voor minst en meeste:
Laet ons voortstellen alle nieuwe vonden.
Die hoordic een stommeken voort vermonden,
Die doen daer een liedeken vore sanck
Om te verhuegen alle eedel gronden.

Wie het meest van het leven houdt, haat de dood het ergst, zoals men dagelijks
aan het volk wel kan zien. Heren, dames en hun onderdanen aten nooit een
meer bittere brok dan de dood: ach, sterven, sterven is een hard lot.

•

Een dwaas Zeeuws mannetje — luister aandachtig naar mij — bleef thuis en
kwam hier naar het feest. Hij bracht veel volk mee, het was verbazingwekkend
om te zien. De treurenden waren haantje-de-voorste bij het voordansen en
sprongen lustig tot in de stille uren. De zwijgers zeiden tot iedereen: 'Vertel alle
nieuwtjes!' Dit hoorde ik een stomme zeggen, die daar toen een liedje voorzong
om alle blije gemoederen te verheugen.

Een oude jonge sottinne van vruechden spranck
Die men eenen beene niet en ginck manck,
Mer door gedranck maecten si grote vruecht;
Hi en derf altijt niet clagen die eens verhuecht.

Het was wonder wat si voorts bedreven.
Die binnen bleven en liepen uuter stadt,
En die niet en hadden sachmen al gheven
Te voren; van des men daer dranck en at
Die niet en proefden waren eerst sat,
Bleven dair, en scheyden met vollen buycken,
Ende die vast sliepen seyden doe wat
Ick moet hier ooc mijnen aert ghebruycken.
Men scancker botermelck uut ydele cruycken
Daer si hem elcken droncken versmoort
Diet niet en proefden, hoort dit beluycken,
Waer hebdi oyt meer wonder gehoort.
Kijven en schelden hielt daer ooc me accoort,
De blinde sach na een bloyende juecht.
Hi en derf altijt niet clagen die eens verhuecht.

Dit Zeeuken had een wonderlic troengie,
Luchtsinnich ende traech nam hi die vaert

Een oude jonge zottin sprong rond van vreugde; zij was slechts aan één been
mank. In het gedrang schepten zij groot genoegen. Hij mag niet altijd klagen,
die eens blij is. ¶ Het was verbazingwekkend, wat zij verder uithaalden. Wie in
de stad bleef, liep eruit; wie niets had, zag men alles uitdelen; wie niet proefde
van wat men daar at en dronk, werd daar eerst verzadigd en ging volgevreten
weg; wie vast sliep, zei: 'Doe iets, ik moet hier ook mijn energie ontplooien!'
Men schonk er karnemelk uit lege kruiken; wie ze niet proefde, werd er stomdronken van. Luister naar dit woord! Waar heb je ooit iets meer wonderlijks
gehoord? Gekijf en gescheld waren het daar roerend eens. Een blinde loerde
naar een mooi meisje. Hij mag niet altijd klagen, die eens blij is. ¶ Dit Zeeuws
mannetje had een eigenaardig voorkomen. Luchtig en traag was zijn gang.

Tusschen Bamis en Boloengie,
Daer heeft hi dit volcxken bi een vergaert
Met caluwen hoofden seer row gehaert.
Sonder blasen pepen si op een flute,
Een simme met haren steerte heeft gesnaert
Om op te spelen al te schonen luyte,
Tstommeken ley meer Refreynen uute
Diet voor de hant pronuncieerde net en jent,
Een doove wel horende loech om die clute
Want het was een wonderlic batement,
Si ghinc van dane ende bleef present,
Ghi moges mi geloven al ben ick ontvuecht,
Hi en derf altijt niet clagen die eens verhuecht.

Prince

Die vrolic leeft en derf niet trueren,
Int sottement ic ooc spele mijn rolleken.
Dit Zeeuken was naect en het woude schueren
Sijn cleeren als een noorts drolleken;
Nuchteren haddet wat in sijn bolleken.
Dit quam mi te nacht al slapende te voren
Ick ginck int bescheet ende nam sijn dolleken
Om dat hi tgeselscap niet en sou stooren,

Tussen Sint-Bavo en Boulogne heeft hij dit gezelschap verzameld, bestaande uit kaalkoppen met dichte haardossen. Zonder te blazen speelden zij op een fluit. Een apin heeft haar staart als een snaar aangespannen om er een fraaie melodie op te spelen. De stomme bracht nog meer refreinen naar voren, die hij voor de vuist, netjes en fraai voordroeg. Een dove vrouw, die scherp hoorde, lachte om die grap, want het was een zeer fraai stukje; zij ging weg en bleef daar; je mag mij geloven, al ben ik niet goed wijs. Hij mag niet altijd klagen, die eens blij is. ¶ Prins ¶ Wie vrolijk leeft, mag niet treuren. In dit zotte stuk speel ook ik mijn rolletje. Het Zeeuws mannetje was naakt en wou zijn kleren scheuren als een noordse trol; nuchter was hij beneveld in zijn hoofd. Terwijl ik 's nachts vast sliep, kwam mij dit in mijn hoofd. Ik ging het verhaal binnen en ontnam de Zeeuw zijn dolkje opdat hij het gezelschap geen schrik zou aanjagen;

Dit dedic al om vruechts orbooren,
Door wondre muechdi wel duecht beclijven.
Mi ontwecte twee omrompelde sloren
En seyden laet ons nu vruecht bedriven.
Si hadden als mollen twee witte lijven,
Dus mostic wat doen door haerder duecht:
Hi en derf altijd niet clagen die eens verhuecht.

UIT DE REFEREINENBUNDEL VAN
JAN VAN DOESBORCH

REFREYN

[MAER LASEN NU IST AL GHEDAEN]

O rijck God al ben ic nu bedroeft,
Al wat ic segghe heb ic selfs geproeft
Met haer, die nemmermeer comt uut mi.
Ick ben een die niet en behoeft
Dan troost, want lasen mijn lijden groeft
So seer dattet ontallijc sy.
Al tghene dat minne met trouwen vry
Werct in liefden, dat hebben wij

dat deed ik uit puur plezier. Uit iets vreemds kan je iets plezierigs overhouden. Ik werd gewekt door twee gerimpelde sullige vrouwspersonen, die zeiden: 'Laat ons nu plezier maken!' Zij hadden gladde witte lijven als mollen; daarom moet ik te hunner ere wat dichten! Hij mag niet altijd klagen, die eens blij is.

·

Grote God, ik ben nu geheel bedroefd. Al wat ik vertel heb ik zelf beleefd met haar die nooit meer uit mijn gedachten zal raken. Niets anders dan troost is het wat ik nodig heb, want, helaas, mijn lijden gaat zo diep dat het onuitspreekbaar is. Alles waar de minnelust in trouwe liefde zoal aanleiding toe kan geven,

731

So hertelick langhen tijt bestaen;
Ons vruechts hanteren, ons vrolic ghecrij
Can niemant gronderen, verre noch by,
Maer lasen nu ist al ghedaen.

Si hadde mi boven al uutvercoren,
Ic was haer eyghen al heel ghesworen
Want sonder verscheyden mijn herte was haer,
Ic conste haest verdriven haren thoren,
Bi haer was al mijn leedt verloren,
Ic was haer liefste wederpaer.
Haren wille was die mijne verwaer,
Den mijnen den haren, dats openbaer,
Waer mochtmen meerder vruecht ontfaen.
Al was ic van haer, hier oft daer,
Een weke die docht mi wel duysent jaer,
Maer lasen nu est al ghedaen.

Haer schoonheyt was mi spiegels genoech,
Haer minlijc leven dat overwoech,
Haer spreken was so net besneden,
Haer lieflick mondeken ooc altijt loech,
Noyt moeder liever kint en droech.

hebben wij lange tijd van harte gedaan. Ons vreugdebedrijf, onze vrolijke ge-
stemdheid kan niemand, van ver noch nabij, bevroeden. Maar helaas, het is nu
allemaal voorbij. ¶ Zij had me boven allen uitverkoren; ik was geheel haar
gezworen dienaar, want onze harten waren één, zonder onderscheid. Ik kon
gemakkelijk haar verdriet verdrijven; door haar verdween mijn leed geheel. Ik
was haar liefste metgezel. Haar wil was waarlijk die van mij en mijn wil die van
haar; 't is voor iedereen duidelijk: waar zou men grotere vreugde vinden? Was
ik ergens gescheiden van haar, dan leek een week me wel duizend jaar. Maar
helaas, het is nu allemaal voorbij. ¶ Ik had geen spiegel nodig buiten haar
schoonheid; haar liefdeblijken gingen alles te boven; haar taal was zo keurig;
haar lieve mondje lachte ook altijd. Nooit heeft een moeder een lieflijker kind
gedragen.

Om mi si was een stadt vol vreden,
So amoreus, so suet van seden,
Ghetrou tot mi tot allen steden;
Mi helpt dat ic haers doe vermaen
So net is si, en so wel ghemaect van leden
En daer toe minlijc vol wetentheden,
Mer lasen nu ist al ghedaen.

Prince

Ic en weet nu waer die hant anslaen,
Ic hebbe so dicwil bi haer gheseten
Spreken, singhen, drincken, eeten,
Maer lasen nu ist al ghedaen.

REFREYN

[ALS IC HAER OMTRENT BEN ISSER EEN TE VELE]

O tyrannich werck ghi sijt dat my beven doet,
Maect mi naer screven vroet
Ende mi van sneven hoet,
Tis recht dat ghi als nu mijn leven soet

Ze was voor mij een vredige haven, zo lief, zo zoet van aard, zo trouw in alle omstandigheden. Over haar te spreken, beurt me op; zij is zo mooi en wel-gevormd van leden en ook nog vol beminnelijke wijsheid. Maar helaas, het is nu allemaal voorbij. ¶ Prins ¶ Ik weet nu niet wat te beginnen; ik heb zo vaak bij haar zitten praten, zingen, drinken, eten, maar, helaas, het is nu allemaal voorbij.

•

O dwingend drijven, gij zijt het die mij doet beven. Verleen mij het gepaste inzicht en behoed me voor de val. Gij dient nu mijn leven

Met rechter ghenuechten,
Want ic des droefheyts draet weven moet,
Mi heeft begheven dbloet
Dat mi was bleven goet
Van haer die mi eens als verheven voet
Minde, dus mach ic wel suchten.
Haer sancs geruchten, haer eedel vruchten
In swerelts ghehuchten, avent oft nuchten,
Duer die felle fortune sijn mi absent nu.
Al wil ic hope pluchten, tderven doet duchten,
Dus moet ic vluchten, si mach my niet luchten,
Si gaet van mi als onbekent nu.
Ghelijck fenijn ben ic haer ontwent nu,
Com ic haer omtrent nu, ic en vinder geen vent nu,
Ic en hebbe gheen rolleken tot haren spele:
Als ic haer omtrent ben isser een te vele.

Sie die mi can met haren gesichte dwingen
Hoordick in dichte singhen
En met den ghewichte springhen
Aenden amoreusen dans liet sijt licht gehingen
Non fortse, al soudic mi int gerichte bringen
Ende mi slichte vingen, mijn gesichte sal mingen

met ware genoegens te verlustigen, want ik zit in zak en as. Verlaten ben ik door de persoon die mij altijd welgevallig was en die mij, als op een voetstuk geplaatst, beminde: ik mag er wel om treuren. Haar zingende stem en de heerlijke dingen die ze deed, moet ik nu overal en altijd missen. Al vat ik soms hoop, haar afwezigheid doet me vrezen. Zij verdraagt mijn aanwezigheid niet, daarom dool ik. Zij laat me nu als een onbekende achter; als vergif houdt ze me van haar vandaan. Kom ik haar tegen, dan kan ik niets aan haar kwijt. Ik heb geen rol die in haar stuk past. Ben ik bij haar, dan is er één te veel. ¶ Zij die mij met haar ogen kan dwingen, hoorde ik liederen zingen. (Zij maakt het mij nu) bijzonder moeilijk, maar toen we vrijden was ze heel welwillend. 't Kan me niet schelen, al zou ik voor 't gerecht moeten verschijnen en al zou men mij, onnozele, gevangennemen, ik zal me blijven inspannen om,

Met haer die geern in Venus gerichte gingen,
Van weke te weken, mer wat wil ic veel spreken,
Ic en machs niet wreken, dies mijn oghen leken
Tranen als beken,
Die lasen van haer niet ghetelt sijn.
Half ben ic besweken, thert dunct mi breken,
Si hevet duersteken met Venus treken,
Dus moet ic nu in droefheyts velt sijn.
Soudic haer genaken, het most ghewelt sijn,
Wat baten ist dat ict veel hele,
Want als ic haer omtrent ben isser een te vele.

Och, si die mi boven alle voorspoet spoyde,
Boven alle goed goyde,
Duer haer mijn bloet bloyde
En mijnen moet moyde, moet nu ghedaen sijn.
Van trooste doen haren vloet vloyde
Endic duer haerder salutacien groet groyde.
Ten mach niet meer bestaen zijn,
Dies mijn ogen een traen sijn
Als kinderkens die geslaen sijn.
Ic moet verraen sijn, hoe soudic so saen sijn
Versteken van haer als die staen in baren.

zoals anderen, mijn rechten in liefdeszaken te doen gelden. Maar wat baat al
mijn gepraat? Ik heb er geen verhaal op; daarom stromen uit mijn ogen tranen
als beken die haar, helaas, onverschillig laten. Ik ben half bezweken, het hart
lijkt me te breken; zij zit vol amoureuze streken. Daarom kan ik niet anders dan
in droefheid leven. Alleen met geweld zou ik haar kunnen genaken: wat baat
het dit allemaal te verzwijgen, want als ik bij haar ben is er één te veel. ¶ Och,
zij die mij boven alle voordelen begunstigde, boven alle gaven weldaden bewees, door haar leefde ik echt en vatte ik moed: moet het nu uit zijn? Toen
vloeide haar overvloedige troost en werd ik gesterkt door haar welkomstgroet.
Het gebeurt niet meer; daarom zijn mijn ogen vol tranen als van kindertjes die
geslagen zijn. Ik ben zeker verraden, waarom zou ik anders zo ineens door haar
als een dode verstoten zijn.

Hoe mach liefde so vergaen sijn,
Gheacht ghelijc een spaen sijn,
Si moet nochtans in mijn vermaen sijn,
Mer machicker ontfaen sijn,
Gheen liever en vondic in hondert jaren.
Mer lasen neen ic, vaet mijn verclaren,
Men macher niet paren, ic moet verharen,
Ic en macher niet rusten op banck noch sele,
Want als ic haer omtrent ben isser een te vele.

Prince

Na troost dat ic wel haken mach,
Want die ic te naken plach
Come icse niet ter spraken, ach, ic salt besterven.
Met eenen anderen ic haer waken sach,
Alsi int blaken lach en die si dede maken dach
Van haerder liefden, die ic moet derven.
Gheenen troost can ic van haer verwerven,
Dies lijdt mijn herte een bitter quellinghe,
Mer wildese mi in haer herteken erven
En troosten mi met haer suete conserven,
Niet achtende des nijders rellinghe,

Hoe kan liefde zo vergaan en geen spaander waard worden bevonden? Ik kan over haar nochtans niet zwijgen en als zij mij zou willen ontvangen, zou zij voor mij nog altijd de liefste zijn. Maar helaas neen, begrijp mijn woorden, men mag er niet bij, ik ben niet welkom; ik mag er niet uitblazen op bank of stoel, want als ik in haar buurt ben, is er één te veel. ¶ Prins ¶ Ik mag wel hevig naar troost verlangen, want als ik haar die ik gewoon was te zien, niet te spreken krijg, ach, dan zal ik 't besterven. Ik zag haar met een ander in minnegloed liggend op en neer gaan, iemand waarmee ze een afspraak had gemaakt om hem haar liefde te geven die ik moet derven. Ik kan van haar geen troost verkrijgen; mijn hart lijdt er bittere kwellingen om, maar als ze mij in haar hartje een plaats zou geven en me troosten met haar zoete gaven, zich niet storend aan jaloers geklets,

736

So hieldic vruecht en gaef drucx quijtsceldinge,
Oft anders roepic met luyder kele:
Als ic haer omtrent ben isser een te vele.

REFREYN

[WANT SONDER HEM PRIJSIC DIE DOOT]

Comt wolven, leewen en wilde dieren,
Grijpende ghieren, serpenten woedich,
Comt slanghen diemen niet en can bestieren,
Comt sonder vieren, panthera seer moedich,
Comt basiliscus die daer sijt ongoedich,
Comt spoedich lindtwoormen en draken vierich,
Comt padden, spinnen, eggelen bloedich,
Fenijn weest gloedich en blijft volduerich
En acht niet al sidi mijnder herten stuerich,
Mer blijft natuerich, fenijnich bloot,
Comt haestich, en maect mi slijfs besuerich,
Want sonder hem prijsic die doot.

Napels fenijn, boven alle manslachtich,
U roep ic waerachtich, comt cort mijn pijn,

dan zou ik vreugde behouden en droefheid ontslaan, zo niet roep ik luidkeels:
'Als ik bij haar ben is er één te veel.'

•

Kom, wolven, leeuwen en wilde beesten, grijpgieren, razende serpenten; kom
slangen die men niet de baas kan, kom zonder dralen, onvervaarde panter;
kom kwade basilisk, kom vlug kronkelende en vuurspuwende draken, kom
padden, spinnen en bloedzuigers; gif, wees krachtig en blijf tot het einde toe
werkzaam en geef er niet om dat je voor mijn hart ondraaglijk bent, maar
behoud gewoon je giftige natuur. Kom vlug en doe mijn lichaam lijden, want
zonder hem ben ik het liefste dood. ¶ Napellus, uiterst dodelijk gif, tot u roep
ik in ernst, kom, kort mijn pijn.

O swaer fenijn sijt mi therte doorjachtich,
Sijt mi versmachtich, maect slijdens fijn,
Thoont u aenschijn, want ick verdwijn
Alst blijct, dus en wilt niet beyen,
Beraden wilt u in corten termijn,
Gheen medecijn en laet u gheleyen,
Argentum sublimaticum coemt u vermeyen
Met holebrum coemt tot mijnder noot,
Comt gheeft mi remedie tot onsen scheyen,
Want sonder hem so prijsic die doot.

Mijn oogen verdonckeren, mi faelt mijn cracht;
Tsi dacht of nacht, weenen is beghinsel
Duer dblintsel, hi en comt niet wat ic wacht.
O liefste lief, mijns herten minsel,
Die eewich printsel blijft in mijn memorie,
Mijn glorie blijfdi sonder ynsel,
Tsi verlies oft winsel, o schoone siborie,
Duer u schoonheyt crijcht alleen victorie,
Doet af mortorie, cleyn en groot,
Mi gheeft exemple menich historie,
Want sonder hem prijsic die doot.

O zwaar vergif, vaar door mijn hart, versmacht me, maak een eind aan dit
lijden. Kom hier, want ik kwijn weg, zo blijkt; wacht dus niet; kom vlug tot een
besluit, neem geen medicijnen met u mee. Laat argentum sublimaticum [kwik-
zilver] u vergezellen; kom mij met helleborum helpen; kom, geef me een remedie tegen ons gescheiden zijn, want zonder hem ben ik liever dood. ¶ Mijn ogen
verduisteren, ik heb geen kracht; dag en nacht moet ik huilen, verblind door
smart. Hoe ik ook wacht, hij zal niet komen. O liefste lief, beminde van mijn
hart, die voor eeuwig in mijn geheugen geprent blijft; gij blijft onophoudelijk
mijn roem. O mooie verschijning, in welke omstandigheid ook, de schoonheid
viert haar triomf door u alleen: laat iedereen zich in deze strijd maar hoeden
voor de dood. Naar menig voorbeeld uit het verleden mag ik zeggen: 'Want
zonder hem ben ik liever dood.'

Dydo coninginne vry sonder blameren,
Die door Venus leeren haer selven verdede,
Want daer van stede Eneas ghinc laveren
Sonder haer te miseren, en Achilles mede,
Die eedele van sede Venus doorrede
Mits der minnen snede en storven swaerlic,
Openbaerlic si hem verhingen in onvrede,
En strecten haer lede duer die minne waerlic;
Horea metter liefden dede eenpaerlic
Leandra onvervaerlic verdroncken, dats bloot,
Met hemlieden sprekic dit woort, tis claerlic,
Want sonder hem so prijsic die doot.

Adriana, Medea, die sijn verdroncken
Duer Venus voncken, Ovidius scrivet;
Ontwijvet was Sigismonda in swaters troncken,
Fenijnich geschoncken, haer selven ontlijvet.
Niemant en verwonder wat liefde drijvet,
Waer dleven blijvet als die sinnen dwalen.
Vrijlic ic mochte noch wel wesen verstijvet
En bliven gherijvet als dese met qualen,
Oft sonder falen mi quaem verhalen
Sonder salen sijn mondelijn root,

Aangezet door Venus pleegde koningin Dido, niet tot haar schande, zelfmoord omdat Aeneas daar uit de stad wegvoer, zonder medelijden met haar te betonen. Ook de edele Achilles doorstak Venus met het zwaard der liefde en deed hem bitter sterven. Het is duidelijk dat zij zich in hun ongeluk verstrikten en werkelijk door de liefde gestorven zijn. Zo deed ook Hero uit liefde de onvervaarde Leander verdrinken, dat spreekt. Duidelijk spreek ik, zoals zij, dit woord uit: 'Want zonder hem ben ik liever dood.' ¶ Adriana [Ariadne?] en Medea zijn door de liefde verdronken, zoals Ovidius schrijft. Sigismonda kwam in waterkolken om, haar dode zelf kreeg ze tot giftig geschenk. Niemand verwondere zich erover wat de liefde aanricht en wat er van het leven terechtkomt als de zinnen dolen. Zeker, ik zou het, als de hiervoor genoemde gekwelden, nog kunnen harden wanneer het rode mondje van mijn geliefde mij zonder mankeren en onverwijld zou komen spreken;

Oft anders seg ic met waerder talen,
Want sonder hem prijsic die doot.

Prince

Mijn leven dat is in dangier nu,
Bestier nu heeft over mi een die leeft,
Hi heeft mi so vaste onder sijn banier nu,
Sijn vier nu mi alleen duer therte beeft.
Hi is die ghene daert al duer sneeft,
Dit blijtschap gheeft oft wederstoot;
Diet altijt riep selve si dreeft,
Want sonder hem prijsick die doot.

REFREYN

[WANT GHI SIJT AL DIE WEERELT ALLEENE]

Wat baet nu tsien van mijnen ooghen
Oft hem daenschouwen niet en greyt;
Wat baet svolcx schoon woorden toghen,
En al haer spreken mi dunct misseyt;
Wat baet mi veel spijsen voren gheleyt

---

zo niet zeg ik naar waarheid: 'Zonder hem ben ik liever dood.' ¶ Prins ¶ Mijn leven is nu in gevaar; er is nu één die macht over mij heeft; hij heeft mij nu zo vast in dienst dat mijn hart zich nu alleen aan hem verwarmt. Hij is het van wie alles afhangt, die blijdschap of tegenslag schenkt. Zij die hier altijd al heeft uitgeroepen 'want zonder hem ben ik liefst dood', heeft het zelf doorleefd.

•

Wat baat het nu dat mijn ogen zien als hen niet behaagt wat ze zien? Wat baat het dat de mensen mooie woorden laten horen, wanneer al hun spreken mij ongepast lijkt? Wat baat het dat men mij veel spijzen voorzet

Daer kele noch tonge smake in en heeft,
Wat baet mi der werelt vrolicheyt
Ende mi tgebruyc gheen blijdtschap en gheeft.
Voorwaer dus is met mi gheleeft,
Al wat ic sie dat is mi cleene
Bi u, daer al mijnen troost aencleeft,
Want ghi sijt al die weerelt alleene.

Wat baet mi vriendelicheyt der menschen
Ende niemant so vriendelic en is als ghi;
Wat baet mi svolcx jonste oft wenschen
Ende dijn jonste mi alderbequaemste sy;
Wat baet dat yemant wilde deelen mi
Sijn siele, sijn eere, met lijve, met goede,
Ende mi bequamer is verre en by
Dminste dropelken van uwen bloede.
Ghetrouwelic dus is mi te moede,
Lief alderliefste, so lief noyt gheene,
Bi u so blijft mijnder sielen hoede
Want ghi sijt alle die weerelt alleene.

Dat ghi die werelt alleene sijt
Daer stelt mijn herte redene naer,

wanneer keel noch tong daar zin in hebben? Wat baat mij werelds plezier als
het genot ervan mij geen blijdschap geeft? Werkelijk, zo is het met mij gesteld.
Al wat ik zie is onbelangrijk vergeleken bij u, waar al mijn troost van afhangt.
Want gij zijt zelf de hele wereld. ¶ Wat heeft de vriendelijkheid van de mensen
voor mij te betekenen wanneer er niemand zo vriendelijk is als gij? Wat heb ik
aan de genegenheid of de welwillendheid van de mensen wanneer uw genegenheid voor mij het allerbelangrijkst is? Wat baat het dat iemand mij zijn ziel, eer,
lijf of goed wil geven, terwijl het kleinste druppeltje bloed van u mij in alle
opzichten veel meer behaagt. Trouwhartig ben ik dus jegens u gestemd, allerliefste lief, zoals er nooit één liever kan bestaan. Mijn zielerust ligt in uw hand,
want gij zijt zelf de hele wereld. ¶ Het idee dat gij zelf de hele wereld zijt, laat
mijn hart de gepaste woorden spreken,

En seyt dat ghi naer appetijt
Sijt een spieghel van vrouwen claer.
Ghi greyt mijn herte so wel voorwaer
Dat ic so lieven nye en ghewan
Ende ooc so sueten, dats openbaer,
Dat ic mi niet versaden en can.
Bi desen so mach ic wel segghen dan:
Al niet bi u, hoe suet hoe reene;
Vruecht boven vruechden mijn herte u yan,
Want ghi sijt al die werelt alleene.

Prince

Princesse, al tgeluyt van menschen tongen
Is mi cleenen troost in mijnen weene
Bi u, tis verloren gheseyt oft ghesongen,
Want ghi sijt alle die werelt alleene.

REFREYN

[MAER TGAET NU VERRE BUTEN SCREVEN]

Doe onder den coopman ja ende neen verkeerde
En dedele den lantman met payse eerde

zeggende dat uw aantrekkelijkheid een lichtend voorbeeld voor de vrouwen is.
Gij behaagt mijn hart zozeer, voorwaar, omdat ik, dat is duidelijk, nooit zoiets
liefs en zoets verwierf, zo lief en zoet dat ik er niet genoeg van kan krijgen.
Daarom mag ik dan ook zeggen: alles, hoe zoet, hoe mooi, is niets vergeleken
bij u. Mijn hart wenst u de allergrootste vreugde toe, want gij zijt zelf de hele
wereld. ¶ Prins ¶ Prinses, al het geluid van mensentongen is mij kleine troost in
mijn smart om u; 't zijn nutteloze woorden of zangen, want gij zijt zelf de hele
wereld.

•

Toen de kooplieden zich aan 'ja' en 'neen' hielden en de edelen de boer in vrede
lieten

Ende den lantman was der practiken onvroet
Ende de geestelike beleefden datse leerden,
Niet ghierich, mer hem ter suverheyt meerden,
Doen was een gulden werelt ende goet.
Den coopman had doen betrouwen en moet,
Die eedele tsijnen dage renten en pacht,
De lantman was weeldich sonder tegenspoet,
Die geestelike hoge gheeert en gheacht,
Al dat goet was regneerde doen inder macht
Dies door elcx goet doen tgoet quam toegedreven,
Maer tgaet nu verre buten screven.

Biden coopman plach tsine silver en gout,
Sijn woort was noch so cloeck ende stout
Dan nu sijn seghel es oft sijn signet,
Sijn woort plach tsine so wel betrout
Als over .xl. mijlen was aenschout,
Men creecher tonnen vol van goude met.
Al de werelt plach tsijn vol weelden geset
Door den coopman rechtverdich sonder bedriegen;
Hi haelde, hi brachte, elck worde vet,
Hi dede de mare door al tlant doorvliegen,
Hi en wiste van lappen, borgen noch liegen,

en de boer niet arglistig was en de geestelijken leefden naar wat ze preekten,
niet op geld belust, maar zich toeleggend op de kuisheid, toen was 't een gouden
tijd en goed. De koopman kende toen vertrouwen en zekerheid, de edelman
kreeg op zijn tijd renten en pacht; de boer was in goeden doen, zonder rampen,
de geestelijken waren hooggeëerd en gerespecteerd. Al het goede was toen aan
de macht, zodat ieders goeddoen goed ontmoette. Maar nu gaat het ver buiten
de schreef! ¶ De koopman beschikte over zilver en goud; zijn woord had nog
zoveel gezag als nu zijn zegel of ring; zijn woord placht zo betrouwbaar te zijn
dat men daardoor, veertig mijlen verder, tonnen vol goud kreeg. Rijkdom werd
door de rechtvaardige, eerlijke koopman over de hele wereld verspreid. Hij
haalde en bracht, iedereen werd rijk. Hij bracht door het hele land nieuws-
tijdingen rond. Hij wist van geen knoeien, op krediet kopen of liegen,

Noch lueren noch sueren mer vrolic leven;
Mer tgaet nu verre buten screven.

Deedelen die plagen te triumpheerne
Ende minnelic alle vruecht tuseerne
Om elcken te maken verhuecht en blije,
Den arbeyder die pleech te laboreerne
Om hem ghetrouwelic te sustineerne,
Inden lantman en was doen geen hoverdije;
Dambachts man dreef solaes tallen tije
Met rethorijcken yet vreemts te ramene,
Dies hem elck verblijde aen elcken sije
Eerlic, niemant en pleechs hem te scamene,
Men plachs als sotheyt niet te blamene
Want elck eerdet door de const verheven,
Mer tgaet nu verre buten screven.

Der geesteliker werck was lesen en soeken
Al den dach studerende in haer boecken
Om den slechten minlic tonderwisene;
Minne was al haer jagen haer roeken,
Waer si discoort wisten in eenighe hoecken

noch van gezwoeg of gezeur, maar wel van vrolijk leven. Maar 't gaat nu ver
buiten de schreef. ¶ Edellieden plachten feesten te houden en in vriendschap
veel vreugde te bedrijven, zodat iedereen blij en verheugd was; de arbeider
placht te werken om de edelman plichtsgetrouw te onderhouden. In de land-
man werd toen geen hovaardij gevonden; de ambachtsman verlustigde zich
door geregeld met de kunst van de rederijkers iets nieuws te bedenken, waardoor iedereen zich overal amuseerde; op een eervolle manier trouwens, want
niemand placht zich over de rederijkerij te schamen. Men placht haar niet als
'zotheid' te bespotten, want iedereen eerde haar als de verheven kunst van
retorica. Maar 't gaat nu ver buiten de schreef. ¶ Het werk van de geestelijken
bestond uit lezen en studeren, heel de dag over hun boeken gebogen om de
eenvoudige mensen welwillend te onderwijzen. Hun enige doel en bekommernis was de naastenliefde; waar ze ergens tweedracht wisten,

Dan pijnden si neerstelic te misprisene;
Op haer tienden plagen si hem te rijsene
Seer vrolic en blije mit joncwijfs en knapen,
Si en plegen haer kueken ooc niet te spisene
Met veel provanden oft met comenscappen;
Ic en meene ooc niet datser nu in rapen
Solaes of datter arch in es beseven,
Mer tgaet nu verre buten screven.

Prince

Prince, hoe wi mercken in die drie staten
Es nu defect groot boven maten
En hoe ouder hoe arger, tblijct an elcx leven,
Want tgoet, weelde en vruecht met caritaten
Wert lanc so minder; dus hoe wijt vaten
Het gaet nu verre buten screven.

REFREYN

[OCH GOD HOE SAL ICK DIE NOOT GHECRAKEN]

O God almachtich ghebenedijt
Die al dat leeft gheeft sijnen tijt,

gingen ze die naarstig laken. Tevreden en blij leefden ze met meiden en knechten van hun tienden. Ze waren ook niet gewend hun keuken met proviand of koopwaar vol te stouwen. Ik bedoel daarmee niet dat ze dat tegenwoordig naar hartelust doen of dat er iets verkeerd mee zou zijn, maar 't gaat nu ver buiten de schreef. ¶ Prins ¶ Prins, hoe we 't ook bezien, in deze drie standen zijn de misbruiken buitengewoon groot. En 't wordt steeds erger, zo blijkt uit ieders levenswijze, want met bezit, rijkdom, vreugde en liefde gaat het hoe langer hoe slechter. Dus, op welk aspect we het ook betrekken, het gaat nu ver buiten de schreef.

•

O almachtige, geprezen God, die al wat leeft zijn tijdsduur geeft;

Salich sijnse dien wel besteden.
Niemant en weet tleste overlijt
Dan ghi, die duterste eynde sijt,
Voocht van boven, voocht van beneden.
Die hartste noot des doots onvreden
Die moet gecraect, sijt morgen oft heden,
Wiens snoestre is seer bitter int smaken.
Het moet besterven, het sijn die seden,
Al dat oyt quam van Adams leden
Moet de noot der doot wreet onbesneden
Duerbijten, al eest quaet om maken;
Och God, hoe sal ick de noot ghecraken.

Als siecte mi jagen sal int versijck,
Als ick moet gaen den langen dijck
Sonder wederkeeren so dander plegen,
Als mi tgraff berooft des werelts wijck,
Mi selven so wordick dan ongelijck
Als humoren die tonge verwegen,
Als kennisse gheheel is uut mi vertegen,
Als mi de lendene sijn ontsegen,
Den buyck doet crimpen, den mont doet spaken,
Als doogen duyster sijn bedegen,

zalig zijn zij die hun tijd goed besteden. Niemand kent zijn laatste overstap
behalve gij, die de laatste zijt en Heer van hemel en aarde. De hardste noot, de
doodsstrijd, waarvan de bolster zeer bitter smaakt, moet vandaag of morgen
gekraakt worden. Iedereen moet sterven, zo is dat nu eenmaal. Heel Adams
nageslacht moet de harde, ruige noot van de dood doorbijten, al is dat moeilijk.
O God, hoe zal ik de noot kraken? ¶ Als ziekte mij zal doen zuchten; als ik,
zoals anderen hebben gedaan, de lange weg moet gaan waarop men niet terug-
keert; als het graf mij van mijn verblijf in deze wereld berooft, dan word ik
vervreemd van mezelf. Als lichaamssappen de tong zwaar maken, als het bewustzijn geheel van mij is geweken; als de lendenen krachteloos zijn geworden,
als de buik gaat krimpen, de mond droog wordt; als de ogen duister geworden
zijn,

Den nuese scerpt, wat baet verswegen,
Den stanc mijns adams comt mi tegen,
De noot der doot brengt sulcken saken.
Och God hoe sal ick die noot ghecraken.

Als verstandenisse niet meer en beclijft,
Als pijne tgevoelen uut mi verdrijft,
Als therte jaecht, die sinnen beven,
Die keel rotelende, die handen verstijft,
Als die doot teghen tleven kijft,
Als traensweet comt duer tvel ghedreven,
Die tanden swert, dlijf cout beseven,
Alsmen van als rekeninge moet geven
Wesmen ye misdede in slapen oft waken,
Als den pols en ruert noch let noch leven,
Lacen dan claechtmer boven screven
Den tijt ydelic achter ghebleven;
Wee ons, de noot der doot brinct sulc geraken,
Och God hoe sal ick die noot ghecraken.

Prince

Princelic God, onser salicheyt bewijs,
Die de noot best craect die wint den prijs;

---

de neus scherp wordt en (het te verzwijgen heeft geen zin) ik de stank van mijn
adem ruik, zaken die de doodsnood met zich brengt, o God, hoe zal ik dan die
noot kraken? ¶ Als men niet meer bij zijn verstand is; als pijn ieder ander gevoel uit me verdrijft; als het hart jaagt, de zinnen beven, met reutelende keel en
verstijfde handen; als de dood het leven bevecht, als het reeuwzweet door de
huid komt dringen, de tanden zwart, het lichaam koud geworden; als men van
alles rekenschap moet afleggen van wat men ooit, slapend of wakend, heeft
misdaan; als de pols noch enig lidmaat nog beweegt, helaas, dan klaagt men ten
zeerste over de tijd die men in ijdelheid heeft doorgebracht. Wee ons, de doodsnood brengt dit alles mee. Och, God, hoe zal ik die noot kraken? ¶ Prins ¶
Grote God, zegel onzer zaligheid! Wie de noot het best kraakt, die wint de prijs.

Al mach de snoester wat bitter wesen,
Die scale is hard, si wies opt rijs
Dat Adam plante int paradijs;
Trijs heet sterven, ich hebt ghelesen.
Tcraken es arbeyt swaerst ghepresen,
Mer grote suetheyt volcht na desen
Die totter keerne wel can gheraken;
Die de noot wel craect, die blijft gepresen,
Hi sal der bitterheyt wel ghenesen,
Nochtan alle mijnder sinnen pesen
Die vresen der snoestren bitter genaken.
Och God hoe sal ick die noot ghecraken.

REFREYN

[DEN DRINCPOT MAECT MENIGEN GELDELOOS]

Den drincpot is here van Bijstervelt,
Den drincpot is viant tegen tgelt,
Den drincpot maect menigen slimmen ganck,
Den drincpot memorie seer quelt,
Den drincpot doet dat den buyck seere swelt,
Den drincpot werpter menich vander banck,

Mag de bolster wat bitter zijn, de schaal is vooral hard: zij groeide op de twijg die Adam in het paradijs heeft geplant. De twijg heet sterven, ik heb 't gelezen, en 't kraken is het zwaarst bevonden werk, maar grote zoetheid volgt erop voor wie op de juiste manier tot aan de pit geraakt. Wie de noot goed kraakt, zal blijvend zalig genoemd worden. Hij zal het lijden wel te boven komen. Toch voel ik in al mijn zinnen en zenuwen de vrees voor het bittere naderen van de bolster. O, God, hoe zal ik de noot kraken?

•

De drinkpot is heer van armoeland; de drinkpot is vijand van het geld; de drinkpot gaat vaak met scheve tred; de drinkpot teistert het geheugen; de drinkpot doet de buik zeer zwellen; de drinkpot doet velen van de bank vallen;

Dan vechten wi vrolic, dat doet den dranck,
Dan leytmen ons int casement seer boos,
Dan verliesen wi ons gelt tegen onsen danck,
Den drincpot maect menigen geldeloos.

Als wi gedroncken hebben wijn oft bierken,
Vinden wi dan vrou Venus camerierken,
Dan eest wi moeten gaen drincken een potken
Int soete, seyt dan dat liefste dierken,
Dan dincke mi sijn dat beste bestierken,
Ghi weet wel ick bin u liefste motken.
Seyt hi sottinneken, so seyt si sotken,
Mer haer hant is in sijn burse altoos,
Hi en vinter smorgens niet in een plotken;
Den drincpot maect menigen gheldeloos.

Heeft hi dan een loos weerdinneken
Die clooct hem minlic onder sijn kinneken,
Mer vier voor twee scrijft si eenpaer.
Dan ontknoopt si sijn borst dat soete minneken,
Daer ontscaect si uut tbeste vinneken,
Dan seytse: betaelt u ghelach, twort swaer.
Beclaecht hi sijn gelt so roeptmen daer

als we dan vrolijk vechten, door de drank beneveld, brengt men ons heel stuurs naar het cachot. Met tegenzin verliezen we dan ons geld. De drinkpot maakt menigeen geldeloos. ¶ Als we wijn of bier gedronken hebben en vervolgens een hoertje ontmoeten, dan is 't: 'We moeten een potje gaan drinken waar 't lekker knus is', en dat liefste vrouwtje zegt dan: 'Dat lijkt me 't beste. Je weet toch dat ik je liefste liefje ben.' Als hij 'zottinneke' zegt, zegt zij 'zotteke', maar met haar hand zit ze voortdurend in zijn portemonnee. 's Morgens vindt hij er geen cent in. De drinkpot maakt menigeen geldeloos. ¶ Heeft de drinkebroer dan een vals waardinnetje getroffen, dan kietelt die hem minzaam onder zijn kinnetje, maar ze schrijft steevast een vier voor een twee. Vervolgens knoopt dat zoete liefje zijn beurs open en steelt het beste stuk daaruit. Dan zegt ze: 'Betaal uw gelag, 't wordt veel!' Jammert hij om zijn geld, dan roept men er:

Dronckaert, boeve, ramp heb u croos,
Vertrect van hier, dus seg ic voorwair:
Den drincpot maect menigen gheldeloos.

Prince, wilt doch met maten drincken
Want ic onmatelic den drincpot vercoos,
Ende alle goe ruters wilt hier op dincken:
Den drincpot maect menigen gheldeloos.

REFREYN

[TQUAETSTE DATTER AF COMT ZIJN BARVOETE
KINDEREN]

Die quaet van Venus discipulen clappen,
Mocht ic, ick dedese inder hellen versincken.
Wat schadet wat bier die lieden tappen;
En moechdijs niet, ghi en derves niet drincken.
Al saechdi een meysken een jongelinc wincken,
Al saechdi helsen, cussen, het mondeken lecken,
Al hoordi vanden coop den opslach clincken,
Al saechdi die raetcamer bloot ontdecken,
Al saechdi den spit voor die cueken trecken

'Dronkaard, boef, krijg de klere! Pak je hier weg.' Dus zeg ik naar waarheid: de drinkpot maakt menigeen geldeloos. ¶ Prins, drink toch met mate, want ik heb me mateloos aan de drinkpot verslingerd. En alle vrolijke stappers, denk erom: de drinkpot maakt menigeen geldeloos.

•

Wie kwaad over vrijers spreekt, die zou ik, als ik kon, in de hel doen zinken. Wat maakt het uit waar mensen zich mee amuseren? Vind je het niet leuk, dan doe je er toch gewoon niet aan mee. Al zag je een meisje een jongen toewenken; al zag je omhelzen, kussen en lekken; al hoorde je de zaak beklinken; al zag je de geheime kamer blootgemaakt worden; al zag je het spit naar de keuken brengen

750

Om den roost te speten, wat macht u hinderen.
Peyst natuere doetse daer toe verwecken
En wat wiltmen veel dair met dralen oft gecken,
Tquaetste datter af comt zijn barvoete kinderen.

Menich moeder loopt roepen al verstorbeert:
O wee mijn dochter sluyt qualic haer benen.
Een ander staet en is ghemoleert,
Si doent selver geerne en gaender om weenen;
Deen spint quaet garen en dander loopt met enen,
Tis wonder wat sijer af te seggen plegen.
En waer toe sou God die gereetscap verleenen
Dan om torboren, dus wou ic wel dat si swegen.
En bi wilen wort de sommige dair om geslegen;
Seit deen quaet, dander en sals niet verminderen,
Elck moet hebben hoet geraect si of gecregen.
En wat wiltmen de sake veel hooch daer om wegen
Tquaetste datter af comt zijn barvoete kinderen.

De sulcke seggen: houwet eer ghijt doet,
So mocht u salicheyt sijn gewrocht.
De sommige verhanct hem, twaer also goet

om het gebraad te speten, wat kan het je schelen? Bedenk dat het de natuur is
die hen daartoe brengt. En wat wil men daar veel over kletsen of spotten, het
ergste dat ervan komt zijn barrevoetse kinderen. ¶ Menige moeder loopt geheel ontdaan te roepen: 'O wee, mijn dochter sluit moeilijk haar benen!' Een
andere voelt er zich zelfs door verkracht. Ze doen het zelf graag, maar ze gaan
er om tieren. De ene leeft onkuis en de ander loopt ongetrouwd met een man. 't
Is niet te geloven wat men daarover pleegt te zeggen. Maar waarvoor anders
zou God het gereedschap verlenen dan om te gebruiken? Dus wenste ik wel dat
ze erover zouden zwijgen. Maar sommigen worden er soms om geslagen. De
een zal het niet laten omdat de ander zegt dat het kwaad is. Iedereen wil het
toch, op welke manier men er ook aan geraakt. En wat zou men zo zwaar aan
die zaak willen tillen? 't Ergste dat ervan komt zijn barrevoetse kinderen. ¶ Menigeen zegt: 'Trouw voor je het doet: zo kun je je zaligheid bewerken.' Sommigen verhangen zich echter: zo iemand had dus evengoed

Den coop gescheyden gebleven als geknocht.
En waert ooc niet beter in tijts vercocht,
Want wien vroech hongert moet vroech ontbiten;
Lust u fruyt en ghi sijt ten bogaert gerocht,
Ghi souter met uwen cluppel in smijten.
Sal dan die sat is nu den hongerige verwijten
Al mach hi wat spijsen meer verslinderen,
En salmen tgetouwe met pissen verslijten.
Laet houwen int vlees, ten sal niet splijten,
Tquaetste datter of comt zijn barvoete kinderen

Ghi jonge lustige abel vroukens,
Wat schaet al hebdi corte achterhielkens,
Laet sayen dat sadeken, wint jonge groukens,
Tis hemelsce vollinge met salige sielkens.
Niet voor u knielende op blote kniekens
Maer u lief in uwen armen ontfaet;
Ontfaet u lief tusschen u diekens,
Tis dwerck daer al die werelt bi staet,
Adam en Eva dedent, ten is geen quaet.
Latet heylichdom inde lampe verslinderen,
Ghi siet datter niement manck af en gaet.

niet als wel getrouwd kunnen zijn. En zou 't ook niet beter zijn om er op tijd aan
te beginnen, want wie vroeg honger heeft, moet vroeg eten. Als jij zin hebt in
fruit en je bent in een boomgaard geraakt, zou je er wel met je knuppel naar
gooien: zal de verzadigde dan nu de hongerige verwijten, al eet hij wat meer?
En zou men 't gerei met pissen verslijten? Laat ze rustig in 't vlees houwen, het
zal niet splijten. Het ergste dat ervan komt zijn barrevoetse kinderen. ¶ Jullie
jonge, lustige, knappe vrouwtjes, wat zou 't kwaad kunnen dat jullie zo gemakkelijk achterovervallen? Laat het zaad zaaien, verwek jonge kwantjes, het is
een hemels gevuld-worden met zalige zieltjes. Ontvang je lief niet geknield op
blote knietjes, maar in je armen; ontvang hem tussen je dijtjes; 't is werk dat de
hele menselijke soort in stand houdt. Adam en Eva deden het, het is geen zonde.
Hou de lamp in uw heiligdom brandend. Je ziet dat er niemand mank van gaat.

Elck neemt alst comt, tis mijnen raet,
Tquaetste datter af comt zijn barvoete kinderen.

En acht niet op suster Lute of broeder Coppen
Die Jesus roepen alsmen daer af spreect.
Twaer sonde soudemen dat gaetken stoppen
Daer die suete olie uut leect.
Wie weet beste dan diet eygen gebreect
En selver den last draecht en gevoelt de pine.
Die sijn speere buycht die en dient niet daer men steect,
Elck van sijnder siecten suect medecine.
Leent si mi thuere, ick leen haer dmijne,
Ende niet te sparen al sout in stucken splinderen.
Elck wilt altijt labueren, tis Venus doctrine,
Doet vri u beste knaep, joncwijf, baghine,
Tquaetste datter af comt sijn barvoete kinderen.

Prince

Dies gewegen hebben menich onsse,
Oude quenen die ontrent den vier en den heert zijn,
Bemasselt, berompelt tot in haer fronsse,
Ende guylen die als af ghereden peert sijn,

'Ieder neme de gelegenheid waar', luidt mijn advies. 't Ergste dat ervan komt
zijn barrevoetse kinderen. ¶ Let niet op zuster Begijn of broer Stijfkop die 'Jezus' roepen als men erover spreekt. 't Zou zonde zijn als men het gaatje zou
toesluiten waar die zoete olie uit lekt. Wie weet het beter dan wie het zelf moet
missen, zelf de druk ervaart en de kwelling voelt. Met een slappe speer kan men
in een steekspel niets gaan doen. Iedereen zoekt heul naar kwaal. Leent zij mij 't
hare, ik leen haar 't mijne en niet om het te sparen, al zouden de stukken eraf
vliegen. Iedereen wil het altijd doen, 't is de wet van Venus. Doe maar je best
jongeman, juffrouw en begijn: 't ergste dat ervan komt zijn barrevoetse kinderen. ¶ Prins ¶ Oude kwenen die er veel van geproefd hebben maar zich nu bij
vuur en haard moeten warmen, smoezelig en tot in hun kut gerimpeld, en zij die
als oude paarden afgereden zijn,

Die lachteren dat si niet meer begeert sijn.
Mer al saechdise smijten dat haer die billen schinderen,
Swijcht al stille al dunct u een vri geveert sijn,
Mer wilt altoos besich ontrent den steert sijn:
Tquaetste datter af comt sijn barvoete kinderen.

REFREYN

[TSIJN AL MAECHDEN TOT DAT DEN BUYCK OP GAET]

Twee jongers spacerende in diverse straten
In een lustich dal daer bloemkens bloeyen
Daer twee damorueste meyskens saten,
De reinste, de genste die oyt voet mocht scoyen.
Hoort van dees meyskens, ten sal u niet vermoyen.
Elc had een geestken mer si waren divers van treken:
Deen liet al eerbaerheyt uuter herten vloeyen
En dander oneere, soot is ghebleken.
Dese twe jongers sijn achterwarts geweken.
Is dit een maecht, sprac deen, dander sey jaet.
Ic en hoorde noyt so oneerbaerlic spreken.

die spreken nu schande omdat ze niet meer in trek zijn. Maar al zag je er vrijen
dat het kraakt, zwijg maar stil, al dunkt het je een vrijpostig gedoe. Wees maar
constant met de staart in de weer: 't ergste dat ervan komt zijn barrevoetse
kinderen.

•

Twee jongens kwamen eens langs allerlei wegen een lieflijk dal ingewandeld
waar bloempjes bloeiden. Daar zaten twee allerbeminnelijkste meisjes, de leuk-
ste, de mooiste die ooit op aarde rondliepen. Hoor wat ik over deze meisjes
vertel, het zal u niet vervelen. Ze hadden zo elk hun eigen gedachtetje: de een
bleek eerbare, de ander oneerbare hartsgeheimen uit te spreken. De twee jongens zijn achteruitgedeinsd. 'Is dit een maagd,' zei de een; de ander zei: 'Jawel.'
'Ik hoorde nooit zo onwelvoeglijk spreken.'

Ke al haddi den draeck op de knien sien steken,
Tsijn al maechden tot dat den buyck op gaet.

Deen twifelde, dander sey: hier sal wat sculen,
En hebben vast op haer luymen gelegen.
Si sagen deen vliegen metten ulen,
Dander hadde een gayken bi haer ghecregen.
Si sagen tspel ane, si hebben geswegen
Om dbescheet te weten, si woudent bespien.
Het jongelinc dede gelijc damoruese plegen,
Deen hant bi de borstkens, dander ontrent de knien;
Hi ontdecte vast haer witte dien
Om tcontoor tontsluten dat daer ontrent staet.
Is dit een maecht sprac deen, si latet al gescien.
Ke man, al haddi den sluetel int slot gesien,
Tsijn al maechden tot dat den buyck op gaet.

Dit meysken verleckerde vast aen die brocken,
Twas haer al willecom watmen haer boot;
Si ginc smorgens vroech, tsavons metter clocken
Buten int velt om te blutsen haren noot.
Dair creech si so menigen por onder haren voorscoot,

'Ach, al had je de duivel tussen hun knieën zien stoten, zolang de buik niet zwelt zijn het allemaal maagden.' ¶ De ene jongen voelde zich niet op zijn gemak, maar de andere zei: 'Hier is wat loos', en ze gingen alvast op de loer liggen. Ze zagen dat het ene meisje ervandoor ging. Het andere had mannelijk gezelschap gekregen. Ze keken het gestoei aan en hielden hun mond. Om het fijne ervan te weten, gingen ze het afloeren. De jongeling handelde zoals vrijers plegen te doen: de ene hand op de borstjes, de andere bij de knieën. Hij ontblootte kordaat haar blanke dijen om de secretaire die zich daar in de buurt bevindt, te openen. 'Is dit een maagd,' sprak de ene jongen, 'ze laat het allemaal maar toe.' 'Ach kerel, al had je de sleutel in 't slot gezien, zolang de buik niet zwelt, zijn het allemaal maagden.' ¶ Het meisje deed zich aan de lekkere brokken te goed: wat men haar bood, 't was allemaal welkom. Ze ging 's morgens vroeg en met de avondklok de stad uit om in 't veld haar nood te doen stelpen. Daar kreeg ze menige stoot onder haar schort

Ten hilt geen laweit, twas al van tvercken.
Si liet haer leggen metten achterwagen bloot
Recht oft si de werlt had willen stercken;
Si was liever te steecspele dan inde kercke.
Dees meiskens bedriven ragie diet gade slaet,
Het wort al gerieft, jongers, sangers, papen en clercken.
Hoe dic wil dat si an dachter eynde wercken,
Tsijn al maechden tot dat den buyck op gaet.

Prince, sidi jonck, out, ghesont oft niet,
Ick bids u neemt hier exempel an.
Veel maechden zijn gecroct, verstaet mijn bediet,
Datmen schier geen maechden gekennen en can.
Hoe jonc si sijn, elck wil onder den man,
Si laten haer al helpen, leelick ende schoon.
Waer ick maecht als ic niet en ben, ick waer inden ban,
Ic en droechen so lang niet om een gouden croon.
Haer tuytkens, hair borstkens, si stellent ten toon;
Al gingen si wat simpelder ten waer geen quaet.
Wat trouter ooc menich brugom manneken soon
Die meent dat zijn bruyt maecht is, si is een boon:
Tsijn al maechden tot dat den buyck op gaet.

want er was geen wachtpost om haar te beschermen, maar dat maakte haar allemaal niets uit. Ze liet haar kont blootleggen, net alsof ze de menselijke soort in stand had willen houden. Ze was liever bij een steekspel dan in de kerk. Deze meisjes doen de gekste dingen, als je 't mij vraagt. Jongens, koorknapen, geestelijken en studenten, allen worden ze geriefd. Hoe vaak ze ook met hun kont tekeergaan, zolang de buik niet zwelt zijn ze allemaal maagd. ¶ Prins, ben je jong, oud, gezond of ziek, ik bid je, trek hier je conclusie uit. Er zijn zoveel gekreukte meisjes, als je begrijpt wat ik bedoel, dat men bijna niet meer weet wat maagden zijn. Hoe jong ook, ze willen allemaal onder de man. Lelijk of mooi, ze laten zich allemaal helpen. Als ik, wat ik niet ben, een meisje was, zou het met mij niet anders gesteld zijn. Nog om geen gouden kroon zou ik het zo lang uitstellen. Hun vlechten en borstjes stellen ze tentoon. Wat meer bescheidenheid zou hun geen kwaad doen. Hoe vaak trouwt er ook niet een man die als bruidegom denkt dat zijn bruid maagd is: het mocht wat! 't Zijn allemaal maagden zolang de buik niet zwelt.

REFREYN

Een vrolic bagijnken fray in palisten
Hinc eens drie pepercoecken op uut minnen,
So wie den stercsten veest conde vijsten
Die souwer den hoochsten prijs mede winnen;
Dair wasser een groot deel verstaet om spinnen.
Doen sprac daer een baghine: ic sal gaen hucken,
Elck sie wel toe, ick gae beghinnen,
En si veest den glasen venstren in stucken.
Doe ghincker een ander haer slippen op rucken
En blies tegen stroom tot Balen een schuyte.
Tis haest ghecomen alst wil ghelucken,
Sprack doe die derde ende heet Luyte,
En veest al die spinrocken ten roockgat uute
So dat si vander nacht niet meer en sponnen.
Nu segt mi wie heeft den prijs ghewonnen.

Hen hen, sprack doen joncfrou Calle,
Ic sal ooc na den prijs gaen sloeyen een reste,
En veest met dien een koe uuten stalle
Tot over Cakenburch in die veste.

Een vrolijk begijntje hing eens keurig bij wijze van prijs drie peperkoeken op
die ze zomaar zelf ter beschikking stelde. Wie de hardste wind kon laten, zou de
hoogste prijs winnen. Er was daar een grote groep begijnen bijeen, let wel, om
te spinnen, waarvan er één toen zei: 'Ik zal me gaan bukken, kijk allemaal goed,
ik ga beginnen', en ze veestte de glasramen stuk. Toen hief een andere haar
slippen op en blies een schuit stroomopwaarts tot in Balen. ''t Is niet moeilijk
als 't meezit,' zei toen een derde, die Lutgardis heette en alle spinrokkens door
de schouw naar buiten deed waaien, zodat er die nacht van spinnen niets meer
kwam. Zeg me nu eens wie de prijs gewonnen heeft. ¶ 'Uit de weg,' sprak toen
juffrouw Kalle, 'ik zal ook een gooi naar de prijs doen', waarop ze een koe uit
de stal tot in het kasteel bij Kakenburg veestte.

Tis tijt dat ick doe mijn beste
Sprac suster Losschaerts ende was uut suyen,
En hief haer been op ende veest int weste
Eenen walvisch van Antwerpen tot Armuyen.
Beyt wat sal werden sprac jonffrou Truyen,
En liet een veestken gaen door een herre
Dat alle die clocken storm ghingen luyen
Die op seven milen hingen bi en verre
So dat in die dorpen liepen elck coster erre
Niet wetende wat daer was begonnen.
Nu segt wie heeft den prijs gewonnen.

Hoirs del voye, hoirs dela voye varlet et paige,
Sprac dair een Walinne en liet gaen strijcken;
Die maecte int vijsten die meeste raige
Want si veest ontstucken wel tseventich dijcken.
Dies moeti ramp hebben sprac suster IJken
En veest die Walinne recht door een ploye
Van daer tot sint Jacobs toe sonder prijke
Om dat si tlant bracht in sulcken noye.
Doe ginc suster Alijt ooc ontdecken haer koye
Ende woude ooc mede int hoopken huylen
En veest wel stijf met een sloye

''t Wordt tijd dat ik mijn beste beentje voorzet,' zei zuster Scheelaards, die uit
het zuiden kwam. Zij hief haar been op en veestte in westelijke richting een
walvis van Antwerpen tot in Arnemuiden. 'Wacht maar,' sprak juffrouw Trui
en ze liet een windje door een kier gaan waarvan al de klokken tot op zeven mijl
in de omtrek storm gingen luiden, zodat elke koster in die dorpen radeloos
rondliep, niet wetende wat er aan de hand was. Zeg nu eens wie de prijs gewonnen heeft. ¶ 'Hors de la voye, varlet et page (iedereen uit de weg),' zei daar een
Walin, die er een liet vliegen. Zij maakte bij het veesten wel het grootste kabaal
want ze veestte wel zeventig dijken kapot. 'Daar zal je voor boeten,' sprak
zuster IJke die, zonder overdrijven, de Walin, omdat ze 't land zo in waters-
nood had gebracht, dwars door een bocht van daar tot St.-Jacobus toe veestte.
Daarop ging zuster Alida ook haar achterwerk ontbloten om met de bende mee
te doen. Ze veestte zo krachtig met een sliert

Dat daer af een muelener met sijnder muelen
Seven hondert mijlen vlooch boven Tuylen
Tot inden opganc toe vander sonnen.
Nu segt mi wie heeft den prijs gewonnen.

Prince

Jonffrou Neese ghinc doen al vercuysschen;
Ic spele hier ooc, sprak si, wiet vraechde,
En liet sulcken wint van achter uut ruysschen
Die daertrijc van hier tot Jerusalem vaechde.
Ic sal pepercoeck eeten wient oyt mishaechde,
Sprac douste bimoeder en ginc haer rasschen,
Want si sulcken veest ter poorten uut jaechde
Dat heel Egipten most vallen in dasschen
So dat si hem alle weder mosten wasschen
Die daer ontrent hair quamen geronnen.
Nu segt mi wie heeft den prijs gewonnen.

dat een molenaar met zijn molen zevenhonderd mijlen voorbij Tuil vloog tot in
het zonnezenit toe. Nu, zeg me eens wie de prijs gewonnen heeft. ¶ Prins ¶ Toen
begon juffrouw Neesen alles uit de weg te ruimen. 'Ik speel ook mee,' zei ze, 'als
je 't mij vraagt.' Ze liet een wind achterwaarts uitruisen, die de aarde veegde
van hier tot Jeruzalem. 'Ik zal peperkoek eten, tot spijt van wie 't benijdt,' zei de
oudste moeder, die zichzelf overtrof, want ze joeg zo een wind uit haar achterste dat heel Egypte in puin viel en dat allen die naar haar toe kwamen gelopen
zich weer moesten wassen. Zeg me nu eens wie de prijs heeft gewonnen.

REFREYN

In een alte suverlijcken camerken cleyne,
Verchiert ghelijck eenen gulden troone,
Daer tbeddeken bestroyt was net en reyne
Met rooskens, lavender en mageleyne,
Met sayen gordijnkens gestelt ten thone,
Daer lagen ende speelden elck in persone
Twee alte amoreuse ghelieven.
Si speelden alsomen es ghewone
Rechts also Adam speelde met Yeven,
Si wemelden, si crevelden en si hieven,
Elc anderen helsende met soete snaukens;
Si duchten ooc of deen dander mocht grieven,
In doochkens kijckende als jonge kaukens.
Hi keteldese, doen peepse gelijc de paukens,
Naer tvechten so wilde hi af staen;
Ic verlies mijn cracht, sprac hi, ic werde flaukens.
Doe seydse al hijgende ende hielt haer seer naukens:
Way soonken hebdi alree gedaen.

Met dat si dus lagen verwarmt int woelen
Vonden si hem beyden bloot en naect.

In een heel keurig klein kamertje dat fraai, als was het een gouden troon, gede-
coreerd was en waarvan het bedje sierlijk met roosjes, lavendel en marjolein
bestrooid en met saaien gordijntjes opgepronkt was, lagen twee geliefden te
stoeien, beiden even smoorverliefd. Ze speelden zoals men dat gewoon is, precies zoals Adam met Eva speelde. Ze woelden, dartelden en gingen op en neer,
elkaar omhelzend en speelse beetjes toebrengend. Ze letten er ook op dat ze
elkaar niet bezeerden en keken elkaar in de ogen als jonge kraaitjes. Hij kietelde
haar, zodat ze een schreeuw liet als van pauwtjes. Na het vechten wou hij zich
afwenden; 'Ik heb geen kracht meer,' zei hij, 'ik val slap.' Toen zei ze, hijgend
en met gespeelde strengheid: 'Ventje toch, ben je nu al klaar?' ¶ Door het woelen opgewarmd, lagen ze beiden in hun blootje.

Hi wilder weer aen, si ghincker me loelen;
Wa soonken, seydse, hebdi geen ghevoelen,
Ghi noopt mi dat die bedsponde craect.
Vrij mijn kint, seydse, siet dat ghijt vreeselic maect,
Ic ducht ghi sult mijn wentelkoets ontreken.
Doe leydse mont aen ende heeft hem ontscaect
Sijnen voorquispel dies hem sijn lenden besweken.
Hi hief sijn hooft op ende wildet wreken,
Tvrouken ghincker haer tegen setten.
Al soudic daer om alle mijn lenden breken
Ic en sal u nochtan geen goet spel beletten.
Hi werpt int gekijf en socht arketten.
Way lief, u spel heeft mi te veel aen;
Mettien ontsanc hi haer buten der spletten.
Doen seyde dat vrouken niet om vernetten:
Way soonken hebdi alree ghedaen.

Dus lagense vermoeyt half in onmachte
Dat si beyde duer noch venster en sagen.
Doe schoot hi haer toe met blijden gedachte
Daer tvrouken alte seer luttel op achte
En heeftse meersmanneken van tbedde gedragen.

Toen hij er weer aan wou, ging zij aan het jokken. 'Wel ventje,' zei ze, 'weet jij niet wat tederheid is? Je bestookt me dat het bed ervan kraakt.' 'Echt, liefje,' zei ze, 'als je zo vreselijk tekeergaat, zie, dan ben ik bang dat je mijn hobbelbed zal beschadigen.' Toen liet ze haar mond op zijn mond rusten en ontfutselde hem de sprengkwast die hij vooraan had zitten, zodat het hem in zijn lendenen te machtig werd. Hij rechtte zijn hoofd en wilde het haar vergelden, maar 't vrouwtje zette zich schrap. 'Al zou ik er heel mijn bekken op breken, je zal een goede beurt krijgen' (zei hij). Hij wierp zich in de strijd en zocht de spelonk op. 'Oei, liefje, je spel valt me te zwaar' (zei zij). Daarop gleed hij uit haar. Toen zei het vrouwtje, heel erg fijntjes: 'Ventje toch, ben je nu al klaar?' ¶ Zo vermoeid waren ze en half in zwijm, dat ze beiden niet meer wisten waar ze waren. Toen pakte hij haar vrolijk beet — het kwam voor 't vrouwtje heel onver- wachts — en droeg haar als een marsdrager het bed uit.

Si worstelden so lange datser beide lagen
Ende ghingen van nieus spelen tinteletene.
Tvrouken schoot toe ende douden bider cragen:
Wat soudi mi doen, ja haddi mi alleene.
Hi stietse, hi stommeldese, si achtet cleene,
Want tvrouken bleef altoos even blije.
Si tracken stijf aen metten eenen beene;
Waer woondi nu, seydse, segget ghije.
Mi dunct, seyt hi, dat ick opten touter rije;
Mettien viel hi seer slap ic waen.
Ic heb speels genoech, wat meendi dat ic lije.
Vrouken sprac: ha ha, ghi comt tontije,
Way soonken hebdi alree ghedaen.

Prince

Prince, tvrouken dat bleef al even cloeck,
Al meer te spelen was huer ghewach.
Si douden van onder in eenen hoeck
Dat hi so bleeck wert als een doeck
Des hi seer blauwelick op haer sach.
Hi badt hare hertelic om verdrach
Een ruyminge te doen uuter baen.

Ze worstelden tot ze beiden opnieuw het minneprikkelspelletje gingen spelen. Het vrouwtje schoot toe en pakte hem bij de kraag: 'Wat zou je me ook weer doen als je me helemaal voor jou alleen had?' Hij stootte en duwde haar, maar 't vrouwtje vond het niet erg, want ze bleef altijd even vrolijk. Met haar ene been trok ze hem stevig tegen zich aan. 'En, zeg eens, waar zit je nu,' zei ze. 'Me dunkt,' zei hij, 'dat ik op de schommel zit', waarna hij, denk ik, helemaal slap viel. 'Ik heb genoeg gespeeld, je weet niet wat ik afzie.' 't Vrouwtje sprak: 'Tja, je komt er op een ongeschikt moment mee aan. Ventje toch, ben je nu al klaar?' ¶ Prins ¶ 't Vrouwtje bleef steeds even flink. Ze wilde nog meer spelen, zo maakte ze hem duidelijk. Ze kneep hem op een plaats onderaan, zodat hij zo wit werd als een doek. Daarom keek hij haar verslagen aan en verzocht hij haar vriendelijk om de strijd te staken en het slagveld te verlaten.

Doen gaf tvrouken eenen soeten lach,
Nochtans verdroot haer en seyde: o wach,
Way soonken hebdi alree ghedaen.

UIT HET VOLKSBOEK VAN HEER FREDERICK VAN JENUEN IN LOMBARDIEN

[...]

Ic arm man wat heb ic ghemaect nu.
Mijn ghelt verloren tis qualic geraect nu
Door mijn bedrijf.
Ic snode katijf tis al gestaect nu
Mijn wil mijn werc tis al verblaect nu
Aen dit schoone wijf.
Want als icse aensie in duechden stijf
Si is soo huesch soo eerbaer van bedrijf
Haer schoone lijf mi niet ghebueren en sal
Ic en derf haer niet segghen mijns herten meyninge
Dus moet ic in weninge nu trueren al:
Haer eerlicheyt waert groote vercleninghe

Toen moest 't vrouwtje guitig lachen; toch vond ze 't jammer en zei: 'Ach, ventje toch, ben je nu al klaar?'

•

Wat heb ik, arme man, nu aangericht? Al mijn geld ben ik kwijt. Door mijn toedoen is het verkeerd terechtgekomen. O valse boosdoener die ik ben! Alles ligt nu stil, mijn wil, mijn werk, alles is verzengd door de gloed van deze mooie vrouw. Kijk ik haar aan, een en al rechtschapenheid, dan zie ik haar bevallige en eerzame gedrag. Maar haar mooie lichaam zal mij niet ten deel vallen. Ik durf haar mijn diepste gevoelens niet te vertellen. En daarom lig ik nu in tranen. Haar eerlijkheid bezorgt mij een groot minderwaardigheidsgevoel

Ende een vereeninghe voor een eerbaer herte.
Dus blijf ic vergaet verwalt met smertte.

[...]

Denct mensche dat ghi ghemaect zijt vander aerden
Ooc moetti worden hoe groot van waerden
Slijck na u doot.
Denct dit ghi menschen vol van hovaerden.
Al hebdi gout silver en schoon paerden
Een ure doet u die doot.
Reynicht u van sonden in Jesus wonden root.
Sijt ootmoedich met tranen devoot.
Merct deen ghy moet doch na.
Bemint u siel slaet des wel gha.
Anders is meest al onsen arbeyt verloren
Ende moeten versmoren bi die helsche moren.

UIT EEN GEESTELIJCK LIEDT-BOECXKEN [VAN DAVID JORIS]

Waer sach oyt Mensch dusdanighe banghe tyden,
Sint dat die grondt der Werelt heeft gheweest?

en vraagt om vereniging met een eerbaar hart. En daarom blijf ik doorboord en verteerd door verdriet achter. ¶ Bedenk, mens, dat je gemaakt bent van aarde. En hoe hoog ook van aanzien, na je dood zul je weer slijk worden. Sta daarbij stil, jullie mensen vol hoogmoed. Al bezit je goud, zilver en fraaie paarden, eens komt het uur van je dood. Reinig je zonden met het bloed van Jezus' wonden. Wees nederig, vol met devote tranen. Zie hoe je buurman gaat, jij moet immers volgen. Koester je ziel, zie wat ze doet. Anders zijn al onze aardse beslommeringen vergeefs en moeten we stikken bij de zwarte duivels.

•

Wanneer maakte de mens ooit zulke bange tijden mee sinds de oorsprong van de wereld?

Die salich willen leven komt op alle lyden,
Die Gherechte Godts der kinderen sijn nu meest,
Belast, beswaert, mit pijne bevreest,
    Mit vervolch leest,
Dat nye als nu soo wel en was bekandt:
Nu triumpheert die Sathansche Gheest,
Wandt die boosheydt heeft die overhandt.

Dat recht is in onrecht verwendt int blijcken;
Die Waerheydt is gantsch in loghen verkeert;
Dat Licht moet voor die duysternisse wijcken;
Die sotte werdt voor die wyse gheeert.
Het quaet werdt ons voor 't goede gheleert;
    Die sonde vermeert.
Het suyr werdt soet unde 't soet werdt suyr ghemaeckt;
Die doode werdt voor dat leven begheert,
Christus werdt voor Barrabam versaeckt.

Waer is die hooghe kennisse Godts ghebleven?
Waer is sijn leer, sijn raet, sijn Majesteyt?
Werdt sy niet verjaecht, uit alle Landen verdreven,
Mit die te recht Godts kennisse verbreydt?
Die Waerheydt werdt ghevanghen gheleydt,

Zij die zalig willen leven krijgen al het lijden over zich heen. Gods rechtvaardige kinderen zijn nu het meest belast, bezwaard en door ellende bevreesd. En laat goed doordringen wat nooit eerder zo duidelijk was als nu: heden triomfeert de geest van Satan, want de kwaadaardigheid heeft gewonnen. ¶ Zoals blijkt heeft recht de gedaante van onrecht aangenomen; de waarheid is geheel in leugens veranderd; het licht moet voor de duisternis wijken; de zot wordt vereerd in plaats van de wijze. Wat kwaad is wordt ons voorgehouden als goed; de zonde vermenigvuldigt zich. Zuur wordt zoet, en het zoete wordt zuur gemaakt; de dood wordt in plaats van het leven begeerd, Christus wordt verzaakt voor Barrabas. ¶ Waar is de diepe kennis van God gebleven? Waar is zijn leer, zijn raad, zijn majesteit? En wordt zij niet verjaagd, verdreven uit alle landen, dankzij degenen die uitgerekend de kennis van God verspreiden? Dat is de waarheid, die gevangen wordt gezet

Soo Jesaias seydt:
Haer soete reden werdt vertreden ris;
Hoe luttel werdt es besucht, beschreydt,
Want die boosheyt overvloedich worden is.

Dat loutere, clare mach niet te voorschijn kommen;
Christus, die Waerheydt, werdt nu heel bedeckt;
In alle plaetsen oock haer schijnsel benomen,
Die schoonheyt van Zion leelijck bevleckt.
Soo wie hem vanden quaden aftreckt,
          Werdt seer begeckt.
Berooft, gheplondert, datment hoorden;
Die Werlt straft, die Godts Woordt spreeckt.
O Werlt, hoe wilt ghijt verantwoorden?

Klach, ach unde wee sult ghy Ja eewelijck aenvaerden,
Dat Helsche Oordeel, daer ghy niet op en acht:
Dat eynde compt over die vier hoecken der Aerden,
Dat eynde, Ja eynde, overvalt u mit macht:
Die gherechte werdt gheruckt uit dat boose gheslacht,
          Hebt daer op acht!
Godts Seyssen sal aen u beklyven al,

naar Jesaja's woorden: haar aangename gelijk wordt ijlings met voeten getreden; hoe weinig wordt daarover gezucht en geweend: de kwaadaardigheid
overstroomt alles. ¶ Het zuivere en heldere mag zich niet meer laten zien; de
waarheid, Christus, blijft nu geheel toegedekt; overal is haar schijnsel weggenomen, waardoor de schoonheid van Sion lelijk is bevlekt. En wie zich van
het kwade afwendt, wordt zwaar bespot en naar men hoort ook beroofd en
geplunderd. De wereld straft allen die Gods woord spreken. O wereld, hoe wil
je dit verantwoorden? ¶ Geweeklaag en gejammer zullen je eeuwig ten deel
vallen, in de vorm van de verdoemenis tot de hel waarover je je nu geen zorgen
maakt. Het doek zal vallen over de vier hoeken der aarde, en de mens zal door
zo'n einde zwaar getroffen worden. Maar de rechtvaardige wordt uit het kwade geslacht weggerukt: laat dat goed tot je doordringen! Gods zeis zal jullie
allen treffen

Die u inder Aerden sal slaen mit kracht,
Datter tack noch wortel overblyven sal.

Der Dach des toorens, jammers, der Dach der wraecken,
Kompt nu over Zion, Godts beminde Stat,
Die over des Heeren vianden sal blaecken:
Sijn bruyneerde scherpe Swaerdt sal snyden. Ja dat,
Om te houwen, te slaen, al is ghevat.
        Ghy die nu sat,
Ende sonder sorghe sijt mit verblyden.
Die u leven boven Godt lief hebt ghehadt,
Sal 't bruyneerde scherpe Swaert deursnyden.

Prince, voor dien Dach mach die Aerde wel vluchten,
Jammerlijck huylen over haer boosheydt groot.
Rammen unde Bocken sullen o soo swaerlijck suchten,
Grouwelijck vruchten over haer verwoestheydt bloot:
Want Godt sal wreecken der Heylighen doot,
        In haren schoot.
Soo ons die Schriftuer te oorkonden gheeft:
D' aerde sal openbaren haer bloede root,
Dat sy vander Werlt aen verslonden heeft.

die zich krampachtig aan de aarde willen vastklampen: tak noch wortel zullen gespaard blijven. ¶ De dag van jammer en verdriet, de dag der wrake zal over Sion neerdalen, Gods beminde stad die zal schitteren over de vijanden van de Heer. Zijn donkere, zwarte zwaard, gereed om te houwen en te slaan, zal jullie doorklieven die nu zonder zorgen en geheel verzadigd zich verblijden. Jullie die je eigen leven meer lief hebt gehad dan God, zullen door het donkere, scherpe zwaard in tweeën gespleten worden. ¶ Prins, voor die dag kan de aarde beter vluchten, jammerlijk huilend over haar grote verdorvenheid. Rammen en bokken zullen wel heel zwaar zuchten en gruwelijk vrezen vanwege hun openlijke verwildering, want God zal hen straffen voor de dood der heiligen. Naar de Schrift ons laat weten zal de aarde in haar rode bloed gedrenkt worden, omdat zij de wereld verslonden heeft.

◆

[RIJMSPREUKEN]

NOTA

Als op mi lacht een schone vrouwe,
Als mi een coopman sweert op sijn trouwe
En op mijn schouwer clopt een heere,
Dan is mi te moede min oft meere
Ghelijck als mi was te voren,
Want ic en heb ghewonnen noch verloren.

NOTA

Ter wereld heb ic eenen viant,
In allen plaetsen is hi becant,
In desen vier regulen staet hi verkeert,
Noemt ghi hem mi so sidi gheleert.

Wanneer een mooie vrouw mij toelacht, een koopman mij heilige beloften
maakt en een edelman mij op de schouder slaat, dan is het mij net zo te moede
als het mij tevoren was — want ik heb daarmee nog niets gewonnen of verloren.

•

De vijand die ik in dit leven heb, je zult hem allerwege tegenkomen. In dit
kwatrijn staat hij op zijn kop; noem hem mij en je bent slim. [Let voor de
oplossing op het begin der verzen.]

768

Van eender neeringhe twee ghebueren,
Twee minners aen een figuere,
Een Wael en een Duitsch te samen jaghen,
Twee quade peerden in een stal,
Twee quade wijven in een gheschal,
Wijn en melc in eenen vate,
Int parlement twee advocaten,
Twee jonghe peerden in een vore,
Twee quade sanghers in eenen chore,
Al dese paren verstaet mi voort,
Houden selden goet accoort.

NOTA

In ses dingen houdic mijn jolijt:
In corten missen, in langen maeltijt,
In jonck vleysch, in ouden visch,
Een schoon vrouken en wijn opten disch.

Twee buren met hetzelfde beroep, twee minnaars van hetzelfde meisje, een Fransman en een Duitser die samen jagen, twee vurige paarden in één stal, twee valse vrouwen aan het kijven, wijn en melk in één vat, twee advocaten voor de rechtbank, twee jonge paarden voor dezelfde ploeg, twee slechte zangers in een koor — al deze duo's, begrijp mij wel, houden zelden harmonie.

•

In zes zaken schep ik plezier: in korte missen, lange maaltijden, vers vlees, bovenmaatse vis, een mooi vrouwtje en wijn op tafel.

769

UIT HET ZUTPHENS LIEDBOEK

[AUCH DOCHTTER, WATT HEFFT U DIE ROCKEN MISDANN]

Auch dochtter, watt hefft u die rocken misdann
Datt ghy so node wiltt spinnen;
Hie sutt dy mitt den neckenn an,
Dar hie dich wil mytt verwinnen.
Auch dochtter, so laett den rocken stann,
Laett u den lansknechtt nichtt affgan:
Gott, er die spinnerinen.

Auch muder, ich hebe ain et geschwaren,
Datt ick nytt mer will spinnen.
Datt hatt gedain ain lansknechtt gutt,
Hie leytt mir inn denn sinnen,
Hie schlept wal inn denn arme mien
Den aventt to den morgen etc.

[HETT FUR AIN MUNNICH NACH SINRE KLUSENN]

Het fur ain munchnich nach sinre klusenn;
Hie vantt der nunnen niett mer dann eyne tho hus.
Far henn

Ach dochter, wat heeft de spinrok je misdaan, dat jij zo tegen het spinnen opziet? Hij kijkt je met de nek aan, en wil je zo inpalmen. Ach dochter, spin dan maar niet, besteed je tijd maar aan de lansknecht. God, eer de spinsters. ¶ Ach moeder, ik heb gezworen dat ik niet meer zou spinnen. Dat komt door een knappe lansknecht, van wie ik helemaal weg ben. Hij slaapt goed in mijn armen, van de avond tot de morgen, enz.

•

Er ging eens een monnik naar zijn klooster. Hij vond maar één non thuis. Ga weg!

Auch nonn, wolstuu mienn bolken sienn,
Ich wol dyr geben mein keppeken.
                    Far hen

Die non die dachtt inn oren moet
Die munchnes kepe die wer wal gut.
                    Far hen

Hie nam sie bey der witzer hanntt,
Hie leidtt sie al om den ommeganck.
                    Far hen

Hie leyde sy achtter das altar,
Hie lerde or dar den salter.
                    Far henn

Hie laes or dar denn kortten krede,
Den ave salis gennck wal me.
                    Far henn

Auch lieber munchnich, laest wacker,
Ich sie denn hemel apenstan.
                    Far henn

Auch liebe nonne, nuu west niett gram,
Ich thuu das beste das ich kann.
                    Far hen

'Ach non, wil jij mijn liefje zijn, dan geef ik je mijn kapje.' Ga weg! ¶ De non
dacht bij zichzelf: de monnikskap zou me wel passen. Ga weg! ¶ Hij nam haar
bij haar witte hand, en leidde haar naar de kooromgang. Ga weg! ¶ Hij leidde
haar achter het altaar en leerde haar daar de psalmen zingen. Ga weg! ¶ Hij las
haar vervolgens het korte credo, en ook het Ave Salus werd er even bij meege-
zongen. Ga weg! ¶ 'Ach, lieve monnik, lees maar door, ik zie de hemel openstaan.' Ga weg! ¶ 'Ach, lieve non, erger je niet. Ik doe al wat ik kan.' Ga weg!

Auch liebe nonne, nuu ligtt wol lick,
My donncktt ich far in hemelrich!
Far hen

Enn sol wy suus zuu hemele farenn,
So moeytt ons Gott die sele bewaren!
Far hen

[HETT JAR DOE ICH AIN OLTT WIEFF NAM]

Hett jar doe ich ain oltt wieff nam,
Sie was berompen.
Ich konndtt or nichtt ghelffen,
Der older trumpe.

Ich gennck hen to karchen,
Ich klagde Got mien noett:
Helptt, reicher Got fann hemel,
Wer datt oltt wieff doett!

Enn doe ich weder fan karchen kwam,
Datt olde wieff was doett!
Help, reiche Gott fann hemel,
Verwonnen ist al mien no.

'Ach, lieve non, nu lig ik goed. Ik geloof dat ik naar de hemel ga.' Ga
weg! ¶ 'Als wij zo naar de hemel kunnen gaan, dan mag God onze ziel hebben!'
Ga weg!

●

Het jaar dat ik een oud wijf trouwde — ze zat vol rimpels — kon ik haar niet
gerieven, die ouwe trompet. ¶ Ik ging naar de kerk en klaagde God mijn nood:
'Help, machtige God in de hemel, was dat ouwe wijf maar dood!' ¶ En toen ik
terugkwam van de kerk, was dat oude wijf dood! 'Help, machtige God van de
hemel, al mijn zorgen zijn voorbij.'

Ich spande ann mienen waegen
Wol 25 ros.
Darmitt so gennck ich jagen,
Al nach den karchoff.

Enn doe ich auff den karchoff kwam,
Datt graff bereytt.
Und soltt ich darumb truuren?
Es was my jo niet leitt!

◆

[VREUGDELIED OVER DE BIJEENKOMST VAN KAREL V EN FRANS I TE AIGUES-MORTES]

Verblijdt u Vlaender-lant, schoon blomme,
Machtich prieel op desen tijt:
Den paeys is nu bekendt al omme,
Dinct vry dat ghy geluckich zijt:
De meeste twee der weerelt wijt
Hebben van zelfs den paeys ghezworen:
Dies zy den Heere ghebenedijt,
Dat hy ons heeft dus uutvercoren,
Mars is ghestremt en tsviandts toren,

Ik spande voor mijn wagen wel vijfentwintig paarden. Daarmee reed ik razend-snel naar het kerkhof. ¶ En toen ik op het kerkhof kwam, was haar graf al klaar. En zou ik daarom treuren? Het deed me geen verdriet!

●

Verblijd u op dit moment, Vlaanderen, schone bloem, machtige boomgaard: de vrede is nu overal bekendgemaakt. Wees gerust: een periode van voorspoed is nu aangebroken. De twee meest vooraanstaande heren uit de wijde wereld hebben uit zichzelf vrede gesloten. God zij geprezen, omdat hij ons zo wel-gezind is. Mars en de toorn van de vijand zijn tot bedaren gebracht.

Druc is gheweert uut ons foreest:
Lof Vadere, lof Sone, lof Helich Gheest.

Ons is ontdaen der vreuchden poorte,
De Lelie aen den Arend sant,
Ons Keyser track naer Aeyghersmoorte,
Daer hy den Vrancxken Coninck vant,
Sy confirmeerden daer d' bestant
Ende eeuwich paeys voor ons bequame:
Elck ander gaefzy sulcken pant,
Dats d' land sal hebben groote vrame,
Wy zijn bevrijdt voor druck en blame,
Men wert getrocken noch gheteest:
Lof Vadere, lof Sone, lof Heylich Gheest.

Janus den Tempel is ghesloten,
Dien Tullus voortijds heeft ontdaen,
Met heunich werdt al d' land deurgoten,
Op doornen sullen druyven staen:
De schueren werden vul van 't graen,
Tsuyvel sal al omme overvloeyen:
De weerelt sal vul vreuchden baen,
Elck boom die sal nu twee werf bloeyen:

Ons mooie landschap is van een zware last bevrijd. Loof de Vader, de Zoon en
de Heilige Geest. ¶ De poort der vreugde is voor ons geopend. De Lelie zond
een bericht aan de Adelaar. Onze keizer trok naar Aigues-Mortes, waar hij de
Franse koning ontmoette. Daar bekrachtigden zij de wapenstilstand en de eeuwige vrede, tot onze grote vreugde. Zij boden elkaar een dusdanige zekerheid,
dat het dit land zeer ten goede zal komen. Wij zijn bevrijd van schande en
verdriet: er wordt niet meer aan ons gerukt en getrokken. Loof de Vader, de
Zoon en de Heilige Geest. ¶ De tempel van Janus, die Tullus vroeger heeft
geopend, is gesloten. Het hele land wordt met honing overgoten; aan
doornstruiken zullen druiven groeien; de schuren zullen tot aan de nok met
graan gevuld zijn; in het hele land zal de zuivel overvloedig stromen; de hele
wereld zal baden in vreugde. Elke boom zal voortaan twee keer bloeien;

Wies onslien faelt, sal dobbel groeyen,
Voor faute en zy niemant bevreest:
Lof Vadere, lof Sone, lof Heylich Gheest.

Nu sullen rusten voor alle andre,
By dat ghetuychd' Ozeas fier,
Den Arend en den Salamandre,
Prophetie is volcommen hier:
Den Arend vlieghd als thoochste dier,
Geen onrecht hoordtmen hem te biene:
Den Salamandre woend int vier,
Dus zijn zy alle bee 't ontsiene,
Haer felheyt staet ons niet te vliene,
Ons is ghebluscht alsulck tempeest:
Lof Vadere, lof Sone, lof Heylich Gheest.

Prince, hoochste God, wy zijn wel taeyse,
U danck' wy als hier af regent,
Wy zijn versien met goeden paeyse,
Maeckt dien gheduerich sonder ent,
Ghy hebt gheblust al ons torment:
Lof zy u eeuwich tallen stonden,
Lof dy, als Vader excellent,
Lof zy dy, altoos niet om gronden,

hetgeen ons ontbreekt, zal dubbel hard groeien. Niemand hoeft te vrezen voor
gebrek. Loof de Vader, de Zoon en de Heilige Geest. ¶ De Adelaar en de Salamander zullen nu tot rust komen. Hiervan getuigt de edele Hosea. Zijn profetische woorden gaan hier in vervulling. De Adelaar vliegt hoger dan alle andere
vogels. Men behoort hem geen onrecht aan te doen. De Salamander woont in
het vuur. Voor allebei moeten wij dus ontzag hebben; hun toorn kunnen wij
niet ontvluchten. Deze storm is voor ons tot bedaren gebracht. Loof de Vader,
de Zoon en de Heilige Geest. ¶ Prins, hoogste God, het is ons blij te moede. Wij
danken u als de bestuurder hiervan. U heeft ons een goede vrede bezorgd; maak
die vrede duurzaam, zonder eind. Gij hebt een eind gemaakt aan onze marteling. God zij geloofd, eeuwig en te allen tijde. God zij geloofd, als verheven
Vader. U zij geloofd, uw wegen zijn ondoorgrondelijk.

Lof wese dy, van allen monden,
Lof, die ons bystaet, minst en meest:
Lof Vadere, lof Sone, lof Heylich Gheest.

UIT HET KAMPER LIEDBOEK

[1]

Na sinte Reynuut soe moeten wy varen,
Dat hebben ons meest die vroukens gedaen,
Diet ons ruytelick hebben helpen sparen,
Dat men met stucken ter merkt moet gaen.
So helpen sijt ons duer de billen slaen,
Noch moeten si ghecleet gaen als een bruyt,
 Soe is ons vermaen,
Wy moeten varen nae sinte Reynuut.

[2]

Wijnken, ghy sijt groene,
Ghy maect my veel te doene,
Ghy moet duer minen hals;

U zij geloofd, uit alle monden. Geloofd, u die ons bijstaat, groot en klein. Loof
de Vader, de Zoon en de Heilige Geest.

•

Naar Sint-Schoonop moeten we trekken. Dat komt vooral door de vrouwtjes,
die ons zo flink hebben helpen sparen, dat we in lompen over straat moeten.
Daar helpen zij ons het geld door te spoelen, en toch willen ze gekleed gaan als
een bruid. ¶ Daarom zeggen we: we moeten trekken naar Sint-Schoonop.

•

Wijntje, jij bent jong. Je bezorgt me veel werk, je moet door mijn keel.

Als ic u heb ghedroncken,
Ghelijc ghy my sijt ghesconken,
So kan ic Duytsch noch Walsch.
Nu wijnken, gaet daer in,
Wat baeten ons dusent nobelen
Als wy begraven sijn.

[3]

Ic weet soe gay, soe frayen dier,
Tis soe soeten coxken net,
Sy sluyt ghelijc een mossel by tvier
En troest goe ruyters al te met;
Mer het moet sijn ghestolen.
Om dat haer buyxken sou bliven plat,
Ende haer secreet verhoelen,
Seversaet en venkel at
Sy gherne, seversaet!
Het smaect soe wel ghestolen!
By nachte sy meest frinkefroyt
Om heymelick te folen,
Want sy soe gherne rinkelroyt
En loopt in doncker dolen.
Het smaeckt soe wel ghestolen!

Als ik je heb gedronken, zoals je me uitgeschonken bent, dan ken ik Nederlands noch Frans. Nou, wijntje, kom maar binnen. Wat baten ons duizend nobels, wanneer we begraven zijn?

•

Ik ken zo'n vrolijk en knap ding, zo'n lief, keurig popje. Ze sluit zich af als een mossel bij het vuur, en goeie ruiters stelt ze meteen tevreden; maar het moet in 't geheim gebeuren. Opdat haar buikje plat zou blijven en haar geheim verborgen, at ze graag wormkruid en venkel, ja wormkruid! In 't geheim smaakt het zo lekker! 's Nachts dirkt ze zich meestal op om zich in het geheim te amuseren, want ze zwiert zo graag langs de straat en doolt in donkere stegen. In 't geheim smaakt het zo lekker!

Al waert de nyders pijn,
Ik en wil niet meer trueren;
Ick hoop in corter tijt
Mijns liefkens claer aenschien
Te aenschouwen; mocht mij ghebueren!
Wie sout haer doen, dat ick haer doe?
    Ick lap haer schoen;
Ick en heb van al der nacht
Geen beenkens toegebracht,
Noch oechkens toegeloeken,
Myn lief altijd ghesproken:
Wie sout haer doen, dat ick haer doe?
Ic nay haer kous, ic lap haer schoen.

UIT HET ANTWERPS LIEDBOEK

EEN NYEU LIEDEKEN

Alle mijn gepeys doet mi so wee.
Wien so sal ick claghen mijn verdriet?
Die liefste en acht op mi niet meer.
Eylacen, wat is mi geschiet?

Ook al vinden de afgunstigen het niet leuk, toch wil ik niet meer treuren. Ik hoop binnenkort het stralende gezicht van mijn liefje te zien. Mocht mij dat toch gebeuren! Wie zou voor haar doen wat ik voor haar doe? ¶ Ik lap haar schoenen; ik heb de hele nacht mijn beentjes niet stilgehouden, geen oog dicht-gedaan en mijn lief zonder ophouden gesproken. Wie zou voor haar doen wat ik voor haar doe? Ik naai haar kousen, ik lap haar schoenen.

•

Al mijn gepieker doet mij zo'n pijn. Wie zal ik mijn verdriet klagen? Mijn liefste bekommert zich niet meer om mij. Helaas, wat is mij overkomen?

Ic mach wel segghen: tis al om niet,
Dat ick aldus labuere.
Dies wil ic singhen een vrolick liet.
Verlanghen, ghi doet mi trueren.

Moetic nu derven die liefste mijn,
So moet ic trueren tot inder doot
Haer eerbaer wesen, haer claer aenschijn,
Dat brengt mi nu in lijden groot.
Helpt mi, schoon lief, uut deser noot
En wilt mi daer niet in laten.
Wat ic vermach, schoon roose root,
Dat coemt u al te baten.

Die goede ghestadige minne draecht
Ende daer hi dan wort bedroghen,
Voor Gode moet dat zijn gheclaecht
Met twee beweenden ooghen.
Men mach wel segghen: tis grote pijn
Diet minnen niet en can ghelaten.
Nochtans coemt hem al inden armen zijn
Sijn lief tot zijnder baten.

Gaef si mi nu een troostelijck woort,
So waer mijn trueren al ghedaen.

Ik moet zeggen: het is allemaal voor niets dat ik mij op deze wijze aftob. Daarom wil ik nu een vrolijk lied zingen. Verlangen, gij doet mij verdriet! ¶ Als ik mijn liefste nu moet verliezen, dan zal ik treuren tot mijn dood. Haar deugdzame karakter, haar stralende verschijning; dat brengt mij nu in groot verdriet. Mooi lief, verlos mij uit deze treurige toestand; laat mij daar niet in steken. Alles waartoe ik in staat ben, mooie rode roos, komt u geheel en al ten goede. ¶ Wie oprechte, standvastige liefde voelt en daarin wordt bedrogen, klaagt zijn nood aan God, met twee betraande ogen. Eén ding is zeker: het leed is groot, voor degene die het liefhebben niet kan laten. Een omhelzing van zijn lieveling zou hem evenwel kunnen redden. ¶ Als zij nu opbeurende woorden tot mij sprak, zou mijn verdriet geheel voorbij zijn.

Mer lacen neen si, noch gheen confoort
En can ic van die alderliefste ontfaen.
Dat sal mi costen menighen traen,
Mach ic gheenen troost van haer verwerven.
Schoon lief, wilt mi in staden staen,
Van rou so moet ic anders sterven.

Dat goede ghestadige minnaers zijn,
Wacht u van quade tongen:
Si zijn veel arger dan fenijn,
Dan quade slangen jongen.
Want daer dese nijders zijn versaemt,
Si en connens niet ghedogen,
Al en doetmen anders nyet dant wel betaemt,
Si aensient met valschen oghen.

Dese nijders zijn argher dan fenijn,
Dese quade valsche clappaerts tonghen.
Als si vruecht aensien dat doet hem pijn,
Si hebbent haest ghesonghen.
Ic mach wel segghen: droeven schijn,
Ende claghen boven maten.
Daer om so truert dat herte mijn
Der nijders valsche daden.

Maar helaas, dat doet zij niet, en zij geeft mij ook geen bemoediging. Als ik geen
troost van haar kan krijgen, zal mij dat vele tranen kosten. Mooi lief, kom mij
te hulp, anders sterf ik van verdriet. ¶ Oprechte, standvastige geliefden: wees
op uw hoede voor kwade tongen. Zij zijn veel schadelijker dan vergif, dan
kwaadaardig slangengebroed. Want waar deze kwaadsprekers ook samen-
scholen, zij kunnen het geluk van anderen niet verdragen. Al doet men niets
onbetamelijks: zij bekijken het met valse ogen. ¶ Deze afgunstigen zijn schadelijker dan vergif; deze misdadige valse kwade tongen. Als zij vreugde zien, doet
hun dat pijn: zij gaan het haastig rondbazuinen. Ik moet zeggen: wat een diepe
ellende! En eindeloos mijn lot beklagen. Daarom is mijn hart bedroefd over de
valse daden van de kwaadsprekers.

Dit is ghedaen om drucx verslaen,
Met cleynder conste so ist begonnen.
Ja, dit vermaen wilt wel verstaen,
Dit wil ick die minnaers jonnen:
Planteyt van ghelt in zijn gewelt,
Sijn lief tot zijnder erven,
Vry onghequelt; mijn vruechde smelt:
Die liefste moet ick derven.

EEN NYEU LIEDEKEN

Arghe winter, ghy zijt cout.
Vergangen is ons tgroene wout,
Vergangen zijn ons
Die loverkens aender heiden.

Die looverkens die aender heyden staen
Daer op singt die nachtegale,
Van minnen singhet ons
Die fiere nachtegale.

Dit lied is gemaakt om mijn verdriet te verdrijven; met gering talent ben ik
eraan begonnen. Wees zo goed om mijn waarschuwing ter harte te nemen.
Geliefden wil ik het volgende toewensen: een overvloed aan geld tot zijn beschikking; zijn liefste onaantastbaar in zijn bezit; vrij en onafhankelijk, zonder
dat iemand hem een strobreed in de weg legt. Mijn vreugde vergaat: mijn liefste
moet ik missen.

·

Boze winter, gij zijt koud. Verdwenen is het groene woud. Verdwenen is het
groen in het vrije veld. ¶ Buiten in het groene lover zit de nachtegaal en zingt
zijn lied. De schone nachtegaal zingt voor ons over de liefde.

Tsavonts als ick slapen gae,
Vinde ic mijn bed alleine staen,
Daer op so rust
Die fiere nachtegale.

Tsmorgens als ick op stae
Ende ick mi wel gheciert hae,
So coemt mijn lief
Ende biedt mi goeden morghen.

Goede morghen, so wil ick wel voorwaer.
Ic seg: 'vrou maecht, bint op u hayr
Met roode gout
Ende met groene side.'

Si ginc voor, ic volchde na,
Si brochte my daer een schaecbert na
In elcke hant
Twee dobbelsteenen.

Si ley tschaecbert op tvelt:
'Dye dobbelen wil die brenget gelt,
Anders mach hi
Tsoheyme wel blijven.'

's Avonds als ik slapen ga vind ik niemand in mijn bed. In de winter laat de
schone nachtegaal zijn lied niet horen. ¶ 's Morgens als ik opsta en mij van top
tot teen heb opgeknapt, dan komt mijn lief en wenst mij goedemorgen. ¶ Een
goede morgen, dan heb ik er wel zin in. Ik zeg: 'Meisjelief, vlecht je haar en
steek het op met een speld van rood goud en een groen zijden lint.' ¶ Zij ging
voorop, ik liep haar achterna. Zij had een schaakbord voor mij meegebracht, in
elke hand hield zij twee dobbelstenen. ¶ Zij legde het schaakbord op het gras.
'Wie dobbelen wil, moet geld meebrengen, anders kan hij net zo goed thuis-
blijven.'

EEN NYEU LIEDEKEN VAN CLAES MOLENAER

Claes molenaer en zijn minneken,
Si saten te samen al inden wijn;
Van minnen wast dat si spraken.

'Och Heyle, wel lieve Heyle mijn,
Die valsche tonghen die wroeghen mi,
Ick sorghe si sullen mi dooden.'

Een corte wijle en was daer niet lanck,
Daer werden boden om Claes molenaer gesant,
Dat hi voor die heeren soude comen.

Als Claes molenaer voor die heren quam,
Die heeren ghinghen in rade staen.
Hoe wee was hem te moede.

'Claes molenaer, een sake die wi u vraghen:
Die bonte cleederen die ghi draghet,
Moechdijse wel draghen met eeren?'

'Dese bonte cleyderen die ick draghe,
Die gaf mi een so schoonen maghet,
Si salder mi wel gheven meere.'

Klaas Molenaar en zijn liefje zaten samen in de kroeg. Zij spraken over de liefde. ¶ 'Och Heiltje, Heiltje, mijn lieve kind. De valse kwaadsprekers klagen mij aan; ik vrees dat ze mij zullen doden.' ¶ Niet lang daarna werden er gerechtsdienaars uitgestuurd om Klaas Molenaar te halen. Hij moest voor de rechtbank verschijnen. ¶ Toen Klaas Molenaar voor de rechtbank verscheen kon de rechtszitting beginnen. Hoe angstig was het hem te moede! ¶ 'Klaas Molenaar, wij willen u iets vragen: u draagt met bont afgezette kleren. Draagt u ze wel met goed fatsoen?' ¶ 'Deze met bont afgezette kleren die ik draag, die kreeg ik van een mooie maagd. Zij zal mij er nog wel meer geven.'

Si gaven hem penninghen in zijn hant.
'Claes molenaer, ghi moet gaen rumen tlant,
Bruynswijck moet ghi nu laten.'

'Adieu Bruynswijck, adieu mijn lant,
Adieu mijns herten een vergulden pant.
Ick come daer noch tavont slapen.'

Die valsche tonghe verhoorden dat,
Si volchden Claes molenaer tot op sinen stap
Ende brochten hem tsavonts gevangen.

Als hi Bruynswijck binnen quam,
Hoe weenden die vrouwen, hoe loegen de mans,
Hoe wee was hem te moede.

Mer weet ghi wat Claes molenaer sprac
Als hi daer voor die heeren tradt
Met sinen lachenden monde?

'Heer schoutert, ghi hebt drie dochterkijn.
Ghi meynt datse alle drie maechden zijn,
Mer lacen, si en zijn gheen van allen.

Zij drukten hem geldstukken in de hand. 'Klaas Molenaar, u moet het land
verlaten. U moet Brunswijk nu verlaten.' ¶ 'Adieu Brunswijk, adieu mijn land.
Adieu gouden schat van mijn hart. Nog deze avond kom ik bij je slapen.' ¶ De
valse kwaadsprekers stonden hem af te luisteren. Zij volgden Klaas Molenaar
op de voet en namen hem 's avonds gevangen. ¶ Toen hij Brunswijk werd bin-
nengevoerd: hoe weenden de vrouwen, hoe lachten de mannen! Hoe angstig
was het hem te moede! ¶ Maar weet je wat Klaas Molenaar zei, toen hij voor de
hoge heren verscheen? Hij kon het lachen niet laten. ¶ 'Heer schout, gij hebt
drie dochtertjes. Gij meent dat zij alle drie maagden zijn. Maar helaas, zij zijn
het geen van drieën.

Die eene dat is mijn minnekin,
Die ander draecht van mi een kindekijn
Ende bi die derde hebbe ic geslapen.'

'Heer schoutert en treckes u niet an.
Hi spreect als een verwesen man,
Hi en weet niet wat hi clappet.'

Mer weet ghi wat Claes molenaer sprac
Als hi al op die leeder tradt
Met sinen verbonden ooghen?

'In alle Bruyningen en staet niet een huys
Daer en gaet een jonge Claes molenaer uut,
Oft een vrou molenarinne.'

'Claes molenaer, nu laet u clappen staen.
En dede u clappen, ghi wares ontgaen,
Mer nu moet ghi ymmers hangen.'

EEN OUDT LIEDEKEN

Die voghelkens inder wilder heyden
Si hebbent so wel ghesonghen.

De eerste is mijn liefje, de tweede draagt mijn kindje en bij de derde heb ik
geslapen.' ¶ 'Heer schout, trek het u niet aan. Hij spreekt als een verdoemde
man. Hij weet niet wat hij bazelt.' ¶ Maar weet je wat Klaas Molenaar zei, toen
hij de trap naar de galg beklom met een blinddoek voor zijn ogen? ¶ 'In heel
Brunswijk staat niet een huis of er loopt een kleine Klaas Molenaar rond, of een
leuk klein molenaarsdochtertje.' ¶ 'Klaas Molenaar, houd op met je geklets.
Als je je opschepperij achterwege had gelaten, was je de dans ontsprongen.
Maar nu zul je moeten hangen.'

•

De vogels op de ruige heide hebben prachtig gezongen.

Ick ben van mijnen soeten lieve
So ruyterlijcken gedrongen
Si meynt dat ick haer eyghen ben
Ende is si dan niet slechte
Ick en mach niet meer ter molen gaen,
Hillen billen metten jongen knechten
Stampt stamperken stampt, stampt hoerekint stampt
Stampt stamperkin inde molen.

Ic en can mi voor dese jonge gesellen niet gehoeden
Ende dan so coemt dat oude wijf
Si wil daer omme verwoeden
Om dat si dat niet gemaken en can
Daer omme so wil si vechten
Ick en mach niet meer ter molen gaen
Hillen billen metten jonghen knechten
Stampt stamperken stampt, stampt etc.
Stampt stamperken inde molen.

Die een goede nieuwe molen heeft
Och hoe wel mach hijse malen.
Wanneer hijse wel ghemalen heeft
So leyt si wel also stillen
Den oppersten steen die gaet of

Ik ben door mijn geliefde krachtdadig ingepalmd. Ze meent dat ik haar toebehoor, wat is ze toch onschuldig. Ik mag niet meer naar de molen gaan, rollebollen met de jonge knechten. Stamp, stampertje, stamp, stamp hoerenkind,
stamp. Stamp, stampertje in de molen. ¶ Ik kan deze jonge vrienden niet negeren. Maar dan komt dat oude wijf dat zich daarover kwaad maakt omdat ze het
niet kan verhinderen. Daarom wil ze dus vechten. Ik mag niet meer naar de
molen gaan, rollebollen met de jonge knechten. Stamp, stampertje, stamp,
stamp, etc. Stamp, stampertje in de molen. ¶ Wie een nieuwe molen heeft, ach
hoe goed kan ze malen. Als hij er zo goed mee gemalen heeft ligt ze een tijdje
stil. De bovenste steen wordt weggenomen

Den ondersten blijft in zijn rechten
Ick en mach niet meer ter molen gaen,
Hillen billen metten jonghen knechten
Stampt stamperken stampt, stampt etc.
Stampt stamperken inde molen.

Hi nam dat meysken bider hant
Hi leydese aen die steene
Hi steldese op dat cuypen boort
Hi haddese daer alleene
Dat een been stelde hi op den sack
Dat ander been al op die lechte
Ick en mach niet meer ter molen gaen
Hillen billen metten jonghen knechten
Stampt stamperken stampt, stampt etc.
Stampt stamperken stampt inde molen.

[DEN WINTER COMT AEN, DEN MEY IS UUT]

'Den winter comt aen, den mey is uut,
Die bloemkens en staen niet meer int groene,
Die nachten zijn lanc door des winters vertuyt.
Nu lust mi wel wat nieus te doene.

en de onderste blijft op zijn plaats. Ik mag niet meer naar de molen gaan, rollebollen met de jonge knechten. Stamp, stampertje, stamp, stamp, etc. Stamp, stampertje in de molen. ¶ Hij nam het meisje bij de hand en nam haar mee tot de steen. Hij liet haar op de rand van de kuip staan en had haar daar voor zich alleen. Het ene been plaatste hij op de zak en het andere op de hefboom. Ik mag niet meer naar de molen gaan, rollebollen met de jonge knechten. Stamp, stampertje, stamp, stamp, etc. Stamp, stampertje in de molen.

•

'De winter nadert, de meimaand is voorbij. De bloemetjes staan niet meer in de wei. De nachten zijn lang door de kracht van de winter. Ik heb nu zin om iets nieuws te doen.

Mijn jonghe juecht is nu in saysoene;
Mijn man en is niet wel mijn vrient.
Ey out grisaert, al sliept ghi totter noene,
Ghi en hebt niet dat mi dient.

Het was mi van te voren gheseyt,
Dat ghi waert van slutsaerts bende;
U spel mi oock niet en ghereyt
Int beginsel noch int eynde.
Waer ick mi keere oft wende,
Mijn man en is niet wel mijn vrient.
Ey out grijsaert, dat ic u oeyt kende,
Want ghi en hebt niet dat mi dient.

Vermaledijt so moeten si zijn
Die dat houwelijc van hem voortbrochte,
Het schoon coluer, den reynen maechdom mijn
Dat die griecke aen mi verlochte.
Mi en rocx hoe ick van hem gerochte,
Mijn man en is niet wel mijn vrient.
Ey out grysaert, dat vlees ic te dier cochte,
Want ghi en hebt niet dat mi dient.'

Mijn frisse jeugd is nu in volle bloei, maar mijn man is niet echt mijn minnaar.
Hé oude grijsaard, al zou je tot de middag bij mij slapen: jij hebt niet wat ik
nodig heb. ¶ Men heeft mij van tevoren gezegd dat jij tot het gilde der slapjanussen behoorde. Jouw liefdespel brengt mij niet in vervoering, niet in 't begin
en niet aan 't eind. Waar ik mij ook wend of keer: mijn man is niet echt mijn
minnaar. Hé oude grijsaard, ik betreur dat ik je ooit heb leren kennen, want jij
hebt niet wat ik nodig heb. ¶ Vervloekt moeten zij zijn, zij die dit huwelijk tot
stand brachten. Mijn schitterende teint en mijn ongerepte maagdelijkheid, die
de dageraad mij schonk, moest ik in dit huwelijk verliezen. Het kan mij niet
schelen hoe ik van hem afkom. Mijn man is niet echt mijn minnaar. Hé oude
grijsaard, ik heb een kat in de zak gekocht! Want jij hebt niet wat ik nodig heb.'

'En weent niet meer mijn soete lief,
Ick hebbe genoech voor u behagen:
Silver ende gout van als u gherief
Daer toe bereyt u leve daghen.
Van mi en hebdy dan niet te claghen.
Ghi segt ic en ben niet wel u vrient?'
'Ey out grisaert, dat beenken moetty knagen,
Want ghi en hebt niet dat mi dient.

Had ic pampier, schoon parkement,
Penne ende inct, ick schreve daer inne
Aen die liefste prince bekent
Dat hi soude comen tot zijn vriendinne,
Dien ic met goeder herten beminne,
Want mijn man en is niet wel mijn vrient.
Ey out grisaert, al soudi daer om ontsinnen,
Ic heb een ander liefken die mi dient.'

EEN OUDT LIEDEKEN

Het wayt een windeken coel uuten oosten.
Hoe lustelijc staet dat groene wout!

'Schrei toch niet meer, mijn lieveling. Ik heb genoeg om jou te behagen. Zilver en goud, zoveel je hartje begeert; bovendien zul je er je leven lang over kunnen beschikken. Over mij heb je dan toch niets te klagen? Je zegt dat ik niet echt je minnaar ben?' 'Hé oude grijsaard, jij moet maar op een houtje bijten, want jij hebt niet wat ik nodig heb. ¶ Als ik papier had, mooi perkament, pen en inkt: dan zou ik schrijven aan de liefste prins die ik ken, die ik liefheb met heel mijn hart: dat hij zijn vriendinnetje moet komen opzoeken, want mijn man is niet echt mijn minnaar. Hé oude grijsaard, al zou je buiten zinnen raken: ik heb een ander liefje, die mij geeft wat ik nodig heb.'

•

Er waait een koel windje uit het oosten; hoe lieflijk is het groene woud!

Die vogelkens singen; wie sal mi troosten?
Vrouwen ghepeyns is menichfout.

Ic wil mi selven eens gaen vermeyden
Al daer die liefste te woonen plach
Ende dencken om den tijt voorleden;
God gheve die liefste goeden dach.

Ic was een clercxken, ic lach ter scholen,
Den rechten wech hebbe ic ghemist.
Schoon jonghe vrouwen doen mi dolen.
Weder te keeren dat dunct mi best.

Dit heffe ic op, dat wil ic vaten
Al om een die alder liefste mijn.
Drincke ic mi droncken, drinct ghi bi maten:
Dat u misquame dat waer mi leedt.

Noch weet ick een liefken uutvercoren,
Daer waer ic also gaerne bi.
Wat icse minne, tis al verloren.
Crancken troost so gheeft si mi.

Al op den hoeck van deser straten
Daer woont so properen meysken fijn,

De vogeltjes zingen: wie zal mij troosten? Het vrouwenhart is onbestendig. ¶ Ik wil mijzelf eens gaan vermeien, daar waar mijn liefste vroeger woonde. En denken aan de verleden tijd; God geve mijn liefste een goede dag! ¶ Ik
was een studentje aan de universiteit; ik ben van de goede weg afgedwaald.
Mooie jonge vrouwen doen mij dwalen; het lijkt mij het beste om op mijn
schreden terug te keren. ¶ Deze beker hef ik op, ik wil er eentje nemen: ter ere
van iemand, die mijn allerliefste is. Laat mij maar zuipen, drinken jullie wel met
mate? Het zou mij spijten als het jullie slecht zou bekomen. ¶ Ik denk nog altijd
aan een meisje, zij is mijn uitverkorene. Ik zou zo graag bij haar willen zijn.
Hoezeer ik haar ook bemin, het is tevergeefs. Zij geeft mij maar een armzalige
troost. ¶ Op de hoek van deze straat woont zo'n bijzonder mooi meisje.

Daer sal ick noch eenen nacht bi slapen,
Oft craey en salder gheen voghel zijn.

Rijck God, mach ic den dach noch leven
Dat si mi minde ende ic haer niet!
So soude mijn herteken in vruechden leven,
Dat nu leyt in swaer verdriet.

Nu is dit lot op mi ghevallen,
Daer ick een cansse af wachten moet.
Ay lacen, ic en heb gheenen troost met allen,
Niet dan altijt druc ende teghenspoet.

EEN OUDT LIEDEKEN

Ick quam tot eenen dansse,
Daer menich joncfrouken was
Ende daer vant icse alleyne,
Die seer bedroevet was.
Ick boot haer vriendelike
Mijn groete; si loondes mi.
Haer soete woorden bevielen mi:

Ik zal nog een nacht bij haar slapen, zo zeker als een kraai een vogel is. ¶ Almachtige God, als ik de dag zou mogen beleven; dat zij mij beminde, en ik haar niet. Dan zou mijn hart, dat nu vervuld is van verdriet, overlopen van vreugde. ¶ Nu is dit lot mij te beurt gevallen; ik moet een kans afwachten. Helaas, ik krijg in het geheel geen troost: niets dan altijd verdriet en tegenspoed.

•

Ik ging naar een dansfeest, waar vele jonge vrouwen waren. Daar zag ik een vrouw alleen die zeer bedroefd was. Ik begroette haar vriendelijk; zij beloonde mij daarvoor. Haar welluidende woorden bevielen mij zeer.

'Mijn moerken is ghestorven,
Die mi ten besten riet.
Een ander hebbe ic verworven,
Des lijdt mijn herteken verdriet.
Si gaven mi eenen ouden man.
Al om dat goeykens wille
Ginc ic dat houwelic an.

So coemt hi voor mijn bedde,
Al voor mijn beddeken staen,
Sijn coussen ende ooc zijn schoen
Heeft hi al uut ghedaen.
Hi heeft so veel masselen aen zijn beyn!
Ende dan moet ic hem gaen verwermen,
Den leelicken ouden man.

Dan sidt hi aen den dissche,
Hi heeft van als genoech:
Van wiltbraet ende ooc van vissche,
Veel meer dan hijs behoeft.
Hi sidt en babbelt al waert een gans,
Hi en heeft in alle sinen mont
Och niet meer dan eenen tant.

Dit claghe ic u, lieve ghespele,
Och lieve ghespeelken goet:

'Mijn moedertje, die mij altijd goede raad gaf, is gestorven. Ik heb een andere
verzorger gekregen; daarom lijdt mijn hartje verdriet. Ze gaven mij een oude
man; omwille van zijn geld kwam ik ertoe om dit huwelijk te sluiten. ¶ Op deze
wijze komt hij bij mijn bed, al voor mijn bedje staan. Zijn broek en zijn schoenen heeft hij al uitgedaan. Hij heeft zoveel puisten op zijn benen! En dan moet
ik hem gaan verwarmen, die lelijke oude man. ¶ Vervolgens zit hij aan tafel; hij
neemt van alles een heleboel. Van wildbraad en vis; veel meer dan goed voor
hem is! Hij zit te mummelen als een gans: hij heeft ook niet meer dan één tand in
zijn hele mond. ¶ Hierover doe ik mijn beklag, lieve speelmakker. Och, lieve
vrolijke speelmakker!

Dat ic mijn jonge leven
Aldus verslieten moet
Ende al met eenen ouden man,
Dan moet icker bi te bedde gaen,
Die genuechte noch vruecht en can.

...

Die oude man is ghestorven,
Den ouden en die is doot.
Eenen jonghen heb ic verworven,
Hi geeft mi slaghen so groot!
Dan dencke ic op den ouden man:
Och, vonde ick weder zijns ghelijck,
Nemmermeer en scheyde icker van!'

EEN OUDT LIEDEKEN

'Ick hebbe ghedraghen wel seven jaer
Een pacxken van minnen, tvalt mi te swaer.
Ick ben bedroghen.
Ick waende den wilden valc hebben gevangen.
Hi is mi ontvloghen.

Dat ik mijn mooie jonge jaren op deze wijze moet slijten, en dit alles met een
oude man! Vervolgens moet ik met hem naar bed. Daar ligt hij, die mij geen
genot en geen geluk kan geven! ¶ De oude man is gestorven; de oude die is
dood. Ik heb een jonge man gekregen; hij geeft mij zulke harde klappen! Soms
denk ik aan de oude man. Ach, vond ik maar weer zo iemand als hij: nooit zou
ik van hem scheiden!'

•

'Ik heb meer dan zeven jaar een last van liefde gedragen; die is mij te zwaar. Ik
ben bedrogen. Ik meende de wilde valk gevangen te hebben, maar hij is mij
ontvlogen.

Joncheer, wildi daer loon af hebben,
So coemt noch tavent tot mijnen bedde.
Sijt seker dies:
Mijn man die is van huys ghereden:
Tis zijn verlies.'

'Joncfrouwe, ghi hebt so fellen honden.
Oft si mi beten diepe wonden,
Waer u dat lief?
Op u mans bedde en come ic niet,
Wat mijns geschiet!'

'Joncheere, mijn honden sal ic doen binden.
Aen gheen groen heyde daer staet een linde
In eenen boomgaert.
Daer sullen wi twee genoechlijck wesen,
Stout, onvervaert.'

In gheenen boomgaert dat hi quam,
In sinen armen dat hijse nam.
Si riep: 'aymi!
Dat ic u oeyt so lief gecrege,
Seer rouwet dat mi!'

'Joncfrouken, en roept niet so seere,
Ghi sult een goede vrouwe wederom keeren

Jonkheer, als je beloond wilt worden, kom dan vanavond nog naar mijn bed.
Wees hier zeker van: mijn man is van huis weggereden, tot zijn eigen nadeel.' ¶ 'Jonkvrouw, je hebt zulke gevaarlijke honden. Zou je het leuk vinden
als ze mij beten? Ik kom niet naar het bed van je man, wat er ook gebeurt.' ¶ 'Jonkheer, mijn honden zal ik laten vastbinden. Op het gindse groene
veld staat een lindeboom in een bosje. Daar zullen wij ons overgeven aan de
genietingen der liefde, dapper en onvervaard.' ¶ Hij kwam naar het bosje en
nam haar in zijn armen. Zij riep: 'Wee mij! Het doet mij groot verdriet dat ik
ooit zoveel van je ben gaan houden!' ¶ 'Jonkvrouwtje, schreeuw toch niet zo!
Je moet als een goede echtgenote terugkeren

Tot uwen man.
Ende segt dat ghi waert roosen lesen
Int soete dal.'

'Rooskens te lesen is bi manieren
In ghenen velden so menighertieren.
Des seker zijt:
Al soude mijn man zijn ooghen uut crijten,
Hi is mijns quijt.'

VAN DIE CONINGHINNE VAN DENEMERCKEN

O radt van avontueren,
Hoe wonderlijck draeyt u spille:
Den eenen moet ongeluc gebueren,
Die ander heeft so wel sinen wille.
Van die coninghinne van Denemercke,
Ysabeele, dat vrouwelijc graen,
Die clachte die si dede,
God verleene haer die eewige vrede,
Dat suldi hier na verstaen.

'O coninck van Denemercken,
Mijn man, mijn here reyn,

---

naar je man. En zeg dat je rozen bent gaan plukken in het lieflijke dal.' ¶ 'Er zijn hier zoveel manieren om rozen te plukken. Een ding is zeker: al zou mijn man zijn ogen uitschreien: mij is hij kwijt.'

·

O rad van Fortuin, hoe wonderlijk draait u om uw spil. De een valt ongeluk ten deel, de ander ziet al zijn wensen in vervulling gaan. Dit lied gaat over de koningin van Denemarken; Isabella, een parel onder de vrouwen. De klacht die zij uitte zult u nu te horen krijgen; God geve haar de eeuwige vrede. ¶ 'O koning van Denemarken, mijn man, mijn edele heer.

God wil u in duechden stercken
Ende alle mijn kinderkens cleyn.
Nu moet ic van u scheyden
Ende laten u in eenen soberen staet.
God willet hem vergheven
Die ons dus hebben verdreven,
Oft daer toe gaf den eersten raet.

Mijn broeders zijn verheven,
Ende mijn susters in staten groot.
Eylaes, wi zijn verdreven
Ende liggen hier in groote noot!
O heeren ende Prelaten,
Diemen hier al met ooghen aensiet,
Coemt doch alle mijn kinderkens te baten;
Dat icse nu moet laten,
Dat is mi een groot verdriet.'

Die Coninc sprac met weenenden ooghen:
'Och edel vrouwe, en zijt niet versaecht.
Hoe salt mijn herte ghedoghen,
Dat ghi dus deerlyc claecht?
Die kinderen sullen wel op gheraken:
Den Keyser wort haer onderstant.
Ic hope ick salt so maken,

God moge u en mijn kleine kindertjes in deugden handhaven. Nu moet ik van jullie scheiden en jullie in een ongelukkige toestand achterlaten. God moge hen vergeven, die ons op deze wijze hebben verdreven, of degenen die hen daartoe hebben aangezet. ¶ Mijn broeders zijn machtig, mijn zusters staan in hoog aanzien. Helaas, wij zijn verdreven en bevinden ons in de diepste ellende. O wereldlijke en kerkelijke heersers, die hier allen aanwezig zijn: kom toch mijn kindertjes te hulp! Het doet mij groot verdriet dat ik ze nu moet achterlaten.' ¶ De koning sprak schreiend: 'O edele vrouwe, wees niet bevreesd. Hoe moet mijn hart verdragen dat je zo droevig klaagt? De kinderen zullen wel goed terechtkomen; de keizer wordt hun beschermheer.

Gods gracie sal met mi waken,
Dat ick sal comen in mijn lant.'

'Adieu vrou Janne, lieve moeder,
God behoede u voor teghenspoet.
Ende u, Kaerle, lieve broeder,
Dat edel Keyserlijc bloet.
Hadde ic tegen u moghen spreken,
Mer ic moet sterven die doot,
Ende claghen u mijnen ghebreken,
Dat mijn kinderen niet en worden versteken,
Soe en ware mi gheen stervens noot.

Adieu, hertoghe van Oostenrijcke,
Don Fernandus, broeder goet.
Ende Leonora dier ghelijcke,
God behoede u voor teghenspoet!
Ende Katherijne, suster reyne,
Die ic noyt en hebbe gesien.
Adieu, mijn kinderkens cleine,
Adieu, mijn vrienden alle ghemeyne,
Adieu, mijn man, coninclijck engyen!'

Die heeft die coninghinne ghesproken
Te Swijnaerde, alst is bekent,

Gods genade zal mij bijstaan om terug te keren in mijn vaderland.' ¶ 'Adieu
vrouwe Johanna, lieve moeder. God behoede u voor tegenspoed. En u, Karel,
lieve broeder, edel keizerlijk persoon: ik moet sterven. Maar ik wilde dat ik u
had kunnen spreken om u mijn nood te klagen over mijn treurige omstandigheden, en u te smeken om mijn kinderen niet te kort te doen; dan zou ik het niet
zo verschrikkelijk vinden om te moeten sterven. ¶ Adieu Don Ferdinand, hertog van Oostenrijk, goede broer. En ook Leonora, God behoede u voor tegenspoed! En Catharina, edele zuster, die ik nooit heb gezien. Adieu, kleine kindertjes; adieu, al mijn vrienden; adieu, mijn man, koninklijke geest!' ¶ Zoals
wij weten sprak de koningin deze woorden te Zwijnaarde.

Daer haer herte is ghebroken,
Den Coninck daer zijnde present,
Den xix Januario tghewaghen,
CCCCCXXV beleven.
Hi machse wel beclaghen
Ende in zijn herte draghen,
Also langhe als hi mach leven.

EEN AMOREUS LIEDEKEN

Rozijne, hoe is dijn ghestelt?
Bi coninck Paris' tijden,
Doen hi den appel hadde in zijn ghewelt,
Die alderliefste woude hijt gheven.
Voorwaer ghelooft;
Hadde Paris u schoonheyt aenghesien,
Venus en waer niet begaeft daer mede:
Den prijs waer u ghegeven.

Ick weet, hadde Virgilius u ghekent,
Eer hi bedachte te scriven
Van die schoone Helena yent
Al uut der Griecken lande,

Daar gaf zij de geest, in tegenwoordigheid van de koning. Dit gebeurde op de negentiende januari van het jaar 1525, zo vertelt men. Hij zal haar bewenen en haar herinnering zijn verdere leven in zijn hart met zich meedragen.

•

Rosine, hoe gaat het met je? Ten tijde van koning Paris, toen hij de gouden appel kreeg, wou hij die aan de allermooiste geven. Ik verzeker je: indien Paris jouw schoonheid had aanschouwd, zou hij Venus de appel niet hebben gegeven. Dan had jij de prijs gekregen. ¶ Eén ding weet ik: indien Vergilius jou had gekend, eer hij besloot om te schrijven over de mooie, bekoorlijke Helena, de schoonste onder de vrouwen uit het verre Griekenland,

Een croon boven alle wijven,
Hi hadde u veel meer dan haer
Die scoonheyt toegemeten.
Daerom so is mijn herte so vast met haer liefde beseten.

Ick weet, had Pontus bi zijnder tijt
Ghesien een dier ghelijcken,
Sydona die hadde breedt ende wijdt
Met haer schoonheyt moeten wijcken,
Ende ander veel meer, daer ick deer
Lief hebben u in trouwen, saert joncfrou fijn.
U dienaer so wil ic zijn,
So langhe als ic leve opter aerden.

VANDEN STORM VAN MUNSTER

Wie was die ghene die die looverkens brac
Ende diese inder narren cappen stack?
Het wil hem openbaren.
Wi riepen dat cruyce al vanden hemel an,
Wi vrome lantsknechten alle.

dan had hij jouw schoonheid geprezen boven de hare. Daarom is mijn hart zo duurzaam door haar in beslag genomen. ¶ Dit weet ik: indien Pontus in zijn tijd zo'n mooie vrouw had gezien als jij, dan had Sidonia, hoe mooi ze ook was, geheel en al het veld moeten ruimen. En andere vrouwen nog veel meer. Voorzeker, daarom moet ik je liefhebben, edele lieftallige jonkvrouw. Zolang ik op aarde leef, wil ik je dienaar zijn.

•

Wie was diegene die de lauweren plukte en op zijn zotskap stak? Dat zal blijken uit dit lied. Wij dappere soldaten riepen allemaal de hemel aan.

Het was op eenen maendach,
Datmen den storm voor Munster sach
Ontrent den seven uren.
Daer bleef so menich lantsknecht doot,
Te Munster onder die mueren.

Die storm die duerde een corte tijt,
Tot dat die metten waren bereyt.
Die metten waren ghesonghen,
Doen schoten wi daer drie bussen los,
Alarm so sloeghen die trommelen.

Wi vielen Munster dapperlijck an.
Wi leden schade so menighen man,
Men sach daer menich bloet verghieten.
Men sach daer menigen vromen lantsknecht,
Het bloet liep over haer voeten.

Die lantsknechten waren in grooter noot:
Daer bleeffer wel drie duysent doot
In onderhalver uren.
Was dat niet een groote schare van volc?
Noch en sal geen lantsknecht trueren.

Op een maandag werd de bestorming van Munster uitgevoerd, om ongeveer zeven uur 's ochtends. Zeer veel soldaten lieten het leven in Munster, aan de voet van de stadsmuren. ¶ De bestorming duurde een korte tijd, totdat de metten waren afgelopen. Toen vuurden wij drie kanonnen af; de trommels sloegen het sein voor de aanval. ¶ Halsoverkop vielen wij Munster aan, en verloren daarbij een massa soldaten. Er werd veel bloed vergoten; vele dappere soldaten waadden door het bloed. ¶ De soldaten verkeerden in groot gevaar; in anderhalf uur werden er minstens drieduizend in de pan gehakt. Was dat niet een grote legerbende? Toch moet een soldaat daarom niet treuren.

Wi weecken in een wilde velt,
In die scanssen hebben wi gevuert ons gelt.
Eenen raet souden si ons gheven.
Wi riepen Maria, Gods moeder, aen:
'Beschermt ons lijf ende leven.'

Knipperdollinc tot sinen knechten sprack:
'Ghi borghers, coemt hier op die wacht,
Laet ons den hoop aenschouwen:
Al waren si noch drie duysent sterc,
Den prijs willen wi behouden!'

Een busschieter die daer was,
Hi schoot drie cortouwen al op dat pas,
Veel snelder dan een duyve.
'Wistent mijn vader ende moeder thuys,
Si souden mi helpen trueren.'

Die dit liedeken eerstmael sanck,
Een vroom lantsknecht is hi ghenaemt,
Hi hevet seer wel ghesonghen.
Hi heeft te Munster aen dans gheweest,
Den rey is hi ontspronghen.

Wij trokken terug naar een woest terrein en brachten ons geld achter de schan-
sen in veiligheid. Goede raad was duur. Wij riepen Maria, de moeder Gods
aan: 'Behoud ons lijf en ons leven!' ¶ Knipperdollinc sprak tot zijn manschap-
pen: 'Gij poorters, kom hier en houd de wacht. Laat ons die troep soldaten
goed in de gaten houden. Al zouden zij nog drieduizend soldaten extra hebben;
wij zullen de overwinning niet prijsgeven.' ¶ Op dat moment vuurde een ka-
nonnier bliksemsnel drie stukken geschut af. 'Als mijn vader en moeder dat
wisten, zouden zij delen in mijn verdriet.' ¶ Degene die dit lied voor het eerst
zong was een dappere soldaat. In Munster heeft hij meegedaan aan de dodendans; hij is de dans ontsprongen.

EEN NYEU LIEDEKEN

Wy moghen wel loven en dancken den tijt,
Die dees ghenuechte doet bedrijven.
Ick hebbe consent al van mijn wijf
Te spelen tot den vijven.
Ick lach daer over op beyde mijn knien;
Doen seyt si: 'Dé vou gaerde, homme de bien!'

Hets nuchtens als ick op gae staen,
Ick leyde mijn wijf ten asemente,
Ick leytse al in haer camerken,
Ick helptse stellen al op haer gente,
Ic houde den spiegel daer si haer hair op doet,
Dan segt si: 'man van eeren, weest ghegroet!'

Ick wassche, ick backe, ic vage den vloer,
Ick doe dat werc al vanden huyse.
Ic sette dat kint op mijnen schoot,
Dan vraghe ick vanden gruse.
Als ick dat doe, dat eest al goet,
Dan segt si: 'man van eeren, weest ghegroet!'

Hets nuchtens als die clocke achte slaet,
Dan gae ick maken den pottagie.

Wij mogen wel blij en dankbaar zijn voor de tijd, die wij aan pretjes kunnen
besteden. Ik heb toestemming van mijn vrouw om tot vijf uur plezier te maken.
Ik heb daarvoor op mijn beide knieën gelegen. Toen zei zij: 'God beware u,
goede man!' ¶ 's Morgens vroeg als ik opsta, breng ik mijn vrouw naar het
gemak. Dan breng ik haar naar de slaapkamer, en help haar om zich mooi te
maken. Ik houd de spiegel vast, zodat zij haar haar kan opsteken. Dan zegt zij:
'Man van eer, wees gegroet!' ¶ Ik doe de was, ik bak brood, ik veeg de vloer; ik
doe al het huishoudelijke werk. Ik neem het kind op mijn schoot. Dan vraag ik
haar wat van de voorraad zemelen. Als ik dat doe, is alles goed. Dan zegt zij:
'Man van eer, wees gegroet!' ¶ 's Ochtends als de klok acht uur slaat, sta ik op
en ga pap koken.

Ick leyde mijn wijf ter kercken waert;
. . . .
Spreect si mi toe, ic weer mijnen hoet;
Dan segt si: 'man van eeren, weest ghegroet!'

Ten geeft mi geen wonder, al lijde ic druc,
Al gae ick al siende met smallen caken:
Fortune en biet mi gheen gheluck,
Aen tvoore woonen en can ic niet geraken.
Ick lach daer over op beyde mijn knien;
Doen seyt si: 'Dé vou gaerde, homme de bien!'

Oorlof, prince, op dit termijn,
Wi moeten floicx van hier scheyden.
Ick hebbe een wijf, so quaden wijf,
Den duyvel die moet haer gheleyden!
Segghe ic ja, mijn wijf seyt neen;
Dan seyt si: 'Dieu vou gaerde, homme de bien!'

EEN NYEU LIEDEKEN

Wie wil horen een goet nieu liet,
Van dat Thantwerpen nu is gesciet,

Dan begeleid ik mijn vrouw naar de kerk. (...) Als ze mij toespreekt, neem ik mijn hoed af. Dan zegt zij: 'Man van eer, wees gegroet!' ¶ Het is geen wonder dat ik er met ingevallen wangen bij loop. Fortuna geeft mij geen geluk; ik mag nooit met haar vrijen. Ik heb daarvoor op mijn beide knieën gelegen. Toen zei zij: 'God beware u, goede man!' ¶ Vaarwel Prins, ik moet er als de bliksem vandoor. Ik heb een vrouw, zo'n boosaardige vrouw; de duivel moge haar halen! Als ik ja zeg, zegt zij neen. Dan zegt zij: 'God beware u, goede man!'

•

Wie wil er een goed nieuw lied horen over wat er laatst in Antwerpen

Al van drij Vroukens reene?
Si hadden den cnape vanden huyse so lief:
Si en lieten hem niet slapen alleene.

Deen dat was die dochter fier,
De tweetse was de camenier,
Die derde machmen ooc wel noemen:
Het was dat schoonste onder jonckwijf,
Een schoone roose bloeme.

Die maechden alle waren beducht,
Want si alle dry waren bevrucht,
En al met cleynen kinde.
Deen al totter ander sprack:
'Den vader sullen wi wel vinden!'

Als vader en moeder dat vernam,
Si waren alle bey seer gram
Al om des dochters wille.
Al sonder die cleyne kinderkens
Sy hadden wel gesweghen stille.

Maer smorgens vroech, twas scoon dach,
Den vader totten cnaep spreken men sach

---

met drie kuise vrouwtjes is gebeurd? Zij hielden zoveel van de huisknecht dat
zij hem niet alleen konden laten slapen. ¶ De eerste was de zwierige dochter des
huizes, de tweede was het kamermeisje. De derde mocht er ook zijn: dat was de
schoonste onder de dienstmaagden, een mooie bloeiende roos. ¶ De meisjes
zaten in hun rats want ze waren alle drie zwanger; zij verwachtten elk een klein
kindje. Zij zeiden tegen elkaar: 'Wij zullen de vader wel weten te vinden!' ¶
Toen vader en moeder dit te weten kwamen, waren ze allebei heel boos, want
het lot van hun dochter ging hun ter harte. Als er geen kleine kindertjes in het
spel waren geweest, hadden zij hun mond wel gehouden. ¶ Maar 's morgens
vroeg, het was al licht, sprak de vader

En al met grammen sinne:
'Hout daer, mijn cnape, daer is u ghelt,
Ende en comt hier niet meer inne!'

Als die dochter dit heeft aenhoort,
Haer herte beswaerde rechtevoort,
Si en cost een woort niet spreken.
Si sach de liefste ten huyse uut gaen,
Haer herteken docht haer breken.

Die dochter en vergat haer selven niet.
Si dede dat haer die cnape riet,
Si streeck hem na met lusten.
Si nam hem in haren witsen arm:
'By u, lief, wil ic noch eens rusten.'

Maer alst den Landeken heeft verhoort,
Van herten was hi zeer verstoort
En al om des meesters wille.
Hy heeft den cnape by hem ontboden,
Oft hy de wewe trouwen wille.

'Heer Landeken, hoort na mijn bediet:
Die wewe die en beghere ick niet,

---

in een vlaag van toorn tot de knecht: 'Pak aan, mijn knecht, hier is je geld. Je zet geen voet meer over deze drempel!' ¶ Toen de dochter dit hoorde, werd zij diep bedroefd. Zij kon geen woord uitbrengen. Zij zag haar liefste het huis uitgaan; ze dacht dat haar hart zou breken. ¶ De dochter vergat niet wat zij aan zichzelf verplicht was; zij deed wat de knecht haar had aangeraden. Zij zeilde hem vrolijk achterna, en nam hem in haar blanke armen: 'Liefste, bij jou wil ik mij nog eens neervlijen.' ¶ Toen de landdeken dit echter hoorde, was hij zeer vertoornd. Het lot van de vader ging hem ter harte. Hij liet de knecht komen en vroeg hem, of hij met een weduwe wilde trouwen. ¶ 'Heer landdeken, luister naar mijn verklaring: die weduwe wil ik niet,

Ken ben daer niet in gehouwen.
Maer tis die dochter vanden huyse,
Ick soude haer gherne trouwen.'

Die Landeken aen hoorde dwoort.
Hy was opten cnape so seer gestoort,
Om dat hyse niet en wil trouwen.
En de hem leyden op den steen;
Daer wil hi hem eewelijck houwen.

Wacht u, ghi meiskens, groot en cleyn,
Bewaert altoos u eerken reyn,
Wacht u van groote buicken!
Wanneer dat willeken is gedaen,
Dan is die vrienschap uute.

ik heb jegens haar geen verplichtingen. Maar de mooie dochter des huizes: met
haar zou ik wel willen trouwen.' ¶ Toen de landdeken hoorde dat de knecht
niet met de weduwe wilde trouwen, ontstak hij in grote woede. Hij liet de
knecht naar het cachot-brengen; daar kreeg hij levenslang. ¶ Pas op, gij meisjes, groot en klein, zorg dat je er altijd ongeschonden blijft; pas op voor dikke
buiken. Als hij eenmaal met je naar bed is geweest, is de liefde snel voorbij.

MATTHIJS DE CASTELEIN

1486/90-1550

UIT DE CONST VAN RHETORIKEN

RONDEEL, ZESSE IN EEN

Vreest den Heere in tyen: Loefd God altoos.
Schuud tvermaledide vier, Op elck saeysoen.
Wild niemend bestryen, Ghy meinschen broos.
Vreest den Heere in tyen: Loefd God altoos,
Laedt achterclap lyen: En vald niet loos.
Weest groots noch fier, In dijn sermoen.
Vreest den Heere in tyen: Loefd God altoos.
Schuud tvermaledide vier, Op elck saeysoen.

REFEREIN VAN XII.
IN VERSMADENESSE DER WEERELD

Al had ghy Cresus rijcdom, of Mathusalems pacht,
Salamons wijsheit, ende Neroets wreed leven,
Al had ghy Octavianus excessive macht,
Al hadde u God Azahels snelheid ghegheven,

Rondeel van zes paren ¶ Vrees de Heer op gepaste tijden, loof God te allen tijde. Ga het onzalige vuur uit de weg, onder alle omstandigheden. Val niemand aan, gij zwakke mensen. Vrees de Heer op gepaste tijden, loof God te allen tijde. Werp roddel ver van u, betoon u niet vals, wees hovaardig noch trots in uw woorden. Vrees de Heer op gepaste tijden, loof God altijd, mijd het onzalig vuur onder alle omstandigheden.

•

Refrein van twaalf regels per strofe. In verachting voor de wereld ¶ Al had gij Croesus' rijkdom, of Methusalems termijn, de wijsheid van Salomo en Nero's wrede leven; al had gij Octavianus' buitensporige macht, al had God u de snelheid van Azahel gegeven,

Al haddy de const van Virgilius verheven,
De schoonheit van Absalon fier van opstelle,
Wat helpet als dijn vleesch den woermen werd bleven,
Ende dyn ziele metten duvels in dhelle.
Twy mind ghy de weereld dan, vul van ghequelle,
Daer zu dus verleedt den verdoolden zondare.
Wildse liever haten, want zoo ic vertelle,
Wie datse bemind, mind zinen verrare.

Als waerd ghy ghelijck Mercurius elegant,
Mordadigh als Jezabel spitigh van sinne,
Al hadt ghy vanden seven vroeden tverstant,
De vreckheit van Midas thuwen ghewinne,
Al droughen u alle vraukins minne,
Al hadt ghy Mythridates memorie groot,
Al haddy de subtijlheit van Pallas de Goddinne,
Wat salt u profiteren ter laetster noot?
God wil zyn ziele ghedijncken, hy es doot,
Dats dlaetste woord zoo elc weet int clare:
Dus bedrieghd u de weereld, dies segghic bloot,
Wie datse bemind, mind zinen verrare.

al beschikte u over de gaven van de magiër Vergilius, de schoonheid van de
trotse Absalom — wat zou het helpen, als uw vlees een prooi werd voor de
wormen en uw ziel belandde bij de duivels in de hel? Waarom mint gij de
wereld dan, die vol van kwelling is en de verdwaalde zondaar zo van het rechte
pad afvoert? Wilt haar veel liever haten, want zoals ik zeg: wie haar bemint,
bemint zijn eigen verrader. ¶ Al was u lichtvoetig zoals Mercurius, bloeddorstig en onhandelbaar zoals Jezabel, al had u het verstand van de zeven vroeden
van Rome, alles wat Midas bijeengraaide voor eigen besteding, al waren alle
vrouwtjes op u verliefd, al had u de geestkracht van Mitridates zo groot, al had
u de schranderheid van de godin Pallas, wat zou het u baten in uw laatste uren?
'God hebbe zijn ziel, hij is dood' — dat is het laatste woord, zoals iedereen heel
goed weet. Zo bedriegt de wereld u, zeg ik onomwonden: wie haar bemint,
bemint zijn eigen verrader.

Als ware ghelijck Alexander Magnus u weerde
En ghelijc Mars hu victorie tallen stryde,
Al hadt ghy Nicanors groote hooverde,
Al waerdy ghelijc Venus altoos blyde,
Al waerdy ghelijc Sathan vul van nyde,
Al hadt ghy zoo menighe proprieteit,
Nochtans moedty steerven ten laetste tyde,
Dyn fier ghesmyde werdt dan al pleit.
De weereld dy altijd voor ooghen leit
Een valsch wanen leven, al vul van vare:
Ende zu bedrieghd u, dies eist vulseit,
Wie datse bemind, mind zinen verrare.

Prince

Curt es tswerels vrueght tmoet al zyn ghestorven,
Aud, jongh, steerc, cranc, naer Atropos rate:
Subijt, hoe livigh, tmoet al zyn bedorven,
Ter dood en heeft niemend appeel noch bate.
Eist aerme, oft rijcke, zom vrouch, zom late,
Lustich, ofte sieck, ten heeft niemend gratie.
Eist wel ghemeten, verwacht goe mate,

Al was u zo machtig als Alexander de Grote, en onoverwinnelijk zoals de god Mars, al was u hovaardig als Nicanor en altijd blijgestemd zoals Venus, al was u als Satan vervuld van nijd, al had gij nog zo menige eigenschap, nochtans moet u uiteindelijk sterven: uw staatsiekleed wordt dan enkel pijn. De wereld draait u een rad voor ogen met een leven in valse waan, vol van angst; en zij bedriegt u, om het voluit te zeggen: wie haar bemint, bemint zijn eigen verrader. ¶ Prins [De princestrofe vormt een acrostichon.] ¶ Kort is de vreugde des werelds, sterven is onontkoombaar: Atropos knipt ooit de draad door voor oud, jong, sterk en zwak. Plotsklaps, hoe alles ook leeft, is het allemaal afgelopen. Tegenover de dood is er voor niemand hoger beroep of winst weggelegd. Is men arm of rijk, de een vroeg, anderen laat, in de kracht van zijn leven of ziek, niemand krijgt vrijspraak. Heeft u zich aan de maat gehouden, verwacht dan omgekeerd goed gemeten te worden,

Int hende ghecrighdy Gods jubilatie.
Niemend en beloefd hem van tswerels recreatie,
Haer fausamblant bedrieghet al te gare:
Dies slutick als vueren ter eester spacie,
Wie de weereld mind, mind zinen verrare.

en Gods zaligheid te ontvangen. Maar laat niemand zich beloften maken wegens de geneugten des levens, want haar schone schijn bedriegt ons compleet;
en derhalve besluit ik zoals ik begon: wie de wereld bemint, bemint zijn eigen
verrader.

RETHORIKE, } Hondert achte. **EXTRAORDINAIRE.**

P.

Hec est domus ultima.

Beterd bet man en wijf	Vreeft hu voor thelsche vier	Belchudt ziele ende lijf	Diepooght naertheliche dangier	Ghymoedt zeer curts van hier	Dees blyschap moet ghy deruen	De dood be Peniteghy prijnghd u zuld moete fteeruen	Daer e werd gheen adpeel
Die zodigt telcker spacien	Vvacht hu Naer dees eerdichela wigh blakе matie	Naer dees eerdichelamatie	Drouf heid zal dy ghe naken	Ghedijnckt Hu naeckt vp tcas van een ander deel	Hu naeckt des hemel deel	Vee, die Gods wet verbraken	Hier e werdt peel
Broolch, in nood, ende keitijf	Ghy beyat dood on hier ghier	Ghi e hebd on hier blijf	Beterd hu valich beliet	En weeft dogh niet zo hier	Coopt hier des hemel eeruen	Hoe quaed hoe buter tier	Elck moet doordeel verweeruе
Hoopt op Gods groote graçe	Vvatdinge waent ghy dera habitatie	Zouckt elders habitatie	Dijn leuen zal dy laken	Ghymoedt de dood ge-fmaken	Ontfiet tge meen mor-fiel	Tijn hier al broolfiche flaken	Int tweerelds fchoo cafteel
Onvrlied dees recreatie	Maekt wel-daed dy ghe raken.	Pooght om Gods hoogh fte ftatie	Anxc tal op hu becra ken	Ghymoedt ghenough te flaken	Vvild dees dir eerdich tenneel	Vvahaeghd dit v2idel za-ken	Hier e bliift niet gheheel.
Laedt dy, dees vruegd verleefen	Hacht op: Gods groo ten toren	Met duegd wild hu ver cleeden	Vvacht hu voor thelig verftoren	Als zidy hoogh gebooten	Als es dijn fchoonheid groot fimoren	De dood zalt al ver-ten eus oft finoot	Tfy prееcus oft finoot
Ghi e hebd hier gheen ftatie	Laedt u ter dood niet waken	Verlackt hier hu fun datie	Verlackt dees helfe hier naer draken	Terdueght thielf haken	Schuud loos riueel	Ghymoedt tot Gode waken	Als ifchijnd ghi frifck iu weel
Ghi moedt van hier verfcheeden	Die quaed doet hu wel verloren reeden	Mec die be-God roeb horen	Ghy werdt hier naer vertoren	Ontgaed rviands ex-ploot	Ghymugd Met die	Ickfeghd u van te vo-ten	Dijnck om die bitter doot

Tendimus huc omnes.

Zoud, ende vindt hier, met sladen,
Acht ende dertigh Baladen.

ASCLEPIADEUM

Wats dees glorie, mooy? zekere, tes al hooy.

RICQUERACQUE

Packebier es van veel schulden gheruumd,
Ende heeft hem ghedroncken al buten neste.
Te wilen Roel Pattijn den hane heeft ghepluumd,
Heeft het vuul Cockskin den pot gheschuumd:
Ende Claeis vander Sticchele liep duer de veste.
Marolle dede om volghen haer beste:
Laboris de Crieckere was den pipere,
En te wilen schooyde de bruud naer Ipere.

ALDICHT, OFT VAN WOORDT TE WOORDE

Voord, zijd, niet, moe: wild, my, saen, versinnen:
Hoord, zwijd, siet, toe: stild, wy, gaen, beghinnen.

Epigram in de trant van Asclepiades ¶ Wat is deze pracht, anders dan mooi?
Voorzeker, 't is niet meer dan hooi.

•

Een ricqueracque ¶ Pakkebier is wegens schulden ontruimd, en heeft zich lave-
loos gezopen. Intussen heeft Roel Klomp zijn haan kaalgeplukt, heeft het stiekeme koksmaatje de potten afgeschuimd en liep Klaas met de Piek over zijn erf.
Marolle zette haar beste beentje voor; Laboris Vroegop blies er een deuntje bij,
en metterhaast scheerde de bruid zich weg richting Ieper.

•

Aldicht, oftewel woord op woord ¶ Vooruit, wees niet traag; wil mij meteen
begrijpen: hoort, zwijgt, zie toe: stilte, wij gaan beginnen.

UIT DIVERSCHE LIEDEKENS

[LIEDEKEN]

Helas helas, ic mach wel duchten
En droevich schreyen een zee vul tranen:
Elc treur met mi, elc help mi zuchten,
Wilt allen druck met my vermanen.
Mijn troost, mijn hope, en ooc mijn wanen
Verliest zijn poghen,
Mijn oude vreuchden moet ic nu spanen,
Ic ben bedroghen.
Als ick mijn boel lest zach met oghen,
Laes het wert leden zaen twee jaren:
Rijc God waer is den tijt ghevaren?

De vreughd der weerelt al met allen
Haddick als doen ter tijt besworen,
Maer nu macht my niet meer ghevallen,
Hoe heb ick u dus saen verloren?
In therte waerdy vercoren
Als man met wyve,
Een jonck baroenken wort u gheboren
Van mijnen lyve,
Dies ick altijt dijn eyghen blyve,

Helaas helaas, ik mag wel vrezen en droevig een zee van tranen huilen: elk
treure met mij, helpe mij zuchten; wilt allen met mij leed klagen. Mijn troost en
hoop en ook verwachting zijn vruchteloos gebleven; mijn vroegere vreugden
moet ik nu laten varen: ik ben bedrogen. De keer dat ik mijn geliefde voor het
laatst met eigen ogen zag, helaas, dat is eerlang twee jaar geleden. Almachtige
God, waar is de tijd gebleven? ¶ Al wat de wereld aan vreugde te bieden had,
meende ik toen voor altijd te smaken; maar nu valt mij die niet langer te beurt:
hoe ben ik u zo snel kwijtgeraakt? U werd door mij in het hart gekoesterd zoals
een man dat maar van een vrouw kan krijgen; een kleine erfprins werd u geschonken door mijn lichaam, om wie ik altijd met u verbonden zal blijven.

Als wilt ons fortuyne nu ontsparen,
Rijck Godt waer is den tijt ghevaren?

Cupido fel onghier verwaten
Ick vloucke u van deser ruyse,
Mijns vaders woenste moest ick laten,
Daer naer quam ick noyt binnen huyse,
Tractaet van paeyse staet int confuyse
Zichtent dien tyden:
Al stille zwijgh'ick ghelijck den muyse
Ick moett ghelyden:
Maer als ick peyse om d'oud verblyden,
Vind'ick my helas bycans in baren:
Rijck God waer is den tijt ghevaren?

Prince, in mijn herte vast gheseten,
Wien ick sal eeuwich jonste draghen,
Hoe meughdy my dus zaen verghteten?
Om u liet ick vrienden en maghen:
Als wy d'een d'ander voor ooghen zaghen
Onder ons beeden,
Tscheen dat wy nemmer te gheenen daghen
En zouden scheeden:
Niet min Godt wil u wel gheleeden,

Het lot misgunt ons nu alles. Almachtige God, waar is de tijd gebleven? ¶ Cupido, vals, verraderlijk, verdorven wezen, ik vervloek u om deze list. Mijn vaders woonstee moest ik verlaten, en daarna kwam ik nooit meer onder dak. Het vredesverdrag is op de helling sedert die tijd. Ik houd mij muisstil, ik moet het ondergaan; maar als ik denk aan de vreugde van vroeger, voel ik een bijna dodelijke pijn. Almachtige God, waar is de tijd gebleven? ¶ Prins, die stevig zetelt in mijn hart, en voor wie ik eeuwig genegenheid zal voelen, hoe kunt u mij zo snel vergeten? Om u liet ik familie en vrienden in de steek. Toen wij elkaar in de ogen keken, scheen het alsof wij nooit van zijn leven uiteen zouden gaan. Nochtans moge God u beschermen op uw weg;

Ick ducht wy niet meer zullen vergaren:
Rijck Godt waer is den tijt ghevaren?

[EEN ANDER]

Ghepeys ghepeys vol van envyen
Dwelc oorspronc sijt dat menich treurt,
Hoe queldy my met fantasyen?
My dunct dat my mijn herte scheurt.
God gheve haer vreucht deur wient gebeurt
Al doetse my dees quale:
Haer wesen fier heeft my bekeurt
Midts tcoleur van corale,
Rascht u ghy nachtegale,
Vlieght uut dat wilde waut,
Seght haer dit altemale
En groetse my duysentfaut.

Ick peyse om Venus disciplyne,
Die my dus laet' zandt desen zucht:
Hoe spader liefde hoe meerder pyne,
Hoe blender wonde hoe argher ducht:
Te tyelick fruyt neemt saen de vlucht
Ghepluckt ten groenen dale,

ik vrees dat wij nooit meer samen zullen komen. Almachtige God, waar is de tijd gebleven?

•

Gepieker, gepieker vol van afgunst, gij die de oorzaak bent dat menigeen treurt, waarom kwelt u mij met waanvoorstellingen? Ik heb het gevoel dat mijn hart breekt. God schenke haar vreugde door wie dit gebeurt, ook al doet ze mij dit leed aan. Haar fraaie gezicht heeft mij bekoord door haar koraalkleur. Maak u gereed, nachtegaal, verlaat het wilde woud, meld haar dit alles en groet haar duizendmaal van mij. ¶ Ik word gekweld van Venus' wege, die mij deze ziekte zo laat in mijn leven toezond. Hoe later liefde, hoe meer pijn; hoe dwazer wond, hoe erger leed. Het vroeg geplukte fruit bederft snel;

Men prijst best een volwassen vrucht,
Gh'lijck is dees cuyssche smale,
Rascht u ghy nachtegale
Vlieght uut dat wilde waut,
Seght haer dit altemale
En groetse my duysentfaut.

Beloften vele is sy my schuldich,
Maer onder alle, eene excellent.
Daer naer verlanght my menichvuldich:
Wantt is haer en my bekent:
Wies ick bedryve in mijn convent,
Dit altoos ick verhale:
Vind'ick my leich, als isse absent,
Van haer ick niet en fale:
Rascht u ghy nachtegale,
Vlieght uut dat wilde waut,
Seght haer dit altemale
En groetse my duysentfaut.

Ghepeys hoe zou ic dy niet ghehinghen?
Ick moet helas, tis grooten noot:
Dan doen thien duysent vremde dinghen.
Ons been ghebeurt: zy weett al bloot,

---

te prefereren is een volgroeide vrucht: hetzelfde geldt voor deze mooie vrouw.
Maak u gereed, nachtegaal, verlaat het wilde woud, meld haar dit alles en groet
haar duizendmaal van mij. ¶ Vele beloften is zij mij verschuldigd, maar daarbij
één in het bijzonder. Daarnaar verlang ik intens, zoals aan haar en mij bekend
is. Wat ik ook doe in mijn positie, het volgende herhaal ik steeds: al voel ik mij
leeg als zij absent is, ik word haar nooit ontrouw. Maak u gereed, nachtegaal,
verlaat het wilde woud, meld haar dit alles en groet haar duizendmaal van
mij. ¶ Gepieker, hoe zou ik u kunnen verdragen? Het moet, helaas, het is noodzakelijk: daaraan zijn tienduizend vreemde dingen debet. Ons beiden overkomt het, zij weet het onomwonden;

Wy drincken vreught en droefheyt groot
Bee uut tsFortuynen schale:
Deur tswaer ghepeys van dit exploot
Thert sterft al waert van stale:
Rascht u ghy nachtegale,
Vlieght uut dat wilde waut,
Seght haer dit altemale
En groetse my duysentfaut.

Mochtmen met cruyde oft medicynen
Ghenesen mijnder liefden brant,
Ick waer ghenesen vander pynen.
Maer neent, ten helpt zulck onderstant:
Dies gaett helas aen mynen cant
Deur d'last der minnen strale:
Ick vlouck den afgodt die my bant
Met Venus bitter dwale:
Rascht u ghy nachtegale
Vlieght uut dat wilde waut,
Seght haer dit altemale
En groetse my duysentfaut.

Princesse, ick zwijghs veel om een beter,
Als ick peyse om ons oude spel.
Ick en vant ter weerelt noyt secreter,

wij drinken vreugde en groot verdriet uit de drinkschaal van de Fortuin. Door het zware gepieker over deze aangelegenheid sterft mijn hart, al was het hard als staal. Maak u gereed, nachtegaal, verlaat het wilde woud, meld haar dit alles en groet haar duizendmaal van mij. ¶ Kon men met kruiden of medicijnen de gloed van mijn liefde doven, dan was ik van mijn pijn genezen. Maar nee, zulke bijstand helpt niet: zo gaat het helaas met mij door het minnevuur. Ik vervloek de afgod Cupido, die mij Venus' kwellende blinddoek ombond. Maak u gereed, nachtegaal, verlaat het wilde woud, meld haar dit alles en groet haar duizendmaal van mij. ¶ Prinses, ik kan maar beter zwijgen, wanneer ik denk aan ons gerijpte liefdesspel. Nooit kende ik het zo discreet,

Dies vrees'ick niet dees nyders fel.
Vrou Venus dect haer kinders wel
Draghen zy hoessche tale:
Tsal al wel zijn, doet mijn bevel,
Schoon lief, dats tprincipale:
Rascht u ghy nachtegale,
Vlieght uut dat wilde waut,
Seght haer dit altemale
En groetse my duysentfaut.

[EEN ANDER]

Ic danck'u Venus op dit pas
Van deser nieuwer minne:
Dat zy, daer ic bemudst op was
Is worden mijn vriendinne:
Och hoe wy doen gaudeerden,
Hoe vriendelic wy sproken:
Tghene dat wy narreerden
En was noyt eer ontploken:
Wy laghen bee ghedoken
Bet dan icx doe ghewach.
My docht dat ic in roode rooskins lach.

en daarom vrees ik geen gemene roddelaars. Vrouwe Venus verbergt haar kinderen wel, als zij goed op hun woorden passen. Het zal allemaal wel goed gaan,
volg mijn raad maar, schone geliefde, dat is de hoofdzaak. Maak u gereed,
nachtegaal, verlaat het wilde woud, meld haar dit alles en groet haar duizendmaal van mij.

•

Ik dank u, Venus, op dit gepaste tijdstip, voor deze nieuwe liefde: dat zij van
wie mijn hoofd vol was, mijn geliefde is geworden. Ach, wat een vreugde kenden wij toen, en hoe aanminnig spraken wij! Wat wij elkaar daar te vertellen
hadden, was nooit eerder naar buiten gekomen. Wij lagen daar samen in het
verborgene, gerieflijker dan ik hier vermeld. Het was of ik tussen de rode roosjes lag.

Wy laghen al den nacht vergaerdt,
Ick hadde al mynen wille.
Elck onser toochde zynen aerdt,
Geen tijdt en lach zy stille:
Sy speelde my een toerkin,
En boodt my en wat warems:
Te wylen vaechdick tvloerkin,
Sy dau my in haer arems,
Ende achter veel ghecarems,
Noyt hoe zy my besach.
My docht dat ick in roode rooskins lach.

Noyt ooghen saghen sulck een spel
Als wy daer bee beseven:
Gheen tonghe en soudt volspreken wel
De vreuchd die wy bedreven:
Wy speelden mette schaexkins
En draeyden Venus wostkins,
Sy custe altoos mijn caexkins,
Ende ick taste haer schoon borstkins.
Noyt vriendelicker lostkins,
Noyt amoreuser dach.
My docht dat ick in roode rooskins lach.

Wij lagen heel de nacht tezamen; compleet bevredigd werd mijn zin. Elk van
ons beiden toonde zijn geheime aard. Geen ogenblik lag zij stil: zij deed mij heel
wat kunstjes voor, en schonk mij heel wat warmte. Soms veegde ik de vloer; zij
dwong mij in haar armen, en keek mij onder veel gekreun nooit eerder op zo'n
wijze aan. Het was of ik tussen de rode roosjes lag. ¶ Nooit zagen ogen zulk
spel als wij twee daar ervoeren; geen tong zou kunnen verwoorden wat wij aan
vreugde beleefden. Wij speelden met onze schaakstukken, en draaiden Venus-
worstjes. Zij kuste voortdurend mijn wangen, en ik betastte haar mooie borstjes. Nooit waren er lieflijker genoegens, nooit een romantischer dag. Het was of
ik tussen de rode roosjes lag.

Ons vreucht was weerd thien duysent pondt:
Noyt spel van meerder weerden.
Wy laghen tsamen mondt aen mondt,
Alsoo naer als tghers der eerden.
Ick sach dat soete struycskin,
En zy bekeeck mijn veelkin.
Doen clam ick op haer buyckskin,
En zy ontfijnck mijn steelkin.
Wy speelden d'oude speelkin
Ghelijck ons vader plach.
My docht dat ick in roode rooskins lach.

Den dach die quam, die nacht verghinck,
Die maecht die moest haer cleeden:
Sy claechde seer dat sotte dinck
Dat zy daer af moest scheeden:
S'en was niet om verdrouven,
Ick sacht wel aen haer seden:
Wy ghinghent weer herprouven
Doen was zy bet te vreden.
Wy maecten moede leden,
Ghelijck elck wel peysen mach.
My docht dat ick in roode rooskins lach.

Onze vreugde was wel tienduizend pond waard; nooit kende men kostbaarder
spel. Wij lagen samen, mond aan mond, even dicht opeen als gras en grond. Ik
zag het zoete, kleine struikgewas, en zij bekeek mijn vedeltje; toen klom ik op
haar buikje, en zij ontving mijn steeltje. Wij speelden het oude spelletje dat onze
vaders deden. Ik dacht dat ik tussen de rode roosjes lag. ¶ De dag kwam op, de
nacht verdween, het meisje moest zich kleden. Zij beklaagde zeer de dwaasheid
dat zij daar weg moest gaan. Zij was zo goed als ontroostbaar, dat zag ik wel
aan haar gedrag; daarom beproefden wij het nog een keer, toen was zij meer
tevreden. Wij putten onze ledematen uit, zoals eenieder zich kan voorstellen. Ik
dacht dat ik tussen de rode roosjes lag.

Tfy u wijfs en mannen, die paeys willen houwen,
Doe doorloghe hantieren, zy zijn alle Gods neven
Laetse alle bannen, die twist noode schouwen,
Die hem qualic regieren, ic prysse boven schreven,
Die tvolck can pillieren, hem weynschic deeuwich leven.
Sy Lucifers gheselle, die hem vought tsyne elcks vriendt,
Die niet wilt obedieren, hy werdt veur Godt verheven,
God verleene hem d'helle, die zynen Schepper diendt.

ANNA BIJNS

1493 - 1575

REFEREYN

[TSIJN EERTSCHE DUVELS, DIE DE MENSCEN QUELLEN]

Een vertwijfelt ketter, argher dan een Jode,
Verloochent munck, recht Antecrists bode,
En alle tvolcxken van sijnder partijen
Verleyden de menscen in spijte van Gode.

Ballade van acht-in-één ¶ Verrek maar, gij vrouwen en mannen, die vrede wensen te bewaren; zij die oorlog voeren, staan God na. Laat ze verbannen worden, die ongaarne ruzie zien; zij die hun woede cultiveren, prijs ik bovenal. Wie het volk weet te plunderen, wens ik het eeuwig leven toe; Lucifers maatje moge worden wie ieders vriend wil zijn. Wie weigert zich te schikken, wordt bij God verheven; God geve hem de hel, al wie zijn Schepper dient.

•

Een gewetenloze ketter, erger dan een jood, een afvallige monnik, de uitgesproken knecht van de antikrist, en al zijn volgelingen brengen de mens tegen de zin van God in verleiding.

Twaer wel van node, dat mense vlode
Als draken, serpenten, venijnege prijen.
Sij bringen doctoors in theologijen
Tot ketterijen,
Venijneger dan oyt basiliscus hanen,
Sij verstaen scrittuere na haer fantasijen.
Cloosters en abdijen
Bederven dese boose Lutherianen;
Als Heidenen, Turcken en Soudanen
Breken sij beelden in kercken, in capellen.
Hoe sal icse best noemen na mijn wanen?
Tsijn eertsche duvels, die de menscen quellen.

Het helsce serpent sijn fenijn uut spooch,
Waerduere hij ons ouders te valle tooch.
Eet van der vrucht, sprac hij, ghij sult God gelijcken,
Goet en quaet weten, merct hoe hijse bedrooch:
Ghij en sult niet sterven; de duvel looch.
Dus doen ooc sijn dienaers in alle wijcken.
Sij trecken tvolc met loosen practijcken,
So men siet blijcken;
Sij spreken vrijheit, daer de menscen na haken,
Het honich sij om den mont al strijcken.

Het is dringend nodig, dat men voor hen vlucht als voor draken, slangen en
giftige duivels. Doctoren in de theologie drijven ze tot ketterij, giftiger dan een
monsteradder, door de Schrift om te buigen naar hun verbeelding. Deze boosaardige reformatoren storten kloosters en abdijen in het verderf. En als heidenen, Turken en sultans vernielen ze de beelden in kerken en kapellen. Hoe kan
ik hen naar mijn mening het best typeren? Het zijn aardse duivels, die de mensen kwellen. ¶ De helse slang spoog zijn venijn uit, waarmee hij onze voorouders ten val bracht. Eet van de vrucht, sprak hij, dan zul je godgelijk zijn en
het onderscheid kennen tussen goed en kwaad. Maar we weten allen hoe hij
hen bedroog: jullie zullen niet sterven. Maar de duivel loog. En zo doen eveneens al zijn dienaars waar ook ter wereld. Zoals blijkt brengen ze met listen het
volk in verleiding. Zij verkondigen een vrijzinnigheid waar de mensen naar
verlangen. Met honing smeren ze hun tong.

Den armen, den rijcken
Ontraden sij vasten, bidden en waken;
Sij prijsen gemac, scerpheit sij laken.
Hier deur brengen sij veel sielen ter hellen.
Ic segt u al tsamen, wilt de waerheit smaken:
Tsijn eertsce duivels, die de menscen quellen.

Gelijc Christus sijn discipulen uut sandt,
So sendt ooc de sijne de helsche viant,
Die hem wel stoutelijc derven vermeten
Scriftuere uut te leggen na haer verstant,
Discoort verweckende over alle dlant,
Als scorfte scapen, vander kercken gespleten,
Ongeleerde buffels, die niet en weten
Griecxsche poeten,
Uutgeloopen muncken, verkeerde van sinnen,
Wacht u, wilt Cristus woord niet vergeten:
Tsijn valsche propheten,
Al scijnent scapen, tsijn wolven van binnen;
Aen haer vruchten sult ghijse kinnen,
Als bocken, niet als scapen salmense tellen.
Weer lutherianen oft lutherinnen,
Tsijn eertsce duvels, die de menscen quellen.

Zowel arm als rijk houden ze af van vasten, bidden en waken. Ze prijzen het gemak en berispen een meer strenge levenswijze. Hierdoor drijven ze vele zielen naar de hel. Daarom vermaan ik jullie allemaal om de waarheid tot je te laten doordringen: het zijn aardse duivels, die de mensen kwellen. ¶ Evenals Christus zijn discipelen op pad stuurde doet de duivel dat ook. Zijn leerlingen menen zich te kunnen aanmatigen om de Schrift volgens hun eigen zienswijze uit te leggen. Daarmee zaaien ze tweedracht in het hele land, gelijk schurftige schapen die zich van de kerk afgescheiden hebben, ongeleerde buffels die niets weten, wartaalschrijvers, weggelopen monniken, dwazen. Neem allemaal Christus' woord ter harte: het zijn valse profeten en heimelijke wolven, al zien ze er uit als schapen. Door hun uitlatingen verraden ze zich; men moet ze als bokken tellen, niet als schapen. En of het nu mannelijke of vrouwelijke volgelingen van Luther zijn, het zijn allemaal aardse duivels, die de mensen kwellen.

Sie liegen luegenen, sij scrijven brieven,
Sij stelen naem en fame, arger dan dieven,
Sij waren ooc weerdich meerder pijne.
Haren helscen vadere sij ghelieven,
Geestelijc en weerlijc sij gerieven.
Het is hen alleleens, weer munc oft bagijne,
Sij bieden elcken van haren venijne,
In goeden schijne
Stroyen sij haer valsche, verdoemde boecken.
Tsijn eertsce neckers, ic blijve bij dmijne.
Een volle dosijne
Mutsaerden aenden eers, ic en wilse niet vloecken;
Men spaertse te seere, dit doet se vercloecken.
De vos ende de wolf sijn goede ghesellen.
Sij roepen den geest, maer tis tvleesch datsij soecken,
Tsijn eertsce duvels, die de menschen quellen.

Haer ketterlijcke boecken doen sij prenten
En scinckense wech als groote presenten,
Om datse tvenijn wel souden verbreyen.
Hoort watse noch doen, dees valsche serpenten;
Sij gaen in cloosters met haren argumenten

Ze liegen dat het gedrukt staat, ze ontslaan je van verplichtingen, ze beroven je
van je reputatie, nog gretiger dan dieven, en ze staan ook garant voor elk verdriet. Bij hun helse vader willen ze in het gevlij komen, en op aarde proberen ze
geestelijken en leken te behagen. Monnik of begijn, het maakt hun niets uit,
iedereen trakteren ze op hun venijn. En alsof het om het hoogste goed gaat
verspreiden ze hun valse, goddeloze boeken. Het zijn aardse duivels, daar blijf
ik van overtuigd. Rooster hun kont met stapels takkenbossen, ze zijn het niet
waard om nog woorden aan hen vuil te maken. Ze worden te veel ontzien, en
dat maakt hen overmoedig. Vos en wolf zijn goede gezellen. Ze spreken je
verstand aan, maar het is hun om je vlees begonnen. Het zijn aardse duivels, die
de mensen kwellen. ¶ Hun ketterse boeken laten zij drukken, om ze als geschenken van belang aan te bieden. Zo zoeken ze hun venijn te verspreiden. En
hoort wat ze nog meer doen, deze valse slangen. In de kloosters komen ze

De gheestelijke maechden smeeken en vleyen:
Wat sit ghij hier gestoten, wilt van hier sceyen,
En gaet u vermeyen;
Wast en vermenichfuldicht, het sijn Gods woorden,
Wilt dit vervullen, rasch sonder beyen.
Elc mocht wel screyen,
Dat sij de sielen dus deerlijc vermoorden;
In dooste, in dweste, suden en noorden,
Al omme sijt in tverweerde stellen.
Ic derf wel seggen, al waert dat sijt hoorden:
Tsijn eertsce duvels, die de menscen quellen.

Dan comen de wijfs, noyt argher maren,
Clappen en couten als groote caren,
Bij biechtvaders, predicanten en doctoren
Geveynsdelijc, oft devote hertkens waren.
Hier mede isser vele qualijc gevaren.
Die hem sprake houden, acht ic half verloren,
Sij sullender bij argeren, al hadden sijt ghesworen;
Elck hoeder hem voren.
De vrouwen sijn subtijl, bedriechlijc van zeden.

de geestelijke maagden met hun bewijzen ompraten en vleien: waarom zitten jullie hier in afzondering, maak toch dat je wegkomt en zoek vertier; word eindelijk eens volwassen en plant je voort, zo luiden toch Gods woorden: geef hier snel gevolg aan, zonder dralen. Iedereen zou erom kunnen wenen, nu zij die zielen op die wijze jammerlijk om het leven brengen. In het oosten, westen, zuiden of noorden, overal brengen zij alles in de war. Ik durf wel te zeggen, ook al zouden zij het horen: het zijn aardse duivels, die de mensen kwellen. ¶ Dan komen de vrouwen, de ergste toverheksen, als de liefste vriendinnen babbelen bij biechtvaders, predikers en geleerden, maar zij veinzen allemaal alsof ze vrome kwezels zijn. Hierdoor zijn er velen op het verkeerde pad gekomen. Diegenen die hen te woord staan zijn denk ik al half verloren: ze zullen er slechter door worden, al hadden ze gezworen van niet. Iedereen moet op zijn tellen passen. Die vrouwen zijn sluw en hebben een bedrieglijk gemoed.

Salomon, de wijste onder de sonne gheboren,
Van God vercoren,
Deden hem de vrouwen niet afgoden aenbeden?
Men vint valscer dan die opten dach van heden.
Geleerde, wilt doch dit veersken wel spellen,
Schout sulcke serpenten, wildij leven in vreden,
Tsijn eertsce duvels, die de menschen quellen.

Al sijnt joncfrouwen met steerten oft cadetten,
Gaetter niet me omme, tsijn sviants netten.
Een besceten koe wilder vele bescijten.
Hoort hoese blasphemeren in haer bancketten,
Met ander lien ghebreken haer tanden wetten.
Eens yegelijcx misval sullen sij verwijten,
Die duecht doen heeten sij ypocrijten,
Haer lippen sij bijten,
Als yemant derf tegen haer dwalinge spreken,
Siet hoese hen in bruerlijcke liefte quijten:
Sij stooten, sij smijten
De ghene die hem de waerheyt preken.
Waert in haerder macht, sij souden hem wreken
En werpen ter neder cloosters en cellen.

Want is het niet zo dat vrouwen Salomo, de wijste man op aarde en uitverkorene van God, verleidden om afgoden te aanbidden? En vandaag de dag
vindt men nog valsere vrouwen dan die. Verstandige mensen, lees toch goed
wat ik hier schrijf: schuw zulke slangen, wanneer je in vrede wilt leven. Het zijn
aardse duivels, die de mensen kwellen. ¶ Al gaat het om jonkvrouwen met
gevolg of voorname knapen, vermijd elk contact, want ze spreiden de netten
van de duivel. Een ondergescheten koe wil er vele beschijten. Hoort hoe ze
lasteren tijdens hun banketten, en hun tong slijpen aan de gebreken van anderen. Elke misstap van wie dan ook zullen ze aanrekenen. En wie deugdzaam
optreedt noemen ze hypocriet. Ze worden kwaad wanneer iemand tegen hun
dwalingen durft in te gaan. Zie dan eens hoe zij zich van broederlijke liefde
kwijten: ze stampen degenen die hun de waarheid voorhouden in de grond. En
zouden ze daartoe de macht hebben, dan zouden ze wraak nemen en alle kloos-
tercellen vernietigen.

Theeten cristen menscen, maer waert wel bekeken,
Tsijn eertsce duvels, die de menscen quellen.

Princen en princessen, als u Luters ghespuys
Wilt genaken, maect geringhe een cruys,
Geeft hem geen geloove, haer fondament is wack.
Wilter niet me eten, gaet niet in haer huys,
Want Gods eere achten sij min dan een gruys,
Op vasten, op biechten hebben sij den hack,
Sij eten, alst hen lust, en vollen haren sack,
Als tvercken aen den back,
Sij slocken svrijdaechs vleesch, al warent honden.
Aen papen, aen muncken weten sij een lack,
Sij en sien niet, wat pack
Sij hebben op haren hals ghebonden;
Luegenachtich spreken sij met twee monden,
Men soude haer bedroch niet meten met ellen.
Al dat sij soecken, is vrijheit in sonden.
Tsijn eertsce duvels, die de menschen quellen.

Ze gaan voor christenmensen door, maar welbeschouwd komt het op het volgende neer: het zijn aardse duivels die de mensen kwellen. ¶ Prinsen en prinsessen, sla snel een kruis wanneer het ketterse gespuis u wil benaderen. Schenk hun geen geloof, ze staan op een zwak fundament. Deel niet de maaltijd met hen en betreed niet hun huis, want ze hebben geen enkel respect voor God. Ze hebben lak aan vasten en biechten, eten doen ze wanneer het hun aanstaat, en ze vullen hun pens als een varken aan de trog. Vrijdags schrokken ze als honden vlees naar binnen. Aan pastoors en monniken zien ze ieder gebrek, maar de zware last zonden die ze om hun eigen nek dragen ontgaat hun. Met twee monden spreken ze leugenachtige taal, hun bedrog is onmetelijk. Alles wat ze zoeken is de vrijheid om alle zonden te begaan. Het zijn aardse duivels die de mensen kwellen.

REFEREYN

[HEERE, HEBT GHIJ U KERCKE GHEHEEL VERGHETEN?]

Inden afgront der droefheyt geheel verswolgen,
Roepen wij om hulpe, ghenadighe Heere,
Teghen de gheene, die u kercke vervolghen.
O Heere, al hebben wij u verbolghen,
U ghenadighe ooghen wilt tonswaert keeren,
Want veel vossen en wolven, in schapen cleeren,
Sijn in u coeye subtijlijck ghebroken,
Van wien veel blasphemien tuwer oneeren
Teghen u en u sancten wert ghesproken.
Siet ghij niet, Heere, zijn u ooghen gheloken,
Hoe dat dees vossen uwen wijngaerdt vertrapen?
Sult ghij noch langhe laten onghewroken
Dees grijpende wolven verslinden u schapen?
Visiteerdt u cudde, want de wachters slapen,
Oft anders u schaepkens werden verbeten.
Wij roepen, als die naer u ghenaden gapen:
Heere, hebt ghij u kercke gheheel vergheten?

Als in Egypten tvolck van Israel
Seer werdt verdruckt vanden heydensen honden,

Geheel opgeslokt door een afgrond van droefenis roepen wij uw hulp in, genadige Heer, om degenen te bestrijden die uw kerk belagen. O Heer, al hebben wij u vertoornd, laat uw genadige ogen op ons vallen, want vele vossen en wolven zijn in schaapskleren listig uw kooi binnengebroken, en zij spreken lasterlijke woorden tegen u en uw heiligen. Ziet u niet, Heer, zijn uw ogen gesloten, hoe deze vossen uw wijngaard vertrappen? Zult u nog langer ongewroken toelaten, dat deze bloeddorstige wolven uw schapen verslinden? Inspecteer uw kudde, de wachters slapen, want anders worden uw schaapjes doodgebeten. Wij roepen als schepsels die naar uw genade verlangen: Heer, hebt u uw kerk helemaal vergeten? ¶ Toen het volk van Israël, weliswaar vaak in opstand tegen u, in Egypte zwaar werd onderdrukt door de heidense honden,

Al waren sij dicwil teghen u rebel,
Nochthans hebt ghij hen, want u deerde haer ghequel,
Moysen tot eenen verlosser ghesonden.
Josue, Judicum, Regum claer orconden,
Als de heydenen volck op Israel brochten,
Behoevende hulpe, hebben sijse vonden;
Als sijt met berouwe aen u versochten,
Ghij sondt hen capiteyns, die voor hen vochten.
Sult ghij u bruydt inder noodt dan laten,
Die de heydenen niet meer quellen en mochten,
Dan de ketters en doen, die de waerheyt haten?
Den Machabeen quaemt ghij ooc dicwil te baten
Teghen de heydenen, rondt om hen gheseten.
Es u Christen volck nu van u verwaten?
Heere, hebt gij u kercke gheheel vergheten?

Noeit en voeren sij wel int oudt testament,
Die uwen tempel onteerden, tbleeck aent bedrijf
Van Nichanor, den hooveerdighen vent,
Die den tempel dreighde, daer zijnde omtrent;
U wrake quam haestelijck over den catijf.
Heliodorus creech oock vol gheesselen dlijf,

hebt u hun toch Mozes als verlosser gezonden, omdat u bewogen werd door hun lijden. De bijbelboeken Jozua, Richteren en Koningen laten duidelijk weten dat de hulpbehoevende joden uw hulp ook hebben gekregen toen zij u daarom schuldbewust vroegen, toen de heidenen mensen in stelling brachten tegen Israël. U hebt hun aanvoerders gezonden om voor hen te vechten. Zult u uw bruid in nood dan aan haar lot overlaten, die door de heidenen niet erger gekweld kon worden dan zij nu door de ketters wordt gekweld? De Makkabeeën bent u ook dikwijls te hulp gekomen tegen de heidenen die hen omsingelden. Maar wordt uw christenvolk nu door u vervloekt? Heer, hebt u uw kerk helemaal vergeten? ¶ Hen die uw tempel onteerden, verging het nooit goed in het Oude Testament. Dat kwam naar voren uit het gedrag van Nicanor, die hoogmoedige man, die in de buurt van de tempel de tempel bedreigde. Deze misdadiger werd direct door uw wraak getroffen. Heliodorus werd ook zwaar gegeseld,

Die den schat des tempels wilde wegh draghen.
Anthiochum raackte u handt ooc stijf,
Ghij liet hem de wormen levende duercnaghen.
Osa viel doot, daert veel menschen saghen,
Die nochtans darcke onverhoets aentaste.
Nabugodonosor ghinck niet vrij van plaghen,
En Baltasar, daer hij met zijn boelen braste,
Uuten vaten des tempels dranck, soot hem paste,
Inder selver nacht werdt hij doot ghesmeten.
Wat gheschieter nu al en God lijdet vaste!
Heer, hebt ghij u kercke gheheel verghseten?

Hoe compt, dat ghij nu gheen weerstant en doet
Den ghenen, die u dienaers bedroeven,
Die vaten stelen, daer u vleesch en u bloet
In werdt ghetracteert, kercken en cloosters goet
Rooven en verteeren met hoeren en boeven?
Laet hen Heliodorus, gheesselen proeven,
Datse niet een vel aen haer lijf en houwen,
Op dat andere, diese soe saghen toeven,
Mochten leeren sghelijcx te doene schouwen.
O Heere, zijn u de belooften berouwen,

toen hij de tempelschat wilde roven. Uw hand trof tevens Antilochus hard. U
liet hem, nog levend, door de wormen aanvreten. Osa viel onder het oog van
vele mensen dood neer, hoewel hij slechts de ark per abuis aanraakte. Nebukadnezar werd eveneens door plagen getroffen, evenals Balthasar. Die werd,
toen hij met zijn liefjes potverteerde en naar believen uit de vaten van de tempel
dronk, nog diezelfde nacht doodgeslagen. Maar wat gebeurt er nu allemaal,
terwijl God het maar laat lopen! Heer, hebt u uw kerk helemaal vergeten? ¶
Hoe komt het toch, dat u nu geen weerstand biedt aan degenen die uw dienaars
smart aandoen, die de schalen stelen waarin uw vlees en bloed wordt aangeboden, die de bezittingen van kerken en kloosters roven en de opbrengst
erdoor draaien met hoeren en boeven? Laat hen de geselingen van Heliodorus
proeven, zodat er geen vel meer aan hun lijf plakt. Daaruit kunnen anderen die
hen dat zien ondergaan leren om niet hetzelfde te doen. O Heer, hebt u spijt van
de beloften

Die ghij Petro deedt, wiltse ghedincken;
Want in u woordt hebben wij betrouwen,
Dat gij tscheepken niet en sult laten verdrincken,
Hoe de ketters, die als bocken stincken,
Haer hoornen daer teghen te setten vermeten;
Het helt nu, schijnende oft soude sincken.
Heere, hebt ghij u kercke gheheel vergeten?

O Heere, ghij latet nu al om wroeten,
Dat in gheset is duer uus gheests beraden,
U Sacramenten werpen onder de voeten,
U prijsweerdighe moeder, niet om versoeten,
Blasphemeeren en al u sancten versmaden.
Ghij laet de ketters, vol onghenaden,
Haer boosheyt metten Evangelie decken,
Ghij laet de goede verdrucken vanden quaden,
Dat niemant en mach duecht doen sonder begecken.
Wilt Ambrosium, Augustinum verwecken
En laet Hieronimum comen ter banen,
Doet Chrisostomum tharnasch aen trecken
En Athanasium op rechten u vanen
Teghen de ketters, die op steken haer granen
Contrarie Gods woordt, als Baals propheten.

die u Petrus deed? Neem die nog eens in overweging, want aan uw woord
ontlenen wij het vertrouwen dat u het scheepje niet zult laten zinken, hoezeer
de ketters, stinkend als bokken, het ook wagen om hun hoorns daar tegen te
keren. Maar nu helt het scheepje over, het schijnt wel te gaan zinken. Heer,
hebt u uw kerk helemaal vergeten? ¶ O Heer, alles wat in uw geest geplant is
laat u nu door elkaar woekeren. U laat uw sacramenten met voeten treden, uw
allerzoetste en lofwaardige moeder blasfemeren en al uw heiligen negeren. U
laat die meedogenloze ketters het evangelie gebruiken om hun agressie te verdedigen. U laat de goeden onderdrukken door de kwaden, zodat niemand nog
deugdzaam kan zijn zonder bespot te worden. Breng Ambrosius en Augustinus
weer tot leven, laat Hieronymus weer op het toneel verschijnen, doe Chrysos-
tomus zijn harnas weer aan en laat Athanasius uw vaandels oprichten tegen de
ketters, die tegen Gods woord tekeergaan als Baäls profeten.

Wij roepen tot u uut dit dal der tranen:
Heere, hebt ghij u kercke gheheel vergheten?

Prince, boven alle gouvernanten,
Daer alle potentaten voor moeten beven,
Sendt ons vierighe, oprechte predicanten,
Die u godlijck woordt saeyen en planten
En tgheene, dat sij leeren, eerst selve beleven.
Wilt ons herders naer u herte gheven,
Die wij in u weghen moghen volghen opt spuer,
Soe dat uut kerstenrijck mach werden verdreven
Twist, discentie ende alle erreur,
Op dat de kercke mach comen in haren fleur,
Alsoo sij was int eerste beghinnen,
Dat ons conversatie duer den soeten geur
Dongheloovighe mach trecken tot uwer minnen.
En laet u aerm schaepkens niet verwinnen
Vanden bocken, die zijn vander kercken ghespleten.
Wij roepen tot u met droeven sinnen:
Heere, hebt ghij u kercke gheheel vergheten?

Wij roepen u aan uit dit dal der tranen: Heer, hebt u uw kerk helemaal vergeten? ¶ Prins, hoogste aller heersers voor wie alle potentaten moeten beven,
zend ons bezielde en oprechte predikers, die uw goddelijk woord weten uit te
zaaien en die wat zij leren aan den lijve ondervinden. Geef ons herders naar uw
hart, wier spoor wij in uw geest kunnen volgen, zodat twist, tweedracht en
dwaling uit uw christenrijk verdreven kunnen worden. Daardoor kan de kerk
weer opbloeien gelijk zij ook begonnen is, zodat de zoete geur van onze ge-
meenschap de ongelovige weer terug kan trekken naar uw liefde. En laat uw
arme schaapjes niet overwinnen door de bokken, die zich van de kerk hebben
weggescheurd. Wij roepen tot u met bedroefd gemoed: Heer, hebt u uw kerk
helemaal vergeten?

REFEREYN

Nonnen, beghijnen, gheoordende papen,
Die duer Luthers leere haer oorden verachten,
Loopen nu inde werelt een luchtken rapen;
Sij en willen niet langher alleene slapen,
Op vleesschelijcken wellust staen haer ghedachten.
Al hebben zij goey daghen, sij soecken goey nachten;
Deene trout eenen man, dander een wijf.
Maer ick wil u segghen, wat sij verwachten?
Armoede, die sij met den jare verpachten,
Sij en brenghen niet tsamen dan elck een luy lijf;
Om wercken zijn hen de leden te stijf,
En van gheenen doene sij en weten.
Besiet doch, wat werdt dan haer tijt verdrijf?
Kijven en vechten, dits mijn motijf,
Dit mueghen sij somtijts doen voor haer eten,
Als hen niet en volghen donbesorchde beten,
Die sij in haer cloosters te hebben plaghen.
Dus derf ick mij wel te segghen vermeten:
Selc soect de goey nachten en verliest de goey daghen.

Nonnen, begijnen en paters die vanwege Luthers leer hun orde de rug hebben
toegekeerd, slenteren nu wat in de wereld rond. Ze willen niet langer alleen
slapen, want ze hebben hun zinnen gezet op vleselijke lusten. Ze hadden goede
dagen, nu willen ze ook goede nachten, en de een trouwt een man, de ander een
vrouw. Maar zal ik u zeggen wat hun te wachten staat? Armoede, die zij aan
elkaar doorgeven. Ze brengen niet meer bijeen dan twee luie lijven, niet gewend
om met de handen te werken terwijl ze evenmin over andere vaardigheden
beschikken. Zeg dan zelf: hoe moeten ze hun tijd doorbrengen? Dat wordt
volgens mij niet anders dan kijven en vechten. Dit zullen zij soms doen om aan
eten te komen, wanneer ze niet kunnen beschikken over gratis voedsel zoals zij
dat in het klooster gewoon waren. Daarom durf ik best te zeggen: menigeen
zoekt goede nachten, maar verliest daardoor de goede dagen.

Sonder sorghe wel teetene en te drinckene
Sijn muncken en nonnen beyde ghewendt.
Esser dan niet te bijtene oft te schinckene
En treefter clocxken niet en pijnt te clinckene,
Ghelijct wijlen eer dede in haer convent,
Och hoe moet hen varen! maer dmeest torment,
Sij en mueghen hen met vreden nerghent planten.
Sijn sij Thantwerpen, te Brugghe oft te Ghent,
Niemant goeders en is hen gheerne ontrent.
Sij mueghen somtijts tot Luterschen callanten
Een maeltijt rapen, dan sijnt trauwanten,
Die in haer cloosteren waren heeren,
Dat jonckvrouwen waren, beroeyde danten.
Sij werden versmaet aen alle canten,
Daermense voortijts hadde in eere,
Sij en vinden gheenen troost waer sij hen keeren,
Sij werden verstooten van vrienden en magen.
Ick segghe noch, experientie macht leeren:
Selc soect de goey nachten en verliest de goey daghen.

Dit volcxken en weet van gheenen sorghene;
Sij moeten eten en sij en wetent waer halen,

Zowel monniken als nonnen zijn gewend om onbekommerd goed te eten en te
drinken. Wanneer er dan niets te kauwen of uit te schenken is en wanneer het
klokje van de refter zich niet laat horen zoals het vroeger in het klooster klonk,
hoe moet het hun dan vergaan? De grootste kwelling is echter, dat zij nergens
vrede kunnen vinden. Of ze nu in Antwerpen zijn, in Gent of Brugge, geen goed
mens verkeert graag in hun omgeving. Een enkele keer kunnen ze bij lutherse
klanten een maaltijd opscharrelen, maar dat maakt landlopers van hen die eens
als heren in hun kloosters verkeerden, en verlopen slonzen van voorname vrouwen. Overal waar ze vroeger achting genoten worden ze nu met de nek aan-
gekeken. Nergens vinden ze troost, waar ze ook heen gaan. Ze worden verstoten door vrienden en familie. En daarom zeg ik, zoals de ervaring zal leren:
menigeen zoekt goede nachten, maar verliest daardoor de goede dagen. ¶ Dit
soort lieden denkt nergens aan. Ze moeten eten maar ze weten niet waar ze dat
kunnen halen,

Van hongher wanen sij te verworghene.
Tvolck is hen onwillich te borghene,
Want sij sorghen voor faulte aent betalen.
En in haer clooster hadden sij ghemalen,
Twas hen te voren ghebrouwen en ghebacken;
Als treefter clocxken luyde sonder dralen,
Ghinghen sij ter cribben, dat moet hem nu falen.
Sij vermuyldent doen, daer sij nu naer snacken,
Sij souden naer tclooster broot haer vingeren lacken,
Mocht hen gebueren; maer neent, al macht hen spijten.
Peynst, als sij dan crijghen jonghe bracken,
En deen roept eten en dander kacken,
En dat sij hen snachts het hooft vol crijten,
Dan moeten sij haer leven in drucke verslijten,
Die eerst de weelde niet en consten ghedraghen.
Dus wil ick mij noch te segghen quijten:
Selc soect de goey nachten en verliest de goey daghen.

Sij hadden int clooster den onbesorchden cost;
Selen sij nu eten, sij mochtent winnen.
Sij waren werm en sadt en wel ghedost,
Ghemantelt, gherockt, ghepelst, ghevost;

zodat ze vrezen van honger om te komen. De mensen willen hun niets lenen, want ze vrezen nooit iets terug te krijgen. En in hun klooster was de tarwe gemalen, het bier gebrouwen en het brood gebakken! Wanneer het klokje van de refter stipt op tijd klingelde, gingen zij aan tafel, maar dat is er nu niet meer bij. Zij misprezen toen datgene waar zij nu naar snakken. Ze zouden hun vingers aflikken bij een stukje brood uit het klooster, wanneer ze dat in handen zouden krijgen. Hoezeer het hun ook spijt, dat zal niet meer gebeuren. Bedenk eens wat er gebeurt als ze jonge kinderen krijgen! De een roept om eten, de ander moet kakken, terwijl ze 's nachts hun hoofd dol schreeuwen. Dan moeten ze hun leven in ellende doorbrengen, terwijl ze voorheen de weelde niet konden dragen. Daarom wil ik zeker het volgende kwijt: menigeen zoekt goede nachten, maar verliest daardoor de goede dagen. ¶ In het klooster hoefden ze niet voor hun eten te zorgen. Maar willen ze nu eten, dan moeten ze dat zelf verdienen. Ze zaten warm, voldaan en goed ingepakt, met een mantel, overkleed, bont en een vossepels.

Nu en weten sij waer me decken haer vinnen.
Al mueghen Luteranen en Luterinnen
Int eerste wat gheven, sij sijns saen moede.
Haer schoenen, haer kousen, haer cleederen dinnen,
Vrienden en maghen en willen sij niet kinnen,
Al sijndt de naeste van haren bloede.
En sij sijn de verste van haren goede;
Dat sij int clooster brachten, dat is daer bleven.
Sij en wilden niet staen onder eens anders roede;
Nu loopen sij als schapen sonder hoede
Int wilde, niet wetende, waer bij leven.
Broeders oft susters en willen niet gheven
Noch nichten noch neven, en wien sijt claghen,
Sij werden bekeven; dus wert hier ghescreven:
Selc soect de goey nachten en verliest de goey daghen.

Dan moeten sij sorghen voor de pappe,
Die tkint sal eten, voor licht en voor vier.
Aey arm munck, ghij staect veel beter in u cappe,
Want ick dinck wel, al en haelt ghijt niet ten tappe,
Men drinckt tuwent dicwijls suer muylen bier.

Nu kunnen ze geen draad vinden om hun ledematen te bedekken. Misschien
zullen Luthers volgelingen in het begin wat geven, maar daar krijgen ze algauw
genoeg van. Hun schoenen, broeken en kleren verslijten, vrienden en familie,
zelfs de naaste bloedverwanten beginnen hen te negeren. Bovendien bezitten zij
niets meer in de wereld. Wat ze meenamen in het klooster hebben ze daar
moeten achterlaten. Ze wilden zich niet langer aan het gezag van een ander
onderwerpen, maar nu lopen ze als verdoolde schapen in het rond, terwijl ze
niet weten waarvan ze moeten leven. Broeders of zusters willen hun niets geven, noch nichten of neven. En juist bij wie ze klagen krijgen ze de wind van
voren. Daarom wordt hier genoteerd: menigeen zoekt goede nachten, maar
verliest daardoor de goede dagen. ¶ Ze moeten zorgen dat er pap is voor het
kind om te eten, voor licht en voor vuur. Ach arme monnik, droeg je nog maar
je monnikskap, want nu je geen bier uit de kroeg kunt halen denk ik dat je thuis
geregeld andere drankjes te verteren krijgt.

Och het esser in huys een cranck bestier.
Peynst eens, hoe varet desen leghen beghijnen,
Als sij vanden kinderen hooren tghetier,
En deene roept daer en dander crijt hier;
Hen ghebreken cleeren, schoenen en plattijnen,
Daer en is onder oft over wullen oft lijnen,
Men siet int huys niet dan ijdel hoecken
En besnotte kinderen met halven dosijnen.
Hoe moeten de luye nonnen verdwijnen,
Als sij moeten wasschen de bescheten doecken!
Bruer Lollaert moet hem int werck vercloecken,
Als sou hij gaen trecken de croeye waghen.
Waren niet saechter te handelen de boecken?
Selck soect de goey nachten en verliest de goey daghen.

Prince, als sij hen vinden in dit percket,
Van elcken ghelaten heel desolaet,
Dan crijchtse de viant vast dieper in sijn net,
Want sij sitten tsamen teghen de wet,
Een verloopen nonne en een apostaet.
Duer darmoede donsuver liefte vergaet,
Ghebreck van ghelde doetse dicwijls quelen;

Ach, wat gaat het er daar thuis beroerd aan toe! Ga eens na hoe het met die lichtzinnige begijnen gaat, wanneer ze het geraas van hun kinderen moeten ondergaan, de een roept hier terwijl de ander elders staat te schreeuwen. Hun ontbreken kleren, schoenen en klompen. Ze hebben geen wollen of linnen boven- of onderkleding, hun huis is kaal en leeg terwijl er een half dozijn snotapen rondkruipt. Wat zullen die luie nonnen verkwijnen wanneer ze de onderge-scheten luiers moeten wassen! En bedelmonniken moeten leren de handen uit de mouwen te steken, zelfs al zou hij een kruiwagen moeten gaan trekken. Was het niet aangenamer om met boeken om te gaan? Menigeen zoekt goede nachten, maar verliest daardoor de goede dagen. ¶ Prins, wanneer zij zich in zo'n parket bevinden, door iedereen in de steek gelaten, dan krijgt de duivel steeds meer vat op hen want dan zitten verlopen nonnen of afvalligen allemaal in hetzelfde schuitje. Door armoede gaat de onreine liefde ten onder, en gebrek aan geld doet hen dikwijls treuren.

Dan crijghen sij op malcanderen den haet
En de duvel maectse so desperaet,
Dat hen gheen quaet doen en mach vervelen.
Deene loopt hoere, dander moorden en stelen,
De kinderen legghen sij voor de honden
Te vondelinghen; peynst oft sijt niet en spelen.
Ten lesten betalen sijt met der kelen
En werden op raders aen ghalghen ghebonden;
Meest deel versmooren sij in haer sonden,
Die haer cappen hanghen op de haghen.
Ick segghe noch, tes dicwils bevonden:
Selc soect de goey nachten en verliest de goey daghen.

REFEREYN

Daendincken der doot na Hieronymus vermaen
Doet alle quade wellusten vergaen.

[O DOOT, HOE BITTER IS U GHEDINCKEN!]

O ongenadige doot, bloetgierige beeste,
Ghij vernielet al dat leven heeft ontfaen:

Dan gaan ze ook elkaar haten, terwijl de duivel hen zo radeloos maakt dat ze
niet meer van ophouden weten met kwaaddoen. De ene speelt de hoer, de ander
gaat uit moorden en stelen, en de kinderen leggen ze te vondeling, ten prooi
voor de honden. Of denk je dat ze zulke dingen niet zullen doen? Ten slotte
betalen ze dat met hun leven en worden aan galg en rad overgeleverd. Zij die
hun kap aan de wilgen hangen versmoren doorgaans in zonden. Daarom durf
ik te beweren dat het dikwijls zo gegaan is: menigeen zoekt goede nachten,
maar verliest daardoor de goede dagen.

•

Het gedenken van de dood, waartoe Hieronymus ons aanspoort, doet alle zondige begeerten verdwijnen. ¶ O ongenadige dood, bloeddorstig beest, u vernielt
alles wat leven heeft gekregen:

Hoe rijc, hoe schoone, hoe subtijl van geeste,
Niemant en mach uwen schichte ontgaen.
Ghelijc ons Ecclesiastes doet verstaen,
De wijse sterven ghelijc de sotten.
T'herte verschrict, hoorende Jobs vermaen:
Gelijc vuyl etter sal mijn vleesch verrotten
Int graf, als een cleet wert geten vanden motten,
Eerde werden, so alst es van eerden gemaect.
Veel brooscher dan glas oft scherven van potten
Es de mensch, die alle uren ter doot genaect.
Wij gaen al te niete Thecuts spraect,
Gelijc wateren, die inder eerden sincken.
Ic seg peynsende, hoe suer dees not wert gecraect:
O doot, hoe bitter is u ghedincken!

Wat mocht Sardanapalo sijn wellust baten?
Wat helpt eere, rijckom oft hooverdije?
Als de doot comt, moetment hier al laten.
Wat hielp Aristoteli sijn philosophije?
Waer is Alexanders macht en heerschappije!
Dien alle de Werelt was te cleene,
Moest sterven en als een stinckende prije

hoe rijk, mooi, hoe fijn van geest ook, niemand kan uw pijlen ontwijken. Wijzen sterven evenzeer als zotten, zoals Prediker ons doet verstaan. Het hart
schrikt op bij het vernemen van Jobs waarschuwing: in het graf zal mijn vlees in
vuile etter vergaan, zoals een mantel wordt opgegeten door de motten; het zal
terugkeren in de aarde, zoals het van aarde is gemaakt. De mens is veel brozer
dan glas of potscherven, want hij kan elk moment dood neervallen. Zoals de
profeet Ahia zei: wij vervloeien allen als water dat in de grond zinkt. Daarom
zeg ik, overdenkende hoe moeilijk dat te verteren is: o dood, hoe bitter is het
om aan u te denken! ¶ Wat mocht Sardanapalus zijn wellust baten? Wat helpen eer, rijkdom of hoogmoed? Als de dood komt, moet men dat allemaal
achterlaten. Wat had Aristoteles aan zijn gefilosofeer! Waar zijn Alexanders
macht en heerschappij gebleven? Hij voor wie de hele wereld nog te klein was
moest sterven en eenzaam als een stinkend kreng

In een graf van acht voeten rusten alleene.
O doot, ghij sijt alle menschen gemeene,
Een quale, daer niemant af en geneest,
Want wij sien, hier isser lutter oft geene,
Die over hondert jaer hier hebben gheweest.
En die hier nu sijn, ay lacen wat eest!
Sullen ooc eer hondert jaer in deerde stincken.
Dus seg ic noch, soomen in schrifture leest:
O doot, hoe bitter is u ghedincken.

Wat baette Salomon al sijn glorie?
Wat holpen Mathusalem sijn lange jaren?
Waer is nu Julius Cesars victorie,
Die veel Coningen dwanc met sijnder scharen?
Waer sijn de machtige, die voor ons waren,
Die op de beesten der eerden reden?
Dlichaem doot, die siele ter hellen gevaren,
En ander sijn opgestaen in haer steden.
Waer is Absalon die schoone? overleden.
Waer is Sampson, Hercules, groot van crachte?
Haer graven werden met voeten getreden,
Sij liggen in deerde als dongeachte.
Waer is Priamus en sijn edel geslachte,

in een graf van acht voeten breed. O dood, u bent voor alle mensen gelijk, een kwaal waarvan niemand geneest, want zoals wij kunnen zien is er nu vrijwel niemand die al langer dan honderd jaar leeft. En degenen die hier nu zijn (wat stelt het voor?) zullen ook binnen honderd jaar in de aarde liggen stinken. Daarom beweer ik wat men ook in de Schrift kan lezen: o dood, hoe bitter is het om aan u te denken! ¶ Wat had Salomo aan al zijn roem? Wat hielpen Methusalem al die lange jaren? Waar is nu Caesars zegepraal, die vele koningen met zijn troepen op de knieën kreeg? Waar zijn nu al die machtigen van voorheen, die op paarden over de aarde reden? Hun lichaam is afgestorven, hun ziel afgevoerd naar de hel, terwijl anderen in hun plaats zijn opgestaan. Waar is de mooie Absalom? Overleden. Waar zijn Samson en Hercules met hun enorme kracht? Hun graven zijn onder de voet gelopen, zij liggen eerloos onder de aarde. Waar is Priamus met zijn edele verwanten,

Wiens glorie men in Troyen sach blincken?
Waer is tGriecsche heyr, dat Troyen tonderbrachte?
O doot, hoe bitter is u ghedincken!

Ons daghen vergaen gelijc eenen roock
En ons leven en is niet dan eenen wint.
Wij gaen oppe als een bloeme en verdwijnen so oock,
Wanneer dat de doot comt, diet al verslint.
So geringe als ter werelt comt een kint,
Vindet hem met Adams misdaet belast,
Sterflijc, want Godt elcken te sterven verbint,
Om dat Adam de vrucht heeft ane getast.
De mensche comt ter werelt, als een vremt gast,
Hij begint te sterven, als hij wert geboren;
Gelijc dwebbe eens wevers, als dlichaem wast,
Werden sijn dagen vast af geschoren.
Den boom des levens hebben wij verloren.
Diveersche gebreken doen dlichaem crincken.
Dus moeten wij sterven, ons ouders sijn voren.
O doot, hoe bitter is u ghedincken!

Ons leven is cort, met lijden vervult;
Door diveersche siecten schiet de doot haer stralen

wier glorie men in Troje zag blinken? Waar is het Griekse leger, dat Troje
onderwierp? O dood, hoe bitter is het om aan u te denken! ¶ Onze dagen vergaan als rook en ons leven is niets meer dan een windvlaag. Wij schieten op als
een bloem en verwelken ook zo wanneer de dood komt, die alles verslindt.
Meteen vanaf het moment dat een kind ter wereld komt, weet het zich belast
met Adams zonde: het is sterfelijk, want God dwingt iedereen te sterven omdat
Adam de vrucht heeft beroerd. De mens komt als een gast uit den vreemde op
de wereld en begint meteen bij zijn geboorte te sterven. Als het gespan van een
wever worden zijn dagen voortdurend geschoren, terwijl zijn lichaam groeit.
Wij hebben de boom des levens verloren. Verschillende gebreken verzwakken
het lichaam. Daarom moeten wij sterven, onze ouders zijn voorgegaan. O
dood, hoe bitter is het om aan u te denken! ¶ Ons leven is kort, vervuld van
lijden. De dood schiet haar pijlen in de vorm van allerlei ziekten,

En sterven is ons natuerlijcke schult,
Die elc metten lijve sal moeten betalen.
De doot sal comen, ten mach niet falen,
Onseker, wanneer, hoe oft in wat manieren.
Wij loopen ter doot, daechlijcx corten ons palen,
Ghelijck totterzee loopen alle rivieren.
Het lichaem, dat wij nu schoone vercieren
En seer behaechlijk is int aensien,
Dat salmen gestorven ter eerden bestieren.
Diet beminden sullender dan af vlien,
En wat der armer sielen sal gheschien,
Is onseker; noyt suerder sop om drincken.
Elc mach wel seggen, want het blijkt uut dien:
O doot, hoe bitter is u ghedincken!

Gheen mensche soo sieck, so arm, so snoode,
Hij en vreest de doot en dat natuerlijck,
Want van beminden dinghen scheytmen noode,
Siele en lijf minnen malcanderen bruerlijck;
En hierom scheyden sij oock seer suerlijck.
Want Christus hem selve vander doot verveerde,
Sweetende water en bloet uut anxste verveerlijc

sterven is de schuld die iedereen met zijn lijf aan de natuur zal moeten terugbetalen. De dood zal zonder mankeren komen, onzeker is alleen wanneer, hoe
of op wat voor manier. Wij lopen naar de dood, dagelijks neemt het terrein af,
net zoals alle rivieren naar zee lopen. Het lichaam, dat we nu mooi optuigen
zodat het er zeer aangenaam uitziet, zal men na de dood ter aarde bestellen. Die
het beminden zullen het dan ontvluchten, en wat er met de arme ziel zal gebeuren is onzeker: nooit was er een zuurder sap om te drinken. Iedereen kan wel
zeggen, want het blijkt uit wat telkens gebeurt: O dood, hoe bitter is het om aan
u te denken! ¶ Geen mens is er, hoe ziek, hoe arm, hoe onaanzienlijk, of hij
vreest de dood en dat is heel natuurlijk, want het is moeilijk om van geliefde
dingen te scheiden. Ziel en lichaam beminnen elkaar broederlijk, en daarom is
het uiterst zuur om te moeten scheiden. Christus was ook bang voor de dood,
want hij zweette water en bloed

Van vreesen der doot, die hij nochtans begeerde.
Gen Capitein, hoe vroom, so rasch te sweerde,
Peysende om de doot, hem schroemter teghen.
Weer wij te voete gaen oft rijden te peerde,
De doot vervolcht ons op alle weghen.
Sij is onverwinnelijck, victorieus, vol seghen,
Met geender wapenen en machmense crincken.
Dit doet mij segghen naer mijn oudt pleghen:
O doot, hoe bitter is u ghedincken!

De doot is den ouders inde deure
En de Jongers belacht sij over bergen en dal.
Niemant so jonc, so schoone in sijnen fleure,
Die weet oft hij morghen leven sal.
Wij moeten al vallen der naturen val;
Snelder dan een looper vergaen ons daghen.
Dat wij niet en weten, is tvreesselijcste van al,
In wat manieren ons de doot sal craghen;
Want de doot die leyt ons dusent lagen
Door oude, door siecte en door accidenten.
Deen verdrinct, dander valt, de derde wert verslaghen,
Deen sterft onversien, dander met veel tormenten.

uit hevige angst voor de dood terwijl hij die toch begeerde. Geen legeraan-
voerder, hoe dapper en snel ook met het zwaard, bij het overdenken van de
dood ziet hij ertegen op. Of wij nu te voet gaan of een paard berijden, de dood
volgt ons op alle wegen. Zij is onoverwinnelijk, triomfantelijk, vol zegepralen;
met geen enkel wapen kan men haar schade toebrengen. Dit doet mij ouderge-
woonte zeggen: O dood, hoe bitter is het om aan u te denken! ¶ De dood staat
bij ouderen al voor de deur, terwijl ze jongeren toelacht over berg en dal. Hoe
jong je ook bent, hoe stralend in de bloei van je leven; niemand weet of hij
morgen nog leven zal. Wij moeten allen de weg der natuur gaan. Onze dagen
vergaan sneller dan het zand in een zandloper. Maar het ergste van alles is dat
we niet weten op welke manier de dood ons zal kelen. Want de dood legt ons
duizend strikken, in de vorm van ouderdom, ziekte en ongevallen. De een verdrinkt, de ander valt om, een derde wordt neergeslagen; de een sterft onverwachts, de ander onder veel lijden.

Dus haelt de doot alle jare hare renten
Vander werelt, niet achtende, wiens vruecht mag mincken.
Wanneer wij dit in ons herte prenten,
O doot, hoe bitter is u ghedincken!

Prince

Wij weten wel dat wij moeten sterven.
Waer af so willen wij ons dan vermeten?
Stanc, vuylnis en wormen sullen wij erven,
En de wormen sullen ons vleesch op eten.
Altgene dat wij hier hebben beseten,
Blijft hier; wij moeten der naect uut scheyen
En ons eerste herberghe wij niet en weten.
Wij en moghen geen vrienden met ons leyen,
Wij moeten ons selven te reysen bereyen.
Wij en mogen geen boden voor ons senden.
De doot en sal oock niet lange beyen;
Gelijc eenen scheme sal ons leven enden.
Wij sijn ter werelt comen met allenden;
Wij moeten den wech gaen, so Jobs snaren clincken,
Daer wij niet weder dore en moghen wenden.
O doot, hoe bitter is u ghedincken!

Zo incasseert de dood ieder jaar haar inkomsten van de wereld, zonder er rekening mee te houden wiens vreugde daardoor vergald wordt. En prenten wij dit in ons hart: O dood, hoe bitter is het om aan u te denken! ¶ Prins ¶ Wij weten heel goed dat we moeten sterven. Waarop willen wij ons dan laten voorstaan? Stank, vuilnis en wormen zullen ons deel worden, terwijl de wormen ons vlees opeten. Alles wat wij hier hebben bezeten, moet hier blijven. Wij moeten naakt vertrekken, en de eerste verblijfplaats is ons onbekend. Wij kunnen geen vrienden met ons meenemen, wij moeten ons zelf op de reis voorbereiden. Evenmin kunnen wij in onze plaats boden sturen. De dood zal ook niet lang treuzelen. Als een schaduw zal ons leven eindigen. Wij zijn in ellende op aarde gekomen. Wij moeten, zoals uit Jobs lied opklinkt, de weg opgaan waarvan geen terugkeer mogelijk is. O dood, hoe bitter is het om aan u te denken!

REFEREYN

[EEST WONDER, AL WERT DE WERELT GEPLAECHT?]

Wat sals gewerden, ick en bens niet vroet, maer
Doverdencken maect mij dicwils den moet swaer.
Als mijn sinnen doorloopen dorpen en steden,
Waer datmen coemt, men vint tegenspoet daer.
Wij wachten, datter eens sou comen een goet jaer,
En altijt ist arger dat djaer voorleden;
Jae wast ghisteren quaet, noch arger ist heden.
De neringhe vergaet en tvolc verarmt,
Sacramenten werden met voeten getreden,
De waerheyt bevochten, tgeloove bestreden;
Daer en is schier niemant diet beschermt.
Wie isser ooc, die de allendige ontfermt,
Daer de heel werelt af is vervult?
De poorters clagen, den lantman kermt,
Elck wijtet den anderen; wie kent zijn schult?
God wert vergeten, die viant gehult,
Die duechdelijc wilt leven wert belaecht.
Eest wonder, al wert de werelt geplaecht?

Wat zal er van mij worden, ik weet het niet. Maar het denken daaraan maakt
mij dikwijls zwaarmoedig. Wanneer ik in gedachten de dorpen en steden aan-
doe die in de belangstelling liggen, dan zie ik overal tegenspoed. Steeds wachten
we op een beter jaar, maar altijd blijkt het weer erger te zijn dan het jaar daarvoor. Was het gisteren slecht, dan is het vandaag nog slechter. De handel verloopt en het volk verarmt, sacramenten worden met voeten getreden, de waarheid wordt bevochten, het geloof bestreden. Vrijwel niemand is er die het daarvoor opneemt. Wie zou er ook moeten zijn om zich te ontfermen over de ellen-
digen, met wie de hele wereld is gevuld? De burgers klagen, de boer jammert,
iedereen geeft een ander de schuld. Maar wie erkent zijn eigen schuld? God
wordt vergeten, de duivel wordt ingehuldigd, en wie deugdzaam wil leven
wordt aangevallen. Is het dan een wonder, dat de wereld zo getroffen wordt?

Liefde is vercout, tChristen leven vergaet jaet.
Elc ondersaet draecht meest op sijnen prelaet haet,
De minste en wilt den meesten niet wijcken.
De Princen werden verleit door loose raet quaet.
Omdat een iegelijc naer eygen baet staet,
Sietmen gemeynen oorboor heel beswijcken.
Trecht wert gecorrumpeert door loose practijcken,
Om den penninck doet elck diligentie;
Thof is alomme open voor den rijcken,
Maer die niet en heeft en mach daer niet kijcken.
Al heeft hij recht, wie geeft hem audientie?
Tvolc bedriecht malcanderen, men maect geen mentie,
Hoemen aen tgoet coemt, canment slechts gecrijgen.
Cleyn diefkens crijgen een scherpe sententie,
Voor de groote sietmen stuypen en nijgen.
Die wel gesien wilt zijn, moet hooren en swijgen,
Die de waerheyt wou seggen, wert gecraecht.
Eest wonder, al wert de werelt geplaecht?

Die Sodomijten, wiens sonden groot stoncken,
Met solffer en pec ter hellen als loot soncken.

De liefde is verkild, en het christelijk leven verloopt helemaal. In de regel haat
elke ondergeschikte degene die boven hem is gesteld, de nederigste wil niet
wijken voor de meest verhevene. Vorsten worden misleid met loze, kwaadaardige raadgevingen. Omdat eenieder op eigen winst uit is, verliest men het algemeen belang geheel uit het oog. Het recht wordt bezoedeld door bedrieglijke
praktijken, iedereen spant zich tot het uiterste in om geld. Het hof staat wijd
open voor de rijken, maar wie niets heeft hoeft daar niet binnen te komen. Al
staat hij geheel in zijn recht, wie zal er naar hem luisteren? De mensen bedriegen elkaar, men zwijgt over de herkomst van het verworven bezit zolang
men het maar in handen kan krijgen. Kleine diefjes worden zwaar veroordeeld,
voor de grote boeven ziet men de mensen bukken en buigen. Wie aanzien wil
krijgen moet goed luisteren en zwijgen, want wie de waarheid wil zeggen wordt
gekeeld. Is het dan een wonder, dat de wereld zo getroffen wordt? ¶ De Sodo-
mieten met hun stinkende zonden zonken als lood in de hel, overdekt met
zwavel en pek.

Gods rechtveerdicheyt moet alle boosheyt wreken.
En tvolc is heensdaechs wel soe brootdroncken:
De vroukens metten lichaem bloot proncken,
Die de mans tot quader begeerten ontsteken;
De mans hen selven ooc fraey opqueken
Om de vrouwen te trecken tot haerder minnen.
Noyt en heeft meer overspeels dan nu gebleken;
Wij sijn altesamen afgheweken,
Elc laet hem van zijn quaey begeerten verwinnen
Als Heydenen, Turcken, die Godt niet en kinnen.
De maechden gaen ooc oneerlijck verciert
Boven haren staet als eertsche Goddinnen,
Sijnde stout, lichtveerdich ghemaniert;
Ten is niet vremt al werter veel gheschoffiert,
Men kent schier nauwe een hoer voor een maecht.
Eest wonder, al wert de werelt geplaecht?

Dat tvolc nu alomme dus ongevreest leeft,
Compt door valsche opinie, diese verbeest heeft.
Luter heeft geroct, ander hebbent volsponnen,
Dwelck nu vaste voort de boose geest weeft,
Soe dat schier allomme minst en meest sneeft,

Gods rechtvaardigheid moet alle boosaardigheid wreken. Maar de mensen zijn vandaag de dag door het dolle heen: vrouwtjes pronken met hun naakte lijf, waardoor de mannen in zinnelijke begeerte ontsteken. De mannen tooien zichzelf ook fraai op om de vrouwen het hoofd op hol te brengen. Nooit is er meer overspel gepleegd dan nu. Allen zijn wij aan het dwalen geraakt, eenieder laat zich regeren door zijn zinnelijke begeerten, evenals heidenen en Turken, die God niet kennen. De maagden hebben zich ook schaamteloos uitgedost, ver boven hun staat, stoutmoedig en lichtzinnig als aardse godinnen. Dan is het toch niet vreemd wanneer er velen worden aangerand? Een maagd is nauwelijks van een hoer te onderscheiden. Is het dan een wonder, dat de wereld zo getroffen wordt? ¶ De mensen leven nu overal onbekommerd. Dat komt door de valse leer, die hen verdierlijkt heeft. Luther heeft het spinrokken opgezet, anderen hebben het werk afgemaakt en blijven voor de duivel in touw. Daardoor gaan vrijwel overal hoog en laag

Prelaten, ondersaten, Monicken ende Nonnen.
Tchristen leven, dat vierichlijc was begonnen,
Is in alle staten seere verslapt.
Tgheloove, metter Martelaers bloet beronnen,
En is schier nergens puer onder der sonnen;
Van vremden opinien men alomme clapt.
Ghelijc zijn vat in heeft, een yegelijc uut tapt;
Soe veel hoofden, schier soe veel gelooven.
Tghemeyn volc is in Ketterijen soe doortrapt,
De Predicanten roepen al voor den dooven.
Abdijen, Cloosters sietmen berooven,
De geestelijcke menschen werden daer uut gejaecht.
Eest wonder, al wert de werelt gheplaecht?

Metter schriftueren sietmen den wijn drincken.
Die sancten, die claer sien Gods aenschijn blincken,
Hoortmen daer bespotten en blasphemeren.
Sij, die van sonden vuylder dan tswijn stincken,
Haer woordekens duncken hen al te fijn clincken,
Als sij Papen en Monicken wel schobberen.
Tis al van liefden, datmen hoort disputeren,
En tvolc oordeelt malkanderen noyt so lichtelijc.

kerkvorsten, onderdanen, monniken en nonnen te gronde. Het christelijk leven, zo vurig begonnen, is onder alle standen zeer verslapt. Het geloof, gewonnen uit het bloed van de martelaren, is nergens meer zuiver aan te treffen. Men
klapt algauw voor een nieuwe leer. En iedereen reageert naar zijn vermogen.
Zoveel hoofden, bijna evenveel geloven. Het gewone volk is zo aan de ketterij-
en verslingerd, dat geestelijken voor dovemans oren staan te preken. Abdijen
en kloosters worden beroofd, de geestelijken worden verjaagd. Is het dan een
wonder, dat de wereld zo getroffen wordt? ¶ Met de Schrift in de hand wordt
er nu wijn gedronken. De heiligen, die Gods gezicht het helderst zien stralen,
worden in hun midden bespot en belasterd. De woorden van hen die nog smeriger zonden begaan dan stinkende zwijnen, waardeert men nog het meest, wanneer zij pastoors en monniken de huid volschelden. Overal hoort men alleen
over liefde disputeren, maar nooit eerder veroordeelden de mensen elkaar zo
lichtvaardig.

Elck wilt sijns naesten boeck corrigeren,
En niemant en wil tzijne examineren;
En daerom leven wij aldus onstichtelijck.
Gods naem wert versworen even gedichtelijck,
Bordeel liekens hoortmen achter straten singen,
En de ouders leven so onversichtelijck,
Dat sij haer kinderen dit van joncx ghehinghen.
Jonge wichters rabauwerije voortbringen,
Dat jammer is datse de eerde draecht.
Eest wonder, al wert de werelt gheplaecht?

De duecht is verre van ons gevloden trouwen,
Maer sulcken boosheyt, die Turken, Joden scouwen,
Is nu gemeene inde Christen landen.
Men vinter weynich, die Gods geboden houwen,
Want die dongeloove uutroeden souwen,
Sijn openbaerlijc sgeloofs vianden.
Nichanor heft tegen Gods tempel zijn handen,
Van Kercken, Cloosters maectmen borgen en salen,
Der heyligen gebeenten sietmen verbranden,
Gods dienaers werden vermoort met schanden.
Twert noch gewroken, oft schriftuere moet falen.

Iedereen heeft aanmerkingen op zijn evennaaste, maar niemand wil zijn eigen
gedrag onderzoeken. En daarom leven wij zo onstichtelijk. Ook in gedichten
wordt Gods naam misbruikt, men zingt hoerenliedjes langs de straten, en ouders leven er dermate op los dat zij hun kinderen van jongs af aan hun gang
laten gaan. Jonge kinderen gaan over tot landloperij, het is jammer dat de aarde
hen moet dragen. Is het dan een wonder, dat de wereld zo getroffen wordt? ¶
De deugd is trouwens verre van ons heen gevlucht. De boosaardigheid die Turken en joden schuwen is zelfs heel gewoon geworden in het christenrijk. Nog
maar weinigen houden zich aan Gods geboden. En zij die het ongeloof zouden
uitroeien zijn nu onomwonden vijanden van het geloof geworden. Nicanor
staat op tegen Gods tempel, van kerken en kloosters maakt men burchten en
paleizen, het gebeente van heiligen ziet men in as vergaan, Gods dienaars worden schandelijk vermoord. Dit zal nog gewroken worden, tenzij de Schrift helemaal faalt.

Datmen van kelcken, Ciborien maect schalen,
Oft gelt laet munten, tmoet God mislieven.
Al borcht hij watte, hij salt noch betalen,
Den kerckdieven; men hangt simpel dieven,
Die om een cleyn goet haren naesten ontrieven
Somtijts uut gebreke; Gods zijts geclaecht.
Eest wonder, al wert de werelt geplaecht?

Onder de Christenvrijheyt wilt de sulc schuylen,
Int rijc domineren, maer op Christus kelc muylen.
Int schijn van geloove wert alle deucht ontleert.
Steden werden geregeert van jonghe melc muylen;
Haren sinlijcken tuyl laten sij elck tuylen,
Sij treckens hen niet ane, al wert God onteert.
Al verachtmen Tsacrament, wie isser diet keert?
Spracmen op de heeren, dat soumen saen straven.
Van Godloosen menschen wordet lant beheert;
Waer wert nu vanden Princen Gods dienst vermeert?
Sij nement eer af, dat haer ouders gaven.
Och devotie is doot en lange begraven!
Karolus viericheyt waer quaet om vinden.
Waer sijnse nu, die als hij met haerder haven

Het moet God een doorn in het oog zijn, dat men van miskelken en ciboriën eetschalen of muntgeld maakt. Al laat hij nu wat toe, later zal hij het de kerk-dieven allemaal betaald zetten. Men hangt eenvoudige dieven op, die om een kleinigheid hun naasten lastig vallen, soms uit nood, het is godgeklaagd. Is het dan een wonder, dat de wereld zo getroffen wordt? ¶ Zulke mensen beroepen zich op de vrijheid onder Christus en daar spelen ze de baas, maar tegelijk trekken ze een vies gezicht bij de miskelk. Schijnbaar gelovig wenden ze zich af van alle deugd. Steden worden bestuurd door jonge snotapen. Zij leggen ieder-een hun zinnelijke lust op, en dat God onteerd wordt maakt hun niets uit. Al veracht men het sacrament, wie doet er wat aan? Behandelde men de hoge heren zo, dan zou er snel gestraft worden. Het land wordt beheerd door godde-loze personen. Waar wordt de ware godsdienst nog door vorsten bevorderd? Zij kalven eerder af wat hun ouders doorgaven. De vroomheid is dood en allang begraven! Karel de Grotes vuur is moeilijk meer te vinden. Waar zijn de mensen, die het zoals Karel de Grote ondernamen om met

Hen Godshuyzen te stichten onderwinden?
Men vinter wel, die tgeestelijc goet verslinden
En foortselijc nemen tegen recht onversaecht.
Eest wonder, al wert de werelt geplaecht?

Men siet den Cloosters haer goet, haer renten stelen.
Men maect tegen de Sacramenten spelen,
Diemen speelt openbaer; en dit laetmen lijen.
Sij weten niet, wat boosheyt sij doen prenten selen,
Tschijnt, tis al schriftuere, dat dees serpenten quelen;
En daer me decken sij haer rabauwerijen.
Veel boecken suspect van heresijen
Sietmen openbaerlijc vercoopen, dits clare.
Sij zijn meest infect, die dlant souwen vrijen
Van ketters; wij sullen noch Turcx bedijen,
Gaen wij dus voort, het stelter hem vast naer.
Op Apostel dagen sietmen openbaer
Metsen en timmeren; zijnt niet abuysen?
Godt mocht wel voegen, ic sorghe voorwaer,
Dat tgras noch sou wasschen voor de huysen.
Elc timmert schoon woonsteen, en kercken en cluysen

hun bezit godshuizen te stichten? Wel vind je er genoeg, die het kerkelijk goed
opslokken en het zich met geweld onverschrokken wederrechtelijk toeëigenen.
Is het dan een wonder, dat de wereld zo getroffen wordt? ¶ Men kan zien dat
bezit en inkomsten van kloosters gestolen worden. De sacramenten worden
aangevallen in toneelspelen, die men in het openbaar opvoert. En dat laat men
gewoon toe. Ze weten niet eens meer welke boosaardigheid ze nu weer zullen
laten drukken, wat die slangen nu weer aan tekst mishandelen geven ze uit voor
de Schrift. En daarmee dekken ze hun oplichterijen af. Vele verdacht ketterse
boeken worden in het openbaar verkocht, iedereen kan het zien. Nog het meest
besmet zijn zij, die het land van ketters zouden zuiveren. Gaan wij op die weg
voort, dan zullen we nog Turks gaan praten, daar ziet het helemaal naar uit. Op
heilige dagen ziet men openlijk metselen en timmeren, zijn dat geen dwalingen?
Ik vrees zelfs, dat God moet zorgen dat er gras groeit tot aan hun huizen.
Iedereen maakt de mooiste huizen, maar kerken en bidplaatsen

Blijven onvolmaect, als daermen niet na en vraecht.
Eest wonder, al wert de werelt geplaecht?

Men laet ooc valsche predicanten preken,
Die tegen Gods moeder en de sancten spreken
En onder goey terwe quaet oncruyt saeyen
En alle vruchtbaer duechdelijcke planten breken.
Hiertoe weten sulcke callanten treken,
Wantse met pluymstrijcken de menschen paeyen.
Tis al bermherticheyt, dat sij craeyen;
Gods rechtveerdicheyt wert van hen verswegen.
Dees sermoonen doen de menschen verfraeyen,
Die lichtelijk met alle winden waeyen
En tot alder vleeschlijcheyt zijn genegen.
Hier door de menschen alle boosheyt plegen,
Hier door de landen vol dwalingen crielen,
Hier door zijn vol dieven en roovers de wegen,
Hier door wiltmen steden verraden, vernielen,
Hier door dootmen veel lichamen, nog meer sielen.
Noyt en sach iemant sgelijcx, hoe out gedaecht.
Eest wonder, al wert de werelt geplaecht?

blijven onvoltooid wanneer men niet blijft aandringen. Is het dan een wonder, dat de wereld zo getroffen wordt? ¶ Men laat ook toe dat valse predikanten preken, die het woord voeren tegen Gods moeder en de heiligen, en die tussen de goede tarwe schadelijk onkruid zaaien dat alle vruchtbare en deugdelijke planten doodt. Om dat aan te richten hebben zulke klanten allerlei streken in huis, doordat ze de mensen inpalmen met vleierijen. Alles draait om barmhartigheid, kraaien ze in het rond, terwijl ze Gods rechtvaardigheid verzwijgen. Zulke preken vallen heel goed bij mensen, die gemakkelijk met alle winden meewaaien en een hang hebben naar vleselijke begeerten. Hierdoor begaan mensen allerlei boosaardigheid, hierdoor krioelt het overal van dwalingen, hierdoor worden de wegen overstroomd met dieven en moordenaars, hierdoor probeert men steden te verraden en te vernietigen, hierdoor doodt men vele lichamen en nog meer zielen. Nooit eerder is er zoiets vertoond, hoe oud men ook is. Is het dan een wonder, dat de wereld zo getroffen wordt?

Prinche

Jesabels boosheyt triumpheert nu,
Den onnooselen Naboth wert getribuleert nu,
Van zijnder erven berooft, en men wiltem steenen.
Aman Mardocheum ooc persequeert nu,
Achitophels raet niet en cesseert nu;
Dus werden de schapen gevilt totten beenen.
Men siet om gelt ooc brieven verleenen,
Waer door bedriegers tegen justitie
Den lien thare onthouden, dus meer dan eenen
Arm en bijster maken; elk mach wel weenen,
Die nu aenmerct der werelt malitie.
Wie doet nu zijn ambacht en zijn offitie
Rechtveerdelijc, soe hij te doene is schuldich?
Lutter iemant; waer doetmen inquisitie
Om de ketters te straffen, die zijn menichfuldich?
Hier door wert de boosheyt overtuldich
En van duechden werden uutgevaecht.
Eest wonder, al wert de werelt geplaecht?

Prins ¶ Jezabels boosaardigheid triomfeert nu, de onnozele Naboth wordt nu
gekweld en beroofd van zijn bezittingen, men wil hem zelfs stenigen. Ook ver-
volgt Aman nu Mardocheus, Achitophels raad wil nu niet wijken. En daarom
worden de schapen gevild tot op het bot. Men ziet ook dat voor geld kwijt-
scheldingen worden verleend, waardoor oplichters voor het gerecht hun
slachtoffers vergelding onthouden en iedereen berooid maken. Het is om in
tranen uit te barsten, wanneer men nu de slechtheid van de wereld in ogenschouw neemt. Wie vervult er nog eerlijk zijn ambt en dienstbetrekking, zoals
beloofd is? Vrijwel niemand. Waar worden de talloze ketters nog vervolgd om
ze hun gerechte straf te doen ondergaan? Hierdoor stroomt het land over van
boosaardigheid, terwijl alle deugden wegsmelten. Is het dan een wonder, dat de
wereld zo getroffen wordt?

REFEREYN

Het es goet vrouwe sijn, maer veel beter heere.
Ghij maegden, ghij weduen, onthoudt dees leere;
Niemandt hem te zeere om houwen en spoede.
Men seydt: daer geen man en es, daer en es geen eere;
Maer die gecrijgen can cost en cleere,
Niet haest haer en keere onder eens mans roede.
Dit es mijnen raedt: weest op u hoede,
Want zoo ic bevroede, ic ziet gemeene,
Als een vrouwe houdt, al esse eel van bloede,
Machtich van goede, zij crijgt aen haer beene
Eenen grooten worpriem; maer blijft zij alleene,
En zij haer reene en zuver gehouden can,
Zij es heere en vrouwe, beeter leven noeyt gheene.
Ic en acht niet cleene thouwelijck, nochtan
Ongebonden best, weeldich wijf sonder man.

Proper meyskens werden wel leelijcke vrouwen,
Arm danten, arm slooren; hoordt jonck metten ouwen!

Het is goed om een vrouw te zijn, maar veel beter een heer. Jullie maagden,
jullie weduwen, wees ervan doordrongen: haast je niet al te zeer om een huwelijk te sluiten. Men zegt wel: zonder man leid je een eerloos bestaan. Maar
wanneer je zelf voor voedsel en kleren kunt zorgen, begeef je dan niet overhaast
onder de roede van een man. Dat raad ik jullie aan. Wees op je hoede, want
naar ik weet – ik zie het overal om me heen – krijgt een vrouw teugels om haar
nek zo gauw ze trouwt, hoe voornaam van afkomst ze ook is of rijk aan bezittingen. Weet zij alleen te blijven en slaagt ze erin zich rein en kuis te gedragen,
dan is ze tegelijk heer en vrouw; een beter leven bestaat er niet. Ik heb geen lage
dunk van het huwelijk, niettemin: een vrouw kan het beste gelukkig leven zonder aan een man gebonden te zijn. ¶ Frisse meisjes worden vaak verwelkte
vrouwen, arme sloven, arme slonzen: pas daarvoor op, jong en oud!

Dit sou mij doen schouwen thouwelijck voorwaer.
Maer, wachermen, als zij den man eerst trouwen,
Zij meynen de liefde en mach niet vercouwen;
Dan eest hem berouwen eer een half jaer:
Och het pack des houwelijcx es alte zwaer!
Zij wetent claer, diet hebben ghedraghen.
Een vrouwe maeckt door vreese menich mesbaer,
Als de man hier en daer gaet druck verjagen,
Drincken en speelen bij nachte, bij dagen;
Dan hoortmen beclagen dat ment oeyt began,
Dan en muegen u helpen vrienden oft magen.
Dus hoordt mijn gewagen en wachter u van:
Ongebonden best, weeldich wijf zonder man.

Ooc compt de man somtijts droncken en prat,
Als dwijf haer gewracht heeft moede en mat;
Want men moet al wat doen, salmen thuys bestieren.
Wilt zij dan eens rueren haer snatergat,
Zoo werdt sij geslagen met vuysten plat;
Dat droncken vol vat moetse obedieren.
Dan doet hij niet dan kijven en tieren,
Dat sijn de manieren; wee haer diet smaeckt!

Dat zou mij het huwelijk al doen mijden. Maar helaas, als zij hun man net
getrouwd hebben, denken ze dat de liefde nooit zal bekoelen. Dat breekt hun al
binnen een half jaar op: ach, het juk van het huwelijk drukt veel te zwaar!
Iedereen die dat heeft ondergaan, weet dat precies. Uit angst maakt een vrouw
groot misbaar, wanneer haar man hier en daar ontspanning zoekt, dag en
nacht gaat drinken en dobbelen. Dan hoort men klachten, waar is men toch
aan begonnen, maar vrienden en familie kunnen je niet helpen. Dus luister naar
wat ik zeg en blijf goed op afstand: een vrouw kan het beste gelukkig leven
zonder aan een man gebonden te zijn. ¶ Ook komt de man soms dronken en
opdringerig thuis, wanneer de vrouw doodmoe is van het sloven. Want zij moet
heel wat doen voor het huishouden. Wil zij dan eens haar snater roeren, dan
wordt ze meteen in haar gezicht geslagen. Want wanneer zij die volgezopen ton
niet wil gehoorzamen, dan zet hij het op een eindeloos kijven en tieren. Zo
verlopen die zaken, wee haar die eronder gebukt moet gaan!

Loopt hij dan elders bij Venus camerieren,
Peyst, wat blijder chieren men thuys dan maeckt.
Ghij maegden, ghij vrouwen, aen ander u spaeckt,
Eer ghij ooc gheraeckt in zelcken gespan.
Al waert dat ghij mij al contrarie spraeckt,
Mij en roeckt wiet laeckt, ic blyver weer an:
Ongebonden best, weeldich wijf zonder man.

Eene vrouwe ongehoudt moet derven smans gewin;
Zo en derf zij ooc niet wachten zijnen sin.
En, na mijn bekin, de vrijheydt es veel weerdt.
Zij en werdt niet begresen, gaet sij uut oft in;
En al moeste zij leven op haer gespin,
Voorwaer veel te min zij alleen verteerdt.
Een ongebonden vrouwe werdt alom begeerdt.
Al eest datse ontbeerdt eens mans profijt,
Zij es meester en vrouwe aen haren heerdt.
Te gane onverveerdt, dats een groot jolijt.
Zij mach slapen en waken na haren appetijt,
Zonder yemandts verwijt; blijft ongebonden dan,
De vrijheyt te verliezen, geen meerder spijt.

Zoekt hij zijn vertier elders bij hoeren, bedenk dan hoe heerlijk het is om nu
thuis het rijk alleen te hebben. Jullie maagden en vrouwen, les jullie dorst op
een andere manier voor je ook zo laat inspannen. En al spreken jullie mij
compleet tegen, het kan mij niet schelen wie er bezwaar maakt, want ik blijf
volhouden: een vrouw kan het beste gelukkig leven zonder aan een man gebonden te zijn. ¶ Een ongetrouwde vrouw moet het inkomen van een man missen.
Maar dan hoeft ze ook niet klaar te staan voor alles wat hij wil. En neem van
mij aan, dat die vrijheid veel waard is. Ze wordt niet gekapitteld om alles wat
zij doet. En ook al zou ze moeten leven van het spinnen, in haar eentje heeft ze
ook veel minder nodig. Overal is men jaloers op een zelfstandige vrouw. Al
moet ze het stellen zonder de voordelen van een man, ze is tegelijk meester en
vrouw bij haar eigen haard. Het geeft enorm veel plezier om onbekommerd
rond te kunnen gaan. Geheel naar haar eigen zin kan ze slapen of opstaan,
zonder dat iemand daar wat van zegt. Blijf dus je eigen baas, niets zal je meer
spijten dan je vrijheid te verliezen.

Vroukens, wie ghij sijt, al creegdij eenen goeden Jan,
Ongebonden best, weeldich wijf zonder man.

Princesse

Al es een vrouwe noch zo rijck van haven,
Veel mans die achtense als haer slaven.
Ziet toe, alse u laven met schoonen proloogen,
En gelooft niet soo saen, maer laetse draven;
Want mij dunckt, de goey mans sijn witte raven.
Acht niet wat gaven zij u bringen voor oogen;
Alse een vrouwe hebben int nette getoogen,
Es liefde vervloogen, dit sien wij wel.
Int houwen werdt menige vrouwe bedroogen,
Die moeten gedoogen groot zwaer gequel;
Haer goedt werdt verquist, de man valt haer fel.
Ten es vrij geen spel, maer noeyt zwaerder ban.
Tes somtijts om tgeldeken en niet om tvel
Dat de zelcke zoo snel liep dat hij stan.
Ongebonden best, weeldich wijf zonder man.

Zusters, wie jullie ook zijn, al zou je een goede knul kunnen krijgen: een vrouw
kan het beste gelukkig leven zonder aan een man gebonden te zijn. ¶ Prinses ¶ Al heeft een vrouw nog zo'n aanzienlijk bezit, vele mannen blijven haar
zien als hun slaaf. Pas op wanneer ze u behagen met prachtige woorden, en trap
er niet te gauw in maar laat ze ophoepelen. Want volgens mij zijn er evenveel
goede mannen als witte raven. Negeer de geschenken die zij u voorhouden. Zo
gauw ze een vrouw in hun net gevangen hebben is hun liefde verdwenen, zo
gaat het vaak. Door een huwelijk is menige vrouw bedrogen uitgekomen,
waardoor ze nu grote ellende moeten ondergaan. Haar bezittingen worden
verkwist, haar man zit haar voortdurend op haar huid. Dat zijn geen spelletjes
meer, dat is de zwaarste vervloeking. Soms gaat het eerder om het geld dan om
de liefde, wanneer zo'n man de benen uit zijn lijf liep: een vrouw kan het beste
gelukkig leven zonder aan een man gebonden te zijn.

REFEREYN

Ghesellen en weduaers, beyde jonck ende oudt,
De vrijheydt es beter dan zelver oft goudt.
Volght Paulus leere, ic en rade u niet el,
Blijft onghebonden; tes geringhe getroudt,
Dat langhe beroudt; wijs es hij diet schoudt.
Thouwen es aventuerlijck, dit sietmen wel:
Crijght een man een wijf, die quaedt es en fel,
Wederspanich, rebel,
Hij laetter sijn vel;
Op eerde gheen aermer martelare.
Peynst, jongers, die om houwen loopt soo snel:
Ten es vrij geen spel.
Maer een eewich gequel.
Die wildt houwen, mach wel sijn in grooten vare,
Want een quaedt wijf es zeker een quade ware,
Een eerdtsche helle, een eewich gekijf.
Dus derf ic wel seggen int openbare:
Ongebonden best, weeldich man zonder wijf.

Vrienden en weduwnaars, van welke leeftijd je ook bent, de vrijheid is belangrijker dan zilver of goud. Volg Paulus' leer, anders kan ik je niet raden: blijf alleen. Voor je het weet ben je getrouwd, maar daarna heb je levenslang berouw. Wijs is degene die zich daarvan verre houdt. Trouwen is een groot avontuur, dat kun je om je heen zien. Krijgt een man een vrouw die kwaadaardig is, fel, ontembaar en opstandig, dan kost hem dat zijn gezondheid: een beklagenswaardiger martelaar vind je niet op aarde. Bedenk goed, jongens, wanneer je halsoverkop wilt trouwen: het gaat niet om wat grappenmakerij, maar het kan een eeuwige kwelling zijn. Als je wilt trouwen hoor je door grote vrees bevangen te zijn, want een boosaardige vrouw is geen goede kost. Dan zit je in een hel op aarde, te midden van onophoudelijk gekijf. Daarom durf ik wel in het openbaar te zeggen: een man kan het beste gelukkig leven zonder aan een vrouw gebonden te zijn.

Men mach eenen man niet quader vloeken
Dan met eenen wijve. Die thouwen zeer soecken,
Zijn sotter dan sot, ic wilt u bethonen.
Die vrouwen en behoeven heensdaechs geen doeken;
Siet hoe sij vercloecken: zij dragen de broeken,
De mans moeten inden torfhoeck wonen;
Dan preken sij sdaechs wel seven sermonen.
Ten mach u niet schonen,
Ghij mans personen;
Ghij weet, oft ic liege, diet somtijts proeft.
Geeft haer eenen slach, zij en zal u niet honen
Maer dobbel lonen,
Met stoelen cronen.
Ghij moetet al besorgen, dat in huys behoeft,
Oft ghij werd begresen en qualijck getoeft.
Ghij jonghe gesellen, wat hebdij in u lijf,
Dat ghij u gaet bedroeven, eer u God bedroeft!
Ongebonden best, weeldich man zonder wijf.

Gaet een man somtijts een canneken drincken,
Savonts esser de simme, dits goet om dincken;
Dan seydtse met eenen grammen aenschijne:

Een man kun je niet erger de verdoemenis inhelpen dan met een vrouw. Degenen die azen op een huwelijk zijn stapelgek, dat zal ik u laten zien. Vandaag de
dag nemen vrouwen geen stofdoek meer in de hand. Kijk maar wat ze zich
verbeelden: zij dragen tegenwoordig de broek, de mannen moeten in het kolenhok wonen. En dagelijks slingeren ze hem wel zeven preken naar zijn hoofd.
Mannenbroeders, het zal jullie allemaal niet deren. Maar degene die dit soms
mag meemaken weet of ik lieg. Geef je haar een klap, dan geeft ze geen kik maar
trakteert je meteen op het dubbele door je met een stoel op je kop terug te slaan.
Je moet voor alles zorgen waar het huis om vraagt, anders word je uitgesnauwd
en nog meer vertroeteld. Jullie jonge makkers, wat mankeert jullie toch dat je
jezelf zo in het ongeluk stort, zonder dat God het daarop aanstuurt! Een man
kan het beste gelukkig leven zonder aan een vrouw gebonden te zijn. ¶ Wanneer een man eens een biertje gaat drinken, moet hij goed bedenken dat hij
's avonds weer thuiskomt bij die kat. Dan zegt ze met een kwaad gezicht:

Vuyl dronckaert, vol vat, hoe comdij hier stincken!
Ghieten en schincken, tghelaesken clincken,
Dit es u ambacht, dus verteerdij dmijne;
Ic drincke cranck bier, ghij gaet te wijne.
Dits haer doctrijne
Achter de gaerdijne.
Dan roepse: staet oppe, gaet winnen u broodt;
Ic sliepe zoo lief met eenen zwijne
Als met den cokijne.
Dits sijn medecijne;
Hem diende veel beeter een candeelken int thoodt.
Hoorent de lien de man werdt van schaempten roodt;
Dan peyst hij: aeylaschen! arm, onsalich catijf,
Wat dede ic gehoudt! Ic waer beter doodt.
Onghebonden best, weeldich man zonder wijf.

Mocht zelck man vanden wijve sijn verlost
Hij zoude te Roome, al zoude hij te post,
Alle daghe gheven twee gouden ducaten.
Ten es niet om seggen, wat een wijf al cost.
Ghevoederdt, gevost, frisschelijck gedost,
Willen sij gaen proncken langs der straten;

smerige dronkelap, volgezopen vat, wat kom je hier zo stinkend doen? Je vol-
gieten en je pens vol laten lopen, dat is je voornaamste werk. Maar daarmee
maak je ook mijn geld op. Ik moet slap bier drinken, jij geniet van de wijn. Zo
luidt haar leer binnenskamers. Dan roept ze weer: sta op, ga je brood verdienen; ik slief net zo lief met een zwijn als met zo'n landloper. Daarop wordt
hij getrakteerd. Liever zou hij een warm drankje hebben. En als de mensen
hiervan zouden horen, zou het schaamrood hem naar zijn kaken stijgen. Op
dat moment overpeinst hij: ach, onzalige ellendeling die ik ben, wat moest ik
ook trouwen, was ik maar dood! Een man kan het beste gelukkig leven zonder
aan een vrouw gebonden te zijn. ¶ Mocht zo'n man van zijn vrouw worden
verlost, hij zou een pelgrimstocht naar Rome maken, al zou hem dat per dag
twee gouden dukaten van zijn rekening kosten: een vrouw kost onbeschrijflijk
veel meer. Rondgegeten, aantrekkelijk uitgedost en met vossebont om hun nek
lopen ze te pronken langs de straat.

Wils de man niet gheven, zij zelen hem haten
Als ballinck verwaten;
Hij en derfs niet laten.
Dan moeten sij hebben eenen sleypenden coers,
Paternosters, riemen met guldenen platen,
Groot boven maten.
Dan gaen sij blaten
Met gefronsten halsdoeken, lampers oft floers,
Daer de borstkens doorschijnen recht op sijn hoers,
Gheluwe, dinne doeken gestijft wel stijf.
Seggen de mans hier tegen, zoo heetent boers.
Ongebonden best, weeldich man zonder wijf.

Prinsche, de vroukens sijn gheerne proper en moy;
Rustich op sijn hoofs, naden niewen toy
Moeten de habijten gemaeckt, gesneden zijn.
Hoe zuer dat den man werdt, zij achtent niet een hoy.
Al zouden sij te Walem gaen tappen roy,
Zij zouden wel willen in alle steden sijn.
Ter kermessen, ter feesten moet gereden sijn;
Dus wilt als heden sijn,
Het moet geleden sijn.

Wil hun man daarvoor geen geld geven, dan gaan ze hem haten en als balling de
deur wijzen. Daarom durft hij het niet te weigeren. Dan willen ze een sleep aan
hun keurslijf hebben, opzichtige paternosters en met goud ingelegde ceintuurs.
Ook willen ze de aandacht trekken met geplooide sjaaltjes, doorzichtige hemd-
jes van fluweel waar je hun borstjes in ziet, net zoals hoeren die dragen, en
daarnaast saffraankleurige, fijne omslagdoeken, strak gestijfd. Maken de mannen hiertegen bezwaar, dan heten ze meteen boeren. Een man kan het beste
gelukkig leven zonder aan een vrouw gebonden te zijn. ¶ Prins, de vrouwtjes
zijn graag fris en mooi. Daarom moeten hun mantels, sierlijk als die van edel-
vrouwen, volgens de nieuwste mode vervaardigd zijn. Hoe bitter dat de man
ook stemt, daar geven ze geen zier om. Al moesten ze helemaal naar Walem
gaan om bier te drinken, overal willen zij zich manifesteren. Alle kermissen en
feesten willen ze bezoeken: wil je erbij horen, dan moet je overal op af.

Twaer van noode, dat sij alle niewicheyt sagen.
Dwijf wildt ooc vanden man altijt gebeden sijn;
Moet sij beneden sijn,
Zij sal tonvreden zijn.
Zij vechten om dmeesterscap ooc met vlagen.
Spreeckt de man een haestich woordt, zij loopt clagen
Tot haren commeeren; dits der vrouwen bedrijf.
Dus segic noch eens, wient mach meshagen:
Ongebonden best, weeldich man zonder wijf.

REFEREYN

[MEER ZUERS DAN SOETS MOET IC EENPAERLIJCK
DRINCKEN]

Veel zwaerder gepeysen mij therte doorwroeten,
Ongenuechte hout mij heel onder de voeten,
Mijn lichaem dat smelt als wasch bij den viere.
Waer ic mij stiere,
Esser druck ter weerelt, hij sal mij ontmoeten;
En zeer zelden gebuert mij eenich versoeten,
Maer altijt moet ic drincken van sueren biere;
Dit es de maniere.

En ze moeten absoluut alles zien wat nieuw is. De vrouw wil ook altijd door de
man gesmeekt worden. Moet ze de mindere zijn, dan is het oorlog. Soms vechten ze ook over wie de baas is. Laat de man iets uit zijn mond vallen, dan
beklaagt ze zich meteen bij haar buurvrouwen: zo doen vrouwen dat. Daarom
zeg ik nogmaals, ook al valt het verkeerd: een man kan het beste gelukkig leven
zonder aan een vrouw gebonden te zijn.

•

Veel zwaarmoedige gedachten doorploegen mijn hart, misnoegen drukt mij
terneer, mijn lichaam smelt als was bij het vuur. Waar ik mij ook begeef, is er
ergens ellende in de wereld, dan zal ik daardoor getroffen worden. Zeer zelden
gebeurt mij iets aangenaams, altijd blijf ik met de gebakken peren zitten. Zo
vergaat het mij.

Alle vruecht die es tot mijnent diere,
Herpe noch liere en mach mij verlichten.
Ic en can gemaken geen blijde chiere,
Ic calengiere dees bitter gerichten;
Wenende moet ic als geslagen wichten
Troosteloos dichten door dit overdincken,
Want vrienden en magen, neven en nichten
Tegen mij vichten en willen mij crincken.
Meer zuers dan soets moet ic eenpaerlijck drincken.

Mocht mij noch zoo veele soets gebueren
Als zuers, ic bedanckte mij der aventueren;
Veel te minder zoude wesen mijn verdriet,
Ic vertrooste mij iet.
Maer aeylaschen! neent, dit doet mij soo trueren,
Dat mij therte dunckt van rouwe schueren;
Altijt druck lijden ende anders niet,
Noeyt scerper spriet.
Waer es troost van menschen, daer ic mij toe verliet?
Die voormaels mijn vrient hiet, heeft mij bedroogen;
Schoon bueselen hij mij int oore stiet.
Wanckelbaer als een riet, dobbel en doortoogen,

Alle vreugde is bij mij zeer schaars, harp noch lier vermogen mij op te beuren.
Ik kan geen plezier maken, ik verzet mij tegen zulke bittere traktaties. Terneergeslagen moet ik mij wenend voortbewegen en zonder hoop op troost in rijm
omzetten wat ik bepeins. Want vrienden en familie, neven en nichten bestrijden
mij en pogen mij te krenken. Meer zuurs dan zoets moet ik steeds verstouw-
wen. ¶ Zou mij evenveel zoets als zuurs ten deel vallen, ik zou mijn geluk niet
op kunnen. Mijn verdriet zou aanzienlijk minder zijn, als er iets was om mij te
troosten. Maar helaas, zo is het niet, en daarom moet ik dermate treuren dat
mijn hart van smart dreigt te breken. Altijd gebukt gaan onder niets dan zwaarmoedigheid, stekender pijn bestaat er niet. Waar is de troost van de mensen op
wie ik mij verliet? Degene die zich vroeger mijn vriend noemde, heeft mij nu
bedrogen. Mooie praatjes fluisterde hij in mijn oor. Slapper als een rietstengel,
onbetrouwbaar en doortrapt is hij gebleken,

Heb icken vonden, al scheen hij schoon voor oogen.
Trouwe es vervloogen, die doet mijnen moet sincken;
Dlijden es groot dat ic moest gedoogen.
Ic segt ongeloogen, die woorden clincken:
Meer zuers dan soets moet ic eenpaerlijck drincken.

Meer zuers dan soets es bitter om smaken.
Mijn hertken zou wel na wat anders haken,
Maer neen, ic moet derven alle jolijt
Zonder eenich respijt.
Als vrienden faelgeeren, zoo machmen wel waken;
Wat zelen dan openbaer vianden maken?
Geveysde vrientscap, valsch, ypocrijt,
In eens lams habijt,
Te lijden van vrienden es dalder meeste spijt.
Dus wie dat ghij sijt, en betrout niemant te veel;
Siet na elcke omme, twerdt u groot profijt.
Ic segt zonder verwijt: geen lijden zoo fel;
Vriendts ontrouwe en es geen kinder spel.
En gelooft niet te snel, die schoon woorden schincken;
Zelck spreect wel schoone, maer therte meynt el.
Door zelcken bestel moet mijn vruecht mincken.
Meer zuers dan soets moet ic eenpaerlijck drincken.

al ziet hij er aan de buitenkant mooi uit. De trouw is vervlogen, dit ontneemt mij alle moed. Het lijden dat ik moet ondergaan is groot. Ik zeg ongelogen en met klinkende woorden: meer zuurs dan zoets moet ik steeds verstouwen. ¶ Meer zuurs dan zoets smaakt bitter. Ik zou wel iets anders lusten, maar zo is het niet, ik moet elk plezier ontberen, zonder enig mededogen. Als vrienden afhaken moet je goed oppassen, want wat zullen je openlijke vijanden dan niet doen? Het ergste dat je kan overkomen is geveinsde vriendschap te moeten ondergaan van vrienden, vals en hypocriet in schaapskleren. Daarom, wie je ook bent, vertrouw niemand helemaal. Houd iedereen goed in de gaten, daar zul je veel plezier van hebben. Ik zeg het zonder iemand speciaal op het oog te hebben: dit is het ergste om te ondergaan. De ontrouw van een vriend is geen kinderspel. Geloof hen niet te snel die mooie praatjes verkopen. Ze praten wel mooi, maar in hun hart denken ze aan iets anders. Door zo'n gang van zaken wordt mijn vreugde aangetast. Meer zuurs dan zoets moet ik steeds verstouwen.

Waer ic rijck van goede, haddic geldt en schat,
Dat yeghelijck van mij mocht crijgen te bat,
Zoo zouden mij wel veel vrienden aencleven
In mijn leven.
Maer nu es mijn borse van gelde plat;
Dus vallen mijn vrienden tot mij waert prat.
Waer datic come, ic werde verdreven,
Dit doet mij beven.
Die lutter heeft, werdt zeer zelden verheven,
Ic hebt wel beseven; elck wilt mij verdrucken.
Hebic letter goeds, dat werdt mij ontkeven,
Ontelt en ontscreven, dit sijn mijn gelucken.
Gae ic te rechte, trecht gaet op crucken.
Daerme sietmen plucken als gansen en vincken.
Ic moet mij lijden, zwijgen en ducken,
Al gebueren mij stucken, die trecht doen hincken.
Meer zuers dan soets moet ic eenpaerlijck drinken.

Prince

Tegen een vruecht gebueren mij dusendt suchten.
Ic en weet mij waer keeren; waer salic vluchten?
Mijn wangen moet ic dagelijcx bespraeyen,

Zou ik rijk aan bezittingen zijn, zou ik geld en kostbaarheden hebben zodat iedereen door mij bedeeld werd, dan zouden vele vrienden tijdens mijn leven aan mij hangen. Maar nu ben ik platzak. En daarom tonen mijn vrienden zich vijandig. Waar ik ook kom, ik word verdreven en dat vervult mij met angst. Naar iemand die weinig heeft wordt maar zelden opgekeken, dat heb ik ondervonden. Iedereen wil mij wegdrukken. Wanneer ik iets verworven heb, wordt het mij misgund, lager geschat en ontzegd: zo moet ik het altijd treffen. Wend ik mij tot het gerecht, dan loopt het juist mank. De armen worden geplukt als ganzen en vinken. Ik moet berusten, zwijgen en bukken, al overkomt mij van alles wat het recht krom maakt. Meer zuurs dan zoets moet ik steeds verstouwen. ¶ Prins ¶ Tegenover een pleziertje staan wel duizend zuchten. Ik weet niet wat ik moet doen: waarheen zal ik vluchten? Mijn wangen moet ik dagelijks

Met tranen besaeyen.
Wanneer sal ic plucken der vruechden vruchten?
Nemmermeer aeylaschen! dit soudic duchten.
Den windt en wilt in mijn zeyl niet waeyen,
Ten baet geen craeyen.
Geen spel ter weerelt en mach mij verfraeyen,
Als verbrande craeyen moet mijn smout afleken.
Mocht goey aventuere tot mij waert draeyen,
Zou zoudic paeyen al mijn gebreken;
Maer wachermen! die es van mij geweken.
Die somtijts schoon spreken en vriendelijck mincken,
Zijn dicwils dobbel, vol looser treken;
Trouwe es besweken, ontrouwe dunckt mij stincken.
Meer zuers dan soets moet ic eenpaerlijck drincken.

REFEREYN

[EEN HEBIC GETROUT, OCH MOCHT ICSE LATEN!]

Onlancx geraeckt zijnde vander minnen vier
Door Venus bestier, een dat aerdichste dier
Hadde mijnen sotten sin gestoolen;

met tranen besproeien en overdekken. Wanneer zal ik de vruchten van plezier plukken? Helaas, nooit en te nimmer, naar ik vrees! Het wil mij maar niet voor de wind gaan, wat ik ook uitroep. Geen spel ter wereld kan mij verheugen, het vet aan mijn lichaam vervliegt als verbrande kraaien. Wanneer het fortuin zich weer gunstig voor mij toont, dan zal ik opdraaien voor al mijn gebreken. Maar wat zeg ik, het fortuin is voorgoed van mij geweken! Zij die soms mooie woorden gebruiken en vriendelijke gezichten trekken, zijn vaak onbetrouwbaar en vol sluwe streken. Trouw is ten onder gegaan, ontrouw stinkt een uur in de wind. Meer zuurs dan zoets moet ik steeds verstouwen.

•

Onlangs ben ik door het vuur van de liefde aangestoken, want een allerliefst beestje is met mijn zotte verstand op de loop gegaan.

Wat batet verschoolen!
Waer ic ghinck oft stont, weer daer oft hier,
Dranck ic wijn oft bier, ick en hadde ghenen tier,
Ic was betovert; in haerder soeter molen
Moeste ic verdoolen.
Waest wonder, al haddic haer therte bevoolen?
Zwert gelijck coolen was haer haerken lanck,
Door haer abelheyt ghinck ic tot haerder schoolen,
Scheef op haer soolen ghinck zij soo fieren ganck,
Haer stemmeken clanck als een coe, als sij sanck.
Haer schoonheyt mij dwanck, elck macht hier uut vaten,
Haer te trouwen, daer ic corts mijn handen om wranck.
Nu ben ic int bevanck, ten mach mij niet baten:
Een hebic getrout, och mocht icse laten!

Hoe mocht ic mijn dage oeyt soo zeer rasen,
Dat ic mij door prasen liet verdwasen!
Maer de leelijcke sloore die hadde veel geldt;
Daer was ic toe gheheldt.
Noeyt cloecken van quader wijf en lasen.
Och mocht icse verbasen gelijc de hasen,
Ic jaechdese metten honden over tveldt:

Wat zal ik er omheen draaien! Waar ik mij ook vertoonde en wat ik ook aan bier of wijn dronk, het kon me niet plezieren, want ik was door haar betoverd. Ik moest verdwalen in haar zoete brein. Was het een wonder dat ik mijn hart aan haar verloren had? Haar lange haren waren vuilzwart als kolen, door haar schoonheid raakte ik tot haar aangetrokken: scheef in haar schoenen liep ze fier voort, haar stem klonk bij het zingen als het geluid van een koe. Haar schoonheid dwong mij zoals iedereen begrijpt om haar te trouwen; daarover kreeg ik spoedig berouw. Nu zit ik gevangen, daar is niets meer aan te doen: ik heb nu iemand getrouwd, ach was ik haar maar kwijt! ¶ Hoe kon ik ooit zo door het dolle heen zijn, dat ik mij door geklets het hoofd op hol liet brengen! Maar die lelijke sloerie had veel geld, en dat trok mij wel aan. Nooit hebben geleerden over een kwaadaardiger vrouw gelezen. Ach, mocht ik haar toch als een haas op de vlucht drijven, ik zou haar door de honden in het veld laten opjagen.

Dus ben ic gesteldt.
Hoe mach een man op eerde meer sijn gequeldt,
Dan te sijne verseldt met een lelijck, quaet wijf?
Metten maren machse wel sijn geteldt:
Als sij haer ontscheldt, noeyt schoonder witter lijf,
Ende alle den dach es haer bedrijf
Niet anders dan gekijf; dit moet ic haten.
Mocht icse quijt werden, dits mijn motijf,
Ic liet mij costen stijf wel hondert ducaten.
Een hebic getrout, och mocht icse laten!

Dees quade quene, niet om vervuylen,
Moet haren tuyl tuylen, oft sij gaet muylen.
Och datse mijn oogen oeyt aensagen,
Wien sal ickt clagen?
Zo grijst zoo lelijck, ic en weet waer schuylen.
Zij smijt mij buylen, dat mij doogen puylen;
Maer niet te min altemet met vlagen
Crijgt sij ooc slagen.
Maer na mijn smijten en wilt sij niet vragen.
Zij can mij jagen van hoeke te hoeke,
Tvleesch doetse mij van den beenen cnagen,

Zo sta ik daar nu tegenover. Hoe kan een man op aarde meer gekweld zijn dan
in het gezelschap te moeten verkeren van een lelijke, kwaadaardige vrouw? Ze
hoort thuis bij de heksen. Als zij zich ontkleedt, dan zie je het mooiste witte lijf,
maar verder bestaat haar voornaamste bezigheid uit de hele dag door schelden.
En dat haat ik. Zou ik haar kwijt kunnen raken, want daar ben ik op uit, dan
heb ik daar zonder meer wel honderd dukaten voor over. Ik heb nu iemand
getrouwd, ach was ik haar maar kwijt! ¶ Dit kwaadaardige wijf, vuiler vind je
ze niet, moet steeds haar zin hebben, anders gaat ze pruilen. Bij wie moet ik
mijn beklag doen, dat mijn ogen ooit op haar vielen? Ze trekt zulke lelijke
smoelen, ik weet niet waar ik het moet zoeken. Ze slaat me bont en blauw,
zodat het me duizelt. Desondanks slaag ik er ook wel eens in om haar terug te
slaan, al vraagt ze daar niet om. Zij kan mij alle hoeken van de kamer laten zien
en dwingt me genoegen te nemen met kluiven,

Want zij wilt dragen alleen de broeke.
Den hals moetse breken, eer icse vloeke.
Waer ic troost soeke, ic werde al omme verwaten.
Haeldese een necker tot zijnen coeke,
Fraey als de cloeke trade ic lancx der straten.
Een hebic getrout, och mocht icse laten!

Conste eenich pape desen bant ontcnopen,
Ic soude vercoopen cannen en stopen
En gheven hem tgheldt tot eender mijten,
Wilde hij mij quijten.
Wat batet mij, al haddic goet met hopen!
Dwijf sal mij stropen, ic mach wel gaen lopen.
Zoudic mijn jonge juecht met haer verslijten,
Dat sou mij spijten.
Van quaetheden zou zij wanen splijten,
Zij zout mij verwijten, ghinck ic eens drincken;
Ic sorge, zij sou mij den nase af bijten.
Ik moeter om crijten, als ickt wil bedincken.
Haer oogskens als platte mispelen blincken,
De tanden stincken, zwert, leelijck, vol gaten.
Eer icse custe, ic zou liever versincken.

want ze wil alleen de broek dragen. Voor ik haar vervloek, breekt ze hoop ik
haar nek. Waar ik ook troost zoek, overal zit ze op mijn nek. Wist ze maar een
duivel van zijn werk te houden, dan kon ik met opgeheven hoofd over straat
gaan. Ik heb nu iemand getrouwd, ach was ik haar maar kwijt! ¶ Zou er enige
priester zijn die deze huwelijksband kon ontbinden, ik zou mijn hele huishouden verkopen en hem de opbrengst geven tot de laatste cent, als hij dat voor
elkaar kreeg. Maar wat heb ik daar allemaal aan, zelfs al was ik onmetelijk rijk!
Mijn vrouw zal me stropen, ik mag wel op de loop gaan. Maar als ik mijn
betere jaren met haar zou moeten doorbrengen, dat zou mij toch zeer spijten.
Van kwaadheid zou ze denkelijk barsten, want ze zou het mij voor de voeten
gooien wanneer ik eens wat ging drinken. Ik ben bang dat ze mij de neus zou
afbijten. En als ik daaraan denk, springen de tranen in mijn ogen. Haar oogjes
blinken als platte mispels, ze stinkt uit haar mond met die zwarte, lelijke tanden
vol gaten. Ik zou liever verdrinken dan haar te moeten kussen.

Mijn vruecht doetse crincken zeer utermaten.
Een hebic getrout, och mocht icse laten.

Prince, den coop es mij berouwen, wachermen!
Die mij hoorde kermen, hem machs ontfermen.
Wat zoudic soo quaden duvel gaen trouwen!
Tmach mij wel rouwen.
Al den dach wilt sij mijn ooren verwermen;
Maer bij den dermen ic wil leeren schermen.
Zou ic mij vant quaet wijf laten verdouwen,
Tvolck zou mij verspouwen.
Zij zouden mij voor eenen loeris houwen
Oft voor eenen bouwen; dus bij Gans bloedt
Ic sal de stoelen aen haer ooren doen snouwen;
Dat salse schouwen, ja, esse anders vroedt.
Ic salt emmer eens proeven, God geefs mij spoedt,
Mijnen grammen moedt salder wat me saten.
Al hadde sij alle der weereldt goedt
In haer behoedt, gouden, silveren platen,
Nochtans, cost ic en mocht ic, ic souse laten.

Mijn plezier maakt haar buitengewoon kwaad. Ik heb nu iemand getrouwd, ach was ik haar maar kwijt! ¶ Prins, de koop is mij zwaar opgebroken, helaas! Wie mij heeft horen jammeren mag zich nu over mij ontfermen. Waarom moest ik ook zo'n kwaadaardige duivel trouwen! Daar heb ik nu grote spijt van. De hele dag door wil zij mijn oren doen gloeien. Maar godallemachtig, ik zal leren om me te beschermen. Zou ik mij door die kwaadaardige vrouw op mijn kop laten zitten, de mensen zouden mij minachten. Ze zouden me voor een sukkelaar houden of een boerenpummel. Daarom zal ik wis en waarachtig de stoelen om haar oren kapotslaan. Daar zal ze van terugschrikken, zo slim is ze immers wel. Mijn agressie zal haar wat doen bedaren. Al beheerde ze al het bezit van de wereld, gouden en zilveren schalen, ik zou haar toch laten zitten, wanneer ik dat kon en zij het goed vond.

REFEREYN

Half levende, half doodt, becommert, belemmerdt,
Zuchtende, bevende, al heel versuft
Duer fantasijen,
Mijn herte casteelen in Spaengen temmerdt.
Alle meesters der weerelt, wijs ende vernuft
In astronomijen,
Oft alle doctooren in theologijen,
Constich inde daedt,
Deze en zouden al tsamen niet bedijen
Mij te gheven raedt.
Hoe mij iemandt troost, ic naeye mijnen naedt;
Ic segt goet rondt:
Alle vruecht, alle spel werdt van mij versmaedt,
Ic blijve ghewondt;
Geen medecijn en mach mij maken gesondt.
In mijnder herten grondt leyt mij druck en cnaeght;
Van des therte vol es spreeckt somtijts den mondt.
Ic segge nu ter stondt, hoet mij meshaeght:
Thelpt der herten, dat den mond den noodt wat claeght.

Half levend, half dood, vol verdriet en verward, zuchtend en bevend, en helemaal versuft door waanvoorstellingen bouwt mijn hart aan de lopende band
luchtkastelen. Alle geleerden in de hele wereld, wijs en geschoold in de astronomie, of alle doctoren in de theologie, bedreven in hun optreden, allen tezamen
zouden zij niet in staat zijn om mij raad te geven. Hoezeer iemand mij ook
troost, ik blijf mijn weg volgen. En ik zeg ronduit: alle vreugd, elk plezier wordt
door mij vermeden, ik blijf gewond. Geen medicijn kan mij gezond maken. De
smart ligt in het diepst van mijn hart te knagen. En waar het hart vol van is,
loopt de mond soms over. Ik zeg nu direct hoezeer alles mij dwarszit: het helpt
het hart, wanneer de mond de nood wat klaagt.

Beslooten droefheyt die benauwet herte;
Dus en can den mondt niet wel gheswijghen,
Hij moet vertrecken.
Ic en kenne nauwelijck dwitte voort zwerte,
En nergens en can ic troost vercrijgen.
Wat wilickt ontdecken?
Ic mocht zelcken claghen, hij zouder me gecken.
Dit doet mij quelen.
Geen spel en mach mij tot vruechden verwecken,
Luten oft velen.
Als ic ander lien sie dansen oft spelen,
Dan zuchte ic zwaerlijck.
Mij luste wel te screyden met luder kelen
Altijdt eenpaerlijck.
Ic sitte somtijts en kijcke zoo staerlijck,
Het es vervaerlijck; maer diet pacxken draeght,
Die weet wat weeght, dit proeve ic ghewaerlijck.
Nochtans vindic claerlijck, hoe mij dlijden belaeght:
Thelpt der herten, dat den mondt den noodt wat claeght.

Des nachs zoo slape ic onrustelijck.
Al mijn zinnen zijn ontsteldt, zien, hooren, rieken,
Smaken en ghevoelen;

Opgekropte droefheid benauwt het hart. Daarom kan de mond moeilijk zwijgen, hij moet wel wat zeggen. Ik kan nauwelijks nog wit van zwart onderscheiden, nergens weet ik troost te vinden. Maar waarom zou ik mijn smart bloot willen leggen? Wanneer ik bij iemand ga klagen, zou hij de spot met me drijven. Daarom word ik treurig. Geen muziekspel mag mij vrolijk maken, of het nu luiten zijn of vedels. Wanneer ik andere mensen zie dansen of spelen, moet ik zwaar zuchten. Altijd en eeuwig zou ik luidkeels willen huilen. Soms zit ik strak voor mij uit te staren, het is om bang van te worden. Maar wie mijn last ook heeft gedragen weet wat het weegt, dat merk ik welzeker. Niettemin ondervind ik nu duidelijk hoe het lijden mij belaagt: het helpt het hart, wanneer de mond de nood wat klaagt. ¶ 's Nachts slaap ik onrustig. Al mijn zintuigen zijn van slag: zien, horen, ruiken, proeven en voelen.

Zonder appetijt eete ic onlustelijck.
Daer en muegen noch appelen, peeren oft crieken
Mijn lijden vercoelen.
Weer ic sitte op bancken oft op stoelen,
Ic en weet waer blijven.
Ic mach mijn wangen met tranen wel spoelen,
Mijn oogen wrijven.
Troosteloos mach ic mij zelven wel scrijven;
Tes Godt te verstane.
Wat wil ic veel murmureeren oft kijven,
Ten helpter niet ane.
Ic en weet schier waer de handt aen te slane
Oft waerwaerdt te ghane, zoo ben ic gheplaeght.
Het es mij al tegen, zonne ende mane.
Al draeght druck de vane, al es vruecht verjaeght,
Thelpt der herten, dat den mondt den noodt wat claeght.

Och hadic eenen zoo getrouwen vriendt,
Die mochte die wonden mijnder herten stelpen
En verlichten mijn pack,
Het werde noch grootelijck van mij verdiendt.
Waer hij verladen, ic zoude hem ooc helpen;
Dat waer groot ghemack.

Zonder eetlust kauw ik smakeloos. Appelen, peren noch kersen kunnen mijn
lijden verzachten. Of ik nu op een bank zit of een stoel, nergens vind ik rust. Ik
kan mijn wangen wel afspoelen met tranen en mijn ogen uitwrijven. Troosteloos moet ik mij tot mijzelf wenden, om God te begrijpen. Wat zal ik veel tekeergaan of kijven, het helpt toch niet. Ik weet nauwelijks wat ik moet aanpakken of waarheen ik moet gaan, zo moet ik lijden. Alles zit mij tegen, zon en
maan. Maar al staat mijn stemming onder druk en is de vreugde verjaagd, het
helpt het hart, wanneer de mond de nood wat klaagt. ¶ Ach, had ik maar een
trouwe vriend die mijn hartswonden kon stelpen en mijn last verlichten, ik zou
daar zeer mijn best voor doen. Zou hij gebukt gaan onder smart, ik zou hem
ook helpen, dat zou mij geen enkele moeite kosten.

Maer aeylaschen! ic ben al heel in den sack;
Ic en weet wat beginnen.
Ic gae versmelten, mijn leden werden zwack;
Ic wane ontsinnen.
Claghe ickt mijnen vrienden, en sij mij minnen,
Ic doese ooc trueren;
En houde ic mijn lijden beslooten binnen,
Noeyt aergher cueren.
Claeghde ickt, ic creegh troost bij aventueren.
Zalt langhe dueren, mijn vroomheyt vertraeght.
Begheerdt iemandt lijden, ic salt hem verhueren.
Dit woordt wil ic rueren, wie datter na vraeght:
Thelpt der herten, dat den mondt den noodt wat claeght.

Prince, hier mede wil ickt besluten,
Want dlijden en can ic nergens ontvlien.
Al macht mij spijten,
Dinwendighe droefheyt toont haer van buten;
Nochtans zoo zoudic mij voor de lien
Gheerne verbijten.
Ic claeght tegen mij zelven, ic en weets wien wijten.
Na troost ic verlanghe;
Vercrijghe ic gheenen, therte sal mij splijten,
Mij is te banghe.

Maar helaas, ik zit heel diep in de put, ik weet niet meer wat ik moet beginnen.
Ik teer weg, mijn ledematen verzwakken en ik ben bang dat ik gek word. Klaag
ik daarover bij mijn vrienden, dan maak ik ze ook treurig want zij houden van
mij. Maar houd ik mijn lijden voor mij, dan krijg ik de grootste problemen.
Zou ik klagen, dan kreeg ik links en rechts troost. Wanneer het nog lang duurt
neemt mijn berusting af. En houdt iemand van lijden, dan zal ik het graag aan
hem overdoen. De volgende woorden wil ik aanhalen, voor wie ze maar wil
horen: het helpt het hart, wanneer de mond de nood wat klaagt. ¶ Prins, hiermee wil ik besluiten, want het lijden kan ik toch niet ontvluchten. En al mag het
mij spijten, de innerlijke droefheid toont zich ook aan de buitenkant. Toch zou
ik mij tegenover de mensen graag vermannen. Ik klaag maar tegen mijzelf, ik
weet niet wie ik wat moet verwijten. Ik verlang naar troost. Krijg ik die niet,
dan zal mijn hart breken, daar ben ik bang voor.

Ic moet mij wel lijden bij bedwanghe,
Mijn droefheyt wat maten;
Maer certeyn dlijden compt mij soo stranghe.
Hoe sal ickt ghevaten?
Ic zoude mij zoo gheerne opter straten
Wat vrolijck ghelaten als onversaeght,
Maer ten wil niet sijn, al mocht mij wel baten.
Hoordt al, die druck haten, dwoordt van eender maeght:
Thelpt der herten, dat den mondt den noodt wat claeght.

REFEREYN

[VERWYFT TE ZYNE GAET BOVEN ALLE PLAGHEN]

Ic mach wel claghen, ic hebs van doene,
Aylacen wacharmen, want ic ben verwyft;
Ic eet vanden precaren, avont en noene,
En nochtans en ben ic niet zoe coene
Een woordt te kicken, hoe zeere zy kyft;
Eest dat my desen duvel noch langhe by blyft,
Ic sal van quaetheden myn galle spouwen,

Ik moet mijzelf in bedwang zien te krijgen en mijn droefheid leren matigen. Maar ik kan niet ontkennen dat het lijden mij zeer hard valt. Hoe moet ik het aanpakken? Op straat zou ik mij zo graag weer vrolijk en onbekommerd gedragen. Maar zo mag het niet zijn, al zou het mij goed bekomen. Hoort allen die zwaarmoedigheid haten naar het woord van een maagd: het helpt het hart, wanneer de mond de nood wat klaagt.

●

Ik mag wel klagen, want ik heb het mooi voor elkaar, ach heremijntijd nog aan toe: ik ben namelijk getrouwd. Dag en nacht krijg ik gepreek naar mijn hoofd, maar toch durf ik geen woord te kikken, hoezeer ze ook tekeergaat. Wanneer deze duivel nog langer bij mij blijft, zal ik van nijdigheid mijn gal gaan spugen.

Want wanneer de laudate haer doecken styft,
Zoe moet icse cloppen en helpen houwen;
Ic woon inde prochie van Onser Vrouwen.
Dan seyt sy: bloeyken, u ooghen druypen,
De baerlycke necker dede my u trouwen.
Smorghens roept zy: staet op, ghy duypen,
Haest u gheringhe, maect my een suypen
En suykert wel oft u naecken slaghen.
Zy sou my doen in een muysen hol cruypen,
Wanneer sy spreect, dan seg ic met vlaghen:
Verwyft te zyne gaet boven alle plaghen.

Wanneer zy opstaet, moet ic my rasschen
Dbedde te maken, dwelck ic liever ontbeerde;
Ooc doetse my de schotelen wasschen,
Den pispot vuytghieten, en de asschen
Die moet ic ooc vuytdraghen van den heerde;
Waert dat ic den vloer niet schoon en keerde,
Zoe mocht my wel grouwelen dat ic leve;
Och, myn wyf es zoe gheringhe te peerde
En wanneer zy kyft stae ic en beve;
Want, als ic haer eens een snauken gheve,
Dan moet ic zoe deerlyc haer vuysten besueren.

Want wanneer de slons haar kleren wil stijven, moet ik ze helpen vasthouden en uitkloppen: ik woon in de parochie van Onze Lieve Vrouw. Dan zegt ze: 'Schatje, je ogen tranen.' De duivel in eigen persoon heeft mij haar doen trouwen. 's Morgens roept ze: 'Sta op, jij sukkel, haast je snel om voor mij een warm drankje te maken, en doe er veel suiker in, anders krijg je een pak slaag.' Ik zou wel in een muizehol willen kruipen, wanneer ze haar stem verheft. En dan zeg ik soms: getrouwd te zijn gaat boven alle plagen. ¶ Wanneer zij opstaat moet ik mij haasten het bed op te maken, wat ik liever niet zou doen. Ook laat ze me de afwas doen, de pispot uitgieten en de as wegruimen van de haard. En zou ik de vloer niet schoon schrobben, dan zou mijn leven een gruwel zijn. Ach, mijn vrouw zit als een bok op de haverkist, en wanneer ze begint te kijven sta ik te beven. Want geef ik haar eens een snauwtje, dan geeft zij mij er meteen met haar vuisten van langs.

Het quaet jaer bracht my oyt aen dees teve;
Zy doet my den ketel en den hanghel schueren,
Het wermoes scherven, de pappe rueren,
De strate keeren, het slyc wech draghen,
De goten ruymen, dit zyn haer cueren.
Hier om segghe ic meest alle daghen:
Verwyft te zyne gaet boven alle plaghen.

Ooc moet ic haspelen alle haer spillen,
Tsavonts als ic sitte by de viere,
En liet icse werren, zy sou my villen.
Wanneer dat kindt cryt, zoe moet ict stillen,
Opt knieken setten, en singhen: tiere, liere;
En, alst hem bescheten heeft, moet ic schiere
Het grofste gruys vanden doecken spoelen.
Pis, kindeken pis, pis, ic dan creyiere,
Wanneer dat cacken wille oft poelen.
Dan moet ic hem ooc de pappe koelen
En in den mont steken, ic en machs niet ontvlien.
Nochtans, zoe my dunct, dat de lien ghevoelen,
En heb icker niet een teenken ane messchien;
Met goeder hulpen van anderen lien
Heb ict ghemaect, dit doet my claghen;

Een ongeluksjaar heeft mij ooit aan deze teef gekoppeld. Ze doet mij de ketel en het hengsel schuren, de warmoes prakken, de pap roeren, het straatje vegen, de modder wegscheppen en de goten leeghalen: dat draagt ze me allemaal op. Daarom zeg ik vrijwel elke dag: getrouwd te zijn gaat boven alle plagen. ¶ Ook moet ik 's avonds al haar spillen haspelen, wanneer ik bij het vuur zit. En wanneer ik ze verwar, dan zal ze me villen. Wanneer het kind schreeuwt, moet ik het stil zien te krijgen door het op mijn knie te zetten en te zingen van tiereliere. Als het zich ondergescheten heeft, moet ik snel het grofste vuil van de luiers spoelen. Pis, kindje, pis, pis, roep ik dan uit, wanneer het wil schijten of plassen. Vervolgens moet ik ook de pap voor hem koud blazen en aan hem voeren, daar kom ik niet onderuit. Niettemin is het volgens mij zo, dat de mensen denken dat misschien nog geen teentje aan dat kind van mij is. Met goede hulp van andere mannen heb ik het gemaakt, en daar heb ik de pest over in.

Aylacen, ic moet duer de vingher sien,
Al speelt zy quaet hoerken oft zy sou my craghen:
Verwyft te zyne gaet boven alle plaghen.

Dan moet ic dwicht ooc in slape wieghen,
Oft thoerenkindt sou zynen eyndelderm vuytcryten,
En, liet ict cryten, ten sou my niet lieghen,
Zy sou my zoe dapper in mijn tuyten vlieghen,
Want, wanneer dat balch cryt, wilt zyt my wyten;
Ic eet dicwils stocvisch voer myn inbyten,
En daer toe moet ic muylenbier drincken.
Ic moet haer cladden afdoen, soudt my niet spyten,
Haer cleeren keeren, ooc moet ic ghedincken
Haer schoenen te vaghen, haar solen doen blincken,
En, wanneer haer pollen tonsent zyn,
Doet zy my dienen, al sou zy versincken
Ter tafelen, en sendt my om bier en om wyn.
Mocht ic mede brassen, zoe waert noch fyn,
Maer neen ic, niet dan de beenderkens knaghen;
Anderen thoondt zy een blyde aenschyn,
Maer in my heeft zy zeer cleyn behaghen:
Verwyft te zyne gaet boven alle plaghen.

Helaas, ik moet door de vingers zien dat zij de hoer speelt, anders zou ze me
kelen: getrouwd te zijn gaat boven alle plagen. ¶ Daarna moet ik het wicht ook
in slaap wiegen, want anders schreeuwt het hoerenkind zijn endeldarm binnen-
stebuiten. Liet ik het schreeuwen, dan hoef ik mij geen illusies te maken, want
zij zou mij regelrecht in de haren vliegen. Want wanneer dat varken schreeuwt,
geeft ze mij de schuld. Dikwijls eet ik stokvis als ontbijt, met slaagbier daarbij.
Ik moet haar overkleren aannemen, is het geen schande, haar kleren luchten.
Ook moet ik eraan denken om haar schoenen te poetsen, haar zolen te doen
blinken. En wanneer haar vrienden hier zijn, laat ze mij opdienen, ze doet net
alsof ze niet aan tafel zit, en bestelt bier en wijn. Zou ik mee mogen brassen, dan
zou het uitstekend zijn, maar zo is het niet: ik mag de botten afknagen. Anderen
laat zij een vrolijk gezicht zien, maar in mij schept ze nauwelijks enig behagen:
getrouwd te zijn gaat boven alle plagen.

Prinche

Ic moet haer water halen, langhen en reycken,
Al doen dat zy my heet, sonder verdrieten,
Ooc moet ic de cleeren stellen te weycken,
Haer helpen wasschen, en als zy bleycken,
Moet ic water putten en de cleeren beghieten;
Ooc moet icse thuys cruyen, sonder verschieten,
Dan moet ic noch de kints doecken drooghen,
Oft ic sou crabben eten en vuystloock ghenieten;
Ic sou somtyts wel litteeken tooghen;
Zy smeet my laestent twee blau ooghen
Om dat ic vergat dat zy my had belast,
En eens begoot zy my met camer looghen,
Om dat ic ons hinnen niet en hadt ghetast;
Wanneer ic yet doe dat haer mespast,
Dan wilt zy my vuyt den bedde jaghen;
Weer ic spreke, oft dat ons hondeken bast,
Daer soudse al even vele naer vraghen:
Verwyft te zyne gaet boven alle plaghen.

Prins ¶ Ik moet water voor haar halen, rekken en bukken, en alles opgeruimd doen wat zij mij maar opdraagt. Ook moet ik de kleren in de week zetten, haar helpen met de was en als die ligt te bleken moet ik weer water putten om over de kleren te gieten. Daarna moet ik ze naar huis kruien, zonder verwijl. En daar moet ik nog de luiers drogen, anders krijg ik krabben eten en mag ik vuiste-knoflook genieten. Van tijd tot tijd kan ik littekens laten zien. Laatst nog sloeg ze mij twee blauwe ogen, omdat ik vergeten was dat ze me een opdracht had gegeven. En een andere keer goot ze de pispot over mijn hoofd, omdat ik de eieren niet van de kip had gehaald. Doe ik iets wat haar niet bevalt, dan wil ze mij meteen uit het bed schoppen. En of ik nu spreek of ons hondje blaft, daar reageert ze precies hetzelfde op: getrouwd te zijn gaat boven alle plagen.

REFEREYN

Een esel sal langhe een esel blyven,
Want hy houdt altyt zyn oude seden;
Qualyc cantmen hem vuyt zynder sporen ghedryven;
Zoe hy ghisteren ginck, zoe gaet hy heden;
Wandelt hy by de goede, hy blyft onbereden,
Als siet hy abelheyt, hy en onthoudtse niet,
En, al reyst een esel van steden tot steden,
Een esel blyft een esel, wat hy hoordt oft siet.
Een esel heeft in alle consten verdriet;
Rethorycke, musycke, acht hy als lueren;
Een esel es traghe, noode doet hy iet;
Hy pryst zyn ghemack, ja, mocht hem ghebueren;
Sommighe esels zyn ooc van selcker natueren
Dat zy haer selfs quaet niet en cunnen ghehelen.
Dese saken my te segghen bekueren:
Hoe souden ezels pooten op herpen spelen?

Een esel es plomp en blyft even grof,
Waer oft by wiene dat hy ooc verkeert;
Hy en werdt niet te abelder, al volght hy thof,

Een ezel zal altijd een ezel blijven, want hij verandert zijn gewoonten niet. Die zijn moeilijk uit zijn gedrag te verwijderen. Zoals hij gisteren liep, zo gaat hij vandaag ook. Verblijft hij onder goede mensen, hij laat zich toch niet temmen. Ook wanneer hij wat leren kan, onthoudt hij niets. En al reist hij de hele wereld rond, een ezel blijft een ezel, wat hij ook hoort of ziet. Een ezel heeft maling aan alle kunsten. Retorica, muziek, hij vindt het gezeur. Een ezel is lui, met moeite is hij tot iets te bewegen. Sommige ezels hebben zo'n karakter dat zij hun fouten niet weten te verbeteren. Deze feiten nodigen me tot de volgende vraag uit: hoe moeten ezelspoten een harp bespelen? ¶ Een ezel is even lomp als grof, waar of bij wie hij ook verkeert. Al verkeert hij in de hoogste kringen, hij wordt er niet slimmer op,

Want een esel en wilt van niemande zyn gheleert;
Dus moet een esel werden beheert
Met quaden woorden, en moet sacken draghen,
Want, als een esel iet werdt gheeert,
Dan crycht hy ierst in zyn botheyt behaghen;
De esel soude ooc te zeere vertraghen,
Waert datmen hem te leckerlycke meste;
Hy en soude naer zynen meester niet vraghen,
Maer selve achternae willen zyn de beste;
Selcken esels vindtmen int ooste, int weste;
Wie datse zyn, wil ic God bevelen;
Maer segghe noch eens, en daer blyft noch een reste:
Hoe souden esels pooten op herpen spelen?

Men vindt esels die hen van wysheyden beroemen
Om datse te Loven hebben wittinghen gheten;
Dan zynder esels, ic en wilse niet noemen,
Die ander willen leeren, en selfs wanen weten;
Men vindt heensdaechs veel esels, in secreten,
Al en hebbense alle gheen langhe ooren
Die metten meelsack van tuylen zyn ghesmeten:
Theeten wyse, en tsyn verborghen dooren;

want een ezel wil van niemand iets leren. Daarom moet een ezel met harde woorden worden aangespoord en zakken dragen. Wordt een ezel namelijk maar een beetje naar de ogen gekeken, dan krijgt hij pas goed plezier in zijn botheid. De ezel zou ook veel te lui worden, wanneer men hem met lekkere hapjes vetmestte. Naar zijn meester zou hij niet meer omzien, maar nadien de grootste verbeelding hebben. Dergelijke ezels vindt men overal. Op wie dit allemaal slaat, mag God weten. Maar nogmaals zeg ik, en dat blijft toch een probleem: hoe moeten ezelspoten een harp bespelen? ¶ Men vindt ezels die zich op hun wijsheid beroemen, omdat ze in Leuven een keer een hap hooi hebben gegeten. Ook zijn er ezels, ik noem geen namen, die anderen willen onderwijzen, maar zelf geen schijntje weten. Heden ten dage vindt men, in alle vertrouwen, heel veel ezels die een klap van de molen hebben gekregen, al kun je dat niet aan iedereen zien. Ze gaan door voor wijs, maar heimelijk zijn het zotten.

Sommighe esels heeten meesters en doctooren,
Ander esels draghen bonte lappen,
Dan synder noch esels, ghepluct en gheschooren,
Ooc vindtmen esels die steken in cappen,
Al hadse grofaert ghesift duer de trappen,
Zoe subtyl zyn zy, niet wel om verelen;
Ic dincke, als ic selcken esels hoor clappen:
Hoe souden ezels pooten op herpen spelen?

Hoe soude een esel naer conste vraghen?
Hy en weet tot selcken voeten gheen leesten;
Wie soude totten esel jonste draghen?
Tes donhebbelycxste dier onder alle beesten;
Een esel veracht alle constighe gheesten,
Hy en kent gheen hondtsbloemen vuyt rooden roosen,
Een esel en dient by gheen vroukens ter feesten,
Hy versmaedt violetten, en pryst tydeloosen;
Wiltmen metten esels boerden oft koosen,
Hy springht op zyn peert alsmen aen hem potert;
Wanneer men hem ruerdt, zoe comen zyn poosen,
En tsotten werdt vuyter mouwen ghecotert;
Maer die den esel zynen coeck best botert,

Sommigen hebben de titel van meester en doctor, andere ezels dragen bont,
terwijl er ook ezels zijn zonder een cent en met een geschoren kruin. Ook gaan
er ezels schuil onder kappen die zo fijnzinnig zijn, dat ze wel door een boot-
werker geboetseerd lijken: er valt niets meer aan te beschaven. Wanneer ik
dergelijke ezels hoor kletsen, denk ik: hoe moeten ezelspoten een harp bespelen? ¶ Waarom zou een ezel om kunst vragen? Daartoe is hij helemaal niet
uitgerust. En wie zou aardig willen doen tegen een ezel? Het is het meest on-
hebbelijke dier van alle beesten. Een ezel heeft minachting voor alle mensen van
kunst en wetenschap. Hij kan geen paardebloem van een rode roos onderscheiden. En bij willige vrouwen hoort hij helemaal niet thuis, want hij laat de
jonge meiden links liggen en zweert bij oude tangen. Wil men met ezels lol
maken of minnekozen, dan zit hij zo op de kast wanneer men hem aanraakt. En
wanneer men hem beroert, vertoont hij zijn zotte streken en raakt door het
dolle heen. Maar wie hem het allermeest verwent,

Zyn liefste speciaelkens werden selen;
Ic segghe, als selcken esels de keye lotert:
Hoe souden esels pooten op herpen spelen?

Prinche, al eest dat ic van esels vermane,
Ic en wyse niemant metten vinghere;
Die gheen schult en heeft, en trecx hem niet ane,
Tes een beenken, dat ic int hoopken slingere;
Weet iemant waert henen wilt, merct te gheringhere
Myn dicht, al schynet maer een fabele;
Maer kent ghy erghens eenen groven dringhere
Die van rechter abelheyt es onabele,
Soe eel van ghespinne, ghelyc eenen cabele,
En segt daer omme niet, dat ic dien meene,
Want men vindt veel esels die schynen notabele,
Die abelheyt willen weten, en weten gheene;
Deser esels vindt men meer dan eene;
Al wanen zy dat zy my selen doen quelen,
Lachende segghe ic, en acht zeer cleene:
Hoe souden esels pooten op herpen spelen?

die zal zijn grootste voorkeur genieten. Ik beweer, wanneer het om zulke zotte ezels gaat: hoe moeten ezelspoten een harp bespelen? ¶ Prins, al waarschuw ik voor ezels in het algemeen, ik wijs niemand speciaal aan. Wie geen schuld draagt, hoeft zich nergens wat van aan te trekken. Ik gooi maar een visje uit. En voelt iemand waar ik heen wil, dan moet hij des te sneller lezen wat ik schrijf, al lijkt het maar een fabeltje. Maar ken je ergens een lompe druktemaker, die niets kan en weet en even fijn gestructureerd is als een kabeltouw, zeg dan toch niet dat ik die op het oog heb, want men vindt veel meer ezels die er voornaam uitzien en zich op hun kennis voorstaan, al weten ze geen zier. Zulke ezels komen veel voor, al denken ze dat ze mij klein kunnen krijgen. Lachend zeg ik, want ik kijk op hen neer: hoe moeten ezelspoten een harp bespelen?

REFEREYN

[NOCH SCHYNDT MERTEN VAN ROSSOM DE BESTE VAN
TWEEN]

Onlancx bezwaert zynde met melancolyen,
De sinnen becommert, thooft vol phantasyen,
Van als overlegghende in myn ghedachte,
Quam my weynich te voren dat mocht verblyen,
Aensiende de werelt nu ten tyen,
Zynde vol verdriets; des werdt my onsachte;
Dus dinckende, my phantazye voort brachte;
Twee mans persoonen my haest in vielen,
Ghelyc van name, diversch van gheslachte:
Deen was Merten Luther, die dolinghe doet krielen,
Dander Merten van Rossom, diet al wil vernielen,
Die veel menschen bracht heeft in zwaer ghetruer;
Rossom quellet lichaem, Luther heeft de zielen
Deerlyc vermoort; dus esser cleynen kuer
Tusschen hen beyen, elck es een malefactuer;
Ic en gaef om den kuer niet mynen minsten teen,
Maer want Luther de zielen moordt duer zyn erruer,
Noch schyndt Merten van Rossom de beste van tween.

Onlangs ging ik gebukt onder zwaarmoedige gedachten. Het was me droef te
moede, mijn hoofd barstte van het gepieker en er spookte van alles door mijn
hersenen. Weinig kwam bij mij op dat me kon verblijden, toen ik de wereld van
vandaag overzag en vaststelde dat deze een jammerpoel was. En zo bezig zijnde
kwam het volgende bij me op. Twee mannen vielen me in, die dezelfde voornaam dragen maar zeer verschillend zijn van aard: de ene is Maarten Luther,
die dwalingen doet krioelen, de andere Maarten van Rossem, die alles met de
grond gelijk wil maken en veel mensen de grootste rampspoed heeft gebracht.
Van Rossom kwelt het lichaam, Luther vermoordt meedogenloos de ziel. Er
valt dus weinig te kiezen tussen hen beiden, ze zijn alle twee boosdoeners. Voor
niets ter wereld zou ik willen kiezen. Maar omdat Luther met zijn dwaling
zielen vermoordt, lijkt toch Maarten van Rossom nog de beste van hen twee.

Merten van Rossom heeft doen vanghen en spannen
Den landtman, roovende potten en pannen,
Makende hem therte alder bangste;
Merten Luther, weerdt tzyne van God ghebannen,
Heeft duer zyn erruer vrouwen en mannen
In tsviants prisoen bracht, dat es noch tstrangste;
Dat elck dus wilt rooven en trecken om dlangste,
Tcompt meest vuyt Luthers leere, twerdt noch bewesen;
Niemant en sal schier derven slapen van angste,
Want tgoet es ghemeene: wat volght vuyt desen?
Dat elck sonder vreese wilt een besiken lesen
Op zyns naesten erve, dblyct alle daghe;
Waer om werdt Rossom ghelaect, Luther ghepresen,
Want zy zyn doch beye van eenen slaghe?
Luther es boost, ic en steecks onder gheen scraghe,
Want hy onder de christen tgoet maect ghemeen.
Al wenscht men Merten van Rossom menich plaghe,
Noch schyndt Merten van Rossom de beste van tween.

Merten van Rossom, met veel quaets ghespuys verselt,
Heeft menich schoon huys in brande ghestelt;

Maarten van Rossem heeft de boeren doen vangen en boeien, terwijl hij hun huisraad roofde en hun de doodsschrik aanjoeg. Maarten Luther, die het verdient door God weggevaagd te worden, heeft met zijn dwaalleer vrouwen en mannen in de macht van de duivel gebracht, en dat is nog veel erger. Dat elk van beiden zo wil roven zonder iemand te ontzien, volgt nog het meest uit Luthers leer zoals zal worden aangetoond. Niemand zal van angst een oog dicht durven doen, want het bezit is gemeenschappelijk verklaard. Wat volgt daaruit? Dat iedereen zonder angst zijn buurman zal bestelen, het gebeurt nu al dagelijks. Waarom wordt Van Rossem gelaakt en Luther geprezen? Ze zijn toch beiden van hetzelfde slag? Luther is het kwaadaardigst, dat steek ik niet onder stoelen of banken, want hij zaait de geloofsmysteriën gratis rond onder het christenvolk. Al heeft men de pest aan Maarten van Rossem, toch lijkt Maarten van Rossem nog de beste van hen twee. ¶ Maarten van Rossem, vergezeld door veel kwaad gespuis, heeft menig mooi huis in brand gestoken.

Maer Luthers boosheyt gaet verre boven screven:
Duer hem zyn kercken, cluysen, cloosters ghevelt,
Menich goedts mans kint, niet mueghelyc ghetelt,
Vuyten cloosters ghejaecht, die nu deerlyc sneven;
Stelen en rooven, daer zy by leven;
Van dien zynder licht ooc onder Rossoms bende;
Waer om werdt Rossom dan alleene bekeven?
Leeliker dan zyne luydt Luthers legende.
Doet open u ooghen, ghy onbekende,
Die Lutherum loeft ende Rossom laect;
Aensiet Luthers bedryf, tbeghin en dende,
Noch heeft hyt qualiker dan Rossom ghemaect;
Dit moet ghy lyden, hoe ghy de waerheyt messaect;
Ghy en kunt hier teghen niet ghesegghen neen;
Maer, al zyn zy alle beyde van dueghden naect,
Noch schyndt Merten van Rossom de beste van tween.

Heeft Merten van Rossom zyn eere verloren,
Afgaende den keyser, hooghe gheboren,
Luther es den Oppersten Heere af ghegaen,
Die hy hadt gheloeft en trouwe ghezworen,

Maar Luthers boosaardigheid gaat alle perken te buiten. Door zijn schuld zijn kerken, bidplaatsen en kloosters in het verderf gestort. En talrijke welopgevoede kinderen zijn verjaagd uit hun kloosters, waardoor ze nu jammerlijk ten onder gaan en gedwongen zijn om te stelen en te roven voor hun bestaan. Van dit soort zijn er vast wel in Van Rossems bende. Waarom wordt dan alleen Van Rossem uitgescholden? Luthers verhaal is heel wat smeriger dan het zijne. Open je ogen, jullie onnozelen die Luther loven en Van Rossem laken. Overweeg wat Luther van begin tot eind heeft gedaan, dan zie je ook in dat hij veel erger is dan Van Rossem. Dit moet je wel toegeven, hoe je het verder ook met de waarheid op een akkoordje gooit. Hier kun je niet omheen. Maar al zijn ze beiden van deugden ontbloot, toch lijkt Maarten van Rossem nog de beste van hen twee. ¶ Is Maarten van Rossem zijn eer verloren door afvallig te worden aan onze hooggeboren keizer, Luther heeft onze Opperste Heer, aan wie hij al zijn geloof opdroeg en die hij trouw zwoer, de rug toegekeerd.

En heeft voer zyn cappe een nonne vercoren,
Die God ooc gheloefte hadde ghedaen.
Versmaet Rossom den keyser, merct Lutherum saen:
Hy spreect van paus, keyser beyde veel blamen,
En leerdt dondersaten teghen doverste opstaen;
Van princen en vorsten scryft hy veel diffamen,
Prelaten, bisscoppen hoort men hem misnamen;
Al heeft Rossom veel quaets bedreven in Brabant,
Men sach hem niet veel kercken oft cloosters pramen,
Met enighen brande, aen gheenen cant;
Aen gheestelycke maeghden en stack hy gheen hant,
Alsoot tot sommighen plaetsen wel scheen;
Al heet Merten van Rossom een quaet tyrant,
Noch schyndt Merten van Rossom de beste van tween.

Es Merten van Rossom een verradere,
Luther es ooc een, en zoo veel quadere;
Hy berooft met verraet van der hemelscher erven
Menich kersten ziele, dus Gods versmadere;
Lucifer heeft dees twee ghesonden te gadere,
Om dat zy heel kerstenryc souden bederven;

In ruil voor zijn monnikskap heeft hij een non gekozen, die God ook gelofte
had gedaan. Laat Van Rossem de keizer links liggen, kijk dan eens gauw naar
Luther: hij spreekt veel kwaad zowel van de paus als van de keizer. Onderdanen leert hij opstaan tegen hun machthebbers. Over prinsen en vorsten
schrijft hij veel laster, terwijl hij kerkvorsten en bisschoppen hatelijke bijnamen
geeft. Al heeft Van Rossem veel kwaads bedreven in Brabant, men zag hem niet
veel kerken of kloosters beschadigen met brandstichting, aan geen enkele zijde.
Evenmin stak hij een vinger uit naar geestelijke maagden, al leek het er hier en
daar wel op. Al staat Maarten van Rossem bekend als een kwaadaardig tiran,
toch lijkt Maarten van Rossem nog de beste van hen twee. ¶ Is Maarten van
Rossem een verrader, dan is Luther er ook een, en hij is veel kwaadaardiger.
Met behulp van verraad berooft hij menig christen van de hemelse erfenis, die
zo hun neus voorbijgaat. Lucifer heeft hen beiden tezamen uitgestuurd, opdat
zij het hele christenrijk te gronde zouden richten.

Es Rossom moordadich, Luther heeft doen sterven
Twee hondert duysent boeren duer zyn bedryf;
Veel esser onthooft, verbrandt, ghesackt menich werven,
Om zyn valsche leere, beyde man en wyf;
Dus es hy een moordenaer van ziel en lyf;
Merten van Rossom mach maer dlichaem hinderen,
Al mach hy donnoosele quellen even styf;
Zyn zy patient, hy maectse Gods kinderen;
Dit en sal zyn sonde nier verminderen,
Ic en wilts niet excuseren oft maken reen;
Al zynt beye twee venynighe slinderen,
Noch schyndt Merten van Rossom de beste van tween.

Luther en Rossom, als twee boose wichten,
Heeftmen in schyn van dueghden boosheyt sien stichten:
Rossom quam in Brabant ghesleghen met bedroch,
Tscheen hy woude gaen op de Turcken vichten;
Merten Luther en wilt vry noch niet zwichten,
Hy wilt den prys hier af behouden noch;
Ghelyc een devoet munck, aeylaschen, och!
Quam dees wolf int cleedt van eenen lamme
Stroyen in kerstenryck tvenyn soch,

Is Van Rossem moordzuchtig, Luther heeft door zijn optreden tweehonderdduizend boeren doen sterven. Veel zijn er onthoofd, verbrand, dikwijls in een
zak verdronken vanwege zijn valse leer, zowel man als vrouw. Daarom is hij
een moordenaar van ziel en lijf. Maarten van Rossom kan slechts het lichaam
belagen, al kwelt hij de onschuldigen even erg. Zijn ze lijdzaam, dan maakt hij
ze martelaars. Dat maakt zijn zonden er niet minder om, die wil ik niet ver-
ontschuldigen of goedpraten. Al zijn het twee giftige slangen, toch lijkt Maarten van Rossom nog de beste van hen twee. ¶ Luther en Van Rossem heeft men
als twee boosaardige wezens kwaad zien stichten onder het mom van deugden.
Van Rossem drong Brabant binnen met bedrog, onder het voorwendsel dat hij
tegen de Turken zou gaan vechten. Maarten Luther wil voorwaar niet onder-
doen, want hij wil de eerste plaats behouden. Als een devote monnik, ach helaas, kwam deze wolf in schaapskleren in het christenrijk het giftig zog verspreiden,

Dat hy hadt ghesogen vuyter ketters mamme;
Al liet Rossom den haen metten rooden camme
In Brabant vlieghen, zoot heeft ghebleken,
Luther heeft laten vlieghen veel quader vlamme,
Want duer zyn venynich scryven en preken
Es kerstenryck met ketteryen ontsteken;
Haer beyder voorstel mach elcken wel verleen;
Hoe wel sommighe veel lofs van Luthero spreken,
Noch schynt Merten van Rossom de beste van tween.

Merten van Rossom en Merten Luthere,
De beste van hem beyen es een mutere;
Maer ten es niet vrempt al es Rossom onghevreest,
Want tes een crychsman, een weerlyc rutere,
Maer Merten Luther vermeet hem, dees stutere,
Dat hy Scriftuere verstaet na den rechten keest,
En dat hy es vervult van den Heylighen Gheest.
Die den wech dus wel weet, tes wonder dat hy dwaelt;
Maer het schyndt wel den gheest regeert hem meest
Die men onder Sint Dignen voeten maelt.
Al heeft Merten van Rossom veel roofs ghehaelt
In Brabant, dwelck noch veel menschen bequelen,

dat hij uit de moederborst der ketters gezogen had. Al liet Van Rossem naar blijkt de haan met de rode kam opvlammen in Brabant, Luther heeft veel kwaadaardiger vlammen doen ontbranden, want door zijn giftige schrifturen en preken is het christenrijk aangestoken door ketterijen. Hun beider opzet mag iedereen wel verachten. Hoewel sommigen veel lof over Luther spreken, toch lijkt Maarten van Rossem nog de beste van de twee. ¶ Maarten van Rossem en Maarten Luther, de beste van hen tweeën is een opstandeling. Maar het wekt geen bevreemding dat Van Rossem geen vrees kent, want hij is een krijgsman, een echte ijzervreter. Maar Maarten Luther, deze pochhans, verstout zich te beweren dat hij de Schrift verstaat tot in de kern en dat hij bezield is door de Heilige Geest. Van iemand die zo goed de weg weet is het wonderlijk te zien dat hij zo dwaalt. Maar naar het schijnt wordt de geest, die men onder de voeten van de heilige Dymphna schildert het meest vaardig over hem: de duivel. Al heeft Maarten van Rossem veel buit geroofd uit Brabant wat nog veel mensen smart doet,

Merten Luther in dit stuck ooc niet en faelt:
Hy heeft dapostaten vuyt cloosters doen stelen
Kelcken, ciborien, ic wilt God bevelen;
Oft hy niet mede en paert, elck knaghe dit been.
Al heeft de duvel dees twee Mertens by der kelen,
Noch schyndt Merten van Rossom de beste van tween.

Merten van Rossom, Prince van den snaphanen,
Die om stelen, om rooven zyt cloeck ter banen,
Luther, prince van alle valschen propheten,
Soud ic u legende gheheel vermanen,
Tsou den leser verdrieten, soude ic wanen;
Den tyt en tpampier werder mede versleten;
Dus, voer eens, heb ic my ghenouch ghequeten;
Tot op een ander tyt borcht my de reste;
Luther, Rossom, Lucifer daer by ghesesten,
My twyfelt wie van drien es de beste:
Rossom sleypt veel quaets aes tzynen neste,
Luther es nacht en dach in de weere
In kerstenryck te stroyen een dootlycke peste;
Dus haer beyder boosheyt blyct int cleere;

Maarten Luther faalt in dit opzicht evenmin: hij heeft de afvalligen kelken en
misbekers uit kloosters doen stelen, ik laat aan God over om daarover te oordelen. En of je er zelf geen voordeel van hebt, dat moet iedereen voor zichzelf
maar uitmaken. Al heeft de duivel deze beide Maartens bij hun keel, toch lijkt
Maarten van Rossem nog de beste van hen twee. ¶ Maarten van Rossem, prins
van de vrijbuiters, die meteen klaarstaat om te roven en te stelen, en Luther,
prins van alle valse profeten, zou ik uw beider levensverhaal geheel uiteen-
zetten, dan zou dat hoogstwaarschijnlijk de weerzin wekken van de lezer. Tijd
en papier worden daarmee verspild. Voor eens en altijd heb ik voldoende mijn
plicht gedaan. Geef mij uitstel tot later om het overige te vertellen. Luther, Van
Rossem en Lucifer daar nog naast gezeten, ik vraag me af wie van de drie de
beste is: Van Rossem sleept veel boosaardig verkregen buit naar zijn nest, Luther is dag en nacht in de weer met het verspreiden van een dodelijke pest in het
christenrijk. Zo komt hun beider boosaardigheid duidelijk naar voren.

Maer voer Luthers venyn ic my meest verveere,
Want de menschen brenght in deuwich gheween;
Al en es den kuer niet weert een platte peere,
Noch schyndt Merten van Rossom de beste van tween.

REFEREYN

[PRIESTERS ZIJN MENSCHEN ALS ANDER LIÊN]

Weer gheestelick, weer weerlick, boeren ofte prelaten,
Wy zijn aerme, zondighe, crancke vaten,
Edel van dueghdens, maer vol ghebreken.
Hoe compt dan dat wy malcanderen dus haten,
Beclappen, belieghen, draghen achter straten,
Die zelve totten ooren in sonden steken?
Dat het volck nu dynct, durft wel stautelick spreken,
En principalick van muenicken en papen;
En hoe zy de waerheit bet zegghen oft preken,
Zoo fenynighe slanghen daer meer up gapen;
En of die priesters zom uut waren om rapen,
't En zijn gheen inghelen, maer meinschen cranck.

Maar ik ben het meest bang voor Luthers gif, want het brengt de mensen in de
eeuwige ellende. Al is de keuze geen platgetrapte peer waard, toch lijkt Maarten van Rossem nog de beste van hen twee.

•

Zijn wij geestelijken, leken, boeren of kerkvorsten, we blijven armzalige, zwakke, zondige vaten, zonder deugden maar vol gebreken. Hoe komt het dan dat
wij elkaar zo vreselijk haten, belasteren, vals beschuldigen en aan de kaak stellen, terwijl we zelf tot over onze oren in de zonden steken? Wat het volk nu
denkt durft het brutaal uit te spreken, vooral als het over monniken en priesters
gaat. En hoe beter zij de waarheid naar buiten brengen, hoe meer de giftige
slangen daarnaar verlangen. En ook al was een priester wel eens wat inhalig,
niemand beweert toch dat het engelen zijn in plaats van zwakke mensen?

Besiet u-zelven, aerme schurfde schapen,
Peynst, gaen zy cruepele, ghy gaet wel manck,
Ghy hoort oock gheerne in den buydel gheclanck;
Eyst wonder of priesters gheerne pennynghen zien?
Ic zegghe: 'Ic en diene om gheenen danck,
Priesters zijn menschen als ander liên.'

Schaemt u, ghy clappaerts, vul valscher suspitien,
Ghy mueght wel vreesen Gods stranghe punitien,
Als hy ten oordeele sal zijn gheseten.
Zy segghen dat die papen die beneficien
Coopen ende vercoopen; dees quade malitien
Mercken zy wel, maer zy hebben verghetten
Hoe zy zelve het zweet van den aermen eten.
God weet hoe zom cryghen haer substantie,
Duer lieghen, bedrieghen, ontschryven, ontmeten,
Oft anders door wouckerie ofte finantie;
Bancheroute, dat is eene ghemeene usantie,
Soo wel onder die Duytschen als onder die Walen,
Een quinckernel, dat 's die quitantie,
Zy en willen van tween niet een betalen.
Dit volck zeght: 'Die muenicken en papen dwalen.'

Kijk naar jezelf, armzalige schurftige schapen, en bedenk dat je zelf zeker mank loopt, wanneer zij wat kreupel gaan. Jullie horen toch ook graag geld in je buidel rammelen? Is het dan vreemd dat priesters graag geld zien? Daarom zeg ik: ik hoef geen dank te verwerven; net als ieder ander zijn priesters ook mensen. ¶ Schaam jullie, roddelaars vol verdachtmakingen, jullie kunnen zeker Gods strenge straffen vrezen als hij op zijn rechterstoel zal zitten. Ze beweren dat de priesters kerkelijk eigendom kopen en verkopen. Voor zulke slechte eigenschappen hebben ze wel oog, maar daarbij vergeten ze hoe ze zelf van het zweet der armen profiteren. Alleen God weet hoe sommigen in hun onderhoud voorzien met liegen, bedriegen, dubbel schrijven en vals meten, of anders wel met woeker en wurgleningen. Bankroet komt aan de lopende band voor, zowel onder Nederlanders als onder Walen. Uitstel van betaling, zo heet hun kwitantie, want ze willen gewoon niets betalen. Zulke mensen zeggen dat priesters en monniken dwalen,

En haer selfs hofken en willen zy niet wiên;
Merct u selfs crancheit en zeght zonder dralen:
'Priesters zijn menschen als ander liên.'

Of priesters oock met vrauwen ommegaen,
Ic en zegghe niet of 't en is qualick ghedaen;
Maer zal men haer cranckheit daerom verbreyden?
Ghy, ghehuwede mans, wilt my wel verstaen,
Ghy hebt ter kercken een huusvrauwe ontfaen
En hebt ghezworen onder u beyden
Dat ghy van malcanderen niet en zult scheyden,
Zydy altijts ghetrauwe uwen pare?
Ghy gaet u oock somtijts by andere vermeyden,
En laet u wijf, en verquist het hare.
Of die priesters ooc somtijts hadden een care,
Die duvel die u quelt haerliêr oock tenteert,
Haerliêr lichaem als het uwe, gheseyt in 't clare,
Is tot alder cranckheit gheinclineert,
Dit ghevoelt ghy in u-zelven als ghy wel jugeert.
Hier zoudy om dyncken als ghy yet zaecht geschiên,
En segghen als yemant die priester accuseert:
'Priesters zijn oock menschen als ander liên.'

maar hun eigen tuintje willen ze niet wieden. Bekommer je om je eigen zwakheid en zeg dan onverwijld: net als ieder ander zijn priesters ook mensen. ¶ Als sommige priesters met vrouwen verkeren, zal ik niet zeggen dat dit niet slecht is. Maar moet men daarom hun zwakheid rondbazuinen? Jullie getrouwde mannen, begrijp me goed, jullie hebben ten overstaan van de kerk een vrouw ontvangen en jullie hebben beiden aan God beloofd om niet te zullen scheiden. Maar ben je je partner altijd trouw? Soms ga je je ook met anderen vermaken, terwijl je je vrouw laat zitten en haar bezittingen verkwist. En hebben priesters soms ook een liefje, de duivel die jou kwelt brengt hen ook in verleiding. Hun lichaam is evenals dat van jullie tot elke zwakheid geneigd, dat moet duidelijk zijn. Als je goed nadenkt kun je dat zelf navoelen. Hieraan moet je denken als je iets ziet gebeuren. En dan moet je zeggen, wanneer iemand de priesters beschuldigt: net als ieder ander zijn priesters ook mensen.

Of priesters ooc somtijts lachen en synghen,
By goet gheselschap danssen en sprynghen,
En of zy in vrueghden waren de meeste,
Sal men se begrypen met sulcken dynghen?
Al siet men haer oock een bacxken uut brynghen,
's Ghelijcx oock wachten met blyden gheeste,
Die nemmermeer en verhueght is wel een beeste;
Zy moeten oock somtijts haer hertkin verlichten.
Peynst hoe gheerne ghy sijt in de feeste,
Daer vrueght hantieren vrau Venus nichten;
Of priesters oock saghen op schoone ansichten
Sal men se voor bouven hauden terstont
Ende haerliêr versmaden als boose wichten?
Peynst, wat goets smaect ooc wel in uwen mont.
Eer ghy priesterts begrijpt gaet in u selfs gront,
En is 't dat ghy daer vint 's ghelijcx van dien,
Laet se onbegrepen en seght goet ront:
'Priesters zijn oock menschen als ander liên.'

Prince, achterclappers en lueghen-vinderen
Zullen zelden eens anders ghebreck verminderen,
Maer liever vermeerderen, elck zy op zijn hoede.

Wanneer priesters soms ook lachen en zingen, te midden van aangenaam gezelschap dansen en springen, en wanneer zij uit de band springen van plezier,
moet men hen dan laken om dergelijk gedrag, al ziet men hen ook een dronk
uitbrengen en de nacht plezierig doorfuiven? Hij die zich nooit verheugt is niet
meer dan een dier. Ze moeten ook soms hun hart eens ophalen. Bedenk zelf hoe
graag je feestviert met willige vrouwen. En wanneer priesters nu ook van een
aantrekkelijk gezichtje houden, moeten ze daarom meteen voor boeven doorgaan? En wanneer ze het smakelijkste voedsel aanprijzen, bedenk dan dat je
zelf ook je mond aflikt bij wat lekkers. Kijk voordat je priesters aanvalt eerst
naar jezelf. En is het zo, dat je jezelf ook kunt betrappen, laat hen dan on-
gemoeid en zeg ronduit: net als ieder ander zijn priesters ook mensen. ¶ Prins,
roddelaars en lasteraars zullen zelden iemand anders' gebreken verkleinen,
maar eerder vermeerderen: pas op je tellen.

Of priesters misdoen wat mach't ons hinderen,
Wy zijn al t'samen Adams kinderen,
Te samen-ghezet van vleesche en van bloede.
Men behoorde alle dynghen te keeren in 't goede,
Met den priesterlicken staet niet spotten noch gecken,
Maer doen ghelijck Constantinus, de vroede,
Die haerliêr mesdaet metten mantel wilde decken.
Dit zoude u met recht tot dueghden verwecken,
Die met achterclap haren tijt verquisten,
Met lueghenen der priesters fame bevlecken,
Zeyden zy noch niet meer dan zy en wisten.
Hoort ghy, Lutersche evangelisten,
Die Gods stathauders dus alomme bespiên,
Laet staen u clappen, ghy duvelsche artisten:
'Priesters zijn ooc menschen als ander liên.'

[REFEREYN]

[HOE WEELDIGER LEVEN, HOE SWAERDER DOOT]

Wat mogen dees sondige menschen dincken,
Die niet en doen dan eten & drincken,

Wanneer priesters zich misdragen, wat voor last hebben wij daarvan? Net als wij zijn zij ook kinderen van Adam, samengesteld uit vlees en bloed. Men zou alles van de goede kant moeten zien en niet meer spotten of gekscheren met de priesterlijke staat, maar doen als de wijze Constantijn de Grote, die hun wandaden met de mantel der liefde bedekte. Daardoor zouden ze juist tot deugden aangespoord worden. Zij die met laster hun tijd verkwisten en het blazoen van priesters met leugens bevlekken, vertellen ze eigenlijk niet meer dan ze weten? Luister, jullie lutherse evangelisten, overal op de loer naar Gods plaatsvervangers, laat jullie roddelpraat achterwege, duivelse betweters als jullie zijn: net als ieder ander zijn priesters ook mensen.

•

Wat zullen deze zondige mensen denken die niets anders doen dan eten en drinken,

Storten & schincken?
Dobbelen, tuysschen, mommen, hoveren
Is al haer studeren.
Op schoone vrouwen sy loncken & wincken;
Dlichaem, dat noch sal rotten & stincken,
Dat doen sy blincken;
Sy jagen, sy vliegen, sy triompheren,
& gaen spacieren;
Veel goets, veel gelts sy conquesteren,
Wie sy trompeeren, sy crygen thuerder baten
Croonen, ducaten;
Over ander menschen sy domineren,
Sy persequeren haer ondersaten,
Seer boven maten;
Sy worden geeert op wegen op straten;
Sy drincken uut goude & silvere vaten;
Maer, laes! als comt den uutersten noot,
Als syt hier altsamen moeten laten:
Hoe weeldiger leven, hoe swaerder doot.

Sy hebben schoon huysen, borcht en casteelen,
Die sy stofferen met schoone juweelen,
Hoven, prieelen,
Daer cruyen & menige bloemkens spruyten

potverteren en uitschenken? Alles waar ze zich op toeleggen bestaat alleen uit
dobbelen, gokken, zich vermommen en achter de vrouwen aan zitten. Zij lonken en paaien mooie vrouwen, en hun lichaam dat later zal rotten en stinken
poetsen ze stralend op. Ze jagen, ze vliegen, ze hebben succes en gaan flaneren.
Ze weten veel geld en goederen te bemachtigen. En wie ze ook bedriegen, ze
verdienen er altijd kronen en dukaten mee. Ze domineren over andere mensen
en ze vervolgen hun onderdanen zeer bovenmate. Overal worden ze geëerd. Ze
drinken uit gouden en zilveren schalen. Maar helaas, wanneer hun laatste moment aanbreekt en zij hier alles moeten achterlaten: hoe weeldiger leven, hoe
zwaarder dood. ¶ Ze hebben mooie huizen, burchten en kastelen, die zij versieren met mooie juwelen, hoven en priëlen waar kruiden en heel wat
bloempjes groeien,

Vol van virtuyten;
Sy eten dagelycx lecker morseelen;
Die almoessen souden haer soo wel heelen,
Wouden sy deelen;
Maer neen: sy doen poorten & dueren sluyten
Op de arme daer buyten;
Over huer tafelen spelen herpen & luyten,
Accoort van fluyten daer ander op singen;
Dansen & springen;
Van al haer wercken sy roemen & stuyten;
Craecken & schuyten hen tgeluck thuys bringen;
Godt laet het gehingen.
Thueren dinste staen oude & jongelingen;
Men schinckt hen ketenen & goude ringen,
Flouweele habyten, peerts, swert & root.
Maer als sy moeten scheyden van alle dingen:
Hoe weeldiger leven, hoe swaerder doot.

Sy en achten niet al laden sy tsondich pack,
Maer doen hueren vuylen, stinckenden sack
Al syn gemack;
Sy mesten hen selven, al warent swynen,
Met stercke wynen;

---

vol met heilzame eigenschappen. Dagelijks eten ze heerlijke hapjes. Het geven
van aalmoezen zou hen heel wat helpen, wanneer ze anderen lieten meedelen.
Maar dat doen ze niet: ze sluiten hun poorten en deuren voor de arme daarbuiten. Bij hen aan tafel klinken harpen en luiten en het eenstemmig akkoord van
fluiten, waarbij anderen zingen, dansen en plezier maken. Ze beroemen zich op
al hun ondernemingen en pochen daarover. Grote en kleine schuiten bezorgen
hun het geluk thuis. En God laat dat allemaal gebeuren. In hun dienst staan
ouderen en jongelingen. Men schenkt hun kettingen en gouden ringen, fluwelen mantels in paars, zwart en rood. Maar als ze van alles moeten scheiden: hoe
weeldiger leven, hoe zwaarder dood. ¶ Het deert hen niet dat zij zich met zonden overladen, maar ze bereiden hun vuile, stinkende lichaamszak elk genoegen. Ze mesten zichzelf vol gelijk de varkens en drinken daarbij krachtige wijn.

Sy en vragen niet naer dwoort dat Christus sprack:
Dat de rycken een druppel waters gebrack,
Doen hy verstack
& liet Lasarus, vol sweiren & pynen,
Van honger verdwynen;
Sy hebben haer bedde met syde gordynen;
Wullen & lynen & mach hen niet ontdieren
Daer sy dlyff me verchieren;
Sy dragen diamanten & robynen
Die seer claer schynen, met dryen met vieren,
Van alle manieren;
Haer boelkens gaen als Venus camenieren,
Met lange steerten, met flouweele colieren;
Sy eten met alder genuchten haer broot.
Maer al synse nu moedich niet om versieren:
Hoe weeldiger leven, hoe swaerder doot.

Huer schip seylt hier al voer den wint;
Hen dunckt datmen geen ander leven en vint;
Weelde maecse blint.
Al souden sy eeuwelycken derven Godts aenschyn claer,
Sy en achtens niet een haer.
Een sondich mensche, die de werelt mint

Zij talen niet naar het woord van Christus: dat de rijke geen druppel water kon missen toen hij van ons wegging, en dat hij Lazarus, overdekt met zweren en pijnlijke schrammen, liet wegkwijnen van honger. Rond hun bed hebben ze zijden gordijnen. Wollen en linnen stoffen waarmee ze hun lichaam opdoffen kunnen hun niet duur genoeg zijn. Ze dragen diamanten en robijnen, die zeer helder schitteren, op allerlei manieren met zijn drieën of vieren samengevoegd. Hun vriendinnen lopen rond als hoeren, met lange sleepstaarten en fluwelen kleren. Met het grootste genoegen nemen zij het ervan. Maar al gedragen ze zich nu moedig en onverveerd: hoe weeldiger leven, hoe zwaarder dood. ¶ Het gaat hun hier helemaal voor de wind. En ze denken aan geen ander leven: weelde maakt hen blind. Al zouden ze eeuwig Gods heldere aanblik moeten missen, dat maakt hun niets uit. Een zondig mens dat de wereld bemint

En syn herte daer soo vast aen bint,
Dat hy Godt niet en kint,
Peyst oft hem de doot niet en is seer swaer.
Wy sient openbaer:
Als sy moeten sterven, wat ancxt! wat vaer!
Sy en weten niet waer haer herberge sal wesen.
Dan wert daer gegresen;
Sy sien, sy moeten laten haer lieffste paer;
Haer goet blyft daer, & noch boven desen,
Huer sonden sy lesen;
Sy lachteren al tgeen dat sy voertyts presen;
De lippen verflouwen, senuen & pesen
Die crimpen van pynen, oock sweert hen thoot;
Dat haer is hen van pyne geresen:
Hoe weeldiger leven, hoe swaerder doot.

Prinche

Als sy dus nae haren asem gapen,
Ontrent den bedde staen maerten & cnapen;
Dan comen de papen,
& seggen van bichten, dwelck huerlieder ooren
Swaer is van hooren.
In der slaep der sonden hebben sy geslapen,

---

en zijn hart daaraan zozeer vergooid dat hij God niet meer kent, bedenkt niet dat de dood hem zeer zwaar zal vallen. Overal zien we dat gebeuren: wanneer ze moeten sterven ontsteken ze in een vreselijke angst. Ze weten niet waar hun nieuwe onderkomen zal zijn. Dan vertrekt hun gezicht van afgrijzen. Ze realiseren zich dat ze hun liefste partner moeten achterlaten, namelijk hun bezit, terwijl ze hun zonden tellen. Nu lasteren ze alles wat ze voordien prezen. Hun lippen worden bleek, zenuwen en pezen krimpen van de pijn, en hun hoofd bonst. Hun haar staat recht overeind van de pijn: hoe weeldiger leven, hoe zwaarder dood. ¶ Prins ¶ Wanneer zij zo naar adem snakken, terwijl meiden en knechten rond hun bed staan, dan verschijnen de priesters en zeggen dat ze moeten biechten, wat hun zwaar valt. Ze zijn weggesuft in een zondige slaap

Huer leefdage uutgeweest om rapen,
Donnoosele schapen
Verdruckt & tot den velle geschoren.
Dit komt hen al te voren;
Dan syn daer present de helsche mooren,
Diese seer becooren & derlyck quellen,
Haer sonden tellen,
& seggen: o mensche, wat dedy geboren?
Ghy moet versmooren, in den afgrond der hellen,
Met ons versellen.
Van al haer gewaden gaetmense ontspellen;
Sy moeten naect & bloot, sonder uutstellen,
Voer tstrange oordeel dwelc noyt niemand ontvloot,
Hier om mach ic wel als van te voren rellen:
Hoe weeldiger leven, hoe swaerder doot.

[REFEREYN]

[JESUS, DAVIDTS SONE, ONTFERM U MYNS]

Waer sal ick blyven, spyse der wormen,
Daer soo veel vyanden om my swermen,

en hebben hun hele leven gewijd aan het bijeenschrapen van bezit, over de
ruggen van onnozele schapen die zij het vel van de oren hebben geschoren. Dat
komt nu allemaal naar boven. Daarbij zijn dan de helse duivels aanwezig, bij
wie ze zeer in de smaak vallen en die hen pijnlijk kwellen en al hun zonden
opsommen onder het uitroepen van: o mens, was je maar nooit geboren! Je
moet te midden van ons stikken in de afgrond van de hel. Al hun gewaden
worden afgepeld, tot ze moedernaakt staan aangetreden om onverwijld het
strenge oordeel te ondergaan waaraan nog nooit iemand ontkomen is. Hierom
kan ik wel zoals aan het begin uitroepen: hoe weeldiger leven, hoe zwaarder
dood.

•

Waar moet ik het zoeken, spijs voor de wormen, nu zoveel duivels om mij heen
zwermen,

Die tcasteel mynder sielen swaerlyc bestormen?
Ic en heb gheen macht dat ic my can beschermen.
Dus roep ick: Jesu, Davidts sone, wilt myns ontfermen.
Al ist dat ghy straft die woelende schare,
Nochtans sonder ophouden, sal ick tot u kermen
Tot dat ic u comste worde geware.
Myn begeerte is dat ic mach sien int clare,
Want tot noch toe heb ic geweest verblint,
Hoe ouder hoe erger, van jare tot jare,
My selven gesocht en de weirelt bemint.
O Heere, de helle hadde my lange verslint,
En haddys niet belet; dus behoeff ic dyns.
Wilt my ontfangen als verloren kint:
Jesus, Davidts sone, ontferm u myns.

Heere, gelyc een schaepken sonder herder,
Ben ic verre van uwer cooyen gedwaelt;
U goddelycke geboden een overterder,
Buyten den wech die ghy my hebt gepaelt.
Dlicht uwer gracien, heeft my duerstraelt,
Ic en heb niet gemerckt u goddelyc wincken;
Ic blyff verloren, ten sy dat ghy my weerhaelt,
Want uut myn selven en can ic niet goets gedincken.

die het kasteel van mijn ziel hevig bestormen? Ik bezit geen kracht om mijzelf te
beschermen. Daarom roep ik: Jezus, Davids zoon, ontferm u over mij. Ook al
straft u die woelige schare, toch zal ik onophoudelijk blijven kermen totdat ik
uw komst gewaarword. Ik verlang zo dat ik helder mag zien, want tot nu toe
ben ik verblind geweest, in de loop der jaren steeds erger, omdat ik mijzelf
zocht en de wereld beminde. O Heer, de hel zou mij allang opgeslokt hebben,
wanneer u dat niet had belet. Daarom heb ik u nodig. Neem mij op als uw
verloren kind: Jezus, Davids zoon, ontferm u over mij. ¶ Heer, als een schaapje
zonder herder ben ik ver van uw kooi gedwaald, een overtreder van uw goddelijke geboden die buiten de weg ging die u voor mij hebt uitgezet. Het licht van
uw genade is door mij heen gegaan, maar uw goddelijke tekens heb ik niet
begrepen. Ik blijf verloren, tenzij u mij weer verlicht, want uit eigen initiatief
kan ik niets goeds verrichten.

Ghy roept: alle die dorst ic sal u schincken:
O levende fonteyne, diet al moet laven,
U heb ic gelaten, & cisternen die stincken,
Oft putten sonder water heb ic my gegraven,
Den vyant gedient als een van syne slaven.
Dus is my nakende veel swaer gepyns,
Al heb ic misbruyct u goddelycke gaven:
Jesus, Davidts sone, ontfermt u myns.

Ic en weet niet waer keeren, soo ben ic verbaest,
Als ic dencke dat ic sal worden gedaecht
On rekeninghe te doene metter haest;
Ic en weet niet, Heere, wanneert u behaecht.
Den vyant die wroecht, consciencie die cnaecht,
& ic moet daer compareren alleene;
Wat sal ic seggen, o rechter, als ghy my vraecht?
Voer duysent en mach ic antwoorden niet eene.
Soecty vruchten aen my, ghy en vinter geene;
Want tgeen dat ghy my verleent hebt, heb ic verquist;
Myn sonden syn groot, myn goet is seer cleene,
& tegen u en helpen practycken oft list.
Ist dat myn rekeninge int passeren mist,

U roept: voor allen die dorst hebben zal ik schenken. O levenschenkende fontein die allen moet laven, u heb ik verlaten in ruil voor stinkende waterputten. Voor mijzelf heb ik zelfs kuilen zonder water gegraven, terwijl ik de duivel diende als een van zijn slaven. Dat bezorgt mij nu veel kommervolle gedachten. En al heb ik uw goddelijke gaven misbruikt: Jezus, Davids zoon, ontferm u over mij. ¶ Ik weet niet wat ik moet doen, zo geschokt ben ik wanneer ik bedenk dat ik zal worden gedaagd om onverwijld mijn schulden in te lossen. Ik weet niet, Heer, wanneer het u zal behagen. De duivel klaagt mij aan, mijn geweten knaagt, terwijl ik daar alleen moet verschijnen. Wat kan ik zeggen, o rechter, wanneer u mij ondervraagt? Van duizend vragen kan ik er geen enkele beantwoorden. Zoekt u iets goeds bij mij, u zult niets vinden, want wat u mij hebt gegeven, heb ik allemaal verkwist. Mijn zonden zijn groot, het goede aan mij is zeer gering, terwijl sluwe streken of listen bij u niets uithalen. En kan ik de rekening bij het langskomen niet voldoen,

Soo is my nakende veel swaer gepyns.
Al en heeft myn juecht hier op niet gegist,
Jesus, Davidts sone, ontfermt u myns.

Prinche

Ic mag wel sorgen voer de lange reyse,
Die ic alleene sal moeten bestaen,
Ten hemel oft ten helschen forneyse,
Ic en weet niet van beyde waer dat ic sal gaen.
Als ic myn rekeninge gae overslaen,
Voerwaer soo naeckt my disperatie;
Maer dan peys ic weder opden publicaen,
Die ootmoedelyc badt & hy creech gracie.
O Heere, ic doe oock alsoo myn supplicacie:
Ic hope, ghy en sult my niet versmaden;
Ic was bedrogen doer svyants temtacie,
Tvlees heeft my verleyt, de weirelt verraden;
Tvlees is cranck, de weirelt vol overdaden,
De weirelt is loos, seer ongelyc haer schyns.
Heere, ghy syt alleene die my mach versaden:
Jesus, Davidts sone, ontfermt u myns.

dan hangen er zware zorgen boven mijn hoofd. Al dacht ik in mij jeugd wel
zonder te kunnen: Jezus, Davids zoon, ontferm u over mij. ¶ Prins ¶ Ik moet
mij grote zorgen maken voor de lange reis, die ik alleen heb af te leggen. En is
het naar de hemel of het helse vuur, ik weet niet welk van beide ik zal bezoeken.
Wanneer ik mijn rekening niet kan voldoen, dan wacht mij de grootste ver-
slagenheid. Maar dan denk ik weer aan de tollenaar, die nederig om genade
bad en verhoord werd. O Heer, zo wil ik u ook smeken. En ik hoop dat u mij
niet zult negeren. Ik ben bedrogen door de verleidingskunsten van de duivel.
Het vlees heeft mij bekoord, de wereld heeft mij verraden. Mijn vlees is zwak,
de wereld zit vol verleidingen. De wereld is bedrieglijk en pakt heel anders uit
dan zij zich voordoet. Heer, alleen u kunt mij verzadigen: Jezus, Davids zoon,
ontferm u over mij.

TOEGESCHREVEN AAN ANNA BIJNS

[REFEREYN]

[EEN PINTKEN WYNS, EENEN STOOP ASYNS, GEEN HUYS SONDER CRUYS]

Wat is smenschen leven? Aenmerkt der weirelt staet:
Niet dan een ridderschap & eenparigen stryt.
Als is deen pover & dander bepeirelt gaet,
Niemant en heeft hier synen wille altyt;
Die onder tvolck salichste heet, dikwils meest lydt;
Dus machmen wel seggen: wie sonder maer?
Ten was noyt mensche soo seere verblydt,
Daer en volchden wel corts weer droefheyt naer.
Den mont lacht dickwils al is therte swaer;
Sulck veyst hem blyde al is hy bedroeft;
De menige was rycke over een jaer,
Die is nu erm & van als behoeft;
Die sy nu verheft maekt sy dan confuys.
Dit doet my seggen, orconde diet proeft:
Een pintken wyns, eenen stoop asyns, geen huys sonder cruys.

Wat is het leven van een mens? Zie eens hoe de wereld in elkaar zit: het is niets anders dan krijgsdienst en een voortdurende strijd. Al is de ene arm en de andere rijk, met parels besmukt, niemand heeft het hier altijd naar zijn zin. Wie algemeen als de gelukkigste bekendstaat, lijdt vaak het meest. Men mag dus wel zeggen: wie is er zonder zorg? Nooit was een mens zo blij of er stond hem al gauw weer droefheid te wachten. De mond lacht vaak, al is het hart bezwaard. Sommigen houden zich blij, al zijn ze bedroefd. Menigeen die vorig jaar rijk was, is nu arm en heeft nood aan alles. Degene die de wereld nu in eer verheft, maakt zij later te schande. Dit doet me zeggen, hij die 't zelf ondervindt moge het zelf getuigen: voor een pintje wijn een stoop azijn; geen huis zonder kruis.

Ten is niemant hy en heeft wat dat hem mishandt,
Tsy aen hem selven oft aen syn kinderen;
Deen is qualyc gewyft, dander qualyc gemant,
Als deen lyden voorby is, dander is gindere.
Wie leeft eenen dach, sonder hindere
Aen hem selven, aen syn goet, of aen syn magen?
Deen heeft groot lyden, dander mindere;
De derde cryges meer dan hy can gedragen.
Dus en derff hem niemant besonder beclagen,
Want tot lyden syn wy alle gheboren;
Die sonder lyden syn, naer Paulus gewagen,
Syn bastaerden, geen kinderen vercoren.
Laet ons den moet dan niet geven verloren;
Al castyt ons Godt, oft al quelt ons quaet ghespuys,
Maer segt met my dit woordeken als voren:
Een pintken wyns, eenen stoop asyns, geen huys sonder cruys.

Pausen, cardinalen, coningen & keysers,
Die nu syn oft die voermaels waren,
Twaren & syn pelgrims, want sy syn als reysers;
De weirelt is de see daer wy in varen:
Ons scheepken wert belast met menigerley baren:

Er is niemand of hij heeft iets dat hem hindert, zij het bij zichzelf of in zijn
kinderen. De ene heeft een slechte vrouw, de andere een slechte man getroffen.
Als het ene lijden voorbij is, is het andere al op komst. Wie leeft er één dag
zonder dat er iets hapert aan hemzelf, zijn bezit of zijn familie? De ene heeft veel
te lijden, de andere minder, een derde krijgt er meer van dan hij kan dragen.
Daarom hoeft niemand speciaal te klagen, want wij zijn allen geboren om te
lijden. Zij die zonder lijden zijn, zoals Paulus zegt, zijn bastaarden van God;
niet zijn uitverkoren kinderen. Laat ons de moed dan ook niet opgeven. Al
kastijdt God ons, of al worden we gekweld door kwaad gespuis, spreek, zoals
ik al eerder deed, de woorden: voor een pintje wijn een stoop azijn; geen huis
zonder kruis. ¶ Pausen, kardinalen, koningen en keizers, de huidigen of die
vroeger leefden, waren en zijn pelgrims, want zij zijn als reizigers. De wereld is
de zee waarop we varen. Ons scheepje wordt door velerlei baren gekweld:

Nu hooge dan leege, nae ebbe volcht vloet;
Nae eenen donckeren dach comt wel eenen claren,
Nae sonneschyn regen, nae geluck tegenspoet.
Die gisteren gewin hadde verliest heden syn goet;
Nu gesont, dan sieck, na tsuet volget suer;
Die syn hert van de weirelt treckt, die is wel vroet,
Want alle eertsche genuchte die is onpuer.
Voer eenen dach vruechde, dry dagen getruer;
Voer weynich siropen, eenen stoop verjuys.
Dus blyft myn woort vast als eenen muer:
Een pintken wyns, eenen stoop asyns, geen huys sonder cruys.

Cooplieden, ambachslieden, broodroncken weeldekens,
Quistgoeykens, die tgoet achten als den slycke,
Venus jonckerkens, amoruese beeldekens,
Hooverdige puysten, tschynt niemant haers gelycke.
Hebben sy haer begeerte? Neense, dat staet hen swycke;
Sy cnouwen oock dickwils een bitter pille.
Ten was noyt coninck oft prinche soo rycke,
Die alle dinck hadde naer synen wille;
Ja de machtichste syn dickwils meer int geschille
Dan de erme, die gheen broot en hebben inde handen,

nu hoge, dan lage, na eb volgt vloed. Na een donkere komt er wel een klare dag;
na zonneschijn regen, na geluk ongeluk. Wie gisteren iets won, verliest vandaag
zijn goed. Nu gezond, dan ziek; na 't zoet volgt 't zuur. Wie zijn hart van de
wereld aftrekt, is wel wijs, want alle aardse genoegens zijn onzuiver. Tegenover
één dag vreugde staan er drie vol getreur; tegenover een beetje zoet staat er een
stoop zuur sap. Dus blijft mijn uitspraak muurvast staan: tegenover een pintje
wijn een stoop azijn; geen huis zonder kruis. ¶ Kooplieden, ambachtslieden,
brooddronken genieters, verkwisters die hun bezit als slijk beschouwen, verliefde vrijers en minzieke meisjes, hovaardige dikkoppen, niemand is als het
ware hun gelijke. Hebben ze wat ze verlangen? Neen, het laat hen in de steek:
zij moeten ook vaak een bittere pil slikken. Nooit was er een koning of een
prins zo rijk dat hij alles naar zijn zin had. Ja, de machtigsten leven dikwijls
meer in onzekerheid dan de armen die geen brood in hun handen hebben,

Want sy moeten sorgen, openbaer & stille,
Voer haer lyff, voer haer volck, voer steden & landen,
& hoe hooger van state, hoe meerder vyanden;
Den wint waeyt altyd meest opt hoochste huys.
Hier om, seg ick noch eens, subtyle verstanden:
Een pintken wyns, eenen stoop asyns, gheen huys sonder cruys.

Prinche

Die hier gebruycken alle haer wellusticheyt,
Boven Godts wet stellen haer eygen inventie;
Dese vinden noch de meeste ongerusticheyt:
Sy werden gecruyst van haer selffs conscientie,
Haer helle begint hier; naer Godts sententie
De boose geesten, diese eeuwich plagen stellen.
Wat baet ryckheyt, eere oft excellentie?
Al mach sulck hier inne syn behagen stellen,
Ten is niemant, wilt hy alle syn dagen tellen;
Meer suer dan soets daer inne vint hy.
Salich is hy, al mach oock synen wagen hellen,
Die Godt slaecht om een beter, want die bemint hy;
Al is tcruys swaer, hope des loons verwint vry

want zij moeten altijd, publiekelijk en privé, zorg dragen voor hun leven, hun
volk, voor steden en landen en hoe hoger hun staat, hoe meer vijanden. Het
hoogste huis vangt altijd de meeste wind. Daarom, pientere geesten, zeg ik nog
eens: voor een pintje wijn een stoop azijn; geen huis zonder kruis. ¶ Prins ¶ Zij
die hier al hun wellust volgen en hun eigen bedenksels boven Gods wet stellen,
vinden nog de grootste onrust: zij worden door hun eigen geweten gestraft,
zodat hun hel op aarde al begint, en na Gods oordeel door de duivels die hen
eeuwig zullen doen boeten. Wat baten rijkdom, eer of macht? Al scheppen
sommigen hier behagen in, er is niemand die niet meer zuurs dan zoets zal
vinden bij de afrekening van zijn levensdagen. Al dreigde reeds zijn val, hij is
zalig die door God om beterschap geslagen wordt, want daarin toont hij zijn
liefde. Al is het kruis zwaar, de hoop op loon gaat dat zeker te boven.

Alle eertsche ghenuechte, en is meer quantsuys.
Dit doet my seggen, op dit woordeken versint dy:
Een pintken wyns, eenen stoop asyns, geen huys sonder cruys.

EDUARD DE DENE

UIT HET TESTAMENT RHETORICAEL

Myns testaments beghin
Zoot my Viel In.
Woensdach 14 Meye
Anno ·1561·

Nu neghene goddinnen musicale
My adsisteert binder eerdsche pale
Dat ick voortghae in Rhetorycke
Zonder dyn hulpe speciale
Ende Isocrates zoete strale
Ick moet bezwycken
In myn betraepen
Eschines Comt huut huwer zale
Hyperides ende int generale

Alle aardse vreugde is maar schijn, wat mij doet zeggen — bezin je op dit eenvoudig woord: voor een pintje wijn een stoop azijn; geen huis zonder kruis.

•

Het begin van mijn testament zoals het me te binnen viel op woensdag 14 mei
anno 1561. ¶ Nu, negen zanggodinnen, sta me hier op aarde bij, zodat ik in de
dichtkunst voort mag gaan. Zonder uw bijzondere hulp en Isocrates' weldadige pijl schiet ik zeker te kort. Aeschines, verlaat uw hemels verblijf; Hyperides,
daal, samen met

Lelius Wilt mij bestrycken
Cicero Comt oock tmynen verhale
Cerbo dat dyn vloeyende tale
(Eer dat ick fale)
My hulpich mach blycken
Ach, anderssins zonder hulieden practycken
Met my zo moet Homerus slaepen
Nietmin als een van Rhetorica discipelCnaepen
Ongheleert brooschEerdich
End als die naer de conste mach gaepen
Zalder naer tasten Int Componeren
Al bem icx nochtans om die zyn anveerdich
InEpt end onweerdich
Ende naer den simpelen styl dicteren
Elck mercurialiste, Minerviste
Ende yeghelick Artiste
Daer Rhetorices gratien inne floreren
Bidde dat zyt danckelick
Al crepelet manckelick
Willen de jonste voor daet accepteren

Laelius, bij mij neer. Cicero, kom mij ook verkwikken en Carbo, moge uw
vloeiende taal mij voor geblunder behoeden. Ach, anders, zonder uw kunsten,
zou ik indommelen, zoals zelfs Homerus zijn minder goede momenten had.
Niettemin, als een ongeoefende, al te zwakke leerjongen in de retorica en als
iemand die vol bewondering naar haar opkijkt, zal ik, ongeschikt en onwaardig als ik nochtans ben om me met haar in te laten, de kunst tastend zoeken bij
het schrijven in de eenvoudige stijl. Elke dichter, rederijker en iedere kunstenaar waarin retorica's gaven bloeien, bid ik dat zij, al hapert er van alles aan, de
goede bedoeling welwillend willen aanzien voor het resultaat.

Up eennen Moorghenstondt deed ick Reecxsele
Naer myn Lichaems custode, langhe ghekeken
Ick streeck myn ooghen met nuchter speexele
Ende hebbe my inde Luwers ghesteken
De wel ghecleede, heeft noyndt pand bezweken

Ick gaeptte ick gheeude ende ick greep
Myn angordynghe druckmoedich ghefaest
Myn maghe pufte en myn buuckvueghel peep
Zy hadde gheerne gheweist gheAest
Hy wuent wel, die den backer wuent naest

Cort upghespoelt zonder veel lanck gheslips
Zoud ic dronckaerts Pater nostre Lesen
Twas in myn buerse zulck wonder Eclips
Ken zacher een Cruce niet in, mids desen
Zo de zaecke ghebuert, zen mach anders wesen

Hoe docht Ick niet te vyndene een Inckel placxken
Twas up therte een pacxken naer myn verstandt
Doe zocht ick naer myn Jaer almanachxken
Tot dat ict emmers ghecreegh in dhandt
Tes te laete waeter ghebrocht naer Brandt

Op een morgen rekte ik me uit, na lang naar mijn vege lijf te hebben liggen kijken. Ik wreef mijn ogen uit met mijn nuchter speeksel en trok mijn kleren aan. Wie goed gekleed is, komt nooit iets te kort. ¶ Ik gaapte, ik geeuwde en greep mijn gordel, met een somber gezicht. Mijn maag pufte en mijn buik die graag te eten had gehad, rommelde. Hij die naast de bakker woont, woont goed. ¶ Na me zonder veel getreuzel te hebben opgefrist, wilde ik erop uit om iets te gaan drinken. Maar mijn beurs was zo schrikbarend leeg dat ik er geen cent in kon vinden. Gedane zaken nemen geen keer. ¶ Hoezo, dacht ik, geen stuiver te vinden. 't Lag me kennelijk zwaar op het hart. Ik ging dan maar op zoek naar mijn almanakje dat ik ten slotte te pakken kreeg. 't Heeft geen zin om na de brand met water aan te komen zetten.

Zouckende ghijnck icker toe zitten zaen
Om weten vermist inden gheest ghequelt
In wat planete ick was upghestaen
Twas Woensdach xiiij. meye ghetelt
Tes cranck betrau diet up tmaneloop stelt

Up ascentioens avendt int jaer gheJuust
XVc Eenentzestich ghescreven
Ziende waer de mane was, ick was ontCruust
Ick vandse int teeckene gemini bleven
Planeten zijn de qua quaet, en goet, die wel leven

De mane in Gemini ic creegher in verwaermen
Eylaes docht ick dits gheen planete goet
En mids die planete meest Regiert de Aermen
Als Brachius homo vand ick my ghegroet
Wie prope taurum es, Es een aerm bloedt

Doch gemini wel eens myn Aermen bedwanck
Twas voor my een quaet planetich teecken
Want al beyd ick totter zonnen onderghanck
Zen consten myn handen gheen ghelt doen Reecken
Tes verloren gheschuuffelt, als tpeerd niet wil zeecken

Verward in mijn geest als ik was, ging ik zitten zoeken om te weten onder welke
planeet ik was opgestaan. 't Was woensdag, de veertiende mei, zo telde ik. Wie
op de loop van de maan moet vertrouwen, staat niet sterk. ¶ Op de vooravond
van Hemelvaartsdag, anno 1561, was mij mijn geld ontnomen. Zoekend naar
de stand van de maan, vond ik haar in het sterrenbeeld van de Tweelingen.
Planeten zijn voor de kwaden kwaad en goed voor wie goed leven. ¶ De maan
in Tweelingen! Ik kreeg het er warm van. Helaas, dacht ik, dit is geen goede
positie, en gezien deze planeet het meest de armen regeert, herkende ik mij als
'armman'. Wie dicht bij het sterrenbeeld van de Stier zit, is een arme sukkelaar. ¶ Hoewel Tweelingen wel ooit mijn armen bestuurde, was het voor mij
toch een weinig effectief sterrenbeeld, want al wachtte ik tot zonsondergang,
het kon mijn handen geen geld doen uitgeven. 't Is zinloos om te schuifelen als
het paard niet wil pissen.

Flauhertich dies zynde alf levende doodt
Weewytich my drie occasien deerden
Ken hadde in huus Ghelt bier noch broodt
Myn leden huer moeders buuck begheerden
Zulck zouct blaeu excusen van cleender weerden

Ick weynsschte zoo de kynderen tzegghene pleghen
Verlost end int papen pitken te zyne
Fantazie bespranck my, en Ick vachtter tseghen
Paciencie trooste my inde Pyne
Tscheipken moet volghen, de treckers lyne

Diveersche ghepeynsen jeghens my uphiefven
Ydelbuersich was, ick van twyf begreynst
Entwat zouckende, vand ick onder myn briefven
Daer in stondt ghescreven, Ick lyd ongheveynst
Memorare novissima, up dyn huuterste peynst

Ick beghonst om veel vreimde ghezellen dyncken
Die zomtyds waeren, als ick waen bestreden
Dus peynsende, zo hoord ick de bellen Clyncken
Datter een van dien was haest overleden
De doodt spaert nyemandt, in tsweerelts steden

Hierdoor moedeloos geworden, eerder dood dan levend, werd ik door drie
oorzaken pijnlijk gekweld: ik had geen geld, geen bier en geen brood in huis.
Mijn lichaam wilde naar zijn moeder terug. Zo zoekt menigeen valse, waardeloze uitvluchten. ¶ Ik wenste, om het in kindertaal uit te drukken, 'verlost' en
in ''t putje' te zijn. Sombere gedachten overvielen me en ik verweerde me. Met
geduld verdroeg ik de pijn. 't Scheepje kan niet anders volgen dan de trekkers-
lijn. ¶ Verscheidene gedachten belegerden mij en vanwege mijn lege beurs was
mijn vrouw knorrig tegen me. Zoekend in mijn paperassen vond ik daar, eerlijk
waar, in geschreven: 'Memorare novissima', wees uw uitersten indachtig. ¶ Ik
moest ineens denken aan vele merkwaardige gezellen die het naar mijn mening
soms ook moeilijk hebben gehad. Zo, in gedachten verzonken, hoorde ik de
klokken luiden voor een van hen die schielijk overleden was. De dood spaart
niemand op de wereld.

Ende inden gheest wierd ick verwect mids dien
Huut Liefden om bede noch oock om ghiften
Dat ick hadde ghekent menich goet ingien
Elck huerer poetich goet Rhetoricien
Die dus te stellene by gheschriften

VAN TCAECKEBEEN

In tyden voorleden, Gheen twyntich duust jaeren
Als de brutale dieren in tweedracht waeren
Naer Cinaes verclaeren
Als dalder stercxste van memorien befaemt
Tusschen brugghe en damme, met Ruesachteghe schaeren
Zyn daer een Cudde, groot en cleene Ruesen verzaemt
Briareus was huerlieder Capiteyn ghenaemt
Hebbende vichtich hoofden ende hondert handen
Een gheweldich schietspel, wasser beRoupen ongheblaemt
Van gyganteghe Ruesen, huut wilde waranden
Neptunus quammer up een walvisch huut zyn waterlanden
Met zyn gheschot, Quammer jeghens hercules Coene
Den walvisch wierd duerschoten daer tzynder schanden
Mids den bystandt van Apollo te dien saeysoene

Zo kwam het in mij op om, niet op verzoek of om loon, maar uit genegenheid, de vele vernuftige geesten die ik heb gekend en die allen goed onderlegde rederijkers zijn geweest, in geschrifte te gedenken.

•

Eertijds, geen twintigduizend jaar geleden, toen, naar de getuigenis van de befaamde geheugenkampioen Cineas, de wilde dieren in tweedracht leefden, kwam er tussen Brugge en Damme een groep grotere en kleinere reuzen met gigantische drommen samen. Hun kapitein heette Briareus en had vijftig hoofden en honderd handen. Er was daar op gepaste wijze een grootse schietwedstrijd uitgeroepen voor gigantische reuzen uit wilde jachtgebieden. Neptunus kwam er vanuit zijn waterlanden op een walvis aangevaren, maar dappere Hercules kwam hem met zijn geschut tegemoet. Met de hulp van Apollo werd de walvis daar toen tot zijn schande doorschoten.

Daer nu tcaeckenbeen staet hiltmer victorieuse Noene
Groot wasse van doene dese walvisch fier
Grof lanck wydt buter maeten
End in teecken van dien heeft Neptunus hier dit caken-
been ghelaeten

Zoroastes nygromanchienich Int caboel
Upder speypoorte brugghe Scictte deenen doel
Over twater coel
Daer men tdesen tyden ondervaert duer de Reye
En den ander doel stondt sterckvast in tghevoel
Daer de brugghe nu staet voor de damsche speye
Momchus de Centaure, quam duer de ghendsche Leye
Als willende hem oock ten schietspele Quyten
Duer twater ghestept hem behoufde schip noch seye
Boomen schoot hy voor schichten jeghens de Lapythen
Polyphemus die waender oock int hoopken smyten
Maer Apollo hem als constichste schotter duerschoot
Bryareus der Ruesen capiteyn wilde splyten
Dat zyn vader tytan was gheschoten stercke doodt
Typhon zyn broeder quam daer oock inden noodt
Groot grootter dan groot die met zeven steppen schier

Waar het kakebeen nu staat, werd een zegemaaltijd gehouden. Groot van stuk
was deze trotse walvis; buitengewoon zwaar, lang en breed. En ter herinnering
hieraan heeft Neptunus dit kakebeen hier achtergelaten. ¶ Met ophefmakende
toverkunsten stelde Zoroastes op de Spuibrugpoort het ene doel op, boven 't
koele water waar men tegenwoordig langs de rei onderdoorvaart. Onverwrik-
baar vast stond het andere doel op de plaats waar zich nu de brug voor de
Damse sluis bevindt. Langs de Gentse Leie kwam de centaur Momchus, die
zich op het schietspel ook van zijn taak wou kwijten. Door 't water stappend
had hij geen schip of zeil nodig. Als pijlen schoot hij bomen af tegen de Lapi-
then. Polyphemus wou er ook een in 't hoopje gooien, maar Apollo, als be-
kwaamste schutter, doorschoot hem. Briareus, de kapitein van de reuzen, wilde zijn vader Titan wreken, die morsdood geschoten was. Zijn broer Typhon,
die met zeven schreden bijna

Steptte over zeven straeten
End in teecken van dien heeft Neptunus hier
Dit Cakenbeen ghelaeten

Neptunus zwemmende up zyn Walvisch ghereden
Mids gladius marinus scherpvisschich van sneden
Oock tzynder beden
Nerides de goddinnen der diepgrondeghe Marine
Sagittari zyn schotters, hem oock bystand deden
Tryton zyn zeetrompetter quammer oock ten fine
Tzeewater duerRuusschende duer tempeesteghe bruwine
Eolus die haddere een ooghe int zeyl
Al zyn waterheyr Cracht was huutghelaeten in schyne
Jeghens tRuesich gheschot, diet al schictten keyl deyl
Hoe veel elck schieten zoude, elck wiste zynen peyl
Neptunus zat ghedoken achter tswalvischs necke
Gheenssins mochtmhem gheraecken, maer den walvisch veyl
Creegh meneghen schicht, in tlyf daer ter plecke
Hercules die speelder huer de quaetste kecke
Hy ghaf ze een lecke zou wierp huut een ghetier
Tot ze zwalt tzynder baeten

over zeven straten heen stapte, kwam daar ook in groot gevaar. En als herinnering hieraan heeft Neptunus dit kakebeen hier achtergelaten. ¶ Neptunus
kwam er op zijn zwemmende walvis aangereden, samen met 'gladius marinus,'
die als zwaardvis over een scherpe snede beschikte. Hij had ook de Nereïden
onder zijn bevel, de godinnen van de diepe zee. De schutters der Sagittari boden
hem bijstand. Zijn zeeslaktrompetblazer Triton kwam er ook naar toe, het
zeewater met stormachtig geschuim doordruisend. Aeolus hield er een oog in
het zeil. Heel Jupiters zeemacht bleek te zijn uitgevaren tegen het geschut van
de reuzen die het allemaal puik wisten aan te leggen. Hoeveel men ook schoot,
elk wist zijn pijl goed te richten. Neptunus zat achter de nek van de walvis
gedoken: hij mocht in geen geval worden geraakt; maar de dienstwillige walvis
kreeg menige pijl in zijn lijf. Hercules lapte hem de ergste streek: hij gaf hem een
dreun die hem deed tieren tot hij, tot zijn geluk, verkwijnde.

End In teecken Van dien, heeft Neptunus hier
Dit CaeckenBeen ghelaeten

De eenoogheghe Cyclopen als Jupiters Artisten
Waeren dies tonvreden vul fulmineuse Twisten
Met Vulcaniteghe Listen
Inden bergh Aethna veel blexems Afgryselick
Hebben zy ghesmeit, en zoo zy de wraecke wisten
Wierpen die int hoopken van verre Lyselick
Brontes wien Vulcanus als dienlynck es spyselick
Zyn donders huut te clateren, heeft hem ghemoeyt
Bysteropes oock tzynen dienste upRyselick
Waendet daer met zynen Blexems al hebben verbroeydt
Pyracmon, met zyn hanebilt vierich duergloeydt
Waende zoo de stercxte commen te baeten daer
Hydra waer huut serpentich ghespuugsels vloeydt
Bleeffer oock duerschoten van hercules voorwaer
Neptunus capiteyn, der walvisschen verghaer
Creegher oock gheen ghespaer hoe hem tmeeste dier
Dede bystandt bevaeten
End In teecken van dien, heeft Neptunus hier
Dit CaeckenBeen ghelaeten

En als herinnering hieraan heeft Neptunus dit kakebeen hier gelaten. ¶ De eenogige Cyclopen, Jupiters kunstvaardige helpers, waren daar verbolgen over. In
woede hebben zij met Vulcanus' kunsten in de berg Etna vele afschrikwek-
kende bliksems gesmeed en toen ze wisten op wie ze zich moesten wreken,
wierpen ze die van ver heimelijk in 't hoopje. Brontes, die Vulcanus als schen-
ker diende, heeft zich ingespannen om Vulcanus' donderslagen te laten uit-
kletteren. Bysteropes, die zich ook dienstbaar maakte, meende het daar met
zijn bliksems allemaal verschroeid te hebben. Pyracmon, de sterkste partij
daar, dacht met zijn vurig gloeiend aambeeld te hulp te komen. Hydra, die
giftig slangespuug afscheidde, werd ook door Hercules doorschoten. Neptunus, kapitein van de walvisgroep, werd ook niet gespaard, hoewel het grote
dier hem beschutting bood. En als herinnering hieraan heeft Neptunus dit kakebeen hier achtergelaten.

Eer dit gheweldich schietspel wierd vulhendt
Apollo stercke god der handboghen bekent
Met Dyana gent
Zynder zuster Als der Reynder handboghen goddinne
Die waerer oock schotterlick met hercules omtrent
Jeghens Ruesen, walvisschen steldhem elck ten beghinne
Chyron hippocentaurus, hooghmoedich van zinne
Wiltmanierich dravende als alf man alf peerdt
Hercules schoot hem tzijnen Lichame inne
Een schicht inden voet totter dood toe ghedeert
Orion een jonckman wasser oock begheert
Inde wapen tdesen schietspele quam truympheren
Zyn Lief Dyana beschermdhy, die hem gheweert
Veel Ruesen gheerne hadden, om der Reynste vyoleren
Avendtuerdhem daer schotterlick zonder Cesseren
Om scorpio mineren Wien hy broght int dangier
Hoe hy mochte Tantgaeten
End in teecken van dien heeft Neptunus hier
Dit Caeckenbeen ghelaeten

De schichten vloghen duusentich snel allevot
De Cyclopense gyganten, schoyden naer huer Rot
Metter boghen gheschot

Voor dit geweldige schietspel beëindigd werd, schoten daar samen met Hercules ook nog Apollo, bekend als de sterke god van de handboog, en zijn zuster
Diana, de godin van de goede handboog. In de eerste plaats belaagden zij de
reuzen en walvissen. 'Chiron hippocentaurus' die, half man, half paard, trots
en onstuimig draafde, werd door Hercules in zijn lichaam geschoten en door
een pijl in zijn voet dodelijk gekwetst. Orion, een jongeman, was er ook welkom: op dit schietspel deed hij in volle wapenrusting zijn triomfantelijke in-
trede. Hij beschutte zijn geliefde Diana; vele reuzen hadden hem graag die
mooie maagd afgenomen om haar te verkrachten. Voortdurend riskeerde hij
daar bij het schieten zijn leven om Scorpio een kopje kleiner te maken. Die
bracht hij, hoe die ook vloekte, in grote moeilijkheden. En ter herinnering hieraan heeft Neptunus dit kakebeen hier achtergelaten. ¶ Alsmaar door flitsen er
duizenden pijlen. De eenogige reuzen vluchtten met het booggeschut naar hun
rots.

Appolo bleef victorieux, mids alcon van Creten
Nabuzardan prinslick cock, bereeder den pot
Up tcakenbeen tbancket, bereedt was om Eten
Neghen musicale goddinnen zynder ghezeten
Daer of melpomene, de tmelodieuselick zynghen
Copia heeft huer int Tafeldienen ghequeten
Mids Ceres diese met huer me wilde brynghen
Flora ter eeren van veel nieu schotter jonghelynghen
Heeft de tafel met Rieckende blomkens bestroyt
Terpsichore, naer tbancket, deder vroylick sprynghen
Naer dat bachus bevel ghaf datmer hadde ghepoyt
Discordia, wierdter ny vesta huutgheghoyt
Neptunus bleef verschoyt huut tschotters vergier
Met al zyn zeestaeten
End in teecken Van dien heeft Neptunus hier
Dit caeckenbeen ghelaeten

Princhelicke

Aerdchieren naer ghefingierde historie
In dit schietspel ghebuerde groote mortorie
Victorieuse memorie
Creghen Arethusa Neaera ghepresen

Apollo triomfeerde, dankzij Alco van Kreta. Nabuzardan, de kok van de koning, maakte er het eten klaar. Bij wijze van tafel werd het kakebeen voor het
feestmaal gedekt. Daar waren negen zanggodinnen; Melpomene nam het wel-
luidend zingen voor haar rekening. Copia nam het serveren aan tafel op zich,
samen met Ceres, die ze had meegebracht. Ter ere van de vele nieuwe schut-
tersknapen bestrooide Flora de tafel met welriekende bloempjes. Na het banket zorgde Terpsichore ervoor dat er vrolijk gedanst werd, nadat Bacchus tot
drinken had bevolen. Discordia werd er door Vesta buitengezet. Neptunus
bleef met heel zijn zeehof uit de buurt van de schutterstuin. En ter herinnering
hieraan heeft Neptunus dit kakebeen hier gelaten. ¶ Prins ¶ Edele boogschut-
ters, volgens de gefingeerde historie werd in dit schietspel een groot bloedbad
aangericht. De hooggeprezen Arethusa en Neaera kregen bekendheid als hel-
dinnen;

En Calysto die behaelder oock prys en glorie
Schotterlicke dochters van Dyana mids desen
Wat zeemonstren ofte Ruesen jeghens hemlieden Resen
Hebbense wederstaen metter handboghen Treyn
Zy en spaerden boghen pylen schichten noch Pesen
Zy brochtense al tondere Clouckmoedelick Reyn
Zonderlynghe Neptunus, god der zee, en Capiteyn
Zyn walvisch daer hy upReed, esser bleven tondere
Dies teender ghedynckenesse in dit handboghen pleyn
Was tcaeckenBeen ghebrocht voor tmeeste wondere
Zichtent dat hy der dat liet, bleef tonghezondere
Ghy alle goet Rondere die om dryncken wyn of bier
Oyndt int cakenbeen zaeten
In teecken van dien, heeft Neptunus hier
Dit caeckenbeen ghelaeten

RETHORICA BLAMEIRDERS

De hateconsten, ende zulcke kerchulen
Pylaerbyters, die huter vruechden perck schulen

ook Callisto verwierf er eer en roem: dit waren de welschietende gezellinnen van Diana. Wat voor zeemonsters of reuzen zich tegen hen ook verhieven, ze boden ze weerstand met de handboog. Zij spaarden bogen, pijlen noch pezen. Geheel onversaagd versloegen ze hen allemaal, met name vooral kapitein Neptunus, de god van de zee. Ter herinnering hieraan is dus het kakebeen naar dit handbooggilde gebracht, waar het de merkwaardigste bezienswaardigheid is. Sedert Neptunus het er liet, is het er onafgebroken gebleven. Gij allen, rondborstige lieden, die ooit om wijn of bier te drinken aan de kakebeentafel hebt gezeten, weet dat Neptunus dit kakebeen hier ter herinnering aan het vertelde heeft achtergelaten.

•

De lasteraars van retorica ¶ De kunsthaters en het soort kerkuilen of pilaarbijters dat zich iedere vreugde ontzegt

Zonderlynghe, van Rhetorica zegghen Blamatie
Die gheef Ick almochtse tmywaerts sterck mulen
Die Refereyn te Lesene By huerer gratie
Alle eeghin Liefhebbers, zulcke generatie

REFEREYN

Wreeder dan Nero, du ypocritich groetsele
Den consten wechwroetsele Eriphysas ghebroedsele
Zyt ghy smadeghe tonghen
Der broederlicke liefde speciaelste boetsele
Daer dyn ghemoetsele
Ophiogenus upvoedsele
Comt anghespronghen
Huut Erichto der tooveresse ghewronghen
Dy weynssch ic gheclonghen Rechte belials jonghen
Den Antropophagen
Tzijne der trogloditen Lackaeyen en paidgen
Dan voor hu gaidgen Tantalus torment
Ghij van xantippe ghespent
Der Essenen, vrauwe ghebruuck en payment
Dessedones dyn herte te schossene by Reken
Radamanthus helsch juge zoo sentencie zendt

en dat meer in 't bijzonder schande van retorica spreekt, die geef ik, al zouden
ze lelijk tegen mij knorren, met hun permissie dit refrein te lezen. Dit soort volk
vindt alleen zichzelf interessant. ¶ Refrein ¶ Wreder dan Nero zijt gij, die ons
hypocriet komt begroeten om de kunsten te ondermijnen. Twistzoekend gespuis zijt gij; kwaadsprekende tongen, de meest afdoende remedie tegen broederlijke liefde wanneer gij samenkomt met het addergebroed dat kronkelend
uit de tovenares Erichto is voortgekomen. Ik wens u, ware Belialskinderen: aan
menseneters te zijn vastgeklit; lakeien en bedienden te zijn van holbewoners
met de kwelling van Tantalus als bezoldiging; dat gij, door Xanthippe op-
gevoed, het genot en de liefde van vrouwen moet ontberen en dat de Essedonen
uw harten bij hopen opeten. Radamanthus, de rechter in het dodenrijk, spreekt
als straf uit

Dat oock schorpioenich speecxsels up hu zoude leken
Ghy alle die blaemtte van Rhetorica spreken

Voort wyst hij hu van Monocheros ghegrepen
Of vanden Catoblepen wiens stercziende strepen
Tvolck tleven ontscraven
Van Circes als een Cadaver spetie gheschepen
Daer thenden dy slepen
Om tzyne gheNepen
Van craeyen en Raven
Of met Urias briefven moest haestelick draven
In tdurstich slaven hu in gallus vloed dan Laven
Volck verwaeten
Tghequel van alcman wien de Lusen aten
Zo mocht ghy laeten varyabel oorconden
Dyn melaetsche gronden
Oft als Euripedes gheschuert van zyn honden
Ofte van tserpent Amphisibenam bestreken
Oft an Ixions wiel Eenpaerlick ghebonden
Hoordyt, dat hu de plaeghe van gavere moest steken
Ghy alle die blaemte van Rhetorica spreken

dat er ook schorpioenspeeksel op u neer zou droppelen; gij allen, die schande van retorica spreekt. ¶ Verder veroordeelt hij u om te worden gegrepen door Monocheros of door de Catoblepen, wier neerbliksemende blikken de mensen het leven benemen; of om door Circe te worden omgetoverd in een kadaver dat zich voortsleept om ten slotte door kraaien en raven te worden verscheurd. Of gij moest snel Uriasbrieven gaan bestellen; bij dorstigmakend gezwoeg moet gij u aan de Gallusrivier laven. Vervloekt volk, ik wens u de kwelling van Alcman toe, die door luizen werd opgegeten, zodat gij uw melaatse overblijfselen als onvaste getuigenissen zoudt achterlaten; of ik wens u toe om te zijn: als Euripides, door zijn honden verscheurd, of door het serpent Amphisibena gevangen, of voortdurend aan Ixions wentelend wiel gebonden. Hoort gij allen die schande van retorica spreekt: dat u getroffen mag worden door de pest van Gavere.

End ick weynsch hu bloedzughich Nypsele
Methifonies pypsele ghy drooghende tRypsele
Der Constegher stale
En perillus gheProuf, straetCroonghich zypsele
Plompt hu tonghich gheslypsele
Ofte twist begrypsele
Hebt Linxsche straele
Dat den beer van Calidonyen dy hale
Moortdadeghe male ghevult met Regale
Ghy snoo Lusich ghevort
Nessus hemde an tlyf, voort dy weyns ick gheschort
Daer mede trecken cort met mydas weynssche begordt
Ten Centauren scholen
DonRuste Aletho, en Phrahetes bevolen
Monichus gheschot dooghende een paer weken
OntRaect ghy dies zo moet ghy verdolen
Byden Gymnosophisten, den hals daer breken
Ghy alle die blaemte van Rhetorica spreken

Poliphemus die moet hu Regieren styf
Vuyl tonghe ghedryf en Anveerden pentheus ghekyf

En ik wens u het geknijp van bloedzuigers en het gefluit van Methifonies toe, gij
die de vruchten van de stengel der kunsten doet verdorren. En, kandidaten voor
Perillus' dodelijke bestraffing, het grootste uitschot van de straat, maak uw
geslepen tong minder scherp of, twistzoekers, krijg anders de pijl waarmee een
lynx wordt geschoten, of anders hoop ik dat het everzwijn dat door Artemis
tegen Caledonië werd uitgestuurd, u komt halen. Moordende gifring, vol rattenkruit, gij vals, luizig stuk vuil, ik wens u verder toe dat gij met Nessus' hemd
aan uw lijf getrokken, opgezadeld met Midas' wens, vlug naar de Centauren-
benden zoudt trekken. Mogen de nimmer rustende [wraakgodin] Alecto en [de
tiran] Phraates zich over u ontfermen, terwijl ge een paar weken lang het geschut van Monichus verduurt. Ontsnapt gij daaraan, dwaal dan maar tot bij de
Gymnosofisten en breek daar uw nek, gij allen die de schande van retorica
spreekt. ¶ Moge Poliphemus met sterke hand over u regeren, vuile tongroer-
ders, en het gejammer van Pentheus afroepen over u,

Ghy Archadisten bleve
Euridices orpheus boel te halene twyf
Om zyn beclyf
Mids draeghende Sisiphus steen up tlyf
Huter helsscher dreve
Oock Titius plaeghe ick hulieden gheve
Raedslieden eve hebt canckereghe screve
Duer huwen Longhere
Dy gheiaerde famedronckich dyn naercommers jonghere
Alle Erisitons honghere oft in corten daeghen
Met Actaeon Jaeghen
Hu zelven als zoylus, totten beene vercnaghen
Oft hu zien an modecacx calchoven Peken
Ghy blameirders der consten, hebt dusentich plaghen
Hu gheRyngher upcommende dan Loopende Beken
Ghy alle die blaemte van Rhetorica spreken

Onprinchelicke vileynen

Oft moest ghy den troyaen dolon volghen
Oft had Je ten tyden van deucalion versmoort
Oft als Curtius vander Roomsscher eerde verzwolghen
Of van Charon gheworpen Rasch over tboordt

die Arcadiërs gebleven zijt, en u Eurydice, Orpheus' geliefde, voor hem doen
halen, daarbij Sisyphus' steen uit de hel op uw rug dragend. Ook geef ik u de
straf van Titius. Raadslieden van Eva, krijg een kankerende wonde in uw borst;
gij, bejaarde zotten, vol van glorie, en uw jongere nakomelingen, krijg allemaal
de honger van Erisiton of ga weldra met Actaeon op jacht; vreet u zelf, als
Zoïlus, op tot het been, anders hoop ik dat uw zijden aan Modicacs kalkoven
plakken. Gij, die de kunsten blameert: krijg duizend en één ziekten die vlugger
dan stromende beken in u opkomen, gij allen die schande van retorica
spreekt. ¶ Onvorstelijke schurken ¶ indien gij met de Trojaan Dolon had moeten meegaan, of verdronken was ten tijde van Deucalion of door de Romeinse
grond verzwolgen was als Curtius, of door Charon vlug over boord gesmeten,

Als ganymedes vanden Aerne upgheschoort
Of met gyges den grootsten Ruese wat stryden
Die wreedzinnich met hondert handen comt voort
Ofte water te scheppene metten Belyden
Up tmonster higia huut Affricqua Ryden
Of zwemmen in Phlegetons vloedt moedernaect
Zo mocht ghy wel lesen hu laetste ghetyden
Ghy alle die partyelick Jeghens conste waect
Den hals gheCraect
Dyn vrauwen mesbruuct dyn dochteren ontschaect
In tghat van trysmaron zynde ghekeken
Dits hu testament nu thuwaerts ghemaect
Ghy alle die blaemte van Rhetorica spreken

SAUDENIEREN VANDER WEERELT

Ghy saudenieren wellustich pompeuslick ghekeerelt
In zevenzondighe dienst vanden prinche der weerelt
Huut Liefden thuwaerts zo gheef ick dy
Een cleen slicht dichtken, niet constich bepeerelt,

als Ganymedes door de arend opgevoerd, of gij moest gaan vechten met Gyges, de grootste reus die wreedaardig met honderd handen aantreedt, of had gij met de Danaïden water moeten scheppen, op het Afrikaanse monster Higia moeten rijden of moedernaakt moeten zwemmen in de Phlegetonrivier [in het vuur], dan had gij wel uw laatste gebeden mogen zeggen. Gij allen die het vijandig op de kunst hebt gemunt: een gebroken nek, uw vrouwen misbruikt, uw dochters, in 't gat van Trysmaron onderzocht zijnde, geschaakt, dat is wat u nu testamentair wordt toebeschikt, gij allen, die schande van retorica spreekt.

•

Soldaten van deze wereld ¶ Gij, zinnenprikkelend en pronkerig geklede huursoldaten die, ter uitoefening van de zeven hoofdzonden, in dienst staan van de prins der wereld; uit liefde tot u schenk ik u een klein, eenvoudig gedichtje dat niet kunstig is opgesierd,

Maer nochtans ghy
Vyndtter int corte wat de weerelt zy

REFEREYN

Ons Leven inder Weerelt es een kiste vul Aerbeydts
Een worstelynghe vul ancxsten vul zwaerheyts
Een plaetse vul dolynghen Tallen beschauwe
Een duustere speloncke, met niet veel claerheyts
Een gheschuerde bergh, een doornachteghe landauwe
Ongheluckeghe eerde, vul verdriets en Rauwe
Een Rieckende onvruchtbaer hof tallen steden
Een beroerte des volcx vul alder ontrauwe
Dal der traenen, ende zee der ketyfvicheden
Een ghezichte des droufheyts, vul quader zeden
Een vreeselicke wildernesse, es de weerelt ziet
Een crancke mueghentheyt, vul alder onvreden
Daghelicx verghanck Schoon ghenoughelick niet

Een heetblaeckende busch, wuenste der wreede dieren
Fonteyne der zoorghen van menegher manieren
Een ydelheyt ende valssche blysschap voorwaer
Steenachtich velt vul moortdadeghe duwieren
Een zoet venyn, onzaelich last om draghen zwaer

maar waarin gij wel bondig beschreven vindt wat de wereld is. ¶ Refrein ¶ Ons leven in de wereld is een koffer vol moeiten, een geworstel vol angsten en kommer; een plaats vol dwaalwegen, waar men ook kijkt; een duistere spelonk, zonder veel licht; een ravijn, een landschap vol doornstruiken; een onzalig stuk grond vol verdriet en smart; een overal stinkende, onvruchtbare tuin; een geheel verraderlijk volksoproer; een tranendal, een zee van ellende; een droefgeestig aanschijn, vol boze trekken; een angstaanjagende woestenij is de wereld toch; een armoedig rijk, vol met allerlei vijandelijkheden; een dagelijks teloorgaan, weliswaar zonder weldadigheid. ¶ Een bloedheet bos, verblijf van wilde dieren; bron van velerlei zorgen; voosheid en valse vreugde, zo is dat; een veld vol stenen en moordkuilen; een sluipend gif, een ellendige last, zwaar om te dragen;

Verzierde boerde, onEerlicke vreese der naer
Een gheduereghe ziecte Tot alder tydt
Een onberaeden zekerheyt, vul bedrochs openbaer
Een onbegheerlicke aerbeydt, elck anders verwyt
Een zelden paeys, maer eenne eeuweghe strydt
Die gheveynsdelick lacht, loose grynynghe biedt
Een Laborinthof, vul haet ende Nydt
Daghelicx verghanck, schoon ghenoughelick niet

Onproffyctelicke weenynghe ydel verzuchten
Palaeys vul alder boose gheruchten
Schieloose tryumphe Bedrieghende moortdadich
Vul schoonder beloften Ten hende al cluchten
Een eeuweghe besicheyt onghenaedich
Een beschaemde schickynghe onghestaedich
Aerme overvloedicheyt, een Rycke aermoede
Een beroerlicke schande, onproffytich beschaedich
Een bevende cracht vul quaeden bloede
Tresoor meest vul van jeghenspoede
Zondich verkies, daer lettel duechts gheschiet
Wats de weerelt anders, dan zoo ick ghevroede
Daghelicx verghanck, schoon ghenoughelick niet

een bedrieglijke grap die uiteindelijk beschaamd doet schrikken; een aanhou-
dende, ongeneeslijke ziekte; een op niets gebaseerde zekerheid, vol zelfbedrog
uiteraard; een onaantrekkelijk werk, door ieder ander verguisd; zelden rust,
integendeel, een eeuwige strijd; een vals lachend iemand die je onbetrouwbaar
toegrijnst; een doolhof vol haat en nijd; een dagelijks teloorgaan, weliswaar
zonder weldadigheid. ¶ Onheilzaam geween, zinloos verzuchten; paleis vol allerlei kwaadaardig kabaal; overhaaste triomf, dodelijk misleidend, vol mooie
beloften, maar uiteindelijk één grote farce; een eindeloze, onzalige drukte; een
onvaste beschikking die beschaamt; een arme overvloed, een rijke armoe; een
zich opschuimende schande die nadeel berokkent en schade veroorzaakt; een
razende, kwaadaardige kracht; een schat die vooral tegenspoed bevat; zondige
begeerte waardoor weinig goeds wordt bedreven. Wat is de wereld anders dan,
zoals ik denk, een dagelijks teloorgaan, weliswaar zonder weldadigheid.

Prinche

De Weerelt es meest vul ghepyns
Voor een druepel zoetheyts, een vat Azyns
Bitter galleghe traenen, zyn de Conserven
Peryckel des doods, met veel samblantich schyns
Van datmer inne comt, Beghintmer sterven
Nyemandt en heefter verzekerde Erfven
Tes al zotte Wysheyt, meest datter blycke
Hoemer langher Leeft, machmer meer zonden verwerven
Maer een Lydende schaeuwe, es tsweerelts Rycke
Al watter in es, moet ten eerdschen slycke
De doodt esser heere, wien nyemandt ontvliedt
De weerelt es dies, hoe datmer naer kycke
Daghelicx verghank, schoon ghenoughelick Niet

ZOT REFEREYN

Veel afgryselicker zot, dan Corebus zyn zy
Die hem up zotte kyndren der mensschen verlaeten
Die verre ghaen ligghen wachten, dat zy hebben by

Prins ¶ De wereld is voornamelijk vol kommer en kwel; tegenover een druppel zoetigheid staat er vat azijn; tranen van droefheid [of: bittere levertraan?] zijn er het gekonfijte fruit; doodsgevaar onder veel schone schijn; zodra men er binnentreedt, begint men te sterven; niemand heeft er een vast erfdeel; de wijsheid blijkt er meestal dwaas te zijn; hoe langer men er leeft, hoe meer zonden men er zich verwerven kan. Het rijk van de wereld is slechts een voorbijgaande schaduw; al wat er in is, moet naar het aardse slijk; de dood, aan wie niemand ontkomt, is er de baas. De wereld is dus, hoe men haar ook beziet, een dagelijks teloorgaan, weliswaar zonder weldadigheid.

•

Veel ergere zotten dan Corebus zijn zij die zich op zotte mensenkinderen verlaten; die hun schoenen verslijten en zich uitsloven in de verwachting

Met verslytynghe van schoens, maecken huer selfs onvry
Zotte bloessem verbeyders, van boonen met gaeten
Die tot tsmekens loopen, en den grooten smet laeten
Huer secreit openbaeren, die voortzegghen dat zy weten
Processen betrauwen up droncke Advocaten
Met pachters van overdraeghen daeghelicx Eten
Upde ghuene, die zyn met een smeecker bezeten
Veel zupen en Lecken, met die vaeghen de mauwen
Up vraukens die tlynwaed, met corter mate meten
Zyn zy niet zot die hem daer up betrauwen

Die verre willen zwemmen met duergaette blasen
Of met een lack schip duervaeren den zeeusschen Cant
Huerlier tresoriers maecken, van die gheerne Cabasen
Oft hem betrauwen, up die huut end in Raesen
Die maetsen oft themmeren up een stuvende zant
Die degyptenaers doen bezien huerlieder handt
Up een zotte medechyns Raedt, derfven bier en brood
Up vreimde quackzalven van verre buten tlandt
Up vortte coorden danssen, gheheel zonder noodt
Up verghevenes bidders schynt met Leedschap groot

om ver weg iets te verkrijgen dat ze dicht bij zich hebben; dwazen die wachten
op de bloei van bonen met gaten; die van de grote smid weglopen om kleine
smidjes te zoeken; die hun geheim verklappen aan degenen die doorvertellen
wat ze te weten zijn gekomen; die processen toevertrouwen aan dronken advocaten; die dagelijks samen eten met verklikkers. Op hen die in de macht van een
vleier zijn; die veel met pluimstrijkers zuipen en smullen; op vrouwtjes die het
laken al te kort afmeten: zijn het geen zotten die daar hun vertrouwen op stellen? ¶ Zij die ver willen zwemmen met blazen vol gaten of door Zeeland willen
varen met een lek schip: zij die kleptomanen tot hun schatbewaarders maken of
vertrouwen op iemand die onsamenhangende praat uitslaat; zij die op stuif-
zand metselen of timmeren; zij die de zigeuners hun hand laten lezen; die zich
op voorschrift van een dwaze dokter van bier en brood onthouden. Die vertrouwen op vreemde, van ver uit het buitenland komende kwakzalvers; geheel
zonder vrees op verrotte koorden dansen; op hen die schijnbaar met groot
berouw om vergiffenis smeken

Ende daer naer, een man Teerssenbecken afhauwen
Zyn zy niet zot, die alsoo Loopen in haer doodt
Zyn zy niet zot, die hem daer up Betrauwen

Die de Cadiaenen een bierghelach schyncken
Betrauwende te brynghene Bier van buten in
Oft daer up te stoutelicker ghaen buten dryncken
Oft al huerlieder betrauwen tstellene dyncken
Up fletsers end oorblaesers Om eeghin ghewin
Up grynders twelck niet ghaet beneden den kin
Up een scrauende peerdt, Twelck al bytende lacht
Of de ghuene die zyn van zulck eennen zin
Dat zy hem betrauwen tghaene, up thys vander nacht
Up zotten die zyn zoo dwaeszinnich gheacht
Dat zy ghelooven twanckelbaer spreken van vrauwen
Vetzacx die ghaen danssen up zolders ongheschacht
Zyn zy niet zot die hem daer up betrauwen

Prinche

Die hem betrauwen up meneghe stonden
Up tvueghelgheRoup of tghecraey vanden haene

---

en vervolgens iemand het gat afslaan; zijn ze niet zot, die zo hun dood tegemoet
snellen; zijn ze niet zot die daar hun vertrouwen op stellen? ¶ Zij die de Cadia-
nen op een biergelag trakteren, erop vertrouwend [tolvrij] bier van buiten in de
stad te kunnen brengen of, nog riskanter, het te gaan drinken buiten de stad;
die al hun vertrouwen menen te kunnen stellen op iemand die fleemt en hun wat
wijsmaakt om eigen gewin; op hen die vriendelijk lachen, maar 't is niet van
harte; op een stampend paard dat lacht terwijl het bijt; of zij die zo gezind zijn
dat ze zich op het ijs van één nacht durven te begeven; op zotten die meer dan
gek genoeg zijn om het wufte gepraat van vrouwen te geloven; vetzakken die
op ongestutte zolders gaan dansen; zijn het geen zotten die daar hun vertrouwen op stellen? ¶ Prins ¶ Zij die dikwijls vertrouwen op het geroep van een
vogel of het gekraai van de haan;

Up waerzegghers menschen vul lueghens bevonden
Up sterrekyckers, die stranghe wynters oorconden
Up een crepel peerd Commende ghewapent ter baene
Up inckel zuelde schoens Pilgrimaidgen te ghaene
Up judas cauwen die heymelick tvolck overbrynghen
Die waenen dranck inhouden up een Lekende Craene
Crepels die up woormgaeteghe cricken sprynghen
Maegden up tveel beloven van jonghelynghen
Up ontfanghers cnaepen die de necke Crauwen
Die naer der manen loop, doen natuerlicke dynghen
Zyn zy niet zot die hem daer up betrauwen

JEGHENS GHIERICHEYT

Heere god verleent my Tmynen onghelucke
Zo veel goeds niet, dwelck doet hu gratie vergheten
Oock zo lettel niet, dat ick mynen naesten verdrucke
Maer tmynder nootdurst, Bid ick om dryncken end eten
En cleedren om decken myn Lichaemlicke secreten

op waarzeggers, mensen die geheel leugenachtig blijken te zijn; op sterren-
wichelaars die strenge winters voorspellen; op een kreupel paard, opgetuigd
om naar het slagveld te trekken; op enkelgezoolde schoenen om mee op bedevaart te gaan; op verraderlijke kraaien die in 't geniep mensen verklikken. Zij
die met een lekkende kraan drank denken te bewaren; kreupelen die op worm-
stekige krukken rondspringen; meisjes die vertrouwen op de talrijke beloften
van jongens; op rentmeesterknechten die zich achter de oren krabben; zij die
hun natuurlijke behoeften afstellen op de loop van de maan; zijn ze niet zot die
daar hun vertrouwen op stellen?

•

Heer God, verleen mij niet zoveel bezit dat het mij, tot mijn onheil, uw genade
doet vergeten; ook niet zo weinig dat ik mijn naaste tot last ben, maar ik vraag
u, tot mijn onderhoud, om drinken en eten en om kleren om mijn naaktheid te
bedekken.

Vander leelicke Vetustina es bescreven
Dat was, een schoon Leelicke vuyle zwadde
Hebbende drie tandekens hooghuut gheheven
Maer drie haeren waeren inden Croock ghebleven
De borst als een crekele, graeu als een padde
De beenen als een miere, ende boven dien zhadde
De borstkens als een waterzack, end een mondeken
Als een Cocodrille wytgaepende cladde
Een berompelt voorhooft, tscheen een Sulferbondeken
Hueren zangh was, up menich stondeken
Als puwen ofte mugghen, die tvolck tsnachts plaeghen
Tghezichte als een nachthuul, wie zou een zondeken
Met dees schoonleelke beilde aventhuerlick waeghen
Als een stynckende buck Roocxse tallen daeghen
En meer andre ghebreck moest thueren behouve zyn
Zou was schoone van Leelicheyt boven al huer maeghen
Toncruudt hadmer mueghen met besems of vaeghen
Die dit beildeken ontschaecken zou moest wel een bouve zyn
En tzoude wesen drouve zijn in tsneckers Name

    Indient Me Vriendt
    Den Promoteur vername

Uit de werkplaats van de wever ¶ Over de lelijke Vetustina staat geschreven dat het een heel lelijke, vuile slons was, met drie hoog uitgegroeide tandjes. Slechts drie haren waren van haar lokken overgebleven. De borst als van een krekel, grauw als een pad, de benen als van een mier en bovendien had ze borstjes als een waterzak en een mondje als een krokodil, een wijd opengaande vlek. Een gerimpeld voorhoofd, 't leek wel een zwavelstok. Haar stem leek vaak op die van kikvorsen of muggen die de mensen 's nachts uit hun slaap houden. Het gezicht als van een nachtuil: wie zou bij gelegenheid met dit geheel en al lelijke vrouwmens een avontuurtje wagen? Altijd rook ze als een stinkende bok en ze beschikte ook nog over andere gebreken. Ze was het toppunt van lelijkheid in haar familie. Men had er het onkruid met bezems af kunnen vegen. Wie dit vrouwtje zou schaken, zou wel een echte boef moeten zijn en 't zou, verdomd nog aan toe, niet zijn beste dag zijn als het mijn vriend, de procureur, ter ore zou komen.

AUCTEUR

Alle Reyne Eerbaere Cuussche vrauwen ter eeren
Weerdich datmen in huerlieder ghezelscap mach verkeeren
Ende met gheschicte Redene vruecht hanthieren
Jon ick een Refereyn om huerlieder prys vermeeren
Doncuussche laetende metten vileyns Logieren

REFEREYN

Wech Cleopatra ghy luxurieuse vrauwe
Comt weerdeghe hester myn ferie verchieren
Wech messalina, Periculeuse trauwe
Comt Rachel die ick als damoureuse schauwe
Wech wanckelbaer brezeda, vul van dangieren
Comt edele Susanna Reyn van Manieren
Wech Raab in Jherico voor alle man
Comt Judith ghy doet ghenouchte hanthieren
Wech helena die troyen brocht int schoffieren
Comt hier Abysach tmynder tafelen An
Wech dina daer bloedsturtynghe by Beghan
Comt by ons abygahel hopelick van gheeste
Wech spyteghe vasti, huut dit ghespan

Auteur ¶ Aan alle mooie, eerbare, kuise vrouwen: die het waard zijn dat men
in hun gezelschap vertoeft en zich met gepast fatsoen met hen vermaakt. Aan
hen draag ik een refrein op om hen te eren en hun lof te verbreiden; de onkuise
vrouwen beveel ik daarbij maar aan in de bescherming van gemene kerels. ¶ Refrein ¶ Weg, Cleopatra, jij, geile vrouw; kom, waardige Hester, mijn
feest opluisteren. Weg, Messalina, altijd vervaarlijk; kom, Rachel, die ik verliefd aanschouw. Weg, wufte Bresida, vol aanstellerij; kom, edele Suzanna,
kuis van aard. Weg, Rachab, allemanshoer in Jericho; kom, Judith, gij brengt
vreugde aan. Weg, Helena die Troje hebt doen vallen; kom hier, Abisag, aan
mijn tafel. Weg, Dina, die bloed hebt doen vergieten; kom bij ons, Abigail, met
uw opbeurende geest. Weg, hatelijke Vasti, weg uit dit gezelschap;

Comt Sara al truert ghy, waddynghe eist dan
Reyn vrauwelick ghezelschap verchiert een Feeste

Comt Arthemisia Reyn huutvercoren Beilde
Wech Agar die sara eennen trap ontTelt
Comt Ruth want hu es Angheboren weilde
Up dat oock medea, van hier verloren speilde
Comt Creusa hu hier ter tafelen stelt
Wech dalyda daer sampsons cracht by smelt
Comt wyse Rebecca weist tonsen Raede
Wech die virgilius inde mande heeft ghequelt
Comt Lucresia want eere hu tleven ghelt
Wech onEerbaer Phirne Lack van daede
Comt eerbaere Delbora van edelen zaede
Wech jesabel quaede Venyneghe Beeste
Comt paeyselick mycol by huwer ghenaede
Wech valssche Athalia Bloedghiereghe quaede
Reyn vrauwelick ghezelschap verchiert een feeste

Wech Venus die vulcanus in truerynghen steict
Comt ghetrauwe Dydo dese feeste becleeden
Wech policana die vul besmuerynghen bleict
Wech oock Calphurnia die van zuerynghen spreict

kom, Sara al treurt gij, wat zou dat: eerbaar vrouwelijk gezelschap verlustigt
een feest. ¶ Kom, Artemisia, mooie, uitgelezen vrouw; weg, Hagar die Sara
onrecht aandoet. Kom, Ruth, want vreugde is u eigen, zodat ook Medea zich
van hier weg zou houden. Kom, Creusa, neem hier plaats aan de tafel; weg,
Delila, door wie Samson zijn kracht verliest. Kom, wijze Rebecca, geef ons
raad; weg, Lucretia, die Vergilius in de mand heeft doen lijden. Kom, Lucretia
[echtgenote van Tarquinus Collatinus], want uw eer is u het leven waard; weg,
oneerbare Phirne, met uw wulps gedrag. Kom, eerbare Debora, uit een edel
geslacht; weg, Jezabel, kwaad, venijnig serpent. Kom in vrede, Michal, als 't u
behaagt; weg, valse en vreselijk bloeddorstige Athalia. Eerbaar vrouwelijk gezelschap verlustigt een feest. ¶ Weg, Venus, die Vulcanus doet treuren; kom,
trouwe Dido, dit feest met uw aanwezigheid vereren. Weg, Bolicana, die schittert in smerigheid; weg ook Calphurnia, die tot bedrog aanzet;

933

Comt wyse Cassandra wilt van ons niet scheeden
Wech schimpeghe Echo, ghy moet my verleeden
Comt edel Polixena ons wellecomme zyt
Wech Proserpina by Plutho den wreeden
Comt pallas wilt hu ter maeltydt bereeden
Wech puthifars wyf zouct elders jolyt
Comt Philomena dit ghezelschap verblydt
Wech Circes vul van bedroghe de meeste
Comt by ons vrau Ceres Tes meer dan tydt
Wech Juno al hebtdys int herte spyt
Reyn Vrauwelick ghezelschap verchiert een feeste

Princhesse

Pandora Comt Reene schoone
Wech xantippe ghy cryght hier gheene Croone
Te kyfachtich zyt ghy vul quaeden tempeeste
Wech oock Bellona, niet weerdich Eene boone
Reyn vrauwelick ghezelschap verchiert een Feeste

kom, wijze Cassandra, laat ons niet in de steek. Weg, kwaadsprekende Echo,
gij staat mij tegen; kom, edele Polyxena, gij zijt welkom bij ons. Weg, Proserpina, loop naar de hel; kom, Pallas, begeef u aan tafel. Weg, vrouwe Potifars,
zoek uw plezier ergens anders; kom, Philomela, verblijd dit gezelschap. Weg,
allerbedrieglijkste Circe; kom bij ons, vrouw Ceres, 't is meer dan tijd. Weg,
Juno, al heb je er hartzeer van. Eerbaar vrouwelijk gezelschap verlustigt een
feest. ¶ Prinses ¶ Kom, eerbare, mooie Pandora; weg, Xanthippe, hier is voor
u geen eer weggelegd: gij zijt vol boze hartstochten, te zeer op ruzie uit. Weg
ook Bellona, volstrekt onwaardig. Eerbaar vrouwelijk gezelschap verlustigt
een feest.

Hoort al ghy ghildekens ende veel joncwyfs hoort
Comt al in myn kethel, elck zeght anderen voort
Roupt medea methamorphosighe goddinne
Comt medusa word myn hulpe, met een inckel woordt
Mids den smeder Vulcanitich in heeter Minne
Comt ghildekens comt. Comt ten eersten beghinne
Senypoerken zult indryncken meer dan een Onche
In myn kethel moetie zitten dan totten kinne
End hu blootshooft ontdecken dan in myn Fronsse
Ghy sult schynen vernischt duer apelles ponche
Comt al waert ghy vanden hoofde totten voeten besmet
Comt ghildekens in tyds Comt doch eer ick Ronsse
In myn Ketel comt ghildekens Cuusch ick net

Comt ghildekens comt, Comt al in myn kethele
Bezitten myn brandeghe heetcoeleghe zethele
Niet een haer zult ghy hebben, dat hu doet spyt
Van dat ick hu voorlichame wat benethele
Ghy wordtter gheel veraverecht in corter tydt
Comt ghehaerde oft alf gheschoorne, wie dat je zyt

Luister allemaal, jullie jongens van de vlakte en vele jonge vrouwen, luister:
kom allemaal in mijn ketel, elk zegge het de anderen voort. Roep Medea, de
godin van het metamorfoseren; kom, Medusa, help mij met een enkel woord,
samen met de smid die, zoals Vulcanus, graag het vuur aanstookt. Kom, fuifnummers, kom. Kom, om te beginnen zullen jullie meer dan eens een ons mostaardpoeder te slikken krijgen; vervolgens moeten jullie dan tot aan de kin in
mijn ketel plaatsnemen en dan jullie knikker in mijn spleet blootmaken. Jullie
zullen als door Apelles' borstel beschilderd worden. Kom, al waren jullie van
kop tot teen besmet; kom op tijd, vrolijke jongens, kom toch, voor ik ver-
schrompel; in mijn ketel, kom, jongens, daar geef ik jullie een flinke was-
beurt. ¶ Kom, pierewaaiers, kom; kom allemaal in mijn ketel op mijn gloeien-
de, hitte-afgevende zetel zitten. Geen haar op jullie hoofd zal er spijt van hebben dat ik jullie voorkant wat met brandnetels prikkel; in korte tijd worden
jullie een heel ander mens daarvan! Kom, wie je ook bent, met een flinke bos
haar of half geschoren

Of die thaerken te crueckelen pleight up stocxkens
Van die moeyte word verlost ghy, Comt hu zelven quyt
Comt ock ghewimbraeude Corthieleghe mocxkens
Comt schoeliekens vanden Neapolitaenssche brocxkens
Al zyt je onReyn besmatert oncuusschich onder zet
Comt ick zal hu overslooven keelcoordeghe clocxkens
In myn kethel comt ghildekens Cuuschick net

Comt Alle wiltJaeghers in venus warandekens
Comt ghildekens comt Jonghe Lammertandekens
Comt die zeer gheerne tRuwe schortcleedt Angord
Comt die den dach meest huutdraeghen met mandekens
Comt, in myn kethel word ghy gheCuuscht up en Cort
Up dat ghy myn laeuwenesse ghewaere wordt
Der huutcommende zult schynen nieuboren Joncxkens
Comt oock paruucke draegherkers, naer myn kethel Port
Ick zal den busch ontsteken met heetdompeghe voncxkens
Comt oock schieloose ghetoyt ghepelhaerde moncxkens
Comt comt, oock ghenoodt, onder myn voyisch trompet
Zonderlynghe ghy, om caelwe worden bloncxkens
In myn kethel comt ghildekens Cuusch ick net

of zij die hun haartje op houtjes in krulletjes plegen te leggen, van dat karwei
worden jullie verlost. Kom, doe je best. Kom ook, bewimperde, makkelijk ach-
terovervallende lichte meisjes; kom, syfilitische schavuiten, al zijn jullie onrein,
geheel onkuis besmet, kom, ik zal manteltjes over jullie schuiven die van keel-
banden voorzien zijn. Jongens kom, in mijn ketel geef ik jullie een flinke was-
beurt. ¶ Kom, alle jagers op wild in Venus' jachtvelden; kom, vrolijke ver-
sierders; kom, jonge lekkerbekjes; kom, degene die zo graag het ruige schort
voorbindt; kom, die zijn tijd vooral met beuzelarijen verdoet; kom, in mijn
ketel worden jullie flink gewassen, zo dat jullie mijn leerlooierswerk voelen en
er als herboren jongens uit zullen komen. Kom ook, pruikdragertjes, trek op
naar mijn ketel, ik zal het hout met heet walmende vonkjes aansteken. Kom
ook kroesharige monnikjes die onbedachtzaam de pij hebben aangenomen.
Kom, kom, ook jullie zijn door het getrompet van mijn stem uitgenodigd, vooral jullie, kalende domoren. Kom, vrolijke jongens, in mijn ketel, daar geef ik
jullie een flinke beurt.

Prinche

Comt oock in myn kethel duer myn Voorduerken
Die te Roodtroengich draeght een Coluerken
Twelck Roosproetich bemasschelt te oudbollich staet
Comt ick zalt hu wel beteren, min dan in een huerken
Zo vullicx ghy van myn sopelorien ontfaet
Comt ghildekens comt comt, doet eens mynen Raedt
Comt vry grouve craeghalsen, hoe vroom ghezwanst
Alle wie besloten cortsen hebt, hoe inghewortelt quaet
Comt worpt ghemoet in myn kethel bemommeCanst
Speilt Duuckerken met tbolleken, en binnen danst
Comt ick zalt je dan upden cam ofNypen Bet
Hoe dickhareghe toppen Ruloctich ghecranst
In myn kethel comt ghildekens Cuusch Ick net

> CORTSEN BROEDERS
> LAM SLUTS END ONSTERCK
> VEEL ZIECTEN VOEDERS
> COMT NAER VENUS WERCK

Ghy die van fiebures quartaine ghequelt mocht wesen

Prins ¶ Kom ook langs mijn voordeurtje in mijn ketel, jullie die in het gezicht al te rood gekleurd zijn; wat, met rode sproetels bevlekt, een te gek gezicht is: kom, ik zal jullie wel in minder dan een uurtje ervan verlossen zodra jullie volop van mijn sop hebben ontvangen. Kom, vrolijke jongens, kom; kom, volg mijn raad eens op. Kom gerust, zwaar gekraagde halzen, hoe stevig gestaart je ook bent; al wie aan verborgen koortsen lijdt, hoe erg ze zich ook hebben ingevreten, kom vermomd naar mijn ketel om er jullie kansworp te wagen. Laat het bolletje duikertje spelen en wals naar binnen. Kom, ik zal je dan het maskertje goed van het hoofd afknijpen; hoe dikharig en ruig behaard die koppen ook zijn, jongens, kom, in mijn ketel daar geef ik jullie een flinke beurt.

●

Broeders in de koorts, lam, slap en zwak; veel ziektekiemen zijn het gevolg van de liefde. ¶ Jij die door de vierdendaagse koorts gekweld mocht worden,

En acht up senypoer Rute nasqua Nepte
Myn Refereyn alsse commen wilt Lesen
Alsse achter blyfven, zult ter stondt ghenesen
Hebt ghevonden als een ongheordonneirde Recepte
Zo wie in zyn Joncheyt oyndt gheerne stepte
Daer venus liefverlynghen hadden verghaer
Voor een cleen vruecht volgder veel verdriets naer
Ende creegh voorwaer zo wel huut als in Brugghe
Drupende nuerzen, ooghen zypende onclaer
Ende cromme Rugghe

REFEREYN VAN DEN CORTSEN

Tfy hu schieloose cortsen der ghulseghen Roede
Duernypende myn adren, hoe comt ghy my deeren
Huwen oorspronck, comt huut eenen quaeden bloede
De Rassche te beene, maect ghy vluchs moede
Hu hygaeten int hooft, doet vloucken en zweeren,
Wat jeghens natuere zy wilt ghy doen theeren
Huut end in Clappeye, die huut een vuylen crop spruut
Vervultheyt van maeghen, ende noch meer begheeren
Dit zyn hu Rechte zibbezacx gheseyt overluudt

geeft niet om mostaardpoeder, ruit of bloeiend kattekruid. Als de koortsen komen, lees dan mijn refrein; als ze uitblijven, zul je gauw genezen: beschouw mijn refrein dan als een niet-voorgeschreven geneesmiddel. Wie in zijn jeugd altijd graag rondhing waar de meisjes van plezier bijeenzaten; voor een beetje plezier volgde er veel verdriet: want die kreeg voorwaar, zowel buiten als binnen Brugge, een druipende neus, troebel tranende ogen en een kromme rug. ¶ Refrein over de koorts ¶ Bah, jullie onverhoeds opkomende koortsen: straf voor de gulzigaards, die bijtend een weg door mijn aders zoekt, wat kom jij me kwellen? Jij komt voort uit ongezond bloed. Van kwieke stappers maak jij mensen die gauw moe zijn. Jouw geneuk in het hoofd doet mij vloeken en verdoemen. Wat niet natuurlijk kan worden verwerkt, wil jij doen verteren. In-en-uit-gepuf, voortspruitend uit een vuile keel, en een overvolle maag, die toch nog meer verlangt: dit zijn, klaar en duidelijk gezegd, jouw ware bloedverwanten.

Ghy zyt een quaede beeste, want myns levens juut
DuerRydt ghy snooBrandeghe slymeghe vinne
Tschynt oftmer ghebraen eyers in myn maeghe fruut
Zo hantiert ghy my menichwaerf thuwen beghinne
Zomtyds, zendt ghy my in, de bevende Minne
Dan zonder coorde touter Ick, dach ende nacht
Nietmin, Niet gheachte dan voor een zottinne
DuerRydt vry den trypzack, maer therte doch wacht

Als een onvoorzieneghe stranghe verRaedeghe
Zo zyt ghy my dapperlick gheCommen up tlyf
Der huepscher cost doet ghy walghen versmaedeghe
Bottecakeghe zwelte, Twaer om hu beclyf
Ghy doet meest begheeren Tzy man ofte wyf
Zwabbelynghe smaeckende naer zout noch smout
Tot boomsnaetsynghe al waert der zwynen verblyf
Hier toe brynght ghy huwe cortseghe verweecte stout
En begheeren zulck tpoyen van tJuegdeghe mout
Oock wyn, zoot zulck by potten glaeskens huutbliesen
Ghy doetser of vervreimden, ghy laf in ziecten oudt
Ja my daet ghy wey voor bruschkeytien kiesen
Tscheen oft ghy my noch wildet inden ougst vervriesen

Jij bent als een vervaarlijk dier, want als een venijnig brandende, slijmerige
kwaal doorpriem jij mijn levensvreugde. 't Is alsof men gebraden eieren in mijn
maag stooft, zo pak jij me dikwijls aan. Soms zend je de bibberzucht in me,
zodat ik dag en nacht zonder touw aan het schommelen ga. Desondanks zeg ik,
jou niet meer dan als een zottin beschouwend: vaar gerust door mijn pens heen,
maar pas toch op voor mijn hart. ¶ Als een onvoorziene, onverbiddelijke ver-
raadster ben je me plotseling op 't lijf gesprongen. Van fijne kost doe jij, mis-
prijzende, botgebekte ziekte, mij walgen. Om het naar jouw wens te doen gaan,
doe jij man of vrouw het meest verlangen naar smakeloze troep en naar het eten
van grote hoeveelheden onrijp fruit, alsof het de etensresten van varkens waren. Zonder scrupules zet jij door de koorts verzwakten hiertoe aan. Er zijn er
die graag vers bier drinken of ook wijn die ze met kannen en glaasjes opmaken,
jij maakt dat zij er afstand van doen. Ja, krachteloos, ziek en oud, deed jij me de
hui van de melk boven schuimend bier verkiezen. 't Leek erop of je me nog in
augustus wou laten bevriezen,

Zoo ghy my hebt Clippertandich vercracht
Al croopt ghy inden eersdaerm, om gheen plaetse verliesen
DuerRydt vry den trypzack, maer therte doch wacht

Een onbeschaemde Lurpe zyt ende Rabrakeghe
Vanden ghaende leden, oock tstaende let naer dien
Der onghetempertheyt een tsaemen Raeckeghe
Broeder dierycx ingien een slutse slaeckeghe
Dies zyn Fraterkens hanghen, Beneden zyn knyen
Tfy zieckzuchteghe lerwe, met hu Acxpartyen
In beschimmelt zweet, doet ghy de lever verzyncken
Weycaes Laffen Bru, blaeuwe pottagerien
Die wilt ghy meest tmynen banckette schyncken
Wech spys es huwen weynsch, huwen Roup comt dryncken
Tzy grusen bier cisteerne, ghy wordter me tevreden
End om een goet morseel, doet ghy niet eens dyncken
Dan begheeren alderhande Aelwaericheden
Zommich wilt ghy doen dryncken van buter steden
Claer bekewaeter ende zom huut eender gracht
Maer cortsen quelt ghy my in alle myn leden
DuerRydt vry den trypzack, maer therte doch wacht

zoals je me met geweld deed klappertanden. Al kroop je, om geen plaats te
missen, in de endeldarm; vaar gerust door mijn pens, maar spaar toch mijn
hart. ¶ Een schaamteloos kreng ben je, een radbraakster van de gaande ledematen, en vervolgens ook van 't staande lid; een opveegster van [de gevolgen
van] de onmatigheid, een slap makende ontkrachtster van broeder Dirks vernuft, zodat zijn medebroedertjes [ballen] tot onder zijn knieën hangen. Ba, je
bent als een ziekte vermomd, met masker en schouderstukken, en je doet de
lever zwemmen in beschimmeld zweet. Kwark, smakeloze brij en dunne soep
wil jij me voornamelijk te eten geven. 'Weg spijs' is jouw wens; 'kom drinken' is
jouw roep: 't zij dunbier of putwater, dat is wat je wil, en over een stevige
lekkere hap laat jij niet eens denken, maar je doet verlangen naar allerlei stomme dingen: sommigen willen door jou klaar beekwater en buiten de stad drinken en anderen water uit een gracht. Maar, koorts, al kwel je mij over heel mijn
lichaam, vaar gerust door mijn pens, maar pas toch op voor mijn hart.

Princesse

Van hooftzweere ende tantzweere fel
Cortsen zyt ghy Contagieuse beeste
Wie over hu claeght, met een bevende vel
Men achtes niet, zulck houdet voor kynder spel
Cortsen zuveren wel, ende doen groeyen snel
Zulcken troost gheven my de ghezonde van gheeste
Maer of ick in mynder bonnetten Leeste
Zweerynghe lyde, Raescoppich bezwaer
Zal my nyemandt claeghen oock, minste noch meeste
Tjansoy zo zwygh ick dan huut causen eerbaer
Maer oft my dan de tantzweere quelt voorwaer
Es dat oock gheen pyne, spreict by ghevoelynghe
Neent, zegghen de zulcke, eens de weke al tJaer
Tandzweere, dats maer een Caeckenspoelynghe
Een wyndeghe huutwoelynghe
De cortsen schijnt Dats maer een leververcoelynghe
Die veel end ander ziecten huut tlyf versmacht
Tjan cortsen end alsoo zy, ziet zonder Loelynghe
Zoo ghezondt gheAcht
DuerRydt vry den trypzack, maer therte doch wacht

Prinses ¶ Jij bent de monsterlijke oorzaak van hevige hoofd- en tandpijn. Wie
ook, bibberend met kippevel, over je klaagt, men geeft er niet om: men neemt
het niet au sérieux. 'Koortsaanvallen hebben een weldoende, zuiverende werking en maken dat men snel groeit': dit is de troost die de gezonden van geest
mij verlenen, maar dat ik onder mijn muts pijn lijd, een razende hoofdpijn,
daarom zal ik door niemand, klein noch groot, worden beklaagd. Jandorie, uit
bescheidenheid zwijg ik dan maar, maar als ik door tandpijn gekweld word, ja,
is dat geen pijn? Spreek gerust uit eigen ervaring. 'Neen,' zeggen sommigen,
'het hele jaar door één keer in de week tandpijn, dat is maar een kaakspoeling,
een verfrissende uitbalancering.' Koorts, zo schijnt het, is maar een afkoeling
van de lever, die vele andere ziekten verstikt en uit het lichaam verdrijft. Ja, bij
Sint-Jan, als 't zo zit, koorts, kijk, zonder gekheid, jij die zo gezond wordt
gevonden, vaar gerust door mijn pens, maar spaar toch mijn hart.

I ammer cracht Roof ende groote moord Bloedeli C
M ueghende kaerle, beschut word vroedeli C
P uer dat wy hu noch cryghen int Ooghemer C
E delick achtentwyntich in meye Behoedeli C
R eyn te gennes (gode lof) Altyds voorspoedeli C
A rriveirdet in hu stede end ytaliaensche per C
T es wel gods gratie, ende oock zyn wer C
O ver hu te tooghene zyn Bystandt zedeli C
R echts een tweeden David, blyct ghy verwinder ster C
C oenlick vanden heere veel gratien Bestedeli C
A l hu voortstel es duechdich voorzienich Edeli C
R egierende Plus oultre dyn landen zeer we L
O ock huwen vervolghers hilt ghy gheerne vredeli C
L iete Saul of van hu te doenne Gheque L
V an mars banieren end oock van Bellona fe L
S o hopen wy verlost noch te zyne by h u
Q uaemt ghy in huwe nederLanden Sne L
V an ons wierde verJaeght ducht vreese Gr u
I n langhe Jaeren niet zoo tghemeente Alsn V
N aer hu Roupende verlangde dat kennen w ij

28 mei. Een ander chronogram. 1543 ¶ Machtige Karel, mogen rampen, geweld, roof en een vreselijke, bloedige moord wijselijk worden afgewend, zodat wij u terug mogen zien. Op 28 mei zijt gij, edele, Gode zij dank, geheel veilig en onafgebroken door het geluk begunstigd te Genua op uw bestemming in Italië aangekomen. 't Is wel Gods genadewerk om over u zijn gepaste bescherming uit te strekken. Werkelijk, machtige overwinnaar, gij blijkt een tweede David te zijn, die moedig over vele door God geschonken gaven weet te beschikken. Uw hele beleid is deugdzaam, wijs en edel; uw landen, steeds uitgestrekter, zeer goed bestuurd. Ook tegenover vervolgers waart gij vredelievend gezind. Als Saul zou ophouden u te kwellen, zouden wij hopen door u verlost te zijn van Mars' banieren en ook van de felle Bellona. Als gij spoedig in uw Nederlanden zoudt komen, zouden angst, vrees en schrik van ons verdreven zijn. Het volk heeft in lange tijd nooit zo verlangend om u geroepen als nu, dat weten wij.

T es Recht oock die van ons maect oorloghe sch u
V laendren dient ghy gheCommen nu thuerer nood b ij
S oo voortyds huut spaengnen, eens waert commende gh ij
    I a vranck ende vr ij
    I n ende duer sauls dyns vyands pryee L
    I onstich wient tspyte z ij
    Danck zy god, en wel ghecommen keyserlick Juwee L

LIEDEKEN

Weerdinneken ontsteict ons een vul vat
En brynght ons goe Pottaige
Dat eerste bier was veel te plat
Ten hadde gheen Couraidge
Weerdinneken etc.[a]

Wy hebben een durstich keelgat
Ten mach gheen drooghe fouraidge
Dus drynck wy daeglicx tbuucxken zat
In bachus hermitaige
Weerdinneken etc.[a]

De minste tueghe een claverblat
Alsoo es ons usaige

'␣t Is ook passend dat hij die de oorlog van ons heeft doen wijken, Vlaanderen nu
in haar nood moet komen bijstaan, zoals gij vroeger eens uit Spanje gekomen
zijt, ja, frank en vrij, en door het land [Frankrijk] van uw vijand Saul, dank
zij God, tot spijt van wie 't benijdde, begunstigde en welkom zijnde, Keizerlijke
Hoogheid.

•

Waardinnetje, steek ons een vol vat aan en breng ons goede drank; het eerste
bier was veel te dun, het had geen fut. Waardinnetje, enz. ¶ Wij hebben een
dorstige keel die geen droog voedsel lust; daarom drinken wij dagelijks het
buikje vol in Bacchus' klooster. Waardinnetje, enz. ¶ De kleinste teug bestaat
uit drie bekers, zo zijn we het gewend.

Elck onser gaedert gheenen schat
Dan tslichaems avantaige
Weerdinneken etc.[a]

Alst al ghepoyt es moe en mat
Gheworden povers paidge
Naer thuseken metten cruce dat
Word dan ons pilgrimaidge
Weerdinneken etc[a]

Wy hebbens beter eens ghehad
Vraulicke personnaidge
Brynght ons van daer de cat up zat
Schoon amoureux visaige
Weerdinneken etc.[a]

Zo langhe dat wy hebben wat
Van spaeren speelwy schuvaidge
Wy zitten eecke plancken glat
Met sober habituaidge
Weerdinneken etc.[a]

Wie wast die laetst voor my bad
Hier an des tafels staidge
Ick brynght den laetsten dieder at
Om winnen Bierbuucx gaidge
Weerdinneken etc.[a]

Niemand van ons vergaart een andere schat dan wat het lichaam voldoening schenkt. Waardinnetje, enz. ¶ Als het allemaal opgedronken is en wij, vermoeid en suf, Povers dienaar geworden zijn, dan leidt onze pelgrimstocht naar het gasthuis [armenhuis]. Waardinnetje, enz. ¶ Het zou beter zijn als wij eens een vrouw hadden: breng ons uit het kattenest een mooi, lief snoetje. Waardinnetje, enz. ¶ Laten wij het sparen, zolang we wat hebben; wij verslijten eiken planken in eenvoudige kleren. Waardinnetje, enz. ¶ Wie was 't die onlangs voor mij bad, hier aan het tafelblad? Ik drink op de gezondheid van de laatste die er at, om 's bierbuiks loon te verdienen. Waardinnetje, enz.

944

Zomtyds bezoucken wy venus bat
In een doncker passaidge
Al wordwyr omme bachten nat
Wy schoyen naer bruwaidge
Weerdinneken etc.[a]

Wy hebben hier gheen zeker stad
Voor een vruecht veel quellaige
Laets vroylick zyn, maer niet te brat
Doende Bachus hommaidge
Weerdinneken etc.[a]

Weerdinneken ontsteict ons een vul vat
En brynght ons goe Pottaige
Dat eerste bier was veel te plat
Ten hadde gheen Couraidge.

ANDRE REFEREYN .1543.

Van een vulders dienst heeft een vrauwe meest nood
By cause groot
Want hy mach vullen haer ydele steden
Lynwaetkiste Cleerscapra, oock wel vullen den schoot
Dit can hy al met zyn bequame zeden

Soms bezoeken we Venus' badstoof in een donker steegje; al komen we er berooid vandaan, wij trekken naar Brouage [bekend om zijn zoutwinning; woordspel met bruwen, bierbrouwen]. Waardinnetje, enz. ¶ Wij hebben hier geen vaste verblijfplaats; tegenover één keer plezier staat veel verdriet. Laten we vrolijk zijn, maar niet te gek, terwijl we Bacchus eren. Waardinnetje, enz. ¶ Waardinnetje, steek ons een vol vat aan en breng ons goede drank; het eerste bier was veel te dun, het had geen fut.

•

Een vrouw heeft het meest behoefte aan het werk van een voller om de goede reden dat hij haar lege plaatsen kan vullen: de linnenkast, de kleerkast, ook de schoot kan hij goed vullen; tot dat alles is hij bekwaam:

De buerse vullen dooghen vullen met wetentheden
Oock dhandvullen met veel goet dyncx dats claer
De oore vullen alsoo zyn voorders deden
De coedse vullen met zochte vulsels aldaer
Tcapproen oock met hoye vullen voorwaer
Dees dienst vermach alsulck een vuldere ziet
En den buuck vullen dats tprincipaelste der naer
Doch als den buuck ydel blyft zo eist al niet
Dus als een vulders dienst zo bequame gheschiet
Al stond hy int werck met een lere Culdere
Boven tscupers dienst hoe hy veel nats inghiet
Zo dynct my naer myn voornoomde Bediet
Een vrauwe meest noodt es de dienst van een vuldere

Want een huepsche fraeye vrauwe, een frissche tassche
Met een ydel flassche
Daer Rood ofte wit wyn mach inne ghebreken
Een Cuper die macher fraey als de Rassche
Huut tprime gaetien wat Laeten inleken
En macher een middelbaer tapken In steken
Naer dat hy te doene mach zyn ghecostuumt
Maer een vulder bequame die tooght zyn treken

de portemonnee vullen; de ogen met zijn kundigheden vullen; ook de handen
met vele goede dingen vullen, dat is duidelijk; het 'oor' vullen [ook: het nageslacht aanvullen], zoals zijn voorvaderen deden; het bed opvullen met zachte
vullingen; de kap met hooi vullen [iemand iets wijsmaken], ja zeker, zulke
diensten kan een voller bewijzen, en de buik vullen, dat is daarna het belangrijkste, want als de buik leeg blijft, heeft het andere niets te betekenen. Daarom,
als het werk van een voller zo goed gedaan wordt, al had hij er een leren wambuis voor aan, zo dunkt mij naar wat ik hiervoor gezegd heb, dat een vrouw het
meest de hulp van een voller nodig heeft, meer dan die van een kuiper, hoeveel
vocht die ook naar binnen giet. ¶ Want een hupse, mooie vrouw, een vlotte
meid met een lege fles waar men rode of witte wijn in mist; een kuiper zou die
mooi kunnen helpen door gauw iets uit het gaatje van de priem erin te laten
druppelen en hij kan er een tapje van gemiddelde grootte in steken, zoals hij dat
gewend is te doen. Maar een bekwame voller, die toont wat hij kan,

Die stopt en vult de flassche dats overschuumt
Niet een haerken belet hem het wordter gheRuumt
Oock vult hy bet de pilse, dan oyndt voeraer plach
Ende waer desen vulder int vleesschuus sluumt
Niet een mesye daer tusschen vlieghen en mach
Om vuldaen tzyne doet meest een vrauwe gheclach
En tdeser nood vought hem thaerwaerts gheen cruldere
Dan een vulder, zyn dienst maect altoos werckendach
Want hy vult haer ydelheyt, dies doe ick ghewach
Een vrauwe meest noodt es de dienst van een vuldere

Een polderclerck Bescryfvende parchemyn
Van noode zyn
Mach hy een vrauwe in huer waterconduten
Als toeziender van alsulcken wercke fyn
Waer slusen speyen Busen meest quaelick sluten
Maer als die duere draeghen van binnen of Buten
Huer es van nooden dan eennen vuldere Jaet
Die valtter met tlyf tseghen dat de ooren tuten
En stackytst dien wacken grondt als bequaemste Raedt
Ghevoelt hy dat den quelm ghulsich open staet
Zo ordonneert hy datmer pylen in hyen moet

die stopt en vult de fles zodat ze overschuimt. Geen haartje dat in de weg zit of
het wordt weggewerkt. Ook vult hij de pels beter dan enige bontwerker ooit
deed en wanneer deze voller in het vleeshuis rust, kan er geen mug tussen
vliegen. Een vrouw klaagt het meest dat ze vol(ge)daan wil zijn en in deze nood
komt haar niemand beter van pas dan een voller: in zijn vak is het altijd werk-
dag, want hij vult wat bij haar leeg is. Daarom zeg ik: een vrouw heeft het meest
de hulp van een voller nodig. ¶ Een op perkament schrijvende klerk in dienst
van het polderbestuur kan een vrouw in haar afwateringskanalen van dienst
zijn als toeziender op het precisiewerk dat er te doen is op plaatsen waar slui-
zen, spuien en buizen niet goed sluiten. Maar als deze aan de binnen- of buitenkant gaan zakken, dan heeft zij de hulp van een voller nodig. Ja, die gaat er met
zijn volle kracht tegenaan, dat je oren ervan tuiten, en versterkt die vochtige
grond met staketwerk, wat de beste oplossing is. Voelt hij het grondwater gulzig opdringen, dan beveelt hij dat men er palen in heit.

De polderclerck mach kycken hoe twerck voortghaet
Maer de vulder es de ghuene die twerck vuldoet
End alst dus dan ghevult es de Cuper verwoet
En de polderclerck, die word zo lancx te duldere
Dan hem zyn dienst ghecost heeft vleesch ende bloedt
End alsoo niet can vullen dus tdeser spoet
Een vrauwe meest noodt es de dienst van een vuldere

Prinche

Een Cupers dienst es wellecomme
Omtrent de Bomme
Met zyn Avegheer Redenlick doende zyn dynghen
Een voeraer duernaeyt wel de pilsen alomme
Hij ghispt en ghoyt datter de motten huutsprynghen
Maer wat dienst, ghebreictter ter noodt tvulbrynghen
Niet dan een beghunnen ydel onvulbrocht werck
Maer als de vulder comt twerck omRynghen
Vullende vuldoet hyt al styf ende sterck,
Ende dat insghelycx oock een polderclerck
Een vrauwe ghedient heeft zyn leven lanck
End huer dynghen ongheheffent Int ooghemerck

De polderklerk mag kijken hoe 't werk vordert, maar de voller is degene die het
voltooit. En als het dan op die manier gevuld is, wordt de kuiper kwaad en de
polderklerk wordt hoe langer hoe doller omdat zijn werk hem al zijn energie
heeft gekost en hij het zo niet kan afmaken. In deze aangelegenheid heeft een
vrouw dus het meest behoefte aan de dienst van een voller. ¶ Prins ¶ Bij een vat
komt de hulp van een kuiper van pas: met zijn grote boor verricht hij zijn taak
behoorlijk. Een bontwerker is altijd goed in het naaien van pelzen: hij klopt en
slaat dat de motten eruit springen, maar wat voor werk ook, als de finishing
touch moet ontbreken en er alleen een begin wordt gemaakt, dan is het een
zinloos, onvoltooid werk. Maar als de voller zich met het werk komt bemoeien,
die voltooit het al vullend allemaal, sterk en stevig als hij is. En ook wanneer
een polderklerk zijn leven lang bij een vrouw gewerkt heeft en haar zaken, tot
haar spijt, onbewerkt en duidelijk zichtbaar

Open blyfven staende jeghens hueren danck
Zijnen dienst valt dies oock te huerwaerts cranck
Of tvuldoen moetter volghen van smetser of smuldere
Al es zyn huutgheven grof, vanden vullen ontfanck
Wist oock een vrauwe gheerne, dies in huer bevanck
Een vrauwe meest nood es de dienst van een vuldere

VASTENAVEND DANSLIEDEKEN

Met puffende maghen, droncke subbelen
Vastenavends daghen, muegher me hubbelen

Hoort alle die zyt van Bachus bende
End hu naer vastenavendt dwynght
Eer datmen hu de zomer zende
Doch hu ghelt niet gheel verdrynct
Maer properlick by maeten schijnct
Fraey ghezondt wordt ghy ghepresen
En wat ghy doet, dit overdynct
Moorghen moet ghy sober wesen

Die versmeert nu groot ghelach
En metten theerlyngh tghelt verdoet

open zijn gebleven, dan heeft zijn werk voor haar ook geen betekenis, tenzij een
tafelschuimer of snoeper voor de afwerking zou komen zorgen. Al is wat hij
toedient zwaar, een vrouw krijgt toch ook graag het volle pond op haar terrein.
Een vrouw heeft het meest het werk van een voller nodig.

·

Met puffende magen, dronken struikelend, mag je er op vastenavonddagen op
huppelen. ¶ Hoort, allen die tot het gezelschap van Bacchus behoort en je aan
vastenavond overgeeft, verdrink je geld toch niet geheel voor de zomer komt,
maar schenk passend uit naar maat. Flink gezond zul je zijn, dat spreekt, en wat
je doet, bedenk dit: morgen moet je sober zijn. ¶ Jij die nu een groot gelag
opmaakt en met de teerling het geld verspeelt

Daer ghy meer dan eennen dach
Thuwen huuse by leven moet
Vroylick huwen durst nu boet
Theert vougsaemich boven desen
Hoe ghy tdlyf baldadich voed
Moorghen moet ghy sober wesen

Drooghe kelen by Manieren
Die zo gheerne by pyntjens poyt
Souft noch hedent alfve Bieren
Vry deen danders keerleken ployt
Rasch om bucht Tot myn oomkens schoyt
Es hu Credo huutghelesen
Zwelghet tmaertsbier nu gheloyt
Moorghen etc.[a]

Die noch Rycke zyt van haven
Touft nu Venus moy gheCranst
Laet den theerlyngh dapper draven
Huwer alder Lustich Canst
Momt zynght sprynght hubbelt en danst
Laet ghenouchte zyn gheResen
Drynct bacxkens huut, Brast ende schranst
Moorghen etc.[a]

Fraey Joncwyfvekens ende Cnaepen
Die gheerne vette morseelen smult

---

waar je thuis meer dan een dag van moet leven, stil nu vrolijk je dorst, verteer
daarbovenop nog behoorlijk. Hoe kwalijk je 't lijf ook vult, morgen moet je
sober zijn. ¶ Droge kelen, zo gezegd, die zo graag bij pinten drinkt, zuip nu
halve bieren. Vouw gerust elkaars tabberd op (als pand): loop vlug om geld
naar de lommerd. Krijg je geen krediet meer, drink het maartbier dat nu ge-
keurd is. Morgen, enz. ¶ Wie nog rijk van have is: liefkoos nu de mooi bekrans-
de Venus. Laat de teerling lustig rollen, waag je allerbeste kans. Vermom je,
zing, spring, huppel en dans. Wees opgewekt, drink bekers leeg, smikkel en
smul. Morgen, enz. ¶ Leuke meisjes en jongens die graag flinke brokken smullen,

Wilt alshedent wyde gaepen
Hu buucxkens voor zes weken vult
Dan natuerlicke blomme huutbult
Laet hu helpen ende ghenesen
Doet ghyt niet tword hu tselfs schult
Moorghen etc.[a]

Pupstekers die om den naeycoorf vechten
Ende Venus zyn onderdaen
Wilt den standaert vroylick Rechten
En bloodshoofts noch int vleeschuus ghaen
Smetst saussyskens en Coolbraen
Laet nu soberheyt verknesen
Drynct int Lyf den Rynsschen traen
Moorghen etc.[a]

Die om hebben doet den heesch
En gheerne tlecker keelgat voert
Eer ghy eit hu laetste Vleesch
Laet up hu vleesch zyn ghetamboert
End huwe Blende schuetel Roert
Nyemandt zalmer omme vesen
Hu dranck wel buetert ende poert
Moorghen etc.[a]

zet de mond nu maar wijd open; vul jullie buikjes voor zes weken en laat dan de 'bloem der natuur' uitpuilen. Laat je helpen en je noden stillen: doe je 't niet, 't is je eigen schuld. Morgen, enz. ¶ Neukers die om vrouwen vechten en ten dienste van Venus staan, wil het vaandel vrolijk rechten en met een ontblote knikker het vleeshuis binnengaan. Smul worstjes en koolgebraad; laat soberheid nu wegkwijnen; giet rijnwijn naar binnen. Morgen, enz. ¶ Wie iets om te krijgen eist en graag 't wellustig keelgat voert, voor je je laatste vlees eet, laat je op je vlees trommelen en roer je afgedekte bord [verberg je ware bedoelingen]: men zal er bij niemand over roddelen. Maak je drank goed vet en gekruid. Morgen, enz.

Oorlof pier pauwels claeys en philips
End elck wie hoort ons vroylick Liedt
Tes in ons buerse zeer groot Eclips
Want wy en zien der een cruce Niet
Nochtans al eist Dat zoo gheschiet
Crancken willen wy droufheyts pesen
En wesen Rechts vroylick zoomen ziet
Maer moorghen willen wy wyser wesen

REFEREYN

Doch in huwen thoorne straft my niet heere
Noch wilt my niet in huwe gramschap castyden
Maer bidde dat hu wille Te mywaerts keere
Dat ick duer hu bermherticheyt mach verblyden
Want inder doodt zyn gheene die hu belyden
En wie zal hu inder hellen dan zyn ghedachtich
Maect my dies ghezond heere zonder vermyden
Dat ick met hu leve myn god warachtich
Myn vernedren ansiet onder myn vyanden crachtich
Ghy die my verheft huute die poorten des doods

Vaarwel, Pieter, Paul, Klaas en Filips en iedereen die ons vrolijk lied hoort. 't Is in onze beurs zeer donker, want wij zien er geen cent in. Nochtans, al gaat het zo, wij willen de snaren der droefheid vieren en echt vrolijk zijn, zoals men ziet; maar morgen zullen we wijzer zijn.

•

Straf mij toch niet in uw toorn, Heer, en kastijd mij niet in uw gramschap, maar wees goedgunstig jegens mij zodat ik mij in uw genade mag verheugen, want in de dood zijn er geen die u loven, en wie zal in de hel aan u denken? Maak mij daarom zonder mankeren gezond, Heer, zodat ik met u leef, mijn waarachtige God. Aanschouw de grote vernedering die ik onder mijn vijanden moet lijden, gij, die mij op doet staan uit de poorten des doods.

Myn lydzaemheyt zyt ghy heere god almachtich
Hope van mynder joncheyt, die bem vul noods
Myn beschermer zyt ghy voor veel wederstoots
Van huuten buuck van myn moeders Lichaeme
Verworpt my niet bid ick met begheerten in groots
In myns ouderdoms tydt heere god eersaeme
Verlaet my niet als myn cracht cryght onvraeme
Hu groote miltheyt vermenichfuldicht hebt ghy
Myn goedynghen zyn hu, weet ick wel niet bequame
Dus met dancbaerheyt ick thuwaerts Roupende zy
Och god ontfaermt dies mynder dat bid ick dy
Want de menssche die heeft my gheheel vertorden
Alle den gheheelen dach stranck bevechtende my
Dies moedeloos en Raedeloos bem ick gheworden
Verhoort my god in myn zondich ommeghorden
Tquaedt verweight myne duecht van ontellicke ponden
Dus met hope en liefde bid ick, dier my toeporden
Vonnest my, naer hu ghenaeden, niet naer myn zonden

God naer hu groote bermherticheyt zyt myns ghenaedich
En naer die veelheyt der ontfaermicheden van hu
Doet of myn ongherechtheyt my zynde beschaedich
Ende wascht my van mynder mesdaet bid ick nu

Mijn troost zijt gij, Here God almachtig, de hoop van mijn jeugd af aan, voor mij, een mens vol zorgen. Gij zijt mijn beschermer tegen veel verdriet sedert mijn geboorte. Ik bid u met groot verlangen, verstoot mij niet in mijn oude dag, Here, heilige God. Verlaat mij niet als mijn kracht op de proef wordt gesteld. Uw grote goedheid hebt gij verveelvoudigd; mijn goede werken zijn u niet welgevallig, ik weet het wel. Daarom roep ik tot u in dank: och God, ontferm u dan ook over mij, dat bid ik u, want de mens [in mij], die mij de hele dag voortdurend fel bevecht, heeft mij geheel overmeesterd. Daardoor ben ik moedeloos en radeloos geworden. Aanhoor mij, God, midden in mijn zondigheid. Het kwaad weegt ontelbare ponden zwaarder dan mijn deugd; daarom bid ik, met hoop en liefde die mij daartoe aanspoorden: vonnis mij naar uw barmhartigheden, niet naar mijn zonden. ¶ God, wees mij genadig naar uw barmhartigheid en naar de veelheid uwer gunstbewijzen. Doe de ongerechtigheid, die mij schaadt, van mij af en was mij vanwege mijn misdaden, zo bid ik nu;

Reynicht my, van al myn zonden zo heb ick gru
Want ick bekenne myn quaetheyt groot ende cleene
Myn zonde jeghens my es, altoos grof en Ru
Ende heeft my ghevolght zoo, van kynds beene
O god hu zo heb ick ghezondicht Alleene
En veel quaets heb ick voor huwen ooghen ghedaen
Ziet in onduechden Bem ick ontfanghen onReene
Ende myn moeder heeft my in zonden ontfaen
Ziet, lief hebt ghy ghehadt des waerheyts vermaen
En my ghemaect hu verborghen wysheyt openbaer
Heere met ysope wilt, my bespeerssen zaen
End ick zal zuver worden, my wasschen der naer
End ick zal boven der snee ghewit zyn daer
Myn ghehoor zult ghy vruecht en ghenouchte gheven
En den beendren veroetmoedicht, hem verblyden claer
Keert doch hu aenschyn of, van myn zondich sneven
Doet alle die mesdaeden huut, By my bedreven
En god wilt in my scheppen doch een herte Reyn
Laet in myn inghewandt eennen upRechten gheest Leven
Quaede menschen zal ick Leeren hu weghen Certeyn
Verlost my vander bloedegher zonden Treyn
God die zyt myns zaelicheyts god bevonden

reinig mij. Ik heb een afschuw van al mijn zonden, want ik erken mijn boosheid geheel en al. Mijn zonde gedraagt zich tegenover mij altijd vrijpostig en on-behouwen en heeft mij van kindsbeen af gevolgd. O God, tegenover u alleen heb ik zo gezondigd en ik heb in uw ogen veel kwaad gedaan. Zie, in ondeug-den ben ik verwekt, onrein, en mijn moeder heeft mij in zonden ontvangen. Zie, de verkondiging der waarheid heeft u behaagd en gij hebt mij uw verborgen wijsheid geopenbaard. Heer, besprenkel mij snel met hysop en ik zal rein wor-den; was mij daarna en ik zal er witter dan sneeuw uit te voorschijn komen. Vreugde en blijdschap zult gij mij doen horen en mijn verootmoedigd gebeente zal zich heerlijk verblijden. Wend toch uw aangezicht af van mijn zondig dolen; doe al de door mij bedreven misdaden weg, en, God, schep toch een rein hart in mij. Laat binnen in mij een oprechte geest leven. Ik zal kwade mensen zeker op uw wegen wijzen. Verlos mij van het drijven der bloedrode zonden, God, die de God mijner zaligheid bevonden zijt

End als ghy metten viere vonnessen zult tsweerelts pleyn
Vonnest my Naer hu ghenaeden, niet naer myn zonden

Tot hu heb Ick myn ziele upgheheven noch
Myn god up hu heb ick gheel myn betrauwen
Laet my niet worden beschaemt, dat bid ick doch
Dat myn bespottende vyanden my niet verflauwen
Gheen beschaemtheyt, zullen hu belyders anschauwen
Hu voetsteppen leert my, wyst my huwe weghen
Myn god myn zaelichmaecker, toevlucht in Rauwen
Ghedynct dies heere up dyn ontfaermich pleghen
End up hu ontfaermicheden tonswaerts gheneghen
Die gheweist zyn van des weerelts beghinne
Doch tghedyncken mynder zonden, houd dat verzweghen
Maer om hu goetheyts wille die ick beminne
Ghedynct myns met eenen ontfaermeghen zinne
Bewaert myn ziele, en vergheeft my, es noch myn Bede
Myn zonden zyn dicke, en myn duechden zyn dinne
Zyt myns ghenaedich die aerme bem, eenich mede
Ghy zyt den heere mynen god des paeys en vrede
Een vreeslick Liefhebber die bezouct tsvaders mesdaet
Anden kyndren van int derde ten vierden Lede

en als gij de wereld met het vuur zult straffen, vonnis mij dan naar uw barmhartigheden en niet naar mijn zonden. ¶ Tot u heb ik mijn ziel verheven, mijn
God; ik stel mijn vertrouwen geheel op u. Laat mij toch niet beschaamd worden, dat bid ik u, zodat mijn spottende vijanden mij niet doen wankelen. Zij die
uw naam verkondigen zullen niet in verlegenheid worden gebracht. Toon mij
uw voetstappen, wijs mij uw wegen, mijn God, mijn zaligmaker, mijn toevlucht in verdriet. Gedenk dan ook, Heer, uw barmhartig handelen en uw
ontferming die van 's werelds begin af liefdevol aan ons is betuigd. Maar stil
toch de gedachtenis aan mijn zonden, en gedenk mij, in uw welbehagen dat ik
bemin, met een barmhartige geest. Behoed mijn ziel en vergeef mij, zo luidt
mijn bede nog. Mijn zonden zijn groot en mijn deugden klein. Wees mij genadig, ik ben arm en verlaten. Gij zijt de Heer, mijn God, van rust en vrede; een
vreeswekkende minnaar die de misdaad van de vader aan de kinderen bezoekt,
van het derde tot het vierde geslacht

Der ghuenen, alle die hu hebben versmaet
Maer doet oock met huwer bermherteghe Raedt
Over veel duusent huwe Bermherticheyt
Die hu beminnen, en wie vast gheloovende staet
En ghewillich hu gheboden houden onbeCreyt
Duer Esayas den prophete, hebt zelve gheseyt
Ick bemt zelve, die hu zonden mach hutegronden
Dus bid ick doch myns Roupen tanhoorene verbeydt
Vonnest my naer hu ghenaeden, niet naer myn sonden

Princhelicken

Ghecruusten god tonsewaerts vierich
Doch hoe wonderlick es huwen name bekent,
Over al eerdeRycke zo goedertierich
End hu groote mildheyt eeuwich onghehendt
Verheven boven themelssche firmament
Up dat ghy zou bederven, den wraeckghiereghen grof
Huut den mondt der Jonghe kynderkens upghespent
Ende zughelynghen hebt ghy vulmaect hu Lof
Den mensschen broosch aerme droogh eerdsch zondich stof
Hebt ghy een weynich minder ghemaect verschoont

van hen allen die u hebben versmaad. Maar gij, in uw barmhartig besturen, schenkt ook uw ontferming aan vele duizenden die u beminnen en trouw blijven geloven en gewillig uw geboden met vreugde onderhouden. Door de profeet Jesaja hebt gij het zelf gezegd: 'Ik ben het die uw zonden kan uitroeien.' Daarom bid ik, wil toch mijn geroep geduldig aanhoren; vonnis mij naar barmhartigheden, niet naar mijn zonden. ¶ Prins ¶ Machtige gekruisigde God, vol liefde voor ons; hoe heerlijk toch is uw naam over de hele aarde bekend om zijn goedertierenheid, en is uw grote mildheid eeuwig en eindeloos verheven boven het uitspansel des hemels. Tot verderf van de grove wraakgierigen hebt gij uw lof uit de mond der jonge kindertjes en zuigelingen volmaakt gevestigd. De mensen, die broos, arm, droog, aards, zondig stof zijn, hebt gij weinig minder verheerlijkt

Dan den inghelen hu lovende int hemelssche hof
Met verchiersels end eere hebt ghy hem ghecroont
Ende hem ghestelt zo edelick ghepersoont
Heere god over al huwer handen wercken
Die zo goedhertich Leeft, ende Rechtveerdich ghetroont
Beschermt my doch altoos onder huwe vlercken
Dat ick by hu myn erfvenesse mach Anmercken
Ende dan in huwe zalicheyt wesen verhuecht
Tes in hu spyts alle ghestriepte clercken
Want niet onmueghlic es hu, maer al dynck vermueght
Heere wilt hu volck dan spaeren by huwer duecht
Die bermherticheyt wilt, ende niet offrande
En gods kennesse liefver huut gheloovende juecht
Dan brandoffer voor al onser zonden schande
Myn hope en stercte zyt ghy in tsweerelts warande
Die bid alsvooren duer hu diepbloedeghe wonden
Heere die hu laete dit testament te pande
Vonnest my, naer hu ghenaeden, niet naer myn zonden

dan de engelen die u in de hemel loven; met luister en eer hebt gij hem gekroond
en hem zo als een vorst, Here God, over al de werken uwer handen geplaatst.
Gij die barmhartig zijt en in rechtvaardigheid troont, bescherm mij toch altijd
onder uw vleugels, zodat ik bij u mijn erfdeel mag vinden en mij dan in uw
zaligheid mag verheugen. Dit is in uw macht, wat alle schijngeleerden ook
mogen beweren, want niets is u onmogelijk, maar alles kunt gij. Here, wil uw
volk dan in uw genade bewaren, gij die barmhartigheid en geen offerande wilt
en die godsdienst uit de kracht van het geloof verkiest boven een brandoffer
voor al onze schandelijke zonden. Mijn hoop en sterkte zijt gij op aarde, voor
mij die, zoals hiervoor, bidt op uw diepbloedende wonden, Heer, en u over dit
testament laat beschikken: vonnis mij naar uw barmhartigheden, niet naar
mijn zonden.

JAN VAN DEN BERGHE

HET LEENHOF DER GILDEN

[fragment]

[...]

Beminde Leser, u moet ick verclaren
Een Keyserijck machtich, groot van valuere,
Twelck heeft geweest over duysent Jaren
Ende altijt sal blijven in zijnen fluere,
Met een deel Conincrijcken, costelijc van kuere,
Hertochdommen, Graefschappen, Baenderijen,
Heerlicheden, Vrijheden, geweldich al duere,
Steden, Dorpen, Hoven en Heerschappijen,
Lant en Zant, Muelens die malen by tijen,
Beemden en Bosschen en diepe Moraschen.
Die zijn al gelegen onder tbevrijen
Van desen Keyserrijcke en zijnder masschen,
Dus Leser: leest en hoort, wilt schimp afwasschen.

De Keyser van desen Rijcke verheven
Is, die dry werven als de valiande
Den voghel heeft schutterlijck af ghedreven,
Met busse oft boghe, van zijnen stande.

Beminde lezer, met u moet ik spreken over een machtig keizerrijk, groot van aanzien, dat al meer dan duizend jaar bestaat en altijd zal blijven bloeien. Het bestaat uit meer dan voortreffelijke koninkrijken, hertogdommen, graafschappen, heerschappijen van banierdragers, heerlijkheden, vrijheden, allemaal even machtig, steden, dorpen, hoeven en heerschappijen, bouwgrond en woest land, molens die gestadig malen, weidevelden, bossen en diepe moerassen. Die zijn alle gelegen binnen het machts- en rechtsgebied van dit keizerrijk. En daarom, lezer, lees en luister, en trek u niets aan van de spot. ¶ De keizer van dit verheven rijk is degene, die driemaal op een schuttersfeest de vogel van zijn staak heeft geschoten met een vuurroer of boog.

Maer de Coningen groot van desen lande
Wil ick u tsamen int corte bescrijven:
De Coninc vander gans, Carolus de grande,
Diemen achter Rosbeyaert siet wonder bedrijven;
Die Coninc vander caerten doet menigen kijven;
Als de Coninc van Derthienavont regneert,
Elck hem verblijt, tsy mannen oft wijven,
Hoe groot, hoe cleyne, elck hem verjubileert,
Metten Coninc sonder landt elck triumpheert.

Den gheestelijcken staet die moet ick stellen:
De Paus vanden dronckaerts in dyerste let;
Den cruepelen Bisschop sietmen dicwils quellen
Den abt daermen uut drinct en op de tafel set;
De Deken vander gulden maect soppen vet
Met alle de schijfpaters en maters mede;
De cloecke Vorsten en Baenderheeren net
Moet ick ooc stellen na doude sede.
Prince vanden Refereynen, God geve hem vrede,
In dit Rijcke vermaert oock groot is bekent;
De grave van Halfvasten hout oock zijn stede

Maar laat ik u de juiste koningen van dit land tezamen kort beschrijven: de
koning van het ganzenbord, Karel de Grote, die men groot spektakel ziet bedrijven om het ros Beiaard te pakken te krijgen; de koning van het kaarten doet
menigeen twisten; en als de vorst van Driekoningen regeert, dan is iedereen blij,
zowel mannen als vrouwen: hoe groot of hoe klein, een ieder verlustigt zich,
want met de koning zonder land kan iedereen baas spelen. ¶ Ook moet ik de
geestelijke stand voorstellen: eerst komt de paus van de dronkaards; dan kan
men de kreupelenbisschop met carnaval vaak de nap zien kwellen, die men tot
de bodem leegdrinkt en weer op tafel zet; de deken van het gilde zit vet te
soppen met alle monniken en zusters die het bezoek ontvangen; de dappere
vorsten en keurige banierdragers moet ik ook naar behoren voorstellen. De
prins van de refreinen, hij rust zacht, is in dit rijk even vermaard als bekend; de
graaf van Halfvasten resideert hier ook,

Metten Ridder sint Joris, die heeft gheschent
Den vyerigen Draeck in Margrietens convent.

De Jonckers van desen Heeren voorscreven
Met grooten hoopen alomme men vint:
Joncker Jan nau gesocht, die qualijc can leven,
Maect hem altijt in de kueckene al waert een kint,
Om dat hy zijnen Boden sou wesen ontrint
En om datmen ten twee steden niet en sou stoken
Vier, want tselve veel houts verslint.
Joncker Gijsbrecht quaeyen cost heeft tselve geroken,
Want hy ter maent nau eens en doet koken
Eenen hutspot, want tvleesch is hem te diere;
De boden eten vlaemschen kese, men sieter niet smoken;
Als mijn Joncker uut gaet, te wijne oft te biere,
Betaelt een ander voor hem, hy eet als de giere.

Joncker Wouter de boose die altijt kijft
Tegen zijn knechten als sy begheeren
Haer ghelt, en hen dan uuten huyse drijft
En schut haer den rock uute met tieren en gebeeren.
Joncker Hendrick de drooge doet ooc vergheeren

---

samen met ridder Sint-Joris, die de vurige draak in Margaretha's kloostertje
heeft doorstoken. ¶ De schildknapen van de genoemde heren vindt men overal
in groten getale: daar is jonker Pietje Precies, die nauwelijks kan rondkomen en
altijd in de keuken te vinden is, alsof hij nog een kind is. Maar hij doet dat
omdat hij zijn bediende in de gaten wil houden, en opdat men niet op twee
plaatsen vuur aansteekt, want dat kost veel hout. Jonker Gijsbrecht van het
Magere Voedsel is op hetzelfde afgekomen, want hij laat per maand maar één
keer hutspot koken, aangezien hij vlees te duur vindt. De bedienden eten
Vlaamse kaas, rook ziet men nooit opstijgen. En als de jonker op stap gaat om
wijn of bier te gaan drinken, dan betaalt een ander voor hem, terwijl hij gulzig
alles naar binnen schrokt. ¶ Dan is er jonker Wouter de Boze die altijd tekeergaat tegen zijn knechten, wanneer zij om hun geld vragen. Dan schopt hij ze uit
zijn huis en keert hun zakken om onder luid getier en woest gebaar. Jonker
Hendrik Zonder Cent laat ook

Zijn oude vodden, tsy van cousen en schoen,
En vercooptse den lappers, hy sou hem verneeren
Een nieu cleet te maken al heeft hijt van doen.
Joncker Aert scherpgetant, noyt vremder fatsoen,
Die op zijnen rock doet maken twee rechten:
Binnen is hy blau ende buyten is hy groen,
Deen is den besten, dander is den slechten;
Men siet list tegen de armoede vechten.

Joncker Faes droochstrote wilt altijt hoveren
En even sat zijn, thooft staet hem groene;
Joncker Loy goet bloet laet hem regeren
Van zijnen wijve ghelijck eenen loene;
Joncker Coenraet geldeloos niet veel van doene
Gaet metten cruysen niet noch ooc met munte aen;
Joncker Jenni uut Henegouwe avont en noene
Sietmen in de handt metten Pater noster gaen;
Joncker Arnout vander Borcht salt al aen slaen
Datmen hem borcht en seer qualijck betalen;
Joncker Job ongesont, al sout hem misstaen,
Moet altijd met leersen gaen sonder falen,
Maer meest so moetmen hem crucken halen.

zijn oude vodden bij elkaar zoeken, zowel kousen als schoenen, om ze aan oplappers te verkopen. Het is hem te veel om een nieuw overkleed te laten maken, al heeft hij dat hard nodig. Jonker Aart met de Scherpe Tanden is zo gek om zijn mantel met de voering naar buiten te dragen. De binnenkant is nu blauw en de buitenkant groen, zodat wat het beste was nu van binnen zit. Met list moet men de armoede bevechten. ¶ Jonker Faas met de Droge Keel wil altijd aan feestmaaltijden deelnemen om zich doorlopend te verzadigen: zijn hoofd staat alleen naar overvloed. Jonker Lode Goedbloed laat zich als een sukkel door zijn vrouw overheersen. Jonker Koenraad Zonder Geld hanteert geen kruis of munt. Jonker Jan uit Henegouwen ziet men dag en nacht een rozenkrans hanteren. Jonker Aarnoud van der Burcht zal alles binnenhalen wat men hem wil lenen en dat maar mondjesmaat terugbetalen. Jonker Job Ongezond wil ondanks alles altijd op laarzen lopen, terwijl hij doorgaans niet zonder krukken kan.

Joncker Frans, een fatsoen die niet en vernieut
Zijn cleederen, peerden oft leverye;
Joncker Machiel dulcop die altijt perdieut
En eewelijck wilt vechten al waert om een eye;
Joncker Hans suet gesouten die als een clappeye
Can zijnen Placebo net op zijn duymken;
Joncker Floris vol bedrochs die so ick u seye
Om meyskens te bedodden leyt op zijn luymken;
Joncker Joos broempot die leeft opt schuymken;
Joncker Merck quistwater diet al verdoet,
Ghelt en goet, de corsten metten cruymken;
Joncker Claes lichtvoet heeft eenen moet
Op zijn dansen en springen, het dunct hem al goet.

Joncker Steven sonder Wet die so seer ontsiet
Onsen Heere, dat hy niet wel en derf blijven
In Kercke oft Cluyse, het dunct hem, siet,
Dat sy vallen sal met stucken en schijven;
Joncker Huben veelclaps die wonder can bedrijven
Metter tongen ende seer wel can stuyten;
Joncker Joseph goenmoet, die, als sommige wijven,
Hem drymael ontcleet eer den dach can uuyten,

Jonker Frans behoort tot het soort, dat zijn kleren niet vervangt noch zijn paarden of ambtsgewaad. Dan is er Jonker Michiel Dwaaskop die altijd 'par Dieu'
zegt en met iedereen de strijd wil aanbinden, al gaat het maar om een ei. Jonker
Hans Zoetsappigheid weet als een echte kletsmeier iedereen naar de mond te
praten. Jonker Floris Volbedrog is eropuit zoals ik u zei om meisjes het hoofd
op hol te brengen. Jonker Joost Potschuimer leeft van het schuim. Jonker Mark
Verkwistebroek draait er alles door, geld en goederen, botten en vel. Jonker
Klaas Lichtvoet is trots op zijn dansen en springen, hij weet van geen ophouden. ¶ Jonker Steven Zonderwet vreest onze Heer zozeer, dat hij nauwelijks in
kerk of kluis durft te verblijven, omdat hij bang is dat deze zullen instorten.
Jonker Huib Kletsmajoor kan wonderen verrichten met zijn tong en zeer wel
van repliek dienen. Jonker Jozef Goedgemoed verkleedt zich wel driemaal per
dag zoals sommige vrouwen.

En noch een deel Jonckers die hoochelijc fluyten
En maken haer edel, al zijn sy ontvallen
Eenen groven boer oft torftreder van buyten.
Dees Jonckers vintmen vele diese hoort callen,
Sy slachten den Cappuyn alle met allen.

De vier Hooftsteden om logeren seer milde
Zijn Bordeaus, Putiers, Boevenies en Dolen;
De Vrijheden zijn Miscom en ghilde,
Cort te naken, lichtaert, wat batet verholen;
De Casteelen daer vele om laten haer scholen
Zijn Contick, Blijdenberge, Cortersen en Malle;
De Dorpen die den Heeren zijn bevolen
Zijn seer vele en groot van ghetalle:
Dyerste is Grimberghe met zijnen vervalle,
Suerbemden, Suerenborne, Homsen en Mishagen,
Maer den gront is brack en bitter als galle,
Selden sietmen daer goey vruchten dragen,
Grimmen en muylen het zijn al quaey plagen.

Joncker Jan vanden quaden beleye
Is stadthouder vanden Leenen vermaert,

Zo zijn er nog meer jonkers met een grote mond, die zichzelf van adel noemen,
ook al stammen zij af van een lompe boer of een turfsteker. Zulke jonkers kan
men wijd en zijd horen kletsen. Maar alles bij elkaar stellen ze niet meer voor
dan nouveaux riches. ¶ De vier hoofdsteden waar men aangenaam kan logeren
zijn Bordelenburg [Bordeaux], Hoerenstein [Poitiers], Den Boef [Bouvines] en
Doolhof [Dôle]. De vrijheden heten Misval, Bende, Kortnaakt en Liegenstein,
ik draai er niet omheen. De kastelen, voor wie velen hun school in de steek
laten, zijn Kontenstein, Blijdenberg, Krapte en Mallaard. Het aantal dorpen
dat onder deze heren ressorteert is zeer groot. Het eerste is Grimbergen met zijn
inkomsten, Zuurbeemd, Zuurbron, Holten en Mishagen. Helaas is de grond
daar verzilt en bedorven, zodat men daar zelden een goede oogst af ziet komen:
iedereen gaat onder grimmigheid en zure gezichten gebukt. ¶ Jonker Jan
Slechtbestuur is de befaamde voorzitter van het leenhof,

Maer Claes deuchniet, al quelt hem de keye,
Is zijnen griffier; sy zijn wel ghepaert.
Den ongetijdigen Dries als een rouwaert
Is vinder vanden Leenen, wijt en breet.
De Leenmannen sal ick ooc setten een paert,
Want den hoop is groot die zijn vanden eedt:
Lemmen dullaerts, die altijd is ghereet
Met Augustijn raescop om een campken te slane;
Jan ongeluckich die yeghelijcken weet,
En Plissus lichtvoet, die niet weet hoe te gane,
Is altijt ghepluymt ghelijck eenen hane.

Machiel lueterere en Steven schijtpot,
Willeken sonder sorge en Bertel al bedorven,
Goris van Mallenbroeck niet beter dan sot,
Huben goetbloet die woont by de torven,
Christoffel doverdrager die heeft verworven
Datmen niet mach crayen noch hem noemen haen hoen;
Antuenis ruymconscientie bijna was gestorven
Om dat so lange achter bleef het pardoen;
Valentijn vuylpoorte als onreyn cappoen
Schijt in zijne broecke als hy is versmoort;

maar zijn griffier heet Klaas Deugniet, al is hij zot: samen zijn ze een mooi stel.
De zedeloze Dries is als ruwaard in het gehele rijk belast met het opsporen van
overtredingen van het leenrecht. Van de leenmannen zal ik er ook een deel
noemen, want ik hoop dat ze tevens van het gezelschap zijn: Lamme Dwaaskop, die altijd klaarstaat om een potje te vechten met Augustijn Raaskop; Jan
Ongelukkig die iedereen kent; en Plissus Lichtvoet, die moeilijk kan lopen en
altijd paradeert als een haantje. ¶ Michiel Leuterkont en Steven Schijtpot, Wil-
lie Onbezorgd en Bertje Diepbedorven, Joris van Mallebroek (zo goed als gek),
Huib Goedbloed, die in het turfhok moet zitten, Christoffel Roddelaar die als
voorrecht heeft verworven dat men niet de minste opmerking over hem mag
maken; Anton Ruimgeweten was bijna gestorven, omdat zijn vergeving zo lang
achterwege bleef; Valentijn Vuilkont schijt als een vieze kapoen in zijn broek,
wanneer hij stomdronken is;

Robbert de povere die druypt door zijn schoen,
Peter cort voort hooft die hem lichtelijc stoort,
Dees mannen van Leene houden qualijc accoort.

[...]

ZES 'VERGEESTELIJKINGEN'

[HET VIEL EENS HEMELS DOUWE] [1]

EEN OUDT LIEDEKEN

Het viel eens hemels douwe
Voor mijns liefs vensterkijn.
Ick en weet geen schoonder vrouwe,
Si staet int herte mijn.
Si hout mijn herte bevangen,
Twelck is so seer doorwont.
Och mocht ic troost ontfanghen,
So waer ic gansch ghesont.

Die winter is verganghen,
Ic sie des meys virtuyt.
Ic sie die looverkens hangen,
Die bloemen spruyten int cruyt.

Robert de Armoedzaaier steekt door zijn schoenen heen; Peter Kortaangebonden, die meteen op de kast zit: al deze leenmannen houden zich aan regel noch
orde.

•

Er viel een dauw van de hemel voor het raam van mijn geliefde. Ik ken geen
vrouw die mooier is. Ik draag haar in mijn hart. Zij houdt mijn hart, dat zo
doorwond is, in haar greep. Och, mocht ik troost ontvangen, dan was ik helemaal beter. ¶ De winter is voorbij. Ik zie de mei openbloeien. Ik zie de blaadjes
aan de bomen. De bloemen ontspruiten in het groen.

In gheenen groenen dale
Daer ist genoechlijc zijn,
Daer singhet die nachtegale
Ende so menich voghelkijn.

Ic wil den mey gaen houwen
Voor mijns liefs veynsterkijn
Ende scencken mijn lief trouwe,
Die alder liefste mijn.
Ende segghen: 'lief, wilt comen
Voor u cleyn vensterken staen.
Ontfaet den mey met bloemen,
Hi is so schoone ghedaen.'

Tmeysken si was beraden,
Si liet haer lief in,
Heymelic al stille,
In een cleyn camerken.
Daer lagen si twee verborghen,
Een corte wijle ende niet lanc.
Die wachter opter mueren
Hief op een liet, hi sanck:

'Och, isser yemant inne,
Die schaf hem balde van daen.
Ic sie den dach op dringhen,

In dat groene dal daar is het prettig toeven. Daar zingt de nachtegaal en zo menig ander vogeltje. ¶ Ik wil de meitak omhoog gaan houden voor het raam van mijn geliefde. En mijn geliefde trouw beloven, mijn allerliefste, en zeggen: 'Liefje, kom voor je kleine raampje staan. Neem de meitak met bloemen aan. Het is een heel mooie.' ¶ Het meisje was verstandig. Zij liet haar liefje stilletjes in het geheim binnen in een klein kamertje. Daar lagen zij twee een tijdje verborgen, maar niet voor lang. De wachter op de muur hief een lied aan en zong. ¶ 'Och is daar iemand binnen? Die moet vlug maken dat hij wegkomt. Ik zie de dag naderen

Al in dat oosten op gaen.
Nu schaft u balde van henen
Tot op een ander tijt.
Den tijt sal noch wel keeren,
Dat ghi sult zijn verblijt.'

'Swighet, wachter, stille
Ende laet u singhen staen.
Daer is so schoonen vrouwe
In mijnen armen bevaen.
Si heeft mijn herte genesen,
Twelc was so seer doorwont.
Och wachter goet gepresen,
En makes niemant condt.'

'Ic sie den dach op dringen:
Tscheyden moet ymmer zijn.
Ic moet mijn dageliet singen.
Wacht u, edel ruyter fijn,
Ende maect u rasch van henen
Tot op een ander tijt.
Den tijt sal noch wel comen
Dat ghi sult zijn verblijt.'

en in het oosten opkomen. Nu maak dat je wegkomt tot op een andere keer. De
tijd dat je gelukkig zal zijn, zal nog wel terugkomen.' ¶ 'Zwijg stil, wachter, en
houd op met zingen. Ik heb zo'n mooie vrouw in mijn armen. Zij heeft mijn
hart genezen, dat zo doorwond was. Geachte wachter, vertel het aan niemand.' ¶ 'Ik zie de dag opkomen. Het afscheid is onvermijdelijk. Ik moet mijn
dagelied zingen. Kijk uit, edele, fijne ridder, en maak je snel uit de voeten tot op
een andere keer. De tijd dat je gelukkig zal zijn, zal nog wel terugkomen.'

[HET VIEL EEN HEMELS DAUWE] [2]

Dit liedeken gaet op die wijse Het was een lodderlick pape

Het viel een hemels dauwe
In een cleyn maechdekijn
Ten was noeyt beter vrouwe
Dat dede haer kindekijn
Dat van haer wert gheboren
Ende si bleef maghet fijn
O maghet uutvercoren
Lof moet u altijt sijn

Die maghet ghinc met kinde
Gheen swaerheit en ginc haer an
Als Joseph dat versinde
Die goede rechtvaerdighe man
Hy dacht ic wilse laten
Ic en ben die vader niet
En trecken mijnder straten
Eer mi meer schanden gheschiet

Al van des hemels throne
Sprac hem die enghel an
O Joseph Davids sone
O goede rechtvaerdighe man
Blijft alle beyde te gader

Dit liedje gaat op de wijze: Er was een geile pastoor. ¶ Er viel een dauw van de hemel in een kleine maagd. Er is nooit een betere vrouw geweest. Dat was te danken aan haar kindje, dat van haar werd geboren. Maar zij bleef een reine maagd. O, uitverkoren maagd, lof zij u voor altijd. ¶ De maagd droeg een kind. Zij had daar helemaal geen last van. Toen Jozef het merkte, die goede rechtvaardige man, dacht hij: ik verlaat haar. Ik ben de vader niet. Ik ga mijn eigen weg, voordat mij nog meer schande overkomt. ¶ Uit de hemel sprak de engel tot hem: 'Jozef, zoon van David, goede, rechtvaardige man, jullie beiden moeten bij elkaar blijven.

Het is boven natueren cracht
Dat God almechtich Vader
In haer dus heeft gewracht

Corts daer na is comen
Een keyserlic ghebot
Dat niemant uutghenomen
Hi en quame al sonder spot
Van daer hi waer gheboren
Ende brenghen sijn tribuyt
Dat dede men daer horen
Ende roepen overluyt

Maria ende Joseph mede
Quamen te Bethleem waert
Want dat was Josephs stede
Als ons die Scriftuere verclaert
Si en mochten niewers inne
Men wijsdese altoos voert
Die hemelsche coninghinne
En was daer noeyt ghehoort

Int velt so hebben si vonden
Een huys seer dinne ghedaect
Binnen so corten stonden
Hebben si daer logijs ghemaect

Het is bovennatuurlijk wat God de almachtige Vader zo in haar heeft gedaan.' ¶ Kort daarna is een gebod van de keizer gekomen dat werkelijk iedereen zonder uitzondering moest komen naar de plaats waar hij geboren was en
daar zijn bijdrage geven. Dat liet men daar overluid omroepen. ¶ Maria en
Jozef kwamen naar Bethlehem want dat was de geboorteplaats van Jozef, zoals
de Schrift ons vertelt. Zij mochten nergens naar binnen. Ze werden steeds weg-
gestuurd. De hemelse koningin vond daar helemaal geen gehoor. ¶ In het veld
hebben zij een huis gevonden met nauwelijks een dak erop. Vlug hebben ze
daar hun intrek genomen.

Daer wert die maghet moeder
Al sonder wee oft pijn
Van smenschen sone een broeder
Hoe mocht hi ons nader sijn

Uut moederliker minnen
Leyde si hem op haren schoot
Haer herte verblide van binnen
Dat dede sijn mondekijn root
Si custen aen sijn wanghen
Si suchte menichfout
Dat hi quam sijn ghevanghen
Verlossen jonck ende out

Maria suver fonteyne
Daer God sijn rust aen nam
Bidt voer ons al ghemeyne
Versoent dat godlijc lam
So dat wi moghen gheraken
Hier boven int soete dal
Daer vruecht is boven maten
Die eewelic dueren sal

Daar werd de maagd moeder, zonder wee of pijn, van de mensenzoon, een broeder. Hoe kon hij ons meer nabij zijn? ¶ Met moederliefde legde zij hem op haar schoot. Haar hart in haar binnenste verheugde zich. Dat kwam door zijn rode mond. Zij kuste hem op zijn wangen. Zij zuchtte dikwijls dat hij kwam om gevangen te zijn, maar ook om jong en oud te verlossen. ¶ Maria, zuivere fontein waar God bij rustte, bid voor ons allemaal, verzoen het goddelijk lam zodat wij hierboven mogen komen in het zoete dal, waar bovenmatige vreugde is die eeuwig duren zal.

[OCH LIGDY NU EN SLAEPT] [1]

EEN LIEDEKEN VANDEN MEY

'Och ligdy nu en slaept,
Mijn uutvercoren bloeme?
Och ligdy nu en slaept
In uwen eersten droome?
Ontwect u, soete lief,
Wilt door u veynster comen!
Staet op, lief, wilt ontfaen
Den mey met sinen bloemen!'

'Wat ruysschet daer aen die muer,
Dat mi mijn ruste berovet?
Die mi tsceyden maect suer,
Die leit hier op gedooghe
In minen arm so vast,
Wi en connens niet ontsluyten.
Mijn beddeken heeft sinen vollen last,
Plant uwen mey daer buyten!'

'O suyverlijcke juecht,
Wilt nu u rusten laten.
Doet op dijn veynsterkijn
Ende coemt u lief ter spraken.
Al om te vinden troost

'Och ligt u nu te slapen, mijn uitverkoren bloem? Och ligt u nu te slapen in uw eerste droom? Word wakker, zoetelieve, kom door uw raam naar buiten. Sta op, schat, en wil de mei met zijn bloemen in ontvangst nemen.' ¶ 'Wat ritselt daar tegen de muur, dat mij uit mijn slaap houdt? Degene die zorgt dat mij het afscheid zwaar valt, die ligt hier met mijn instemming zo stevig in mijn armen dat wij er niet uit los kunnen komen. Mijn bedje is vol. Plant je mei maar daarbuiten!' ¶ 'O edele schoonheid, wil nu uw nachtrust laten. Doe uw raampje open en kom spreken met uw minnaar. Om troost te vinden

So ben ic hier tot u gecomen.
Staet op, lief, wilt ontfaen
Den mey met sinen bloemen!'

'Al stondy daer tot morgen,
Ic en sal u niet in laten:
Mijn boel leyt hier verborgen,
Ghi en condt mi niet vermaken.
Mijn herteken op u niet en past
Noch op gheen spel van luyten.
Mijn beddeken heeft sinen vollen last,
Plant uwen mey daer buyten!'

'Ic sie den lichten dach
Al door die wolcken dringen,
Ic sie die bloemkens schoone
Al uut der aerden springhen.
Ic sie die sterren claer,
Die verlichten inden throone.
Staet op, lief, ende wilt ontfaen
Den mey met sinen bloemen!'

'Waent ghi dat ic nu slape?
Het is anders dat ic dachte:
Die mey hout my in wake,
Daer na mijn herteken wachte,

ben ik hier naar u gekomen. Sta op, schat, en wil de mei met zijn bloemen in
ontvangst nemen.' ¶ 'Al bleef je daar tot morgenvroeg staan, ik zal je er niet in
laten. Mijn vrijer ligt stiekem hier. Jij zou mij niet kunnen plezieren. Mijn hartje
geeft niets om jou, en ook niet om luitmuziek. Mijn bedje is al vol. Plant je mei
daarbuiten!' ¶ 'Ik zie het daglicht door de wolken dringen. Ik zie de mooie
bloempjes uit de grond te voorschijn komen. Ik zie de heldere sterren die de
hemel verlichten. Sta op, schat, en wil de mei met zijn bloemen in ontvangst
nemen.' ¶ 'Denk jij dat ik nu lig te slapen? Helemaal niet, dacht ik zo. Mij
houdt de mei wakker waarnaar mijn hartje uitgekeken heeft:

Niet als inder aerden wast
Roosen, bloemen, oft ander virtuyten!
Mijn beddeken heeft sinnen vollen last,
Plant uwen mey daer buyten!'

[OCH LIGDI NU EN SLAEPT] [2]

Dit liedeken gaet op die wijse O fiere nachtegael

Och ligdi nu en slaept
O levende Gods Sone
Och ligdi nu en slaept
Hier boven inden throne
Stant op ende weest ghereet
En wilt doch tot mi comen
Thoont ons u godlicheit
U godheit is so schone

Die clopt daer aen den muer
Om mine ghenadichede
Die doot wert mi so suer
Eer ic mocht maken vrede
Den toren was so groot
Hi dede den hemel sluyten

geen mei die in de grond groeit of rozen, bloemen of ander groen. Mijn bedje is vol. Plant je mei daarbuiten!'

•

Och ligt u nu te slapen, o levende Zoon van God? Och ligt u nu te slapen hierboven in de hemel? Sta op en wees bereid en wil toch tot mij komen. Toon ons uw goddelijkheid; die is zo schoon. ¶ Wie klopt daar aan de muur om mijn genade te verkrijgen? Het sterven was mij zo bitter, voor ik vrede kon stichten. De toorn was zo groot dat hij de hemel sloot.

Leert liden totter doot
Oft ghi moet bliven buyten

O Jhesus lieve Heer
Hoe sal ic bi u gheraken
Dat leven lust mi so seer
Ic en can gheen liden smaken
Het dunct mi swaer arbeyt
Om troost so ben ic comen
Thoont ons u godlicheyt
U godheyt is so schone

Ghi waent dat ic ben slapen
Ende dat ic u niet en kinne
Ghi mocht u selven laten
Ende lijden doer die minne
Ic moest so vele lijden
Soude hemelrijc ontsluyten
In lijden moet ghi verblijden
Oft ghi moet bliven buten

Jhesus gheminde Heere
Hoe mocht u stervens lusten
Dat cruys woech u so seer
Ende ghi en mocht niet rusten
Om onse salicheyt

Leer lijden tot de dood, of je moet buiten blijven. ¶ O Jezus, lieve Heer, hoe zal ik bij u komen? Het leven trekt mij zozeer. Ik kan geen lijden dragen. Dat lijkt mij een zware taak. Om troost ben ik gekomen: toon ons uw goddelijkheid; die is zo schoon. ¶ Jij denkt dat ik aan het slapen ben en dat ik je niet opmerk. Je kunt jezelf loslaten en lijden uit liefde. Ik heb zoveel moeten lijden voordat de hemel openging. In lijden moet je je verblijden, of je moet buiten blijven. ¶ Jezus, lieve Heer, hoe kon het sterven u trekken? Het kruis woog u zo zwaar en u kon niet rusten. Om onze zaligheid

Droechdi een doornen crone
Thoont ons u godlicheyt
U godheyt is so schoone

Al stondi daer tot morghen
So en mocht ghi niet versinnen
Oft in u hert verborghen
Hoe dat mi dwanck die minne
Dat ghi sout sijn ontlast
Ende hemelrijck ontsluyten
Dus moet ghi liden last
Of ghi moet bliven buyten

Ic sie den lichten dach
Al doer die wolcken dringhen
Ic sie dat niemant en mach
Den wille Gods volbrenghen
Hi en hebbe verduldicheyt
In liden waer dat ic come
Thoont ons u godlicheyt
U godheyt is so schoone

Ghi waent met alder lust
Des vleysch tot mi te raken
Het heeft mi meer ghecost
Hemelrijc te smaken
Druc lijden ende seere

droeg u een doornenkroon. Toon ons uw goddelijkheid; die is zo schoon. ¶ Al
bleef je daar tot morgen staan, dan kon je nog niet bedenken of in je hart
sluiten, hoe dat de minne mij dwong, opdat jij zonder last zou zijn en om de
hemel te openen. Daarom moet jij leed verdragen, of je moet buiten blijven. ¶ Ik zie de lichte dag door de wolken dringen. Ik zie dat niemand de wil
van God kan volbrengen als hij niet lijdzaam is. In welk lijden ik ook kom, toon
ons uw goddelijkheid; die is zo schoon. ¶ Jij denkt met alle lust van het vlees tot
mij te kunnen komen. Ik heb er meer voor moeten doen om in de hemel te
komen. Verdrukking, lijden en pijn

Doet hemelrijc ontsluyten
Ghi moet noch lijden meer
Oft ghi moet bliven buyten

O die liefste die ic weet
Ghi woont in hemelrijke
Ic ben nu al bereet
Om te lijden blidelike
Pine druc ende leyt
Op dat ic u hebbe te loone
Thoont ons u godlicheyt
U godheyt is so schone

[O VENUS' BANT, O VIERICH BRANT] [1]

EEN OUDT LIEDEKEN

O Venus' bant, o vierich brant!
Hoe heeft dat vrouken so playsant
Mijn herteken onbedwonghen?
Dat doet haer troostelijc onderstant,
Twelc mi hout inder vruechden bant
Gheswongen, ondanck der nijders tongen.

Reyn lieflijck beelt, reyn suyver juecht
Ende wel ghedaen vol alder duecht,

openen het hemelrijk. Jij moet nog meer lijden, of je moet buiten blijven. ¶ O
liefste die ik ken, u woont in de hemel. Ik ben nu helemaal bereid om blij pijn,
verdrukking en leed te lijden, om u tot loon te krijgen. Toon ons uw goddelijkheid; die is zo schoon.

•

O boeien van Venus, o gloeiend vuur, hoe beheerst dat knappe vrouwtje mijn
ongetemde hartje! Dat komt door de steun van haar vertroosting, die mij in de
boeien van het geluk kluistert, ondanks de jaloerse kwaadsprekers. ¶ Schone,
lieflijke gestalte, schone, zuivere jongedame, vol van alle deugd,

Aen u staen alle mijn sinnen.
Als ic u sie, mijn herteken verhuecht:
Ghi zijt die mi troost gheven moecht
Alleyne, och wout ghi dat bekennen reyne.

In trouwen vry, waer dat ick si,
Hebbe ic bereyt mijn herte tot dy;
Nochtans moet ic u derven.
Gheen meerder pijn noch lijden in mi
Dan dat ic u niet en mach wesen bi.
Mer sterven, dat sal ick noch verwerven.

Dat blijde woort is mijn confoort,
Dat heeft nu strijt in mi ghestoort,
Mijn herte en mach verwerven.
Och Heere, hout mi van moede accoort!
Ghi zijt die alle mijn cracht doorboort
Alleene: lief, wilt mi troost verleenen.

U fier gelaet, u soete aenschijn
Belieft so wel dat herte mijn.
Och wout ghi mi troost gheven!
Ontfanghet mi doch in dat herte dijn,
So sal ick die alderliefste zijn,
Sonder sneven, boven al die ter werelt leven.

naar u gaat heel mijn hart uit. Als ik u zie, verheugt mijn hartje zich. U alleen
bent het die mij troost kan schenken. Och schoonheid, zag u dat maar
in. ¶ Heus, waar ik ook ben, daar sta ik met mijn hart voor u klaar. Toch moet
ik u missen. Ik ken geen groter pijn of lijden dan dat ik niet bij u kan zijn,
behalve sterven en dat zal er ook nog van komen. ¶ Een vriendelijk woord is
mijn troost. Wat mij nu verontrust heeft: mijn hart krijgt dat woord niet. Och
Heer, zorg dat ik onbezorgd blijf in mijn gemoed. U alleen bent het die al mijn
kracht tenietdoet. Lief, wil mij troost geven. ¶ Uw schone gelaat, uw lieve gezicht bevalt mijn hart zozeer. O, gaf u mij maar troost! Sluit mij toch in uw hart,
dan zal ik zonder mankeren de allerliefste zijn, boven allen die op de wereld
leven.

U woordekens soet mijn trueren boet,
Si leyden mijn herte ter minnen vloet,
Al reyn van alle smerten.
Hout u gestadich, wat ghi doet!
Tot u seynde ic alle mijn groet
Op aerden, tot uwer ganser waerden.

Och vrouwen raet is dicwils quaet,
Mer dat si mint ende na versmaet
En zijn geen abel seden.
Dies hope ic; daer alle mijn troost aen staet,
Si is int woort als in die daet
Besneden, dies ben ic badt te vreden.

Aen u so staet mijn leven al,
Ghi zijt mijns herten liefghetal,
Ten can mi niet verghieten.
Mijn herte gheen liever kiesen en sal,
Door eenich druck oft ongheval,
Door weten, dies wil ick mi vermeten.

Ick ben haer raet ende niet so waert.
Haer minlike woord mijn herte doorgaet.
U, alderliefste, wil ic wachten.

Uw lieve woordjes, genezing van mijn droefheid, zij leiden mijn hart naar de
stroom van de liefde, geheel vrij van alle leed. Blijf trouw, wat u ook doet. Tot u
zend ik al mijn groeten op aarde, tot meerdere eer van u. ¶ Och, de vrouw heeft
vaak een kwalijke manier van doen. Maar dat zij iemand liefheeft en daarna
afdankt, dat zijn geen goede manieren. Ik hoop erop — daarin is al mijn troost
gelegen — zij is fijnzinnig in woord en daad. Daar ben ik wel gerust op. ¶ Van
u hangt heel mijn leven af. U bent de lieftallige van mijn hart; het kan u niet
vergeten. Mijn hart zal niemand de voorkeur geven omwille van welk verdriet
of welke tegenslag ook. In dat besef wil ik mij aan deze onderneming wagen. ¶ Ik ben haar bijstand niet waard. Haar lieve woord beheerst mijn hart.
Allerliefste, u wil ik in het oog houden,

Door u so lijde ic menich leet,
Aen u alleen mijn hope steet,
Met crachten, dus wil ic op u wachten.

Die swane singt, wanneer haer dwingt
Die doot, diet al te niet bringt.
Dus volghe ick haer natuere:
Ic proeve vroech, also mi dinct,
Dat si voor mi een ander winct
Ter duere, mijn edel schoon creatuere.

Van u en scheyde ic nemmermeer.
Ghi sijt mijn troost ende mijn begeer,
Gheeft mi nu troost ende hulpt te mate.
Die liefde quelt mi also seer!
Wilt mi doch gheven troost noch meer
Ende bate, daer ic mi toe verlate.

Die duyve puer hout haer natuer,
Dat suyver is, al haer gheduer,
Als haer gaey laet zijn leven.
Hier in so neme ic een figuer:
Bedroeft blijve ic in Venus' vier
Mijn leven, och woudi mi troost gheven!

---

door u lijd ik veel leed, op u alleen is mijn hoop stevig gevestigd. Zo wil ik op u wachten. ¶ De zwaan zingt als de dood haar overweldigt. De dood, die een einde maakt aan alles. Zo doe ik als de zwaan. Ik heb meteen door, naar mij dunkt, als zij, mijn edele schone vrouw, in plaats van mij een ander wenkt aan de deur. ¶ Van u neem ik nooit afscheid. U bent mijn troost en mijn verlangen. Geef mij nu troost en help me een beetje. De liefde kwelt mij zo. Wil mij toch nog meer troost geven en genezing, waar ik mij op kan verlaten. ¶ De edele duif houdt zich van nature voor heel de duur van haar leven aan kuisheid, als haar mannetje doodgaat. Hieraan neem ik een voorbeeld. Ik blijf mijn hele leven bedroefd in Venus' vuur. Och, wilde u mij maar troost geven!

Och minlic aert, schoone roose gaert,
O soete lief, dat is Venus' aert,
Blijf nu in mijn gedachte!
O reynste mijn, in wien vruecht vergaert
Peynst: arbeyt is doch loons wel waert,
Tgedachte noyt stercker min en wrachte.

Ick blijve u dienaer altijt cleyn.
Tot uwen dienste ben ic gemeyn,
Ghi sijt nu des ooc wel weert.
Ontdoet mi op u gonsten reyn,
Ghi zijt mijn alderliefste greyn
Van waerden, gheen liever lief op aerden.

Mijns herten saet, die ick nu meyn,
Want si is vanden fluyten reyn,
Die mi nu heeft bevanghen,
Want ghi die ghene zijt alleyn,
Al in mijn herte, dat hoochste greyn
Met sanghen, daer na staet mijn verlangen.

Oorlof, mijn lief, des ben ick riet.
Ick en meyn den uutersten oorlof niet,
Mer altijt troost begheeren.

O lieftallig karakter, schone rozentuin, o zoetelief, u, die een telg van Venus
zijt, blijf nu in mijn gedachten. O mijn edelste, in wie al de vreugde samenkomt,
bedenk: dit werk verdient toch wel beloning. De menselijke geest heeft nooit
heviger liefde voortgebracht. ¶ Ik blijf immer uw nederige dienaar. Ik sta geheel tot uw dienst. U bent dat nu ook helemaal waard. Betoon mij uw oprechte
welwillendheid. ¶ Gij zijt mijn allerliefste uitverkorene: geen liever lief op aarde. Zetel van mijn hart, die ik nu bedoel, want zij, die mij nu in haar ban
gebracht heeft, waait niet met alle winden mee want u bent de enige, de bloem
van mijn hart, met jubelzang. Daarnaar verlang ik. ¶ Vaarwel mijn lief, hiertoe
ben ik bereid. Ik bedoel het laatste afscheid niet, maar ik blijf altijd naar troost
verlangen.

Mer dat ghi liever een ander siet,
Dat doet mi druck ende oock verdriet
Al teenen; alst past het sal noch keeren.

Mocht ic een woort van u ontfaen,
So soude ick trueren laten staen
Int spijt der nijders tonghen.
Tot uwer eeren is dit ghedaen
Ende willet van mi in dancke ontfaen,
Reyn jonghen, dat ick hebbe ghesongen.

Och waerdijs vroet, dat ick lijden moet,
Wanneer ic vinde wederspoet
Aen haer dien ic betrouwe,
Wanneer si sulcken teeken doet,
Tbeginsel waer wel ghelaten goet
In vrouwen, die dicwil leyt in rouwen.

[O JHESUS BANT, O VIERICH BRANT] [2]

Dit liedeken van Onser Vrouwen op die wijse o Venus bant

O Jhesus bant, o vierich brant
U heeft een suver maecht plazant

Maar dat u liever een ander ziet, dat geeft mij smart en verdriet tegelijk. Als het meezit, zal het nog anders worden. ¶ Mocht ik een woord van u ontvangen, dan zou ik ophouden met treuren, ondanks de kwaadsprekers. Ter ere van u is dit gemaakt en wil wat ik gezongen heb, van mij in dank aannemen, schone jongedame. ¶ Och besefte u maar wat ik lijden moet, als ik tegenslag ondervind door toedoen van haar op wie ik mijn hoop stel, als zij mij met zulk een teken afwijst. Het ware beter niet aan vrouwen te beginnen. Dat leidt dikwijls tot verdriet.

•

O boeien van Jezus, o vurige gloed, u heeft een zuivere, schone maagd

Met eenen woorde ghewonnen
Dat dede haer duechdelic onderstant
Waer bi wort ons hier vree int lant
Ghesonghen
Met enghelschen tonghen

Ave dat woort
Dat es ghehoort
Te Nazareth al in die poort
Al na des vaders meenen
Die Heilige Geest hielt met accoort
Ons esser vruecht af comen voort
Al weenen
Sijn gracie moet hi ons verleenen

Dit edel saet
Van hogher aert
Te Bethleem in een huyseken quaet
Lach op die aerde besneden
Twee beesten hielden met hem staet
En verwermden hem ons toeverlaet
Sijn leeden
Die godheyt was al te vreden

Die maecht verclaert
En hoghe vermaert

met één woord gewonnen, dankzij haar deugdzame aard. En daarom zingen de engelen hier in het land ons vrede toe. ¶ 'Ave': dat woord is gehoord te Nazareth binnen de stad, geheel naar de bedoeling van de Vader. De Heilige Geest stemde ermee in. Voor ons is er geheel en al vreugde uit voortgekomen. Hij geve ons zijn genade. ¶ Deze edele zoon van hoge afkomst, lag te Bethlehem in een eenvoudige bouwseltje op de besneeuwde grond. Twee beesten deelden zijn levensomstandigheden en verwermden de ledematen van hem, onze toeverlaat. De godheid was helemaal tevreden. ¶ De roemrijke en zeer vermaarde maagd

Lach .xl. daghen onbeswaert
Als ander vrouwen deden
Het was den heyden gheopenbaert
Si haesten hem te Bethleem waert
Ter stede, met groter waerdichede

O maget reyn
O hemels greyn
Ghi sijt ons hulpe ons troost alleyn
Ic bid u staet ons in staden
Ghi sijt des sondaers int ghemeyn
Een vat dat daer is certeyn
Verladen
Met uwer ghenaden

O rosegaert
Van God bewaert
U gracie is gheopenbaert
In ons tot menighen stonden
Want als die siele ter pinen vaert
Bidt ghi daer voer si wort gespaert
Van wonden
Dat wil ic u oerconden

O suver maecht
Daer dat licht uut daecht

bleef veertig dagen in het kraambed, zoals andere vrouwen deden, maar zonder
te hoeven herstellen. Het was aan de heidenen geopenbaard. Zij haastten zich
met grote waardigheid naar de stad Bethlehem. ¶ O reine maagd, uitverkorene
van de hemel, u alleen bent onze hulp en troost. Ik bid u sta ons bij. U bent voor
alle zondaars een vat dat helemaal vol genade is. ¶ O rozentuin door God beschermd, uw genade is in ons menigmaal geopenbaard. Want als de ziel naar de
hellestraf gaat: bidt u daarvoor, dan wordt zij gespaard van lijden. Dat wil ik
voor u bekend maken. ¶ O zuivere maagd, uit wie het licht te voorschijn komt,

U grote oetmoet heeft God behaecht
Daer om sidi vercoren
Adams sonden heeft hi beclaecht
Die van u wert onversaecht
Geboren, om tscaep dat was verloren

Nu vrolijc singt
Ende sijns ghedinct
Dese vruecht ons alle vruecht ontbrinct
Die moeder bleef maghet fijne
God die Heer diet al om rinct
Wi bidden dat hi ons ghedinct
In die ure
Die swaer sal sijn ende suere

[HET DAGHET INDEN OOSTEN] [1]

'Het daghet inden Oosten,
Het lichtet overal;
Hoe luttel weet mijn liefken,
Och, waer ick henen sal.'

---

uw grote ootmoed heeft God behaagd. Daarom ben u uitverkoren. De zonde
van Adam heeft hij aan de kaak gesteld, hij, die onverschrokken van u werd
geboren, om het verloren schaap te redden. ¶ Nu zing blij en denk aan hem.
Deze vreugde gaat al onze vreugde te boven. De moeder bleef een reine maagd.
God de Heer, die alles in zijn hand heeft, wij bidden dat hij ons gedachtig is in
het uur dat zwaar en bitter zal zijn.

·

'Het wordt dag in het oosten, overal wordt het licht. Och, hoe weinig weet mijn
liefje, waar ik heen zal gaan.

'Och warent al mijn vrienden
Dat mijn vianden zijn,
Ick voerde u uuten lande,
Mijn lief, mijn minnekijn.'

'Dats waer soudi mi voeren,
Stout ridder wel gemeyt?
Ic ligge in myns liefs armkens,
Met grooter waerdicheyt.'

'Ligdy in uws liefs armen?
Bilo, ghi en segt niet waer:
Gaet henen ter linde groene,
Versleghen so leyt hi daer.'

Tmeysken nam haren mantel
Ende si ghinc eenen ganck
Al totter linde groene,
Daer si den dooden vant.

'Och, ligdy hier verslaghen,
Versmoort al in u bloet!
Dat heeft gedaen u roemen
Ende uwen hooghen moet.

'Och, waren mijn vijanden allemaal mijn vrienden, dan zou ik u het land uit brengen, mijn beminde, mijn liefje.' ¶ 'En waar zou u mij heen brengen, koene brave ridder? Ik lig met grote eerbaarheid in de armen van mijn beminde.' ¶ 'Ligt u in de armen van uw beminde? Verduiveld, wat u zegt, is niet waar. Ga naar de groene linde. Daar ligt hij verslagen.' ¶ Het meisje nam haar mantel en zij begaf zich naar de groene linde, waar zij de dode vond. ¶ 'Och, lig je hier verslagen, omgekomen in je bloed? Dat is gekomen van je grootspraak en je overmoedigheid.

Och, lichdy hier verslaghen,
Die mi te troosten plach!
Wat hebdy mi ghelaten
So menighen droeven dach.'

Tmeysken nam haren mantel
Ende si ghinck eenen ganck
Al voor haers vaders poorte,
Die si ontsloten vant.

'Och, is hier eenich heere
Oft eenich edel man,
Die mi mijnen dooden
Begraven helpen can?'

Die heeren sweghen stille,
Si en maecten gheen geluyt;
Dat meysken keerde haer omme,
Si ghinc al weenende uut.

Si nam hem in haren armen,
Si custe hem voor den mont,
In eender corter wijlen,
Tot also menigher stont.

Met sinen blancken swaerde
Dat si die aerde op groef,

Och, lig je hier verslagen, jij die mij placht te troosten? Wat geef je mij nu vele
dagen van verdriet.' ¶ Het meisje nam haar mantel en zij begaf zich naar de
deur van haar vader, die zij geopend vond. ¶ 'Och, is hier een heer of een edelman die mij mijn dode kan helpen begraven.' ¶ De heren zwegen stil, zij maakten geen enkel geluid. Het meisje keerde zich om en ging wenend naar buiten. ¶ Zij nam hem in haar armen. Ze kuste hem in korte tijd vele malen op de
mond. ¶ Met zijn blanke zwaard dolf zij de aarde op.

Met haer snee witten armen
Ten grave dat si hem droech.

'Nu wil ic mi gaen begeven
In een cleyn cloosterkijn,
Ende draghen swarte wijlen,
Ende worden een nonnekijn.'

Met hare claer stemme,
Die misse dat si sanck,
Met haer snee witten handen
Dat si dat belleken clanck.

[HET DAGET INDEN OOSTEN] [2]

Het daget inden oosten
Die sonne scijnt over al
Wie heer Jesum wil minnen
Hi en slape nu niet so langhe

Och slaepty nu so langhe
Dat en is u nemmermeer goet
Het sal u namaels rouwen
Als ghi loon ontfangen moet

Met haar sneeuwwitte armen droeg ze hem ten grave. ¶ 'Nu wil ik mij begeven in een eenvoudig klooster en zwarte sluiers dragen en een nonnetje worden.' ¶ Met haar heldere stem zong zij de mis. Met haar sneeuwwitte handen luidde zij het klokje.

•

Het wordt dag in het oosten. De zon schijnt overal. Wie Heer Jezus wil beminnen, moet nu niet zo lang slapen. ¶ Och, slaapt u nu zo lang? Dat is helemaal niet goed voor u. Het zal u later berouwen, wanneer u loon ontvangen moet.

Het lach een arm joncfrouken
Op haerder camer en sliep
Si heeft so groten verlangen
Dat haer Gods engel op riep

Och en laet u nyet verlangen
Wel edel joncfrou soet.
Hi wil u boden seynden
Alst hem dunct wesen goet

Ick en weet van gheenen bode
Van gheenen bode so goet
Mi en mach niemant troosten
Dan Jesus mijn minneken soet

Och stelt u herte te vreden
Wel edel joncfrou fijn
Hi wil u tavont schincken
Van sinen besten wijn

Och mochten wi eens drincken
Van sinen soeten dranck
So mocht ons wel verlangen
Al na sijns Vaders lant

Och als wi nu daer comen
Al in dat salighe huys

Er lag een arm meisje op haar kamer te slapen. Zij had zo'n groot verlangen dat
Gods engel haar wakker riep. ¶ Och, word niet ongeduldig, edele lieve jonkvrouw. Hij wil u boden zenden, naar hem goed dunkt. ¶ Ik weet van geen bode,
van geen goede bode. Mij kan niemand troosten dan Jezus, mijn zoete-
liefje. ¶ Och, wees tevreden in uw hart, edele fijne jonkvrouw. Hij zal u vanavond zijn beste wijn schenken. ¶ Och, mochten wij eens drinken van zijn zoete drank. Dan zouden wij sterk verlangen naar het land van zijn Vader. ¶ Och,
als wij daar nu komen, in die zalige woning,

Bi mijn liefken te rusten
So en jaecht ons niemant uut

Ick heb so lange ghejaghet
Dat ick ghevanghen heb
Na een dat mi behaghet
Een gheselleken wel ghedaen

Sijn trou heeft hi mi toeghesacht
Dat edel beelde schoon
Die mijn heb ic weder ghebracht
Hi is mi onderdaen

Ic en cans niet te volle gheprisen
Hi is mi veel eeren weert
Boven al die gheen die leven
Mijn hert gheen ander en begeert

Och root is hi ghecleedet
Die alder liefste mijn
Wat draecht hi aen sijn handen
Van goude een vingerlijn.

Een vingerlijn root van goude
Bedwingt dat herte mijn
Ic neme dat op mijn henevaert
Dat hi die liefste sal sijn.

om bij mijn liefje te rusten, dan jaagt ons niemand naar buiten. ¶ Ik heb zo lang gejaagd op een knap vriendje dat mij bevalt, dat ik hem gevangen heb. ¶ Zijn trouw heeft hij mij beloofd, die mooie edele gestalte. Mijn trouw heb ik daar tegenover gesteld. Hij is van mij. ¶ Ik kan hem niet ten volle prijzen. In mijn ogen verdient hij veel eer, meer dan al degenen die leven. Mijn hart wil geen ander. ¶ Och, rood is hij gekleed, mijn allerliefste. Wat draagt hij aan zijn handen? Een ringetje van goud. ¶ Een ringetje van rood goud heeft mijn hart in zijn macht. Ik zweer bij mijn dood dat hij de meest beminde zal zijn.

Dat cranselijn dat hi draghet
Dat is van bloede so root
Sijn lichaem heeft hi ghegeven
Voer mi in die bitter doot.

Sijn hooft heeft hi ghenegen
Al om te cussen my
Dat neem ick op mijn henevaert
Dat hi die liefste sal sijn

Sijn handen sijn hem doerslagen
Met plompe nagelen drie
Sijn herte is op gheloken
Met een spere seer wye.

Daer in so moet ick rusten
Met alder herten gront
Na hem staet mijn verlanghen
Nae sinen rooden mont

Nu is hi af ghenomen
Verresen vander doot
Den joden is hi ontganghen
Verwonnen is alle sijn noot.

Het kransje dat hij draagt, dat is zo rood van bloed. Zijn lichaam heeft hij voor mij gegeven in de bittere dood. ¶ Zijn hoofd heeft hij gebogen om mij te kussen. Dat zweer ik bij mijn dood: dat hij de meest beminde zal zijn. ¶ Zijn handen zijn doorboord met drie dikke spijkers. Zijn hart is geopend met een brede lans. ¶ Daar moet ik in rusten met heel mijn hart. Naar hem verlang ik, naar zijn rode mond. ¶ Nu is hij van het kruis afgehaald, verrezen uit de dood. Aan de joden is hij ontkomen. Overwonnen is al zijn lijden.

Die helle heeft hi ghebroken
Al om te soecken mi
Dat neem ic op mijn henevaert
Dat hi die liefste sal sijn.

Nu is hi op gheclommen
Al in des hemels throon
Daer hi eewelijc sal regneren
Al boven die enghelen schoon

Sinen Heyligen Gheest wilt hi ons seynden
In onser herten gront
Na hem staet mijn verlangen
Na sinen rooden mont

[RIJCK GOD, WIE SAL IC CLAGHEN] [1]

Rijck God, wie sal ic claghen
Dat heymelijck lijden mijn,
Dat ic alleene moet dragen,
Dat doet mynder herten pijn;
Ick vinde mi bedroghen,
Om dat ic mi op haer verliet,

De hel heeft hij opengebroken om mij te zoeken. Dat zweer ik bij mijn dood: dat hij de meest beminde zal zijn. ¶ Nu is hij omhooggeklommen tot in de hoogste hemel, waar hij eeuwig zal heersen boven de schone engelen. ¶ Zijn Heilige Geest wil hij ons zenden in het binnenste van ons hart. Naar hem verlang ik, naar zijn rode mond.

•

Almachtige God, wie zal ik de schuld geven van mijn geheime verdriet, dat ik in eenzaamheid moet dragen en dat mijn hart pijn doet. Ik voel me bedrogen omdat ik mij op haar verlaten heb.

Dat clage ik minen oogen;
In lijden so moet ic dooghen,
Ende blijven in swaer verdriet.

O radt van avontueren,
Wildy niet omme slaen,
Dat mi mach troost ghebueren,
Soot voortijts heeft ghedaen;
Mach ic gheenen troost verwerven,
So blive ic inden druck;
Moet ic die liefste derven,
Van rouwe so moet ic sterven;
Het waer mi so grooten ongheluck.

O Cupido, god vander minnen,
Helpt mi uut deser noot;
Vrou Juno, troosterinne,
Ick bid u met herten devoot:
En laet mi niet verloren,
Staet mi bi, oft wesen mach;
Die ic hadde uutvercoren
Laet mi in drucke versmoren,
Dwelck ick u claghe nacht ende dach.

Ghi amoureuse gheesten,
Die gaerne genoechte hanteert,

Daar geef ik mijn ogen de schuld van. Ik moet lijden en blijvend een zwaar
verdriet dragen. ¶ O rad van Fortuin, wil je niet draaien zodat mij troost ten
deel valt, zoals je vroeger gedaan hebt? Als ik geen troost krijg, dan blijf ik in
mijn leed. Moet ik mijn liefste missen, dan sterf ik van verdriet. Dat zou een
groot ongeluk voor mij zijn. ¶ O Cupido, god van de liefde, help mij uit deze
nood. Vrouw Juno, troosteres, ik bid u met toegewijd hart, laat mij niet in de
steek, sta mij bij, als het kan. Die ik uitverkoren had, laat mij stikken in mijn
nood. Daarover klaag ik bij u, dag en nacht. ¶ Jullie, amoureuze lieden die je
graag bezighoudt met het genoegen

In dansen ende in feesten,
Dat ghi u so niet en regeert
Ghelijck Samson, die stercke;
Hem was benomen alle zijn macht
Al door der vrouwen wercken,
Ende thooft van alle clercken,
Salomon seer wijs bedacht.

Al die dit liedeken dichte,
Fortuyne die was hem ontgaen;
Al vallet wat in slichte,
Hi heeft zijn beste ghedaen;
Al hadde hi zyn liefken verloren,
Hi is nu also bedacht,
Al hebbens die nijders thoren,
Een ander heeft hi uutvercoren;
Dies hi nu alle vruecht verpacht.

[RIJCK GOD, WIEN SAL IC CLAGEN] [2]

Rijck God, wien sal ic clagen
Dat heymelijc liden mijn,
Dat mi dit vleesch doet draghen
Brengende den gheest in pijn;
Ick vinde mi bedroghen
Om dat ic mi op mi verliet,

van dansen en feesten, gedraag je niet zoals Samson, de geweldenaar. Al zijn kracht was hem door toedoen van vrouwen ontnomen. Zo ook Salomo, de grote wijze, de geleerdste van allemaal. ¶ Die dit liedje schreef, het geluk was hem ontvallen. Al is het wat simpel, hij heeft zijn best gedaan. Ook al had hij zijn liefje verloren, hij is nu slim geweest — al maken de jaloersen zich kwaad — en heeft een ander uitverkoren, daarom verwacht hij nu alle vreugde.

•

Almachtige God, wie zal ik de schuld geven van mijn geheime verdriet, dat het vlees mij aandoet, hetgeen mijn geest pijnigt? Ik voel me bedrogen omdat ik mij op mezelf verlaten heb,

Daer ic alleen moeste ploghen
Te stellen al mijn vermoghen
In Jesus Christus swaer verdriet.

O vleesch vol avontueren,
Suldy van mi niet gaen,
Dat mi troost mach ghebeuren
Doer Gods gheests soet bistaen?
Mach ic gheen troost verwerven,
So blijft mijn siel in swaren druc;
Moet ic Gods gracie derven,
In wanhope sal ick sterven,
Ende liden deeuwich ongheluck.

O Jesu, God van minnen,
Helpt mi in desen noot;
O waerheyt, troosterinne,
Ick bid u met herten devoot:
En laet mi niet verloren,
Staet mi bi, want wel sijn mach;
Tvleesch, dat ic hadde vercoren,
Doet mi in drucke versmoren;
Dat claghe ic u nacht ende dach.

O Christelike gheesten,
Die gerne Gods woert hantiert,

---

terwijl ik er alleen maar voor moest zorgen al mijn krachten aan het grote lijden van Jezus Christus te wijden. ¶ O vlees met al je kwade kansen, sta mij bij, zodat mij troost ten deel valt door de zoete bijstand van Gods geest? Als ik geen troost krijg dan blijft mijn ziel in zware nood. Moet ik Gods genade missen, dan zal ik in wanhoop sterven en het eeuwige ongeluk moeten ondergaan. ¶ O Jezus, God van liefde, help mij in deze nood. O waarheid, troosteres, ik bid u met toegewijd hart, laat mij niet in de steek, sta mij bij, want dat is mogelijk. Het vlees, dat ik verkoren had, laat mij in mijn nood stikken. Daarover klaag ik bij u, dag en nacht. ¶ O jullie, christelijke lieden, die je graag bezighoudt mèt Gods woord,

Als ghi van dien maect feesten,
Dat ghi u so niet en regiert,
Ghelijc dees drinckers stercke,
Die altijt rellen van des Gods woerts cracht,
Verachtende alle wercken,
Ordeelende alle clercken,
Doer des drancx wijsheyt qualijck bedacht.

Die dit liedeken herdichte,
Swerelts vrienden sijn hem ontgaen;
Al houden si hem voer slichte,
Noch heeft hi wijsheyt ghedaen;
Al heeft hi nu verloren
Al der werelt vrientscap en macht,
Een ander heeft hi vercoren,
Doer wien hi alle thoren
Ontvliet ende alle vruecht verpacht.

[VOOR EEN CLEYN VRUECHT SO MENICH VERDRIET] [1]

EEN AMOREUS LIEDEKEN

Dat ick om een schoon beelde soet
Dus langhe moet vertrueren,

als jullie daarvan een feest maakt. Dat jullie je niet zo gedraagt als deze grote drinkebroers, die altijd lallen over de kracht van Gods woord maar alle werken verachten en alle geestelijken veroordelen, slecht beraden door de wijsheid uit de kan. ¶ Die dit liedje herschreef, zijn wereldse vrienden zijn hem ontvallen. Al houden ze hem voor simpel, toch heeft hij wijs gehandeld. Al heeft hij nu alle wereldse vriendschap en macht verloren, hij heeft een ander verkoren om wie hij alle smart ontvlucht en alle vreugd in het vooruitzicht heeft.

•

Dat ik om een lieve schoonheid zo lang verdriet moet hebben,

Daer noeyt en was dan liefde goet,
Noch en heeft geweest mijns levens dueren,
Door nijders cueren is mi ghesciet:
Voor een cleyn vruecht so menich verdriet.

Haer aenschijn claer gheeft mi confoort,
Als ic aensie die schoonste figure.
Daer is een ander veel badt ghelooft:
Si sluyt mi buyten der dueren.
Si gheeft mi cuere als si mi siet:
Voor een cleyn vruecht so menich verdriet.

O Venus, u claghe ick mijnen noot,
Dat ic mijn soete liefken moet derven.
Een cusken aen haer mondeken root,
Een troostelijc woort laet mi verwerven.
Dat ick moet sterven, mijnen druck aensiet:
Voor een cleyn vruecht so menich verdriet.

Nu rade ick elcken amoreus,
Dat hi zijn lieveken nyet en vergramme,
Haer wesen is so coragieus.
Spreect een woort, doecht, schoon lief, wat di misquame.

terwijl er nooit iets anders was dan echte liefde en er mijn hele leven ook niets anders is geweest. Door toedoen van de jaloersen krijg ik voor een klein genoegen zo veel verdriet. ¶ Haar stralende gezicht geeft mij troost, als ik naar haar allerschoonste gestalte kijk. Aan een ander wordt meer geloof gehecht. Zij stuurt me weg; als ze mij ziet geeft ze mij slechts de keus: voor een klein genoegen zo veel verdriet. ¶ O Venus, aan u klaag ik mijn nood, dat ik mijn zoete-liefje moet missen. Zorg dat ik één kusje van haar mond, één woord van troost krijg. Zie dat ik sterf, zie mijn leed: voor een klein genoegen zo veel verdriet. ¶ Nu raad ik elke minnaar aan dat hij zijn liefje niet boos maakt; zij heeft zo'n edele aard. Zeg één woord, goedheid, schone geliefde, zeg wat u mishaagd heeft.

Wacht u van blame, quade nijders tongen vliet:
Voor een cleyn vruecht so menich verdriet.

[VOOR EEN CLEYN VRUECHT SO MENICH VERDRIET] [2]

Hoe blaeckt mijn herteken, o lieflijc vier;
Sal ick dit derven lange dragen?
Ick en can noch mach noyt sulc dangier,
Daer sijn gepasseert geheel drye jaren.
Mijn oogen diet sagen, wat mijns geschiet:
Voor een cleyn vruecht so menich verdriet.

Sijn godlijck woort diet al geneest,
Ongevalscht als nardus oft conserven,
Gaf my confoort; maer tis geweest.
Och, Jesus lief, sal ick u nu derven,
So moet ick sterven; hoort wat bediet:
Voor een cleyn vruecht so menich verdriet.

Wie soude lyden dit dootwondich grief,
Daer elck ure is duysent jaren;
Segt my rasch, vrient, hebt ghy my lief?

Pas op voor schande, mijd de jaloerse kwaadsprekers. Voor een klein genoegen
zo veel verdriet.

•

Hoe brandt mijn hart, o lieflijk vuur. Zal ik dit gemis nog lang kunnen dragen?
Ik kan zulk een verdriet nooit volhouden. Drie volle jaren zijn voorbij. Mijn
ogen, jullie hebben het gezien: wat is er met mij gebeurd? Voor een klein genoegen zo veel verdriet. ¶ Zijn goddelijk woord dat alles herstelt, zuiver als nardus
of gekonfijte vruchten, gaf mij troost. Maar het is voorbij. Och, Jezus lief, zal ik
u nu verder missen, dan moet ik sterven. Luister wat het betekent: voor een
klein genoegen zo veel verdriet. ¶ Wie zou deze dodelijke pijn kunnen verdragen, waarin elk uur duizend jaar duurt? Zeg mij vlug, vriend, heb jij mij lief?

997

Aylacen, waer is hy bevaren?
Segt, sonder sparen, dit niet en besiet:
Voor een cleyn vruecht so menich verdriet.

Wie sal u kussen, mijn mondeken root,
Mijn handekens reyn om salven poogen,
Oft lustich baden inder tranen vloet,
Met gulden hayr zijn voeten droogen;
Ick en cans gedoogen, tis al om niet:
Voor een cleyn vruecht so menich verdriet.

Ick en wiste noyt wat liefde was,
Dan nu ickt derve en niet mach gebruycken;
Die liefde is my recht als ick las:
Veel waters en mochte niet in volle cruycken.
Wat sal ick beluycken? Wee die my dus riet!
Voor een cleyn vruecht so menich verdriet.

Nu, Jesus lief, mijns hertsen vruecht,
Laet my ghenade van u verwerven;
Ick bid u, troost my doer u duecht,
Oft laet die doot mijn herte doer kerven,
Oft ick moet sterven. Mijn qualen siet:
Voor een cleyn vruecht so menich verdriet.

Helaas, waar is hij heen gegaan? Zeg het, zonder meer. Sla er geen acht op: voor een klein genoegen zo veel verdriet. ¶ Wie zal je kussen, mijn rode mondje, mijn zuivere handjes proberen te zalven of genoeglijk baden in een zee van tranen, met gouden haar zijn voeten drogen? Ik kan het niet verdragen; het is allemaal voor niets. Voor een klein genoegen zo veel verdriet. ¶ Tot nu toe heb ik nooit geweten wat liefde was, nu ik haar mis en niet van haar kan genieten. Het is voor mij met de liefde precies zoals ik ergens las: in volle kruiken kun je niet veel water doen. Wat zal ik dan binnen kunnen houden? Wee degene die mij dit aanried. Voor een klein genoegen zo veel verdriet. ¶ Nu Jezus lief, vreugde van mijn hart, geef mij uw genade. Ik bid u: troost mij uit uw goedheid of laat de dood mijn hart doorkerven zodat ik moet sterven. Zie mijn ellende: voor een klein genoegen zo veel verdriet.

UIT DER SOTTEN SCHIP

[Die leeraer seyt aldus:]

Ten is geen wonder dat nu die vrouwen
Die mannen in haren bedwange houwen
Want si hem nae die vrouwen cleeden
Ende vanden mannelijcken state scheeden
Sy spieghelen hem ende maken den crans
Eer dat si comen aen den dans
Haer cleederen sijn also ghesneden
Datmer doorsien mach alle haer leden
Den hals ontdeckt die borst ontdaen
Al wilden si haest te bedde gaen
Die schoenen sijn als coe muylen breet
Nae dat die becken sijn verleet
Ich meyne die mans willen vrouwen wesen
Die vrouwen mans ende elck mispresen

[...]

Die eten ende drincken sonder mate
Sijn vuyle sotten in allen state
Ende quaet daer toe, maer menigherhande
Vintmen dronckaerts in allen lande

De leermeester zegt dit: ¶ Het is geen wonder, dat de vrouwen vandaag de dag
de mannen onder de duim houden. Want mannen kleden zich nu net als vrouwen, en hangen hun mannelijkheid aan de wilgen. Voor ze zich gaan vertonen,
draaien ze voor de spiegel en knoeien aan hun haar. Hun kleren zitten zo nauw,
dat je alles ziet bewegen aan hun lichaam. Niets dragen ze om hun nek, een
halfblote borst, het lijkt wel alsof ze op het punt staan in bed te stappen. Hun
schoentjes zijn breed als koeiehoeven, nadat de punten zijn afgesleten. Volgens
mij willen mannen vrouw zijn en vrouwen man: maar niemand stelt dat op
prijs. ¶ Zij die zonder maat eten en drinken moeten in elk opzicht smerige
zotten heten en nog kwaadaardig bovendien. Maar dronkaards vind je overal
van elke soort.

Deen wilt slapen al waert een swijn
Dander wilt altijts bi vrouwen sijn
Die derde weent al waert een kint
Die vierde als leeu alle dinck verslint
Die vijfde verseghet al dat hi weet
Die seste is om te dansen bereet
Die sevenste sijn wijf oft kinderen slaet
Die achtste al naect als beeste gaet
Die negenste verspeelt tsy ghelt of goet
Die thienste predict al waer hi vroet
Die elfste vercoopt meer dan hi heeft
Die twaelfste alle dinck om woorden gheeft
Die sommighe vloecken ende versaken Godt
Een droncken mensche is een quade sot.

[...]

Die op lanck leven stelt al sijn hopen
Al heeft hi van sijnder conscientien nopen
Hi en volchtse niet, maer laetse ontwaeyen
Aenhoorende die lesse vander craeyen
Die roept cras cras, morghen morghen
Niet wetende hoe langhe hem God sal borghen

De eerste wil slapen als een varken. De tweede wil altijd bij vrouwen zijn. De derde jankt als een kind. De vierde verslindt alles als een leeuw. De vijfde klapt alles rond wat hij weet. De zesde wil steeds dansen. De zevende slaat zijn vrouw of kinderen. De achtste loopt naakt rond als een beest. De negende verspeelt zijn geld of bezittingen. De tiende leest de les alsof hij de wijsheid in pacht heeft. De elfde verkoopt meer dan hij bezit. De twaalfde laat zich voortdurend oplichten. De meesten vloeken en verzaken God: een dronkaard is een kwaadaardige zot. ¶ Wie al zijn hoop vestigt op een lang leven, hoewel zijn geweten hem telkens waarschuwt, die laat zich door die waarschuwingen niet leiden maar slaat ze in de wind, met een open oor voor de les van de kraai. Die roept 'kras, kras' en dat betekent 'morgen, morgen', zonder besef van de tijd die God hem nog zal gunnen.

Want die nu leeft mach morghen lijck sijn
Ende die nu schoon is, mach morgen slijck sijn

[...]

Dat huys des Heeren sal elck man eeren
Ter goeder leeren, ende Gods dienste keeren
Ten is gheen bosch daermen sal jaghen
Hoeren oft beesten, oft voghelen draghen
Ten is gheen vierschare daermen sal dinghen
Ten is gheen marckt van manghelinghen
Het is een huys van godlijcke wercken
Daer niemant sal singhen dan priesters en clercken.

[...]

Die wil met eeren vrolijck leven
Houde die reghelen vanden wijsen ghegheven
Coope alle dinc wanneer het tijt is
Verdoe nae dat sijn lantschap wijt is
Soecke goet gheselschap ende dat selden
Wachte hem van spelen ende van schelden
Doe sijn spijse ende dranc benedijen

Want wie nu leeft, kan morgen voor lijk liggen. En wie er nu nog goed uitziet,
kan morgen slijk zijn. ¶ Iedereen moet het huis des Heren eren en in gereedheid
brengen voor goed onderricht en de dienst aan God. Het is geen bos om te jagen
op hoeren of beesten noch om jachtvogels op de arm te voeren. En het is geen
vierschaar om recht te spreken, en evenmin een wisselmarkt. Het is een huis
voor godgevallige werken, waar niemand anders moet zingen dan priesters en
klerken. ¶ Wie met ere een aangenaam leven wil leiden, moet zich houden aan
de regels die wijze mensen in acht nemen. Koop pas iets wanneer je daaraan toe
bent. Geef niet meer uit dan je kunt overzien. Begeef je in goed gezelschap,
maar met mate. Blijf verre van kansspelen en scheldpartijen. Laat je goede spijs
en drank zegenen.

Wille hem van schimpen ende scoppen vermijden
Eete bi becoemten, drincken by maten
Wat hem te diere is sal hy laten
Ende kennen staet in alle sijn saken
Niet willende den sot oft heerschap maken
Eerbaerlic leven mach elcken voeghen
Hoe wel dat niemant can elcken ghenoeghen
Maer om te doene dat hem betaemt
Ende metten rechte leven onbeschaemt
En sal hi noch stom sijn, noch veel spreken
Gheen dinck om steken gheen vaten breken
Gheen beenderen met den tanden knaghen
Gheen ghebeten spijse ter schotelen dragen
Noch rupsenen noch geeuen noch wrijven noch crauwen
Noch drinckende spijse inden mont behauwen
Noch staerlic sien, noch ligghen, noch leenen
Noch teghen ander sijn beenen steenen
Spreke van Gode oft dat hem behaghe
Ende dancken ten eynde vanden ghelaghe.

Houd je verre van schelden en schoppen. Eet tot je genoeg hebt en drink met
mate. Laat liggen wat voor jou te duur is en zorg dat je verstand hebt van je
zaken, om niet de zot of ijdeltuit te hoeven uithangen. Een eerzaam leven past
iedereen, hoewel het onmogelijk is om iedereen te behagen. Maar om een betamelijk en rechtschapen leven te leiden, moet je niet stommetje spelen maar
evenmin veel praten, geen mes trekken, geen glaswerk breken, geen botten met
je tanden afkluiven, geen restjes van het eten opnieuw opdienen, niet boeren,
gapen, jeuken of krabben, of drinken met eten in je mond, of iemand aanstaren,
of liggen, of leunen, of tegen iemands benen aanstoten. Spreek over God of wat
hem aanstaat, en dank hem aan het einde van het maal.

UIT HET IERSTE MUSYCK BOEKSKEN VAN TIELMAN SUSATO

[1]

Dese coxkens en aerdighe moxkens
Si gaen al lonckende onder haer cloxkens
Met rode baykens en corte roxkens,
Wel also gaykens
Sy hebben die borstkens hert als bloxckens;
Sy weten haer locxkens om te smetsen
Haer lecker brocxkens
Wel also fraykens.
Dan comen dees knaepkens
Met spaensche kapkens
En volgen die trapkens
Soe ick u sey.
Dus comen dees coxkens
Ghespronghen op socxkens
Meest aen den rey.

[2]

Myn boel heet my cleker bille
Noit en was ic dus ghepoelt!
Omdat ic haspe mijn spille

Die popjes en snoezige wijfjes, ze stappen zo vrolijk in hun rode onder- en korte
bovenrokjes, terwijl ze van onder hun kapjes lonken. Hun borstjes zijn zo hard
als blokjes; zij weten hun sauskommetjes wel geplaatst om er hun lekkere brok-
jes smakelijk mee op te smikkelen. Dan komen die kereltjes met Spaanse manteltjes en volgen dat getrippel waarvan ik u al sprak. Zo gaan die popjes meestal
springen op hun muiltjes in de rondedans.

·

Mijn lief noemt mij wippekont, nog nooit werd ik zo beledigd! En dat omdat ik
mijn spilletje haspel,

Tsavens daer men druck vertoelt!
Hy meent dat ic buyten brille,
Maer hy es niet al verdoelt
Myn boel vaert wuyt synen zinnen,
Dat ick spin om goet ghewin:
Myn hemdeken dat is dinne,
En dat ligt in mynen zin.
Wat scaet myn boel dat ick spinne?
Ick en naye niet te min.

[3]

Myns liefkens bruyn ooghen
En haren lachende mont,
Die doen my pyn en dooghen
In alder stont;
Dat ic se sien noch spreken mach,
Dat claeg ick God en mynen oogen:
Ick ben bedroghen!

[4]
Och hoort toch ons bediet!
Dit laetste liet singt al verdriet,

des avonds, wanneer men zijn verdriet verdrinkt! Hij denkt dat ik hem bedrieg,
en hij heeft het niet helemaal mis. Mijn lief is buiten zichzelf, omdat ik spin voor
veel geld: mijn hemdje dat is dun, en ik doe het graag. Wat kan het mijn lief
deren dat ik spin? Ik naai er niet minder om.

•

De donkere ogen van mijn liefje en haar lachende mond, die doen mij altijd pijn
en leed; dat ik haar niet zien noch spreken kan, daarover doe ik mijn beklag, bij
God en bij mijn ogen: ik ben bedrogen!

•

Och luister toch naar ons verhaal! Dit laatste lied bezingt alleen maar verdriet,

Omdat wij moeten scheyden.
Ons mach gheen wyn verleiden
Maer tgelt en isser niet.
Wij moeten trueren wat:
Die buers is plat,
Sy heeft een gat.
Syn dat niet grote rampen?
Wij souden meer slampampen
Hadden wyt in de clampen

[5]
Niet dan druck en lijden
En is in 't herte mijn.
Hoe soudick my verblyden
En moghen vrolyck syn!
Die my plach troost te gheven,
Die valt mij nu rebel:
Sij sal mij costen 't leven,
Ja sij, en niemand el.
Sij sal mij costen 't leven
Eerlanck, dat weet ick wel.

omdat wij moeten scheiden. Die wijn daar kan ons wel verleiden, maar het geld
ervoor hebben we niet. Wij moeten heel wat treuren: de beurs is plat, zij heeft
een gat. Zijn dat geen grote rampen? We zouden nog langer slempen, hadden
we geld in onze fikken.

●

Niets dan verdriet en lijden is er in mijn hart. Hoe zou ik mij verblijden, en
vrolijk kunnen zijn? Zij die mij placht hoop te geven, kant zich nu tegen mij. Zij
zal mij 't leven kosten, ja zij, en niemand anders. Zij zal mij 't leven kosten,
weldra, dat weet ik zeker.

UIT HET TWEESTE MUSYCK BOEKSKEN VAN TIELMAN SUSATO

[1]

Compt alle uut bij twe bij drye
En hoert u lot met zinne blye,
Wat u toesendt fortune loterye.
Wat sal hy hebben, maket ons wys,
Die met een quaet wyf is gheplaecht
En elders gerne te neste draecht?
Ramp en roy voer den iersten prys.
Die gerne poit en is beroit
Wat sal men hem borgen, segt ons t' bediet? Nyet.
Die gerne veel heeft aen den sack,
Die niet en pryst syns selfs gemack,
Wat sal hem int eynde ghescien?
Drupende nuese en coude knie,
Blauwe caken en qualic sien sonder gheschil
Twe houte crucken en eenen bril.

[2]

Een meysken was vroech opgestaen
Heymelick al stille;

Kom allemaal naar voren, met z'n tweeën of drieën, en luister opgewekt naar
jullie lot, wat Fortuna's loterij jullie toestuurt. Zeg op: wat zal degene hebben
die met een kwaaie vrouw is opgescheept en zijn warmste plekje graag elders
zoekt? Ongeluk en misère als eerste prijs. Wie graag zuipt en geen duit bezit,
wat zal men hem voorschieten, vertel het ons? Niets. Wie graag veel in zijn pens
heeft, zich te goed doet en houdt van zijn gemak, wat zal hij ten slotte overhouden? Een druipneus en kouwe knieën, zonder enige twijfel een purperen
hoofd en slechte ogen, twee houten krukken en een bril.

•

Een meisje was vroeg opgestaan, heimelijk, in alle stilte;

Tschoon hemdeken had sy aenghedaen
Om haers boelkens wille.
Sy liet hem in;
Twas goet begin
Sonder verdriet.
'Compt, ketelt my nu,
Ken ben niet schu,
Maer en schuert myn hemdeken niet!'
Dat meysken loech
Het was haer genuecht;
Maer sy en sanck gheen ander liet
Dan: 'ketelt mij nu
'K ben niet schu,
Maer en schuert mijn hemdeken niet!'

[3]

Wy comen hier gelopen;
Ons gelt is al verteert.
Ons cleeren wy vercoopen;
Den cost geeft ons den weert.
Als wy niet meer betalen
Dan eest 'packt uut
Ghy, vuyle druyt!
Ick sal den dienaer haelen.'

haar mooi hemdje had ze aangedaan, omwille van haar liefje. Ze liet hem binnen; het begin was goed, met veel plezier. 'Kom, kietel me toch, ik ben niet
bang, maar scheur mijn hemdje niet!' Het meisje lachte, ze had veel plezier; en
ze zong geen ander lied dan: 'Kietel mij toch, ik ben niet bang, maar scheur mijn
hemdje niet!'

•

We komen hier gelopen, ons geld is compleet op. We verkopen onze kleren, de
waard geeft ons de kost. Wanneer we niet meer betalen, dan is het van: 'Scheer
je weg, jij smeerlap! Ik zal de diender halen.'

Wat sullen wy bedrieven?
Wy dragen die buerse plat,
Van coude wy verstyven,
Ons cleeren syn al een gat.
Al sonder pot oft heyse
Naer Bystervelt
Noch broot noch gelt,
So nemen wy ons reyse.
Hoert! leken en clercken,
Die van ons syn besmet:
Luyaerts, die selden wercken,
Die syn al an ons wet.
Sinte Reynuut, die is ons paige.
'T schip is bereet,
Soe elck wel weet.
Compt doet u pelgremaige.

[4]

Verhuecht u nu, bedruckte geesten,
Want den mey staet lustich en plaisant.
Phebus die toont ons nu syn aenschyn claer.
Alle foreesten syn seer triumphant,
Ghecleet ter hant,

Wat moeten we doen? Onze beurs is plat, we verstijven van de kou, onze kleren
bestaan alleen nog uit gaten. Zonder pot of hengsel, zonder brood of geld,
trekken wij naar Schamelveld. Leken en klerken, jullie die door ons besmet
zijn, luister: luiaards, die zelden werken, die leven helemaal volgens ons geloof.
Sint-Schoonop is onze dienaar. Het schip ligt klaar, zoals iedereen wel weet.
Kom, doe jullie pelgrimstocht.

•

Wees blij, bedroefde lieden, want de meiboom staat mooi en lieflijk. Phoebus
[de zon] toont ons nu zijn schitterend gezicht. Alle bossen zijn op hun mooist,
sinds kort bekleed

Met loverkens groene;
Menighe bloemkens
Sietmen nu op 't lant:
Een bedruckt herte heeft wel troost van doene.

[5]
Noch weet ick een schoen joffrau fyn,
Sy staet so vast in mynen sin
Sy is gheprent int herte myn,
Sy rooft my myn vyf sinnen:
Sy doet my trueren en lyden groot
En al met haerder minnen.
Troost sy my niet, soo ben ick doot
Wat mach sy daeraen winnen?

❧

EEN OUT LIEDEKEN

Op de wijse: Alst begint

Een Meysken op een Revierken sat
Soo schoon sy was.

met groen gebladerte; men ziet nu veel bloempjes op het land. Een droevig hart kan enige troost goed gebruiken.

●

Ik ken een mooi, knap meisje, geen ogenblik vergeet ik haar. Ze staat in mijn hart geprent, ze berooft me van mijn vijf zinnen. Ze doet me treuren en veel lijden, en dat allemaal doordat ik van haar houd. Als ze me niet troost, dan ga ik dood. Wat kan ze daaraan hebben?

●

Een meisje zat aan een riviertje. Zij was zo mooi.

Sy sat en verbeyde haer soete lief
Int groene gras.
    Sy sach een Scheepken comen zeylen
Soo diep in Zee.
Haer hertken verheuchde van binnen so seer
Sy en treurde niet meer.

    Och Schipper seyde sy Schipper mijn
Waer wilstu zijn?
Ick wou dat ick waer te Lonnen aen 'tlant
In die coele Wijn.

    Dat Meysken is in dat Scheepken getreden
Fris wel ghemoet.
Och Schipper ick heb den honger so groot,
Hebt ghyer gheen broot.

    Bier en Broot heb icker ghenoegh
Tot dijner behoef.
Een Beddeken om te slapen soete Lief
Comt inden Roef.

    Sy seylde so menighen nacht en dach
Soo diep in Zee,
Tot dat sy quamen te Londen aent Lant
Aen die schoone Stee.

    Sy zijn te Londen aent Lant ghetreden
Al inde Wijn.
Haer Vader en Moeder deden haer soecken

Zij zat in het groene gras op haar geliefde te wachten. ¶ Zij zag een scheepje
aan komen zeilen, zo ver over de wijde zee. Haar hart sprong op van vreugde;
haar verdriet was voorbij. ¶ 'O schipper,' zei zij, 'mijn schipper. Waar wil je
naar toe?' 'Ik wou dat ik in Londen aan wal kon gaan, naar de kroeg.' ¶ Vrolijk
en welgemoed stapte het meisje in het scheepje. 'O schipper, ik heb zo'n razende honger, heb jij geen brood?' ¶ 'Brood en bier heb ik genoeg, zoveel je maar
wilt. En een bedje om in te slapen, lieveling, kom in de roef.' ¶ Zij zeilden vele
dagen en nachten, zo ver over de wijde zee. Totdat zij in Londen aan land
kwamen, in die prachtige stad. ¶ Zij stapten in Londen aan wal en gingen naar
de kroeg. Haar vader en moeder lieten haar zoeken;

Waer machse zijn.
   Haer Vrienden en Maghen deden haer schelden.
Om eenen Man.
Al ben ick een Schipper syn Vrouken gheworden,
Wat leyter an.

EEN OUDT LIEDEKEN

Het quamen drie Ruyters gheloopen
Soo verre in Duytsche Lant.
Met netten en met knoopen, ja knoopen,
Het waren die beste diemen vant.
   Sy quamen voor eender weerdinnen huys
Al daermen tapten den Wijn.
Weerdinne wy droncken so geerne, so geerne,
Wy en hebben geen Geldekijn.
   Waer op soude ick u borghen
Ghy komt uyt vreemde Landen.
U kleederkens die sijn dunne
Ghy en hebter geen Gelt noch pande.
   Doen sprac dat Jonc-wijf vanden huys
Nu tappet den Ruyter den Wijn.

---

waar zou ze zijn? ¶ Haar vrienden en verwanten belasterden haar; om een
man! 'Al ben ik een schippersvrouwtje geworden, wat kan mij dat schelen?'

•

Er kwamen eens in Holland drie soldaten aangereden; zij kwamen uit een ver
land. Zij waren gehuld in gelapte, armoedige vodden; betere soldaten waren er
niet te vinden. ¶ Zij kwamen bij een herberg waar goede wijn getapt werd.
'Waardin, wij zouden zo graag iets drinken; wij hebben alleen geen cent.' ¶ 'Op
grond waarvan zou ik jullie op de pof laten drinken? Jullie komen uit een ver
land, jullie kleren zijn armoedig, jullie hebben geen geld of waardevolle spullen.' ¶ Toen sprak de dienstmeid van het huis: 'Toe, schenk die soldaten een
glas wijn in.

Al dat sy verteeren, ja teeren,
Daer sal ick u borghe voor zijn.
　　Doen sprack die Vrouwe vanden Huys
En spreket niet soo stout.
Sy souden u helpen verteeren, ja teeren,
U Silver ende oock u Gout.
　　Doen sprack die Jongste vanden Huys
Ic woude den Jongsten Ruyter waer mijn.
En ick me sou gaen wandelen, ja wandelen,
Van Straesborgh tot op den Rhijn.
　　Die Jongste Ruyter toogh uyt sijn Net,
Ende wierpt inder Maghet schoot.
Daer stont die Edel Ruyter, ja Ruyter,
In een Wambays van Goude root.

EEN OUT LIEDEKEN

Het voer een Visscher visschen,
Soo verre aen gheenen Rhijn.
Hy en vant daer niet te Visschen,
Dan een hubsch Maechdekijn.
　　O Visscher seyde sy Visscher
Waer toe draecht ghy uwen moet?

Ik sta borg voor alles wat zij verteren.' ¶ De vrouw des huizes zei: 'Spreek toch niet zo onvoorzichtig! Zij zijn in staat om jouw hele voorraad zilver en goud te verteren.' ¶ Toen sprak de jongste dochter van het huis: 'Ik wou dat die jongste soldaat de mijne was. Dan zou ik met hem meetrekken naar Straatsburg aan de Rijn.' ¶ De jongste soldaat trok zijn vodden uit en wierp ze in de schoot van het jonge meisje. Daar stond de edele krijger, gehuld in een wambuis van rood goud.

•

Een visser trok erop uit om te vissen. Een heel eind ver, aan de Rijn. Hij vond daar niets te vissen, behalve een mooi, vrolijk meisje. ¶ 'O visser,' zei zij, 'visser, wat heb je in de zin?

Al tot der hubscher Deerne
Dat dunckt my wesen goet.

    Och Visscher seyde sy visscher
Wat visch hebt ghy ghevaen
Soo verre aen geen groen Heyde
Daer is goet visschen te gaen.

    Aen geen groene Heyde
Daer leydt de coude Sneeu.
Daer vriesen mijn handen en voeten,
Mijn hooft doet my soo wee.

    Vriesen u handen en voeten?
Doet u dat Hooft soo wee?
So gaet al in der Stoven
Daer en vrieset nimmermeer.

    Maer doen de loose Visscher
Al inder Stoven quam,
Doen bestont hy haer te vraghen,
Nae haren ghetroude Man.

    Wat hebdy my te vragen
Nae mijnen ghetroude Man?
Mijn man is inder Kercken
Hy bidt Gods Heylighen an.

    Is u Man al inder Kercken
Ofte inden coelen Wijn
Soo laet ons eten en drincken

Zoek jij een lekker vrouwtje, dat lijkt me een goed idee.' ¶ 'O visser,' zei zij, 'visser, wat voor vis heb je gevangen? Een heel eind ver, in het groene veld; daar kun je lekker vissen!' ¶ 'Het groene veld daarginds is bedekt met koude sneeuw. Daar bevriezen mijn handen en voeten; mijn hoofd doet mij zo'n pijn.' ¶ 'Bevriezen je handen en voeten? Doet je hoofd je zo'n pijn? Nou, kom dan naar mijn kamertje, daar vriest het namelijk nooit.' ¶ Maar toen de listige visser haar kamertje binnenkwam, begon hij haar te vragen naar haar wettige man. ¶ 'Waarom vraag je mij naar mijn wettige man? Mijn man is in de kerk, hij richt zijn gebeden tot Gods heiligen.' ¶ 'Is je man in de kerk of is hij in de kroeg? Laat ons dan eten en drinken,

Ende laet ons vrolick zijn.
      Maer doen sy aten en droncken
Doen quam haer eygen Man.
Doen dachte den loosen Visscher
Hoe come ick nu daer van.
      Dat Vrouken was behendich
Sy goot haer Vissop uyt.
Doen spranck den loosen Visscher
Ter hoogher venster uyt.

EEN OUDT LIEDEKEN

[FIERE MARIENETTE]

Wy hebben in onse Lande
Een so verweenden Kindt!
Sy en wil niet hylicken,
Fiere Marienette,
Sy en wil niet helicken
Om geenderley dingh.
      Sy en wil den Coning niet
Met zijne Croone,
Noch zy en wil den Docter niet,
Fiere Marienette,
Noch zy en wil den Docter niet,

---

en laat ons vrolijk zijn.' ¶ Maar toen zij aten en dronken kwam haar eigen man eraan. Toen dacht de listige visser: hoe kom ik hier nu vandaan? ¶ Het vrouwtje was bij de pinken; zij liet meteen haar geilheid varen. Toen sprong de listige visser uit het hoge raam naar buiten.

•

Wij hebben in ons land zo'n verwaand kind! Zij wil niet trouwen, fiere Marienette! Zij wil niet trouwen, niets kan haar daartoe bewegen! ¶ Zij wil de koning niet, met zijn gouden kroon. Zij wil de dokter ook niet, fiere Marienette, zij wil de dokter ook niet,

Al is hy schoone.
    Sy en wil den Coopman niet,
Met zijnen grooten goet.
Noch zy en wil den Edelman niet,
Fiere Marienette,
Noch zy en wil den Edelman niet,
Al draeght hy hooghen moet.

    Sy en wil den Ackerman niet
Met al zijn Erven,
Noch so wil dat meysken,
Fiere Marienette,
Noch so en wil dat meysken
Geen maghet sterven.

    En dat verhoorden een Vlamingh,
So hubschen Vlaming fijn,
Hy liet zijn Kouskens hackelen,
Fiere Marienette,
Hy liet zijn Kouskens hackelen,
Sijn Kolder snijen.

    Hy sach daer een moy meysjen staen,
O meysjen waert ghy mijn,
Wy hebben in onse Landen,
Fiere Marienette,
Wy hebben in onse Landen
Noch seven molens fijn.

    Wy hebben in onsen Lande

al is hij knap. ¶ Zij wil de koopman niet, met al zijn goud. Zij wil de edelman
ook niet, fiere Marienette, zij wil de edelman ook niet, al is hij nog zo hooghartig. ¶ Zij wil de boer niet, met al zijn landerijen; toch wil dit mooie meisje,
fiere Marienette, toch wil dit mooie meisje niet als maagd sterven. ¶ Een Vlaming kwam dit te weten; een vrolijke, knappe Vlaming. Hij liet zich kousen
breien, fiere Marienette, hij liet zich kousen breien en hij liet zich ook een mooie
kraag aanmeten. Daar zag hij een mooi meisje staan. 'O meisje, ik wou dat jij de
mijne was. Wij hebben in ons land, fiere Marienette, wij hebben in ons land
maar liefst zeven prachtige molens. Wij hebben in ons land

Noch seven molens stout,
Die anders niet en malen,
Fiere Marienette,
Die anders niet en malen
Dan Silver en root Gout.

   Geeft my daer mijn Koffer,
Met mijnen zyen band,
Ick wil met desen Vlaming,
Fiere Marienette,
Ick wil met desen Vlaming
Gaen trecken uyt den land.

   Doen sy te Ceulen quaemen,
Te Ceulen op den Rhijn,
Seght my nu hupschen Vlaming,
Fiere Marienette,
Seght my nu hupschen Vlamingh
Waer dat u molens zijn.

   Ick weet van geenen molens,
Maer van een groote stock,
En wilt ghy noch wat kaeckelen,
Fiere Marienette,
En wilt ghy noch wat kaeckelen,
Die krijght ghy op u cop.

   Waer ick in mijnen lande
Daer ick van dane coom,
Ick sou my dan wel lyen,
Fiere Marienette,

maar liefst zeven flinke molens. Die malen niets anders, fiere Marienette, die malen niets anders dan zilver en rood goud.' ¶ 'Geef mij nu mijn koffer, met mijn zijden sjerp. Ik wil met deze Vlaming, fiere Marienette, ik wil met deze Vlaming het land uittrekken.' ¶ Toen zij in Keulen aankwamen, in Keulen aan de Rijn. 'Zeg mij nu, vrolijke Vlaming, fiere Marienette, zeg mij nu, vrolijke Vlaming, waar toch die molens zijn.' ¶ 'Ik weet niets van die molens, maar wel van een grote stok. En als jij nog wat te kakelen hebt, fiere Marienette, als jij nog wat te kakelen hebt, krijg jij die op je kop.' ¶ 'Was ik maar in mijn vaderland, waar ik vandaan kom. Ik zou dan wel tevreden zijn, fiere Marienette,

Ick sou my dan wel lyen
Al met een Borghers zoon.

NIEU TAFEL-LIEDEKEN

Op de wijse: Het waren twee gespelen stout

Die my dit beeckerken schencken deet
Die sal ick beminnen al wast haer leet.
Dat syer my boot, dat syer my boot,
Dat had ick veel liever haer mondelijn root.

   Al heb ick het meysken niet goets genoech
Het isser voor jonge luy immers te vroech
Om 't goetjen te raen, om 't goetjen te raen,
Daer laet ick de oude luy mede begaen.

   De rijckdommen steken veel sorgen in.
Hoe weyniger goets hoe vrolijcker sin.
Sy binnen al vro, sy binnen al vro
Die 't bedde verteeren en slapen op stro.

   Die mijnder dit kroesken sal doen bescheyt
Die sal ick beminnen al wast hem leyt.
En dencken daer an, en dencken daer an
Als ick vro morgens niet slapen en can.

ik zou dan wel tevreden zijn met een gewone burgermanszoon.'

•

Wie mij dit bekertje wijn te drinken gaf die zal ik beminnen, al bezorgt het haar verdriet. Wat zij mij gaf, wat zij mij gaf; ik zou veel liever haar rode mondje willen hebben. ¶ Wel is het zo dat ik geen geld genoeg heb voor dit meisje. Voor jonge lieden is het immers te vroeg om het geldje bij elkaar te schrapen, om het geldje bij elkaar te schrapen. Dat laat ik aan oude knarren over. ¶ Rijkdom brengt veel zorgen met zich mee. Hoe minder geld, hoe lichter je gemoed. Zij zijn heel vrolijk, zij zijn heel vrolijk, die hun bed moeten verkopen en in het stro moeten slapen. ¶ Wie mij met dit bekertje wijn bedacht, die zal ik beminnen, al bezorgt het haar verdriet. En aan haar denken, en aan haar denken, als ik 's morgens vroeg niet slapen kan.

EEN NIEU JAER LIEDEKEN

Op de wijse: Lief uytverkoren, lief triumphant

Tsa laet ons koopen nieu logenboeck
Het jaer verloopen raeckt in een hoeck.
Nu moetmen quelen en wesen sot,
Al soumen spelen slecht op een schot,
Want hier en daer singhtmen voorwaer
Het nieuwe jaer op menigh Rommelpot.

 Men speelt den Koningh ghelijckmen plagh
Elck in sijn wooningh derthienden dagh.
Op de Tafels schaftmen dan vry
Leckere Wafels en Rysenbry,
Oock altemet Pankoecken vet,
Suycker Bancket en ander leckerny.

 Op ander plaetsen in tijdt van ijs
Rijtmen op Schaetsen om eer en prijs.
Ryers en Rysters zijn by den back
Vryers en Vrysters int beste pack.
Daer komen dan sien veel kijckers na dien
Om te verspien of daer oock yet ghebrack.

 De Kopper dagen volghen daer aen
Om tot sijn magen te gast te gaen.

We moeten een nieuwe almanak kopen, want het voorbije jaar ligt in de hoek. Nu moet men zingen en mal doen, desnoods een klein stukje spelen op een wagenschot, want hier en daar bezingt men voorwaar het nieuwe jaar op menige rommelpot. ¶ Men kiest de koning, zoals men vroeger ook deed, in de huiselijke kring op Driekoningenavond. Op de tafels dist men dan op: lekkere wafels, rijstebrij met vette pannekoeken, suikerwerk en andere lekkernijen. ¶ Wanneer het vriest schaatst men in andere plaatsen om de eer en een beloning. Zowel vrouwen als mannen komen aan de beurt, jonge mensen in hun beste pak. Daar komen dan veel belangstellenden naar kijken, om te zien of daar niets verkeerd zou lopen. ¶ De dagen na Driekoningen volgen dan, die zijn om bij bekenden op bezoek te gaan.

Som loopen mommen met grijnsen veur,
Spelen den stommen na d'oude sleur.
Al zijnse wat mal, dan hevet een val
Het gaet doch al met de Vastelavont deur.
    Princen en Heeren weest vry verheught
Men mach met eeren wel maken vreught.
En oock orbooren een soete klap,
Maer niet versmooren in dronckenschap.
Want die boven reen na Tiribus treen
Wensch ick met een int nieuwe jaer een kap.

NIEU VOOR-SANGH

Op de wijse alst begint

Ghy mannen al die in dit dal
Nu vreughde wilt bedrijven
Schout doch misval groot ende smal
Wacht u van quade wijven.
Want drinckt ghy u nu eens verheught
Soo hebt ghy dan groot ongeneught
En meught int huys, int huys, en meught int huys niet blijven.

Sommigen vermommen zich met een masker voor en maken rommelende ge-
luiden, naar oude gewoonte. Al doen ze wat mal, dat hoort zo, want het past
allemaal bij vastenavond. ¶ Prinsen en heren, verheug u wel! Men mag terecht
nu plezier maken en schertsen, maar zich niet bedrinken, want wie boven de
maat gek doet, wens ik meteen een zotskap in dit nieuwe jaar.

•

Jullie mannen die hier allemaal nu plezier willen maken, groot en klein, pas
toch op voor het gevaar; neem jullie in acht voor kwaadaardige vrouwen.
Want drink je tot je lichtelijk verheugd bent, dan krijg je groot ongemak en mag
je in huis, in huis, en mag je in huis niet binnen.

De vrouwen quaet, seer obstinaet
Soecken geen droncken Mannen.
Maer vroegh en laet is al haer praet
Om aen den ploegh te spannen.
Soo wie hem daer toe niet en vlijt
Die heeft van haer veel twist en strijt.
Ja hiet den bloet, den bloet, den bloet, ja hiet den bloet noch
Hannen.

Menigh slecht bloet is dick wel goet
Al gaet hy somtijts poyen.
Maer 't Wijf verwoet slaet hem met spoet
En soeckt hem 't hooft te vloyen.
Ja dickwils krijght hy wel een schop
En moet oock somtijts blasen op.
Ick heb gheen sin, geen sin, gheen sin, ick heb geen sin int
hoyen.

Princen nu tracht altijt met macht
Om u Wijf te behaghen.
Maeckt datse lacht en vreught verpacht
Soo hoeftse niet te klaghen.
Maeckt oock dat ghy haer huys versiet
Soo sal sy buyten leenen niet.
Biet elck een soen, een soen, een soen, biet elck een soen by
vlaghen.

Die kwaadaardige vrouwen zijn zeer hardnekkig: zij wensen geen dronken
mannen, maar al hun opzet is om jullie vroeg of laat in het gareel te spannen.
Wie zich daaraan niet onderwerpt, die krijgt van haar veel strijd en ruzie, al
heet de sukkel, de sukkel, de sukkel, ja al heet de sukkel nog Domoor. ¶ Menige arme stakker is dikwijls goedaardig, ook al gaat hij soms eens drinken.
Maar de razende vrouw slaat hem zonder aarzelen en timmert op zijn hoofd.
Ja, dikwijls krijgt hij nog een trap toe en moet hij hevig schrikken. Ik heb geen
zin, geen zin, geen zin, ik heb geen zin mij te haasten. ¶ Prinsen, tracht jullie
vrouw altijd met zorg te behagen. Zorg dat ze lacht en pret heeft, dan heeft ze
niet te klagen. Zorg ook dat je haar huis onderhoudt, dan hoeft ze niet bij de
buurman te gaan lenen. Geef haar een zoen, een zoen, een zoen, geef haar
herhaaldelijk een zoen.

EEN SCHRYBENTEN LIET

Op de wijse: Als die aeckeren rijpen soo mest den Boer zijn
Swijn

Pampier dat is soo drooghe
Het verroest die kele mijn
Ick mach niet langer gedoogen
Oft het moetet genettet zijn ongeloogen
Met goet Bier ofte coele Wijn.

Mijn penne wil niet langer schrijven
Mijn verstant can oock niet meer
Dichten oft eenigh dinck bedrijven
Het inckt wil niet langer beclijven
Want mijn herte dat dorstet soo seer.

Die Boeren moetent al betalen
Laet ons slechs maken goede chier
Wy sullen onse scha wel verhalen
Met onse eloquente talen
Al is de Wijn noch soo dier.

Sie vullen ons 'tgelt toe met hopen
Hoe connen wijt weygeren al?
Want seer te recht te loopen

Een afschrijverslied ¶ Papier is zo droog. Het doet mijn keel verroesten. Ik kan het niet langer verdragen of zij moet, eerlijk waar, nat worden gemaakt met goed bier of koele wijn. ¶ Mijn pen wil niet langer schrijven, mijn verstand kan ook niet meer dichten of iets doen. De inkt wil niet langer beklijven, want mijn hart heeft zo'n dorst. ¶ De boeren moeten het allemaal betalen. Laat ons alleen goede sier maken. Wij zullen onze schade wel verhalen met ons welsprekend taalgebruik, al is de wijn nog zo kostbaar. ¶ Zij doen het geld bij ons met hopen binnenstromen, hoe kunnen wij het allemaal weigeren? Want door alsmaar naar de rechtspraak te lopen,

Met brieven sy malcanderen beknopen
Tsy door recht oft ghewelt.

Sy weten niet wat daer schuylet
Onder onse Tabberden lanck
Onsen geest met twee winden huylet
Onse moet veel anders bruylet
Alsmen dat geldeken ontfanckt.

Wy slachten de Lantsknechten
Die dienen den Heer om ghelt
Sy moeten om lijf en leven vechten
Wy dienen den Boeren slechten
Met schryven 'tis beter met ons ghestelt.

Met jonckvroukens also schoone
Daer ist so goet te zijn
Sy hebben soo soeten thoone
Al geeft men haer geldeken te loone
Verblijt u op dit termijn.

De wijn is al te suere
Daer moet soet suyckerken in
Al is sy van geldeken duere
Wy willen daerom niet treuren
Maer met Jonck-vroukens vrolijck zijn.

knopen zij elkaar op met dagvaardingen, via de rechtspraak of door geweld. ¶ Zij weten niet wat er onder onze lange kleren schuilt. Onze geest huilt
met twee winden. Ons gemoed huilt heel anders als we het geld ontvangen. ¶ Wij zijn als de landsknechten die de heer om geld dienen. Zij moeten om
lichaam en leven vechten. Wij dienen de simpele boeren met schrijven. Het is
met ons beter gesteld. ¶ Bij van die mooie meisjes daar is het zo goed toeven.
Zij hebben zo'n zoete zang als men haar geld als loon geeft. Wees dan blij. ¶ De
wijn is veel te zuur, daar moet zoete suiker in. Al is ze duur, wij willen daar niet
over treuren, maar met meisjes vrolijck zijn.

HET WONDERLIJCKE LEVEN VAN SINTE REYN-UYT DE WELCKE EEN PATROON IS VAN ALLE DEUR-BRENGERS

Seer ghenoechlijk om te lesen

Hier begint dat leven van sinte Reyn-uyt
Ende den wegh tot Platte-borse daer menigh Schavuyt
Hem besoect hoe dattel met hem ghestelt is
Die een openbaer vyandt tegen zijn gelt is.

Een Jongheling ziec wesende met Venus plaghen
Ende hy die selve plage niet verdraghen en mochte,
Noch is daer die Luye-coortse toegheslagen
Soo dat hy raet aen een Vrouken sochte,
Die nau maeght was alsoo my dochte
Dus was hy seer wel op haer ghepast
Hy lach seer deerlic, want hem die ziecte tonderbrochte
Alst oft hy die veertich dagen hadde ghevast.
Hy wort een weynich door haer soete woorden ontlast
Want zy hem goeden raet gaf nae mijn verstaen
Ghy moet (sprac zy) wildy ander ghenesen sijn vast

Het wonderlijke leven van Sint-Compleet-Leeg, die de beschermheer is van alle doordraaiers ¶ Zeer vermakelijk om te lezen ¶ Hier begint het leven van Sint-Compleet-Leeg, met een beschrijving van de pelgrimsweg naar Leeg-Zak, waar menig schooier hem bezoekt om te kijken hoe het met hem gaat, omdat hij voortdurend met zijn geld overhoop ligt. ¶ Een jongeling, ziek van hopeloze liefde, kon die kwelling niet meer verdragen. Daar is toen ook nog acute hitsigheid bij gekomen, zodat hij hulp ging zoeken bij een licht vrouwtje, dat nauwelijks een maagd was. Om zo'n vrouw zat hij nu echt te springen. Hij was er beroerd aan toe, want de ziekte dreigde hem te vellen, alsof hij veertig dagen in onthouding had geleefd. Hij werd enigszins door haar lieve woorden getroost, want als ik het goed begrijp gaf ze hem rake adviezen. 'Je moet,' zei ze,

Om uwen aflaet te Platte-borse gaen.

Te Platte-borse te gaen gaf hem groot wonder,
Want hy noch stijf ghenoegh was ghegort.
Hy ondersocht dat Vrouken van boven tot onder
Wat hy daer doen soude met woorden cort.
Sy heeft hem doe de saken plat uut ghestort.
Int gaen (seyde sy) moet ghy u verkloecken
Hierom quijt u Bevaert eer de wonde meerder wort,
Want ghy moet daer sinte Reyn-uyt besoecken.
Hy wert daer besocht van allen hoecken
Hierom maect u rasselijc op de vaert,
Al verteerdy wat geldts dat en meugdy niet roecken
Want dit is den rechten wegh te Platte-borsewaert.

De Jonghelinck stelde hem ras inden gang
Door hulp van 't vrouken, zijt dies wel vroet,
Gheraecten hy op den rechten wegh eer yet lang.
En hy bedancten tvrouwken met woorden soet,
Om dat zy hem ghebrocht had met goede voorspoet
Op den rechten wech sonder eenigh cesseren.
Te Bijster-veldt in een Herberghe goet,
Aldaer sy des avonts logeeren.
Want daer so veel Gildekens passeeren

'voor je gerief naar Plat-Zak gaan, tenminste als je weer wilt genezen.' ¶ Het verbaasde hem zeer dat hij naar Plat-Zak moest gaan, want hij stond nog wel overeind. Hij inspecteerde het vrouwtje van top tot teen, om te taxeren, kort gezegd, wat hij zou kunnen klaarmaken. Zij heeft er toen verder geen doekjes om gewonden. 'Om op gang te komen,' zei ze, 'moet je wel je mannetje staan. Zorg dat je klaarkomt met je onderneming, anders wordt je ziekte erger, want het is absoluut noodzakelijk om een bezoek af te leggen bij Sint-Compleet-Leeg. Hij krijgt bezoek uit alle windstreken, daarom moet je snel op pad gaan. En al geef je wat uit, dat mag geen bezwaar zijn, want zo verloopt precies de weg naar Leeg-Zak.' ¶ De jongeling kwam snel op gang. Dankzij de hulp van het vrouwtje (begrijp me goed) zat hij in een mum van tijd precies in het goede spoor. En hij bedankte het vrouwtje met lieve woorden, omdat zij hem zo voortvarend en zonder enige aarzeling de juiste weg gewezen had. Ze logeerden 's avonds in een aangename herberg in Kalenetenland. Daar komen vele kameraden langs

Die mede Bevaert gaen, som Wals, som Duyts.
Want als sy savonts haer Rocxkens verteeren,
Soo sijnse wel half weghen van sinte Reyn-uyts.
　　Te Bijster velt zijnde, noyt sotter kluyte,
Daer vant hy veele van zijn ghebuyren.
Sy droncken den Wijn en spaerden de Kuyte.
Ten was niet quaet, haddet lang moeten duyren.
Den heele nacht en docht hem gheen twee uyren,
Elc leefden daer in eenen Ridderlijcke staet.
Maer smorgens steldet die Weerdin al in reuren.
Sy rekende een pontgroot, dat dochte hen te quaet.
Nochtans had hy gheleeft naet vrouken raet.
Hoe wel die Weerdin eerst maeckten den twist,
Zynen buydel maecte den peys te laet,
Want hy heefter een gouden pontgroot ghemist.
　　Bijster-veldt gepasseert zijnde naer d'oude maniere
Daer was hy recht nae zijnen staet ghesteldt,
In Claes Kommers Herberghe, byden viere,
Daer bleefden buydel met al zijn geldt.
Hy wert soo suyver als een ey ghepelt.
Claes Kommers Herberghe mocht hy wel vloecken,

die ook op bedevaart zijn, zowel Fransen als Duitsers. En als zij 's avonds hun
kleren verspelen, dan zijn ze al half op weg naar Sint-Compleet-Leeg. ¶ Daar in
Kalenetenland (zo gek heb je het nog nooit gehoord) trof hij heel wat soortgenoten aan. Ze dronken wijn en lieten het goedkope bier staan. Zo was het
mooi leven, en dat had altijd mogen voortduren. De hele nacht was naar hun
gevoel in nog geen twee uren voorbij, en iedereen leefde op grote voet. Maar de
volgende ochtend schudde de waardin hen pijnlijk wakker, want ze rekende
een enorm bedrag voor het gelag. Ze zaten er erg mee in hun maag, hoewel hij
toch de raad van het vrouwtje had opgevolgd! Eerst moest de waardin enorm
tekeergaan, voordat zijn buidel eindelijk weer vrede bracht, te laat weliswaar
want nu moest hij haar ook nog sussen met een fooi. ¶ Na Kalenetenland op de
vertrouwde wijze gedaan te hebben, kwam hij volledig aan zijn trekken bij het
haardvuur van Klaas Kommers herberg. Daar moest hij zijn geldbuidel achterlaten, want hij werd zo kaal gepeld als een ei. Hij zou Klaas Kommers herberg
graag vervloeken,

Voort Bier worden daer drie schellinghen ghetelt.
Hy besocht zijn buydel in allen hoecken
Sulck wonder en vant men noyt beschreven in boecken
Twee stuyvers most hy voor de Mostaert betalen
Elck wachter hem voor ten baet gheen vloecken.
Hy most daer geldt oft pandt gaen halen.

    Claes Commer woude zijn ongheblameert
Ende heeft hem voor ghewesen den rechten padt
Want hy zijn Herberghe was deur ghepasseert.
Dus van goeder vrientschaps weghen dede hy dat.
Hy sandt hem te Blootegem binnen der stadt,
Aldaer hem de honden na liepen om te bijten
Seer ootmoedelijck hy daer neder sadt,
Om dat hy zijn Beevaert te beter soude quijten.
Voorwaer ten verschilde hem qualijck twee wijten,
Oft hy en had aldaer sinte Reyn-uyt versocht
De Weerdinne lachte dat sy meenden te splijten,
Want zy had hem dunne-bier voor Kuyt vercocht.

    Aldus is hy op t'leste ghecomen met blijden gheeste
Tot sinte Reyn-uyt, sonder langher te dralen
Ende daer heeft hem Pover ghenoot ter Feeste,
Omdat hy niet voorder en soude dwalen.

---

want voor het bier moest je daar wel drie schellingen neerleggen. Hij plunderde
zijn buidel tot op de bodem. En van zoiets heb je ook nog nooit gehoord: liefst
twee stuivers moest hij voor de mosterd betalen! Wees dus op je hoede, want
vloeken helpt niet. En hij moest maar zien dat hij aan geld of een onderpand
kwam. ¶ Klaas Kommer wilde geen blaam treffen en heeft hem weer op het
rechte pad gezet, nu hij zijn herberg achter de rug had. En begrijp het goed: hij
deed dat uit vriendschap. Hij stuurde hem naar de stad Blootegem, waar de
honden hem in zijn kuiten beten. Terneergeslagen ging hij daar zitten, want hij
wou zo graag zijn bedevaart tot een goed eind brengen. En echt, op twee stuivers na had hij toen al Sint-Compleet-Leeg aangedaan. De waardin lachte zich
een breuk, want zij had hem waterbier in plaats van pils verkocht. ¶ Zo is hij
ten slotte blijmoedig gearriveerd bij Sint-Compleet-Leeg, zonder verdere om-
wegen. Daar is hij welwillend opgevangen door Pover, om te vermijden dat hij
nog verder zou dwalen.

Noyt Pelgrim en mochte sijn schult duyrder betalen
Als desen Jonghelingh zijn Bevaert heeft ghequijt.
Niet met allen en behielt hy na mijn verhalen
Anders dan een paer Teerlinghen ende Krijt.
Dit dede hy al om der Gilden profijt.
Hy vercocht sijn hemde met luysen en vloyen
Dus mocht hy wel springhen, dit seker zijt,
Met de gheschoren Schapen uut der Koyen.

    Tot sinte Reyn-uyts is hy ter Kermisse ghecomen
Al en heeftet hem daer niet seer wel gheluckt
Want Willem Alberoyt heeft hem terstont vernomen
Ende heeft hem als een magheren Gans ghepluckt.
Zijn cousen waren achter soo seer ghestuckt,
Soo datmen de Kalendgier mochte beschouwen
Ende daer om was hy vande Weerdinne verdruckt,
Om dat hy gheen Duym-kruyt en hadde behouwen.
Noch wil ick wel sweeren by zijnder trouwen,
Dat mender wel meer vindt die comen in dolen
Door quaden raet van schoone Vrouwen
Het waer hen beter ghebleven uut sulcke Scholen.

    Nu sal ick u noch al te samen laten weten

Geen pelgrim deed zwaarder boete dan deze jongeling met het afleggen van
zo'n bedevaart. Totaal niets heeft hij naar mijn informatie mogen overhouden,
misschien een paar dobbelstenen en een stukje krijt. Dat heeft hij allemaal
gedaan ten voordele van zijn potverteerdersgilde. Hij verkocht ook zijn hemd
vol luizen en vlooien, zodat je ervan verzekerd kunt zijn dat hij als een geschoren schaap uit de kooi sprong. ¶ Bij Sint-Compleet-Leeg is hij kermis gaan
vieren, maar hij is daar weinig aan zijn trekken gekomen. Willem Zondercent
heeft hem meteen te grazen genomen en als een gans kaalgeplukt. En hij kreeg
zulke gaten in zijn broek, dat zijn billen erdoorheen schenen. Daarom werd hij
er door de waardin uit gegooid, omdat hij geen rooie cent meer overhad. Toch
moet ik hem nageven, dat er wel meer aan het dolen slaan door zich te laten
misleiden door de valse praatjes van mooie vrouwen. Ze zouden beter af geweest zijn, wanneer ze zich verre gehouden hadden van zulk onderwijs. ¶ Tot
slot zal ik u samenvattend informeren over

Het gheslachte daer af dat was ghebooren
Sinte Reyn-uyt, t'waer immer quaet vergheten.
Daer was een waerdighe Vrouwe vercooren,
Vrou Lorts was sy ghenaemt, soo ghy wilt hooren.
Mary-muyls suster van herten vry
Die haer Maeghdom inde Koe-kribbe heeft verloren
Dat was sinte Reyn-uyts moeder, dat segghe ick dy.
Nu sal ick u de Vader noemen daer by,
Die Magher-man gheheeten was sonder spot
Die nerghens wellecoom inde Keucken en sy,
Want ter menigher stede roert hy die Pot.
    Hier mede willen wy deese redenen laten
Ick bidde alle goede gildekens dat sy toe sien by tye
Ende wachten hen voor den wegh het sal hen veel baten
Met eerbaer persoonen maeckt u Compangie,
Ende merckt hoe sy bedroghen worden aen allen zye,
Die daghelijcx de schoone Vroukens soecken
Zy crijghen twist, vechtinghe, ende bittere envye,
Kreupel oft lam ghehouwen in sommighe hoecken.
Als dan moeten sy sinte Reyn-uyt besoecken
Ende lijden armoede sonder ghetal

het geslacht waaruit Sint-Compleet-Leeg geboren is, anders gaat die kennis
jammerlijk verloren. Het begint met een uitverkoren, nobele dame, die de
naam droeg van Vrouwe Bedrog, als je me goed verstaat. Zij was de vrijgevochten zuster van Pantoffelmarietje, die haar maagdelijkheid in een krib verloren
heeft. En die was nu de moeder van Sint-Compleet-Leeg zoals ik u kan verzekeren. Daarbij kan ik u ook de vader noemen, die Magerman heette, zonder
gekheid. Nergens hoort hij welkom te zijn in de keuken, want hij roert al op
vele plaatsen de pot. ¶ Hierbij willen wij het laten. Alle goedwillende doordraaiers vraag ik om zich zo nu en dan gedeisd te houden en een afgang te
vermijden, dan zal het veel beter gaan. Verkeer in het gezelschap van eerbare
mensen. En let goed op hoe vrouwenjagers aan alle kanten bedrogen uitkomen.
Ze krijgen onderling onenigheid, vechten en zijn bitter jaloers, raken hier en
daar zelfs kreupel of lam. Zo komen ze vanzelf uit bij Sint-Compleet-Leeg en
lijden mateloze armoede.

Den heylighen Man meught ghy dan vloecken.
Elck wachter hem voor, dit is t'slot van al.

Finis

♦

VAN DEN LANGHEN WAGHEN, ENDE VAN ZIJN LICHT-GHELADEN VRACHT VAN ALDERHANDE VOLCXKEN

Seer ghenoeghlijk om te lesen

Groote nieuwe maren heb ick vernomen
Dies moghen wy ons allen wel verblijden
Hier is een langhe Waghen ghecomen.
Wy sullen nu allen goet coop rijden
Daer en derf nu niemant meer gaen besijden
Elck mach nu vry zijn schoenen spaeren
Laet sorghen varen, laet treuren lijden,
Wilt vromelijck op de waghen schrijden,
Den Langhen Waghen sal gaen varen.
Maechdekens daer sloot in is ghevallen

Dan kun je met recht de heilige man vervloeken. Pas dus goed op! En nu ben ik
uitgepraat. Einde.

•

Over de Lange Wagen en zijn lichtzinnige vracht van allerhande volk ¶ Heel
aangenaam om te lezen ¶ Groot nieuws heb ik vernomen, dat ons allen blij
mag stemmen: er is een Lange Wagen gearriveerd! Nu kunnen we allemaal
goedkoop op reis, niemand hoeft achter te blijven en iedereen kan zijn zolen
sparen. Weg met alle zorgen, voorbij met alle pijn. Betreedt met opgeheven
hoofd de wagen, want de Lange Wagen zal zo vertrekken. ¶ Meisjes die hun
maagdom hebben verloren,

Van meer dan haerder drie oft viere
Die sullen voor sitten met haer allen,
Alleen om hare ontfermhertighe maniere
Coppelersse die kloeck zijn van bestiere,
By de welcke alle vrou Venus kinderen vergaren
Alle Vroukens die eerbaer zijn perderiere
Zit op de Waghen maeckt goet chiere,
Den langhen Waghen sal ghaen varen.

    Nopperse die geerne int ravot zijn,
Verleserssen die geerne speelen en koken
Ende alle die met vrou Venus besnot zijn,
Zit op, u een stede besproken.
Jonckvrouwen die noode haer doexkens kroken
Gaep teylen, Laudaten, en sulcke blaren
Alle die Maerten de vuyl pottagie koken,
Schickt u by een, sit sonder stoken,
Den langhen Waghen sal ghaen varen.

    Alle die Coppelen cunnen drayen
Ofte die Faelgien cunnen vouwen
Ende alle die sonder keersen wel naeyen
Sullen oock op de Waghen sitten in trouwen.
Biddelersen, Comeren, ende Vroe-vrouwen,

zo'n drie of vier van hen moeten voorin bij elkaar zitten, alleen al vanwege hun open instelling. Daarbij horen ook ondernemende hoerenmadams, die alle geilaards weten op te vangen, en niet te vergeten alle vrouwtjes die kuis zijn maar niet heus. Ga zitten in de wagen en neem het ervan, want de Lange Wagen zal zo vertrekken. ¶ Naaimeisjes die graag ravotten, kwakzalfsters die graag vrijen en liefdesdrankjes brouwen, kortom iedereen die geilt op de liefde, stap in want je plaats is gereserveerd. Dienstmeisjes die hun handen niet vuilmaken, luiwammesen, sloeries en meer van zulke teven, alle keukenmeiden die de soep laten aanbranden, schik een beetje op en blijf dan rustig zitten, want de Lange Wagen zal zo vertrekken. ¶ Alle koppelaars en vlijers, en iedereen die de kat in het donker knijpt, zij allen horen ook op de wagen thuis. Bedelaressen, oude wijven, vroedvrouwen,

Klappeyen, Toveressen, ende Maren
Ende alle die geerne leertouwen,
Moghen al te samen wel achter aen houwen,
Den Langhen Waghen sal ghaen varen.

Schoone vrouwen die in t'stoven gaen varen
Ende anderen oock die Huys-musschen schieten
Weerdinnen die haer ghasten gherief doen
Ende met sint Joris Vissop gieten,
Ghenen arbeyt en laeten sy hun verdrieten,
Want sy heur dickwils soo minnelijck paren.
Sy sullen daer voor haer deught ghenieten.
Het waer quaet dat wijse achter lieten,
Den Langhen Waghen sal gaen varen.

Papen met de costers, de een met de anderen
Bagijnen ende Susters maeckt u bereedt
Ghy Gheestelijcken schickt u by malkanderen,
Ghy weet wel waer u plaetsken steet.
Man oft Wijf die achter uut sleet,
Pijppers en Bommers, en die speelen op snaren
Ten is gheen noot dat yemant geet,
Zit op, al waert den Voerman leet,
Den Langhen Waghen sal ghaen varen.

roddeltantes, toverkollen en heksen, en iedereen die graag recht op en neer gaat, die kunnen allen achterin zitten, want de Lange Wagen zal zo vertrekken. ¶ Mooie vrouwen die hun heil zoeken in het badhuis, en ook anderen die er wat bijverdienen, waardinnen die hun gasten aan hun gerief helpen met speciale attracties, hun allen is geen moeite te veel om zich zo geil mogelijk voor te doen. Zij horen voor hun kwaliteiten beloond te worden. Het zou stom zijn om hen achter te laten, want de Lange Wagen zal zo vertrekken. ¶ Pastoors met hun koster, begijnen en kloosterzusters, maak u met elkaar gereed. Jullie geestelijken moeten bij elkaar gaan zitten, jullie weten je plaatsje wel. Mannen of vrouwen die in de versukkeling raken, blazers en trommelslagers, bespelers van snaarinstrumenten, jullie hoeven niet mee te gaan, maar stap in als je wilt, ook al ziet de wagenmenner het niet zitten, want de Lange Wagen zal zo vertrekken.

Haest u allen die mede sullen rijden
Ghy roeckeloose vander Milaer banck
Voert u kleederen in lombaerdijen,
Want Hasaert verlost u van 't gheklanck.
Nauwelijcx en suldy smorgens houden een blanck.
Zit alle op met groote scharen
Scheve, Scheluwe stom ende manck:
Kreupele, Kromme, schorfde ende cranck,
Den Langhen Waghen sal gaen varen.

   Alle die geerne haer keelken netten
Groote stercke dronckaerts waren quaet vergheten
Men salse mede op de waghen setten.
d'Een dronckaert laet het den anderen weten
Jae al die goet geweest hebben al zijnse versleten,
Achter lam ende oudt van Jaeren.
Zy waren ghoet mede op ghesseten.
Comt alle men sal u voeten meten,
Den Langhen Waghen sal gaen varen.

   Tant-treckers ende Driakel-coopers
Makelaers ende Rosch-tuysschers zit achter int beste
Truwanten, Rabauwen ende Landt-loopers,
t'Vergaert hier al uut oosten ende westen.
Al vonde ick uwer hondert nesten,

Kom snel al wie nog mee wil rijden. Jullie onbekommerde geldleners, breng je
kleren naar de lommerd, want de dobbelsteen maakt het stil in jullie beurs:
's ochtends bezit je nauwelijks een stuiver meer. Stap allemaal met elkaar in,
hinkepoten, schelen, doofstommen en manken, kreupelen, gebochelden,
schurftlijders en zieken, want de Lange Wagen zal zo vertrekken. ¶ Allen die
graag van een borreltje houden, zulke grote, sterke zuiplappen mogen we niet
vergeten. Ze horen ook in de wagen thuis, de ene dronkelap zegt het de andere
voort. Eigenlijk willen we iedereen hebben die het er vroeger goed van genomen heeft, ook al zijn ze nu versleten, halflam en sterk bejaard. Wees welkom,
jullie passen er nog wel op, want de Lange Wagen zal zo vertrekken. ¶ Tand-
trekkers, kwakzalvers, tussenhandelaars en paardenverkopers kunnen ook beter achterin zitten. Zwervers, oplichters en landlopers komen uit alle windstreken aanwaaien. Al zou ik voor jullie honderd schuilhoeken weten,

Ick en souder niet eenen openbaren
Quisteerders elck met zijnder questen,
Schickt u by een, Godt kent de besten,
Den Langhen Waghen sal gaen varen.

  Oock die hem voor dieven kan wachten
Ende zijn kleederen hoedt voor de Motten
Ende tgelt te vooren neemt van drie pachten,
Sorght niet dat sulck volck geldt sal potten,
De ghesellen souden met hen spotten.
t'Geldt soude hen te seer beswaren
Oft t'mochte hen in haer borsen rotten.
Zit op den Waghen ghy jonghe sotten,
Den Langhen Waghen sal ghaen varen.

  Isser yemant achter van dien van doene
Niemant en schame hem, comt sonder prijcken
Al en waert niemant dan den blinden coene,
Hy mach wel op den wagen gaen strijcken,
Een schoon herte soude hem wel ghelijcken.
Maes Bacx wijf spint soo goeden garen
Sotten ende Sottinnen uut allen wijcken
Haest u loopt sonder omme kijcken,
Den Langhen Waghen sal gaen varen.

ik zou er niet een verklappen. Aflaathandelaars, ieder met zijn eigen wijk, ga bij
elkaar zitten, God weet wat jullie waard zijn, want de Lange Wagen zal zo
vertrekken. ¶ Ook zij die waken voor diefstal, hun kleren beschermen tegen de
motten en de pacht voor het exploiteren van hun bezittingen van tevoren laten
betalen, wees niet bang dat zulk volk op zijn geld gaat zitten, want ze zouden de
wind van voren krijgen van hun vrienden. Het geld zou hun een loden last zijn
bij de gedachte dat het in hun beurzen zou wegrotten. Stap in de wagen, jullie
onnozele halzen, want de Lange Wagen zal zo vertrekken. ¶ Blijft er iemand
achter van dit soort mensen, schaam je niet en kom je zonder gezichtsverlies
alsnog aanmelden. Al hoeven we maar op een enkele blinde te rekenen, hij is
van harte welkom in de wagen en doet niet onder voor de fraaiste passagier. En
de vrouw van Maes Bacx spint daar goed garen bij. Haast je, zotten en zottin-
nen uit alle windstreken, en kijk niet meer om, want de Lange Wagen zal zo
vertrekken.

Wagheman kijckt eens om besiet u Vracht
Wat lichter stoffe hebdy ghelayen
Wie hadde hem voor sulcken volck ghewacht,
Het soude wel met den winde wech wayen.
God heeft den Wagheman Vracht berayen.
Vaert wegh, God wil u wel bewaren.
Ten langhen-waghenwaert gaen wy drayen.
Die 't niet en cost, wat mach 't hem schayen,
Den Langhen Waghen wil gaen varen.

Finis

◆

DE GHEWELDIGHE STRIJT TUSSCHEN DEN HARING WESENDE EEN CONING ENDE PRINCE VANDER ZEE, ENDE DEN KABELIAU, OOCK EEN MACHTIGH REGENT VAN DER ZEE ZIJNDE

Seer ghenoeghlijk om te lesen

Hoort, hoort al te samen wijsen ende discreten,
Wat nieus sullen wy u laten weten

Wagenmenner, kijk eens om en zie je vracht eens aan. Wat een lichtgewichten heb je ingeladen! Wie had nu zulk volk verwacht, het verwaait zo in de wind. God heeft de wagenmenner aan deze vracht geholpen. Vertrek, God zal jullie hoeden. Wij gaan ons ook in de richting van de Lange Wagen begeven. En wie dat niet vermag, wat kan het schelen, want de Lange Wagen zal zo vertrekken. Einde.

•

Het verschrikkelijke gevecht tussen de Haring, koning en vorst van de zee, en de Kabeljauw, die ook een machtig bewindvoerder over de zee was ¶ Heel aangenaam om te lezen ¶ Hoort goed, alle verzamelde wijzen en geleerden, wat voor nieuws wij u kunnen laten weten

Van datter gheschiet is vry ongheblaemt.
Daer hebben veel teeckenen gheweest inde Planeten,
Verthoonende groote bloet-stortinge sonder vergeten.
t'Is nu volcomen, want daer is versaemt
Eenen Coning die den Haring is ghenaemt,
Welcke van een hoop Kabiljauwen wert bespronghen
Om te vechten waren sy wel gheblaemt,
Ende ghewapent elck met platte tonghen
Maer den Haring heeft den Kabiljau soo bedwongen
Dat hy moste aendoen een gat van een Molen
Dit is gheschiet aen de kant van Polen.

  De Schelvisch, wesende des Kabiljaus broere
Heeft dit vernomen hoort dese voere
Als dat den Kabiljau was in grooter pijnen
Hy heeft de geheele Zee ghestelt in roere
En met hem genomen duysent tonnen met poere
Ende veel ander Artelerye, seer fel van mijnen,
Haghe-bussen, Kertouwen en Scherpentijnen
Met groote bombaerden, verstaet dit plat
Haringen tweentseventich hondert duysent douzijnen
Hebben sy geslaghen van des Kabiljaus gat.
Als nu de Kabiljau heeft vernomen dat

over wat er onlangs gebeurd is, zonder een blad voor de mond te nemen. Er zijn veel voortekenen geweest in de sterren, die heel beslist op een groot bloedvergieten wezen. Dat is nu uitgekomen, want daar is een gezelschap van koning Haring bijeengekomen dat door een bende kabeljauwen werd overvallen. Die hadden een slechte naam als vechtersbazen, elk gewapend met platte tongen. Maar de haring heeft de kabeljauw zo in het nauw gebracht, dat hij moest schuilen onder een watermolen. Dit heeft zich allemaal afgespeeld voor de kust van Polen. ¶ Hoor nu verder hoe de schelvis, broer van de kabeljauw, vernomen heeft dat deze in grote moeilijkheden verkeerde. Daarop heeft hij de hele zee in opschudding gebracht door zich te bewapenen met duizend tonnen buskruit en zeer gevarieerde en angstaanjagend ogende artillerie zoals vuurroeren, schietijzers en kleine kanonnen. Toen hebben ze, let wel, met grote mortieren tweeënzeventighonderdduizend dozijn haringen verdreven van de wijkplaats van de kabeljauw. En toen de kabeljauw doorkreeg,

Zijn broeder den Schelvisch hem quam te bate
Is hy kloeckelijck ghesprongen uut zijnen gate.

    Dese haringhen wesende kloeck ende onvervaert
Sy hebben veel schollen t'samen vergaert
Om te stellen inden eersten avangaerde
Ten tweeden veel Wijtinghen lang ghebaert.
En die Pladijsekens hebben die Coning bewaert
Met Hellebaerden, Pijcken, ende kluyten van aerde.
Jae de Mosselen quamen daer ghereden te paerde,
Al met den Haring ter selver tijt
Zy hebben daer ghelegen als d'onvervaerde
Twaelf daghen sonder te hebben strijt.
Aldaer heeft ghebroet de selfde nijt,
Ten eynde van dien sy hun also bedochten
Dat sy veerthien daghen langh hebben ghevochten

    Elck weerde hem kloeckelijck nae 't oude pleghen
Trompetten en Trommelen heeftmen daer gheslegen,
t'Wasser al slae doot, noyt sulcken allarmen
Niet veel Schelvisschen en hebbender t'lijf ontdreghen
Veel doode lichamen hebben daer ghelegen.
Uut des Kabiljaus balghe hinghen de darmen.
Noyt en saegt ghy Haringen also verwarmen.

---

dat zijn broer de schelvis hem te hulp kwam, is hij dapper uit zijn schuilplaats te
voorschijn gesprongen. ¶ De haringen, eveneens kloek en onvervaard, hebben
daarop een leger schollen gevormd om als voorhoede op te stellen, met in de
tweede linie langgebaarde wijtingen. En de botjes vormden de lijfwacht van de
koning, gewapend met hellebaarden, pieken en modderkluiten. Zelfs de mosselen rukten ook te paard uit om de haring te steunen. Twaalf dagen hebben zij
daar allen onversaagd in stelling gelegen, zonder een vin te verroeren. Maar de
haat en nijd begonnen opnieuw te broeien, waardoor ze ten slotte zo van gedachten veranderden, dat ze veertien dagen lang hebben gevochten. ¶ Eenieder
weerde zich dapper, zoals men mocht verwachten. Trompetten weerklonken,
men hoorde trommels slaan. Men vocht op leven en dood, nooit was er groter
opschudding. Niet veel schelvissen zijn daar levend weggekomen. Overal lagen
dode lichamen. De darmen hingen uit de pens van de kabeljauw. Nooit eerder
zag men haringen zo tekeergaan.

Sy riepen slae doot met eenen fellen moet
De Kabiljauwen staken op haer armen,
Ende riepen ghenade heer Coning goet.
Vijf hondert mijlen was de Zee niet dan bloet
Noyt sulcke plaghen ooghen aensaghen.
Hier na maectemen een bestant van seven daghen.

    Maer de steuren dit vernamen, my wel verstaet
Als dattet den Kabiljau hadde te quaet
Zy zijn ghecomen tot zijnen onderstande
Ende seyden: Heer Kabiljau tis groote misdaet
Dat ghy u aldus tonderbrenghen laet.
t'Fy al de werelt spreeckt het u schande.
Ziet, ick stelle lijf en goet te pande
Indien wy den Haring niet en brenghen int verseeren
Men heefter ghevanghen so menighen mande,
Want sy en weten van gheen wederkeeren:
Elck heeft uut ghesonden zijn groote Heeren,
Om pays te maecken vry als de wijse
Maer den Haring was qualijck van advijse.

    Doe quamen twee oude Rocchen uut de Roode Zee
Aldaer ghesonden zijnde als personen van bescheyde
Om den pays te maecken sonder cesseren.

Vol vuur riepen ze: 'Sla ze dood!' De kabeljauwen staken hun armen in de lucht
en riepen: 'Genade, sire van een koning!' Over vijfhonderd mijlen was de zee
één bloedplas. Niemand heeft dergelijke rampen ooit eerder gezien. Na de
slachtpartij sloot men een bestand voor zeven dagen. ¶ Toen echter de steuren
vernamen dat de kabeljauw in grote nood verkeerde, zijn ze hem te hulp gekomen met de woorden: 'Heer Kabeljauw, het is een schande dat u zich op die
manier laat onderwerpen. Voorwaar, de hele wereld houdt u deze schande na.
Kijk, wij gooien ons leven en bezit in de strijd om de haring in het nauw te
brengen.' Toen heeft men manden vol haring gevangen, want ze weten van
geen ophouden. Daarop hebben alle partijen hun aanvoerders uitgezonden om
vrede tot stand te brengen, zoals het wijze mensen betaamt. Maar de haring
wilde niet luisteren. ¶ Toen zijn er twee bejaarde roggen uit de Rode Zee gekomen, die vanwege hun scherpe inzicht daarheen gestuurd waren om zonder
verwijl de vrede te stichten.

Op lijf ende goet ende al't gheree
Maecktemen t'Verbont dat elck bleef ghedwee,
Ende dat d'een d'ander niet en soude Molesteren:
De wijting ging den Haring krooneren,
Ende Pladijsekens stonden daer ooc present.
Eert al ghedaen was, wilt dit gronderen,
Men sloegher veele platte Ridders int kroonement.
Men bedreeffer vreuchde tot inden endt.
Elc segget den anderen mannen en wijven:
Den Haringh is Coning, en hy salse blijven.
t'Is gheschiet int Jaer min dan seventhiene,
En diet niet en ghelooft, mach het gaen besiene.

Finis

♦

[RIJMSPREUK]

Half ghoet, half quaet;
Half Vlas, half draet;
Half dicht, half leck;
Half wijs, half geck;

Met inzet van leven, bezit en de complete bewapeningen sloot men het verdrag, waarbij elk beloofde zich koest te houden en elkaar niet te molesteren. De wijting schonk de haring een lauwerkrans onder aanwezigheid van de botjes. En voor het eind van de plechtigheid, het mag niet onvermeld blijven, werden veel van die platvisridders nog onderscheiden. Daarna was er tot diep in de nacht groot feest. En iedereen moet weten, dat de haring de enige koning is en dat altijd zal blijven. Zo is het gebeurd in het jaar zeventien vóór je weet wel. En wie het niet gelooft moet zelf maar gaan kijken. Einde.

•

Half goed, half kwaad; half vlas, half draad; half dicht, half lek; half wijs, half gek;

Half eer, half schande;
Is de manier vanden Lande.

◆

DIT IS DEN EEDT VAN MEESTER OOM MET VIER OOREN, PRINCE DER DOOREN

Die Ghrijpier:
Hoort ende swijcht die hun in der sotten rijck generen al,
Wat die Coninck der dooren hier gheloven en sweren sal.

Heer Coninck, hier sittende in u Malvesteijt,
Den Eet te doene suldij sijn bereijt,
En opdat ghi weten moecht, dwelc u noot is,
't Rijck der sotten dat zeer wijt en groot is
Wel te regerene buten en binnen
Met onbedachte, onghestapelde sinnen,
Soo moet ghi met mallen rade onverbolgen
Dese punten onderhouden die hierna volgen.

In den eersten moetij alle geestelicke personen
Die gheern onder d'oude cleermerct woonen

half eer, half schande — zo gaat het in de wereld toe.

•

Hier volgt de eed van Meester Oom met vier oren, prins der zotten ¶ De grijpgrage secretaris: 'Zwijg en luister allen die tekeergaan in het zottenrijk, naar
wat de koning der zotten hier zal verklaren en zweren. ¶ Edele koning, hier
gezeten in al uw Mallesteit, u moet gereedstaan om de eed af te leggen, zodat u
zich bewust wordt van hetgeen men van u verwacht, namelijk dat u het onmetelijke rijk der zotten in alle opzichten goed regeert, zonder na te denken en
met veel humor. Daartoe moet u de volgende wetten in acht nemen, dolzinnig
en toch heel kalm. ¶ Ten eerste de geestelijken, die graag hun kazuifels ver-
kwanselen

En gheern in den boec lesen tot hunder schade
Die men open slaet niet wijs van rade,
Die wijn en bier niet en laten verscalen
En veel meer borghen dan si connen betalen,
Nonnen die uutlopen en gaen hun gangen,
Munneken die de cappe op den tuyn hangen,
Dese moetij al scutten en schermen
Als si van aermoede claghen en kermen.

Voordt moetij allen eesel vassallen
Die met gehuerde peerden hun ridderscap halen,
Alle groote pochhansen sonder moet,
Alle groote braggheerders sonder goet,
Alle Cappiteynen, ruters en knechten,
Die liever moeskoppen dan op di vianden vechten,
Die 't al metter tonghen connen vernielen
Maer laten di lappen sien, oft keeren di hielen,
Dese moetij in sotter ordinancien leijen,
Soo lang totdat si ghesneden sijn van der keijen.

Oock moetij alle leepe, loose gheesen,
Oude coppelerssen, jonge gescuerde weesen,
Camercatten, sluypsielen met hoopen,

en tot hun schade en schande in de liefde verzeild raken, die wijn en bier niet
laten verschalen en veel meer uitgeven dan ze kunnen betalen, en ook de nonnen die aan de zwier gaan en monniken die hun pijen aan de wilgen hangen, die
moet u allemaal bescherming geven wanneer ze klagen en kermen over hun
armoe. ¶ Verder alle ezelvazallen, die dankzij kruiwagens het ridderschap verwerven, alle grote opscheppers die niets klaarmaken, alle grote praalhanzen die
niets bezitten, alle legerkapiteins, ruiters en lansknechten die liever plunderen
dan de vijand bevechten, die alles en iedereen met hun tong de grond in boren
maar als het erop aankomt hun achterwerk en hielen tonen, die moet u allemaal in het zotte gelid krijgen, totdat ze van hun zotheid bevrijd zijn. ¶ Ook
alle sluwe, luie hoeren, oude hoerenmadams, jeugdig ontmaagde weeskinde-
ren, bijzitten en al die stiekeme hoertjes,

Meijskens die de knechtkens naloopen,
Vroukens die meer dan met eender spoelen weven,
Heijmelijc nootturft soeken en gelt toegeven,
Alle laudaten, alle vrou vuylen,
Alle scieloosen, alle afgereden guylen,
Dese en dierghelicke vrouwen
Moetij in hun oude previlegie houwen,
Di hun noit van gheenen heeren en zijn genomen,
Voordat si Sint Jops of in 't Gasthuys comen.

Oock moetij die edel ghilde, licht van sinnen,
Die 't heden verteren dat sij morghen winnen,
Die geldeloos slempen met genuchten
En hun panden tot mijns oomkens vluchten,
't Ghelach met rock oft mantel betalen,
Alle mulders die sonder muelen malen,
Alle die hun selfs scande vermanen,
Alle die liegen dat sij selver waers wanen,
Alle die butenshuys vruecht bedrijven
En binnen huyse vechten en kijven,
Desen moet hun privilegie ooc houden stadt
So lang dat si comen daer Valetijn meester sadt.

meisjes die achter de jongens aan zitten, getrouwde vrouwtjes die met meer dan
één naald naaien en die heimelijk bevrediging zoeken door ervoor te betalen,
alle slonzen en vuilpoetsen, alle gelegenheidswipsters, alle kaalgenaaide mer-
ries, zulk soort vrouwen moet u de voorrechten laten behouden die hun nooit
door enige heer betwist zijn, alvorens ze in het pokken- of zwervershuis belanden. ¶ Ook die fraaie jongens, lichtzinnig als ze zijn, die vandaag opmaken wat
ze morgen nog moeten verdienen, die zonder een cent op zak plezierig de beest
uithangen en dan met hun spullen naar de lommerd ijlen, omdat ze het gelag
met een kostuum of jas moeten betalen, alle molenaars die zonder molen aan de
slag gaan, allen die trots zijn op hun schandelijk gedrag, allen die denken dat ze
de waarheid liegen, allen die buiten de deur plezier maken maar thuis vechten
en schelden, die moeten ook hun voorrechten bevestigd krijgen, totdat ze de
vallende ziekte oplopen.

Oick moetij met save-comt-uut bewaren
Alle cooplieden die naer Sinte Reynuuts varen,
Alle die sonder verstant coopen en vercoopen,
Alle die met ijdelen meyrsen loopen,
Alle quacsalvers die hun laten verdullen,
Alle spesiers die hun sacken met hoy vullen,
Alle die den grooten sack in den cleijnen lappen,
Alle wijncoopers die achter uuttappen,
Alle die naer haer selfs schade reijcken,
Alle brouwers die de catten laten in d'mout seijken,
Alle die 't heden maeckt en morgen weer breckt,
Alle taverniers daer di soch den tap uuttrect,
Alle die hun goet hoeren en boeven deijlen,
Alle sceppers die met ghescuerde seijlen seijlen,
Alle boeren di hun saet in bedorven ackers sayen,
Alle cleermakers di met gebroken naelden nayen,
Lakensnijers die hun goet vermeten,
Scoenmakers die den haen laten d'leer eeten,
Timmerlieden die qualijc wachten hun screven
En wevers die met ijdelen spoelen weven,
Alle smeden die hun ijser verbranden,
Alle berbiers die hun sceeren tot scanden,

Ook moet u de volgende personen met een vrijgeleide beschermen: alle kooplieden die volstrekt aan de grond raken, allen die zonder na te denken in- en
verkopen, allen die lege marsen proberen uit te venten, alle kwakzalvers die
zichzelf laten bedotten, alle kruideniers die in nietswaardige produkten handelen, allen die niets durven te ondernemen, alle wijnhandelaars die hun wijn
aanlengen, allen die hun eigen graf graven, alle bierbrouwers die de katten in
het mout laten zeiken, allen die van de hand op de tand leven, alle kroegbazen
die hun tap niet in de gaten houden, allen die hun bezit opmaken aan hoeren en
boeven, alle schippers die met gescheurde zeilen uitvaren, alle boeren die in
uitgeputte akkers zaaien, alle kleermakers die met gebroken naalden naaien,
lakensnijders die de textiel verkeerd afmeten, schoenmakers die de haan het
leer laten opeten, timmerlieden die slecht hun bestek in de gaten houden, wevers die met lege spoelen weven, alle smeden die hun ijzer laten verbranden, alle
barbiers die zichzelf in de vingers snijden,

Alle metsers die haer fondament beswaren,
Alle goutsmeden die de souduere sparen,
Beeltsnijders die van consten rasen,
Alcumisten die hun goet in d'asschen blasen,
Ghelaesmakers die hun gelas verlasten,
Cupers die overal naer d'bomgat tasten,
Tengieters die hun tin verloren gieten,
Beckers die altoos een broot te cort scieten,
Vleeschhouwers di mager laten werden 't vet,
Visschers die altoos visschen achter d'net,
Schilders die hun aensichten bederven,
Legwerckers die 't saterdaechs qualic kerven,
Alle ambachtslien en alle hantwercken,
Die aldus u Rijcke verstercken,
Dees moetij hun previlegie nu vermeeren fijn,
Totdat si S. Reynuuts naect uuten cleeren sijn.
Item alle Rethorisienen en Musisienen
Die haren tijt verquisten en lutter danx verdienen,
Elcken doen lachghen, en selfs druc insluyten,
Alle spelien, ghescuerde fluyten,
Alle die niet en connen helen noch swijgen,
Alle die een roye tot haer selfs eyrse crijgen,
Alle sophisten, artisten, juristen,

alle metselaars die de fundamenten te zwaar belasten, alle goudsmeden die hun soldeersel sparen, beeldhouwers die het door de kunst in hun bol geslagen is, alchimisten die hun bezit in vlammen zien opgaan, glasmakers die hun glas stukblazen, kuipers die de sponning niet meer kunnen vinden, tingieters die alles ernaast laten lopen, bakkers die altijd te weinig maken, slagers die het vet laten verschralen, vissers die achter het net vissen, schilders die hun portretten verknoeien, tapijtwevers die op zaterdag slecht afsnijden, al deze ambachtslieden en handwerkers die op hun eigen manier uw rijk aanzien geven, die moet u nu meer bevoorrechten totdat ze kaalnaakt uitgekleed zijn. Dat geldt ook voor alle rederijkers en muzikanten die hun tijd verkwisten en weinig bewondering verdienen, iedereen aan het lachen maken maar zelf een zuur gezicht trekken, alle speellieden met stukke fluiten, allen die geen geheim kunnen bewaren of weten te zwijgen, allen die zichzelf voor hun kop slaan, alle wijsneuzen, kunstenaars, juristen,

Mercurialisten, die hun wijsheijt verquisten,
Alle die hun groote dinghen vermeten
En gheen bescheet daeraf en weten,
Alle wilde gheesten, quaet om temmen,
Di huys en erve duer 't keelgat laten swemmen,
Alle die hun selven in d'nette breijen,
Allen die levende van eertrijck scheijen,
Dese en dierghelijcke ghesellen
Suldi als regenten over u Rijcke stellen.

Oock moetij elcken goet exempel bewijsen
Dat men u Malevesteijt mach prijsen.
Ghi sult totter middernacht gieten en gapen
En 's morgens suldi langhe slapen
En eer ghi half aen oft ghecleet sijt fijn,
So moetij wederom aen den ontbijt sijn
En nummermeer veel swaers drooms hebben
En altoos den besten pant mijns ooms hebben
En waer een in die taverne is bij desen
So moetij altoos die ander wesen
En uut u Rijc bannen die u seggen van wercken,
Maer liver in 't vrouwenhuys dan in der kercken.
En wie u claecht sijn vleeschelicke nootsaken

dichters die hun talenten verspillen, allen die grote dingen op het oog hebben
maar elk inzicht missen, alle wildebrassen die niet in toom te houden zijn en
huis en erf door hun keelgat jagen, allen die zichzelf in moeilijkheden brengen,
allen die nog springlevend zijn maar niet van het leven genieten, zulke en soort-
gelijke makkers moet u als regent over uw rijk aanstellen. ¶ Ook moet u een
ieder het goede voorbeeld geven, opdat men uw Mallesteit kan prijzen. U moet
tot middernacht constant met uw muil open slempen, en 's ochtends lang uit-
slapen. En voor u half of helemaal gekleed bent, moet u al aan het ontbijt
verschijnen. En nooit moet u onder diepe dromen gebukt gaan, terwijl altijd uw
kostbaarste pand bij de lommerd ligt. En zo gauw zich één klant in de kroeg
aanmeldt, moet u steeds de volgende zijn. Ook moet u hen uit uw rijk verbannen die u tot werken willen aanzetten, maar dan wel naar het bordeel in
plaats van de kerk. En wie bij u zijn beklag doet over vleselijke nood,

Die moetij helpen sijn houwelijck maken,
Opdat hij mach geraken uuter pijne,
Te bedde wijsen oft achter die gordijne,
So crijchdij prijs en lof van alle beijen.
Helpt den naecten blinden in huys leijen,
Want een coninck moet compassieus sijn
Alle daghe amorues, niet te amorues, sijn,
Al ees 't dat men bi eender vrouwen zeer gequelt leeft.
Ooc moetij elcken betalen als ghi gelt gheeft,
Alle woorden nauw vangen waer gij se betraept
En van niemant quaet seggen als ghij slaept,
Maer 't volck overal verblijden alteenen
Al soud' er wijf en kinderen om weenen.
En wouw ymant u Malevesteijt befamen,
Ghi en muecht niet root worden noch schamen.
Dus comt ghi eeselheeren die besidt sijn leen,
Wat di Coninck hiertoe seijdt, jae oft neen.

Die Coninck seijdt:
Jae, jae, neen, neen.

Die Grijpier:
Nu heer Coninck, legt u vingheren beije,

die moet u aan een huwelijk helpen opdat hij uit zijn nood verlost wordt, of naar bed sturen of naar een verborgen plekje. Door alle betrokkenen wordt u dan geprezen. Help zo'n man zijn jongeheer naar binnen te leiden, want een koning hoort mee te leven en gevoel voor de liefde te hebben, al hoeft hij niet mee te doen, hoewel men bij slechts één vrouw zichzelf zwaar te kort doet. Ook moet u iedereen betalen wanneer u geld uit te delen heeft, en eenieder op zijn woord vangen als u de kans krijgt. En u mag van niemand kwaadspreken in uw slaap, maar u dient het volk steeds op alle plaatsen te verblijden, al barsten vrouw en kinderen in wenen uit. En zou er iemand zijn die uw Mallesteit wil belasteren, dan mag u niet blozen of beschaamd zijn. Dus let op, jullie ezelheren die leenmannen van hem zijn, wat de koning hierop zegt, ja of neen.' ¶ De koning zegt: 'Ja, ja, neen, neen.' ¶ De grijpgrage secretaris: 'Wel dan, sire van een koning, houd uw beide vingers naar beneden,

Segt mij naer en sweert op dees keije:
'Dat sweer ick bij den pispot en bij di provate
En bij den bril met den openen gate
En so warachtich als di drengere die 'r op sat,
Die so uutermaten veel dronc en at
Alsoo 't in 't vuyl boeck ghescreven steet,
Dat hij hem van achter en van vuere bedreet,
Dat ick 't voorgenoemde met alder trouwen
Naer mijn vermuegen sal van boven onder inhouwen
En dat selve helpen stercken en vermeeren.'

Die Grijpier:
Hoordij dat wel, ghij eselheeren,
Wat die Coninck hier sweert en ghelooft?
Salft hem en sedt hem die croone op 't hooft
En roept al tesamen in een populorum:
'Vive le Roy stultus stultorum.'

Die Grijpier:
Hoort nu, ghi ondersaten, ghij moet ooc manschap sweeren
Den Coninck, en helpen hem tsijne verteren
En hem altijt bijstaen, nacht en dach,

---

zeg mij na en zweer bij deze zottenkei: "Ik zweer bij de pispot en de kakdoos, en bij de bril met het open gat, en zo waarachtig als de schijtebroek die daarop zat, die zo verschrikkelijk veel dronk en at (naar in het vuilboek beschreven staat) dat hij zich van achteren en van voren onderscheet en -piste, daarbij zweer ik allemaal dat ik het voornoemde trouw en naar mijn vermogen van boven en beneden binnen zal houden en het daar zal helpen steviger te worden en te groeien.'" ¶ De grijpgrage secretaris: 'Horen jullie goed, ezelheren, wat de koning bij dezen zweert en belooft? Zalf hem en zet hem de kroon op het hoofd, en roep allen tezamen met één stem: "Leve de koning, de grootste zot aller zotten!"' ¶ De grijpgrage secretaris: 'Hoort nu, jullie onderdanen, jullie moeten de koning ook leenhulde bewijzen en hem helpen zijn goederen erdoor te jagen, en hem verder altijd dag en nacht bijstaan,

So lang als hij slach verdragen mach,
So lang als hi wijn oft bier heeft in di flessche,
So lang als hi cruys oft munt heeft in di tessche,
So lang als hij eenen pant heeft te raeye,
So lang als hij t'eten heeft in di scappraeye,
Dat ghij hem daerin sult bijstaen alteenen
En daertoe dapperlijc hant en mont leenen,
Opdat hij 't ghequel des rijcdoms werde quyte,
So lang dat hi verlost es van niet een myte:
Dat sweerdi, segt ja, neen, elck man voor man,
Steckt nu al u vingeren in 't gat en cust se dan.

◆

[SPOTSERMOEN OVER SINT-NIEMAND]

Non scriptum est in libro Nullorum
De uno Nullo Willecommorum
Capitulorum nullo decimo sexto.
Ille Nullus non fuit curatus
Nec etiam magistratus
In nullo prolegeorum.

zolang hij een stootje kan hebben, zolang hij wijn of bier in zijn pens heeft, zolang het nog rinkelt in zijn geldbuidel, zolang hij nog één onderpand beschikbaar heeft en zolang hij nog eten in de kast weet. Daarmee moeten jullie hem voortdurend helpen, door hem met hand en tand stevig ter zijde te staan, zodat hij bevrijd wordt van de kwellingen van de rijkdom, totdat hij geen stuiver meer heeft. Dat moeten jullie zweren, zeg ja of neen, man voor man: steek nu al uw vingers in uw kont en kus ze dan!'

•

Niet geschreven staat in het boek der Niemanden over een zeker Niemand van de Meest Welkomen, in het kapittel nulzestien. Deze Niemand was geen pastoor noch magistraat en in niets bedreven.

Ongheminde vriendekens overal,
Verstaet u doch wat ic hier segghen zal.
Dees woordekens ghenomen uuten Latine
Behooren hier wel ghenoteert te zijne.
Ende ontfanc se doch in hulier hert met allen,
Al sauden zij u wederom ten eersgate uutvallen,
Want het bescrijft den abelsten die men vint
Sonder papier, penne ofte int,
Ende seit: pijnt doch wel te verstane,
Dat hemelrijcke es te winnene
Met droncken te drinckene, ic moet verclaren.
Dus mijn beminde, wilt doch hulieder ziele bewaren
Ende en sparen goet noch eerve,
Al sauden u kinderen van hongher sterven.
Drijnct vrij altijts waer gij muecht,
Dat daerbij u ziele mach commen ter onderster vruecht.

Wij vinden in capito nullo van eenen gast,
Die eens zo vele dranc dat hij barst;
Hoe voer hij? Hij was zeer fierlijc gheleet
Van veel inghelen, al in 't swart ghecleet,
Ende trocken metter ziele, zo ic las,
Onder hemelrijcke, daer 't alderdonckerst was.

Onbeminde kameraden, waar dan ook, hoor naar wat ik u hier zeggen zal. Van de hierboven aangehaalde woorden in het Latijn dient u goed nota te nemen. Laat ze compleet in uw hart binnendringen, ook al zouden ze er langs uw aars weer uit glijden, want ze beschrijven het voornaamste dat men kan bedenken buiten papier, pen of inkt, namelijk: doet uw uiterste best om goed te begrijpen, dat de hemel openstaat voor degene die zich bezuipt, anders kan ik het niet zeggen. Vandaar mijn beminden, neemt toch uw ziel in bescherming en spaart bezit noch erfenis, ook al zouden uw kinderen van honger omkomen. Drinkt altijd een stuk in uw kraag, waar u de kans krijgt, opdat uw ziel mag verwijlen in de laagste vreugde. ¶ In kapittel nul treffen wij een snuiter aan, die eens zoveel dronk dat hij barstte. Wat gebeurde er met hem? Hij werd heel sierlijk door veel zwartgeklede engelen begeleid, die zoals geschreven staat zijn ziel onder het hemelrijk afleverden, waar het pikkedonker is.

Peijnst wat blijscepe dat men daer mochte maken.
Kinderen, bidt ooc dat ghij er alle muecht gheraken,
Zo werdij bevrijt van allen lichten claer.
Nu wel, dat latic daer.
Non scriptum est in libro Nullorum
De uno Nullo Willecommorum
Capitulorum nullo decimo sexto.

Sanctus Drincatibus bescrijft ons van eender tombe,
Daerin begraven licht Nullus Willecomme,
Die zo ghemindt was voor zijn doot,
Dat men hem alomme de duere vuer den nuese sloot.
Elc placht hem met niet te bescijnkene.
Kinderen, dit verdiendi met grooten tueghen te drinckene.
Hij pijnde daeraf zeer selden te falene.
An zijn tombe zijn ooc veel schoone pardoenen te halene,
Plena culpa esser te ghecrijghene.
Wel, hieraf willic noch wat pijnen te swijghene
Ende commen weder te mijre cameren binnen,
Dat men hemelrijcke met drijnckene mach winnen.
Want wie drijnct dat hem die ooghen loopen, in wijne of in biere,

U kunt nagaan welk een blijdschap men daar wel mag ondergaan. Kinderen,
bid allen dat jullie daar ook terecht mogen komen, zodat je geheel bevrijd raakt
van alles wat helder is. Welnu, daar wil ik het bij laten. Niet geschreven staat in
het boek der Niemanden over een zeker Niemand van de Meest Welkomen, in
het kapittel nulzestien. ¶ Sint-Drinkepot beschrijft ons een graf, waarin Niemand Welkom rust. Die werd voor zijn dood zo bemind, dat men overal de
deur voor zijn neus dichtdeed. Iedereen was gewend om hem niets te schenken.
Kinderen, dit is de moeite waard om helemaal tot jullie door te laten dringen.
Hij deed veel moeite om daarin nooit te falen. Bij zijn graf zijn ook veel aantrekkelijke aflaten te verkrijgen, zoals een volledige schuldbekentenis. Welnu,
hierover zal ik verder proberen te zwijgen om mij weer op vertrouwder terrein
te begeven: men kan het hemelrijk verdienen met zuipen. Want wie zich dermate bedrinkt aan wijn of bier dat hem de ogen gaan tranen,

Die verlost telcken een ziele uuten vaviere.
Hoort wat ons Sanctus Drincatibus bescrijft:
Zo wie drijnct, dat hij zijn brouc onnheert,
Die zoude hebben voor zijn beghin
XL daghen aflaets tweewaerf XX min,
Ende ooc zoveel carinen daeran.
Diets niet en ghelooft es onder 's paus ban.
Dus pijnt u doch gheen tueghen te vermijnckene,
Maer desen zomere zeer stijf te drijnckene,
Al mueghdij somtijds wat zijn sonder ghelt,
Ghij en zult van den kachielen niet zijn ghequelt.
Hoort doch, wies ic hulieden vermane,
Dat's dees goe weke om hulieder pardoen te gane,
Want ic zegghe ulieden sonder eenighe fute,
Van t'avent in acht daghen gaen zij ute.
Voort verman' ick ulieden, om ulieder zinnen te verclouckene,
Alle drie dees kercken te besouckene,
Want het zijn zeer ledeghe plaetsen, zo ic hebbe verstaen.
Voort zo saud' ic ulieden allen raen
Van dien waterken te drijnckene, hetzij III of IV stopen,
Al sauden zij ulieden onder ten eersgate uutloopen.

die verlost elke keer een ziel uit het vagevuur. Hoor wat Sint-Drinkepot ons voorschrijft: wie zoveel drinkt dat hij zijn broek bevuilt, die verdient om te beginnen 40 dagen aflaat minus twee maal 20, in ruil voor evenveel boetedoening. Wie dat niet gelooft wordt door de paus in de ban gedaan. Span u dus in om geen slokje over te slaan, maar u deze zomer klem te zuipen. En al zit u zo nu en dan wat minder in het geld, lafaards zullen u niet kwellen. Hoor nu toch hoe ik u ervan wil doordringen om in deze goede week kwijtschelding van zonden te verkrijgen, want ik zeg u zonder kwade bedoelingen dat u deze vanaf vanavond de volgende acht dagen kunt aanschaffen. Verder dring ik er bij u op aan alle drie de kerken te bezoeken, wanneer u uw zinnen wilt verzetten: dat zijn zeer ijdele plaatsen, naar ik heb begrepen. Voorts zou ik u allen willen aanraden om dat levenswater op te drinken, en dan liefst 3 of 4 stopen, ook al lopen die u nadien recht de aars weer uit.

Ende en spares niet, ghiet 'et vrij in u rebben,
Al saudi er 's morghen den keldercurts of alle hebben.
't Es zeer precieus in zijn bestier,
Want men halet wel zeven milen van hier.
Sanctus Drincatibus, desen heleghen sanct,
Was d'eerst, die dees groote tueghen vant,
Want hij woonde met Bacchus, den heleghen man,
Die hem altoos leerde drijncken dotan,
Want hij dranc zo zeere om te comen t'zijnen lotte,
Dat hij laestent versmierde in zijn snotte.
Daer starf hij, zo die Scriftuer zeit in 't clare,
Gheen sant, maer ledich maertelare.
Want hij dranc vele, zo menich wel weet,
Dat hij alle daghe zijn brouc vul sceet.
Peijnst wat hij dan lijden moeste om dat,
Want hij hadde den dicxsten tijt d'heersgat nat.
Hij was dicwilt begaet daer hij lach en sliep,
Dat hem onder te zijnen scoen uutliep.
Was ditte niet een wonderlic misterie?
O laes, doen drouch men te grave up een berie.
Niemant en wilde 'm ontcleeden up dat pas,
Omdat hij zo dicht besceten was.

En wees niet zuinig maar giet het vrijuit in uw ribbenkast, al zou u morgen met
een enorme kater zitten. Het is een zeer kostbare zaak om het te verwerven,
want men moet wel zeven mijlen reizen. Sint-Drinkepot, onze zalige Sint, was
de eerste die deze grote slok wist te vinden, want hij woonde samen met Bacchus, die andere heilige man die hem leerde drinken tot hij erbij neerviel. Om
aan zijn trekken te komen bezoop hij zich namelijk zo zwaar, dat hij op het
laatst in zijn eigen snot stikte. Toen stierf hij, zoals de Schrift duidelijk aangeeft,
niet als heilige maar als loze martelaar. Want hij dronk zoveel, naar iedereen
weet, dat hij dagelijks zijn broek volscheet. Bedenk goed wat hij daardoor
allemaal moest lijden, want zijn kont zat voortdurend onder de stront. Dikwijls
bevuilde hij zich in zijn slaap, zodat het hem onder in zijn schoenen liep. Was
dit niet een wonderlijk mysterie? Maar helaas, toen kwam het moment dat men
hem ten grave zou dragen. Toen het erop aankwam wilde niemand hem afleggen, omdat hij geheel ondergescheten was.

En worpen zij hem neder, elc mocht anscauwen,
Besnot, besceet ende zo jammerlic bespauwen,
Datten de vraukens sleepten in eender houc.
Daer trocken zij hem zijn dwael uutter brouc
Ende liet' er de honden en catten an cnaghen.
O vraukens, ontsiedij niet de plaghen,
Dijnct doch wat ghij hebt ghemaect.
Dien haermen Sanct lach er mesmaect,
Alsof hij uut een scijtleij ghecommen hade.
Zo steerfde hij martelare, alzo hij dede.
Nu wel, ghijlieden zult alle vallen in knieghebede
Ende helpen mij bidden voor gheestelic of weerlic,
Dat zij langhe leven, dat's deerlic.
Voort zo zuldij ooc bidden up dit termijn
Voor die te Pamel ende elder ghevanghen zijn,
Want zij en cuenen in gheener maniere verwerven,
Zij en moeten alle dees verre sterven.
Hoort wie zij zijn: daer es Pieter Osse, Gheert Coen,
Gille Conins, Pieter Scaep, Jan Capoen;
Die mueghen nu wel zijn in grooten truere,
Want zij trecken dees weke alle duere.
Ende voort die van den gheslachte zijn, 't zij quae of goe,

Toen wierpen ze hem voor ieders ogen maar op de grond, onder het snot, bescheten en zo jammerlijk ondergekotst dat wat lieve vrouwen hem naar de hoek sleepten. Daar trokken ze hem de vodden van zijn gat, en lieten die opvreten door honden en katten. Ach vrouwtjes, zie niet op tegen al die moeite maar bedenk hoe goed jullie doen. Die arme Sint lag er zo verfomfaaid bij alsof hij uit een poepdoos opgestegen was. Op die manier koos hij zijn dood als martelaar. Welnu, jullie moeten allen op je knieën vallen om met mij te bidden, dat leken en klerken een lang leven mogen hebben, maar niet heus. Verder moet u binnen dit bestek ook bidden voor allen die te Pamel en elders gevangenzitten, want zij kunnen niets meer voor elkaar krijgen en moeten allen in den verre sterven. Het gaat om de volgenden: om te beginnen Pieter Os, dan Geert Koe, Gillis Konijn, Pieter Schaap en Jan Kapoen. Die verkeren nu in grote neerslachtigheid, want zij gaan er deze week allemaal aan. En al wie van hoog of laag geslacht stamt,

Zij ghebannen te Pamel tot Paesschen toe.
Dus bidt doch dat dees pacienten sonder sparen
In hongierighe buucken mueghen varen.
Voort bidd' ic om een cleen aelemoesen van uwen ghelde
Om eenen haermen ziecke, dat's Miesken van der Velde.
Daer es zo groot ghebreck in huus,
Want zijn joncwijf vant lestent een muijs
In scaeprae van hongher ghestorven.
Wel, hier es noch een bede an mij verworven,
Maer ic scaem mij: hier zijn zo vele clappers.
Nochtans ic recommandeer se ulieden, 't es Gillucken Slappers.
Zou heeft mij daerbuuten zozeer staen quellen
Ende zou es zo ontfaermartich onder die ghesellen,
Wilt hier doch wat toesteken,
Want zou lijdt heijmelicke ghebreken.
Wel, mij es ghelast, dat ic ulieden saude verclaren,
Dat alle die te Paesschen ghebannen waren,
Muechdy weder huusen ende hoven t'elcker ure.
Ic sal se u alle noemen bij aventuere:
Daer es Jan Cabeljau, Pieter Scelvis, Jan Looc,
Gheert Roche, Gille Vloote ooc,

is tot Pasen in Pamel vervloekt. Bidt derhalve dat deze slachtoffers onverwijld
in hongerige buiken verzeild mogen raken. Voorts vraag ik u een bescheiden
aalmoes af te staan ten bate van een arme zieke, te weten Mees van der Velde.
Bij hem heerst zo'n grote armoede, dat zijn dienstmeid laatst een van honger
gestorven muis in de voorraadkast vond. En dan is mij gevraagd om voor nog
iemand te bidden, maar dat vervult mij met schaamte want het wemelt van de
roddelaars. Toch durf ik haar bij u aan te bevelen: het gaat om Gieltje Slappers.
Ze heeft me buiten zo staan uitdagen en ze staat zo wijd open voor haar makkers, dat u haar ook wat moet toesteken, want ze lijdt aan heimelijke kwalen.
Verder nog is mij gelast om u uit te leggen, dat allen die met Pasen vervloekt
waren weer in uw huizen en boerderijen mogen verblijven, op elk uur van de
dag. Ik som ze allen in willekeurige volgorde op: om te beginnen Jan Kabeljauw, dan Pieter Schelvis, Jan Kikvors, Geert Rog, Gillis Sidderaal ook,

Pieter Pladijs, Jan But, Tijs Muecke,
Men saud se herberghen bij den ruecke.
Dan esser Lans Caerper ende Feijnse Bliec,
Joos Sallems, Jan Vetvis, al zijn zij ziec,
Dees mueghdij herberghen, tzij quae of goe,
Van nu voortan tot Paesschen toe.
Nu zijnder ooc vraukens mede in 't rabot:
Dat's Calle Olive ende Griete Olipot,
Trijn Fijghen, Calleke Appel, Beelke Rosijns,
Ende daer wasser noch vele meer in den ban,
Die ic niet alle ghenoemen en can.
Hoort naer de gheboden van deser ledegher kercken:
Hier commen IV daghen dat ghij niet veel en zult wercken,
Dan moettij dees ledeghe plaetsen visenteren.
Ende en wilt dees aflaten niet perturberen,
Want zij en zijn niet zeer goet noch affect.
En dat ghij er ooc niet mede en ghect,
Want 't en es gheen cleen sake van desen,
Ghij sautere om verwaten wesen.
Dus versouct dees kercken meesters ende cnapen,
Al saudi er 's nachts in scuere om slapen.
Ende ghij vraukens en jonghe dochterkens mede,

Pieter Platvis, Jan Bot, Thijs Lot. Men kan zijn neus volgen om ze in huis te
vinden. Vervolgens zijn er nog Lans Karper en Fine Bliek, Joost Zalm en Jan
Vetvis: al zijn ze ziek, u kunt ze tot aan Pasen goed- of kwaadschiks onderdak
verlenen. Nu zijn er ook vrouwtjes bij die onrust komen stoken, te weten Kalle
Olijf en Griet Oliepot, Trijn Vijg, Kalletje Appel en Beeltje Rozijn. Maar er
waren er nog veel meer in de ban, die ik niet allemaal kan opnoemen. Hoort nu
naar de geboden van deze lichtzinnige kerk: er breken thans vier dagen aan,
waarop u nauwelijks zult werken. Ze zijn bedoeld om deze lichtzinnige plaatsen te bezoeken. En wacht u ervoor om deze aflaten in de war te sturen, want ze
deugen toch al niet. Bovendien moet u er evenmin de spot mee drijven, want het
gaat zeker niet om onbelangrijke zaken: het zou u een excommunicatie kunnen
opleveren. Dus, bazen en knechten, vereert deze kerken met een bezoek, al
moet u daarvoor de nacht in schuren doorbrengen. En jullie, vrouwtjes en ook
jonge meisjes,

Besouct ooc dese ledeghe stede
Ende wilt van den waterken in u lichaem driven,
Al saude d'maechdom onderweghe bliven.
Absolvat vulgat, dat 's 't avont 't heersgat nat,
Dat verleen u Drincatibus, den ledeghe Sant,
Dat ghij alle muecht commen daer hij hemselven vant.
't Selve aflaet dat Bacchus Drincatibus gaf
— Daer zo willic nu swijghen af —
Moet u toecommen, ic zegh 't u plat,
Dat's altijts 't hemdeken vooren ende bachten nat.

Amen.

◆

[EEN LIEDEKEN VAN EEN VROOM CHRISTEN, TE VEUREN DEERLIJK ONTHOOFD (1553)]

Na de wijze: Met eenen droeven sanghe

In bitterheid der zielen
Klage ik dit jammer groot:
Dat men dus ziet vernielen

moeten eveneens die lichtzinnige plaatsen bezoeken. Laat je lichaam daarbij vollopen, al moet dat je maagdelijkheid kosten. De absolutie voor al uw kwalijke gaten, dan is vanavond uw kont smerig! En verder wenst Drinkepot, de lege Sint, u toe dat u allemaal mag bereiken wat hem gelukt is. Dezelfde afgang die Bacchus Drinkepot verleende (daar praat ik niet meer over) moge u heel eenvoudig gezegd ook overkomen: altijd een smerig hemd, van voren en van achteren. Amen.

•

Met een verbitterd hart beklaag ik mij over dit grote leed: dat men hen ziet ombrengen

Die Gods Woord belijden bloot!
Veel hebben 't hemels brood
Betaald met bloede rood:
Die farizeeuwse fielen
Brengen ze meest ter dood.

Een broeder, goed van naturen,
Heb ik na den geest gehad;
Die moest den dood bezuren
Te Veuren binnen der stad.
Gods Woord beleed hij plat,
Daar hij gevangen zat:
''t Rijk Gods zal mij geburen,
Want Hij belooft ons dat.

Hoe zij mij trekken en tezen
En kwellen met verdriet,
En wilt daarom niet vrezen
Die dat lichaam doden, ziet! —
Mijn ziele, alzo God ried,
Daaraan en hebben zij niet:
God zal zijn arme wezen
Troosten, wat haar geschiedt!'

Zijn vrouwe, die hij beminde,
Troostte hij met woorden zoet;

---

die Gods zuiver woord belijden! Velen hebben het hemels brood betaald met
hun rode bloed: die farizeïsche schurken brengen hen meestal ter dood. ¶ Een
broeder in de geest heb ik gehad, goed van inborst; die moest de doodstraf
ondergaan te Veurne. Hij beleed Gods woord openlijk tijdens zijn gevangenschap: 'Het rijk Gods zal mij ten deel vallen, want dat belooft hij ons. ¶ Al
sarren, folteren en kwellen zij mij, wees niet bang voor wie het lichaam doden!
Zoals Jezus zelf zei: aan mijn ziel kunnen zij niet raken. God zal zijn arme
wezen troosten, wat hun ook overkomt!' ¶ Zijn geliefde vrouw troostte hij met
zachte woorden;

Zij was bevaân met kinde:
Hij vreesde voor haar ontspoed
En sprak: 'Mijn vlees, mijn bloed,
En acht niet wat men mij doet.
En gij Gods Geest verzinde,
Het waar' met u al goed!'

Aan al zijn broeders t'samen
Hij lieflijk oorlof nam;
Hij en wilde hem d'Woord niet schamen,
Als hij 't schavot opklam.
Als een onnozel lam
Ootmoedig dat hij kwam;
Maar die wolven die daar kwamen,
Die bleven al even gram.

Met zeven wrede slagen
Heeft hij de dood ontvaân;
Nog moest men het hoofd afzagen,
Eer die martelerie was gedaan.
Al die dit zagen aan
Die werden al enen traan:
Hoe kondi, God, verdragen
Die uwen Geest dus wederstaan?

zij was zwanger: hij vreesde voor haar toestand en sprak: 'Lief, let niet op wat men mij doet! Als het maar goed gaat met jou, in wie Gods geest leeft!' ¶ Van al zijn broeders nam hij vriendelijk afscheid; hij wilde zich niet schamen om het Woord, toen hij het schavot beklom. Hij kwam ootmoedig, als een onschuldig lam; maar de wolven, die daar ook kwamen, bleven even woest. ¶ Met zeven wrede slagen heeft hij de dood ontvangen; nog moest men het hoofd afzagen, vooraleer die marteling voorbij was. Allen, die dit zagen, klaagden in tranen: 'Hoe kon u, God, hen dulden, die uw geest zo weerstaan?'

Zijn arme, bevruchte vrouwe
Die maakte groot misbaar:
Zij sterf van groten rouwe
En ook de vrucht met haar.
Dit bitter lijden zwaar
Mocht men aanschouwen daar.
O God, Gij zijt getrouwe:
Gij wreek-et wel hiernaar.

Och broeders uutverkoren,
Dit doet 't serpents venijn.
Zijdi van God geboren,
En vreest geen zulk gepijn.
Al toogt dat helse zwijn
Op ons een toornig schijn —
d' Woord Gods moet alvoren
Met bloede bezegeld zijn.

Al worden wij misprezen,
Vervolgd in 't eerdse dal, —
En moeten een gaapsel wezen
Ter wereld groot en smal, —
Als schaapkens uut den stal
Verstrooid zijn overal —
God die zal ons wel genezen,
Als 't Hem believen zal.

Zijn arme zwangere vrouw maakte groot misbaar: zij stierf van groot verdriet,
en ook het kind in haar. Dit zware bittere lijden kon men daar aanschouwen. O
God, u is getrouw, u wreekt dit later wel. ¶ Och uitverkoren broeders, dit doet
het duivels gift. Ben je uit God geboren, vrees dan niet zulke pijniging. Al blikt
het helse zwijn ons toornig aan — het woord Gods moet eerst met bloed bezegeld zijn. ¶ Al worden wij in dit aardse dal misprezen en vervolgd, en al moeten
wij allen in deze wereld aangegaapt worden, wanneer wij als schapen uit de stal
overal verstrooid zijn; God zal ons wel redden, wanneer het hem believen zal.

Broeders die 't Woord betuigen,
Den vrede en 't nieuw gebod;
En wilt geen knieën buigen
Voor Baäl, den afgod.
Al zijn wij des werelds spot,
Geheten dwaas en zot —
Wilt troost in d' Woord Gods zuigen:
Dat bid ik u in 't slot.

◆

[RIJMSPREUKEN]

Die avent ende die moorghen
En zijn niet even vroet;
Die moorghen die wil zoorghen,
Die avent verteeret tgoet.

Wilde die avent zoorghen
Also die moorghen doet,
Het zoude de meneghe riden
Die nu moet gaan te voet.

Broeders die voor het Woord, de vrede en het nieuw gebod getuigen, buig de
knieën niet voor de afgod Baäl. Al zijn wij de spot van de wereld, uitgescholden
voor dwaas en zot, wil troost zuigen uit het woord Gods. Dat vraag ik jullie tot
besluit.

•

De avond en de ochtend, die zijn niet even wijs: de ochtend is zorgzaam, de
avond is spilziek. ¶ Ware de avond net zo zorgvuldig als de ochtend is, dan zou
menigeen te paard zitten die thans te voet moet gaan.

Ic hadde eenen vrient, als mi dochte;
Maer als ic vrienscap an hem zochte
Vandic hem inder noot confuus;
Aldus haddic een vrient quansuus.

De mol zecht: mids dat ic niet en zie,
Dies houdic den pais in mie;
De meneghe ziet, ende moet ghedoghen.
Ten scade hem niet, haddi gheen ooghen.

Die tijt es cort, die doot es snel.
Elc zie voor hem; zo doet hij wel.

Altoos blijde, wat ic lide.

Ik had een vriend, zo meende ik; maar toen ik zijn vriendschap nodig had, gaf hij in de nood niet thuis — zo had ik dus een quasi-vriend.

•

De mol zegt: doordat ik blind ben, behoud ik vrede in mijn hart. Daarentegen moet menigeen met lede ogen toezien; 't zou hem niet schaden als ook hij geen ogen had.

•

Het leven is kort, de dood komt snel; elk zie vooruit, dan doet hij wel.

•

Altijd blij, hoe ik ook lijd.

◆

[REFEREIN]

[DAN IST QUAET RETHORISYN SYN OFT PREDICANT]

Als de weerelt turbelt in een bedectelic quaet,
Als men Babel timmert, dat d'een d'ander niet verstaet,
Als Jesabels propheten op twee syden hincken,
Als Israel murmureert tegen Godt obstinaet,
Als om t' geloofs wil d'een d'ander ryc teghen het ander staet,
Als die hoere comt uut den kelc des lasters schincken,
Als die princen t' bloet der heylighen drincken,
Als Jeremias beweent sy ons verseeren,
Als die menschen verkeerde dinghen dincken,
& door nieuw leeringhe lichtveerdich verkeeren,
Als die gheleerde diversche opinien leeren,
& elc in den hemel wilt met synen sant,
Als men derruer over al dus siet vermeeren:
Dan ist quaet rethorisyn syn oft predicant.

Als t' ghemeynte disputeert in alle hoecken,
Als d'onwyse de Schryft wilt ondersoecken,
Alsmen alle saken wilt controleuren,

Als de wereld getroebleerd is door een verborgen kwaad; als men Babel bouwt, zodat de een de ander niet verstaat; als Jezabels profeten aan twee kanten hinken; als Israël koppig tegen God murmureert; als het ene land zich om het geloof tegen het ander verweert; als de hoer uit de beker der godslastering komt schenken; als de vorsten het bloed der heiligen drinken; als Jeremia over onze ellende weent; als de mensen verkeerde dingen denken en lichtzinnig worden door een nieuwe leer; als de geleerden verschillende opvattingen verkondigen en iedereen op zijn eigen manier in de hemel wil komen; als men de dwalingen overal ziet toenemen, dan is het moeilijk rederijker of predikant te zijn. ¶ Als het volk overal discussieert; als onverstandigen de Schrift willen bestuderen; als men alle zaken wil onderzoeken;

Als de scholier synen meester wilt vervloecken,
Alsmen condemneert diversche boecken,
Die hem berommen der heyliger Schrifturen,
Alsmen Godts woort siet trecken en slueren
D'een sus d'ander soo, waer dat hy is gesint,
Als t' volc ter weerelt is soo vol errueren
Datmen meer menschen ghelooft dan Godt bemint,
Als hem elc te prekene onderwint
En den magnificat uutleyt naer syn verstant,
Als hierom discoort is tusschen den vader en t' kint:
Dan ist quaet rethorisyn syn oft predicant.

Als Arrius heresyen rysen,
Als Joannes Hus wilt syn leeringh prysen,
Alsmen inquisitie gaet ordoneeren,
Als elc syn opinie wilt metter Schrift bewysen,
Daer commotie uut spruyt & swaer afgrysen,
Als dat men mandamenten gaet publieren,
De welcke force & riguer saluteren
Teghen hun die ghebrekelic worden bevonden,
Als d'esels dan willen de schapen regeeren
Sonder goe regeerders oft ghetrouwe honden,
Alsmen moet swyghen oft spreken met twee monden,

als de scholier zijn meester verguist; als men allerlei boeken veroordeelt die
beweren op de Schrift gebaseerd te zijn; als men Gods woord door de een zus,
de ander zo, al naar gelang de gezindheid geweld ziet aandoen; als het volk in
de wereld zo dwaalt dat men meer de mensen gelooft dan God bemint; als
iedereen aan het preken slaat en het magnificat op zijn manier uitlegt; als hierdoor onenigheid ontstaat tussen vader en kind, dan is het moeilijk om rederijker of predikant te zijn. ¶ Als de ketterijen van Arius opstaan; als Johannes
Hus zijn leer wil aanprijzen; als men de inquisitie aan het werk zet; als iedereen
zijn opvatting met de Schrift wil bewijzen, met commotie en grote haat tot
gevolg; als men verordeningen gaat uitgeven die geweld en strengheid invoeren
tegenover hen die aan iets schuldig worden bevonden; als de ezels dan de schapen willen regeren, zonder goede bestuurders of trouwe honden; als men moet
zwijgen of met twee monden spreken

Ende dat een man om een seghwoort comt inden brant,
Als de weerelt des dangieren heeft ontbonden:
Dan ist quaet rethorisyn syn oft predicant.

Als discoort syn kercken, cloosters & cluysen,
Alsmen niet en mach straffen alle mesuysen,
Als d'overheyt haer ghebrec niet en willen hooren,
Als gheestelic & weerlic syn vol abuysen,
Als vol erruers syn hoven & huysen,
Als twisten & kyven gheleerde doctoren,
Als force der waerheyt comt verstoren,
Alst periculeus is van Schrifturen spreken,
Alsmen componisten acht sotten & doren,
Als de predicanten met vreesen preken,
Als de waerheyt wert in den hoek ghesteken,
Als hooverdye wilt hebben de overhant,
Als de weerelt vol is van sulcken ghebreken:
Dat ist quaet rethorisyn syn oft predicant.

als een mens om een onbezonnen gesproken woord op de mutserd terechtkomt; als de wereld zulke gevaren ontketend heeft, dan is het moeilijk rederijker of predikant te zijn. ¶ Prins ¶ Als kerken, kloosters en kluizen het met elkaar oneens zijn; als men niet alle misbruiken mag laken; als de overheid geen
kritiek kan verdragen; als geestelijken en leken vol misvattingen steken; als
hoven en huizen vol dwalingen zijn; als geleerde doctoren twisten en kijven; als
geweldpleging de waarheid komt verstoren; als het gevaarlijk is om over de
Schrift te spreken; als men schrijvers voor zotten en dwazen verslijt; als de
predikanten in angst preken; als de waarheid in de hoek wordt geduwd; als
hoogmoed de baas wil spelen; als de wereld vol is van deze gebreken: dan is het
moeilijk rederijker of predikant te zijn.

UIT DE REFEREINENBUNDEL VAN JAN DE BRUYNE

[REFEREIN]

[DE SULCKE MOGEN THOUWELYC WEL BECLAGEN]

Corts ginck ic wandelen byden avond spade,
Daer icker hoorde seer deerlyck kermen;
Ic dachte sy hebben verdriet oft schade.
Dus bleef ick wat staende, Godt moetse ontfermen.
Deen seyde: wat de ick gehout, och armen!
Myn wyff smyt my wel tienmael ter weken;
Ja, stoelen & bancken werpt sy naer myn dermen.
Ic ducht sy sal my hals & beenen breken;
Ic dencke sy is by vrou Grimmare geleken,
& ick by sinte Gommaer, diet al moet lyen.
Dander sprack: och! compere, hoort my eens spreken:
Met de myne en sal ic geensins bedyen,
Want sy is luy en vuyl, vol leckernyen.
Ja, peysdic, sydy soo gequelt met plagen:
De sulcke mogen thouwelyc wel beclagen.

De sulcke mogen wel beclagen thouwelyc;
Want, soo ick hoorde, elc was met de syn gequelt.

Onlangs, op een late avondwandeling, hoorde ik zeer jammerlijk klagen. Ik
dacht: die moeten onrecht of schade geleden hebben, moge God zich over hen
ontfermen, en bleef dus wat staan. Een van hen zei: 'Waarom ben ik gaan
trouwen, och God! Mijn vrouw slaat me wel tien keer in de week; ja, stoelen en
tafels gooit ze naar mijn kop. Ik ben bang dat ze me hals en benen breekt. Zij
lijkt wel vrouw Grimmare en ik de heilige Gomarus die alles moet verdragen.'
De andere zei: 'Och, vriend, moet je mij dan eens horen. Met die van mij kom ik
geen stap vooruit in 't leven, want zij is lui en vuil en zit vol wellustige streken.'
Ja, dacht ik, zitten jullie zo geplaagd, dan mogen jullie over het huwelijk wel
klagen. ¶ Deze mannen mochten over het huwelijk wel klagen, want, zoals ik
hoorde, elk van hen zat met de zijne geplaagd.

Och, sey deen, sy roept tot my soo bouwelyc:
Waer sydy ghy hennen? Floecx op! Soeckt, geeft gelt!
En ist dan niet wel naer haren sin getelt,
Soo moet ic van cloppers boonen eten.
Ic houwe, al beriep haer den necker int velt,
Dat hy van haer sou worden ter neer gesmeten.
Och, staeckse doch onder deerde seven speten,
Ic en houde myn leefdage immermeer meere,
Want geen man int stadt en wert soo verbeten.
Ic moet haer knecht syn, sy is vrou & heere;
Sy kyft, sy grimt, sy schuymt gelyc den beere.
Waey, vrint, sprack dandere, dblykt tallen dagen:
De sulcke mogen thouwelyc wel beclagen.

Is douwe quaet, fel, boos van levene,
Soo is de myn een landsaet sonder regement;
Opt strate proper, fraey en jent, als de verhevene,
Maer in huys isse mevrouwe van vuyl covent;
Wat ic winne oft coope, twort van haer geschent.
Wie en sou dan sulc houwelyc niet betrueren?
Ic geloove, had icse van te voren gekent,
Dit verdriet en sou my nu niet gebueren;

'Och,' zei de een, 'zij schreeuwt mij zo onbeschaamd toe: "Waar ben je, jij sul?
Kom vlug, zoek en geef geld!" En als ik dan volgens haar niet genoeg binnen-
breng, moet ik "kloppersbonen" eten [krijg ik slaag]. Ik ben er zeker van dat
zelfs de duivel door haar geveld zou worden als hij haar tot een gevecht zou
uitdagen. Och, zat ze maar zeven spaden diep onder de grond, ik zou nooit van
mijn leven meer trouwen, want geen man hier in de stad wordt zo geterrori-
seerd. Zij wil dat ik haar knecht ben, terwijl zij de vrouw én de heer des huizes
samen is. Zij kijft, toornt en schuimbekt als een beer.' 'Ja, vriend,' sprak de
ander, ''t blijkt telkens weer: sommigen mogen over het huwelijk wel klagen.' ¶ 'Is die van jou slecht, kwaad en verdorven, die van mij is als een on-
gedisciplineerde soldaat: op straat netjes, keurig en fraai als iemand van stand,
maar in huis is ze madam van 't vuil convent. Wat ik verdien of koop, verknoeit
ze. Wie zou zich dan niet over zo'n huwelijk beklagen? Ik ben er zeker van, als
ik haar voordien gekend had zoals nu, zou deze ellende mij niet meer overkomen,

Want allen haer voorstel is lueren en sueren,
Clappen, jammeren, van deen huys in dandere.
Dies ic om thouwelyc heb veel dolueren,
& druck brant in my, als den salamandere.
Dit clagen dees twee, elc tot malcandere.
Ic dachte tgaet sonder spreken oft vragen:
De sulcke mogen thouwelyc wel beclagen.

Prinche

Moeten dan dees jongens niet geluckich wesen,
Die naer een vrouwe ketsen & loopen?
Als sy aen een goey geraken, twort gepresen;
Want, naer myn duncken, soo ist om coopen
Een sorchgelycke coomenschap; & niet ontcnoopen
En canmen den bant, dat is tquaetste van al.
Maer daer en dencken niet om de meeste hoopen;
Dan, als sy een wyff hebben, hier in dit dal,
Hen dunckt tis al gewonnen, spel en bal;
Ten minsten dat sy de coe hebben metten seele,
Niet eer en syn sy gerust dees jongens mal.
Maer als sy dan een quaey crygen tharen deele,
Soo roepen sy dickwils, eer acht dagen: beele!

want het enige dat ze doet is overal gaan kletsen, zeuren, babbelen en roddelen. Zodoende lijd ik door het huwelijk veel verdriet en brandt de ellende onophoudelijk in mij, zoals de salamander in het vuur.' Zo klagen deze twee tegen elkaar. Ik dacht: 't is zonder meer duidelijk dat zulke mannen over het huwelijk wel mogen klagen. ¶ Prins ¶ Kunnen jongelingen die achter een vrouw aan zitten dan niet gelukkig worden? Het wordt bijzonder gewaardeerd als ze een goede treffen, want het is inderdaad een riskante zaak; en 't ergst van al is dat men niet kan scheiden. Maar daar denkt de overgrote meerderheid niet over na; integendeel, als ze hier een vrouw gevonden hebben, denken ze dat ze alles, spel en knikkers, gewonnen hebben. Deze malle jongens zijn niet gerust voor de koe ten minste bij het touw hebben. Maar als ze dan met een kwade zitten opgescheept, spreken ze vaak nog binnen de acht dagen na hun huwelijk luidkeels hun spijt uit over de aangegane verbintenis,

Gelyc ic dander twee hoorde gewagen:
De sulcke mogen thouwelyc wel beclagen.

◆

[REFEREIN]

Den heelen nacht hebic myn handen uytgestreckt,
U soeckende, lieff; maer, doen ic was ontweckt,
Myn sterkte, myn Godt, u en heb ic niet vonden
Te dien stonden.
Mynen leger wert van mynen oogen bedeckt,
Swemmende in tranen u socht ic subjeckt
Die stadt rondomme; ic wert van nyder gebonden,
Geslagen vol wonden,
Ongenadelyc my int duyster gesonden,
Daer ic strangelyc wert van leeuwen omseten,
Die my wilden eten.
Myn vyanden quamen, opsperrende haer monden,
& seyden: dits den dach, nu wert ghy verbeten,
Ontwee gespleten.

zoals ik dat van de andere twee heb gehoord. Zij mogen over het huwelijk wel
klagen!

●

De hele nacht heb ik mijn handen uitgestrekt om u, mijn lief, te zoeken. Maar
toen ik ontwaakte, heb ik u, mijn sterkte, mijn God, niet gevonden. Mijn bed
was toen bedekt met tranen; badend in tranen zocht ik u trouw de hele stad
rond; ik werd door afgunstigen gevangen, geslagen, geheel verwond en genadeloos naar een duistere plaats gebracht, waar ik door wrede leeuwen die mij
wilden verscheuren, omsingeld werd. Mijn vijanden kwamen met opengesper-
de monden en zeiden: 'De dag is gekomen, nu wordt gij verscheurd, uiteengere-
ten.'

Doen heb ic uut den buyc der hellen gecreten.
Ghy, lieff, dit hoorende, quaemt by my geresen;
Poorten, mueren, hebt ghy neder gesmeten:
U lieffde, lieff, heeft my uut lieffden genesen.

Want, doen myn siele aent stoff was clevende,
Duer de Wet, in sonden, ter doot haer gevende,
Hebt ghy my, lieff, doen ic dus was verloren,
U trouwe gesworen.
Tcleet der doot wert rasschelyc van my snevende;
Ja, duer uwen geest, maecte ghy my levende;
Want eer ic uut het aerts lichaem was geboren,
Hadt ghy my vercoren,
& met tcleet der salicheyt, reyn als ivooren,
Daer hebt ghy, lieff, uut lieffden my me gedaeckt
& u bruyt gemaeckt,
Vredelyc voer my versoent uus Vaders thoren;
Dragende myn qualen, hebt ghy my neerstich gewaeckt,
My niet versaeckt,
Als een lam voer my den doot gesmaeckt,
Thantschrift geschuert, dat tegen ons was gelesen.
Tis al volbracht, hoorde ic, lieff; dit woort ghy spraeckt:
U lieffde, lieff, heeft my uut lieffden genesen.

Toen heb ik vanuit het diepste van de hel geschreeuwd. Dit horende, kwaamt gij, mijn geliefde, naar mij afgedaald; poorten en muren hebt gij geslecht. Uw liefde, lief, heeft mij door liefde genezen. ¶ Want toen mijn ziel aan 't stof kleefde, aan de dood overgeleverd vanwege de Wet in zonden, hebt gij mij, lief, verloren als ik toen was, uw trouw beloofd. Het doodskleed werd haastig van mij afgenomen; ja, door uw geest hebt gij mij doen leven; want voor ik uit een vleselijk lichaam geboren was, had gij mij uitverkoren en uit liefde gedekt met het kleed der zaligheid, helder als ivoor. Gij, mijn lief, hebt mij tot uw bruid gemaakt en uw Vaders toorn vredelievend verzoend. Mijn zonde dragend, hebt gij met aandacht over mij gewaakt, mij niet in de steek gelaten en als een lam voor mij de dood geproefd, het handschrift gescheurd dat tegen ons was opgesteld. ''t Is al volbracht', hoorde ik, lief; dit woord hebt gij gesproken. Uw liefde, lief, heeft mij uit liefde genezen.

Juecht, verhuecht, looft, ghy hemelen & sterren claer,
Met tamboeren, simbalen en herpen gesnaer;
Heft op een nieu liet, maechdekens, jongelingen,
Wilt vrolyc singen.
Rasch op, myn salicheyt comt, myn middelaer.
Siet dloon syns wercx: een geplette druyve swaer,
Syn aensicht becrabt, syn wonden bloedich springen,
Siet hem tcruyce bringen.
Hy roept ontfermhertelyc: wie sou hem thooft wringen?
Comt, die belast syt & te swaer gedragen,
Ic sal u ontslagen;
Syt ghy dorstende, comt; wilt herwaerts dringen:
Ic ben de levende fonteyne, soet int behagen;
Schout ander doodelagen;
Haelt vry wyn & melck om niet allen u dagen;
Levende water wil ic u schinckende wesen.
Myn verlosser, myn Godt, hoe sou ic geclagen:
U lieffde, lieff, heeft my uut lieffden genesen.

Prinche

Al was ic van Babels beest bedrogen,
Van Jesabel myn cleet vuyl leelycken bespogen,

Juicht, verheugt u, looft, gij hemelen en heldere sterren, met tamboerijnen,
cimbalen en de snaren der harpen; heft een nieuw lied aan, meisjes en jongelingen, en zing vrolijk. Snel, mijn zaligheid komt, mijn middelaar. Aanschouw het
loon voor zijn werk: een zwaar geplette druif, zijn gelaat bekrabd, zijn wonden
vol bloed gevloeid; zie hem het kruis dragen. Hij roept vol erbarmen — wie
zou zich van hem afkeren? –: 'Komt, die belast zijt en te zwaar beladen, ik zal u
bevrijden; hebt gij dorst, komt, komt naar hier: ik ben de levende fontein,
aangenaam en weldadig. Hoedt u voor andere, krachteloze hinderlagen; haalt
gerust alle dagen wijn en melk om niet; levend water wil ik u schenken.' Mijn
verlosser, mijn God, hoe zou ik kunnen klagen. Uw liefde, lief, heeft mij uit
liefde genezen. ¶ Prins ¶ Al was ik door het Babelse beest bedrogen, mijn kleed
door Jezabel vuil en vies bebraakt,

O ghy, lieff, syt comen & hebbet metter spoet
Gesuyvert in u bloet,
& int vier quaemt ghy vertroosten myn oogen;
Doen die baren der see ooc om my vlogen,
Hebt ghy my, lieff, geholpen uut de druyschen der vloet:
Wonder ist dat ghy doet.
Uwen mantel te recht hoete vreeselycke lieffde goet,
Want een sterck verbont hebt ghy met vrolycheden
Te mywaerts beleden,
My treckende uut de doot int leven soet;
Myn gevanckenisse vierichlyc bestreden,
Tserpent vertreden.
Nu comt ghy weer, om met uwen mont vol vreden
My Iesrahel cussen de weertste gepresen.
Al had ic verdriet, den buyck vol bitterheden:
U lieffde, lieff, heeft my uut lieffden genesen.

gij, o lief, zijt gekomen en hebt het gauw in uw bloed gezuiverd. Door vuur
bedreigd, kwaamt gij mijn wenende ogen troosten; toen ook de baren van de
zee om mij tempeestten, hebt gij mij, lief, uit het gedruis van het water gered.
Wonderlijk is uw werk. Uw mantel zou terecht goede, schrikbarende liefde
genoemd mogen worden, want gij hebt mij in vreugde een vast verbond aan-
gezegd, mij uit de dood in het zalige leven trekkend. Mijn gevangenschap hebt
gij met vuur bestreden en gij hebt de slang vertrapt. Nu komt gij weer, om met
uw mond vol vrede mij, Israël, te kussen, zaligst geprezen. Al had ik verdriet,
het hart vol bitterheid: uw liefde, lief, heeft mij door liefde genezen.

◆

[REFEREIN]

Ghy, oude Nicodemussen, diet seer benyen
Dat wy, jonge geesten, ter feesten vrolyc syn;
Oft ghy, oude Joseppen van Armentyen,
Doen ghy in uwen fluer waert, doen sachmen u verblyen
Met aerdige gildekens in den wyn;
& wy, nu wesende in sulcken schyn
Als ghy doen waert, wat macht u letten
Dat wy nu triompheren syn
Met een vrouken in vrolycke bancketten?
Om dat wyt doen, het syn quaey wetten:
Des paters misprysen telcker ure.
Maer calt vry, ghy en sult ons niet omsetten:
Wat joncheyt doet, dats duer natuere.

Als joncheyt by jongers is geseten,
En daer sulck oude joncker sit neven synen kant,
Syn wy vrolyc; naer jongers vermeten,
Bedryven wy vruecht, wert druck vergeten;
Jonnende elc een vol bacxken op de hant,

Jullie, oude Nicodemussen [huichelaars]; die het helemaal niet kunnen velen
dat wij, jonge gasten, op feesten vrolijk zijn; of, jullie, oude Jozeffen van Arimathea; toen jullie jong waren zag men jullie met vrolijke gezellen verblijden
bij de wijn, wat kan het jullie schelen dat wij, in dezelfde toestand verkerend als
jullie toen, nu op vrolijke feesten fijn pret maken met een vrouwtje? Omdat wij
het doen, misprijzen deze paters ons altijd — dat zijn vervelende gewoonten.
Maar zeur maar raak, jullie zullen ons niet bekeren: wat de jeugd doet, gebeurt
krachtens de natuur. ¶ Als wij, jongelui, bij elkaar zijn, zijn wij vrolijk, ook als
daar een oude kwant langs de kant zit. In jeugdige overmoed bedrijven wij
vreugde en vergeten wij onze zorgen. Wij trakteren elkaar op een volle beker,

Singen wy een liedeken naer der musycken verstant,
Van Rethorica ooc wat broederlycx maken.
Dese gryser sit en byt op synen tant;
Der jonghers vruecht die moet hy laken.
Nochtans en heeft hy reden noch saken,
Hoe wel dat is, hy er om truere;
& dmeeste daer wyt al tsamen me staken:
Wat joncheyt doet dats duer natuere.

Aenmerckt de beestkens van cleynen verstande:
Dat joncheyt heeft, de natuere die treckt.
Tis vol melodyen hier te lande,
Al synse divers oft menigerhande,
Isser joncheyt inne, sy wordt ontdeckt.
By dier gelycken, werden wy ooc verweckt.
Wat natuere beveelt wy doent geringe;
Maer, datter sulck babbeltant me spot en geckt,
Hy waer weert dat hy by Jan Vaer ginge.
En oft ick der joncheyt een liedeken singe,
Oft wat vruecht bedryve, ben ick een luere,
Ic segge noch, weer ic dans oft springe:
Wat joncheyt doet dats duer natuere.

wij zingen een liedje op de juiste melodie en wij beoefenen broederlijk de retorica. De zuurkijker zit op zijn tanden te bijten en kan het niet laten om het amuse-
ment van de jongelui te bekritiseren. Nochtans heeft hij geen enkele reden of
aanleiding. Hoe goed het ook is, hij zou erop kankeren, maar het belangrijkste
argument waar wij alles mee ondersteunen, luidt: wat de jeugd doet, is krachtens de natuur. ¶ Bezie de beestjes, klein van verstand: de jonkies worden door
de natuur geleid. 't Is hier op het land dan ook vol vrolijkheid, want, al zijn de
diertjes verschillend of veelsoortig; als ze jong zijn, manifesteert zich dat. Op
dezelfde manier worden ook wij gedreven. Wij doen direct wat de natuur dic-
teert, maar als zo een zeurpiet ermee spot of gekt, zou hij niet beter verdienen
dan tot de vaderen te gaan. Want als ik voor de jeugd een liedje zing of wat
plezier maak, heet ik een nietsnut. Ik zeg nog eens, dans ik of spring ik: wat de
jeugd doet, is krachtens de natuur.

Prinche

Ic rade alle jonge sinnekens
Dat sy met de lieffste bedryven spel;
Al seytmen: tsyn geestkens oft sottinnekens,
Laet daerom niet de lieffste minnekens.
Lieff by lieff, werckt de joncheyt wel.
Triompheert, bancketteert, schout alle gequel;
In alle feesten, syt ghy doch eene
Non fortse, al syn de oude paters fel,
Toont dat ghy jonc syt, ic raet u gemeene;
Ter maeltyt syt doch floecx en reene;
Op dbedde houwet al in ruere;
Ghy en muecht, seg ik, niet misdoen alleene:
Wat joncheyt doet dats duer natuere.

◆

[REFEREIN)

[MEN VINT VEEL JANS, AL EN HEETENSE SOO NIET]

Als een man gehout is, soo is hy gesint
Dat hy hoorende dooff is & siende blint,

Prins ¶ Ik raad alle jongelui aan zich met hun liefje te amuseren. Al zegt men
dat het dwazen zijn of zottinnetjes, laat de liefste meisjes daarom niet staan.
Lief bij lief is goed voor de jeugd. Maak pret, vier feest, mijd alle zorg en wees
present op alle fuiven. Wat doet het er toe dat de oude paters boosaardig zijn?
Toon dat je jong bent, zo raad ik iedereen. Wees er vlug en dapper bij als er
gesmuld gaat worden; hou het in bed flink aan de gang. Op zich kunnen jullie
niets misdoen, want: wat de jeugd doet, volgt uit de natuur.

•

Wanneer een man getrouwd is, neigt hij ertoe om horende doof en ziende blind
te zijn.

Niet vragende waen dwyff comt dit of dat,
& sy hem tcatoen uut den ooren spint,
De blau huycke hem omhangende naden wint.
Hier is wel in te bevroeden wat;
Al hiet hy Claes, hy is Jan geschat:
Jan goetbloet, Jan vlashoer, sorgende een stroo niet;
Jan troost, Jan achterlam, Jan selden sadt.
Maer al noem ick dees Jans goet rondt, goet plat,
Men vint veel Jans, al heetense soo niet.

Jan drael, Jan saecht leven & gaet niet quyte,
Jan slobberick staet hem te verwyte;
Jan suercul, Jan ligt achter, Jan coopt blau,
Jan treet saechte, Jan ligtachter, Jan slapschyte,
Jan den hinnentaster, Jan splytmyte,
Jan laefcutte, Jan vleybaert, Jan flau,
Jan loeris, Jan albedryff, Jan hau snau,
Jan dout my, Jan bidtbout, vliende een vloo niet,
Jan vuylpluyme, Jan druypnuese, Jan bietebau;
Dese crygense, dragende bont oft grau:
Men vint veel Jans, al en heetense soo niet.

Dese Jans te samen, met meer ander Jans,
Vervullen tgetal van goede mans;

Hij vraagt niet waar zijn vrouw geweest is, niet dit of dat, terwijl zij hem bela-
zert en hem, als 't haar zo uitkomt, ontrouw is. Hier valt wel wat over te vertellen. Al heet hij Klaas, hij wordt Jan genoemd: Jan Sul, Jan Welgevleid, die
zich nergens zorgen over maakt, Jan Troost, Jan Lul, Jan Zelden Zat. Maar al
noem ik deze mannen simpelweg Jan, er zijn veel Jannen die niet zo heten. ¶ Jan Treuzel, Jan Zachtjes-aan-dan-breekt-het-lijntje-niet, Jan Morse-
pot, die zichzelf te schande maakt, Jan Zuurpruim, Jan Lig-onder, Jan Bedrogen; Jan Pas-op, Jan In-de-hoek, Jan Schijtgat, Jan Hen, Jan Krent, Jan
Kutlikker, Jan Flemer, Jan Laf; Jan Loeres, Jan Doet-al, Jan Afgeblaft; Jan
Sla-me, Jan Schietgebed, die voor geen vlo vervaard is; Jan Viespeuk, Jan
Druipneus, Jan Bietebauw; deze namen krijgen ze, rijk of arm. Men vindt veel
Jannen, al heten ze niet zo. ¶ Deze en nog veel andere Jannen vormen allen
samen de groep der brave mannen.

Jan futselaert, die weet daer aff den gront;
Jan goeymoeyte tredt op thoopken bycans,
Jan blaespappe, Jan stuytvos maken den dans
Met Jan duesaert & Jan middel gesont;
Jan drafsack, Jan cafsack, Jan al even ront,
Jan slonshose, Jan flodderbroeck, dieman botloo hiet,
Jan luerefaes, Jan styff geteent, dier by stont,
Willende wedden al dedt hem elck een pont:
Men vint veel Jans, al en heetense soo niet.

Prinche

Jans geslachte is met allen groot:
Jan vadde, Jan slap, gebracker ter noot;
Jan druypnuese, Jan sorgeloos, Jan selden wel,
Jan vuylfasoen, Jan suffaert, Jan bothoot,
Jan ongeraekt, Jan holcake, sonder broot;
Jan elffribbe, Jan slechtaert, Jan corstel,
Jan luys int oore, Jan strammaert & Jan schoon spel;
Jan futseler, diemen somtyts te Cantecroo siet;
Jan blyfter tavont, Jan cranck gestel;
Met desen wil ickt waer doen voer iemant el:
Dat men veel Jans vint, al en heetense soo niet.

Jan Precies, die weet er het fijne van; Jan Weltevree volgt de vorigen op de voet.
Jan Blaaspap en Jan Strompelaar gaan goed samen met Jan Duizelaar en Jan
Kwakkelaar. Jan Vetzak, Jan Dikzak, Jan Bol; Jan Slonskous, Jan Flodder-
broek, die men 'knoketwijg' noemt; Jan Deugniet en Jan Stijfkop was er ook,
die toch nog wilde wedden al gaf iedereen hem een pond. Men vindt veel Jan-
nen, al heten ze niet zo. ¶ Prins ¶ De Jannen zijn in ieder geval talrijk: Jan
Luilak, ook Jan Slap mocht er niet ontbreken. Jan Druipneus, Jan Zorgeloos,
Jan Zeldengoed, Jan Vuilak, Jan Sufkop, Jan Bothoofd, Jan Ongeregeld, Jan
Holkaak, zonder brood; Jan Slungel, Jan Simpel, Jan Kortaangebonden, Jan
Onrust, Jan Strammaard en Jan Schoneschijn; Jan Geknoei, die soms te Cante-
croy [op het kasteel van kardinaal Granvelle] wordt gesignaleerd; Jan Plakker,
Jan Platbroek, met dezen wil ik voor anderen bewijzen dat men veel Jannen
vindt, die nochtans niet zo heten.

◆

EEN VRAGE EN EEN ANTWOORDE

Vrage	Antwoorde
Wie eet de gemeente?	De heeren.
Wie eet de heeren?	De woekerers.
Wie eet de woekerers?	De papen.
Wie eet de papen?	De hoeren.
Wie eet de hoeren?	De putiers.
Wie eet de putiers?	De taverniers.
Wie eet de taverniers?	De procureurs.
Wie eet de procureurs?	De luysen.
Wie eet de luysen?	De simmen.

*Hier omme moet alle der wereld staet
gaen duer der simmen eersgaet.*

Een vraag en een antwoord

Vraag	Antwoord
Wie leeft van het volk?	De heren.
Wie leeft van de heren?	De woekeraars.
Wie leeft van de woekeraars?	De geestelijken.
Wie leeft van de geestelijken?	De hoeren.
Wie leeft van de hoeren?	De pooiers.
Wie leeft van de pooiers?	De herbergiers.
Wie leeft van de herbergiers?	De procureurs.
Wie leeft van de procureurs?	De luizen.
Wie leeft van de luizen?	De apen.

Zodoende passeert heel de wereld door het gat van de apen.

JACOB JACOBSZ. CASSIERE

[REFEREIN]

[SWEIRELS SAMBLANT IS ALS DRYFSANT:
NIET SONDER GODT]

Ghy weirels gesinde, Adams kinderen,
Verdoolde schapen van de rechte strate,
Die den schat der boosheyt, die saen sal minderen,
Pryst boven deeuwich goet der sielen bate,
Hoe sydy dus verblint? Wie heeft u de mate
Des woorts & der redene soo onttogen?
Siet ghy niet hoe de weirelt, vroech & late,
Haer liefhebbers soo valslyc heeft bedrogen?
Haer samblantelyc soch, waer heeft syt gesogen?
Uut der slangen borsten, als trecht dootlyc fenyn,
Dwelck (soot van u hier niet en wordt verspogen)
Sal eeuwich uwer sielen verdervinge syn.
Daerom vliet van desen bedriechelycken schyn
Tot de sonne der waerheyt, nae Gods gebodt,
Denckende, soot oock blycken moet telcken termyn:
Sweirels samblant is als dryfsant: niet sonder Godt.

Jullie wereldsgezinden, kinderen van Adam, schapen die van de juiste weg afgedwaald zijn, die de schat van boosheid, die weldra zal afnemen, prijst boven het
eeuwig goed, het voordeel van de ziel, hoe komen jullie zo verblind? Wie heeft
jullie de maat van het woord en van de rede zo onttrokken? Zien jullie niet hoe
de wereld, vroeg en laat, haar liefhebbers vals heeft bedrogen? Waar heeft zij
haar geveinsd zog op haar beurt uit gezogen? Uit de borsten van de slang, een
waarlijk dodelijk gift dat, als jullie dat hier niet uitspuwen, eeuwig het verderf
van jullie zielen betekent. Vlucht daarom van deze bedrieglijke schijn naar de
zon der waarheid, naar Gods gebod en bedenk, zoals ook telkens moet blijken:
de uiterlijke schijn van de wereld is als drijfzand, niets zonder God.

Sweirels samblant, des Woorts wederpartye,
Segt, hoe hoort ghy dat Johannes noemen?
Waey vlees lust, oogen lust, slevens hooverdye,
Tsaet, de wortele van smenschen verdoemen,
Den Babeloensen mantel, tsieraet, de bloemen,
Daer hen de godloose me tooyen & behangen,
Wiens boose gedachten & hooch beroemen
Als een schaduwe is, een ydel omvangen.
Siet alle, dies hier nae stellen haer verlangen,
Den wech des vreden beneven treden;
Sy wycken dlicht & hebben verlangen
Nae de duysterheyt van alder onvreden.
Maer al telt dit de sulcke, heel onbesneden
Inden gheest, voer een welvaert hier in sweirels codt,
Acht dat niet; want nae der Schriftueren reden:
Sweirels samblant is als dryfsant: niet sonder Godt.

Als dryfsant dryvende ongestadich,
Nu hier, dan ginder, midts der stroomen cracht,
Is des weirels samblant dwelck geveyst sucadich
Maer altyt wanckelbaer den sotten aenlacht.
Hoogen naem, wellust, eere, sryckdoms pacht,

De schijn van de wereld, de tegenstander van het Woord, zeg mij, hoe horen jullie die Johannes noemen? Foei, vleselijke lust, lust van de ogen, hoogmoed van het leven, zaad en wortel van de menselijke verdoemenis, mantel en sieraad van Babylon, bloemen waarmee de goddelozen zich tooien en behangen. De boze gedachten en het ijdel pronken van die goddelozen is als een schaduw, een vruchteloze onderneming. Ziet: allen, die hun verlangens daarop richten, verlaten de weg van de vrede; zij wijken van het licht en verlangen naar de duisternis vol onvrede. Maar al beschouwt zo iemand met een verstokte geest dit als welvaart in deze wereld, let daar niet op, want naar het woord van de Schrift: de uiterlijke schijn van de wereld is als drijfzand, niets zonder God. ¶ Als drijfzand, dat onrustig ronddrijft, nu hier, dan daar, door de kracht van de stroming, zo is de schijn van de wereld: quasi lieflijk, maar altijd ongestadig lacht hij de dwazen toe. Een beroemde naam, wellust, eer, het genot van rijkdom,

Solaes, bancketten & triompheringe, siet:
Wat ist? Wat windt hy, die dat al bevracht,
Dan een handt vol sonnen, ja, een ydel niet,
Dwelck in deynde dick weckt dwaenhopich verdriet,
Cnagende consciencie oft crancke sinnen,
Daermen tprofyt der sielen, soo Christus bediet,
By verliest als alle rechtwyse bekinnen?
Wel hen dan, die dit tegendeel beminnen;
Dats de verneringe des geests na swaerheyts slodt.
Want als wy de sake te recht sien binnen:
Sweirels samblant is als dryfsant: niet sonder Godt.

Prinche

Niet sonder Godt, edel prinche, tis waer;
Want al wat iet is oft staende sal blyven,
Is Godt oft Godts, als diet al in allen is claer,
Wiens mogentheyt men niet en can beschryven.
Daerom, salich is een man, die nae sgeests dryven,
In Godt, dwarachtich wesen, leeft & rust serteyn,
En sweirels famblant, dwelck niet en mach beclyven
Maer corts eyndt, laet varen als een saet onreyn.

genot, banketten en overdaad, wat is het? Wat wint hij die dat alles bezit, dan een handvol zonlicht, een niets, dat uiteindelijk dikwijls wanhopig verdriet oplevert, een knagend geweten of een zwaarmoedige geest, waardoor men het heil van de ziel, zoals Christus dat omschrijft, verliest, wat alle rechtzinnigen betuigen. Zalig zijn zij, die het tegendeel beminnen, de vernedering in de geest volgens het besluit der waarheid. Indien wij die zaak grondig van binnen bezien: de uiterlijke schijn van de wereld is als drijfzand, niets zonder God. ¶ Prins ¶ Edele prins, niets is mogelijk zonder God, dat is de waarheid. Want al wat iets is of staande zal blijven, is God of behoort hem toe: hij is alles in allen, dat is duidelijk. Zijn almacht kan men niet omschrijven. Daarom: zalig is de man die, naar de ingeving van de geest, in God, het waarachtig wezen, leeft en veilig rust, en de schijn van de wereld, die niet kan standhouden, maar zeer vlug eindigt, laat varen als iets onreins.

Dus, al lockt u den Sathan, sweirels prins gemeyn,
Duer syn loose treken, en laet u niet verdooven.
Is tvlees cranck? Bidt om hulpe uwen cappeteyn:
Hy sal u bystaen, wilt dit vry gelooven.
Oock en can dit niet dat iet niet berooven,
Noch de vyant ontrecken Godts deel en lot.
Denckt op uwen regel, dorscht op geen ydel schooven:
Sweirels samblant is als dryfsant: niet sonder Godt.

♦

UIT EEN DUYTSCH MUSYCK BOECK

[1]

Ghij meyskens die vander comenschap sijt,
Hout den coopman altijt in eeren;
Ghij sulter af crijghen, voorwaer, profijt,
Fraey juweelkens en schoone cleeren;
Wat hij u doet, geeft hem goede moet
En weest hem soet in handelen;
Swijcht al stil, doet zijnen wil,

Dus al lokt Satan, de vorst van deze wereld, jullie door zijn sluwe listen, laat jullie niet beïnvloeden. Is het vlees zwak? Bid jullie Heer om bijstand: hij zal jullie helpen, geloof dit waarachtig. Ook kan dit aardse niets het hemelse iets niet beroven, en evenmin kan de duivel Gods rechtmatig aandeel buitmaken. Bedenk de volgende slotregel, dors geen lege schoven: de uiterlijke schijn van de wereld is als drijfzand, niets zonder God.

•

Gij, meisjes, die uit de handel zijt, hou de koopman altijd in ere; daar trekken jullie zeker voordeel uit: fraaie juwelen en mooie kleren. Wat hij jullie ook doet, geef hem goede hoop en behandel hem met zachtheid. Zwijg en doe wat hij wil,

Laet den coopman wandelen
Hij sal u schincken — wilten vrij drincken —
Den wijn veel soeter dan amandelen;
Maer hout u slecht en altijt segt:
Laet den coopman wandelen.

[2]
Overvloedigen rijckdom, noch armoede groot
En wilt mij, Heere, op deser aerden niet gheven;
Ick mocht u versaken door grooten noot,
Segghende, waer es de Heere gebleven?
D'overvloedicheyt doet den mensche sneven,
Want de rijcke compt swaerlijc ten hemel binnen.
Maer, Heere, want ick op der aerden moet leven,
Soo laet mij matelijc mijn nootdruft winnen;
Ghij kent die boosheyt van mijnen sinnen:
Rijckdom verheft, armoede maect droeve,
Dus gheeft mij, Heere, slechts wat ick behoeve.

geef de koopman ruim baan. Hij zal jullie een wijn schenken — drink maar
gerust — die nog zoeter is dan amandelen. Maar hou je gedeisd en zeg altijd:
laat de koopman zijn gang gaan.

•

Heer, geef mij in deze wereld overvloed noch armoede; door zware ellende zou
ik u wellicht verloochenen, en zeggen: 'Waar is de Heer gebleven?' De overvloed stort de mens in het verderf, want de rijke komt slechts met moeite in de
hemel. Maar, Heer, nu ik in deze wereld moet leven, laat me mijn brood met
mate verdienen. Gij kent de slechtheid van mijn hart: rijkdom maakt de mens
trots, armoede maakt hem neerslachtig. Geef mij daarom, Heer, slechts wat ik
nodig heb.

Laet ons nu al verblijden
In desen soeten tijt;
Aenhoort die voghelkens singhen
En maken groot jolijt;
Die Venus dierkens, schoone saphierkens,
Reyn balsamierkens, bloeyende rosierkens
Ook domineren, triumpheren
Breet ende wijt, sonder respijt.
Laet ons nu al verblijden
In desen soeten tijt.

◆

[HET GEROEP DER STRATE]

Ic sou studeren in eenen hoeck
En dat tot mijnder baten,
Daer quam ter stont so menighen roep,
Studeren moest ick laten.
Brillen — spillen, lijsken spillen — fijne cammen —
goey nestelen — solfer priemen — groot gerief om een
clein geldeken — schotelen binden — blaes balken

Laten we nu allemaal vrolijk zijn in dit heerlijke seizoen; hoor hoe de vogeltjes zingen en zich amuseren. De lieve meisjes — mooie saffiertjes, heerlijke balsemboompjes, bloeiende rozestruikjes — feesten en jubelen ook, wijd en zijd, zonder respijt. Laten we nu allemaal vrolijk zijn in dit heerlijke seizoen.

•

Ik wou gaan studeren in een hoekje, en dat voor mijn profijt. Maar meteen weerklonk daar zoveel geroep van marskramers, dat ik ervan moest afzien. ¶ Brillen — spijkers, draadnagels — fijne kammen — goeie veters — zwavelstokken — veel gerief voor weinig geld — schotels herstellen — blaasbalgen

lappen — lanteernen maeken — schouvegher sonder
leeder — al heet eert uut den hoven geet — haelt
mosselkins al versch — haelt bottekins al versch.
     Om datter compt so menighen roep,
     Studeren moet ick laten.
Almanack ende prononsticatie — wacht u vier, u licht wel
— plecken uut, een werf, ander werf, niemant niet? — hoort
goeyen Rinschen wijn om vijf stuvers den stoop — hier goey
nieubacken boenkins — spellen — Melaensche naelden —
oublijen — ratte cruyt — blint man, erm man — goeyen El-
zeter most, vrouwen lost, om acht stuvers den stoop.
     Om datter compt so menighen roep,
     Studeren moet ick laten.

GEUZENLIEDEREN

[EEN VADER-ONZE]

O, bisschop Sonnius, die ten Bosch zijt,
Uwen name is zeer benijt,

lappen — lantaarns maken — schoorsteenveger zonder ladder — gloeiend
heet voor het uit de oven komt — koop verse mosseltjes — koop verse
botjes. ¶ Omdat er zoveel geroep weerklinkt, moet ik van studeren afzien. ¶ Almanak en prognosticatie — let goed op uw vuur, op uw licht — een
middel tegen vlekken, eenmaal, andermaal, niemand? — hoort! goeie rijnwijn
tegen vijf stuivers per kan — hier goeie versgepofte boontjes — spelden — naalden uit Milaan — wafeltjes — rattenkruit — blindeman, arme
man — goeie, Elzasser appelwijn, heerlijke vrouwendrank, tegen acht stuivers
per kan. ¶ Omdat er zoveel geroep weerklinkt, moet ik van studeren afzien.

•

O, bisschop Sonnius, die in Den Bosch zijt, uw naam is zeer gehaat,

U rijck is van geender weerden,
In hemelrijck noch op eerden;
Gy eedt huyden ons dagelicxs broot,
Ons wijfs ende kinderen hebbent groot noot.
O Heer, ghy, die daer in den hemel zijt,
Maeckt ons doch desen bisschop met zijn insettinge quijt,
En laet ons in geen becoringhe vallen,
Maer verlost ons van de geschoren allen. Amen.

[GEUZEN-LUST]

Ick hope dat den tijdt noch comen sal,
Dat men sal roepen overal,
Eendrachtich voor een leus,
Als Brederode met blijden gheschal:
Vive, vive le Geus!
   Die edele heere van Breero soet,
Met den graaf van Nassou, dat edel bloet,
Seer ingenieus,
De grave van Culenborch metter spoet:
Vive, vive le Geus!
   Dese hebben ons verlost van den cardinael,
En van de kettermeesters int generael,

---

uw rijk is van generlei waarde, noch in de hemel, noch op aarde; gij eet heden ons dagelijks brood, onze vrouwen en kinderen hebben dat hard nodig. O Heer, gij die daar in de hemel zijt, verlos ons toch van deze bisschop en zijn beleid, en laat ons niet in verzoeking vallen, maar verlos ons van alle kruindragers. Amen.

•

Ik hoop dat de tijd nog komen zal dat men overal eendrachtig en blij zal roepen, samen met de heer van Brederode : 'Leve, leve de geus!' ¶ De goede edele heer van Brederode, met de graaf van Nassau, die edele en zeer verstandige man, en de graaf van Culemborg: deze drie roepen met spoed: 'Leve, leve de geus!' ¶ Deze drie hebben ons verlost van kardinaal Granvelle, van de troep kettermeesters

Van den bisschop seer pompeus,
Dus roepen wy met blijdschap altemael:
Vive, vive le Geus!

Zy hadden ons ghepast te brenghen in den noot,
Ghelijck slacht-schaepkens, die men doot,
Met tyrannije beus;
Dus roepen wy, want Godt verdroot:
Vive, vive le Geus!

Zy hadden nae ons bloedt ghevast,
Ons goet te nemen hadden sy ghepast,
Want sy maken ons fameus
Voor den coninck; maer nu roept ontlast:
Vive, vive le Geus!

Hertoch Erick heeft hem sterck gheset
Teghen die waerheydt, reyn en net,
Met lancen ende speer,
Hierom gheeft Godt, diet heeft belet,
Loff, glory, prijs, end eer.

Den prins van Oraengiën triumphant,
Met andere baroenen hier int landt,
Zy waeren damboreus,
Godt maeckte haer zijnen wille bekant; –
Vive, vive le Geus!

De deken van Ronssen, om Gods woort bloot,

en de pompeuze bisschop, daarom roepen wij allemaal met blijdschap: 'Leve, leve de geus!' ¶ Zij hadden gedacht ons in nood te brengen, als schapen naar de slachtbank, met hun boze tirannie. Maar omdat dit God onwelgevallig was, mogen wij roepen: 'Leve, leve de geus!' ¶ Zij snakten naar ons bloed en wilden ons bezit buitmaken, want zij maakten ons verdacht bij de koning; maar roep nu verblijd: 'Leve, leve de geus!' ¶ Hertog Erik van Brunswijk heeft zich met landen en speren hevig tegen de zuivere waarheid gekeerd. Maar God heeft zijn voornemen belet, geef hem daarom lof, glorie, prijs en eer. ¶ De prins van Oranje kwam zegevierend in het land met vele andere edellieden, zij waren krijgshaftig. God maakte hun zijn wil bekend; leve, leve de geus! ¶ De deken van Ronse, Pieter Titelmans,

Hy heeft ghebracht menich Christen ter doot,
Met moede seer preus,
Daeromme roepen wy, cleyn end groot:
Vive, vive le Geus!

De marcgraef t' Antwerpen is eenen tyrant,
Hy heeft de Christenen verdroncken en verbrandt,
Met nijde dangereus,
Dus roepen wy tot zijnder schant:
Vive, vive le Geus!

Bisschoppen, prelaten, acht men nu niet meer,
Noch den paus met zijn valsche leer,
Want zy zijn venineus,
Dus roepen wy teghen haer eer:
Vive, vive le Geus!

Verblijdt u allegader met groot jolijt,
Die den cardinael dragen de trou, te spijt,
Als sy vraghen nae de leus;
Dus seght altijt, en weest verblijt:
Vive, vive le Geus!

Danckt Godt, den prins van hemelrijck,
Ghy, die de waerheydt soeckt ghelijck,
Hoe langher hoe meer,
Betert u, gheeft Godt autentijck
Loff, glory, prijs, end eer.

---

heeft in zijn overmoed menig christen ter dood gebracht om het zuivere woord
Gods. Daarom roepen wij, klein en groot: 'Leve, leve de geus!' ¶ De schout van
Antwerpen is een tiran. Hij heeft christenen verdronken en verbrand met ver-
vaarlijke haat. Daarom roepen wij tot zijn schande: 'Leve, leve de geus!' ¶ Bisschoppen noch prelaten acht men nu niet langer, noch de paus met zijn valse
leer, want zij zijn aartsgiftig. Daarom roepen wij tegen hun eer: 'Leve, leve de
geus!' ¶ Verblijdt u allen met groot jolijt, de slippedragers van kardinaal Granvelle ten spijt, als zij naar onze leus vragen, roep dan altijd blij: 'Leve, leve de
geus!' ¶ Dank hoe langer hoe meer God, de Heer van het hemelrijk, gij allen die
evenzeer de waarheid zoekt. Beter uw leven en geef de waarachtige God lof,
glorie, prijs en eer.

[GEUZEN-ECHO]

Soe men die Geulx bestrijt,
Sal men gewinnen iet? — Niet!
Wie sal d'overhandt houden,
Die pauws oft die geulx? — Die geulx!
Wat sal dan van 'spauws rijcke
Geworden, in sulcken gevallen? — Vallen!
Hoe, sal men oick zijn missen
En loff vergeten al? — Al!
Wat sal men dan gaen doen
Met alle zijn aflaten? — Laten!
Konnen hen dan die groote
Noch helpen iet meer? — Niet meer!
Wie sal hen dan vieren,
Nadien dit alzoo zy? — Zy!
Wiltse dan metten edelen
Het niet zijn eens? — Neens'!
Waer blijft dat roode calf,
Die ons tbastaertkint int landt sant? — Int sant!
Nu hy moet achterblijven,
Wie zal zijn goed deelen? — D'eelen!
Hy hapde toch goets genoech,
Wat socht hy noch meer? — Eer.

Zo men de geuzen bestrijdt, zal men dan winnen iets? Niets! Wie zal de overhand krijgen, de pausgezinden of de geuzen? De geuzen! Wat zal dan worden
van het rijk van de paus in zulke gevallen? Vallen! Hoe, zal men ook zijn missen
en lof vergeten geheel en al? Al! Wat zal men dan gaan doen met al zijn aflaten?
Laten! Kunnen de grote heren de pausgezinden dan nog iets meer helpen? Niets
meer! Wie zal hen dan vieren, wanneer dit zo mag zijn? Zij [de landvoogdes
Margaretha van Parma]! Zal zij het dan met de edelen niet meer eens zijn?
Neen zij! Waer blijft dat rode kalf [kardinaal Granvelle], dat die bastaarddoch-
ter [Margaretha] ons stuurde in het land? In het zand! Nu hij moet vertrekken,
wie zal zijn bezit verdelen? De edelen! Hij hapte toch genoeg goed bij elkaar,
wat zocht hij nog meer? Eer!

Het was recht een Nero,
Een hoeren herberghere? — Ergere!
O God! wie sal dit arme volc,
Verlossen uyt den stricke? — Icke!

HIER VOLGHT EEN DEVOOT PAPEN-GHESANGH ALSMEN GHEWOONLICKE HET SERMOON INT MIDDEN VANDE MISSE DEDE

Op de wyse van Passemedi del Bosa

Hebdy niet ter Missen gheweest
Inder Papen Kercke:
T'guychelspel dat men daer leest
Gaet het wel te wercke:
Oremus Craeyen, Cruycen saeyen
Nijghen, draeyen, soo ickt wel aenmercke.

Hy duckt, hy buckt, voor den Altaer,
Dan droomt hy oock int slape,
Seer veel Cruycen maeckt hy daer naer;
Verwondert is de Pape,

Hij was werkelijk een Nero en een hoerenwaard? Erger! O God, wie zal dit arm volk redden uit de strik? Ik!

•

Hier volgt een godvruchtig papengezang, in de trant van het sermoen dat men gewoonlijk in het midden van de mis hield ¶ Ben je niet naar de mis geweest in de paapse kerk? Zoals ik het zie, gaat de goochelarij, die men daar vertoont, zo in zijn werk: men kraait 'Oremus', men zaait kruisen, men buigt en draait. ¶ De paap kromt zich, hij bukt voor het altaar, hij staat in slaap te dromen, daarna slaat hij zeer veel kruisen. Verwonderd is hij

Dat zijn goyken, Duyvels Boyken,
Onder d'loyken, niet wech heeft zijn knape.

Hierom soo is de Paep verblijt
En laet een schelleken klincken;
Al coemter veel tot zijn ombijt,
Niemant en wil hy schincken,
Maer acht onreene, tvolck ghemeene
Want alleene, wil hy 't Wijntgen drincken.

Tgoyken dat hy Eten sal
Heft hy flucks om hooghe,
Zijn knaep stelt als een gheck seer mal
Des Papen Aers ten thooge;
Al diet aenschouwen, knien vouwen,
Handen douwen, het blijct voor elcx ooge.

Dan laet hy oock een Beker sien,
Daerin is Wijn bezworen,
Tis bloet meenen de arme Lien
Van tGoyken nieu gheboren;
Zy cloppen t' harte, sonder smarte
Menige parte, brengen sy te voren.

dat zijn godje, die duivelsbode, onder het buigen niet door zijn misdienaar is
weggepikt. ¶ Hierom is de paap verblijd en laat een belletje klinken. Al komen
er veel op zijn maaltijd af, hij wil aan niemand schenken; hij acht het allemaal
voor onrein volk, want hij wil het wijntje alleen drinken. ¶ Het godje, dat hij
eten zal, steekt hij plots omhoog. Daarbij stelt zijn dienaar, als een malle gek,
het papenachterste tentoon (door de kazuifel op te lichten). Al wie het ziet,
buigt de knieën en vouwt de handen. ¶ Dan laat hij ook een beker zien; daarin
heeft hij wijn bezworen. De simpele lieden menen: dit is bloed van het nieuw-
geboren godje. Zij slaan zich op het hart, zonder smart, en vertonen malle
kuren.

Betoovert broot van hem getoont
Wert flucx van een ghereten,
De arge Paep hemselven loont,
Want die daer zijn gheseten
Die sien hem trecken, den Kelck lecken,
Met haer gecken, en mogen niet me eten.

Honger en dorst heeft hy geblust
Dan wast hy oock zijn handen,
Het arm volck d' ydel plateelken kust;
Noch seyt de Paep vol schanden:
Gaet al strijcken, die quaemt kijcken
Mijn practijken, giet hy nat voor t' branden.

Tspel is uut van sulcken Sot,
Hy wort ontschorst ontbonden;
Als een gelapten Rock vermot
So is de Misse bevonden,
Cleyn van waerden, op der Aerden,
Sal voor Paerden, Catten en voor Honden.

T'vaghevyer is op haer ghesticht,
Daer loopt zy Zielen haelen;
Al is sy blint, sy wordt ghelicht,

Het betoverde brood, dat de paap heeft laten zien, wordt door hem snel uit-
eengereten. De slimme paap beloont enkel zichzelf. Wie daar nog zijn, zij zien
hem schrokken, de kelk uitlikken en met hen gekscheren, want zij mogen niet
meeëten. ¶ Nadat honger en dorst bevredigd zijn, wast hij zijn handen. Het
arme volk kust het lege schoteltje. Dan zegt de schaamteloze paap: 'Kijkers,
maak jullie uit de voeten.' Tegen het brandgevaar sprenkelt hij wijwater. ¶ Het
spel van zo een zot is uit. Hij wordt ontmaskerd, doorzien. De mis is een gelapt
kleed waar de mot in zit, gering van waarde en hier alleen nog geschikt voor
paarden, katten en honden. ¶ Het vagevuur is op de mis gesticht. Daar gaat zij
zielen weghalen. Al is zij blind, zij wordt verlicht (met kaarsen)

End laet haer wel betalen:
Zy kan ontbijnen, uut der pijnen,
Oock wel vijnen, Duytschen ende Walen.

Al verchiert hy schoon de Craem,
Niemant en wilse coopen,
d'Enghelsman is sy onbequaem,
Den Fransman halff ontloopen,
Zeeuw, en Hollander, oock Brabander,
Met malcander, stootens uut met hoopen.

Wien suldy, arme Cramers cranck,
Met uwer Missen laven?
Na Spaengien wech met haren stanck,
Men wilse hier corts begraven,
Want t'wilder vuylen, aen u Muylen
Crijchdy buylen, ras wilt henen draven.

Hierom raed' ick Man ende Vrou,
Dat sy daer niet en comen;
Met sulcken spel, dat segh ick ou,
Wort Godt zijn eer benomen;
Wat sy rasen, met vijsvassen,
Dat sy prasen, t' zijn al ydel droomen.

---

en laat zich goed betalen. Zij kan mensen uit de pijnen van het vagevuur redden
en er ook wel Nederlanders en Walen uit sorteren. ¶ Al versiert de paap zijn
kraam mooi, niemand wil de mis kopen. Voor de Engelsman is zij ongeschikt;
de helft van alle Fransen is haar ontlopen. Zeeuw, Hollander en Brabander
stoten haar met grote hopen gezamenlijk naar buiten. ¶ Wie zult gij, arme
dwaze kramers, met uw mis verkwikken? Weg met haar stank naar Spanje!
Hier zal men haar binnenkort begraven. Want ze was aan het verrotten; jullie
krijgen trouwens bobbels op jullie tronies. Weg, en vlug wat! ¶ Hierom raad ik
zowel man als vrouw dat zij niet in die paapse kerk zouden komen. Met zulk
spel, dat zeg ik jullie, wordt God zijn eer ontnomen. Wat zij ook razen met hun
verzinsels, wat zij bazelen, het zijn allemaal nutteloze dromen.

[HET VAGEVUUR]

Ick sal u singhen een goet nieu liet,
Kinderen wilt nu hooren,
Int roomsche rijck daer is jolijt,
Daer is een Paus ghecoren;
tEn is gheen God, ten is gheen mensch,
Hy drinckt soo geern den wijn;
Ist gheen Godt, off ist gheen mensch,
Soo moet het den duyvel zijn.

  Vierdehalf-hondert daghen aflaet,
Soo heeft hy ons ghegeven,
Willen wy certeyn, na hem alleyn,
Nae zijn gheboden leven;
Willen wy houden zijn ghebodt,
Hy sal ons helpen, dat is tslot,
Al in dat vaghevuer;
Dat is die paus nu zijn tolhuys,
Dat gheeft hy om zijn huer.

  Maer nu is hy ghesturven,
Den heer van deser eerden,
Zijn rijck dat moet hij durven,
Een ander weer aenveerden;
Hy en gaff noyt schat, noch oock tribuyt,
Hy draeyter zijn selven altoos uit,
De paus, den heylighen man;

Ik zal jullie een mooi nieuw lied zingen, kinderen, luister nu. Er is vreugde in het roomse rijk, want er is een paus gekozen. Hij is geen God en geen mens en hij drinkt zo graag wijn. Als hij God noch mens is, dan moet het de duivel zijn. ¶ 350 dagen [een jaar] aflaat heeft hij ons beloofd, indien wij volstrekt alleen volgens zijn geboden zullen leven. Hij zal ons (dat is de bedoeling) in het vagevuur helpen; dat is de paus zijn tolkantoor, die hulp geeft hij tegen betaling. ¶ Maar nu is hij gestorven, die heer van deze wereld, zijn rijk moet hij afstaan, een ander aanvaarden; hij betaalde nooit belasting, hij draaide zich altijd eruit, de paus, die heilige man;

Men moest hem altijt ter kerken draghen,
Was hyer niet qualicken an?
    Hy quam al voor den hemel gegaen,
Hij clopte voor de deure;
S. Pieter die had het soo haest verstaen,
Hy quammer haestelick veure;
S. Pieter die sprack: ghy en meuchter niet in,
Ghy moet gaen soecken een ander ghewin;
De paus, den heylighen man
Mach hy in den hemel niet,
Waer duyvel laten wy hem dan? —
    Hy quam al voor de helle ghegaen,
Hy klopte voor de deure;
De opperste haddet so schier verstaen,
Hy quammer haestelick veure;
Lucifer sprack: ghy meuchter niet in,
Ghy moeter gaen soecken een ander ghewin
De paus, den heylighen man,
Mach hij in hemel noch in hel,
Waer duyvel laten wy hem dan? —
    Hy quam al voor 't vaghevyer ghegaen,
Dat vant hy sonder vraghen,
Dat hy er soo menich bedroghen heeft,
Dat mach hy wel beclaghen;

men moest hem altijd naar de kerk dragen, was hij er niet slecht aan toe? ¶ Hij
kwam aan de hemel en klopte aan de poort; Sint-Pieter had het onmiddellijk
gehoord en kwam haastig naar voren. Sint-Pieter sprak: 'Jij mag er niet in, jij
moet een andere job gaan zoeken'; de paus, die heilige man, als hij de hemel niet
binnen mag, waar, bij de duivel, laten wij hem dan? ¶ Hij kwam aan de hel en
klopte aan de poort. Lucifer had het onmiddellijk gehoord en kwam haastig
naar voren. Hij sprak: 'Jij mag er niet in, jij moet een andere job gaan zoeken.'
De paus, die heilige man, als hij in hemel noch hel binnen mag, waar, bij de
duivel, laten wij hem dan? ¶ Hij kwam aan het vagevuur, dat hij zonder vragen
vond. Hij mag zich wel beklagen,

Daerom soo lijdt zijn ziele groote pijn,
Om datter soo vele bedroghen zijn;
De paus, den heylighen man,
Hy en mocht in hemel noch in hel,
Int Vaghevier laten wy hem dan.

[KLOOSTERLEVEN]

Een kort dic, vet paterken, laetst zijn nonnekens ondersochte,
Oft sy niet besmet en waren met Geuserije,
En vraegde int ronde wat haerlien dochte,
Dat ment geestelijc verjaegde, en haer goet verkochte,
Daer sy sachte op leefden in voorleden tije? —
'tJae, seyder een jong nonneken, ick ben immers blije,
Want ic mach nu huwen, ten besten dat ic kan.'
tIs goet, sprack de pater, en wat seghde ghije,
Suster Peternelleken, hevet u niet an?
'Ba! neent, pater, ic heb ooc liever eenen man,
Want ic was gekloostert tegen mynen wille.'
Doen vraegd hy noch een ander, die daer sat en span,
Wat sy er af seyde heymelijc, al stille? —

dat hij zo menigeen daarmee bedrogen heeft. Daarom lijdt zijn ziel grote pijn,
omdat er zoveel bedrogen zijn; de paus, die heilige man, hij mocht in hemel
noch hel binnen, wij laten hem dan in het vagevuur!

•

Een kort, dik, vet patertje onderzocht onlangs zijn nonnetjes of zij niet met
ketterij besmet waren, en vroeg in hun kring wat zij ervan dachten dat men de
geestelijken verjoeg en hun bezittingen, waarvan zij vroeger royaal leefden,
verkocht. 'Ach,' zei een jong nonnetje, 'ik ben toch blij, want ik kan nu voordelig trouwen.' ''t Is al goed,' zei de pater, 'en wat zeg jij, zuster Peternelleken,
treft jou dat niet?' 'Ba nee, pater, ik heb ook liever een man, want ik ben tegen
mijn zin in het klooster gestopt.' Toen vroeg hij stilletjes nog een derde, die daar
zat te spinnen, wat zij er — tussen hen — van dacht?

'Jae, jae pater, kust my eens, en raept mijn spille,
Swijgt doch van vragen, ghy weet wel hoe 't es;
Hebt ghy noyt gelesen met uwen brille,
Dat Christus ter bruyloft was, en noyt in geen profes?'

tIs wel, sprac de pater, ghy hebt recht, mijn kare,
Maer men wiste doen van geen kloosters te spreken,
Ic hoore wel, ghy wildet oock wel huwen te jare.—
'Ba pater, ic wilde ic oock alree gehuwet ware,
Kond ic mijn lief hebben, 'k en beyde niet drie weken;
Al was ic om mijn loosheyt int klooster gesteken,
Ic ben, noyt soo geerne, daer men de kinderen wiegt!'—
En ghy, suster Claerken, segt ooc u gebreken,
Spreect de waerheyt, schoon maegt, my niet en bedriegt.
'Ben ic maegt, pater?— bonespaeys, ghy liegt:
Ic ben dien al quyte, maer met geen jong geselle,
Ick was van broer Cornelis ons kappellaen gebiecht,
sAvonts alst doncker was, in ons kapelle;
Dan heeft hy my dicmael gebiecht in mijn celle,
Die lieffelijc gestroyt was met kruydekens en ges,
Hy geloofde my trouwe, en swoer als de snelle,
Dat Christus ter bruyloft was, en nooyt in geen profes.'

'Ja ja, pater, kus mij eens, en raap mijn spil op. Hou op met je vragen, jij weet toch hoe het is. Heb jij nooit gelezen, ondanks je grote bril, dat Christus wel op een bruiloft, maar nooit in een klooster?' ¶ 't Is goed,' zei de pater, 'je hebt gelijk, lieve, maar men kende toen nog geen kloosters. Ik hoor wel dat jij ook binnen het jaar getrouwd wil zijn?' 'Ach, pater, ik wou dat ik reeds getrouwd was. Kon ik een lief hebben, ik zou geen drie weken wachten! Al was ik om mijn slimmigheid in het klooster gestopt, ik ben liefst waar men kinderen wiegt.' 'En jij, zuster Klaartje, zeg ook je fouten, spreek de waarheid, mooie maagd, bedrieg mij niet!' 'Maagd, ik, pater? Grut nog toe, je liegt: dat ben ik al kwijtgeraakt, en niet met een jonge kerel. Onze kapelaan, broeder Cornelis, nam mij 's avonds de biecht af, als het donker was, in onze kapel. Daarna heeft hij mij die dikwijls afgenomen in mijn cel, die versierd was met bloemen en gras. Hij beloofde mij trouw en zwoer snel dat Christus wel op een bruiloft was, maar nooit in een klooster.'

tHuwelick is wel eerlijck, en van Godt inghestelt,
Maer trouwen de nonnekens hebben al beter dagen,
Sy en zijn immers met geenen quaden man gequelt;
dEen heeft een dronckaert, dander verspeelt sijn gelt,
Dan krygen de wijfs thuys haren hals vol slagen;
Ghy meugt sekretelijc u selven bejagen,
En kiesen een kare van vryen sticke.
'tIs wel,' spracker een manc nonneken, 'tsou my wel behagen,
Worde den buyck met kinde dragen niet dicke;
Daerom ist beter dat ick my ook schicke,
Ten huwelicken staet, soo my ymant minde,
Want soo haest als ick my metten man verquicke,
tIs seker, ic werde terstont groot van kinde;
Ist niet beter dan, dat ick my des eedts ontbinde,
Die ict tklooster gedaen heb, tegen Gods woort expres?
Want ick in Johannes int tweede geschreven vinde,
Dat Christus ter bruyloft was, en noyt in geen profes.'

De pater was heel uytsinnich verstoort,
Om dat elck sijn eygen quaet klapte en kende,
En gelijc een boeve, soo vraegd hy noch voort,
Hoe veel maeghden datter waren in al de bende? —
Onder al wasser drye, twee doove en een blende,

Het huwelijk is wel eerzaam en door God ingesteld, maar de nonnetjes hebben
waarlijk een beter leven: zij zijn immers niet geplaagd met een slechte man; de
ene heeft een dronkaard, een ander verspeelt zijn geld, dan krijgen de vrouwen
thuis hun nek vol slagen. Jij mag heimelijk voor jezelf zorgen en vrijelijk een
minnaar uitkiezen. 'Dat wel,' zei een mank nonnetje, 'dat zou mij wel passen,
als daarna mijn buik niet dik zou worden van het kind. Daarom is het beter dat
ik mij in de huwelijkse staat begeef, als mij iemand zou beminnen, want zo
gauw ik mij met een man amuseer, zeker weten, word ik direct zwanger; is het
dan niet beter dat ik mij van de eed losmaak, die ik voor het klooster afgelegd
heb, tegen Gods uitdrukkelijk woord in? Want ik lees in het tweede hoofdstuk
van Johannes dat Christus wel op een bruiloft was, maar nooit in een klooster.' ¶ De pater was razend van kwaadheid, omdat elke non haar eigen gebrek
bekende, en zoals een sluwerd vroeg hij verder nog hoeveel maagden er waren
in het hele gezelschap? Er waren er drie, twee doven en één blinde

Met groote dicke lippen, d'oogen uytgeheven,
En die swoeren by Sinte Franciscus' legende,
tEn was haer schult niet datse maeght waren bleven.
'Want daer en was noyt niemandt in al ons leven,
Die eens begeerde te kussen onsen mondt,
Nochtans wilden wy ons ooc wel ten huwelicke begeven;
Begeerde ons yemant, wy concenteerden terstont.
Al waren oock alle de kloosters in den grondt,
Wy en sliepender niet om een hayr te mes,
En ter eeren van thuwelijc, wedden wy, voor hondert pont,
Dat Christus ter bruyloft was, en noyt in geen profes.'

TROOST-LIEDEKEN DER PAPEN ONDERLAGHE

Op den thoon alst begint

Pater grijpt doch eenen moet,
En kust eens u Abdisse,
Al ligghen wy nu onder de voet,
Wy hooren noch daghelijcks Misse.
Wy hopen wy sullen,
Ons Buycxken noch vullen.

---

met grote dikke lippen en lopende ogen, en die zwoeren bij de legende van
Sint-Franciscus dat het hun schuld niet was, dat ze maagd waren gebleven:
'Want er was nooit iemand in heel ons leven, die ons eens wenste te kussen.
Toch wilden wij ook wel trouwen. Mocht ons iemand willen, wij stemden
aanstonds toe. En zouden alle kloosters in de aarde verzwolgen worden, wij
zouden er niet minder gerust om slapen. En ter ere van het huwelijk wedden wij
voor een ton dat Christus wel op een bruiloft was, maar nooit in een klooster.'

•

Troostliedje: de ondergang van de papen ¶ Pater, schep toch eens moed en kus
eens je abdis. Al liggen wij nu onder de voet, wij horen nog dagelijks onze mis.
Wij hopen dat wij toch nog onze buik zullen vullen

Wat leckers doen smullen,
Deur brieven, deur Bullen,
Al zyn wy nu verjaecht,
U Kappers, Lamoenen,
U Kiecxkens, Cappoenen
En zijn niet al gheknaecht.

U Viskens oock seer net ghebraen
Met Sauskens overgoten,
Annijs, Succaden wel ghedaen
Teghens den Windt besloten:
U kocchen, u kuymen,
U hoesten u Fluymen,
Sal ick u doen ruymen,
Door Suycker end Pruymen;
Dus suldt ghy zijn ghetoeft,
Een Beddeken sachte,
Om slaepen by Nachte,
End dat daer toe behoeft.

Koecxkens, Vyghen, end Rozijnen
Om soberlijcken te Vasten:
U Zuypen soet van Rinsche Wijnen
Die 'tHarteken niet belasten,
Die zal ick u maecken,

door wat lekkers te smullen dankzij aflaatbrieven en pauselijke bullen. Al zijn
wij nu [door de geuzen] verjaagd, je kappertjes, citroenen, kippetjes en kapoenen zijn niet allemaal door anderen opgegeten. ¶ En evenmin je delicaat gebraden visjes, overgoten met sausjes, je anijs en fraai suikerwerk, dat zorgvuldig tegen de buitenwind afgesloten is. Van je kuchen en zuchten, hoesten en
spuwen zal ik je afhelpen door suiker en pruimen. Aldus zul je goed onthaald
zijn, en ook met een zacht bedje om 's nachts te slapen en alles wat daar bij-
hoort. ¶ Koekjes, vijgen en rozijnen om sober bij te vasten, het slurpen van
Rijnse wijnen, die het hartje niet belasten, dat alles zal ik je bezorgen

End lustich doen smaecken,
U Lipkens, u Kaecken,
Zal icker doen blaecken,
Dus Paterken weest gherust,
Van zwaerheydt end smarten,
Off druck vander harten,
End doet al wat u lust.

U Lenden-Kusken wel gheheet,
Een Stooffken onder u voeten,
'Smorghens vroech eer ghy u kleet,
Zal ick u comen groeten,
End segghen als Mater:
Goeden dach lieve Pater,
Belieft u wat Water,
Te wasschen uwe Frater?
Wat dienter dan meer gheseydt:
Te segghen met stuypen,
Belieft u te suypen
Een Eyken, versch geleydt?

Princelijcken Pater Fraey,
Al moeten wy sobereeren,
Ons rolleken krijght noch eénen draey,
Wy zullen noch domineeren,
Want Princen end Graven

en lustig doen smaken. Je lipjes en kaken zal ik doen glimmen. Dus, patertje, wees vrij van zwaarheid, smarten en harteleed, en doe al wat je lust. ¶ Je krijgt een lendenkussentje goed voorgewarmd en een stoofje onder je voeten. 's Morgens vroeg, eer jij je aankleedt, zal ik je komen groeten en als mater zeggen: 'Goedendag, lieve pater, heb je wat water nodig om je frater te wassen?' Wat moet er dan nog gezegd worden? Met een buiging: 'Wil je een versgelegd eitje uitzuigen?' ¶ Prinselijke pater Fraai, al moeten wij thans sober leven, de rollen worden nog omgekeerd, wij zullen nog overheersen. Want prinsen en graven

Die ryden en draven,
Deur ghiften end gaven,
Als knechten end slaven,
Voor ons al inden Strijdt,
Wij hopen de Renten,
Van onse Conventen
t'Ontfanghen in korten tijdt.

EEN NIEU LIEDEKEN

Op de wijse van Arien Maet

Wy Monicken ende Papen
Wy Gheestelicke Heeren,
Met alle onse knapen,
Wy moeten sparen leeren
Wy hebben niet om teeren
Die Geus heeft ons verraen,
Al ons vreucht en triumpheren
Eylaes is nu ghedaen.

Wy moeten schoyen achter lant
Al teghen onsen willen,
Sonder ghelt oft sonder pant,
Gheen Cleeren aan ons Billen,

---

rijden en draven als knechten en slaven voor ons in de strijd dankzij onze giften en gaven. Wij hopen de renten van onze kloosters binnen korte tijd weer te ontvangen.

•

Wij monniken en papen, wij geestelijke heren, wij moeten met al onze knapen leren sparen. Wij hebben niets om te verteren, de geuzen hebben ons verrast, al onze vreugde en blijdschap zijn nu helaas voorbij. ¶ Zeer tegen onze zin moeten wij bedelen door het land, zonder geld en zonder bezit, zonder kleren aan onze billen.

Wy crijghen niet te schillen
Van ghesoon oft van ghebraen,
Hoe dat wy kermen off ghillen
Eylaes tis alghedaen.

Wy hebben tgheheele Jaer ghehoopt
Om ons soppen weer te crijghen,
Die Kans ons altijt teghen loopt
Wy connen Godt niet bedrieghen,
Hoe dat wy ons op stieghen
Het dijdt ons al ten quaen,
Ons Pijlen willen niet vlieghen
Eylaes tis al ghedaen.

Is dit niet een groot verdriet
Dat wy nu moeten wercken,
Dat wy mogen comen niet
Weder in onse Kercken,
Die Geus ghaet op ons mercken
Als wy comen op die paen,
Hy grijpt ons haest by ons vlercken
Eylaes tis al ghedaen.

tUutrecht oft tot Amsterdam
Moghen wy niet langher blijven,
Wy zijn kaelder als een Ram

Wij krijgen niets wat gekookt of gebraden is te eten. Hoe wij ook kermen of gillen, helaas, het is allemaal voorbij. ¶ Wij hebben het hele jaar gehoopt ons geweekt brood terug te krijgen, maar het lot valt ons steeds tegen, wij kunnen God niet bedriegen. Hoe wij ons ook inspannen, het loopt allemaal slecht af, onze pijlen willen niet vliegen, helaas, het is allemaal voorbij. ¶ Is dit niet een groot verdriet, dat wij nu moeten werken? Dat wij niet kunnen terugkomen in onze kerken? De geuzen letten op ons. Als wij te dichtbij komen, pakken zij ons bij de kraag. Helaas, het is allemaal voorbij. ¶ In Utrecht of Amsterdam kunnen wij niet langer blijven. Wij zijn kaler dan een ram

Ons kinderen oock ons wijven,
Wy moeten na Italien drijven
Oft na Spaengien, sonder waen,
Adieu Hollandt willen wy schrijven
Eylaes tis al ghedaen.

Wy hadden groot ghelt by hoopen,
Daer op stont ons betrouwen,
De Knechten om te coopen,
En verradery te brouwen,
Hoe dat wijt al ontfouwen
Ten mach ons niet bestaen,
Wy moghen ons hooft wel clouwen
Eylaes tis al ghedaen.

O Duckdalve lieve Man
Met uwe Spaensche knechten,
Daer is nu langher gheen hopen an
Wy vallen van die plechten.
Wy moghent niet uut rechten
Wy connent niet uut slaen,
Den Geus die can me vechten
Eylaes tis al ghedaen.

O Paus, O heylighe Vader
Met uwe Cardinalen,

en onze vrouwen en kinderen ook. Wij moeten zeker naar Italië afdrijven of
naar Spanje en schrijven: 'Adieu Holland!' Helaas, het is allemaal voorbij. ¶ Wij hadden hopen geld, daarop vertrouwden wij om soldaten om te kopen en verraad te plegen. Hoe wij ook alles in gang zetten, niets kan ons geluk-
ken. Wij mogen wel ons hoofd krabben. Helaas, het is allemaal voorbij. ¶ O
hertog van Alva, lieve man, met je Spaanse soldaten, wij hopen niet langer, wij
verliezen onze posten, wij kunnen niets uitrichten, wij kunnen niets uitwerken:
de geuzen vechten even hard. Helaas, het is allemaal voorbij. ¶ O paus, o heilige vader en uw kardinalen:

U kinderen alle gader
Moeten achter Lande dwalen,
Och hoe pleghen sy te pralen?
Nu neemt men haer ghevaen,
Sy moeten tghelach betalen
Eylaes tis al ghedaen.

Oorlof Aflaet ende Cassen,
Adieu Vesper ende Missen,
Daer wy pleghen af te brassen
Dat ghaet ons nu ter quissen,
Tvaghevier gaen sy uut pissen
Zy werpen ons Offer na die Maen,
Ons Vissery en wil niet vissen
Eylaes tis al ghedaen.

EEN LIEDEKEN GEMAECT BY M. ARENT DIRCXZ. VOS, IN ZIJN LEVEN PASTOOR INDE LIER

Op de wijse Bedructe hertekens, etc.

Slaet op den Trommele van dirredomdeinne,
Slaet op den Trommele van dirredomdoes:

al uw kinderen moeten door het land zwerven. Ach, hoe waren zij gewend te pralen! Nu neemt men hen gevangen, zij moeten het gelag betalen. ¶ Vaarwel, aflaat en reliekschrijnen, adieu vespers en missen! Waarvan wij vroeger brasten, dat gaat ons nu verloren. De geuzen pissen het vagevuur uit en werpen ons misoffer naar de maan. Onze visvangst is vergeefs. Helaas, het is allemaal voorbij.

•

Een liedje, gemaakt door meester Arent Dircxz. Vos, in leven pastoor in De Lier ¶ Slaet op de trommel van dirredomdeine, slaet op de trommel van dirredomdoes:

Slaet op den Trommele van dirredomdeine,
Vive le Geus, is nu de Loes.

De Spaensche pocken, licht als sneeuw vlocken,
De Spaensche pocken, loos ende boos:
De Spaensche pocken, onder sPaus rocken,
De Spaensche pocken, groeyen altoos.

De Spaensche Inquisitie, voor Godt malitie,
De Spaensche Inquisitie, als Draecx bloet fel:
De Spaensche Inquisitie, ghevoelt punitie,
De Spaensche Inquisitie, ontvalt haer spel.

Vive le Geus, wilt Christelick leven,
Vive le Geus, houdt fraye moet:
Vive le Geus, Godt behoed u voor sneven,
Vive le Geus, edel Christen bloet.

De Paus en Papisten, Godts handt doet beven,
De Paus en Papisten, zijn teynden haer raet:
De Paus en Papisten, wreet boven schreven,
Ghij Paus en Papisten, soect nu Oflaet.

Oflaet in tijts noch, Godts woort te krencken,
Oflaet in tijdts noch, u godtloos spel:

slaat op de trommel van dirredomdeine, 'Leve de geus' is nu de leus. ¶ De
Spaanse pokken, licht als sneeuwvlokken, de Spaanse pokken listig en slecht:
de Spaanse pokken onder de pauselijke rokken, de Spaanse pokken groeien
aanhoudend. ¶ De Spaanse inquisitie, een kwaad voor God, de Spaanse inquisitie, giftig als drakebloed; de Spaanse inquisitie voelt haar straf naderen, de
Spaanse inquisitie verliest haar spel. ¶ Leve de geus, wil christelijk leven, leve
de geus, houd goede moed: leve de geus, God behoede je voor het sneuvelen,
leve de geus, edel christenmens. ¶ De paus en papisten, Gods hand doet ze
beven, de paus en papisten zijn ten einde raad: de paus en papisten zijn boven-
matig wreed, paus en papisten, zoek nu aflaat. ¶ Laat nu nog bijtijds af Gods
woord te krenken, laat nu nog bijtijds af jullie goddeloos spel:

Oflaet in tijts, och, wilt u bedencken,
Oflaet in tijts, en valt Godt niet rebel.

Tswaert is getrocken, certeyn Gods wraec naect,
Tswaert is ghetrocken, daer Joannes aff schrijft:
Tswaert is getrocken, dat Apocalipsis maect naect,
Tswaert is ghetrocken, ghy wert nu ontlijft.

Tonschuldich bloet, dat ghy hebt verghoten,
Tonschuldich bloet, roept over u wraeck:
Tonschuldich bloet te storten heeft u niet verdrooten,
Tonschuldich bloet dat dronct ghy met den Draeck.

U vleyschen arm, daer ghy op betroude,
U vleyschen arm, beswijckt u nu:
U vleyschen arm, die u huys boude,
U vleyschen arm, wijckt van u schou.

Prince

Princen, der Princelijcker Geusen Prince,
Princelick met u Gheest haer doch regeert:
Princelick drijvense u Eer, aldus bemintse,
Princelick wert u Rijck alsdan vermeert.

---

och, laat bijtijds af, bedenk jullie, laat bijtijds af, en word God niet weerspannig. ¶ Het zwaard is getrokken, Gods wraak nadert gewis, het zwaard is getrokken, waarover Johannes schrijft: het zwaard is getrokken, dat het boek Apocalyps openbaart, het zwaard is getrokken, jullie worden nu gedood. ¶ Het onschuldig bloed, dat jullie vergoten hebben, het onschuldig bloed roept wraak over jullie af: het stak jullie niet het onschuldig bloed te vergieten, jullie dronken het onschuldig bloed met de draak. ¶ Jullie menselijke arm, waarop jullie betrouwden, jullie menselijke arm laat jullie nu in de steek: jullie menselijke arm, die jullie huis bouwde, jullie menselijke arm vlucht schuw van jullie weg. ¶ Prins ¶ Prins van de prinselijke geuzen, bestuur hen toch prinselijk met uw Geest: prinselijk bevorderen zij uw eer, bemin hen daarom, dan wordt uw Rijk aldus prinselijk vergroot.

ALS NU DIT MOETWILLICHSTE ENDE DIE FLEUR VAN DUCDALBENS KRIJCHSVOLCK, DIE SO LANGE BINNEN MALTA ENDE ELDERS GHELEGHEN HADDEN, VERSLAGHEN WAS, DUCKDALBE MET ZIJN OVERGHEBLEVEN SPAENGIAERDEN, DAER OM SEER VERBITTERT ZIJNDE, HEEFT DE GRAVEN VAN EGMONDT ENDE VAN HOORN, MET DE BATENBURGHERS ENDE ANDER GHEVANGHEN EDELEN DOEN ONTHALSEN

Op de wijse: Waect op ghy Christen al

Alsmen schreef duysent vijfhondert
In dat achtensestichste Jaer,
Was menich mensch verwondert,
Te Bruyssel int openbaer,
Vier Graven Edel van Bloede
Doodemen in corten stont,
Daer toe seer rijck van goede,
Ick wilse u doen condt.

Een Heer van grooter machten
En Grave van Egmont,
Als een Schaep ginck hy ter slachten,
Want ghecomen was ure en stont,

Toen nu dit zeer baldadig krijgsvolk, dat lang op Malta en elders gelegerd was, de elite van Alva's leger, verslagen was, was Alva met zijn overgebleven Spanjaarden daarover zeer verbitterd en heeft hij de graven van Egmond en Hoorne met de heren van Batenburg en andere gevangen edellieden doen onthoofden ¶ Toen men het jaar 1568 schreef, was menig mens verwonderd: te Brussel stelde men in het openbaar, binnen korte tijd vier edele en rijke graven terecht. Ik wil jullie hun namen meedelen. ¶ Een heer van grote macht en graaf van Egmond ging als een schaap naar de slachtbank, want dag en uur waren gekomen.

Men sach daer weenen en trueren
So menich Man, en Wijf
Te Bruyssel binnen der mueren
Al om dit wreet bedrijf.

Cloeck ginck hy na der stede
Daer hy moste sterven, desolaet
En sprack ghy Heeren en Burghers mede
Och isser nu gheen ghenaedt,
Soo ben ick een arme Grave
Daer toe gheen Edelman:
Niemant hem antwoort gave
Dies sprack den Grave nu wel an.

De Grave nam sonder trueren
Een Cussen, hoort dit bedien
Daer op hy den doot wilde besueren
En booch daer op zijn knien.
Te samen leyde hy zijn handen,
Ten Hemel siende seer soet,
Godt doende zijn Offerhande,
Die edel Grave goet.

Als zijn knien waren gheboghen,
En zijn handen waren ghevoecht,
Een heeft dat sweert uutghetoghen,

Men zag zoveel mensen in Brussel wenen en treuren om dit beulswerk. ¶ Dapper ging hij naar de plek, waar hij eenzaam moest sterven en sprak: 'Heren en burgers, is er nu geen genade? Dan ben ik een arme graaf en zelfs geen edelman!' Niemand gaf hem antwoord, daarom zei de graaf: 'Welaan dan!' ¶ Zonder klagen nam hij een kussen — let hierop! — waarop hij de dood wilde ondergaan. Daarop boog hij zijn knieën, vouwde de handen tezamen en keek verlangend hemelwaarts, zo offerde de edele, goede graaf zich aan de Heer. ¶ Toen zijn knieën waren gebogen en zijn handen gevouwen, heeft iemand het zwaard getrokken,

Daermen hem zijn hooft af sloech:
Sijn bloet sachmen daer stralen,
Edel van Ordens verbont,
Godt sal die wrake verhalen
Van die Grave van Egmondt.

Terstont daer na quam vooren
Edel van Stam en Bloet,
Die Edele Graef van Horen,
Liefhebbende Gods woort soet,
Lieflijck sachmen hem daer treden,
Als een Slachtschaep in noot
Comende ter selver steden,
Daer hy moste sterven den doot.

Egmont die daer lach eenpare
Ghedeckt met een cleet dicht,
Wert hijt aen zijn voeten geware,
Dies hy tcleet heeft opgelicht:
En sprack met cloecke reden
Sijt ghy daer Egmont?
Sijt ghy my voor ghetreden,
So wil ick u volghen terstont.

Baals Priester met zijne cluchten
Tradt tot den Grave groot:

waarmee men zijn hoofd afsloeg: zijn bloed zag men daar stromen, het bloed van een ridder van het Gulden Vlies. God zelf zal wraak nemen voor de graaf van Egmond. ¶ Terstond daarna kwam de edele graaf van Hoorne naar voren, een liefhebber van Gods zuiver woord. Kalm, als een schaap op weg naar de slachtbank, zag men hem komen aanstappen op die plek waar hij de dood moest lijden. ¶ Hij merkte Egmond op, die daar reeds lag, bedekt met een dik kleed, daarom lichtte hij het kleed op en sprak met vaste stem: 'Ben jij daar, Egmond? Ben jij mij voorgegaan, dan wil ik je aanstonds volgen.' ¶ Een priester van Baäl kwam op de edele graaf af met zijn kramerij.

Gaet van my (sprack hy met suchten)
Want ghy doet my nu aen den doot:
Hy wist wiese waren al voren,
Des duyvels en sPaus ghebroet,
Van Antechristus gheboren,
Die daer dorsten na donnoosel bloet.

Een Cussen heeft hy ghevonden
Daer hy op booch zijn knien,
Al om te zijn verslonden,
Tot den Hemel sachmen hem sien:
Hy voer uut deze Warande,
Sprekende seer onbevreest,
O Heer in dees Offrande,
Beveel ick u mijnen gheest.

Als hy zijn knien had gheboghen
En zijn handen had ghevoecht,
Een heeft dat Sweert uutghetoghen,
Die den Grave zijn hooft af sloech,
Aldus sachmen crincken,
Den Edelen Grave minioot,
O Godt wilt toch ghedincken,
Den Tyran die hem bracht in noot.

Twee Broeders in goede zeden,
Van Batenburch twee Heeren groot,

'Ga weg van mij,' sprak hij zuchtend 'want je bezorgt mijn dood!' Hij wist vooraf reeds wie ze waren, dat gebroed van paus en duivel, geboren uit de antikrist, dat daar naar onschuldig bloed snakte. ¶ Hij trof er een kussen aan, waarop hij zijn knieën boog om zijn lot te ondergaan, hij blikte naar de hemel: hij ging uit deze wereld en sprak zeer onbevreesd: 'O Heer, in deze offrande beveel ik u mijn geest aan!' ¶ Toen hij zijn knieën had gebogen en zijn handen gevouwen, trok een beul het zwaard en sloeg de graaf het hoofd af. Zo zag men de edele, dierbare graaf doden. O God, gedenk de tiran, die hem in deze nood bracht! ¶ Twee goed befaamde broeders, machtige heren van Batenburg,

Bervoets sachmense treden,
En bloots hoofts al na den doot,
Singhende uut helder kelen
Uut David den sesten Psalm:
Straft my niet Heer in velen:
Tot Godt quam haerlieder galm.

Vry moedich int openbare
Aenriepen sy haren Schepper groot:
De Trommelen ginghen allegare,
En sloeghen daer al accoort:
De Jongste begost te treuren,
Hy liet soo menighen traen,
Om dat het niet mochte ghebeuren,
Dat die lieden hem conden verstaen.

Op den Savel zijn sy ghecomen
Dees twee jonghe Heeren soet
Al waer sy met onvervromen
Moesten storten haer edel bloet
Want men sach haer thooft af smijten
Met noch thien edel mannen schoon
O Godt mijn hert wilt splijten
Als ick daer op denk ydoon.

Groot suchten ende claghen
En weenen ghebrack daer niet:

zag men barrevoets en blootshoofds naar de dood schrijden, zij zongen met
heldere stem Davids zesde psalm, 'Straf mij niet, Heer, om mijn vele zonden':
hun gezang bereikte Gods oor. ¶ Moedig en in het openbaar aanriepen zij hun
Schepper. Alle trommels roffelden: de jongste Batenburger begon te treuren en
weende omdat de menigte hem niet kon horen. ¶ Deze twee vrome jonge heren
kwamen op de Zavel aan, waar zij met pijn hun edel bloed moesten storten,
want men zag hen daar het hoofd afslaan, wat nog met tien andere edellieden
gebeurde. O God, mijn hart bezwijkt bijna, wanneer ik daaraan intens terugdenk. ¶ Aan hevig gezucht, geklaag en geween was geen gebrek.

Men hoorde mans en vrouwen gewaghen,
O Godt wat grooter verdriet
Van dees Nederlantsche Heeren
Diemen daer doot en brant.
Met so menich Man, dwelck tsijnen vermeeren
Doet Duckdalve den wreeden Tyrant.

O Duckdalf met u ghenooten,
Sijt ghy niet sadt van tbloet
Dat ghy in Napels hebt vergoten,
En voor Mets soo menich man goet:
Waren dat niet Schelmsche wracken,
Dat ghy den onghelesten kalck
Int broot hebt doen backen,
O Nero, Verrader end Schalck.

Al met u bloedighe tanden
Als Pharao en Jesabel
Coemt ghy in dees Nederlanden,
Als Herodes quaet en fel:
Hanghen, moorden en branden,
Ontlijven al metter spoet:
Dus coemt ghy met Babel ter schanden,
Al om tonschuldighe bloet.

Men hoorde man en vrouw zeggen: 'O God, hoe erg is het gesteld met deze Nederlandse heren, die men daar doodt en anderen, die men verbrandt; dat doet Alva, die wrede tiran, voor zijn plezier.' ¶ O Alva, met jouw soortgenoten, ben jij niet verzadigd met het bloed, dat je in Napels hebt vergoten en voor Metz, waar zo menig dapper man gedood werd? Was dat geen perfide wraak, dat je ongebluste kalk in brood hebt laten bakken? Jij Nero, verrader en bedrieger! ¶ Met bloedige tanden, als Farao en Jezabel, kom jij net als de wrede en kwaadaardige Herodes in deze Nederlanden; hangen, moorden en branden en met alle spoed terechtstellen: aldus kom jij met Babel tot schande door het onschuldig vergoten bloed.

EEN NIEUW CHRISTELICK LIEDT GEMAECT TER EEREN DES DOORLUCHTICHSTEN HEEREN, HEERE WILHELM PRINCE VAN ORAENGIEN, GRAVE VAN NASSOU, *PATRIS PATRIA*, MIJNEN G. FORSTEN ENDE HEEREN. WAER VAN DEERSTE CAPITAEL LETTEREN VAN ELCK VEERS, SYNER F.G. NAME METBRENGEN

Na de wijse van Chartres

Wilhelmus van Nassouwe
Ben ick van Duytschen bloet,
Den Vaderlant ghetrouwe
Blijf ick tot inden doot:
Een Prince van Oraengien
Ben ick vrij onverveert,
Den Coninck van Hispaengien
Heb ick altijt gheeert.

In Godes vrees te leven
Heb ick altijt betracht,
Daerom ben ick verdreven
Om Landt om Luyd ghebracht:

Een nieuw christelijk lied, gemaakt ter ere van de doorluchtigste heer, heer Willem, prins van Oranje, graaf van Nassau, vader des vaderlands, mijn genadige prins en heer. Waarvan de eerste hoofdletters van elke strofe de naam van zijne prinselijke Genade vormen ¶ Wilhelmus van Nassouwe ben ik van Duits geslacht, het vaderland blijf ik tot in de dood toe trouw: als prins van Oranje ben ik een onafhankelijke soeverein en heb ik de koning van Spanje altijd geëerd. ¶ In Gods vrees te leven heb ik altijd nagestreefd, daarom ben ik verdreven en beroofd van land en lieden:

Maer Godt sal my regeren
Als een goet Instrument,
Dat ick sal wederkeeren
In mijnen Regiment.

Lijdt u mijn Ondersaten
Die oprecht zijn van aert,
Godt sal u niet verlaten,
Al zijt ghy nu beswaert:
Die vroom begheert te leven
Bidt Godt nacht ende dach,
Dat hy my cracht wil gheven
Dat ick u helpen mach.

Lijf en goet al te samen
Heb ick u niet verschoont,
Mijn Broeders hooch van Namen
Hebbent u oock vertoont:
Graef Adolff is ghebleven,
In Vrieslandt in den Slach,
Zijn Siel int eeuwich Leven
Verwacht den Jongsten dach.

maar God zal mij behandelen als een getrouwe dienaar, zodat ik in mijn heerschappij zal terugkeren. ¶ Heb geduld, mijn onderdanen, die oprecht van aard
zijt. God zal u niet verlaten, al leeft u nu bezwaard: wie vroom wenst te leven,
hij moge God dag en nacht bidden dat hij mij kracht wil geven, zodat ik u
helpen kan. ¶ Lijf en goed heb ik in het geheel niet voor u gespaard. Mijn
broeders van hoge faam hebben u dat ook bewezen: graaf Adolf is gesneuveld
in de slag in Friesland, zijn ziel verwacht in het eeuwig leven de oordeelsdag.

Edel en Hooch gheboren
Van Keyserlicken Stam:
Een Vorst des Rijcks vercoren
Als een vroom Christen Man,
Voor Godes Woort ghepreesen,
Heb ick vrij onversaecht,
Als een Helt sonder vreesen
Mijn Edel bloet ghewaecht.

Mijn Schilt ende betrouwen
Sijt ghy, o Godt mijn Heer,
Op u soo wil ick bouwen
Verlaet my nemmermeer:
Dat ick doch vroom mach blijven
U dienaer taller stondt,
Die Tyranny verdrijven,
Die my mijn hert doorwondt.

Van al die my beswaren
End mijn Vervolghers zijn,
Mijn Godt wilt doch bewaren
Den trouwen dienaer dijn:
Dat sy my niet verrasschen
In haren boosen moet,
Haer handen niet en wasschen
In mijn onschuldich bloet.

Edel en hooggeboren, uit een keizerlijk geslacht en rijksvorst zijnde heb ik, als
vroom christen, voor Gods geprezen woord mijn edel bloed gewaagd, en dat
zonder vrees en niet zonder moed. ¶ Mijn schild en betrouwen zijt gij, o God,
mijn Heer, op u wil ik bouwen, verlaat mij nooit: laat mij toch altijd uw vrome
dienaar blijven en de tirannie verdrijven, die mijn hart doorwondt. ¶ Voor allen, die mij najagen en mijn vervolgers zijn, wil toch, mijn God, uw trouwe
dienaar beschermen: laat ze mij in hun boosheid niet verrassen en hun handen
wassen in mijn onschuldig bloed.

Als David moeste vluchten
Voor Saul den Tyran:
Soo heb ick moeten suchten
Met menich Edelman:
Maer Godt heeft hem verheven,
Verlost uut alder noot,
Een Coninckrijck ghegheven
In Israel seer groot.

Nae tsuer sal ick ontfanghen
Van Godt mijn Heer dat soet,
Daer na so doet verlanghen
Mijn Vorstelick ghemoet,
Dat is dat ick mach sterven
Met eeren in dat Velt,
Een eewich Rijck verwerven
Als een ghetrouwe Helt.

Niet doet my meer erbarmen
In mijnen wederspoet,
Dan datmen siet verarmen
Des Conincks Landen goet,
Dat u de Spaengiaerts crencken
O Edel Neerlandt soet,
Als ick daer aen ghedencke
Mijn Edel hert dat bloet.

Zoals David moest vluchten voor de tiran Saul, zo heb ik met menige edelman
moeten zuchten: maar God heeft David verheven en verlost uit alle nood, en
hem een zeer machtig koninkrijk geschonken in Israël. ¶ Na het bittere zal ik
van God, mijn Heer, het zoete ontvangen. Mijn vorstelijk gemoed verlangt
hiernaar: dat ik met ere op het slagveld mag sneuvelen en als een getrouwe held
het eeuwig rijk verwerven. ¶ Niets zet mij in mijn tegenspoed meer tot medelijden aan, dan dat men 's konings getrouwe Nederlanden ziet verarmen; dat de
Spanjaarden u krenken, o edel Nederland; als ik daaraan denk, bloedt mijn
hart.

Als een Prins op gheseten
Met mijner Heyres cracht,
Vanden Tyran vermeten
Heb ick den Slach verwacht,
Die by Maestricht begraven
Bevreesde mijn ghewelt,
Mijn Ruyters sachmen draven
Seer moedich door dat Velt.

Soo het den wille des Heeren
Op die tijt had gheweest,
Had ick gheern willen keeren
Van u dit swaer tempeest:
Maer de Heer van hier boven
Die alle dinck regeert,
Diemen altijt moet loven
En heeftet niet begheert.

Seer Prinslick was ghedreven
Mijn Princelick ghemoet,
Stantvastich is ghebleven
Mijn hert in teghenspoet,
Den Heer heb ick ghebeden
Van mijnes herten gront,
Dat hy mijn saeck wil reden,
Mijn onschult doen bekant.

Als een prins te paard met mijn legermacht om mij heen heb ik de veldslag met
de trotse tiran afgewacht; hij lag bij Maastricht ingegraven en vreesde mijn
macht, mijn ruiters zag men zeer moedig over het veld draven. ¶ Zo het op dat
ogenblik de wil van de Heer geweest was, had ik toen graag die zware plaag van
u willen afwenden: maar de Heer van hierboven, die alles regeert en die men
altijd moet loven, heeft dit niet begeerd. ¶ Zoals het een prins betaamt hield ik
mijn vorstelijk gemoed gelijkmatig, mijn hart is in tegenspoed standvastig gebleven. Uit de grond van mijn hart heb ik tot de Heer gebeden, dat hij mijn zaak
ter harte wil nemen en mijn onschuld bekendmaken.

Oorlof mijn arme Schapen
Die zijt in grooten noot,
U Herder sal niet slapen
Al zijt ghy nu verstroyt:
Tot Godt wilt u begheven,
Sijn heylsaem Woort neemt aen,
Als vrome Christen leven,
Tsal hier haest zijn ghedaan.

Prince

Voor Godt wil ick belijden
End zijner grooter Macht,
Dat ick tot gheenen tijden
Den Coninck heb veracht:
Dan dat ick Godt den Heere
Der Hoochster Majesteyt,
Heb moeten obedieren,
Inder gherechticheyt.

Adieu, mijn arme schapen, die in grote nood zijt, uw herder zal niet slapen, al
zijt gij nu verstrooid: wil u tot God wenden, zijn heilzaam woord aannemen
en als vrome christenen leven: het zal hier op aarde snel gedaan zijn. ¶ Prins ¶
Voor God en zijn almacht wil ik belijden dat ik de koning op geen enkel ogenblik veracht heb: maar dat ik God de Heer, de hoogste majesteit, heb moeten
gehoorzamen in gerechtigheid.

NA DAT DUCKDALVE HET ZEEM DOOR DEN MONT GHESTREKEN HADDE METTEN PARDON, HEEFT HY WILLEN DE WOLLE BEGINNEN TE PLUCKEN DOOR DEN THIENDEN PENNINCK

Op de wijse: Rijck Godt hoe is mijn boelcken dus wilde

Help nu u self so helpt u Godt,
Uut der Tyrannen bant en slot,
Benaude Nederlanden,
Ghy draeght den Bast al om u strot,
Rept flucx u vrome handen.

De Spaensche hoochmoet valsch en boos,
Sant u een Beudel Goddeloos,
Om u Godloos te maken,
Gods woordt rooft hy door menschen gloos,
En wil u t'gelt ontschaken.

So neemt hy elck sijn hoochste goet,
Die t'woort der zielen voetsel soet,
Om draf niet willen derven,
Becoopent met haer roode bloet,
Of moeten naeckt gaen swerven.

Nadat Alva honing aan de mond gestreken had met het generaal pardon [1569] heeft hij de wol willen beginnen te plukken door de tiende penning. ¶ Help nu uzelf, dan helpt u God uit boei en slot van de tirannen, benarde Nederlanden; u draagt de strop reeds om de hals, zet vlug uw harde handen aan het werk. ¶ De valse, boze Spaanse hoogmoed zond u een goddeloze beul om u op uw beurt goddeloos te maken; hij vervalst het woord van God door menselijk commentaar en wil u het geld afhandig maken. ¶ Zo ontneemt hij elk het hoogste goed. Zij die het Woord, het krachtige voedsel van de ziel, niet willen afstaan in ruil voor spoeling, betalen dit met hun rode bloed of moeten haveloos gaan zwerven.

Maer die sijn hert op Mammon stelt,
Moet oock ombeeren t'lieve gelt,
Sijn God, sijn vleesch betrouwen,
Hy eyscht den thienden met ghewelt,
Diet gheeft, sal niet behouwen.

Want geeftmen dick van thienen een,
Daer blijft ten lesten een noch gheen,
Wol mach een Herder stillen,
Dees Wolf is met wol noch melck te vreen,
Hy wil de schaepkens villen.

Sijn buyck is onversadelijck
Bloet en geltdorstich stadelijck,
Als die met wreeden moede
T'slants ghelt verquist verradelijck
Aen Conincklijcken bloede.

Verdient dan sulck u Huerlinck fel,
Den thienden Penninck niet seer wel,
Om t'Nederlant te schinden?
Gheeft ghy hem die, soo maeckt ghy snel
Den bant om u te binden.

Maar wie zijn hart op de geldduivel stelt, moet ook zijn lieve geld, zijn god, zijn stoffelijke zekerheid vaarwel zeggen: Alva eist de tiende penning met geweld, wie die geeft, zal niets overhouden. ¶ Want geeft men dikwijls een van tien penningen, dan blijft er ten laatste geen enkele over; een herder is voldaan met wol, deze wolf is met wol noch melk tevreden, hij wil de schaapjes villen. ¶ Zijn buik is onverzadigbaar en snakt aanhoudend naar geld en bloed; in zijn wreedheid verkwist hij het geld van het land en pleegt verraad tegenover de vorst. ¶ Verdient uw wrede huurling dan niet zeer wel de tiende penning om Nederland te vernielen? Als u hem die tiende penning geeft, dan vlecht u snel het touw om u te binden.

O Nederlant ghy zijt belaen
Doot ende leven voor u staen,
Dient den Tyran van Spangien,
Of volcht (om hem te wederstaen)
Den Prince van Orangien.

Helpt den Herder die voor u strijt
Of helpt den Wolf die u verbijt,
Weest niet meer Neutralisten,
Vernielt den Tyran, t'is nu meer dan tijt,
Met al sijn Tyranisten.

[GENTSCH VADER-ONZE]

Helsche duvel, die tot Bruyssel sijt,
Uwen naem ende faem sy vermaledijt,
U rijck vergae sonder respijt,
Want heeft geduyrt te langen tijt.
Uwen wille sal niet gewerden,
Noch in hemel noch op erden;
Ghy beneempt ons huyden ons dagelicx broot,
Wijff ende kynderen hebben tgroote noot;
Ghy en vergeeft niemant sijn schult,

O Nederland, u bent verdrukt; dood en leven staan voor u: dien de tiran uit
Spanje of volg de prins van Oranje om hem te weerstaan. ¶ Help de herder, die
voor u strijdt, of help de wolf, die u doodbijt, wees niet langer neutraal, ver-
pletter de tiran met al zijn aanhangers, het is nu meer dan tijd.

·

Helse duivel die te Brussel zijt, vervloekt zij uw naam en faam. Moge uw rijk
onmiddellijk tenietgaan, want het heeft al veel te lang standgehouden. Uw wil
zal niet geschieden, noch in de hemel, noch op aarde. Gij ontneemt ons heden
ons dagelijks brood: vrouwen en kinderen lijden groot gebrek. Gij vergeeft
niemand zijn schuld,

Want ghy met haet ende nijt sijt vervult;
Gy en laet niemant ongetempteert,
Alle die landen ghy perturbeert.
O Hemelschen Vader, die in den hemel sijt,
Maeckt ons desen helschen duvel quijt,
Met synen bloedigen, valschen raet,
Daer hy meede handelt alle quaet,
Ende sijn Spaens chrijchsvolk allegaer,
't Welck leeft of sy des duvels waer.

                    Amen.

EEN NIEU LIEDEKEN

Op de wijse Ghy amoreuse Gheesten

Och Amsterdam, och Amsterdam
Ghy zijt soo schoonen ste,
Godt is op u gheworden gram
Ghy soeckt niet dan onvre,
Hy wilt niet langher lijden
Dat ghy zijn Christen dus vermoort
Nu ende tot allen tijden,
Dies ghy noch sult wesen verstoort.

want gij zijt van haat en nijd vervuld. Gij brengt iedereen in verzoeking en gij zaait verwarring in alle landen. O hemelse Vader die in de hemel zijt, verlos ons van deze helse duivel met zijn valse, bloedige raad, waarmee hij dit onheil sticht, en al zijn Spaanse soldaten, die huishouden alsof zij door de duivel bezeten zijn. Amen.

•

Och Amsterdam, och Amsterdam, jij bent zo'n mooie stad; God is op jou vertoornd geworden omdat jij enkel twist zoekt, hij wil niet langer dulden dat jij zijn christenen onophoudelijk vermoordt. Daarom zul jij nog vernield worden.

Wat moort hebt ghy ghebrouwen?
Noch en houwet ghy niet op,
Onder Mannen ende Vrouwen,
Dus valt die straff op uwen cop
Ghy hebtse doen ontlijven,
Die hier beleden Godes Woort,
By vieren ende by vijven,
Dies ghy noch sult worden verstoort.

Waerom hebt ghy inghenomen
Dit Jesabels ghebroet te hoop?
Hadt ghy ons Prins te gemoet ghecomen
Twaer u veel beter coop,
Nu zijt ghy tot een roof ghegheven
Als Jerusalem rechte voort,
Ghy meucht wel vreesen ende beven,
Want ghy sult noch worden verstoort.

O Dochter van Zodoma gheweken,
Ghy boeleert met den Spaenschen Tyrant
U Hooft hebt ghy altoos uutghesteken
Boven alle Steden in Hollant,
Mocht uwen will triumpheeren,
Ghy brocht heel Hollant in discoort,

Welke moord heb jij niet gepleegd onder mannen en vrouwen? En nog houd je
niet op. Daarom valt de straf op je kop: met vieren en vijven tegelijk heb je wie
hier Gods woord beleden laten terechtstellen. Daarom zul je nog vernield worden. ¶ Waarom heb jij dit paapse gebroed van Jezabel opgenomen? Had jij
onze prins onthaald, dan zou je er beter afgekomen zijn, nu ben jij tot roof
prijsgegeven, net als eertijds Jeruzalem; je mag wel vrezen en beven, want je
zult vernield worden. ¶ O dochter die uit Sodom komt, jij hoereert met de
Spaanse tiran, jij hebt altijd je hoofd opgestoken boven alle steden van Holland; mocht jouw wil zich doorzetten, dan bracht je heel Holland in onenigheid.

Neen, Godt wil sulcks niet begeeren,
Maer ghy sult noch worden verstoort.

Ghy seydet door uwe clachten,
Soudt ghy maken eenen dieren tijt,
Dat wy van honger souden versmachten,
Maer ghy crijchtse selver so subijt,
Wy hebben greyn ghecreghen
Uut het Oosten en uut het Noort,
En ghy siet seer versleghen,
En wort altemet verstoort.

Waer is u Neeringh, u welvaren,
U triumpheren, u cyraet?
Waer sietmen die Schepen paren
By u vol rogghe, en ander Zaet?
Fortuna is u ontvloghen,
Die gaten zijn te hoop versmoort,
Tnet is over thooft ghetoghen,
Dies ghy noch sult worden verstoort.

Die Bloetgierighe Spangiaerden
Domineren by u dochters reyn,
Papen en Monicken vol onwaerden
Eten u Coren en u Greyn,

Maar neen, God kan zoiets niet wensen, jij zult vernield worden. ¶ Jij zei dat je een dure tijd zou instellen door erover te klagen, zodat wij van honger zouden omkomen, maar je krijgt die honger binnenkort zelf, want wij hebben graan gekregen uit Oost en Noord, terwijl jij er zeer terneergeslagen uitziet en weldra vernield wordt. ¶ Waar is je handel, je welvaart, je pronken, je sieraden? Waar ziet men bij jou de schepen zij aan zij liggen, vol rogge en ander koren? De Fortuin is jou ontvlogen, alle zeegaten zijn verstopt, het net is je over het hoofd getrokken, daarom zul je nog vernield worden. ¶ De bloeddorstige Spanjaarden spelen de baas bij je dochters, onwaardige papen en monniken eten jouw koren en graan,

U Specery en u Juweelen
Legghen vermooren half vergoort,
U schoone huysen en Casteelen
Worden altemet verstoort.

Ghy moecht u niet schoon wasschen,
Al hadt ghy al twater inder Zee,
Ghy leght ghevallen inder asschen,
Beclaecht u ras als Ninive,
En laet u sonden smerten,
Springt haest uut desen oort,
Ontfangt ons Prins met blijder herten,
Of ghy sult noch worden verstoort.

Princelick wil ick u raden
Ghy uutvercoren Stadt,
Dat ghy valt in sPrincen ghenaden,
Soo wort ghy niet meer becladt,
En wilt niet meer crackeelen,
Na Gods heylighe Woorden spoort,
Soo moechdy met Hollant speelen,
Of ghy sult noch worden verstoort.

je juwelen liggen in de modder en je specerijen liggen er half bedorven bij, je
mooie huizen en kastelen worden binnenkort vernield. ¶ Jij kunt je niet schoon
wassen, al had je al het water van de zee, jij ligt in de as gevallen, heb vlug
berouw als Ninevé en laat je zonden je pijnigen, haast je uit deze situatie, ontvang onze prins met een blij hart, of jij zult vernield worden. ¶ Als aanhanger
van de prins wil ik je de raad geven, uitverkoren stad, dat je de genade van de
prins afsmeekt, dan word je niet langer beklad, kibbel niet meer, maar haast je
naar Gods heilig woord, dan kan je met Holland tot overeenstemming komen,
of je zult vernield worden.

TEN CLAECHLIET DER NEDERLANTSCHE VERDREVENE CHRISTENEN

Op de wijse van den 137. Psalm: Als wy aen dat water tot Babel clachtich

Als wy aende rivieren oostwaert saten,
Zijnde ghedachtich hoe gantsch is verlaten
   Uwes, o Zion, huys int Nederlant,
   Daer hebben wy moeten met grooter schant
Onse lofsangh end onse Psalmen hanghen
Aen den pijnappelboom met grooter pranghen.

Daer hebben sy die ons souden vereeren,
Ons broeders zijn in leven ende leeren,
   Spotlijck met ons ghehandelt, soomen siet.
   Haer steden mochten wy bewoonen niet,
Haer straeten sonder ghekijff niet betreden,
Omdat wy niet en volghden hare zeden.

Als sacrament-schenders sy ons verdreven,
Als beelde-stormers ende daer beneven,
   Als die Godt beroofden sijn eere groot,
   Om dat wy hem, in hout, ofte in broot

Een klaaglied van de Nederlandse verbannen christenen ¶ Toen wij aan de rivieren in Duitsland zaten en bedachten hoezeer Sion, het huis van de Heer, in de Nederlanden verlaten is, dan hebben wij onze lofzangen en onze psalmen in grote schande en groot leed aan de pijnappelboom moeten hangen. ¶ Zij, die ons zouden moeten respecteren, die onze broeders zijn in leven en leer, hebben ons in ons eigen land met spot bejegend, zoals men ziet. Wij mochten hun steden niet langer bewonen, hun straten niet zonder ruzie betreden, omdat wij hun zeden niet navolgden. ¶ Zij verdreven ons als sacramentschenders en beeldenstormers, als degenen die God in zijn grote eer kwetsten, omdat wij hem niet konden terugvinden in hout of brood,

Niet conden vinden maer liever ghelooven,
Dat Christus sit ter rechterhant hier boven.

Wilt, o Heer, dees menschen seer opgheblasen,
Te verstaen gheven, hoe seer dat sy rasen
   In hooverdy ende in overdaet,
   Haer zwelgen, suypen, brassen boven maet,
Financij woecker, daer met sy vercloecken
Haer naesten, diens verdruckinge sy soecken.

Maer wy willen altijdt, o Heere ghepresen,
U ende u suyver woort ghedachtich wesen,
   Hiertoe wilt ons helpen door u ghena,
   Dat wy daer van niet wijcken, vroech noch spa,
In liefde t' uwaert laet ons altijdt bloeyen,
End tot liefde onses naesten ons bespoeyen.

Ons herte smelt, als wy zijn, Heer gedachtich
Hoe wy vercondichden uw woort krachtich,
   In 't Nederlant, ter werelt openbaer.
   Hoe dat wy met veel volcks ginghen aldaer,
Offren de kalver onser lippen reyne,
In Christo, onsen Verlosser alleyne.

maar liever geloofden dat Christus aan de rechterhand van de Vader zit. ¶ Wil,
o Heer, deze trotse mensen te verstaan geven, hoezeer zij razen in hovaardij en
overdaad. Met hun vreten, zuipen en brassen boven mate, met hun financiële
trucjes en woeker overbluffen zij hun medemens, die zij zoeken te verdrukken. ¶ Maar wij willen altijd, o geprezen Heer, u en uw zuiver woord gedachtig
zijn, wil ons daartoe helpen door uw genade, opdat wij van uw woord nooit
zullen afwijken, laat ons altijd in liefde tot u bloeien en ons beijveren in liefde
tot de medemens. ¶ Ons hart bezwijkt, Heer, als wij bedenken hoe krachtig wij
uw woord openlijk in de Nederlanden verkondigden, hoe wij met velen aldaar
offerden de gebeden van onze reine lippen in Christus, onze enige Verlosser.

Wilt, o Heer Godt, die Spaenjaerden gedincken,
Die onse lichamen ginghen verdrincken,
  Als sy die Religie verdreven fel:
  Ghedenct des bloetraets die daer riep seer snel:
Hanget, worcht, en doot, roeyet uit totten gronde,
Dat sy niet weder comen t' allen stonde.

Ghedenck o Heer, der Staten deser landen,
Die dees vreemde natie gaven in handen
  Tghewelt des lants, om ons te dooden al;
  Ghedenckt der papisten, die groot en smal,
Haer als Spaensche ezels lieten ghebruycken,
Meynende daer door Godts woort te doen duycken.

Princelijcke Godt, laet u eens ontfarmen,
En wilt over ons vaderlant erbarmen,
  Dat uwe waerheyt daer niet blijf versmoort;
  Verdryft de afgoden-dienaers discoort
Dees vreemde nacy, die u doch niet kennen,
Opdat de vromen Heer! niet van u wennen.

Gedenk, o Heer, de Spanjaarden, die ons wilden verdrinken, toen zij de religie zo wreed verdreven. Gedenk de bloedraad, die daar zeer snel riep: 'Hang! Wurg en dood! Roei ze grondig uit, opdat zij niet terugkomen!' ¶ Gedenk, o Heer, de Staten van deze landen, die de macht over het land in handen van deze vreemde Spaanse natie gaven om ons allen te doden; gedenk de papisten, die zich allen als Spaanse pakezels lieten gebruiken in de mening daardoor Gods woord in het nauw te brengen. ¶ Prinselijke Heer, ontferm u over ons en over ons vaderland, opdat uw waarheid daar niet langer onderdrukt zal worden; verdrijf deze valse afgodendienaars, deze vreemde natie, die u toch niet kent, opdat de vromen, o Heer, zich niet van u afwenden.

DEN EERSTEN PSALM VAN DUCDALVA

Op de wijze des 50. Psalms: Ontfermt u over my

Vermaledijt, is die uer ende tijdt,
Dat ick in Nederlant oyt ben ghecomen,
Dat my de Inquisity sonder schromen,
   Uyt heeft vercoren, dat my nu wel spijt.
  O ick onsalighe meynde subijt,
't Landt gheheel tot mijnen profijt te winnen,
   Maer ick ben alder menschen herten quijt,
Crijch ick gheen troost, soo verlies ick mijn sinnen.

Al heb ick veel onnoosel bloets vertreen,
Ghebrant, ghedoot, gheworcht ende ghehanghen,
Veel edelen, jae graven in 't verstranghen
   Ghebracht, en 's lants Privilegie met een
  Te niet ghedaen, en veel maechdekens reen,
Tot schand ghebracht, en oock d' orden der Staten,
   Gantschlick veracht, dit deed my vreese gheen,
Had ick den thienden Penninck naeghelaten.

Dees Flamingos, dees Lutranen onvroet,
Kond' ick onder mijn tyrannye plaghen,

Vervloekt zij uur en tijd, waarop ik voor het eerst in de Nederlanden ben gekomen; dat de inquisitie mij zonder aarzelen heeft uitgekozen, mag mij nu wel
spijten. Ik, onzalige, meende heel het land tot mijn voordeel vlug te kunnen
onderwerpen, maar ik ben ieders gunst kwijt; als ik geen hulp krijg, word ik
gek. ¶ Al heb ik veel onschuldigen geknecht, verbrand, gedood, gewurgd en
gehangen, al heb ik veel edelen, zelfs graven, in lijden gebracht, de privileges
meteen opgeheven, veel meisjes in schande gebracht en de Staten totaal veracht, dit alles zou mij geen schrik aanjagen, had ik die tiende penning maar
nagelaten! ¶ Die Vlamingen, die dwaze ketters, kon ik onder mijn tirannie bedwingen;

Al had ick al die vromen doot gheslaghen,
  Niemant en rebelleerde mijn ghemoet
  Tot haerder schande en al haer ghebroet,
Moesten sy onder d' Inquisity beven,
  Een enghel was ick voor haer ooghen soet,
Nu een duyvel, niemandt en gunt my 't leven.

Vervloect moet zijn die dach ende die nacht,
Dat men in Enghelandt mijn gheldt heeft ghehouwen;
Dit heeft dat quaedt altemael ghebrouwen,
  Dat ick haer Mammon mocht roeren onsacht,
  t' Bederven haers landts hadden sy gheen acht,
Soo langh ick haer by den vleeschpot liet blijven,
Maer nu ick haer Mammon aenroer met cracht,
  Willen sy my uit die landen verdrijven.

Prinslijcke Paus, met al u Sancten vry,
Bidt, looft en smeeckt, en wilt Processy voeren:
Bidt Sinte Ludtsaert, Maerschalck van u hoeren,
  Juth Claes, en Peeter, ende Sancta Soffy,
  Nostra Sengora de Valladoly,
En oock Sanct Jorja, daer 't al moet voor vreesen,

al had ik alle vromen doodgeslagen, niemand rebelleerde tegen mijn bewind; tot hun eigen schande en die van heel hun gebroed moesten zij beven onder de inquisitie; toen was ik in hun ogen nog steeds een engel, nu, na de tiende penning, ben ik een duivel en niemand gunt mij het leven. ¶ Vervloekt zij dag en nacht, waarop men de vloot met de soldij voor mijn troepen in Engeland heeft achtergehouden; dat was de oorzaak dat ik hun geldgod onzacht moest aantasten; op de ondergang van hun land sloegen zij geen acht, zolang ik hen bij hun vleespot liet blijven, maar nu ik hun geldgod krachtig laat betalen, willen zij mij uit het land verdrijven. ¶ Prinselijke paus, voorwaar, met al uw heiligen, bid, loof en smeek, houd processies: bid tot Sint-Lutgardis, leidster van je hoeren, tot Juth, Klaas, Pieter, Sofie, tot Onze-Lieve-Vrouw van Valladolid en tot Sint-Joris, voor wie alles moet beven,

Hondert duysent Zielmissen doet voor my,
  Ende laet Granvella dat Requiem lesen.

[ACROSTICHON]

Al ben ick desolaet en bedroeft	Inwendich,
Nochtans en wil ick (indient peys is) treuren	Niet,
Tis my valschelijck berooft met verraedt	Behendich,
Waerom sochtmen twist opt landt dwelck tot vrede	Riet?
En dat moest ick ontgelden, eylas! soo elck	Aensiet,
Roovende mynen rijckdom met moorden en	Branden.
Patientie met Job! Och, oft met my	Afliet,
En dat de blinde saeghe! Ick en wytet	Niemanden,
Niet dan die my leverden in des wolffs	Tanden.

draag honderdduizend zielmissen voor mij op en laat kardinaal Granvelle het requiem lezen.

•

Al ben ik verlaten en inwendig bedroefd, toch wil ik niet treuren, wanneer er maar vrede komt; die is mij verraderlijk met grote sluwheid ontstolen. Waarom zocht men twist in een land, dat tot vrede geneigd was? Dat moest ik betalen, helaas, zoals iedereen ziet, men moordt en brandt en rooft mijn rijkdom. Ik moet als Job geduld hebben. Och, mocht men mij met rust laten en mocht de verblinde zijn fout inzien. Ik schrijf mijn lot aan niemand toe, tenzij aan hen, die mij in de muil van de wolf uitgeleverd hebben.

[VERTREK DER SPAANSCHE SOLDATEN]

BoetICA gens AblIt. CVr pLoras BeLgICa? dICaM:
A qVod In O non est LIttera Versa, qVeror

Ick heb droefheyt vernomen,
Sprack daer een Spaensche poep,
Hier is qua tydingh ghecomen,
Die ons versuchten doet:
Dat al ons fraey Seignoeren
Moeten naer Spaengiën coen!
Wat sullen wy, Spaensche hoeren,
Nu altemael gaen doen?

Seignore Jacomijne,
Och lieff Seignore Margriet,
Wat raet Seignore Katlijne,
Wy blijven heel int verdriet;
Wy sullen nu moeten hooren,
Dat tvolck roept, wijs, bedaert:
Ghy Spaensche hoeren vercooren,
Maect u nae Spaengiën-waert.

Ach laes! 't is al vant varcken,
Sprack Seignora Margriet,
Wy sullen moeten wercken,
Is dat niet groot verdriet?

Het vreemde volk vertrekt. Waarom ween je, Belgica? Ik zou willen zeggen: ik betreur dat in 'vertrek' geen 't' ontbreekt ¶ 'Ik heb iets ergs gehoord,' zei daar een Spaanse lichtekooi. 'Hier is slecht nieuws gekomen, dat ons doet treuren, namelijk dat al onze fraaie sinjeurs ijlings naar Spanje moeten! Wat zullen wij, Spaanse hoeren, nu allemaal gaan doen? ¶ Och madam Jacomijne, en madam Margriet en madam Katelijne, wat raden jullie mij aan? Wij komen in het ongeluk terecht! Wij zullen het volk nu horen roepen: "Jullie mooie Spaanse hoeren, scheer jullie weg naar Spanje!" ' ¶ 'Ach alles is naar de bliksem,' zei madam Margriet, 'wij zullen moeten werken, is dat niet jammer?

Wy hebben, wel neghen jaeren,
Ghegaen als jonckvrouws schoon,
Groot werck dat sal ons vaeren,
Wy zijns nu niet ghewoon.

    Wy plachten den boer te plaghen,
Om wijn en wittebroot,
Dus moest hy rijden end jaghen,
Wy sloeghen de hoenders doot;
Als ander crijchslieden vrouwen,
Dan liepen op de gaerd,
Zoo aten wy dat wy wouwen,
Ghesoden en ghebraed.

    Ist datse nu verlaten
Ons hoeren alle ghelijck,
De kindren, op der straten,
Bewerpen ons met slijck;
Zy hebben haer laten verdrijven,
t'Utrecht al van Vreeborch,
Een voet voor 't gat te crijghen,
Dat is meest al mijn sorch.

    Dat meucht ghy nu wel mercken,
Sprack daer een Spaengiaert saen,
Die koe is op, 't is vant vercken,
Onsen hochmoet is ghedaen;
Dat moghen wy wel dancken

Wij leefden wel negen jaar als freules, zwaar werk zal ons vreemd voorkomen, wij zijn dat nu niet gewend. ¶ Wij waren gewend van de boer wijn en witbrood te eisen, hij moest zich daarvoor afjakkeren, wij sloegen intussen zijn hoenders dood; terwijl andere soldatenvrouwen op het erf liepen, aten wij wat we wilden, gekookt en gebraden. ¶ Als onze sinjeurs ons nu in de steek laten, dan gooien de kinderen op straat met slijk naar ons. Zij hebben zich al laten verdrijven van Vredenburg. Dat ik maar geen trap tegen mijn gat krijg, is de grootste van mijn zorgen.' ¶ 'Dat kun je nu wel merken,' sprak daarop een Spanjaard, 'de koe is opgevreten, het beste is weg, het is afgelopen met onze hoogmoed; dat danken wij allemaal aan

Mijnheere van Bossoe,
Ghy hoeren meucht wel schampen,
Wy zijn u allegaer moê.'

Des moet de duyvel waghen,
Oyt Spaengiaert te hebben ghelooft!
Van vrienden ende maghen
Zoo hebt ghy ons berooft;
Ghy wout ons maken gravinnen
Van steden en dorpen moy,
Nu moghen wy gaen spinnen,
Ende bedelen broot om Goy.

'Ghy draecht fluweelen mouwen,
Lobben en ringhen aen de hant,
Daerop een suiveren bouwen,
Als Madamme vanden Landt;
Ghy en durves niet beclaghen,
Groot goedt is u ghebeurt,
Ghy waert eerst maer arme slaven,
Verhackelt en verscheurt.'

Wat wilt ghy ons versnouwen,
Ghy quaemt uut Spaengiën coen,
Met d'ellebooch door de mouwen,
De teenen door de schoên,
Het hembde door de broecken,
Bracht u duc dAlf int landt,

Bossu. Jullie hoeren mogen ervandoor gaan, wij zijn jullie allemaal beu.' ¶ 'Een
Spanjaard vertrouwen, dat mag enkel nog de duivel wagen! Jullie hebben ons
weggelokt van vrienden en verwanten, jullie zouden ons gravinnen over dorpen en steden maken, nu mogen wij gaan spinnen en bedelen — "om de liefde
Gods".' ¶ 'Jullie dragen mouwen van fluweel, halskragen, ringen en zijden
rokken, als echte mevrouwen; jullie hoeven je niet te beklagen, jullie hebben
fortuin verworven; vroeger waren jullie arme sloeries met lompen aan jullie
lijf.' ¶ 'Wat wil jij tegen ons snauwen. Jij kwam dapper uit Spanje met een
elleboog door de mouw, de tenen door de schoen en het hemd door de broek;
zo bracht Alva je in dit land,

Ghy meucht hem nu wel vloecken,
Hy heeft u hier gheplant.
 'Adieu, schoon roose kloecke,
Wy moeten nae Spangiën in als;'
Adieu, Seignoor scheurbroecke,
De duyvel breeckt u den hals;
Ghy sult oock moeten wercken,
Zoo wel als wyluyden doen,
Met rogghenbrij u stercken,
Of lappen oude schoên.

LOYS HEINDRICX

REFEREYN

[NOYT EN DOGHT 'T GROEYSEL VAN VALSCHEN ZADE]

Den zaeyer zaeyende naer 't Scrifts ghewaghen,
't Zaet vallende ontrent den weghe es van de voghels gheschent;
Ander laet hem in steenachtighe eerde draghen,
Daer 't ligt en wast naer zijn behaghen,
Ondiep ghewortelt, de zonne commende ontrent,
Wert gheheel verbloesemt, hem ter eerden went;

je mag hem nu wel vervloeken, hij heeft je hier geplant.' ¶ 'Adieu, fraaie roos, wij moeten terstond naar Spanje.' 'Adieu, sinjeur Gescheurde Broek, de duivel mag je de hals breken; jij zult ook moet werken, net als wij; je voeden met roggebrij en oude schoenen lappen.'

•

Naar het zeggen van de Schrift zaait de zaaier. Het zaad dat bij de weg valt, wordt door de vogels opgegeten. Ander zaad valt op rotsachtige grond, waar het ligt en naar zijn behagen groeit met ondiepe wortels; wanneer de zon in de buurt komt, verdwijnen de bloesems en vallen de stengels op de grond.

't Derde vallende in de doornen, compt in 't benauwen,
Maer het vierde es in de goede eerde bekent,
Men siet het duysentfault duegdelick groeysel up bauwen;
Maer den helschen zayere, dat hebbende aenschauwen,
Heefter crocke ende oncruyt onder ghezaeyt,
Dwelck de goe taerwe heeft verdauwen
En ghebrocht in verflauwen met nyde deurlaeyt.
Des ghelijckenesse nu menighen zaeyer craeyt,
Die in ons Nederlanden zaeyt, nu vrouch en spade,
Met valsche leeringhe quade vruchten maeyt;
Noynt en docht 't groeysel van valschen zade.

Veel quaets ghezaeyt werdt hier alom in 't ronde
Deur herte en monde, met boose arguatie,
Calvinus ghelslachte en acht gheen zonde
Te wederstane onderdanicheit, met loosen vonde,
Van haeren evennaesten te spreken blamatie,
Uut Chore en Dathan blijct haerlier fundatie.
Walghende voor Godt, en voor de menschen ghepresen,
Achors wille heeft in hemlieden statie.
Pluymstryckers die up de houcken van de straten lesen
Langhe ghebeden, in een helich schijn te wesen.

Het derde deel van het zaad valt tussen de doornen en komt in het gedrang.
Maar het vierde deel is op goede grond gevallen, men ziet het duizendvoudig
goede vrucht opbouwen. Maar de helse zaaier, die dit zag, heeft er vogelwikke
en onkruid onder gezaaid. Dat heeft, vol afgunst, de goede tarwe weggeduwd
en in de verdrukking gebracht. Met deze gelijkenis pakt nu menig zaaier uit, die
vroeg en laat in onze Nederlanden zaait. Met valse leer maait men slechte
vruchten. Wat voortkomt uit slecht zaad deugt nooit. ¶ Veel kwaad wordt hier
door hart en mond in het rond gezaaid, in grote onenigheid. De aanhangers van
Calvijn beschouwen het niet als zonde om de overheid met drogredenen te
weerstaan en hun medemens te belasteren. Uit Chore en Dathan blijkt hun
essentie: zij roepen walg op bij God en zijn door de mensen geprezen. In hen
leeft het voornemen van Achan. Het zijn pluimstrijkers en schijnheiligen, die
op de hoeken van de straten lange gebeden bidden.

Onrechtveerdighe leeraers, die het volck verwect
Tot blasphemie ende bloetsturtinghe; elck siet by desen,
Dat haerlieder rijcke tot eerghierighe boosheit strect.
Hoe zoude 't Calf anders bleeten dan 't es ghebect?
Quaet zaet, quade vruchten brynght in allen rade,
Niemant en verwondere al es haer rijcke imperfect;
Noyt en doght 't groeysel van valschen zade.

Wee u, zeyde Christus, ghy zaeyers afgryselick,
Die wilt weeren jolyselick die helighe Sacramenten,
Van God ghefundeert, uut liefden t'onswaert pryselick,
Om den wille des volcx, die 't gheerne hooren avyselick.
Wee u, gheveynsde Phariseen, die sluyt d'hemelsche conventen;
Wee u, grypende wulfven, die neempt huysen en renten
Teghen 't ghebodt des Heeren, andere toebehoorende;
Wee ulieden, ommeloopers, des landts souckers adherenten,
Naer d'apostels schryven, uwen naesten versmoorende;
Wee ulieden al t'samen, die zijt 't landt verstoorende;
Wee ulieden, die reynicht van buyten het schijnsele,
Ende van binnen zydy in vuylheit vergoorende;

Het zijn onrechtvaardige leraars die het volk tot heiligschennis en bloedvergieten opstoken; iedereen ziet dat hun rijk vol is van eerzucht. Hoe zou het kalf
anders loeien dan het gebekt is? Slecht zaad brengt altijd slechte vruchten
voort. Niemand mag zich verwonderen, wanneer hun rijk slecht is; nooit deugde wat voortkwam uit slecht zaad. ¶ 'Wee jullie,' zei Christus, 'walgelijke zaaiers', die de vreugdevolle heilige sacramenten willen afschaffen. God heeft die
ingesteld uit minzame liefde voor ons en ter wille van het volk, dat dit graag
aanhoort. Wee jullie, schijnheilige farizeeërs, die aan God gewijde kloosters
sluiten, wee jullie, rovende wolven, die tegen het gebod van de Heer huizen en
lijfrenten in beslag nemen, die anderen toebehoren. Wee jullie, zwervers, aanhangers van landverdervers, die, naar het woord van de apostel, jullie medemens wurgen. Wee jullie allemaal, die het land kapotmaken. Wee jullie, die de
buitenste schijn reinigen en inwendig in vuilheid bederven.

Wee ulieden, zaeyers van alderande fenijnsele;
Wee ulieden, tot wien compt, t'allen termijnsele,
De doot van Zacharias, een priester deur Gods ghenade;
Wee ulieden, deur wien commen de aerme in pijnsele;
Noynt en doght 't groeysel van valschen zade.

Prince, wat zaet wordt hedensdaeghs ghezaeyt in 't landt,
Deur dese nieuwe leeraers van Godt verwaten?
De vruchten magh men maeyen an elcken kant,
Moort, oorloghe, vrauwe-cracht abundant,
Rooven en stelen in huusen, in straten,
Liefde werdt veracht, paeys ziet men alomme haten,
Haedt ende nijdt metten menschen nu triumpheert.
Willeken hoort men alomme veel wonders praten,
Eyghen-bate in de meeste nu gouverneert;
Dit hebben dees valsche ministers wel ghelaboreert,
Als faillevauwers, pluymstrijckers met subtyle listen,
Het volck tot zonden met lueghens ghestoffeert
Willen de Schrifture verclaren, die zy niet en wisten.
Om met loose vonden te vullen haerlieder kisten,
Hebben zy 't groeysel gheinfecteert met valsche sirade,

Wee jullie, zaaiers van allerlei gift. Wee jullie, aan wie heel zeker aangerekend
wordt de dood van Zacharias, een priester bij Gods genade. Wee jullie, door
wie de armen in verdrukking komen; nooit deugde wat voortkwam uit slecht
zaad. ¶ Prins, welk zaad wordt nu in het land gezaaid door deze nieuwe leraars, die door God vervloekt zijn? De vruchten kan men overal in overvloed
maaien: moord, oorlog, verkrachting, roof en diefstal in huizen en op straat;
liefde wordt veracht, vrede ziet men overal haten; haat en nijd heersen nu bij de
mensen. Eigenwijsheid hoort men overal wonderlijk veel praten, eigenbaat
heerst nu bij de meesten; dat hebben die valse leraars gedaan, als mooipraters
en pluimstrijkers met handige listen. Het volk is door leugens tot zonde aangespoord; de gewone mens wil de Schrift, die hij nooit kende, verklaren. Om
met bedrieglijke listen hun geldkisten te vullen hebben de calvinisten het zaad
besmet met vals opsiersel

Cuskens legghen onder d'elleboghen van veel goe artisten;
Noyt en doght 't groeysel van valschen zade.

REFEREYN

[ZUYPEN EN ZEECKEN, EN NIEMANT NIET GHEVEN, DAT
ES U LEVEN]

Waer zydy, schoon kuerlyngen ende ghy snoodaders?
Ghy cryghers, by fortsen, die zijt uws vaders
Lant-beschaders, jae, der galghen spyse,
Muyscoppers, hertecloppers, santen-verraders,
Boerstraffers, oolickaerts, alle deught-versmaders;
Mitsgaders ghy appelborsten, cleene van pryse,
Die den edelman scheert, à la noble gyse,
Diable, qui suis-je! zweeren als puysten,
Niet by zeven sacramenten, maer t'eender pyse,
By gheheele zacken oft menigte van duysten.
't Esser al: 'Boer, loopt om wijn of men slaet u met vuysten.'
Die onsen Heere cruysten, gheloovic, u bestonden,
Jae, die om zijn cleeren dobbelden en tuysten;

en daardoor kussentjes geschoven onder de ellebo" gen van veel handige kerels.
Nooit deugde wat voortkwam uit slecht zaad.

•

Waar zijn jullie, mooie legionairs en booswichten? Jullie, soldaten, die met
geweld de schenders van jullie vaderland zijn, galgebrokken, stropers, gewel-
denaars, schenders van heiligen, die boeren terroriseren, grapjassen, mis-
prijzers van alle deugden! Ook jullie, appelborsten, weinig gewaardeerd, die de
adel naäapt op nobele wijze, die vloeken als ketters: 'Bij de duivel die ik ben', en
niet de zeven sacramenten aanroepen maar zowel vloeken per stuk als met
zakken of bij duizenden. Men hoort enkel: 'Boer, haal wijn of je krijgt een
rammeling.' Ik meen dat de schurken die Christus kruisigden aan jullie verwant
waren, ja de kerels die om zijn kleren dobbelden en speelden.

Oft de helle heeft u uytghewalght en ghesonden
Ter weerelt, om 't volck te quellen en te greyten als honden;
Schynende gheheel ontbonden als ghy aen zijt geschreven,
Stappans cuent ghy vloucken, by alle de wonden,
Ende ulieder divyse noyt dynct zoo wel vonden;
Zuypen en zeecken, en niemant niet gheven, dat es u leven.

Maer jeghen den vyandt zidy al aerm cryghers,
Die maecken van u voorloopers ende hyghers,
Duyckers en zwyghers, wechwerpers van stocken;
Maer teghen den boer zydy leeuwen en lieghers,
Die maect ghy voor u stuypers en nyghers,
Als ploeyedrieghers van heur grauwe rocken.
Ghy doet se gailliarden dansen up zocken,
En u mocken vul pocken wijn suypen by stoopen,
Ghepoêrt, ghesuyckert in heur daermen slocken;
Oft in stede van dat den wijn zaude beloopen,
Zoo moeter ghelt zijn om buscruyt te coopen,
Met grooten hoopen, oft ghy en haudt gheen maniere;
Den schamelen hans wilt ghy 't vel afstroopen.
Ghy slaet en smijt onder u dry oft viere,

De hel heeft jullie uitgebraakt en op de wereld gezonden om het volk te kwellen
en als honden te bijten. Bandeloos zijn jullie, zoals men zegt; jullie kunnen aan
een stuk door vloeken, bij alle wonden van de Heer. Jullie leuze schijnt wel
nooit beter geformuleerd te zijn als: zuipen en zeiken, en niemand iets gunnen,
dat is jullie leven. ¶ Maar tegen de vijand zijn jullie povere soldaten; hij maakt
van jullie voorlopers en hijgers, kerels die wegduiken en zwijgers, die hun wapens weggooien; maar tegenover boeren, daar zijn jullie leeuwen en praatjes-
makers; die moeten voor jullie bukken en buigen of jullie ranselen hun grauwe
rokken. Jullie doen hen de gaillarde dansen op hun sokken. Jullie gepoederde
sletten vol puisten zuipen gesuikerde wijn met kannen en gieten hem in hun
darmen; in plaats dat de wijn zou vloeien, moet er geld zijn om buskruit te
kopen met grote hopen, of jullie houden geen maat. Jullie willen de arme sukkel
het vel afstropen; met drieën of vieren pakken jullie hem aan;

En breecter yemandt een hallebaerde oft een rapiere,
Betaelt hijt niet diere, hy magh wel beven,
Jae, dat men u van d'een dorp op d'ander fouriere,
Ende als princen maken d'alderbeste chiere;
Zuypen en zeecken, en niemandt niet gheven, dat es u leven.

Schoenlappers, camerspeelders, meschrapers, vileynen,
Quackzalvers, ghucheleers, God moet ons zeynen,
Wat mer al ziet reynen om de lucht te verschoonen,
En dit werden hier in ons Vlaemsche pleynen
Veendraghers, corporalen en capiteynen,
Zulcke edel greynen en notabel persoonen,
Weerdich te draghen papieren croonen,
Als men zaude loonen huer wercken verwaten.
Dese hebben binnen heur leven gheëten meer boonen
Dan dadels, amandels ofte noten-muschaten;
Maer nu het ware van noode dat zy aten,
Boven maten, leckerlick in alle saysoenen,
Wittebroot, weerevleesch, niet om verdelicaten,
Gansen, hinnen, hanen ende cappoenen,
Duvejongen, partrysen, sneppen en hoenen;
Maer baroenen, die noch wel moght zijn hooghe verheven,

als iemand een hellebaard of een rapier breekt, dan mag hij wel beven, tenzij hij
die niet duur vergoedt. Jullie moeten wel van het ene dorp naar het andere van
proviand voorzien worden en als prinsen de grootste sier maken. Zuipen en
zeiken, en niemand iets gunnen, dat is jullie leven. ¶ Jullie waren schoenlappers, komedianten, vuilnismannen, schurken, kwakzalvers, goochelaars. God
moge ons beschermen, wat men allemaal ziet neerregenen om de lucht te kla-
ren! En die worden hier in Vlaanderen vaandrigs, korporaals en kapiteins,
edellieden en notabelen. Indien men hun vervloekte werken naar waarde zou
lonen, hebben zij recht op een kroon van papier. Tot nu toe aten zij meer
vulgaire bonen dan dadels, amandelen of muskaatnoten, maar nu zouden zij
lekker moeten eten in elk jaargetijde: witbrood, delicaat schapevlees, ganzen,
kippen, hanen en kapoenen, duivejongen, patrijzen, snippen en hoenders.
Maar jullie durven geen aanspraak te maken op de titel van strijders,

Om vechten voor dlandt en durft ghy u niet vercoenen.
Ghy prijst langhe maeltyden en corte sermoenen;
Zuypen en zeecken, en niemandt niet gheven, dat es u leven.

Prince, ghy zullet moeten stellen al zachtere,
Want menighen huysman en schamelen pachtere
Deur u, machtere qualick langhe ghemaken,
En den vyandt en zach u noyt dan van achtere.
Ghy staet voor hem ghelijck dwater in den trachtere;
Eyst niet een lachtere zoodanighe zaken!
Het spijt my zelve deur beede mijn caken,
Ende het zal noch becraken op 't generale.
Vlaenderen en zal van de schande niet quyete gheraken;
Want het schijnt al en quamer maer eenen halven Wale,
En riepe: 'Morbieu, tue!' Naer zijn moeders tale,
Ghy liept alle male lichter dan noyt hase,
Al waert deur eenen muer van yser of stale;
En zonder noch ditte, wat ic stae en rase,
Ick wedde, men ulieden alle verbase
Met een blase, ende jaeghe tot in 's doets ancleven.
Ghy en souct niet dan dat men u den buuck wel fase,
Met bier of wijn, uut pot oft ghelase;
Zuypen en zeecken, en niemandt niet gheven, dat es u leven.

die ooit zeer geprezen zouden worden om voor hun land te vechten. Jullie prijzen lange maaltijden en korte preken. Zuipen en zeiken, en niemand iets gunnen, dat is jullie leven. ¶ Prins, jullie zullen wat kalmer te werk moeten gaan, want menige boer en arme pachter kan het, dankzij jullie, niet lang meer trekken; de vijand zag jullie nooit behalve van achteren; jullie lopen voor hem als het water door een trechter. Is het niet bespottelijk, zo'n zaak! Het stemt mij heel bitter en iedereen zal nog ervoor boeten. Vlaanderen zal die schande niet kwijtraken; want het schijnt wel zo te zijn dat er maar een halve Waal moet komen die in zijn eigen taal roept: 'Morbieu, dood ze!' of jullie lopen vlugger dan enige haas, zelfs door muren van ijzer of staal. En bovendien, hoe ik ook sta te razen, ik wed erop dat men jullie angst aanjaagt, ja de doodsschrik op het lijf zou jagen met een varkensblaas. Jullie zoeken niets, behalve de buik te vullen met bier of wijn, uit kan of glas. Zuipen en zeiken, en niemand iets gunnen, dat is jullie leven.

♦

REFEREYN VAN DEN TIJT

Och, hoe is de weerelt nu vol boosheit bevonden!
Al schynet dat elck in zijn gheloove wilt zijn ghepresen,
Het volck en maect van rooven en stelen gheen zonden;
Den eenen ghebuer rooft den anderen, vol boose gronden,
Zoo 't te Ghendt ende in ander plecken is bewesen.
Trouwe en Liefde is doot, Gods ghebodt versmaet by desen;
Den eenen broeder doet den anderen druck verwerven;
't Volck is vol droufheit en vol druckighe pesen;
Van druck en allende siet men 't volck al sterven.
De inwoonders siet men haer eyghen landt bederven;
Vol dieverie is 't landt en groote confuysen.
Men ziet 'er luttel vechten, hauwen en kerven;
Maer meest berooven landtsliên, coopliên en huysen.
Dat men sulcx laet geschiên, zijn 't niet groote abuysen?
En dat zy dat schoone Vlaenderlandt soo laten grieven;
Maer die 't doen werden noch gheten van de luysen;
Want vont men gheen coopers, men vonde gheen dieven.

Ach, hoe zit de wereld nu vol slechtheid. Al lijkt het of iedereen om zijn geloof
geprezen wil worden, het volk beschouwt roven en stelen niet als zonde. De ene
buur berooft de ander arglistig, zoals dat te Gent en op andere plaatsen gebleken is. Trouw en liefde zijn dood en Gods geboden misprezen. De ene broer
brengt de andere in rampspoed; het volk is vol droefheid en kommer; men ziet
de mensen omkomen van druk en ellende. De inwoners verwoesten hun eigen
land; de streek is vervuld van diefstal en grote verwarring. Men ziet er weinig
veldslagen leveren, houwen en kerven, maar veel meer boeren, kooplieden en
huizen beroven. Is het geen groot misbruik, dat men zoiets laat gebeuren en dat
men het schone Vlaanderen zo laat mishandelen? Die boosdoeners zullen nog
grote armoede kennen. Want waren er geen helers, er zouden geen dieven zijn.

Niemandt en hoort men dan de platte landen claghen;
Elck hoort men suchten, groot ende cleene;
D'een seght: 'Ic hebbe verloren habyten en baghen.'
En d'ander hoor ic segghen ende ghewaghen:
'Och, hebben wy de sonden ghedaen alleene?
Moet ditte commen al op 't schamel ghemeene?
Wy zijn gheslaghen, gherooft, ic maect u condt;
Noch slapen wy in schueren, in haghen, vol druck en weene,
En in de steden zijn wy versteken ghelijck een hondt.
Men seght: Daer en es gheen plecke! met woorden terstont.
Daer blijft den aermen versteken en seere bekeven.
Het schijnt 't platte landt moet af totten grondt,
Om dat de steden daer deur sauden sijn verheven.
Den aermen moet 'er uut, heeft hy niet om by te leven,
Dan is hy up 't lant gherooft, verstaet mijn brieven;
Van sulcke rooverie en vont men noyt gheschreven;
Want vont men gheen coopers, men vonde gheen dieven.'

Elck siet men tot rooven en stelen haest spoeyen;
Hoe moghen die menschen zoo boos zijn bedocht!
Schaepstallen berooven, peerden en schoone koeyen;

Vooral het platteland klaagt; men hoort iedereen klagen, groot en klein. De ene
zegt: 'Ik ben kleren en juwelen kwijt!' Een andere hoor ik zeggen: 'Ach, hebben
wij alleen gezondigd? Moet alles terechtkomen op het gewone volk? Wij zijn
geslagen en beroofd, dat kan ik jullie verzekeren! Wij slapen jammerend in
schuren en onder hagen. In de steden worden wij als honden weggejaagd. Men
zegt direct: "Er is geen plaats!" De arme sukkel wordt verstoten en uitgescholden.
Het platteland moet als het ware tot de grond toe verwoest worden opdat
de steden daardoor zouden schitteren. De arme moet eruit, als hij niets heeft
om van te leven. En dan wordt hij op het platteland uitgeschud, besef wat ik
jullie zeg! Zulke roverij werd er nog nooit vermeld. Want waren er geen helers,
er zouden geen dieven zijn.' ¶ Men ziet iedereen zich haasten om te roven en te
stelen. Hoe kunnen de mensen zulke slechte voornemens koesteren! Zij beroven schaapskooien, stelen paarden en forse koeien;

Och, hoe sullen de galghen hier na noch bloeyen!
Wat datter ter merct compt het is al vercocht.
Och, hoe menighe ghestolen koe isser ter merct ghebrocht!
Het schijnt dat Vlaenderen is een ydel schuere;
Zeer luttel beesten vint men, wat batet ghesocht,
Al waert dat ghy ghynct den Westcant duere.
Och Vlaenderen, hoe brynght u u hooft in ghetruere,
Daer ghy plocht den fleur te syne boven alle landen,
Niet dan druck en lyden is by u bemuere,
Zoo wel vrienden als vyanden brynghen u tot schande.
Weduwen, weesen, gheestelick verdrucken, en dorpen
                                    verbranden,
Dat is, om dat se de Nieu Religie boven d'aude verhieven.
De liêns draghen varynck al cromme handen;
Want vont men gheen coopers, men vonde gheen dieven.

Elck coopt goet, ghevonden ofte ghestolen,
Van waer dat compt, men sladet gheen gade.
Wiens huys dat brandt, oft wie datter moet dolen,
't Is alleens, moghen sy warmen by de colen.
Het volck is vol boosheit en onghenade,
Den eenen verdruct den anderen, quaet van dade;

ach, hoe zullen de galgen binnenkort vruchten dragen! Wat op de markt aangeboden wordt, is direct verkocht. Ach, hoeveel gestolen koeien zijn al op de
markt beland! Vlaanderen is een lege schuur geworden; men vindt bijna geen
runderen meer, hoe hard men ook zoekt, al ging je tot in de Westkant. Ach
Vlaanderen, hoe brengt je hoofdstad Gent je in de verdrukking! Vroeger was je
gewend boven de buurlanden uit te steken. Nu is er niets dan druk en lijden
binnen je muren. Zowel bondgenoten als vijanden brengen je tot schande. Zij
verdrukken weduwen, wezen en geestelijken en verbranden dorpen omdat ze
de nieuwe religie boven het oude geloof verkiezen. De mensen hebben nu al
gauw kromme, grijpgrage vingers; want waren er geen helers, er zouden geen
dieven zijn. ¶ Iedereen koopt goederen; vanwaar die komen, gevonden of gestolen, daarop let men niet. Of een huis brandt, of er iemand moet dolen, dat is
allemaal eender, als de anderen zich bij de kolen mogen warmen. Het volk is
vol boosheid en hardvochtigheid, de een verdrukt de ander door gemeen gedrag.

De priesters rooven en bannen zy, op weghen en straten.
Het is van Pharoos volck oft synen sade,
't Schijnt dat zy van Godt heel sijn verlaten;
Men weet niet meer van deught oft charitaten;
Elck grijpt dat hy vindt, 't sy mans oft vrauwen;
Men weeght met loos ghewichte en valsche maten,
Zoo men daghelicx in 't landt magh aenschauwen.
Den eenen broeder brynght den anderen in benauwen.
Elck begheert meer dan 't syne, 't sy Claeys oft Lieven.
O, ghy rechters, en laet u recht niet verflauwen;
Want vont men gheen coopers, men vonde gheen dieven.

Nu zijn de dieven gheluckich, wie zoudt helen?
Elck weet om fraeyst te doene zijn exploot.
De coopers leeren selve de dieven stelen,
Gheen goet en magh hemlieder vervelen;
Voor de dieven is 't goet, justicie is doot.
Elck geneert hem in anckers, yser ofte loot;
Zy crancken de huysen, God maghse stercken.
D'eene seght: 'Brynght my van alle goet, ic hebs noot,
Al waert yser ofte loot van huyzen en kercken.'
Men mach de coopliên dagelicx overal bemercken,

Zij beroven priesters op wegen en straten en verbannen ze. Het is volk van Farao, indien ze niet van hem afstammen. Het lijkt of zij door God geheel verlaten zijn: men kent geen deugd of naastenliefde meer; iedereen, man en vrouw, grijpt wat hij vindt; men weegt met een onjuist gewicht en met valse maten, zoals men dagelijks in ons land kan vaststellen. De ene broer brengt de andere in moeilijkheden. Iedereen, Jan, Piet of Klaas, wil meer dan zijn eigendom. Ach rechters, handhaaf het recht! Want waren er geen helers, men zou geen dieven vinden. ¶ Nu zijn de dieven gelukkig, wie zou dat ontkennen? Iedereen weet om het fraaist zijn slag te slaan. De kopers zelf wijzen de dieven de buit aan; geen voorwerp is hun te zwaar; voor de dieven is het gemakkelijk: de justitie reageert niet. Iedereen drijft een handeltje in muurankers, ijzer en lood: zij kraken de huizen; God moge hen bijstaan! De een zegt: 'Breng mij alles, ik heb het nodig, al was het ijzer en lood van huizen en kerken.' Dagelijks ziet men overal kooplieden

Want sy door alle steden en rapassen focken.
Het doet al coomenschap, 't sy leecke oft clercken;
Alsoo deelt men 't goet van de cloosters met groote brocken;
D'eene steelt horlogien, en d'ander breect clocken;
Men vercoopt cloosters, huyzen en kercken deur 's raets believen.
Dit doet ons veel swaricheits en leets berocken;
Want vont men gheen coopers, men vonde gheen dieven.

Princhelicke rechters, wilt dees dieven punieren,
Op datter remedie magh commen in 't generale;
Wilt er menighe schoone galghe mede vercieren,
Alsoo moet men de coopliên te rechte bestieren.
En spaert niemant, 't sy Vlamynck ofte Wale;
Men siet se daghelicx 't goet brynghen in schale,
Om 't goet te weghen van de diefsche benden.
By menichte van duysenden, 't is schande dat ic 't verhale,
Brynghen sy op waghens, niet om verblenden.
Och, hoe hadde den keyser zoo 't landt sien schenden!
O Carolus, keyser, u deught en was niet om volschryven;
Waer dat wijt keeren ofte wenden

zich door alle steden en dorpen haasten. Iedereen speelt koopman. Zo verdeelt men het bezit van de kloosters in grote brokken. De ene steelt torenuurwerken, de andere slaat klokken stuk; men verkoopt kloostergebouwen, huizen en kerken op besluit van de magistraat. Dat berokkent ons veel last en leed. Want waren er geen helers, men zou geen dieven vinden. ¶ Prinselijke rechters, straf die dieven, opdat er uiteindelijk een herstel van de toestand mag komen; versier er menige schone galg mee; het is terecht dat men dat soort kooplieden zo behandelt. Spaar niemand, Vlaming noch Waal: men ziet ze dagelijks vrachten op de weegschaal brengen om het gestolen goed van die dievenbenden te wegen. Het is een schandaal dat ik het moet zeggen: met duizenden voeren zij hun buit op wagens aan, onloochenbaar! Ach, als de keizer zijn erfland zo had zien schenden! O, keizer Karel, uw zorg was onvolprezen; want hoe wij de zaak draaien of keren,

Ghy zocht altijts 's landts welvaert en beclyven;
Maer nu en salder varynck nau eenen naghel blyven,
Waeraf de coopers sijn cause, zoo wy besieven.
O, ghy rechters, wilt sulcke schelmen uten lande dryven;
Want vont men gheen coopers, men vonde gheen dieven.

UIT EEN TONGERSCHEN DICHTBUNDEL

[REFREIN]

[LYFF, STOET MIJ OMME, OFFT IC VALLE ALLEINE]

Tis leiden ontrint vier weken off wijve,
Dat ein wrouken ginc wandelen buten stede.
Sij was gay, fra, seer cloeck van lieve,
En peisde te vinden, tot haren gerive,
Haer lyeff en daer gaen spelen mede.
Het was waer, twiel soo, des hadde sy wrede
En boeden malcanderen ein minlic grout.
Hij toefdese wat nae die bruyxse sede,
Soe verre dat vroeken al stille stoet.
Sy sach rontomme en meinde weel bloet

u streefde altijd de welvaart en de rust van het land na. Maar nu zal er vlug nauwelijks een nagel in een muur blijven; de opkopers zijn de oorzaak daarvan, zoals wij inzien. Ach rechters, jaag zulke schelmen het land uit! Want waren er geen helers, er zouden geen dieven zijn.

•

Ongeveer vier of vijf weken geleden ging een vrouwtje buiten de stad uit wandelen. Ze was opgewekt, beeldschoon en ondernemend, vandaar dat ze haar minnaar hoopte te vinden om met hem aan haar gerief te komen. Aldus geschiedde. Ze waren zeer tevreden en groetten elkaar hoofs. Naar plattelandsgewoonte maakte hij haar complimenten, zodat het vrouwtje algauw bleef staan. Ze keek om zich heen en voelde het bloed

Te crijgen van luste, dat wroken reyne.
Sy spraeck met eynen clocken moet:
Lyff, stoet mij omme, offt ic valle alleine.

Hij verstoent wel twort dat vrouken spraeck
Meer hij en had in hem niet, die botte gast,
Al stont dat wrouken al lodderlic en sach,
Maer twerxken dat seere gebrack.
Die bottaert en wasser niet tou gepast.
Dit wrouken sprack: lyff, mij naerder tast;
Vrijlic en schaempt u niet tegen mij.
Neen, spraeck hij, maer teghen sint werck
Weijgerde sijn herte, het dochte haer vrij.
Doen sprack dat wrouken: hoe compt dat bij,
Dunckt ic u te jonc sijn offt te cleine,
Vrindelic seggende met blijden crij:
Lieff, stoett mij om, offt ic vall alleijne.

Dit wrouken het gern gewest aent werck;
Sij toeffde hem al amoreuselic soe haer dochte;
Maer hij bleiff in sijn slaepheit al even sterck;
Wat dat sij hem dede, desen slechten clerck,
Hij en wilter niet aen viel se hem soechte

---

naar haar hoofd stijgen van begeerte, zo'n rein vrouwtje was dat. Toen sprak ze onvervaard: 'Liefste, duw mij op mijn rug, anders ga ik zelf liggen.' ¶ Hij verstond heel goed wat het vrouwtje zei, maar hij durfde niet, de lomperik, hoe wulps dat vrouwtje ook stond te kijken. Maar zijn apparaat liet hem in de steek, de lomperik was eenvoudig tot niets in staat. Dat vrouwtje zei toen: 'Liefste, voel mijn lijf waar je wilt en geneer je vooral niet.' 'Nee,' zei hij, en volgens haar was dat omdat zijn gemoed in zijn binnenste bezwaar maakte tegen zulke arbeid. Toen zei het vrouwtje: 'Hoe komt dat toch? Vind je mij te jong of soms te klein?' En ze riep nog eens blijmoedig uit: 'Liefste, duw mij op mijn rug, anders ga ik zelf liggen.' ¶ Dit vrouwtje was zo graag aan de gang gegaan. Ze liefkoosde hem overal naar beste weten. Maar hij bleef volharden in zijn slapte. Wat ze ook bij hem deed, die onnozele student kreeg hem niet omhoog, hoe teder ze hem ook aanvatte

En dede alle tovenisse die sy best moechte;
Tot dat om van hem gemint te sijne
Wat amoreusheit dat vrouken vort broechte,
Het was voer haer verloren pijne;
Geen lyfde en toechde hij dese vrouwe fijne,
Noch gein amoreusheit in sullic werck als ic meine.
Des sprac sij met einen clocken termijne:
Lyff, stoet my neder, offt ic valle alleijne.

Prince

Elc mochte doch wael weten
Ho wel dat dit vrouken te passe was.
Sij rampte, sij vloecke, ic wils mij vermeten,
Ic wane dat ic wael weete int secreten,
Ende sij vergroette haer selven op ein ander pas,
En vant einen die haer van die siecte genas,
Die sij selve neder ley op erde ende op gras,
Al wast dat sy daer nae quam in weene,
Soe en had sij niet meer seggende, soe ic las:
Lieff, stoet mij omme, offt ic val alleine.

en al haar kunsten met de grootste inspanning op hem losliet. Maar welke hitsigheid dat vrouwtje ook hanteerde om door hem bemind te worden, het was vergeefse moeite. Hij kon die prachtige vrouw niets laten zien en ook niets klaarmaken, als je begrijpt wat ik bedoel. Daarom sprak zij nu heel vastberaden: 'Liefste, duw mij op mijn rug, anders ga ik zelf liggen.' ¶ Prins ¶ Voor iedereen mag duidelijk zijn hoe dit vrouwtje zich moest voelen. Ze schold en ze vloekte: 'Ik zweer je dat ik wel elders in het geheim aan mijn trekken kom.' En vol trots nam zij zelf het heft in handen en vond iemand die haar verlangen bluste. Deze smeet ze zelf achterover in het gras, al moest ze daarover achteraf wel wenen, want nu kon ze niet meer zeggen: 'Liefste, duw mij op mijn rug, anders ga ik zelf liggen.'

[REFREIN]

[IC SALT AVONTUREN AL SOLT MIJ SMERTEN]

Een jonghe, simpel, onnosel wesken
Ten screet ten tween nauwe over een lestken
Tuschen haerder twaleff ende vierthein jaren:
En ben ic niet wijffs genoch, sprack dat arme gheisken
Al ben ic so rap niet als Janneken oft Neisken
Sou icker qualicker dan sy aff varen?
Mij jocken die boerskens offt peerkens waren;
Mij jocken die tapkens, gladt worden mijn schijfkens;
Ick ghevole ketelen, met wasschen vergaren;
Sij woerden appelront, soe herder soe stiver.
Wat ghebreckt mij dan buten mijnder wijskens?
Mijn tuytkens rijven, mijn mammekens wertelen:
Ic salt avonturen al solt mij smerten.

Wil ic beeter sijn dan mijn ouders plagen?
Sy beeten aen, seer jonc van dagen.
Ellic seit: ic ben relic wel geschapen;
Can ic trat van eynen coerdenwaegen
Overscrien, men sal mij niet thuyswert jagen,
Offt ein half penxken broet overgapen.

Een jong, eenvoudig en onnozel weesmeisje, zo tussen de twaalf en veertien jaar
oud, kon nauwelijks twee turven hoog springen. Niettemin sprak dat aandoen-
lijke wijfje: 'Ben ik soms niet vrouw genoeg, al ben ik minder ervaren dan
Janneke of Neeske, om het even goed te doen als zij? Mijn borstjes jeuken als
peertjes, mijn tapkraantjes jeuken ook, en het vel van mijn ballonnetjes wordt
glanzend. Ik voel ze kietelen en elke dag groeien. Ze worden appelrond, en
steeds harder en stijver. Wat ontbreekt mij dan buten mijn dagelijkse gedrag?
Mijn tepeltjes staan in vlam, mijn borstjes worden vast: ik wil er wat mee doen,
al krijg ik er later spijt van. ¶ Wil ik beter zijn dan mijn ouders vroeger? Ze
waren nog heel jong toen ze eraan begonnen. En elk van beiden zei: ik zie er
heel behoorlijk uit. Kan ik over de duwstang van een straatkar stappen, dan zal
men mij evenmin naar huis sturen als wanneer ik mijn mond wijd genoeg open
krijg voor een half penninkje brood.

Een rascher ginck bij ein meisken slapen
Seggende: ic salt u ter doot doen.
— Maeckt mij erst moey, offt dat ic aenroeppen
Offt Gode badde, dan salt eerst noet doen.
Duerst imant exploet doen, tsij Gylis oft Merten:
Ick salt avonturen al solt mij smerten.

Nature geeft mij recht gevoelen inne:
Eenen auwen cobbert vloech op ons jonge duyfinne:
Sij cronckelsterte en pluyse haer veeren;
Onssen groten haen bespranck ons jonge hinne:
Sij schudde haer vlogelen als sijn vrindinne.
Wat solt mij meer dan deis beistkens deren?
Mij is laestent geseit ende ic moest laeten gebueren:
Cust ic mijnen cleinen vinger gesteken veyne
In mijnen noose, ic en dorst mij niet langer verweeren.
Tclein vingerken propt ic, ja, den gehele deume
Quamt, ic naempt tis dallde costume.
Hoe dat ic luyme beschampt ben van harten:
Ic salt avonturen al solt mij smerten.

Een vlotte jongen ging bij een meisje slapen en zei: ik ga door tot in de dood.
Mat me eerst maar eens af, voordat ik God om hulp bid, dan begint het er pas
om te spannen. Durft iemand iets klaar te maken, of hij nu Gillis heet of Maarten: ik wil er wat mee doen, al krijg ik er later spijt van. ¶ De natuur brengt mij
op het juiste pad; een oude doffer streek op ons jonge duifje neer: zij kroelde
met haar staart en pluisde haar veren. Onze grote haan besprong ons jonge
kippetje: ze klapperde belust met haar vleugels. Zou ik anders in elkaar zitten
dan deze beestjes? Laatst is mij gezegd en ik moest dat wel ter harte nemen:
wanneer mijn pink precies in mijn neusgat paste, dan hoefde ik mij niet langer
te verweren. Ik propte mijn pink naar binnen, ja zelfs mijn gehele duim: en zou
het nu komen, dan was ik ervoor in, want zo gaat het van oudsher. En hoezeer
ik ook voor de gek gehouden mag zijn: ik wil er wat mee doen, ook al krijg ik er
later spijt van.

Prince

Wy lach er oet sieck te bedde oft cranc af?
Wy sprincter op crucken; wij gater manck af?
Oeck soe ben ic voljart, ja ein half jar te bovene.
Men seit: derthein jar isser wel den ganck af,
Diemen niet thuys en sent, maer hebben daer danc af.
En ben ic niet groet genoch als diet loeven?
Ic ben relic genuest, gemont int grove;
Lanc gevoet, ruyme op een elif soe scoey ick;
Die borskens hardt onder 't himdeken bestoven;
Soe vaerken en morken spelden, daer in groey ic.
Ic ben weel te lanck, mij selven verfoy ic.
Ic salt wel gaen gelijck dees jonge werten:
Ic salt avonturen al solt mij smerten.

[REFREIN]

[OM SOTKENS LACHEN DIE MEISKENS WEL]

Monckende catkens treckent tvlees uut den pot;
Ja, als sij het huys moeghen wachten alleine.
Dies wasser een marte, ein jonghe votte,

Prins ¶ Wie is daar ooit ziek van geworden of beroerd? Wie springt er nu van
rond op krukken? Wie gaat er mank door? Ik heb nu toch geheel de juiste
leeftijd, ja ben zelfs al een half jaartje te oud. Men zegt toch: dertien jaar is er
precies de leeftijd voor; dan stuur je je niet meer naar huis, waarvoor ze eeuwig
dankbaar zijn. En ben ik niet even groot als zij die er wel pap van lusten? Ik heb
een dunne neus en een flinke mond, grote voeten, schoenmaat vijfenveertig,
harde borstjes onder mijn stinkende hemdje. Het meest raak ik geïnspireerd
door het gestoei van mijn vader en moeder. Wel ben ik veel te lang, ik heb een
hekel aan mijzelf. Het zal mij wel vergaan gelijk alle jonge geliefden: ik wil er
wat mee doen, ook al krijg ik er later spijt van.'

•

Hongerende katjes trekken het vlees uit de pot, wanneer zij in hun eentje op het
huis mogen passen. Er was eens een dienstmeid, een jong gleufje,

En hadde ghenodt tegen eenen knecht ghemeene,
Dat sij niet ens tuschen hem beiden eghene,
Doen lachen en souden uen bestaen.
Het knechken svoch ende stelde hem op de bene,
En heefft hem al sots kleideren aen gedaen.
En is al stommelinghe in huys gegaen,
Daer deese twe gheyskens saten bijt vier,
Seggende: bue, bue, al lachende saen.
Benedicite, sprack die eine, wat compt ons hyr?
Sy hadden in huys alsoe alwaerdighen tyier,
Dat deen dochter sprack doer syn stolt bestel:
Om sotkens lachen die meiskens weel.

Lijsken sprack: Golken, wat wyle ick seggen?
Wyllen wy deesen soot by ons behouwen
Ende te nacht tuschen ons beiden leggen?
Nymans en sal weeten wat wij brouwen.
Icks ben te wreden, bij mijnen trouwen,
Want tlant sonder heer is; lanckt hem ein stolken
Ende laet hem bijt vyer sitten sonder vercowen,
Want noet en sach sys dieys gelyck koelken.
Hy hiefft sijn been op; met dien sach Golken
Tusschen sijn been syn heuheu waeghen.

die een gewone vrijer had uitgedaagd dat hij er niet in zou slagen om haar en
haar vriendin eens aan het lachen te maken. De jongen zwichtte, ging aan het
werk en heeft allemaal zottenkleren aangedaan. Toen is hij met veel misbaar
het huis binnengegaan, waar die twee meisjes bij het vuur zaten, onder het
uitroepen van 'boe, boe', maar wel met een lach. 'Gezegend moet u zijn,' sprak
de een, 'wat gaan we nu krijgen?' Ze hadden nu in huis een dermate onnozel
optreden, dat de ene dochter sprak vanwege zijn stoutmoedig gedrag: 'Om
zotten moeten meisjes zeker lachen.' ¶ Lijsken sprak: 'Golken, wat moet ik
zeggen? Zullen we deze zot hier houden en vannacht tussen ons in leggen?
Niemand hoeft te weten wat wij uitspoken. En ik ben zeker op mijn gemak,
want de heer is van huis. Reik hem een stoeltje aan en laat hem bij het vuur
zitten, uit de tocht'; nooit had ze zo'n kouwelijk mannetje gezien. Hij hief zijn
benen op, en meteen zag Golken tussen zijn benen zijn gevalletje wiegelen.

Kijc, kijc, sprack Golken, welcken droelken
Dat die sottekens tusschen haer been dragen.
Het viel haer soe wael int behagen,
Dat sy noch eins sprack deese woordekens snel:
Om sottekens lachen die meyskens wel.

Wat deese meyskens seydeden, hij was altoos woutere
Als caes; hij en coste anders niet dan sotternij;
Dus werden die meyskens hoe langher hoe stoutere
Ende brachten hem wast tetenen neven syn sye
Kyckende vast onderwaertzs naet gesmeye,
Dat den quickende quinck ginck doer des viers ghevoech.
Ten lesten wert den hoereson also blye
Dat hem syn sijxsel boven sijnen navel sloech.
Daer om was 't, dat dat jonxste tefken
Soe dapperlic om loech,
Dat sij van lachen viel achter ein kiste,
En Lysken loech oeck genoch
Dat sy beide haer hoesen wol piste,
Ent sotteken niet dan dwaesheit en wyste,
Riep Lyse: hoort welliken rel,
Om sottekens lachen die meiskens wel.

'Kijk, kijk,' sprak Golken, 'wat een gekkigheid zotten tussen hun benen dragen.' En dat beviel haar zo uitermate, dat ze weer eens de volgende woorden
snel uitsprak: 'Om zotten moeten meisjes zeker lachen.' ¶ Wat die meisjes ook
zeiden, hij bleef steeds even onbenullig. Niets anders kon hij dan de zot uithangen. Daarom werden die meisjes steeds stoutmoediger en zetten hem wat
eten voor zijn neus. Onderwijl keken ze vast van onderen naar zijn klokkenspel, om vast te stellen dat zijn stampende stampertje mooi omhoog kwam
door het vuur. Op het laatst was de hoerenzoon zo in zijn element, dat zijn
klepel helemaal boven zijn navel uitsteigerde. Daar moest het jongste teefje
toen zo om lachen, dat ze achterover in een kist viel. En Lijsken lachte ook meer
dan genoeg om haar broek vol te plassen, terwijl de zot alleen maar aan gek
doen dacht. Toen riep Lijs: 'Hoor eens, wat een pret, om zotten moeten meisjes
zeker lachen.'

Prynce, naet maeltijt ghyngen sij tsamen te bedde.
Doe woude Lysken den huehue eerst proven stille.
Ghi en sult, sprack Golken, ick wedde
Ick salde selve erst hebben tot mijnen wille.
Doen porsenden stijff achter aen sijn ein bille,
Dat hij per fortse moeste tot huerwartzs keeren,
Want sij waren beide in kleinen gheschylle,
Dat sy niet en wysten, dat mochten sij leeren.
Sij koelden den wast om vruechts vermeren
Ende deden hem lachen ende ladekens stocken,
Het schene mij en mochse niet verherren,
Soe wel bewiel hij huer int jocken.
Stommelynghe quam tsottenken tot hurewart vocken
Ende seide: ick hebbe gewonnen het spel,
Om sottekens lachen die meyskens wel.

Prins ¶ Na de maaltijd gingen ze allemaal naar bed. Daar wilde Lijsken heimelijk zijn gevalletje beproeven. 'Niets daarvan,' sprak Golken, 'je zult zien dat ik
hem eerst zal gebruiken.' Toen pakten ze hem stevig bij zijn billen, dat hij wel
op hen af moest komen, of hij wou of niet. Ze wisten namelijk precies wat ze
wilden, en wat ze niet wisten, dat zouden ze zo bijleren. Ze stijfden zijn kwast
voor nog meer plezier, maakten hem aan het lachen en deden hem hun oventjes
volstoppen. En zo te zien had hij niets te vertellen, maar beviel uitstekend in het
minnespel. Stotend kwam de zot hun schoot doorploegen, terwijl hij sprak: 'Ik
heb het spel gewonnen, want om zotten moeten meisjes zeker lachen.'

[ALS GHIJ THEGEN EIN MEYSKEN WILT KOUTEN]

Als ghij thegen ein meysken wilt kouten,
Stobbelse boevelyck in einen houck;
Ghij en derfter niet veel met quisbelbouten,
Verkreukelt vryelyck hoeren douck.
Grabbelze niet eirstwerff naer u brouck,
Ic willer om int hofft ghedaecht syn;
Sy sullen seggen stout en clouck:
Doet wat ghy wilt, altijt sal ick maecht sijn.

D. VOLCKERTSZ. COORNHERT
1522-1590

DE COMEDIE VAN DE RIJKE MAN
[fragment]

[...]

[*Rijke Man met Overvloed (dees is een dienstmaagd ende geblindhokt)*:]

O snode fortuin, waardig om haten;
Al geefdij eer, macht en hoge staten,

•

Wanneer je een meisje wilt aanspreken, duw haar dan wat ondeugend in een hoek. Je hoeft niet lang met je kwast te zwaaien voor je vrijelijk haar kleren kunt kreuken. En tast zij niet het eerst naar jouw broek, dan kun je mij voor het gerecht dagen. Daar zullen ze onvervaard zeggen: 'Doe wat je wilt, ik blijf altijd maagd.'

•

Rijke man met Overvloed (dat is een gebinddoekte dienstmaagd): ¶ O onbetrouwbaar, verachtenswaardig lot, al verschaf jij eer, macht en hoge waardigheden,

Wat mogen al uw rijkdommen baten,
Als 't hert in gekwel is?
Geld en goed geefdij mij boven maten;
Maar wat helpen kisten vol ducaten?
Mijn moed blijft droevig in druk verwaten,
Want hem geen tijd wel is.
Koom' ik met een ambachtsman te praten,
Hij kan zorg en leed te wil verlaten;
Zijn vreugd en mag geen klachte bevaten,
Zo 't een licht gezel is.
In ben die meest' van Venus' soudaten;
Die machtigst' van Bacchus' onderzaten;
Ik ete lekkerlijk met die vraten,
Daar blijschap en spel is.
Mijn kleren ruiken van muskeliaten;
Mijn tonge laapt wijntgen van granaten;
Geen lust mij rebel is;
Maar 't onrustig hert ziek van gekwel is,
Als het op den rel is.

[...]

wat helpen al je rijkdommen, wanneer het hart gekweld wordt? Je geeft mij
geld en bezit in zeer hoge mate, maar wat helpen kisten vol goudstukken? Mijn
hart blijft treurig, het vergaat van angst, want het voelt zich op geen ogenblik
goed. Van een arbeider hoor ik dat hij zorg en leed opzij kan zetten; zijn vreugde zal geen klacht overhouden, indien het een optimistisch man is. Ik ben weliswaar de heftigste aanbidder van Venus, de dorstigste van Bacchus' onderdanen, ik eet lekker met de smulpapen, waar blijdschap en plezier heerst. Mijn
kleren geuren naar muskus; mijn tong likt granaatwijn; geen hartstocht is mij
ontzegd. Maar het onrustig hart is ziek van ellende, als het opgeschrikt wordt.

JAN BAPTIST HOUWAERT

1533-1599

NOCH BYDEN ZELVEN HOUWAERT

Ick was van Jerusalem een Coninck verheven
En peysde in myn hert, al heeft den mont gesust,
Dat ick zoude gebruycken in mijn leven
Al tswerelts vreughden met des vleesch wellust.
Om dat myn coringhe zoude zyn geblust
En om te weten oft ick in eenighe saken
Die de werelt aengaen soude vinden rust,
Heb ick myn ryck vermeedert, palleysen doen maecken,
Ick heb wyngaert geplant en den wyn willen smaecken,
Ick heb lusthoven doen bouwen, nyet om verplaisanten
En alderley cruyden, blommen en boomen doen planten

Uuyt hooghe berghen heb ick in valleyen en dalen
Doen lopen en springhen plaisante fonteynen.
Om myn hoven te ververschen heb ick door canalen
Goet water doen leyden, nyet om verreynen.
Ick heb dalen doen vullen, berghen doen pleynen,
En doen graven grachten vyvers en rivieren
Om visschen te houden. Herten, hinden en deynen

Ik was een machtig koning van Jeruzalem en bedacht in mijn hart (al heeft de
mond gezwegen) dat ik in mijn leven alle wereldse vreugde en wellust moest
genieten om mijn begeerte te voldoen en om te weten of ik rust zou vinden in
wereldse zaken. Daarom heb ik mijn rijk uitgebreid, paleizen doen bouwen,
wijngaarden geplant en de wijn willen smaken. Ik heb schitterende tuinen doen
aanleggen en allerlei kruiden, bloemen en bomen doen planten. ¶ Uit hoge bergen heb ik in dalen en valleien aangename bronnen doen lopen en ontspringen.
Om mijn tuinen te bevloeien heb ik goed en zeer rein water door kanalen laten
leiden. Ik heb dalen doen vullen en bergen opgeruimd en heb grachten, vijvers
en rivieren doen graven om vissen te houden. Herten, hinden en damherten

Had ick in myn waranden, bosschen en duwieren.
Noch had ik ontallyck viervoetighe dieren
Met alderhande costelyck chieraet in myn behoudt
En ick vergaerde thresoren van silver en goudt.

Ick had een groot getal van dienaers en slaven
Die my in myn hoff dienden in cort bedwanck
En die ick myn hoven de cultiveren en graven.
Ick hadde speeluyden, die met soet snaren geclanck,
En musicienen, die met melodieusen sanck
Myn herte en sinnen plochten te verlichten.
Ick had veel amoureuse caren, schoon en blanck,
Daer ick jonstighe vreught met placht te stichten,
Die voer my dansten, songen en aendienden gerichten
Inder vueghen dat ick soe gedomineert heb,
Dat ick al myn voorsaten gepasseert heb.

En in somma myn ooghen en hebben nyet begheert
Te ziene, sy en hebben dat gesien heel claer.
Myn ooren oyck en hebben gheen gehoor ontbeert
Dwelck zy begeerden te hooren voorwaer,
En myn handen en sochten nyet te genaken eenpaer,
Sy en hebben dat gehandelt en genaeckt.

had ik in mijn lusthoven, bossen en landouwen. Bovendien bezat ik talrijke rijk
opgetuigde viervoetige dieren en schatten van zilver en goud. ¶ Ik bezat een
groot aantal dienaars en slaven, die mij zonder grote dwang in mijn paleis
dienden en die ik mijn tuinen liet aanleggen en verzorgen. Ik had muzikanten en
zangers, die met zoet snarengeluid en welluidende zang mijn hart en zinnen
verstrooiden. Ik had veel minnaressen, mooi en blank, met wie ik veel genot
beleefde, die voor mij dansten, zongen en gerechten opdienden. Ik heb op zo'n
wijze geheerst, dat ik al mijn voorgangers overtroffen heb. ¶ Kortom, mijn
ogen begeerden niets te zien, of zij hebben dat heel duidelijk gezien. Ook mijn
oren hebben niets gemist van wat zij wilden horen, en mijn handen zochten
niets aan te raken, of zij hebben dat gekregen en betast.

Myn herte liet ick toe daert wenste naer
En volghde al daer natuere naer heeft gehaeckt,
Maer als ick hadde al dees vreughden volmaeckt
Ghesien, geproeft en beseten in prosperiteyt,
Bevont ick, dat al was ydelheyt der ydelheyt.

Finis

LUCAS D'HEERE

1534?-1584

AN M.V.H.

D'Audenaerdsche lieden ghemeene:
Enconnen egheene
Wafelen backen: En waeromme?
Want wegh is nu al haer blomme
Die sidy alleene.

REMEDIE JEGHENS DE PESTE

Remedie jeghens de peste sal sijn,
Dat ghy voor al, des morghens vrough op staet,

Ik liet mijn hart hebben wat het wenste en volgde de natuur in alles wat zij verlangde. Maar toen ik al die volkomen vreugden gezien, gesmaakt en bezeten had, besloot ik dat alles nietigheid was. Einde.

•

De inwoners van Oudenaarde kunnen geen wafels meer bakken. En waarom niet? Hun bloem is weg. Die ben jij alleen.

•

Een eerste maatregel tegen de pest zal zijn dat je 's morgens vroeg opstaat

Ende ontbijtt, drinckende zeer goeden wijn.
Useert snoenens een spijsken delicaet,
Vliende groven cost: want dien is quaet,
Tsavonds doeghet tselve en altijt om tbeste.
Cuendy dit gh'useren (naer minen raet)
Een jaer of twee daer en is af gheen queste,
In drye maenden en sterfdy niet vande Peste.

VAN HET SCHOON MAMMEKEN

Mammeken dat lof end' eere betaemt
Wit als een eykin, vet als een mollekin,
Een Goddinnen mammeken waerd ghenaemt.
Cleen wurtgen dat de Roosen beschaemt:
Rood criexkin (zeghic) med zijn clein olleken
Up een effen rond yvoore bolleken.
Mammekin van sattijn wit en claer.
Lieflijc tepelkin aerdigh drolleken
Het welcke meestendeel bedect es, maer
Ick wedde om eens te besiene tis waer.
Mammeken dat zulcke gratien heeft
Dat een man wel zoude maken eenpaer

en ontbijt met een zeer goed wijntje. Gebruik 's middags een delicaat gerecht en
vermijd zware kost, want die is schadelijk. Doe 's avonds hetzelfde en kies
altijd het beste. Als je dit een of twee jaar kunt volhouden, meen ik dat je in geen
drie maanden sterft van de pest.

•

Over het mooie borstje ¶ Borstje dat lof en eer betaamt, wit als een eitje, rond
als een molletje, een echt godinnenborstje, met een klein wratje dat rozen beschaamt, rood kriekje met zijn klein holletje op een effen rond ivoren bolletje!
Borstje van wit en klaar satijn, lieflijk tepeltje, aardig schelmpje, meest ben je
bedekt, maar ik wed (om je eens te bezien) dat al wat ik gezegd heb, waar is!
Borstje, dat zo mooi is, dat een man wel

Het kindeken om u te zughen naer,
Wel ghemaect mammeken waerd dat het leeft.
Stijf mammeken, twelc niet en beeft
We'er datmen springht en danst, loopt ofte gaet.
Mammekin dat vulle ghetughe gheeft
Van de reste dat den persoon ancleeft.
Mammeken mignon, hups en delicaet
Twelc wijt en verre van dander staet.
Amoureus mammeken dat gheeft in d'hand
Een begherte om eens te tasten, jaet:
Maer men mach als dan ooc, naer minen raed
Niet al te by commen an uwen cant,
Ofte daer zaude (dit es mijn verstand)
Een ander beghaerte zaen uut becliven.
O precieusen ende schoonen pand!
Ja miraculeusen boesem, want
Ghy doed handen afslaen, die nochtans blijven
Gheheel ende ongheschendt, machmen u toeschriven.
Au burstgens, die niet en hebben van doene
Med papieren oft hauten berd up te stiven
Om alzo te makene langhe liven.
Ripe mammekens, al voor den saeysoene,
De welcke doen roupen staut ende coene:
Ic moet huwen, dus gheeft my eenen man:

een kind zou maken om je in werking te zien! Fraai levend borstje, hard borstje, dat niet schudt, of men nu springt en danst, loopt of gaat! Borstje, dat getuigt voor de rest van de persoon, lief, mooi, teer borstje, dat ver van het andere af staat, prikkelend borstje, dat in de hand een begeerte jaagt om het eens te betasten, jawel! Maar naar mijn advies mag men niet al te dicht bij jou komen, want daar zou, zover ik weet, vlug een dieper verlangen uit voortkomen! O kostbaar en fraai onderdeel, mirakels mag men je toeschrijven: jij doet handen wegslaan zonder kneuzingen! Ach borstjes, die met papier of staafjes niet on-dersteund moeten worden om een slank figuur te krijgen! Borstjes, rijp voor het seizoen, die dan ook luidkeels roepen: 'Ik wil trouwen! Geef mij een man!

Want ic beghinne my ziet te schoene
Op een vive, staghet my niet wel groene?
Ogh hoe gheluckigh es den ghuenen dan
Diedt gheloofve heeft dat hy mach of can
Maken van dees mammekens jongh en cleene
Schoone vrauwen burstgens, ende waer van
Dat groeyen mueghen (dit behoorter an)
Vele zulcke fraey burstkens, ende anders gheene.

VAN DE LEELICKE MAMME

Fy leelicke mamme end' u me'ghezelle
Die zoo rond zijn, als schoteldoucken wack,
Die hanghen en slingheren, als een belle.
Vuyl mottighe peijnsen leelic van velle
Zueghen mammen (zegh ic) en natten zack,
Mammen die zijn zo amoureus en lack
Als een vule doode stinckende prye.
Mammen de welcke men wel alle clack
Up de schauderen slaet aen d'ander sye.
Mammen om te zooghen twee of drye
Van Lucifers welpens ende Draken:

Ik heb een beha van een maat groter nodig; staat hij mij niet goed?' Och, hoe
gelukkig is de man, die gelooft dat hij van die jonge kleine borstjes volwassen
vrouwenborsten kan maken, waarvan (dat past erbij) veel dergelijke fraaie
borstjes zullen afstammen.

•

Van de lelijke borst ¶ Bah, lelijke borst en je tegenhanger, die zo rond zijn als
natte vaatdoeken, die hangen en slingeren als een bel! Vuile walgelijke worsten
met een lelijk vel, zeugetepels en natte zakken! Borsten, zo prikkelend en wulps
als een vuil dood stinkend kreng! Borsten die men om de haverklap over de
andere schouder kan slaan! Borsten om er twee of drie van Lucifers jongen mee
te zogen,

Ja daermen na tfaitsoen van auden tye
Van dees hanghende capproens of mocht maken.
Fy beroocten lap diemen moet up haken.
Berimpelt vel, wit als een cave of schauwe:
Diemen wel (zonder van by te ghenaken)
Up den rueck zou volghen, zoo ic hauwe.
Mammen die zoo cleen staen an haer vrauwe
Dat schijnt dat heur twee billen zijn ghehecht
An haeren boezem, wel en ghetrauwe:
Diemen daerom magh wijs noemen te recht
Want (zoomen ghemeenlicken hier zeght)
Zulcke eene heeft wat inden boesem ghecreghen.
Mammen welcke niet en maken ghevecht
Ghy weet wel waer, zoo d'andere wel pleghen.
Om u te schilder'ne wel en van deghen
Naem ic gheluwe zwart, ende bruun rood.
Mammen afgriselick in alder weghen
B'haudens dat u toeb'hoort dees eere groot
Die ick u gheven wille bider doot,
Dat is dat ghy noch wel muecht zijn gheleken
By een beroocte blase, daer ter noot
De kinders heur keuten in garen en steken.
Fy ick en wilder toch niet meer af spreken,

ja waar men naar de voorbije mode van die lange kappen kon maken! Bah,
berookte lap die men moet opvissen, rimpelig vel, wit als een schoorsteen, en
die men wel op de reuk zou volgen, zonder in de nabijheid te hoeven staan!
Borsten, die aan een vrouw zo klein staan, dat het waarlijk lijkt of haar twee
billen onder haar kin staan; die mag men dan ook terecht verstandig noemen,
want zoals men hier zegt: zo een heeft wat in haar mars! Borsten die geen
prikkeling veroorzaken — jullie weten wel op welke plek — zoals die andere
wel doen! Om jullie naar waarheid te schilderen zou ik geel-zwart en bruinrood
kiezen. Vreselijk afschuwelijke borsten, die eer wil ik jullie nog geven: dat jullie
lijken op een berookte blaas, waarin de kinderen bij gebrek aan beter hun
bikkels in stoppen. Ba, ik wil er niet langer over spreken,

Ofte ick zoude (met orlove mijn heeren)
Minen pater noster breken ofte keeren.

AN M. JAN VAN SAFLE

Cupido en is gheen God, tis een toovenaer
Die d'herten soo betoovert ende weet te vanghen
Onder t'decsel van ghenoughte goet en eerbaer,
Dat si naer haer helle ende doot zeere verlanghen.

    Ende maect dat si sonder verworghen hanghen,
Ooc dat haer de vangh'nesse dinct vriheit te sine:
Zoo soetelic weet hemlien dit boufken te pranghen
Hemlien verghevende (elaes) met sinen venine.

    Dus is hi bet een verrader ghenaemt ten fine,
En een moordadich tiran dan een God expres,
Ofte vrau Venus kint d'welck hy toch niet en es.

    Want waer hi van Venus commen, hi waer wat
                             vroeder,
(Al en will'ic om haer deucht niet nemen proces),
En zoude wat houden van zulc een zachte moeder.

of ik zou — excuus, achtbare heren — er mijn paternoster bij inschieten.

•

Cupido is geen god, maar een tovenaar die de harten zo betovert en weet te vangen onder het voorwendsel van keurige genoegens, dat zij zeer verlangen naar hel en dood. ¶ Hij maakt dat zij hangen zonder gewurgd te worden en dat hun gevangenschap vrijheid lijkt, zo zoetjes weet dit boefje ze beet te nemen en met zijn gif te besmetten. ¶ Per slot van rekening is het dus beter om hem uitdrukkelijk een verrader en een moorddadige tiran te noemen dan een god of het kind van Venus, wat hij trouwens niet is. ¶ Want indien hij van Venus afstamde, zou hij wat verstandiger zijn (al wil ik voor haar deugdzaamheid geen proces voeren) en zou hij wat lijken op zo'n zachte moeder.

SONET, VAN HET EXCELLENT STICK VAN SCHILDERYEN, STAENDE IN HET HUUS VAN JACOB WEYTENS TE GHENT. EEN VAN DE GHESCHILDERDE VRAUKENS SPREECKT

Wy zijn geschildert hier, al schinen wi levende
    Bi Hugues vander Goust, een meester excellent
    Die in ons sijn const' was tooghende en uutgevende,
    Ter liefden van eene onder ons eerbaer en gent.
Uut welcke men de liefde, die hi haer drough, kent
    Zomen uut de beelde van Phryna mogt anschauwen
    De liefde die Praxiteles haer drough ten hent:
    Want si neemt uut buten alle ons dochters en vrauwen.
Hoe wel het isser al constigh in alder vauwen,
    Tsi mannen, vrauwen, esels (welke sijn ghemeene)
    Tsi peerden, oft tschoon coleur gheduerigh en reene.
Maer voor al tooghde hi an ons sijn constigh ingien:
    Want niet en faelt doch an ons dan de sprake alleene
    Welcke fault en zelden is in vrauwen ghesien.

Sonnet op het uitstekend fresco in het huis van Jacob Weytens te Gent. Een van de afgebeelde vrouwen spreekt ¶ Al schijnen wij levende figuren, toch zijn wij hier maar geschilderd door Hugo van der Goes, een uitstekende meester, die ons via zijn kunst uitbeeldde uit liefde voor een knappe verschijning onder ons. ¶ De liefde die hij haar toedroeg, kan men daaruit afleiden, zoals men uit het beeld van Phryna de liefde kon merken die Praxiteles voor haar voelde: want zij is afgebeeld als de mooiste onder ons. ¶ Hoewel, alles is fraai in dit schilderwerk: mannen, vrouwen, pakezels en paarden; en alles is in duurzame en zuivere kleuren geschilderd. ¶ Maar bovenal toonde hij aan ons zijn groot talent: want niets ontbreekt ons, tenzij de spraak, een gebrek dat zelden bij vrouwen geconstateerd wordt.

AN EEN SCHOON DOCHTER VAN AUDENAERDE, DE WELCKE BEGHEERDE VANDEN AUTHEUR GHECONTREFAICT TE ZYNE

Ghelijck de zonne claerder blijnckt dan alle lichten
Alzoo zidi in schoonhede te boven gaende
Alle uutnemende vrauwelicke ghezichten.
Dus waer' ic Paris ghemaect, ghi zoudt zijn ontfaende
Den Appel, als d'alder schoonste in mijn herte staende:
Minen voys ghev'ick u, ô nieu Venus verheven.
Om u te prysen, my u amoureusheit vermaende
Ist dat anders uwen lof magh zijn beschreven:
Maer hoe zoud' ic u verdiende eere connen gheven?
Ende u schoonheit met mijnder pennen figureren?
Als u gratien (emmers die ick heb' beseven)
Elc om te schoonst voort doen, en braggheren?
Ogh wie zoud' hem in u schoon aenschijn contempleren
Zonder zeer ghetemteert te zine om u t'omvamen
Op minnaersche ghise? want ick moet confesseren
Veel meer dan amoureux, machmen u wesen namen.
U oogskins in claerheit de schoon sterren beschamen:
De caecskins en tmondekin (twelc tot cussen verwect)
Sijn wel zoo vulmaect, zo de rest' is na tbetamen.

Aan een mooi meisje uit Oudenaarde, dat door de auteur geportretteerd wilde worden ¶ Zoals de zon helderder schijnt dan alle lichtbronnen, zo overtref jij alle knappe vrouwen in schoonheid. Kon ik de rol van Paris krijgen, dan zou jij als de allermooiste de appel winnen. O nieuwe Venus, ik stel je mijn stem ter beschikking. Je aantrekkelijkheid dwong mij je te bezingen, indien althans je lof onder woorden zou kunnen worden gebracht. Hoe zou ik je de eer, die je verdient kunnen schenken en je schoonheid met mijn pen uitbeelden, wanneer je details (althans die, die ik gezien heb) elkaar de loef afsteken en trots staan te pronken? Ach, wie zou in je mooie ogen kunnen kijken zonder lust te voelen je als minnaar te omvatten? Ik moet bekennen: men moet je veel meer dan aantrekkelijk noemen. Je oogjes beschamen de sterren in klaarte; de kaakjes en het mondje, dat tot kussen prikkelt, zijn even volmaakt, en de rest is overeenkomstig.

In somma, ghy sijt eenen exemplaer correct
Om naer te schilderen een vrauwen beeld perfect,
D'welck my dicmaels in droom oft visioen gheschiet
Daer mi dinct (twelc tot noch meerder quellinge strect)
Dat ick erghens met u int groene, oft in het riet
Bancketere en triumphere zonder verdriet,
Ende in u armkins ligghe, bedrivende eenpaer
Menigh amoureus trecxken, ick en zegghe niet
Wat my meer droomende ghebeurd, dat lat'ic daer.
Wegh penn' end' inct ghi comt de matery' te naer,
Om doen amoureusheit waer ick nu bet ghewent
Dan om meer daer af te schriven zeggh' ic voorwaer.
Maer nu my ghebeurd is dees quellingh' en torment,
Als ick noch ben van u verscheeden en absent
Wat meendy, wel beminde, wat my zou ghebeuren
Als ick (om u te contrefaicten excellent)
Uwen persoon zoude hooren ghenaken, en speuren:
Nochtans en sal ict niet laten, om al het bekeuren:
Maer doen u beghaerte, die met de mine is eene:
Want alle mijn vermoghen mak' ic u ghemeene.

Kortom, je bent een onberispelijk model om een ideale vrouw te schilderen.
Dat doe ik trouwens dikwijls in mijn dagdromen. Daar lig ik (wat voor nog
meer kwelling zorgt) met jou in het groen of bij een beek te picknicken; ik lig
daarbij in je armpjes en permitteer mij menige vrijheid — maar ik zeg niet wat
mij in mijn droom nog meer te beurt valt, dat laat ik veiligheidshalve achterwege. Weg pen en inkt! Jullie worden te ophitsend. Ik krijg waarachtig meer
lust om de zaak te doen dan om erover te schrijven. Maar als mij zo'n kwelling
overvalt, wanneer ik nog ver van je weg ben, wat denk je wel, lief, wat mij zou
bezielen, wanneer ik je in levenden lijve voor mij zou zien om je deskundig te
portretteren? Toch zal ik dat laatste niet laten, ondanks alle kritiek, maar je
wens volbrengen, die ook de mijne is: want al mijn kunnen maak ik aan jou
ondergeschikt.

EEN BOERKEN VAN BUYTEN, AN EEN FRAEY STEEDSCHE DOCHTER

Mijn alderliefste end' alderzoetste minne,
Ic hebb' u zoo lief, met herte ende zinne,
Dat ic dagh noch nacht en can gherusten,
Als ic peynse om u mammen, ic meen' busten
Om u schoon wanghen, ende waerden mont
So spitet mi dat ic u niet terstont
Een zoen en magh gheven te mijnder ruste:
Als ic bi u ben, ic verhoe van luste,
End' ic en can niet ghedueren God weett.
Ghy hebt noch eenen vryer die hem vermeett
U te minnen, ende dat tot minen spite:
Maer ic hebb' een langh mes, daerme ic af smite
Eenen dicken tack houts, ten eersten slaghe
Indien hijs te veel maect, tsinen meshaghe,
Sal ic hem naer zijn vleesch hauwen crachtigh wel:
Want als ic gram ben, ben ic zoo machtigh fel,
Al de knechten vanden dorpe ontsien my,
End' ic zaudt al om u waghen, ja ic vry.
Dus bid' ic u, dat ghi my ooc wilt minnen,
Ende comt deze kaeremesse t'onsent binnen

Een boertje van het platteland tot een steedse schone ¶ Mijn allerliefste en allerzoetste lieveling, ik heb je zo lief met hart en zin, dat ik dag noch nacht tot rust kan komen, als ik denk aan je tieten, ik bedoel je borsten, als ik denk aan je mooie wangen en fraaie mond. Het spijt mij dan dat ik je niet terstond, tot mijn voldoening, een zoen kan geven. Als ik bij jou ben, verga ik van lust en ik kan het niet uithouden, God weet het! Jij hebt een tweede aanbidder, die het waagt je achterna te lopen, en dat tot mijn ergernis. Ik heb een lang mes, waarmee ik met één slag een dikke tak afhouw. Indien hij te veel praatjes maakt, dan zal ik hem tot zijn ongeluk krachtig in zijn pens steken: want als ik kwaad ben, ben ik zo doortastend, dat alle kerels van ons dorp mij uit de weg gaan; en ik zou werkelijk alles voor je durven! Daarom vraag ik je, dat je mij ook wil minnen. Kom tegen de kermis eens bij ons langs;

Teghen dan zullen wi een vet vercken slaen,
En backen taerten, coecken en vlaen,
Ooc goet bier inlegghen, t'uwer eeren.
Ic sal soo moy sijn dan, met mijn nieu cleeren,
Te weten' ic heb' een schaerlaken bonnette,
Daer ic een gente langhe vere op zette,
En eenen gauden streck, met quispels mé.
Ic sal een wambaeys hebben op de nieu sné,
Van root Camelot gheboordt met fluweel,
Ooc een hemde met zwert ghewrocht gheheel.
En mi moere, sal my thalf-vasten gheven,
Een paer gh'ackelde caussens schoon boven schreven
Die ic rondsom sal vul nastelen steken.
My en sullen ooc gheen moy causs'banden ghebreken
Van schoon root lint, met maeillekens gheclanck.
Sal dat niet knechts staen, op die hosen blanck?
Ic heb' ooc eenen rock, niet om vermoyen,
Gheboort met trijp, en heeft xx. ployen.
Noch heb ic al, veel al, dat ic niet en schrive:
Maer ghi sullet sien comdy selfs metten live.

tegen die tijd zullen wij een vet varken slachten, taarten, koeken en vlaaien
bakken en goed bier inslaan, allemaal te jouwer ere. Ik zal zo mooi zijn in mijn
nieuwe kleren. Ik heb een scharlaken muts, waar ik een prachtige lange veer op
steek naast een gouden strik met kwasten. Ik zal een modieus rood kemelsha-
ren wambuis hebben met een fluwelen boord, en ook een hemd, geheel door-
werkt met zwart lint. En mijn moer zal mij op de jaarmarkt van halfvasten een
paar wonderschone ingesneden kousen geven, waarin ik veters zal steken. Ik
zal ook mooie kousebanden hebben van schoon rood lint, met haakjes die
rinkelen. Zal dat niet parmantig staan op mijn witte broek? Ik heb ook een zeer
fraaie mantel met een boord van trijp en met wel twintig plooien. En ik heb nog
veel, zeer veel, dat ik niet opschrijf. Maar je zult het zien, als je in eigen persoon
komt.

REFEREYN, AN D'EDELE VIOLIEREN
T'ANDWERPEN

Apollo die heeft een queste gheproponeert
Onder zijn neghen dochterkins, hemlien vraghende:
Welc voor de constichste const was waert gh'estimeert?
Welcke questie hemlien gheheelic was behaghende:
En men was daer veel solutien ghewaghende.
Want d'eene zeide, twas Rhetorica ghepresen.
Een ander sprac, neen, desen prijs is weghdraghende
D'edel conste van Medicijnen uut ghelesen:
Die den mensche can zoo subtilicken ghenesen:
Ende zoo heeft een yeghelic tzine gheseyt.
Maer Apollo heeft de sentencie ghewesen
Alle zaecken hebbende zeer wel overleyt,
Hoe wel (sprac hy) dat my elcke conste wel greyt,
Nochtans ben Pictura schuldigh meest eere en jonsten
Om d'oorzaecken volghende naer der warachticheit
Hier om is sy de constichtste conste der consten.

De conste Pictura is een gave des Heeren,
Den meinsche voorghehouden deur de nature:
Want daer zijn steenen de welcke tschilderen leeren
Brijnghende met hemlien voort menighe figure,

Refrein aan de rederijkerskamer De Violieren te Antwerpen ¶ Apollo heeft een
vraag voorgelegd aan de muzen: welke kunst verdiende als de kunstigste beschouwd te worden? Die kwestie behaagde hen zeer; men overwoog veel op-
lossingen. De ene zei dat het gereputeerde retorica was. Een andere zei:
'Neen, de prijs verdient de voortreffelijke geneeskunde, die de mens zo subtiel
genezen kan.' Zo heeft iedereen zijn mening naar voren gebracht. Maar Apollo
heeft de uitspraak geveld, na alle zaken goed overlegd te hebben. 'Hoewel,'
sprak hij, 'elke kunst mij wel bevalt, ben ik de schilderkunst de meeste eer en
gunst schuldig om de redenen die hierna volgen, in overeenstemming met de
waarheid. Hierom is zij de kunstigste kunst der kunsten.' ¶ De schilderkunst is
een gave van God, die de mens door de natuur voorgehouden wordt: er zijn
stenen die het schilderen aanleren, omdat daarin menige figuur staat,

Welcke daer in ghegroyt zijn van der eerster ure,
Ghelijcker op sommighe blaerkins beestkins staen.
Maer al en ware dees conste, reyn ende pure
Hier uut niet eerst ghesproten, ten mach haer niet schaen.
Want de mensche heeftse even wel eerst van God ontfaen
Die zelve was, en is d'eerste schilder alleene.
Hadde hy niet (als Moyses schrijft) een patroon gedaen
Waer naer hy de' maken de beelden groot en cleene
Die tot den Tabernacle dienden int ghemeene?
Waermede Pictura, en Schulptura recht begonsten.
Wat const heeft zulc beghin gehad? ic en weet gheene
Hier om is sy de constichste conste der consten.

Daer en is gheen conste onder den hemel vonden
Oft een oprecht Schilder en heefter af tverstant.
Dus sijn alle consten in Pictura omwonden:
Ten eersten heeft zi de studie met der hand.
Poësie die volghet haer ooc an elcken cant:
Ende Schulptura die was haer oyt om vamende.
Maer wat const machmen nommen (al zijnse abundant)
Die tot dese conste niet en sijn betamende?
Al sijn wy (ic kent) eenighe schilders namende
Die niet en verstaen van ander consten secreten,

van nature, van bij het eerste begin, zoals er op sommige blaadjes beestjes
afgebeeld staan. Maar ook al was de zuivere schilderkunst niet op die natuurlijke wijze ontstaan, dat is geen nadeel: de mens heeft haar van God ontvangen,
die zelf de eerste schilder was. Had hij niet (zoals Mozes schrijft) een model
gemaakt voor alle elementen, klein en groot, die bij de Verbondstent hoorden?
Daarmee begonnen schilderkunst en beeldhouwkunst. Welke kunst heeft zo'n
begin gehad? Ik ken er geen. Hierom is zij de kunstigste kunst der kunsten. ¶ Men vindt geen kunst ter wereld, of een waarachtig schilder heeft er
verstand van; zo zijn alle kunsten in de schilderkunst verenigd. Allereerst heeft
zij de studie bij de hand. Dichtkunst volgt haar ook snel en beeldhouwkunst
was steeds in haar nabijheid. Welke kunst kan men noemen (hoewel er veel
zijn) die met deze kunst niet harmoniëren? Al kunnen wij (ik beken het) enige
schilders opsommen, die geen benul hebben van de geheimen van andere kunsten,

Dat en is mijn argument gheensins beschamende:
Want wy deser consten consticheit niet en meten
Naer dat eenighe doen, oft deden die hen queten:
Maer van al dat haer betaemt, spreken wy ten ronsten,
En zegghen dat zi van alle consten moet weten:
Hier om is sy de constichste conste der consten.

Tis waer veel ander consten zijn wel noodzakelic,
Maer van consticheits weghen en hebben sy niet
By de schilderye, die beede is vermakelick,
En orborelick zoo men noch daghelicx ziet.
Zi trect verwect tot duecht deur menich schoon bediet
Dicmaels meer dan de woorden van de goede clercken.
Z'en is gheen stom' Poësie naer t'oude lied,
Maer zoo wel sprekende datmen eer yet can mercken
Deur een rechte schilderye, staende in huus oft kercken,
Dan dicmaels deur de woorden, d'lesen oft schrijven.
Zi hout ons voor ooghen voorle'en daden en wercken
Zoo levendich als oft wy die zaghen bedrijven.
Zi voorbeeldt de passien van mannen en wijven,
Alle naturen, zeden, beesten, steden, wonsten:

dat ontkracht mijn argument in het geheel niet: wij meten de graad van kunstigheid van deze kunst niet aan de prestaties van enkelingen, maar wel aan
alles dat bij haar zou passen. Daarom spreken wij ronduit en zeggen dat zij van
alle kunsten verstand moet hebben. Hierom is zij de kunstigste kunst der kunsten. ¶ Het is waar, veel andere kunsten zijn noodzakelijk voor het dagelijkse
leven, maar inzake kunstigheid verdwijnen zij naast de schilderkunst, die zowel
aangenaam als nuttig is, zoals men nog dagelijks ziet. Zij zet aan tot de deugd
door menige mooie voorstelling, en dat dikwijls meer dan de woorden van
serieuze geleerden. Zij is geen stomme poëzie, zoals een oud schrijver zegt,
maar integendeel zo welsprekend dat men eerder getroffen wordt door een
knap schilderij in huis of kerk dan door woorden, lezen of schrijven. Zij toont
ons vroegere daden en werken zo levendig, alsof wij die zagen bedrijven. Zij
beeldt emoties van mannen en vrouwen uit, evenals alle geaardheden, zeden,
dieren, steden, woonplaatsen.

Dies moet zi eenen spieghel der naturen blijven:
Hier om is sy de constichste conste der consten.

Princelicke Violieren zeer excellent
U conste is verclaert, voor de constichste van al,
Het welc men mach goed doen (als met een argument)
Met veel constenaers die zijn onder u ghetal:
Wiens excellentie niemand te boven gaen zal:
Dus sal ick van u en uws ghelijcke verclaren
(Spijtt alle benijders ende haer boose gheschal)
Dit zijn de constichste van alle constenaren.

JAN VAN DER NOOT

ca. 1538 — 1596-1601

SONET

Een hiende reyn sach ick wit van colure
    In een groen bosch lustich in een valleye,
    (Wandelen gaen int soetste vanden Meye)
Gheleghen fraey by een rivire pure,

Daarom moet zij een spiegel van de natuur heten. Hierom is zij de kunstigste kunst der kunsten. ¶ Prinselijke, voortreffelijke Violieren, uw kunst is de kunstigste van alle verklaard. Als argument kan men aanvoeren de vele kunstenaars die tot uw gezelschap behoren, en die door niemand in uitmuntendheid overtroffen worden. Daarom zal ik over u en uw gelijken verklaren (ondanks alle afgunstigen en hun nijdig geschreeuw): dit zijn de kunstigsten van alle kunstenaars.

•

Toen ik ging wandelen in het mooiste van de mei, zag ik een prachtige hinde, wit van kleur, in een groen, fraai bos, in een vallei, die mooi aan een heldere rivier lag,

Neffens een bosch seer doncker van verdure:
    Des morghens vroech deur der sonnen beleye
    Sach ick soo soet en fierkens het ghereye
    Heurs schoons ghesichts, dat ic van dier ure
Heur volghen moet latende alle saken.
    Niemant en roer my, sach ic staen gheschreven,
    Om heuren hals met fyne Diamanten
Int gout gheset. Ick wil gaey slaen en waken
    Nam ick voor my, want yemant straf van leven
    Mocht dese leet aen doen in vremde canten.

SONET

Waer wilt ghi loopen lief, waer wilt ghi toch al loopen?
    Ghy vliet van my scoon lief eer ghy weet wat ick meyne.
    Hoe wilt ghi my altyts deen pyn op dander hoopen?
    Myn liefde is schoon lief gestadich goet en reyne.
Waerom vliet ghy van my? waer wilt ghi toch al loopen?
    Myn liefde touwaerts is gestadich goet en reyne,
    Dies en wilt my niet meer d'een pyn op dander hoopen

---

naast een bos met zeer donker loof. Door toedoen van de zon zag ik 's morgens vroeg zo mooi en zoet de sierlijkheid van haar schone verschijning, dat ik haar van dat ogenblik af ¶ moest volgen en alles moest achterlaten. 'Niemand rake mij aan', las ik op haar halsband in letters van diamant, ¶ in goud gevat. Ik nam mij voor de hinde gade te slaan en te bewaken, want een onbetrouwbaar man zou haar in die onbekende omgeving kwaad kunnen aandoen.

•

Waar wil je lopen, lief, waarheen wil je toch lopen? Jij vlucht voor mij, mooi lief, eer je weet wat ik wil. Hoe wil je voor mij altijd de ene pijn op de andere stapelen? Mooi lief, mijn liefde is standvastig, goed en zuiver. ¶ Waarom vlucht je voor mij? Waarheen wil je toch lopen? Mijn liefde voor jou is standvastig, goed en zuiver. Wil voor mij daarom niet langer de ene pijn op de andere stapelen,

Maer blyft staen lief, vertoeft en verstaet wat ick meyne.
U schoonheyt suyver maecht en u goede manieren,
U wijsheyt, u verstant en u deucht goedertieren,
U oochskens scoon en claer, en u reyn eerbaer wesen
U suyver blondich haer, u wynbraukens by desen,
Behaghen my soo wel, dat ick tot alle tyen,
By u wel wilde syn twaer in vreucht oft in lyen.

SONET

Isser iemant onder des hemels ronde
Die gheproeft heeft Cupidos tyrannie,
Dat ben ick wel, die met herten onblye
Ghequetst ben met een dootelycke wonde
Die hy my ghaf door d'ooghe van de blonde,
Stellende heur soo in de heerschappye
Over myn hert en sinnen t'allen tye,
Beruerende myn siele tot den gronde.
Nacht ende dach en doen ick niet dan claghen,
Suchten, kermen, ende myn herte cnaghen,
Biddende hem dat hy myn leven eynde.

maar blijf staan, lief, wacht en luister wat ik zeg. ¶ Jouw schoonheid, mooi meisje, en je goed gedrag, je wijsheid, je verstand, je edele deugd, je mooie oogjes, je reine aard, ¶ je mooie blonde haar en je wenkbrauwen daarbij behagen mij zozeer, dat ik altijd bij jou zou willen zijn, in vreugde en in verdriet.

•

Is er iemand onder het uitspansel die Cupido's tirannie geproefd heeft, dan ben ik dat wel, die met een bedroefd hart gekwetst ben door een dodelijke wonde, ¶ die hij mij toebracht via het oog van een blonde schoonheid. Zo verschafte hij haar voor altijd de heerschappij over mijn hart en verstand en ontroerde hij mijn ziel tot op de grond. ¶ Nacht en dag doe ik niets dan klagen, zuchten, kermen en mijn hart aftobben. Ik smeek Cupido dat hij een einde aan mijn leven maakt,

Maer laes hy neempt in myn smerte behaghen,
    Want hoe ick hem roepe en smeeke by vlaghen,
    Hy en vertroost my niet waer ick my weynde.

SONET

En ist de liefde niet, wat ist dan dat my quelt?
    En ist de liefde ooc, wat mach de liefde wesen?
    Is sy soet ende goet, hoe valt sy hert in desen?
    Is sy quaet, hoe is dan soo suete heur ghewelt?
Brande ic met mynen danc, hoe ben ic dan ontstelt?
    Ist teghen mynen danc, sal tsuchten my genesen?
    O vreucht van pynen vol, pyne vol vreucht geresen
    O droefheyt vol joleyts! o blyschappe verfelt!
Levende doot hoe moecht ghy teghen mynen danck
    Dus vele over my? maer ben ick willens cranck,
    My claghende tonrecht, de liefde ick tonrecht blame.
Liefde goet ende quaet, my leet en aenghename,
    Gheluck en ongheluck, suer en soet ick ghevule:
    Ic suke vryicheyt, en om slaven ick wule.

maar helaas, hij schept genoegen in mijn smart; hoe ik hem ook met tussen-
pozen aanroep en smeek, hij troost mij niet, waar ik mij ook wend.

•

Is het de liefde niet, wat is het dan, dat mij kwelt? En is het de liefde toch, wat
kan de liefde dan zijn? Is zij zoet en goed, hoe kan zij hierin zo hard zijn? Maar
indien zij wreed is, waarom is haar geweld dan zo zoet? ¶ Als ik met mijn
instemming brand, waarom ben ik dan ontzet? En als dat tegen mijn wil is, zal
het zuchten mij dan genezen? O pijn vol vreugde, vreugde vol pijn! O droefheid
vol blijdschap! O wrede blijdschap! ¶ Levende dood, hoe vermag je tegen mijn
wil zoveel over mij? Maar ik ben willens ziek, ik beklaag mij ten onrechte en
laster ten onrechte de liefde. ¶ Liefde is goed en kwaad, voor mij tegelijk onaangenaam en aangenaam. Ik voel geluk en ongeluk, zuur en zoet. Ik zoek
vrijheid en span mij in om slaaf te worden.

LIEDEKEN

Ghelyck den dagheraet
Hem lustich openbaert
   Des morghens inden oosten,
En compt vry onvervaert
Die tsnachts waren beswaert,
   Deur syn claricheyt troosten:

Alsoo word mynen gheest
Oock verfraeyt aldermeest
   Deur u reyn minlyck wesen:
En u bruyn oochskens claer,
En u schoon blondich haer,
   Cunnen myn pyn ghenesen.

Ghelyck den suyden wint
Die Flora seer bemint,
   Int suetste vanden Meye
De bloemkens groeyen doet
Diemen siet overvloet
   In bosch, berch en valleye:

Alsoo can uwen sanck
En u schoon aenschyn blanck
   Myn swaricheyt verdryven,
En doen my met jolyt

Zoals de dageraad zich 's morgens in het oosten mooi laat zien en onbevreesd degenen die bedrukt waren door zijn klaarheid komt troosten: ¶ zo wordt mijn geest ook het meest verheugd door jouw mooi vriendelijk wezen: je bruine klare oogjes en je mooi blond haar kunnen mijn pijn genezen. ¶ Zoals de zuidenwind, die Flora zeer bemint, in het zoetste van de mei de bloempjes doet groeien, die men overvloedig ziet in bos, berg en vallei: ¶ zo kunnen jouw zang en je mooi blank aanschijn mijn somberheid verdrijven, en zij doen mij

In desen sueten tyt
        U gratien beschryven.

APODIXE

Vrouwen die sottelyck
Heurlieder vleesch vercoopen,
Cryghen bespottelyck
Vuyl plaghen swaer met hoopen:
Van vremde pollen fraey,
Guyten en ruffianen,
Cryghen sy theurder schaey,
Spaensche en Napolitanen.

[GHELIJCK T'CASTILLIAENS...]

Ghelyck t'Castilliaens ver uut is d'beste Spaens,
Ghelyck oock het Tuscaens is dbeste Italiaens,
Ghelyckmen te Lyons spreect het beste Francois,
Alsoo wordt in Brabant met d'aldersuetste voys,
Ghesproken en ghebruyct het alder beste Duyts.

in deze zoete tijd met vreugde je bevalligheden beschrijven.

•

Bewijsvoering ¶ Vrouwen die dwaasweg hun eigen vlees verkopen, krijgen be-spottelijk erge, vuile plagen in grote hoeveelheden: van hun fraaie vreemde minnaars, schelmen en schurken, krijgen zij tot hun ongeluk Spaanse pokken en Napolitaanse syfilis.

•

Zoals het Castiliaans verreweg het beste Spaans is, zoals ook het Toscaans het beste Italiaans is, zoals men te Lyon het beste Frans spreekt, zo wordt ook in Brabant op de meest welluidende wijze het allerbeste Nederlands gesproken en gebruikt.

ODE

Veel menschen draghen hier
    Menich wreet en wilt dier
In heur wapens ghegheven,
    Als Tyghers, Arents snel,
    Leeuwen en Luypaerts fel,
Deur hoochmoet voorts ghedreven:
    Maer de Poeten vroet
    Draghen een swane goet,
Wit, suyver, net en pure
Op een velt van Asure.

SONET

Med goedt recht magh men u altijds wel saligh noemen
  O geluckigen dach die mijn siele verfraeydt
Hebt, die seer langen tijdt nu had' geweest ontpaeydt.
  Gelijc de Noorden windt verwelken doet de bloemen,
Alsoo quam met gheweldt mijn jonge jeugdt verdoemen
  De droefheyd, deur den anxt die alle vreugd afmaeydt,
  Deur t'dervendes gesichts dat van droefheid ontlaeydt

Door hoogmoed aangedreven voeren veel mensen hier bloeddorstige en wilde dieren in hun wapens, zoals tijgers, snelle arenden, leeuwen en wrede luipaarden. Maar de wijze dichters voeren een edele, witte, zuivere, reine en pure zwaan op een veld van azuur.

•

Met goed recht mag men jou altijd wel zalig noemen, gelukkige dag, die mijn ziel, ¶ die lange tijd troosteloos was, verheugd hebt. Zoals de noordenwind de bloemen doet verwelken, ¶ zo kwam droefheid, die alle vreugde afmaait, met geweld mijn jonge jeugd teisteren. En dat doordat ik haar aangezicht niet zag, dat (daarop mag zij zich beroemen) alle droefheid wegneemt

Al' die heur schoonheydt sien (dies sy heur mag beroemen)
Op desen dag quam my (o gelucsalighe ure!)
   In de stadt in tgemoet d'Engelslijcke figure
   Med een huike op heur hoofd, gelijc een borgers vrouwe
Verblijdt, bedwelmt, verbaest nam ic heur med der handt
   Heur eerbaer' wesen goedt, heur woorden, heur verstandt
   Verfraeyden mijnen geest, en braken mijnen rouwe.

DE POËET AEN SYNEN BOECK

SONET

Veel herder dan in stael, in koper oft pourphier,
   Heb' ick dit werck volbroght, soo dat de loop der
                         Jaren,
   Noch d'Water, noch de Windt, noch oock
                     Mulsiberscharen,
   Dat selfde nimmermeer en sullen scheynden fier:
Als mynen lesten dagh my sal doen slapen schier,
   Dan en sal Vander Noot niet al gaen inder baren:
   Want siet zijn Boeck sal dan synen naem bat verclaren
   Dan Marmer of Pourphier, al en ist maer papier

bij degene die haar schoonheid ziet. ¶ Op deze dag (zalig uur!) ontmoette de
engel mij in de stad; zij droeg een kap zoals een burgersvrouw. ¶ Verheugd,
bedwelmd en verbaasd nam ik haar bij de hand. Haar zuiver wezen, haar woorden, haar verstand verheugden mijn geest en beëindigden mijn verdriet.

•

Veel harder dan in staal, brons of porfier heb ik dit werk volbracht, zodat noch
het verloop van de jaren, water, wind noch vuur dat ooit in overmoed zullen
schenden. ¶ Als mijn laatste dag mij schielijk zal doen inslapen, dan zal Van
der Noot niet geheel in de doodkist verdwijnen, want, zie, zijn boek, al is het
maar papier, zal zijn naam meer verheerlijken dan marmer of porfier.

Het welck dan over alle jeughdigh, cloeck t'allen tyden
  Sal vlighen (wiet benijdt) om dat ick my gheveughdt
  Heb' tot dat eerlijck werck, d'welck den Musen gheneughdt.
Musa wel aen, vlieghdt op, en bootschapt med verblyden,
  Inden hemel, dat ick alree heb overwonnen,
  Deur uulie jonste goedt, deur d'werck med u begonnen.

PHILIPS VAN MARNIX VAN
ST. ALDEGONDE

1540-1598

[AAN LUCAS DE HEERE]

God houdt in syner handt den beker der gerichten,
Daeruut hy bitter oft soet een yegelycken schenckt
Na dat sijn wijsheyt groot verordent end' ghehengt,
Maer gheensins bij gheval, also de dwaze dichten.
Nu moet sijn kerck (want hijs' int cruys wil stichten)
Drincken den eersten dronck met bitterheyt vermengt;
Maer 't goddeloose volck dwelck vry te wesen denckt,

Mijn werk zal dan altijd boven allen zweven, jong en fris (wie dat ook mag benijden), omdat ik mij gewijd heb aan het werk, dat de muzen aangenaam is. ¶ Muze, stijg op en verkondig blij aan de hemel dat ik dankzij uw gunst reeds een overwinning behaald heb, door het werk dat ik onder uw leiding begonnen ben.

•

God houdt in zijn hand de beker van het oordeel, waaruit hij aan ieder iets bitters of zoets schenkt, zoals zijn grote wijsheid dat beveelt en toestaat. Dat gebeurt geenszins bij toeval, zoals de dwazen beweren. Nu moet zijn kerk, die hij te midden van lijden wil stichten, een eerste dronk aanvaarden, die met bitterheid gemengd is. Maar het goddeloos volk, dat meent vrij te zijn,

Den droesem drincken uut, end' soo den bodem lichten.
Wat willen wy dan doen, Lucas, in tegenspoet?
Sullen wy treurich sijn end' geven op den moet?
Neen, neen: maer wel getroost den beker met den dranck
Nemen van Godes handt gewillich end' in danck,
End' met dees Psalmen soet sijn bitterheyt vermenghen
Die ick u t'samen wil met desen beker brenghen.

UW GOEDE VRIENT
PH. VAN MARNIX

JAN VAN HOUT

1542-1609

[UIT DOUZA'S ALBUM AMICORUM]

Vruntschap gemaect in schijn bedect,
Vergaet soubijt,
Als comt de noot,
En schielic laect. Mer die verwect
Wert in een tijt
Van angste groot,
Als elc een waect en noot deurbrect,
Geen leet, noch spijt,
Noch storm, noch stoot

zal het bezinksel moeten drinken, tot de bodem van de beker zichtbaar wordt. Wat moeten wij dan doen, Lucas, in tegenspoed? Moeten wij treurig zijn en de moed opgeven? Neen, maar getroost de beker met de drank uit Gods hand aannemen, gewillig en in dank. De bitterheid van de drank moeten wij verzoeten met deze psalmen, die ik u samen met deze beker aanbied.

Vriendschap die slechts in schijn gesloten wordt, vergaat vlug wanneer er moeilijkheden rijzen en verandert in het tegendeel. Maar vriendschap die opgewekt wordt in een tijd van grote angst, wanneer iedereen waakt en nood doorstaat; de grondslag daarvan wordt niet aangetast door leed of nijd, door storm of tegenslag;

Haer wortel naect, mer onbevlect
Blijft, hoe langh tlijt,
Jae, naer de doot.

[OPSCHRIFT BOVEN EEN DER POORTEN VAN HET LEIDSE STADHUIS]

Indien Gods goetheyt u brengt voort
Geluck en spoet, niet 'trots' tgemoet,
  Maer neer wilt dragen.
En sent hy (siet) weer-om aen boort
Angstich verdriet, weest daerom niet,
  Te seer verslagen.
U Heyl sulcx hil, en toebehoort,
Danct God, swijght stil, zo was sijn wil,
  Begeer, behagen.

maar deze vriendschap blijft onbevlekt, zolang het leven duurt, ja, over de dood heen.

•

Indien Gods goedheid u geluk en voorspoed aanbrengt, verhef uw gemoed dan niet, maar blijf bescheiden. Indien hij aan de andere kant angstig verdriet aan boord zendt, laat u daardoor niet te zeer terneerslaan. Uw heil hield dit in en het past erbij! Dank God en zwijg stil: zo was zijn wil, begeer hem te behagen.

ADRIAEN VALERIUS

ca. 1575-1625

[VERDRAG VAN HULPVERLENING MET ENGELAND GESLOTEN (1585)]

Stem: Gallarde suit Margriet

O Heer, die daer des hemels tente spreyt,
End' wat op aerd' is heb alleen bereyt,
   Het schuymig woedig meyr kond maken stille,
   End' alles doet naer uwen lieven wille,
     Wy slaen het oog tot u om hoog,
      Die ons in ancxst en noot
     Verlossen kont tot aller stont,
      Jae selfs oock vande doot.

Als ghy (o vrome!) dickwils hebt gesmaeckt,
Vermaeckt u nu vry dat 't u herte raeckt.
   Looft God den Heer met singen ende spelen,
   End' roept vry uyt te saem met luyder kelen.
     Hadd' ons de Heer (hem sy de eer)
      Alsoo niet bygestaen,
     Wy waren lang (ons was soo bang)
      Al inden druck vergaen.

O Heer, die de hemel als een tent uitspreidt, en wat op aarde is alleen geschapen hebt; die het schuimend en stormend meer bedaard hebt, en alles naar uw heilige wil richt! Wij slaan het oog omhoog tot u, die ons steeds in angst en nood verlossen kunt, zelfs van de dood! ¶ Zoals jullie, vromen, dikwijls hebben ondervonden. Verheug jullie nu innig. Loof God de Heer met zang en snarenspel en beken samen luidkeels: had ons de Heer (aan hem zij de eer) niet zo bijgestaan, dan waren wij (die zo bang waren) reeds lang van druk vergaan.

KATHERINA BOUDEWYNS

EEN ANDER [SCHOON LIEDEKEN]

Op den selven thoon [swinters en tsomers even groen]

Verdolde van Calvin wilt u bekeeren
Die twyfelt aent h. sacrement
Laet u doch de waerheyt leeren
En wilt niet langer zyn verblent.
Doet open de oogen van uwer zielen,
Ziet hoe dat ghy zyt verleyt.
Den duyvel sal u ziele vernielen,
Dat ghij vant out ghelooue scheyt.

Waeromme zijdi soo twijfelachtich,
Dat ghij ghelooft den vijant loos,
Die Jesus Christus woort warachtich
Nu comt vervalschen door schelmen boos,
Door Apostaten en luy trawanten,
Verloopen Moniken uut hen Lant,
Die wilden prediken ende planten
Groot ongeloove ende valsch verstant.

Verdoolde menschen wilt toch aenmerken
Dat gij gevallen zyt inde doot

Verdoolde calvinisten, bekeer jullie, die twijfelen aan het heilig sacrament. Laat jullie toch de waarheid leren en wees niet langer verblind. Open de ogen van de ziel, merk hoe jullie verleid zijn. De duivel zal jullie ziel ten onder brengen omdat jullie afstand nemen van het oude geloof. ¶ Waarom zijn jullie zo twijfelzuchtig, dat jullie de sluwe duivel geloven, die het waarachtig woord van Christus nu komt vervalsen via boze schelmen, afvalligen, luie handlangers en weggelopen monniken, die groot ongeloof en valse opvattingen willen prediken en planten? ¶ Verdoolde mensen, wil toch inzien dat jullie in de geestelijke dood terechtgekomen zijn.

Keert wederom totter heyliger kercken,
Loopt tsamen in u liefs moeders schoot:
In genaden sal zij u ontfangen
Als haer kint, dwelck zy bemint.
Doet penitencie, wilt haer aenhangen,
Oitmoedelijck haer u schult bekent.

Sij sal troosten ende stercken
De gene die troost van haer begheert,
Door haere gheestelijcke wercken
Wort Godt den Heere altyt gheeert.
Die waerheyt suldi nu daer hooren,
De leugenen heeft zy uut ghebant.
Ontstopt u ongeloovige ooren:
Doort miracle kentmen den sant.

Vliet ghy ministers vander hellen,
Wee hen die tot u zyn ghesint,
Ghy hebt veel menschen commen quellen;
De sonden hadden dese plagen verdient.
Maer u ryck en const niet lange duren
Het is gelyck eenen stanck vergaen.
Catholycke borgers en wilt niet trueren,
Ons ghelooue sal altyt blyven staen.

Keer terug tot de heilige kerk, in de schoot van jullie lieve moeder: zij zal jullie
in genade ontvangen als haar kind dat zij bemint. Doe boete, volg haar, beken
tegenover haar ootmoedig je schuld. ¶ Zij zal troosten en sterken wie troost
van haar verlangt. Door haar geestelijke werken wordt God de Heer altijd
geëerd. De waarheid zullen jullie daar nu vernemen, de leugens heeft zij uitgebannen. Maak jullie ongelovige oren vrij: aan de mirakels herkent men de
heilige. ¶ Vlucht, jullie leraars van de hel, wee hen die naar jullie luisteren.
Jullie zijn veel mensen komen kwellen; onze zonden hadden die plaag verdiend.
Maar jullie rijk kon niet lang standhouden, het is als een stank vergaan. Ka-
tholieke burgers, treur niet, ons geloof zal altijd blijven staan.

Loopt wech gy tirannen vuyle geusen
Die al onse kercken hebt gheschent.
Ghy hebt nu alle lange neusen,
Die Godt loochent in zyn sacrament.
Ghij boose menschen wilt u scroomen,
Dat ghij Godt hebt gheblasphemeert.
Met valsche leugenen ende droomen
Hebdi u volck verabuseert.

◆

[DE MONSTERGEBOORTE VAN JOURE]

Dit is gheboren in Vrieslandt op den Jouwer,
Den Achtsten dach Meert,
Op die Wijse, van die Sorvoldige menschen

Comt altesamen Mans unde Vrouwen
Ansiet dit Kindeken cleyn en groot
Tis Geboren al op den Jouwer,
Den Heere die is op ons gestoordt,
Wy gaen Proncken en Pralen,
Laet uwen Homoedt dalen,
Wildt u bekeren tis meer dan tijdt,
Want wy en hebben hier geen Respijdt.

Scheer jullie weg, tirannen, vuile geuzen, die al onze kerken hebt geschonden.
Jullie, die God loochenen in zijn sacrament, lopen er nu beteuterd bij. Vrees,
boze mensen, omdat jullie God hebben gelasterd. Met valse leugens en waan-
beelden hebben jullie het volk misleid.

•

Dit is geboren in Friesland bij de Lauwers, de achtste dag in maart. Op de wijs:
over de bezorgde mensen. ¶ Kom samen mannen en vrouwen, klein en groot,
bezie dit kind, dat geboren is bij de Lauwers. De Heer is vertoornd op ons: wij
pronken en pralen; verneder jullie hoogmoed en bekeer jullie, het is meer dan
tijd, want wij genieten hier geen uitstel.

Den Heer waerschoudt ons an alle syden
Och Vrienden men achtet niet met allen,
Dus naken vast die leste Tijden,
Men denckt niet datmen sterven sal,
Rijcken, Armen, 't gaet al Brageren,
Mit Kostelijcke Kleren,
Wy sijn so wanckelbaer als een Riedt,
Mer het is haest mit ons gheschiedt.

An dese Figuere machmen sporen,
Tkindt is gheboren alsoet hier staedt,
Verschrickt u niet mijn Broders verkoren,
Siedt hoe God dit Kindt Gheschapen haet
Int Tweennegenstichste Jare,
Sachmen dit Kindeken Baren,
Den Achstendach in Meerdt ongetoeft,
Heft God die Moeder also bedroeft.

De Vroukens hoerdemen crijten en wenen
Sy wrongen haer Handen si trocken t Haer
Als sy sagen dit Kindeken Kleyne,
Dat die Moder also verlosset waer,
Wilt deze Figuer doch an mercken,
An siedt Gods wonder wercken,

De Heer waarschuwt ons overal. Och vrienden, men let er hoegenaamd niet op; heel zeker is het einde der tijden nabij. Rijken en armen pronken met dure kleren; wij zijn zo wankel als een rietstengel, maar het is vlug met ons afgelopen. ¶ Aan deze prent kan men het goed zien: het kind is geboren zoals het hier afgebeeld is. Schrik daarvan niet, broeders, zie hoe God dit kind geschapen heeft; in 1592 zag men dit op de wereld komen, op de achtste maart heeft God de moeder op deze wijze beproefd. ¶ De vrouwen schreeuwden en huilden, zij wrongen de handen en trokken zich aan het haar toen zij dit kind zagen, toen zij zagen wat de moeder voortgebracht had. Bekijk deze prent goed, aanschouw Gods wonderwerken.

Verwondert waren daer alle die Lien,
Noyt Menschen hadden sulcken Kint gesien

Wilt doch dit ter Herten vaten,
Besiedt dit Kindeken wel unde Bedt,
Unde wilt die Langelobben verlaten,
Als dit Kindt hadde op zijn Handen Nedt,
Tfy stinckende Hoverdye,
Daer die Ziele sal om lijden,
Schuerts ontwee unde werpse om Veer,
Unde draecht geen Langelobbe meer.

Om te sien dit Kindeken ongemeten,
Quam 'tVolck ghelopen van over al,
Mer lasi tis so haest vergeten,
Men gaet Bragieren even mal,
Wat heftet tho beduden,
Dat God waerschouwet die Luden,
Tis vergeefft al watmen hoert of siedt,
Die waerschouwinge Gods en Achtmen niet.

Sonder Hooft was dit Kindt verlegen,
Nochtans haddet eenen Mondt,
Besiedt dit Kindt doch wel tho degen,
Voer sin Borst zijn Ansicht stondt,

Iedereen was daar verbijsterd, nooit had iemand zo'n kind gezien. ¶ Put hieruit lering, bezie dit kind nauwkeurig, laat het dragen van lange manchetten achterwege, zoals dit kind lange kwabben op zijn handen heeft. Foei, verfoeilijke hovaardij, waardoor de ziel zal lijden! Ruk ze af en werp ze weg en draag niet langer lange lobben. ¶ Om dit ongewone kind te zien kwam het volk van overal toegelopen, maar, helaas, dat wordt zo vlug vergeten! Men pronkt even dwaas als vroeger; wat betekent het, dat God de mensen waarschuwt, het is vergeefs, wat men hoort of ziet, de waarschuwing van God acht men niet. ¶ Dit kind was geboren zonder hoofd, en toch had het een mond; bekijk dit kind nauwkeurig: zijn aangezicht stond op zijn borst.

Al daer zijn Hooft sol stane,
Wilt hier doch gae op slane,
Op den Pudt van zijnder Herten Reedt,
Daer stonden zijn Oogen recht op die siedt.

Dit Kindt seer wonderlick int Anschouwen
Dat heft mit Luder Stemmen daer,
Al in Presentie van alle die Vrouwen,
Gheropen vreeselick openbaer,
Sijnen Vader ghenoempt mit namen,
Driemael seer onbequaem.
Och Vicke sprack t Kindt O Vader mijn,
Ick moet u nu een Exempel zijn.

Op zijn Scholderen stonden zijn Ooren
Zijnen Mondt die stondt hem over sy,
Mit Vlechten und lanck Haer wilt horen,
Alsmen nu siet dragen van Hoverdy,
Sijn Luchterhant hoert mijn ghewagen,
Stonde dat Hemd fray opgeslagen,
Zijn Rechterhandt stondt hem perfeckt,
Bykans mit Langelobben al heel bedeckt.

Voor wasset een Jongesone
Und achter een Jongedochter gheree,

Let hier toch op: zijn ogen stonden precies op de plaats van zijn hart. ¶ Dit
kind, dat zo vreemd om te zien was, heeft daar in tegenwoordigheid van die
vrouwen luid en openlijk zijn vader bij name geroepen; driemaal en afgrijselijk
klonk het: 'Och Vicke,' zei dat kind, 'och vader, ik moet nu een waarschuwing
voor je zijn!' ¶ Zijn oren stonden op zijn schouders, zijn mond stond op zijn zij,
hij droeg vlechten en lang haar, zoals men dat nu ziet dragen uit hovaardij; zijn
linkerhand — let op mijn woorden — stak normaal uit het hemd, maar zijn
rechterhand was bijna geheel met vleeskwabben bedekt. ¶ Vooraan was het
een jongen en achteraan een meisje,

Twas ghestelt als twee personen,
So wonderlijck God zijn gaven dee,
Och Menschen Arm unde Rijcke,
Bekeerdt u al ghelijcke,
Van op zijnen Rugge sachmen en Wijff,
Sijn Harteken liggen spelen int Lijff.

Noch wijder so moet ick u seggen.
Theeft drie Dagen boven Derde ghestaen
Eer datmen dat Kindeken mocht begraven
Dat Elck een mocht komen gaen,
Die Overicheit aldare,
Begeerdent op den Vare,
Datment drie Dagen lanck solde besien
Tot eenen Spiegel voor alle Lien.

In Westvrieslant alsonder sneven,
Daer is gheboren dit Kindeken saen,
Alsomen t claerlijck nae t Leven,
Al hier in dese Figuere siedt staen,
Oorloff ghy Mans und Vrouwen,
Wildt die Hoverdye schouwen,
Und laet ons van sonden afstaen,
Eer dat wy althosamen vergaen.

het was voorzien als voor twee personen, zo verbazingwekkend zijn Gods
waarschuwingen; och mensen allemaal, bekeer jullie toch! Van op zijn open
rug zag iedereen, man en vrouw, het hart in het lichaam liggen klop-
pen. ¶ Voorts moet ik jullie nog zeggen: men heeft het drie dagen getoond,
voor men het heeft begraven, opdat iedereen het zou kunnen komen bekijken.
Uit gepaste schrik wenste de overheid aldaar dat men het drie dagen kon bekijken tot waarschuwing voor iedereen. ¶ In West-Friesland, zonder mankeren,
is dit kind geboren, zoals men het hier naar de natuur afgebeeld op deze prent
ziet staan. Vaarwel, mannen en vrouwen, laat de hovaardij varen en zeg de
zonden vaarwel voor wij allemaal omkomen.

JACOB CELOSSE

REFEREYN OP DE REGHEL

[SOO SAL RETHORICA VERACHT RECHT WEDER BLOEYEN]

Wel lofbaer suyver Maeght, wie sou nu onderwinden
Uw's wezens recht ghedaent t'af-beelden na den aert,
U oud en schoon cieraet, en hoe oyt recht beminden,
Niet dan den vromen Mensch den wysen wel besinden,
U hoogen cloecken gheest door Godes kracht ghebaert
Met scherp vernuft verselt, met sinrijckheyt ghepaert,
Die dan recht pleechden zoet de wel bequame reden.
Ist dan niet jammer groot, dat sulcken bloem vermaert
Als een onnut ghewas leyt onder voet ghetreden,
En dat meest door 't misbruyck der quade boose zeden
Der oeffnaers int ghemeyn die veel met onverstant
Besmetten dese const recht als onnutte leden,
Van sulck een waerdich hooft en reyn dierbare pant.
Sy die plag t'syn ghe-eert als cieraet van het lant,
Wort nu van veel gheacht maer weerdich uyt te roeyen.
Maer laet sy doch eens syn te recht ghepoot, gheplant,
Soo sal Rethorica veracht recht weder bloeyen.

Lofwaardige maagd Retorica, wie zou nu durven de ware essentie van uw wezen naar de natuur uit te beelden, uw oud en mooi sieraad; en hoe enkel de
vrome, verstandige mens uw machtige geest beminde, een geest die door Gods
kracht was voortgebracht en voorzien van scherp vernuft en rijke inhoud. Wie
van u hield, vereerde terecht het mooie woord. Is het dan geen groot onheil dat
zo'n mooie bloem als een nutteloos gewas vertrapt ligt, en dat nog het meest
door de slechte levenswandel van een aantal beoefenaars, die vol onverstand
deze kunst besmetten, als waardeloze ledematen van zo'n waardig hoofd en
dierbaar pand. Retorica, eertijds geëerd als sieraad van het land, wordt nu door
velen bestemd om uitgeroeid te worden. Maar laat zij toch eens correct gepoot
en geplant worden, dan zal de versmade Retorica weer keurig bloeien.

1193

Wat hinder haet en smaet heeft oyt t'onreyne plegen,
Veroorzaeckt en ghewrocht de vrome tot verdriet?
Wat nederlagen groot heeft zy daer door gecreghen,
Wat al verachtingh ja, t'ontreck van s'Heeren zegen,
Heeft dit misbruyck ghebaert, haer selfs gebracht tot niet?
Doch nu t'gheen is ghebeurt, dat is nu al gheschiet.
Wie noch ten halven keert en blijft niet heel verdwalen.
Laet weder als van nieus het oncruyd syn gewied
Laet alleen s'Hemels douw, en reghen daer op dalen,
En doet het clare licht de reyne vrucht doorstralen,
So wort 't ghewas als rijp om plucken zoet bequaem.
Wie haer eens heeft verfoeyt en salt niet meer verhalen,
Wat eerst scheen heel onweert sal wesen aenghenaem,
Den lasteraer en spotter sullen vlieden tsaem
En t'vroom oprecht ghemoet sal const met Jonst besproeyen.
Als yder mijden wil de voor vertelde blaem
Soo sal Rethorica veracht recht weder bloeyen.

Haer nuttelrijcke nut verselt met lofbaer vreuchden
Heeft oyt ghebleken claer, mits haer so reyn gheluyt.
De Oud en Jonghe saem haer oyt daer in verheughden,

Welke hinder, haat en smaad heeft ooit dit misbruik veroorzaakt en bewerkt,
tot verdriet van de vrome beoefenaar? Welke nederlagen heeft Retorica daardoor geleden? Welke verachting, ja verlies van goddelijke zegen heeft dit misbruik opgeleverd, en haarzelf tot niets gereduceerd? Maar wat gebeurd is, is
gebeurd. Wie halverwege omkeert, dwaalt niet geheel. Laat het onkruid opnieuw gewied worden, laat alleen de dauw en regen van de hemel daarop neerdalen en laat het klare zonlicht de reine vrucht doorstralen: dan wordt het
gewas rijp om te plukken en heerlijk zoet. Wie haar ooit heeft verfoeid, zal dit
niet meer vermelden, wat eerst zeer waardeloos scheen, zal aangenaam worden
geacht. Lasteraar en spotter zullen samen de wijk nemen en het vrome, oprechte gemoed zal kunst met gunst bevruchten. Als iedereen de hoger opgesom-
de schande wil vermijden, zal de versmade Retorica weer keurig bloeien. ¶
Haar aanzienlijk nut en de vreugde, die zij verschaft, zijn steeds duidelijk gebleken, dankzij haar helder geluid. Daarin verheugde zich jong en oud,

Want troost en reyn vermaeck, en noch ontelbaer deughden,
Uut haer men spruyten sach, en noch seer Jeughdigh spruyt.
Want die haer recht hantiert, die plockt een heylsaen Cruydt,
'tFlouhertigh hy verquickt, dat anders bleef verslaghen.
Veroorsaeckt Rust en Lust, drijft alle swaerheyt uyt,
In rechten stant gheplant, zy moet doch elck behaghen.
Oyt heeft doch 't Jonstigh hert haer jonste toeghedraghen,
Voordeeligh oock gheweest den loop van 't heylsaem Woort.
Wat lofbaer spelen soet, wat schoon ghedichts ghewaghen
Heeft men van ouds en nieuw's al-om ghezien, ghehoordt.
Doch als t' onnut ghedicht eens wert ghedempt, ghesmoort,
En niet dan reyne konst en zy al ons bemoeyen
Als elck alleen tot Deught zijn hert en zinnen spoort,
So sal Rethorica veracht recht weder bloeyen.

Prince

Als 't oude quaet ghebruyck in 't recht ghebruyck verkeeret,
Als onverstant is wech, en wetenschap ghenaeckt,

want troost, keurig vermaak en ontelbare deugden zag men uit haar voortkomen, en dat gebeurt nog steeds. Wie haar terecht hanteert, die plukt een
heilzaam kruid, hij herstelt zijn zwak hart, dat anders somber blijft. Retorica
veroorzaakt lust en rust, verdrijft alle somberheid; wanneer zij op de juiste
manier geplant is, moet zij iedereen behagen. Een edel, gunstig hart heeft haar
steeds liefde toegedragen en zij heeft de verspreiding van Gods woord steeds
bevorderd. Welke mooie toneelstukken, welke fraaie gedichten heeft men niet
altijd en overal gezien en gehoord? Als het nutteloze dichtwerk eens gedempt
en gesmoord wordt, en enkel reine kunst onze bemoeienis is, als iedereen alleen
op deugd zijn hart en zinnen richt, dan zal de versmade Retorica weer keurig
bloeien. ¶ Prins ¶ Als het oude, slechte gebruik verandert in het juiste gebruik,
als onverstand weg is en wetenschap nadert,

Als 't Lichaem eerst het Hooft, en 't Hooft dan 't Lichaem
eeret,
Als Eersucht so veel doet, dat Leerlust yet vermeeret,
Als elck onrust vermijd, en na reyn vreughde haeckt,
Als Bachus is verjaeght, en Matigheyt hier daeckt,
Als twist leyt onder voet, en vrede wert verheven,
Als yder 'tboose haet, int goede hem vermaeckt,
Als 'tonrecht is verplet, en 'trecht zijn macht ghegheven,
Als afgonst is ghedoot, en Jonste is int leven,
Als al d'welck tweedracht breeckt door Eendracht wort ghe-
sticht,
Als voor onstichtings vloet de stichtingh comt ghedreven,
Als zotheyt wort ghedempt, mits wijsheyts soet bericht,
Als schimp, onreyn ghesnap door redens crachten swicht,
Als nyt haer selfs verdrooght, en laet de Liefde groeyen,
Als 'tso al wort beleyt, en elck doet zynen plicht,
So sal Rethorica veracht recht weder bloeyen.

als het lichaam eerst het hoofd, en het hoofd daarop het lichaam eert, als eerzucht bewerkt dat leerzucht enigszins toeneemt, als iedereen onrust vermijdt en
verlangt naar reine vreugde, als Bacchus verjaagd wordt en matigheid heerst,
als twist onder de voet ligt en vrede wordt verheven, als iedereen het boze haat
en genoegen schept in het goede, als het onrecht verpletterd wordt en aan het
recht de heerschappij gegeven wordt, als afgunst gedood wordt en gunst
springlevend is, als wat de tweedracht breekt, door eendracht hersteld wordt,
als de vloed van ergernis verloopt voor het water van stichting, als dwaasheid
begraven wordt onder de zoete woorden van wijsheid, als spot en dwaze praat
wijken voor de kracht van de rede, als nijd opdroogt en daardoor de liefde laat
groeien, als alles zo wordt geschikt en elk zijn plicht doet, dan zal de versmade
Retorica weer keurig bloeien.

BARTHOLOMEUS BOECKX

TWAELF OUDERDOMME

*oft tijden der Menschen, gecompareert tegens de twaelf
maenden van den jare*

JANUARIUS

Jonck geboren, onnoosel, ben ic;
Cranck, teer; om cleyne saken ween ic;
Totten seven jare dus te sijne meen ic.

FEBRUARIUS

Om wercken om leeren ter scholen gae ic;
Leeringe, vroetheyt onder de roey ontfae ic.
In desen staet tot veertien jaren stae ic.

MARTIUS

Jonck, dom, wilt, in de locht soe clem ic;
Sorgeloos tusschen twee wateren swem ic,
Totten twintich jaren. Sulcx soe bem ic.

Twaalf ouderdommen van de mensen, vergeleken met de twaalf maanden van
het jaar ¶ Januari ¶ Pasgeboren en onschuldig ben ik, zwak en teer; ik ween
om een geringe aanleiding. Ik meen tot zeven jaar zo te zijn. ¶ Februari ¶ Ik ga
naar school om te werken en te leren. Ik ontvang lering en verstand onder
bedreiging van de roede. Tot veertien jaar leef ik in deze toestand. ¶ Maart ¶
Jong, onbezonnen en wild ben ik onbekommerd; ik leef zonder zorgen tussen
twee levensperioden tot de leeftijd van twintig jaar. Zo ben ik.

In solaes, in genuchten beclijf ic;
Alle druc, verdriet, en onvreucht verdrijf ic.
Totten achtentwintich jaren dus blijf ic.

MAJUS

Domme jonckheyt, u begeef ic;
Om eenen staet aen te nemen soe streef ic;
Totten sesendertich jaren in desen staet leef ic.

JUNIUS

In laste van kinderen en sorgen soe come ic;
In rijcheden en wijsheden geerne soe clom ic;
Dus te sijne tot dryenveertich jaren my beroeme ic.

JULIUS

Wijs, swaermoedich te sijne beginne ic;
Teghens doude en darmoede gelt beminne ic.
Totten tweeenvijftich jaren aldus ben ic.

AUGUSTUS

Vreck, onlustich my voortaen gedraeg ic;

April ¶ In vreugde en plezier breng ik mijn dagen door. Alle druk, verdriet en vreugdeloosheid vermijd ik. Zo blijf ik tot achtentwintig jaar. ¶ Mei ¶ Onbezonnen jeugd, ik neem afscheid van je. Ik streef ernaar een vaste positie te verwerven. Zo leef ik tot zesendertig. ¶ Juni ¶ Ik kom in last van kinderen en zorgen. Graag neem ik toe in welstand en wijsheid. Ik beroem er mij op zo te leven tot mijn drieënveertig jaar. ¶ Juli ¶ Ik begin wijs en ernstig te worden. Ik leg geld opzij tegen ouderdom en armoede. Zo leef ik tot tweeënvijftig. ¶ Augustus ¶ Ik ben voortaan vrekkig en lusteloos;

Nu hier nu daer van weedom claeg ic;
Tot negenenvijftich jaren altemet vertraeg ic.

SEPTEMBER

Vragende, clagende, cranc, veroude ic;
Ongeneuchte, jaloursie behoude ic.
Totten sesensestich jaren toe dus vercoude ic.

OCTOBER

Int gesichte int hooren vercranc ic;
Hier toe comende Gode bedanc ic;
Totten dryenseventich jaren soe manc ic.

NOVEMBER

Moeyelijck en vol drucx bedie ic;
Alle genuechte ende solaes soe vlie ic;
Op den verloren tijt wel spade sie ic.

DECEMBER

Te niete ende versuft, een kint blijc ic;
Crom, stom, altoos ter aerden waert kijc ic.
Ende eyndelijk ter doot beswijc ic.

---

ik klaag over pijn, nu eens op de ene, dan weer op een andere plek; ik word trager tot negenenvijftig jaar. ¶ September ¶ Ik word ouder, ziek, vragend om aandacht en klagend; ik voel nog misnoegen en jaloersheid. Ik word kouder tot zesenzestig. ¶ Oktober ¶ Gezicht en gehoor nemen af; ik dank God dat ik zo oud mag worden. Ik hink tot drieënzeventig. ¶ November ¶ Moeilijk en vol angst [leef] ik; alle plezier en vreugde laat ik achter; ik kijk al te laat terug op de niet-welbestede tijd. ¶ December ¶ Ik ben kinds, krachteloos en versuft; krom en sprakeloos loop ik voorovergebogen. Ten slotte sterf ik.

A.I.

DE GHEESTELIJCKE JACHT

Op die voyse: Claes in den candeleer is soe prat

[CHRISTUS]

Wel op, wel op, ick gae ter jacht
Nemen op de herten acht.
Steeckt met sporen!
Blaest den horen!
Nempt den swijnspriet in u hant,
En met vlijt de netten spant!

Altijt het herte vluchten wilt
Doer den bossche: ongestilt
Loopt en rennet,
Niet en kennet,
Oft het vyant is oft niet,
Diet van verre comen siet.

Sullen u dan de boomen dicht
Decken, o hert, voer mijn gesicht?
Zal de varen
U bewaren?
Zal het lis oft sal het riet
Maken dat ic u vinde niet?

Op, op! ik ga op jacht om de herten te achtervolgen. Geef het paard de sporen! Blaas de hoorn! Neem de speer in de hand en span met ijver de netten! ¶ Het hert wil altijd vluchten door het bos. Het loopt en rent zonder ophouden; het merkt niet of het vijand of vriend is, die het van ver ziet komen. ¶ Zullen dan de dichte bomen je verbergen, hert, voor mijn blik? Zal het struikgewas je beschermen? Zullen lis of riet beletten dat ik je vind?

O neen, ick can sien overal
Op de bergen, bosch en dal;
Laet u vangen,
Neempt u gangen
Naer den jager; bidt genae,
Eer hy tswijnspriet doer u slae!

Om u te dooden jaeg ick niet;
'K come u helpen uyt verdriet;
Uwe wonden
Wel verbonden
Sullen van mijn handen sijn:
'K giet er olie op en wijn.

Compt, dorstich hert, tot dees fonteyn;
Drinket van dees beke reyn;
Laet u laven!
Rust van draven!
Ligget hier int groene gras,
Of gevanckenis vrijdom was!

Christus den Heere jaget sterck
Tsondich herte naer zijn kerck,
Om te geven
Teeuwich leven.
Laet u vangen, geeft u bloot;
Gy sult leven in den doot!

Neen, want ik zie alles op bergen, in bossen en dalen; laat je vangen, ga naar de
jager; vraag om genade voor hij de speer door je lijf jaagt! ¶ Ik jaag niet om je te
doden; ik kom je helpen uit het lijden; je wonden zal ik met eigen handen
verbinden: ik giet er olie en wijn op. ¶ Kom, dorstig hert, tot deze bron; drink
uit deze zuivere beek; laat je laven, rust uit van het draven. Rust hier in het
groene gras, alsof gevangenschap vrijheid betekende. ¶ Christus de Heer jaagt
hardnekkig het zondig hart naar zijn kerk om het eeuwig leven te geven. Laat je
gevangen nemen, geef je over; in de dood zul je leven.

Triumph des Doods.

Wel? Waerom soud' ick niet hier achter oock bragheeren
Ick die veel ouder ben dan al des Werelts heeren?
   Ick die ten tijde was als t'grouwelick ghedrocht
   Der Sonden in het crijt des Werelts is ghebrocht.
Soo haest beet Adam niet in d'Appel hem ghegheven
Van Eva sijner vrou of hij met haer verdreven
   Moest dwalen hier en daer. Doen, siet, met eene stoot
   De Sond in kennis quam en met de Sond de Doot.
Seer machtich van bedrijf, niet is soo fier verscheenen,

Wel, waarom zou ik ook hier achteraan niet triomferen? Ik, die veel ouder ben
dan alle heren van deze wereld! Ik, die er al was toen het gruwelijk gedrocht der
zonden op de wereld werd losgelaten. ¶ Zo vlug beet Adam niet in de appel die
zijn vrouw Eva hem gaf, of hij werd met haar verbannen en moest gaan rond-
zwerven. Toen, zie, kwam met één stoot de zonde ter kennis, en met de zonde
de Dood. ¶ Zeer machtig is mijn werking: niets verschijnt op deze wereld zo
trots,

Van mij maer aengheraect, het is terstont verdweenen.
  Niet isser soo becracht, van leden soo versien,
  Off t'heeft voor mijne schicht en seysen moeten vlien.
Doch t'vlien en hulp al niet. Als d'uer maer was ghecomen
Soo heb ick Princen selfs het levens nat benomen.
  Hoe eel, hoe groot van huys; hoe rijck en wel ghestelt,
  Sijn al in corten stont deur mijner handt ghevelt.
Als Mars door dulheyt raest bereyt om Crijch te voeren,
So volgh ick Mors hem nae, jae derff den trommel roeren
  Als hij met brandend londt tot sijnen donder gaet
  En t'roeckeloos Gheschut op s'vyants heyr ontlaet.
Soo ick mijn volck te swack den Oorlogh Godt te wesen
Soo neem ick Pest tot hulp ende Hongher oock tot desen,
  En vallen soo te saem in 't menschelick gheslacht
  Tot dat het gantsch end' al te niete zy gebracht.
In Godes tafel boeck soo wie dan is gheschreven
End' op mijn rol ghestelt die wort daer uyt ghewreven.
  Ick Dood verslind' het al. Wat leven heeft ontfaen,
  Her, her, ist vroech oft laet, het moet al met my gaen,
Die huyden Coninck is sal morghen overlijden.
Hier baet gheen tegen spraeck, hier baet gheen tegenstrijden,
  Gheen Coninck wasser oyt die 't beter heeft ghehadt,

---

of het verdwijnt terstond, wanneer ik het slechts aanraak. Niets is zo krachtig,
zo voorzien van sterke ledematen, of het heeft moeten vluchten voor mijn speer
en zeis. ¶ Doch vluchten hielp niets, als het uur gekomen was, heb ik zelfs
vorsten het levensvocht ontnomen. Hoe edel, hoe voornaam van afkomst, hoe
rijk en welgesteld, zij zijn allemaal in korte tijd door mijn hand geveld. ¶ Als
Mars vol razernij brult, gereed om oorlog te voeren, dan volg ik, Dood, hem na,
ja, ik mag de trommel slaan als hij met een brandende lont naar zijn oorlogstuig
trekt en het ongenadig geschut op het leger van de vijand afvuurt. ¶ Indien de
oorlogsgod te zwak is tegenover de grote massa van het volk, dan roep ik pest
en honger te hulp. Die vallen dan samen de mensheid aan, totdat alles teniet-
gedaan is. ¶ Wie dan op Gods aantekenboek is ingeschreven en op mijn rol is
genoteerd, wordt daaruit weggewist. Ik, Dood, verslind alles. Wat leven heeft
ontvangen, moet vroeg of laat vlug met mij meegaan. ¶ Wie vandaag koning is,
zal morgen overlijden. Hier helpt geen tegenspraak, hier helpt geen tegenstand.
Er is nooit een koning geweest, die het beter heeft gehad.

Verlaten moet ghy 't rijck, verlaten al u schad.
Maer hoort op dat ick mach de Coninghen doen beven.
Wat is haer machticheyt? Wat anders dant cort leven?
   O sotte mensch waer op draecht ghy dees trotsche moet,
   Op schoonheyt, of op cracht, of op 't verganckelick goet?
Ey liever, denckt waer heen u Ouders sijn ghevaren
Deur stinckend' hoovaerdy. Het zijn noch weynich jaeren
   Dat uwe Vader sterff in groot ellendicheyt
   En t' eeuwich leven hadde Spaensche Majesteyt.
Ick segh als uyt sijn lijff de wormen quamen cruypen,
Die wijlen Werelts pracht deed voor sijn ooghen stuypen,
   En t' eeuwich leven sach, maer deur sijn wreetheyt groot
   Heeft hy dat, arme man, gheleden voor sijn doot.
Sulck uytganck hebben al d'hoovaerdighe Tyrannen
Die 't Christelick Ghelooff vervloecken en verbannen,
   Die Beullen van 't Ghemoet en van 't ghewisse zijn
   En dwinghen tot de Paus en Antechrists fenijn.
Soo wie standtvastich blijft, en wilt Godt niet verlaten
Die wert met groote smaet gheleyt lancx al de straten
   En op 't schavot ghestelt, jae wort eylaes ghebrand,
   Ghebonden aen sijn been, ghebonden aen sijn hand.
Maer 't suyver hert tot Godt en connen zy niet binden,

Verlaten moet je het rijk, verlaten heel je schat. ¶ Maar luister, opdat ik koningen zou doen beven! Wat is hun macht? Wat anders dan een kort leven? O dwaze mens, waarop steunt uw trots gemoed? Op schoonheid, of op kracht, of op vergankelijk bezit? ¶ Denk liever waarheen uw voorouders zijn vertrokken door hun weerzinwekkende hoogmoed. Enkele jaren geleden stierf uw vader, Filips II, in grote ellende; het eeuwig leven omvatte de Spaanse majesteit. ¶ Eens deed hij de pracht van de wereld voor zich buigen, maar toen kropen de wormen uit zijn lijf; hij zag het eeuwige leven voor zich, maar door zijn grote wreedheid heeft hij, als arme zondaar, dat onderkend als de eeuwige dood. ¶ Zo'n einde kennen alle hoogmoedige tirannen, die het christelijk geloof vervloeken en verbannen, die beulen van het gemoed en van het geweten zijn, en het gift van paus en antikrist opleggen. ¶ Wie standvastig blijft en God niet wil verlaten, die wordt in hoon langs alle straten gevoerd, op een schavot geplaatst, aan handen en voeten gebonden, en jammerlijk verbrand. ¶ Maar het zuiver hart, op God gericht, kunnen zij niet binden.

Dat vliecht vry Hemelvaert ver buyten alle winden,
    Daer Godt van boven neer de Martelaren looft,
    En set haer goedertier de Leven Crans op 't hooft.
Wel salich is die PRINS die in gherechticheden
Sijn Landt en volck bestiert, die sal hier nae in vreden
    (Wanneer in 't Helsche vyer de boos Tyran versmacht)
    Met Godt versamelt zijn en sitten in sijn cracht.

CEDO NULLI

Dat vliegt ongehinderd hemelwaarts, boven alle winden, waar God van boven de martelaren prijst en hun goedgunstig de kroon van het ware leven op het hoofd zet. ¶ Welzalig is de prins, die in gerechtigheid zijn land en volk bestuurt: die zal hierna in vrede bij God opgenomen worden en zitten bij Gods kracht, terwijl de boze tiran in het helse vuur gefolterd wordt.

INHOUD

Uit: Frits van Oostrom: Omstreeks 1100: Twee monniken voeren in het Oudnederlands de pen over de liefde. De volkstaal komt op schrift. In: Nederlandse Literatuur, een geschiedenis. Hoofdredactie M.A. Schenkeveld-Van der Dussen. Groningen, 1993.

HENDRIK VAN VELDEKE

Uit: Des Minnesangs Frühling. Unter Benutzung der Ausgaben von Karl Lachmann und Moriz Haupt, Friedrich Vogt und Carl von Kraus bearbeitete von Hugo Moser und Helmut Tervooren. 38., erneut revidierte Auflage. Stuttgart, 1988.

vaderlands, uitgegeven door J.F. Willems. Eerste deel. Gent,
[1837].

[Rex glorie]   94
[In dulci jubilo]   96
Uit: Het geestelijk lied van Noord-Nederland in de vijftiende
eeuw. De Nederlandse liederen van de handschriften Amsterdam
(Wenen ÖNB 12875) en Utrecht (Berlijn MG 8° 190). Uitgegeven
door E. Bruning, M. Veldhuyzen, H. Wagenaar-Nolthenius.
Amsterdam, 1963.

[Minnen natuere]   98
Uit: De Nederlandsche mystieke poëzie. Verzameld en ingeleid
door Stephanus Axters. [Mystiek Brevier, III]. Antwerpen-
's-Gravenhage, 1946.

JAN [VAN] BOENDALE   (1279-1330/1340)
Vanden wiven   101
Uit: Nederlandsche gedichten uit de veertiende eeuw van
Jan Boendale, Hein van Aken en anderen, naar het Oxfordsch
handschrift, (...) uitgegeven door F.-A. Snellaert. Brussel, 1869.

[Over Her Ever, de hertog van Brabant]   106
Uit: [J. van Vloten:] Nederlandsche geschiedzangen, naar tijdsorde
gerangschikt en toegelicht. Eerste bundel. 863-1572. Tweede
bundel. 1572-1609. Amsterdam, 1852.

Van den XII wel dienenden cnapen   112
Van der weldaet die de duvele dede   121
Van eenen rudder die zinen zone leerde   124
Een sproke up den wijn   128
Uit: Altniederländische Gedichte vom Schlusse des XIII. bis
Anfang des XV. Jahrhunderts. Zweiter Theil. Nach einer
Altniederländischen Handschrift. Mit Anmerkungen
herausgegeben von Eduard von Kausler. [= Denkmäler
altniederländischer Sprache und Literatur. Nach ungedruckten
Quellen herausgegeben von Eduard von Kausler. Dritter Band].
Leipzig, 1866.

Dits vanden Anxt   130
Van dat die liede sijn gherne geheten joncfrou   133
Tgheluc vanden Hont   135
Ene Boerde   137

Uit: Liederen en gedichten uit het Gruuthuse-handschrift.
Uitgegeven voor de Maatschappij der Nederlandse Letterkunde te
Leiden door K. Heeroma met medewerking van
C.W.H. Lindenburg. Eerste deel. Leiden, 1966.

De eerste twee uit: Willèm de Vreese: Nieuwe
Middelnederlandsche fragmenten. V. Middelnederlandsche
minnedichten. In: Tijdschrift voor Nederlandsche taal- en
letterkunde (...). Veertiende deel. Nieuwe reeks, zesde deel. Leiden,
1895.
De volgende drie uit: W.L. de Vreese: Middelnederlandsche
geestelijke gedichten, liederen en rijmen. (*Vervolg...*). In:
Tijdschrift voor Nederlandsche taal- en letterkunde (...).
Twintigste deel. Nieuwe reeks, twaalfde deel. Leiden, 1901.

UIT HET HAAGSCHE LIEDERHANDSCHRIFT

Uit: J.A. Nijland: Gedichten uit het Haagsche liederhandschrift,
uitgegeven en toegelicht uit de Middelhoogduitsche lyriek.
Academisch proefschrift... Leiden, 1896.

door W. Bisschop en E. Verwijs. [Facsimile-herdruk van de uitgave van 1870]. Utrecht, 1981.

[JONKER] JAN VAN HULST
Uit: J.F. Willems: Berigten wegens oude nederduitsche dichters. III. Jonker Jan van Hulst. In: Belgisch Museum voor de nederduitsche tael- en letterkunde en de geschiedenis des vaderlands, uitgegeven (...) door J.F. Willems. Gent, 1841.

TWEE HISTORIELIEDEREN
Uit: Middelnederlandsche historieliederen, toegelicht en verklaard door C.C. van de Graft. [Ongewijzigde herdruk der uitgave van 1904]. Arnhem, 1968.

[RIJMSPREUKEN] 328
Uit: Robert Priebsch: Aus deutschen Handschriften der königlichen Bibliothek zu Brüssel. In: Zeitschrift für deutsche Philologie. Achtunddreissigster Band. Halle a. S., 1906.

DRIE LOFZANGEN
Uit: R. Lievens: Een vroeg rederijkersgedicht. 'Almachtich God, der glorien Heere'. In: Opstellen door vrienden en vakgenoten aangeboden aan C.H.A. Kruyskamp (...). Redactie: Hans Heestermans. 's-Gravenhage, 1977.
Uit: Robrecht Lievens: Hu lovic, hemelsce conighinne. In: Spiritualia Neerlandica. Opstellen voor Dr. Albert Ampe S.J. hem door vakgenoten en vrienden aangeboden... [Tweede helft]. In: Ons geestelijk erf. Driemaandelijks tijdschrift voor de geschiedenis van de vroomheid in de Nederlanden. Deel 64. Antwerpen, 1990.
Uit: R. Lievens: The Hymn 'Lof gheest ghenaemt'. In: Neerlandica manuscripta. Essays presented to G.I. Lieftinck/3. Amsterdam, 1976.

Uit: De middelnederlandse vertalingen van het Stabat Mater.

Ingeleid en toegelicht door P. Maximilianus. Zwolle, 1957.

Hier voor het eerst gepubliceerd. Ontdekt door Johan Oosterman (Cambridge Mass., Houghton Library, Dutch 13, F.191V-195R).

Uit: De Nederlandsche mystieke poëzie. Verzameld en ingeleid door Stephanus Axters. [Mystiek Brevier, III]. Antwerpen-'s-Gravenhage, 1946.

Uit: Het geestelijk lied van Noord-Nederland in de vijftiende eeuw. De Nederlandse liederen van de handschriften Amsterdam (Wenen ÖNB 12875) en Utrecht (Berlijn MG 8° 190). Uitgegeven door E. Bruning, M. Veldhuyzen, H. Wagenaar-Nolthenius. Amsterdam, 1963.

Uit: Robert Priebsch: Aus deutschen Handschriften der königlichen Bibliothek zu Brüssel. In: Zeitschrift für deutsche Philologie. Achtunddreissigster Band. Halle a. S., 1906. Alleen de laatste rijmspreuk *In deser nacht mogen wy genesen* komt uit: Idem. Neununddreissigster Band. Halle a. S., 1907.

UIT EEN BRUSSELS HANDSCHRIFT

Uit: Robert Priebsch: Aus deutschen Handschriften der königlichen Bibliothek zu Brüssel. In: Zeitschrift für deutsche Philologie. Achtunddreissigster Band. Halle a. S., 1906.

Uit: W.L. Braekman: Middelnederlandse didactische gedichten en rijmspreuken. In: Verslagen en mededelingen van de Koninklijke

Vlaamse Academie voor Taal- en Letterkunde. (Nieuwe Reeks).
Aflevering 1. Gent, 1969.

TWEE KERSTLIEDEREN

Uit: J.J. Mak: Middeleeuwse kerstliederen. Melodieën verzorgd
door E. Bruning. Utrecht-Brussel, 1948.

JOANNES BRUGMAN   ca. 1400-1473

Uit: Dit is een suverlijc boecxken. Het oudste gedrukte geestelijke
liedboek in de Nederlanden naar het enig bekende exemplaar van
de Antwerpse druk van 1508 in de Koninklijke Bibliotheek te
's-Gravenhagein facsimile uitgegeven. Ingeleid en toegelicht door
J.J. Mak. Amsterdam-Antwerpen, 1957.

ANTHONIS DE ROOVERE   ca. 1430-1482

Uit: De gedichten van Anthonis de Roovere. Naar alle tot dusver
bekende handschriften en oude drukken uitgegeven door J.J. Mak.
Zwolle, 1955.

TOEGESCHREVEN AAN ANTHONIS DE ROOVERE

Uit: Jan van Stijevoorts Refereinenbundel Anno MDXXIV. Naar het Berlijnsch handschrift integraal en diplomatisch uitgegeven door Frederik Lyna en Willem van Eeghem. [Twee delen]. Antwerpen, (1930).

TOEGESCHREVEN AAN EEN ZEKERE 'HAES'
Refereyn 434
Uit: De gedichten van Anthonis de Roovere. Naar alle tot dusver bekende handschriften en oude drukken uitgegeven door J.J. Mak. Zwolle, 1955.

SUSTER BERTKEN † 1514
Een lyedeken 436
Een lyedeken 438
Uit: Een boecxken gemaket van Suster Bertken die LVII iaren besloten heeft gheseten tot Utrecht in dye Buerkercke. (...) Opnieuw uitgegeven met aanteekeningen en een inleiding door Joh*. Snellen. Utrecht, 1924.

DIRC COELDE VAN MUNSTER ca. 1435-1515
[Drie dinghen weet ic voorwaer] 440
Uit: De liederen van broeder Dirck van Munster, door Hoffmann van Fallersleben. In: De Dietsche warande. Tijdschrift voor Nederlandsche oudheden, en nieuwere kunst & letteren, bestuurd door J.A. Alberdingk Thijm. Derde jaar: 1857. Amsterdam, (1857).

[Och edel siele wilt mercken] 440
Uit: De Nederlandsche mystieke poëzie. Verzameld en ingeleid door Stephanus Axters. [Mystiek Brevier, III]. Antwerpen- 's-Gravenhage, 1946.

[RIJMSPREUK] 448
Uit: [J. van Vloten:] Nederlandsche geschiedzangen, naar tijdsorde gerangschikt en toegelicht. Eerste bundel. 863-1572. Tweede bundel. 1572-1609. Amsterdam, 1852.

DRIE HISTORIELIEDEREN
[Uit de 'Excellente kronike van Vlaenderen'] [acrostichon] 448
Uit: [J. van Vloten:] Nederlandsche geschiedzangen, naar tijdsorde gerangschikt en toegelicht. Eerste bundel. 863-1572. Tweede bundel. 1572-1609. Amsterdam, 1852.

Uit: Middelnederlandsche historieliederen, toegelicht en verklaard door C.C. van de Graft. [Ongewijzigde herdruk der uitgave van 1904]. Arnhem, 1968.

Uit: W.L. Braekman: Middelnederlandse didactische gedichten en rijmspreuken. In: Verslagen en mededelingen van de Koninklijke Vlaamse Academie voor Taal- en Letterkunde. (Nieuwe Reeks). Aflevering 1. Gent, 1969. Alleen de voorlaatste, *In allen landen onbekent*, komt uit: C.G.N. de Vooys: Verspreide Mnl. geestelike gedichten, liederen en rijmspreuken. In: Tijdschrift voor Nederlandsche taal- en letterkunde (...). Drie en twintigste deel. Nieuwe reeks, vijftiende deel. Leiden, 1904.

TWEE KERSTGEDICHTEN UIT HET WERDENER
LIEDERHANDSCHRIFT

Uit: F. Jostes: Eine Werdener Liederhandschrift aus der Zeit um 1500. In: Jahrbuch des Vereins für niederdeutsche Sprachforschung. Jahrgang 1888. XIV. Norden-Leipzig, 1889.

Uit: Mariken van Nieumeghen. Uitgegeven door C. Kruyskamp. [Rhetoricale teksten. Nr. 6]. Antwerpen, 1962[2].

Uit: Het oude Nederlandsche lied. Wereldlijke en geestelijke liederen uit vroegeren tijd. Teksten en melodieën. Verzameld en toegelicht door Fl. [F.] van Duyse. [Drie delen]. 's-Gravenhage, Antwerpen, 1903-1908.

in Musijcke ghestelt, bequaem om te singhen, ende op
instrumenten te spelen. Maestricht, 1554.

[Liedje]   547
Uit: Leon Kessels: The Brussels/Tournai-Partbooks: Structure,
Illumination, and Flemish Repertory. In: Tijdschrift van de
Vereniging voor Nederlandse Muziekgeschiedenis. Deel
XXXVII — 1987.

[Liedje]   548
Uit: 25 driestemmige Oud-Nederlandsche Liederen uit het einde
der vijftiende eeuw naar den codex London British Museum Add.
Mss. 35087 uitgegeven door Johannes Wolf. [Uitgave XXX der
Vereeniging voor Noord-Nederlands muziekgeschiedenis].
Amsterdam-Leipzig, 1910.

[Liedje]   549
Uit: J.W. Muller: Brokstukken van middeleeuwsche meerstemmige
liederen. In: Tijdschrift voor Nederlandsche taal- en letterkunde
(...). Vijf en twintigste deel. Nieuwe reeks, zeventiende deel.
Leiden, 1906.

[Ghequetst ben ic van binnen]   549
Uit: Het oude Nederlandsche lied. Wereldlijke en geestelijke
liederen uit vroegeren tijd. Teksten en melodieën. Verzameld en
toegelicht door Fl. [F.] van Duyse. [Drie delen]. 's-Gravenhage,
Antwerpen, 1903-1908.

Van Kort Rozijn   550
Uit: Middelnederlandsche historieliederen, toegelicht en verklaard
door C.C. van de Graft. [Ongewijzigde herdruk der uitgave van
1904]. Arnhem, 1968.

[Waer is die dochter van Syon]   553
[Hoe luyde riep die siele]   555
[Nu laet ons vrolic singhen]   559
[Solaes willen wi hanteeren]   561
Uit: Dit is een suverlijc boecxken. Het oudste gedrukte geestelijke
liedboek in de Nederlanden naar het enig bekende exemplaar van
de Antwerpse druk van 1508 in de Koninklijke Bibliotheek te
's-Gravenhage in facsimile uitgegeven. Ingeleid en toegelicht door
J.J. Mak. Amsterdam-Antwerpen, 1957.

[Annunciatie]   563
Uit: J.J. Mak: Middeleeuwse kerstliederen. Melodieën verzorgd

door E. Bruning. Utrecht-Brussel, 1948.

Uit: Dit is een suverlijc boecxken. Het oudste gedrukte geestelijke liedboek in de Nederlanden naar het enig bekende exemplaar van de Antwerpse druk van 1508 in de Koninklijke Bibliotheek te 's-Gravenhage in facsimile uitgegeven. Ingeleid en toegelicht door J.J. Mak. Amsterdam-Antwerpen, 1957.

Uit: Een devoot ende Profitelyck Boecxken, inhoudende veel ghestelijcke Liedekens ende Leysenen, diemen tot deser tijt toe heeft connen ghevinden in prente oft in ghescrifte. Geestelijk Liedboek met melodieën van 1539. Op nieuw uitgegeven en van eene inleiding, registers en aanteekeningen voorzien door D.F. Scheurleer. 's Gravenhage, 1889.

Uit Der Scaepherders Kalengier
Uit: Der Scaepherders Kalengier. Een Vlaams volksboek, naar het unieke exemplaar van de Antwerpse druk door Willem Vorsterman van 1513, bezorgd en ingeleid door W.L. Braekman. Brugge, 1985.

Uit: W.L. Braekman: Rethoricaal Orakelboek op Rijm. In: Koninklijke soevereine hoofdkamer van retorica 'De Fonteine' te Gent. Jaarboek 1980-1981 — Deel I. XXXI. (Tweede reeks: nr. 23). (Gent, 1981).

Zonne, mane ende tfirmament,... 631

Retrograde 632

Uit: Religieuze poëzie. Uitgegeven en toegelicht door L. Roose.
Zwolle, 1954.

CORNELIS CRUL [?]

Een gracie 633

Uit: J.A. Goris: De Refereynen van Cornelis Crul.
In: De gulden passer. Driemaandelijksch Bulletijn van de
Vereeniging der Antwerpsche Bibliophilen. Nieuwe Reeks.-
4e Jaargang, 1926 (reprint 1973)

TOEGESCHREVEN AAN (VANDER) NOODT

[Refrein] [Noyt lieflyck lief en had so lief] 635

Uit: Rederijkersgedichten der XVIe eeuw. Uitgegeven door
Jan Broeckaert. Gent, 1893.

MEESTER FRANSOYS STOC

[Reffereijn] [Loff stock daer elck moide hert op rust] 639

Uit: Jan van Stijevoorts Refereinenbundel Anno MDXXIV. Naar
het Berlijnsch handschrift integraal en diplomatisch uitgegeven
door Frederik Lyna en Willem van Eeghem. [Twee delen].
Antwerpen, (1930).

MEESTER FRANSOYS STOC [?]

[Refereyn] [Gheen pyne en gaet boven jalozye] 642

Uit: E. Soens: Anna Bijns. II. In: Leuvensche Bijdragen.
IXe jaargang, Lier-Leipzig, 1910-1911.

'ARNOLD' [?]

[Reffereyne] [Al sijdij ghebeten ghij en sijt niet ghegeten] 646

TOEGESCHREVEN AAN JAN DE HAESE

[Reffereijn] [De bate es syne, die scaye es mijne] 649

Uit: Jan van Stijevoorts Refereinenbundel Anno MDXXIV. Naar
het Berlijnsch handschrift integraal en diplomatisch uitgegeven
door Frederik Lyna en Willem van Eeghem. [Twee delen].
Antwerpen, (1930).

COLIJN VAN RIJSSELE

[Referein] [O doot du moets wel een bitter morseel sijn] 652

Uit: Paul de Keyser: Colijn Caillieu's Dal sonder wederkeeren of
Pas der Doot. Antwerpen-Paris-'s Gravenhage, 1936.

UIT DE REFEREINENBUNDEL VAN JAN VAN STIJEVOORT

Uit: Jan van Stijevoorts Refereinenbundel Anno MDXXIV. Naar het Berlijnsch handschrift integraal en diplomatisch uitgegeven door Frederik Lyna en Willem van Eeghem. [Twee delen]. Antwerpen, (1930).

UIT HET LIEDBOEKJE VAN MARIGEN REMEN

Uit: Het Liedboekje van Marigen Remen. (Hs. Leiden, U.B., Ltk. 218, F. 62 — F. 78V). Uitgegeven met een inleiding en woordverklaring door een werkgroep van Utrechtse neerlandici. Utrecht, 1966.

Uit: Een Liedtboecxken, tracterende van het Offer des Heeren int welck oude en nieuwe Liedekens wt verscheidene copijen vergadert zijn om bij het Offerboeck ghevoecht te worden. Uit: Geschriften uit den tijd der hervorming in de Nederlanden. Opnieuw uitgegeven en van inleidingen en aanteekeningen voorzien door S. Cramer en F. Pijper. Tweede deel: Het Offer des Heeren (de oudste verzameling doopsgezinde martelaarsbrieven en offerliederen). Bewerkt door S. Cramer. [Bibliotheca Reformatoria Neerlandica]. 's-Gravenhage, 1904.

J.P. Westgeest. Casteleins code gekraakt.
In: Nieuwe Taalgids: 80 (1987) 2 (mrt), p. 111-124

Uit: De Const van Rhetoriken, allen Ancommers ende Beminders der zelver, een zonderlijngh Exemplaer ende leevende Voorbeeld, niet alleen in allen Soorten ende Sneden van dichte, nemaer ooc, in alles dat der Edelder Const van Poësien competeert ende ancleeft. Nu eerst-mael uutghesteld in dichte, by wilent Heer Matthijs de Castelein, Priester ende excellent Poëte Moderne. [Facsimile-uitgave naar de eerste druk te Gent, 1555]. Oudenaarde, 1986.

Uit: Diversche liedekens. Met inleiding, woord- en tekstverklaringen door Korneel Goossens. Brussel, 1943.

ANNA BIJNS 1493-1575

Uit: Refereinen van Anna Bijns, naar de nalatenschap van Mr. A. Bogaers, uitgegeven door W. L. van Helten. Rotterdam, 1875.

Uit: Nieuwe Refereinen van Anna Bijns, benevens enkele andere rederijkersgedichten uit de XVIe eeuw, uitgegeven door W.J.A. Jonckbloet en W.L. van Helten. Eerste stuk. Gent, 1886.

Uit: Testament Rhetoricael [I, II, III]. [Drie delen]. Uitgegeven door W. Waterschoot en D. Coigneau met de medewerking van A. Schauteet en van J.M. Marchand, F. Pille, L. van der Hulst, E. Vervinckt, M.P. Gelan, I. Trioen, G. van Meerhaeghe, H. Hendrickx en E. de Potter onder leiding van A. van Elslander. [Rederijkersstudiën X, XII, XIV]. Gent, 1976-1980.

JAN VAN DEN BERGHE

Uit: Dichten en spelen van Jan van den Berghe. Uitgegeven door C. Kruyskamp. 's-Gravenhage, 1950.

ZES 'VERGEESTELIJKINGEN'

Uit: Het Antwerps Liedboek. 87 melodieën op teksten uit 'Een Schoon Liedekens-Boeck' van 1544. Uitgegeven door K. Vellekoop en H. Wagenaar-Nolthenius met medewerking van W. P. Gerritsen en A.C. Hemmes-Hoogstadt. Amsterdam, 1975².

Uit: Dit is een suverlijc boecxken. Het oudste gedrukte geestelijke liedboek in de Nederlanden naar het enig bekende exemplaar van de Antwerpse druk van 1508 in de Koninklijke Bibliotheek te 's-Gravenhage in facsimile uitgegeven. Ingeleid en toegelicht door J.J. Mak. Amsterdam-Antwerpen, 1957.

Uit: Het Antwerps Liedboek, op. cit.

Uit: Dit is een suverlijc boecxken, op. cit.

Uit: Het Antwerps Liedboek, op. cit.

Uit: Dit is een suverlijc boecxken, op. cit.

Uit: Het oude Nederlandsche lied. Wereldlijke en geestelijke liederen uit vroegeren tijd. Teksten en melodieën. Verzameld en toegelicht door Fl. [F.] van Duyse. [Drie delen]. 's-Gravenhage, Antwerpen, 1903-1908.

Uit: Een devoot ende Profitelyck Boecxken, inhoudende veel ghestelijcke Liedekens ende Leysenen, diemen tot deser tijt toe heeft connen ghevinden in prente oft in ghescrifte. Geestelijk Liedboek met melodieën van 1539. Op nieuw uitgegeven en van eene inleiding, registers en aanteekeningen voorzien door D.F. Scheurleer. 's Gravenhage, 1889.

Uit: Het oude Nederlandsche lied, *op. cit.*

Uit: Het Antwerps Liedboek, *op. cit.*

Uit: Het oude Nederlandsche lied, *op. cit.*

UIT DER SOTTEN SCHIP

Uit: Sebastian Brant: Der sotten schip. Antwerpen 1548. Verzorgd en van een nawoord voorzien door Loek Geeraedts. Middelburg, 1981.

UIT HET IERSTE MUSYCK BOEKSKEN VAN TIELMAN SUSATO

UIT HET TWEESTE MUSYCK BOEKSKEN VAN TIELMAN SUSATO

[4]   1008
[5]   1009

Uit: J.C.M. van Riemsdijk: De twee eerste musyckboekskens van Tielman Susato. Bijdrage tot het Nederlandsch Volkslied in de 16[de] eeuw. In: Tijdschrift der Vereeniging voor Noord-Nederlands muziekgeschiedenis. Deel III. Amsterdam, 1891.

Uit: Amoreuse Liedekens. Fotografische herdruk, ingeleid en toegelicht door J. Klatter. Amsterdam-Alphen aan den Rijn, 1984.

Uit: Veelderhande geneuchlijcke dichten, tafelspelen ende refereynen. Opnieuw uitgegeven vanwege de Maatschappij der Nederlandsche Letterkunde te Leiden. Utrecht, 1977. [Reprint van de uitgave Leiden, 1899].

Uit: Herman Pleij: Het gilde van de Blauwe Schuit. Literatuur, volksfeest en burgermoraal in de late middeleeuwen. Met een nabeschouwing van de auteur. Amsterdam, 1983[2].

Uit: Nederlandse strijdzangen (1525-1648). Ingeleid en van

aantekeningen voorzien door W.J.C. Buitendijk. Tweede herziene druk. Culemborg, 1977.

[Rijmspreuken]   1059

Uit: A. Dewitte: Dertig puntdichten uit de 16e eeuw Brugge 1555?. In: Biekorf. Westvlaams archief voor geschiedenis, archeologie, taal- en volkskunde. Eenentachtigste jaar. Z.p., 1981.

[Referein] [Dan ist quaet rethorisyn syn oft predicant]   1061

UIT DE REFEREINENBUNDEL VAN JAN DE BRUYNE
  [Referein] [De sulcke mogen thouwelyc wel beclagen]   1064
  [Referein] [U lieffde, lieff, heeft my uut lieffden genesen]   1067
  [Referein] [Wat joncheyt doet, dats duer natuere]   1071
  [Referein] [Men vint veel Jans, al en heetense soo niet]   1073
  Een vrage en een antwoorde   1076

JACOB JACOBSZ. CASSIERE
  [Referein] [Sweirels samblant is als dryfsant: niet sonder Godt]   1077

Uit: Refereinen en andere gedichten uit de XVIe eeuw. Verzameld en afgeschreven door Jan de Bruyne. Uitgegeven door K. Ruelens. [Drie delen]. Antwerpen-Gent, 1879-1881.

UIT EEN DUYTSCH MUSYCK BOECK
  [1]   1080
  [2]   1081
  [3]   1082
  [Het Geroep der strate]   1082

Uit: Een duytsch musyck boeck. In: F. van Duyse: Oude Nederlandsche meerstemmige Liederboeken. In: Tijdschrift der Vereeniging voor Noord-Nederlands muziekgeschiedenis. Deel III. Amsterdam, 1891.

GEUZENLIEDEREN
  [Een Vader-Onze]   1083
  [Geuzen-lust]   1084
  [Geuzen-Echo]   1087

Uit: [J. van Vloten:] Nederlandsche geschiedzangen, naar tijdsorde gerangschikt en toegelicht. Eerste bundel. 863-1572. Tweede bundel. 1572-1609. Amsterdam, 1852.

  Hier volght een devoot Papen-ghesangh Alsmen ghewoonlicke het Sermoon int midden vande Misse dede   1088

Uit: Het Geuzenliedboek naar de oude drukken uit de
nalatenschap van E.T. Kuiper uitgegeven door P. Leendertz Jr.
[Twee delen]. Zutphen, 1924.

Uit: [J. van Vloten:] Nederlandsche geschiedzangen, *op. cit.*

Uit: Het Geuzenliedboek naar de oude drukken, *op. cit.*

Uit: [J. van Vloten:] Nederlandsche geschiedzangen, *op.cit.*

Uit: Het Geuzenliedboek naar de oude drukken, *op. cit.*

Uit: Nieuw Geuzenlied-boek, waarin begrepen is den gantschen
handel der Nederlanden, beginnende anno 1564 uit alle oude
geuzenlied-boeken bijeenverzameld. Versierd met schoone, oude
Refereinen en Liedekens, te voren nooit in eenige Liedboeken
gedrukt. Uit verschillende uitgaven op nieuw bijeenverzameld door
H.J. van Lummel. Utrecht, [1874].

Uit: [J. van Vloten:] Nederlandsche geschiedzangen, *op. cit.*

LOYS HEINDRICX

Uit: Philip Blommaert: Politieke balladen, refereinen, liederen en spotgedichten, der XVIe eeuw, naer een gelyktydig handschrift. Gent, 1846.

UIT EEN TONGERSCHEN DICHTBUNDEL

Uit: Uit een Tongerschen dichtbundel der XVIe eeuw. Privaatdruk met inleiding en aanteekeningen door Jules Frère en Jan Gessler. Tongeren, 1925.

D. VOLCKERTSZ. COORNHERT   1522-1590

Uit: Noordnederlandse rederijkersspelen. [Verzorgd door N. van der Laan]. Amsterdam, 1941.

JAN BAPTIST HOUWAERT   1533-1599

Uit: F. Van Vinckenroye: Onuitgegeven werk van J.B. Houwaert in het handschrift J. Michiels. In: Hulde-album Prof. Dr. J.F. Vanderheyden. Z.p. [Leuven?], 1970.

LUCAS D'HEERE   1534?-1584

An een schoon dochter van Audenaerde, de welcke begheerde
vanden Autheur ghecontrefaict te zyne   1167
Een boerken van buyten, an een fraey steedsche Dochter   1169
Refereyn, an d'edele Violieren t'Andwerpen   1171
Uit: Lucas d'Heere: Den hof en boomgaerd der poësien. Met
inleiding en aantekeningen door W. Waterschoot. Zwolle, 1969.

JAN VAN DER NOOT   ca.1538 — 1596-1601
   Sonet   1174
   Sonet   1175
   Sonet   1176
   Sonet   1177
   Liedeken   1178
   Apodixe   1179
   [Ghelyck t'Castilliaens...]   1179
   Ode   1180
Uit: Jan van der Noot: Het Bosken en Het Theatre. Inleiding en
aantekeningen van W.A.P. Smit met medewerking van
W. Vermeer. Utrecht, 1979.
   Sonet   1180
Uit: The Olympia Epics of Jan van der Noot. A facsimile edition
of 'Das Buch Extasis', 'Een cort begryp der XII. boecken
Olympiados' and 'Abrege des douze livres Olympiades' edited by
C.A. Zaalberg. Assen, 1956.
   De Poëet aen synen Boeck. Sonet   1181
Uit: Werner Waterschoot: De "Poeticsche Werken" van Jonker
Jan van der Noot. Analytische bibliografie en tekstuitgave met
inleiding en verklarende aantekeningen (...). Gent, 1975.

PHILIPS VAN MARNIX VAN ST. ALDEGONDE   1540-1598
   [Aan Lucas de Heere]   1182
Uit: Richt mijne saeck. Bloemlezing uit de religieuze lyriek van
Philips van Marnix van St. Aldegonde. Gekozen en toegelicht door
J. Meerkerk. Amsterdam, 1963.

JAN VAN HOUT 1542-1609
   [Uit Douza's album amicorum]   1183
Uit: De Nederlandsche renaissance-dichter Jan van Hout door
J. Prinsen J.Lzn. Amsterdam, 1907.
   [Opschrift boven een der poorten van het Leidse
   stadhuis]   1184

Uit: Beschrijvinge der stadt // Leyden. // (...) vergadert / ende beschreven door I.I. Orlers, OB // Tot Leyden (...) Anno CICICCXLI. (1641)

ADRIAEN VALERIUS ca.1575-1625

[Verdrag van hulpverlening met Engeland gesloten (1585)] 1185

Adriaen Valerius: Nederlandtsche Gedenck-clanck. Herdrukt naar de oorspronkelijke uitgaaf van 1626. Ingeleid en voorzien van biografische, taalkundige, historische en musicologische aanteekeningen door P.J. Meertens, N.B. Tenhaeff en A. Komter-Kuipers. Amsterdam-Antwerpen, 1947

KATHERINA BOUDEWYNS

Een ander [schoon liedeken] 1186

Uit: Het prieelken der gheestelyker wellusten. Met inleiding en aanteekeningen van Hermance van Belle. Antwerpen-Santpoort, 1927.

[De monstergeboorte van Joure] 1188

Uit: F.K.H. Kossmann: De Nederlandsche straatzanger en zijn liederen in vroeger eeuwen. Amsterdam, 1941.

JACOB CELOSSE

Refereyn op de Reghel [Soo sal Rethorica veracht recht weder bloeyen] 1193

Uit: J.J. Mak: Uyt ionsten versaemt. Retoricale studiën 1946-1956. Zwolle, 1957.

BARTHOLOMEUS BOECKX

Twalef Ouderdomme, oft tijden der Menschen, gecompareert tegens de twaelf maenden van den jare 1197

A. I.

De gheestelijcke Jacht 1200

Uit: J.F. Willems: Berigten wegens eenige nederduitsche dichters. III. Bartholomeus Boeckx. In: Belgisch Museum voor de nederduitsche tael- en letterkunde en de geschiedenis des vaderlands, uitgegeven (...) door J.F. Willems. Negende deel. Gent, 1845.

Triumph des Doods 1202

Uit: C.P. Burger Jr.: Gedichten, op losse bladen gedrukt. In: Het Boek. Tweede reeks van het Tijdschrift voor Boek- en Bibliotheekwezen. 15e jaargang. Den Haag, 1926.

REGISTER VAN TITELS EN BEGINREGELS

*apostrofs en leestekens aan begin en
eind van de regels zijn weggelaten*

28 meye. Een andre. 1543 942

ABC van Maria 406

Ach meer dan ach vindic die sulke 671

Ach moeder van ontfaermicheden 184

Achte in een balade 821

Aenminnichste Bevelichste Curieuse 406

Aensich dinen verledenen tijt 264

Aensiet de vrouwen hoe si gaen 266

Aen siet wan ghi comen sijt 265

Aensijet hoe lustelijc is ons die koele meij ontdaen 718

Aen vrouwen en leghet gheen macht 79

Al ben ick desolaet en bedroeft inwendich 1130

Al binnen der hooger mueren 574

Aldicht, oft van woordt te woorde 812

Al droevet die tijt ende die vogheline 35

Al dunct den lieden meest algader 133

Al hadde wy vijfenveertich bedden 547

Al had ghy Cresus rijcdom, of Mathusalems pacht 807

Alle chierhede van eerderike 457

Alle mijn gepeys doet mi so wee 778

Alle Reyne Eerbaere Cuussche vrauwen ter eeren 932

Almachtig God, der glorien Heere 333

Aloeette, voghel clein 241

Als alle die cruydekens spruyten 521

Als de weerelt turbelt in een bedectelic quaet 1061

Alse die vogel vroelichen 26

Als een man gehout is, soo is hy gesint 1073

Als ghij thegen ein meysken wilt kouten 1156

Als ick bemercke hoe alle diversche diere 652

Als ick peijse om des tijdts onlancheijt 431

Als int huwelick die twe ghepaerde 692

Als lief met lieve es lief en wert 694

Alsmen duysent vierhondert schreef 449

Och troost van blijscapen est al vergheten 702
O cranc onseker broosch engien 232
Ode 1180
O decksel sprack sij van mijnen borstkens 704
O eeuwige wijsheit, daer menich jaer 397
O God almachtich ghebenedijt 745
O Hartogh van Gelder bint ghy er in huys 617
O Heer, die daar des hemels tente spreidt 1185
O Jhesus bant, o vierich brant 981
O mensche, peinst in aller tijt 455
O menschelijck pack vol stinckende hooverdije 623
O mynsche overdenck dyn leven 375
O mynsche warop wildi u verlaeten 332
Onghenate 254
Onlancks ten es niet langhe leden 707
Onlancx bezwaert zynde met melancolyen 884
Onlancx geraeckt zijnde vander minnen vier 866
Ons is geboren een kindekijn 565
Ons kompt een schep, geladen 462
Ons Leven inder Weerelt es een kiste vul Aerbeydts 925
Ontfermhertichste Here die noit genadeloos 408
O ongenadige doot, bloetgierige beeste 838
Op een rivier quam ic ghegaen 283
O radt van avontueren 795
O rethorijcke, auctentijcke, conste lieflijcke 465
O rijck God al ben ic nu bedroeft 731
O snode fortuin, waardig om haten 1156
O tyrannich werck ghi sijt dat my beven doet 733
O Venus' bant, o vierich brant 976
Overvloedigen rijckdom, noch armoede groot 1081
O wee, das ich so wael weys 254
O wel moechdi u verhogen 369

Packebier es van veel schulden gheruumd 812
Padden ende slangen syn fenyn 374
Pampier dat is soo drooghe 1021
Pater grijpt doch eenen moet 1097
Perchevael broeder, lieve gheselle 319
Prelate die Gode niet en ontsien 161

Quid expectamus nunc 9

1257

REGISTER VAN DE STOKREGELS VAN DE REFREINEN

Al lachende wordick myns gheldekens quijte 707
Als ic haer omtrent ben isser een te vele 733
Al sijdij ghebeten ghij en syt niet ghegeten 646
Ay! sterven, sterven is een hert gelach! 724

Benedicamus Domino, Deo gracias 633
Benedicite wie mach dese loghene lieghen 704

Daer heb ick luttel sorghen voer 710
Daer lief daer ooghe, daer handt daer seer 422
Daghelicx verghanck, schoon ghenoughelick niet 925
Dan ist quaet rethorisyn syn oft predicant 1061
Dees syn werdich in die gilde ghescreven 683
Den drincpot maect menigen geldeloos 748
De sulcke mogen thouwelyc wel beclagen 1064
Die bate es syne, die scaye es mijne 649
Die loon sal u die pyn versoete 674
Doer donconstighe gaet die conste verloren 465
DuerRydt vry den trypzack, maer therte doch wacht 938
Dus mach ick wel wenen voer mijn misdaet 431

Een hebic getrout, och mocht icse laten! 866
Een man es een man wat leyt aen die langhe beenen 679
Een pintken wyns, eenen stoop asyns, geen huys sonder cruys 904
Een sack vol moren, een stinckende prije 623
Een vrauwe meest noodt es de dienst van een vuldere 945
Eest wonder, al wert de werelt geplaecht? 845
Elc doe sijn neringhe ende swijch al stille 689
Elc heeft een vreemt geestgen dat hem quelt 666
End in teecken van dien heeft Neptunus hier dit cakenbeen
    ghelaeten 913

Gheen maetken vol voort over loopt 426
Gheen pyne en gaet boven jalozye 642
Ghenoechte der wereldt is druck int hende 415
Ghy alle die blaemte van Rhetorica spreken 920
God weet wie die geen is daer ict om lije 656

Heere, hebt ghij u kercke gheheel vergheten? 828
Het is een goet scutter diet al gheraect 662
Hi en derf altijt niet clagen die eens verhuecht 728
Hier om is sy de constichste der consten 1171
Hoe mach iemende meer gelucks gebueren 669
Hoe souden ezels pooten op herpen spelen? 880
Hoe vriendelijck dat haer ooghskens pincken 424
Hoe weeldiger leven, hoe swaerder doot 895
Houdt tant voor tonghe ende swijcht al stille 434

Ic loich duer thoren der melodijen 697
Ic loich ic en conste my niet bedwinghen 659
Ic salt avonturen al solt mij smerten 1150
In myn Ketel comt ghildekens Cuusch ick net 935
Isse sulc soe isse soos es 700
Ist niet een helle op aertrijke 692
Ist niet op derde een hemelrijke 694

Jesus, Davidts sone, ontferm u myns 900

Ke liefken dat en had ic u niet toe betrout 702

Loff stock daer elc moide hert op rust 639
Lof Vadere, lof Sone, lof Heylich Gheest 773
Lyff, stoet mij omme, offt ic valle alleine 1147

Maer lasen nu ist al ghedaen 731
Maer tgaet nu verre buten screven 742
Maer this jammer datse soe wanckelbaer sijn 677
Meer zuers dan soets moet ic eenpaerlijck drincken 862
Men vint veel Jans, al en heetense soo niet 1073
Mer lacen hoe saen ist al vergheten 671
My beroudt soe hertelijck mijn sondich leven 408
My docht dat ic in roode rooskins lach 818

Noch schyndt Merten van Rossom de beste van tween 884
Noynt en doght 't groeysel van valschen zade 1134
Noyt lieflyck lief en had so lief 635
Nu segt mi wie heeft den prijs gewonnen 757

Och God hoe sal ick die noot ghecraken 745
O doot, hoe bitter is u ghedincken! 838

O doot u moets wel een bitter morseel sijn 652
Om sotkens lachen die meiskens wel 1152
Ongebonden best, weeldich man zonder wijf 858
Ongebonden best, weeldich wijf sonder man 854

Pap ende broodt in doude daghen 417
Priesters zijn menschen als ander liên 891

Rapen moet wel syn een ghesonde spijs 686
Reyn vrauwelick ghezelschap verchiert een feeste 932
Rijc God waer is den tijt ghevaren? 813

Seght haer dit altemale en groetse my duysentfaut 815
Selc soect de goey nachten en verliest de goey daghen 833
Soe mach ick wel wenen voer mijn misdaet 431
Soo sal Rethorica veracht recht weder bloeyen 1194
Staet betacht men saeydter gheluck 428
Sweirels samblant is als dryfsant: niet sonder Godt 1077
Sy es my seer verre lief die u seer naer es 713

Thelpt der herten, dat den mond den noodt wat claeght 871
Tquaetste datter af comt zijn barvoete kinderen 750
Tsijn al maechden tot dat den buyck op gaet 754
Tsijn eertsche duvels, die de menscen quellen 821

U lieffde, lieff, heeft my uut lieffden genesen 1067

Verwyft te zyne gaet boven alle plaghen 875
Vonnest my, naer hu ghenaeden, niet naer myn zonden 952
Voor een cleyn vruecht so menich verdriet 995, 997

Want ghi en hebt niet dat mi dient 787
Want ghi sijt al die weerelt alleene 740
Want sonder hem prijsic die doot 737
Want vont men gheen coopers, men vonde gheen dieven 1142
Wat joncheyt doet, dats duer natuere 1071
Way soonken hebdi alree ghedaen 760
Wie datse bemind, mind zinen verrare 807

Zuypen en zeecken, en niemant niet gheven, dat es u leven 1138
Zyn zy niet zot die hem daer up betrauwen 927